PRINCIPAUX GROUPES FONCTIONNELS

Structure	Type de composés	Exemple	Nom	Emploi
C. Groupes fonctionnels azotés				
$—NH_2$	amine primaire	$CH_3CH_2NH_2$	éthylamine	préparation de colorants et produits pharmaceutiques
$—NHR$	amine secondaire	$(CH_3CH_2)_2NH$	diéthylamine	produits pharmaceutiques
$—NR_2$	amine tertiaire	$(CH_3)_3N$	triméthylamine	attractif d'insecte
$—C≡N$	nitrile (cyanure)	$CH_2=CHCN$	acrylonitrile	fabrication de l'orlon
D. Groupes fonctionnels oxygénés et azotés				
$—\overset{+}{N}\overset{\overset{O}{\|\|}}{}\,O^-$	composés nitrés	CH_3NO_2	nitrométhane	carburant pour fusées
$—\overset{\overset{O}{\|\|}}{C}—NH_2$	amide primaire	$NH_2\overset{\overset{O}{\|\|}}{C}NH_2$	urée	fertilisant
E. Groupes fonctionnels halogénés				
$—X$	halogénure d'alkyle ou d'aryle	CH_3Cl	chlorure de méthyle	agent réfrigérant et anesthésique local
$—\overset{\overset{O}{\|\|}}{C}—X$	halogénure d'acyle	$CH_3\overset{\overset{O}{\|\|}}{C}Cl$	chlorure d'acétyle	agent acétylant
F. Groupes fonctionnels sulfurés				
$—SH$	thiol	CH_3CH_2SH	éthanethiol	odorant pour détecter les fuites de gaz
$—S—$	thioéther	$(CH_2=CHCH_2)_2S$	sulfure d'allyle	odeur d'ail
$—\overset{\overset{O}{\|\|}}{\underset{\underset{O}{\|\|}}{S}}—OH$	acide sulfonique	$CH_3—\langle\bigcirc\rangle—SO_3H$	acide para-toluenesulfonique	acide organique fort

Introduction à la chimie organique

Harold Hart

Professor Emeritus
Michigan State University (East Lansing, Michigan)

Introduction à la chimie organique

Texte français, adaptation et compléments de

Jean-Marie Conia

Professeur Emérite
Université de Paris-Sud (Orsay)

Quatrième tirage revu et corrigé

InterEditions

L'édition originale de cet ouvrage a été publiée aux Etats-Unis par Houghton Mifflin Company, Boston, sous le titre *Organic Chemistry, A Short Course, Seventh Edition.*
© 1987 by Houghton Mifflin Company.

ISBN 2-7296-0155-4

TABLE DES MATIERES

CHAPITRE 2
Alcanes et cyclanes. Isomérie conformationnelle et isomérie géométrique

CHAPITRE 3
Alcènes et alcynes

TABLE VII DES MATIERES

TABLE   VIII   DES MATIERES

TABLE IX DES MATIERES

TABLE   X   DES MATIERES

TABLE XI DES MATIERES

TABLE XII DES MATIERES

TABLE   XIII   DES MATIERES

CHAPITRE 14
Amino-acides, peptides, protéines

CHAPITRE 15
Nucléotides et acides nucléiques

CHAPITRE 16
Polymères, produits pharmaceutiques et spectroscopie

A. Polymères

TABLE   XV   DES MATIERES

PREFACE

Les professeurs Harold Hart, de Michigan State University (East Lansing), et Jean-Marie Conia, de l'Université de Paris-Sud (Orsay), présentent une *Introduction à la chimie organique* à l'attention des étudiants francophones en sciences, médecine et pharmacie.

Il est clair que l'étude de la chimie organique, bien que discipline simple *a priori* , exige du travail, de la méthode et, de plus en plus, une certaine puissance d'abstraction pour saisir la cohérence existant entre des composés chimiques apparemment très éloignés les uns des autres, et entre des réactions apparemment étrangères les unes aux autres.

Ce dont l'étudiant débutant a besoin, en plus du cours magistral et des travaux dirigés, c'est d'un livre clair, intéressant et qui expose simplement les faits essentiels de la chimie organique. Il lui faut comprendre la structure des composés, comment on les obtient, leurs propriétés et leurs réactions.

Cet ouvrage doit aussi lui montrer que, si la chimie n'est pas encore pour le moment une science exacte, elle a aussi cessé d'être descriptive. Elle permet d'interpréter et d'expliquer le mécanisme de nombreuses réactions. Ainsi l'enthousiasme de l'étudiant sera éveillé et il comprendra l'intérêt de telles études.

Un tel ouvrage existe maintenant. Il est le fruit d'une collaboration rare, unique et féconde entre deux éminents chimistes organiciens, l'un américain et l'autre français.

En effet, dans ce livre, les auteurs présentent les faits de manière claire et élégante et montrent que la chimie organique d'aujourd'hui fait appel à l'intelligence et même à l'imagination de l'étudiant plutôt qu'à sa mémoire. Ils ne manquent pas de lui signaler souvent le rôle important de cette discipline dans les domaines les plus divers et les plus avancés: médecine et biochimie, pharmacie, vie quotidienne de tout être humain, etc. Ils lui laissent entrevoir aussi, notamment dans les nombreux entrefilets "A propos de....", les développements à venir et, dans cette optique, le grand intérêt de la recherche fondamentale.

Incontestablement, les auteurs ont atteint leur objectif, à savoir montrer que la chimie organique est une discipline séduisante et qu'elle mérite de retenir les meilleurs esprits.

Sir Derek Barton
Juillet 1987

PRESENTATION DE L'EDITION FRANCAISE

Le cours de Harold Hart, *Organic Chemistry, A Short Course* (7e édition) constitue la base de ce livre. Ce cours, en tant que tel, s'adresse notamment aux étudiants en médecine humaine, en médecine vétérinaire, en pharmacie, en dentisterie, et à ceux dont la formation nécessite des connaissances plus ou moins étendues en chimie organique fondamentale: agriculture, biologie, techniques médicales, etc.

A cette base ont été ajoutés, à l'occasion de l'adaptation en langue française, des compléments d'ordre purement chimique, relatifs notamment à la réaction organique et aux divers modes de synthèse, qui font de cette *Introduction à la chimie organique* un livre également destiné aux futurs chimistes et biochimistes.

Ce manuel a été expérimenté, lors d'une édition préliminaire, auprès d'un groupe d'étudiants de l'Université Catholique de Louvain à Louvain-la-Neuve. Leurs remarques et leurs suggestions, ainsi que celles de leurs professeurs et assistants, ont été mises à profit dans l'édition définitive de cette adaptation française.

Remerciements

Nous remercions les Professeurs Léon Ghosez et Heinz G.Viehe, et le Dr. Anne-Marie Hesbain-Frisque de l'Université Catholique de Louvain à Louvain-la-Neuve, ainsi que leurs collègues: Geneviève Coppe-Motte, Philippe Delis, Véronique Gouverneur, Bénédicte Legros, Robert Merenyi, Willy Millet et Paul Van Brandt .

Nous exprimons notre vive reconnaissance à Sir Derek Barton, Prix Nobel de chimie 1969, pour le grand honneur qu'il nous a fait en acceptant de préfacer cette *Introduction à la chimie organique* .

Harold Hart
Jean-Marie Conia
Juillet 1987

Sur la chimie organique et la langue française

> On ne peut perfectionner la science...,
> sans perfectionner le langage.
> Lavoisier (1785)

Nombreux sont les Français qui, à juste titre, s'inquiètent du déclin de leur langue et qui, essentiellement soucieux de sa pureté, veulent la préserver des néologismes choquants, c'est-à-dire faire obstacle notamment à l'invasion de l'anglais.

Mais une telle invasion n'est pas à l'origine du déclin de la langue française.

Un autre aspect du problème, en réalité plus préoccupant et que la plupart des non scientifiques ignorent, c'est le décalage entre, d'une part, l'avancement des sciences et des techniques au cours des récentes décennies et, d'autre part, la mise à jour du français scientifique et notamment de son vocabulaire.

Ce problème est celui, plus ou moins ressenti, de toutes les disciplines, mais il est particulièrement grave pour la chimie organique. En effet, si le décalage est déjà important pour la chimie en général, longtemps considérée en France comme une partie mineure de la physique, il est beaucoup plus sérieux pour la chimie organique, dont le développement théorique a été très poussé récemment, dont les applications dans la vie courante ont été spectaculaires, ce qui a nécessité un renouvellement constant de son vocabulaire auquel la langue française n'a pas participé.

Dans cette *Introduction à la chimie organique*, il m'a donc fallu utiliser, comme d'autres avant moi, nombre de mots anglais, la plupart plus ou moins francisés, tous de consonance française, mais ignorés jusqu'ici des dictionnaires français. Voici la liste des plus importants, limitée au vocabulaire nécessaire à l'enseignement et à la compréhension de la chimie organique élémentaire:

Equilibration, numérotation, titration. En réalité, il y a longtemps que ces mots sont entrés dans le langage courant, les utilisateurs chimistes les ayant inconsciemment et fort justement préférés aux mots trop techniques: équilibrage, numérotage, titrage, pourtant les seuls admis théoriquement jusqu'ici. Qui a jamais parlé, par exemple, de l'équilibrage d'une réaction chimique?

Interconversion et *interconvertir,* deux mots très utiles pour exprimer ce qui se passe dans une réaction.

Stéréochimie, stéréoisomérie, stéréospécificité, stéréosélectivité, régiosélectivité, régiospécificité, vocabulaire spécifique à la chimie dans l'espace.

Protique, aprotique, protoner, protonation, déprotoner, déprotonation, des mots indispensables permettant de décrire le rôle énorme du proton en chimie organique.

Réactant. Ce substantif n'a pas d'équivalent français. En effet, un réactant n'est pas un réactif, car c'est une entité (molécule, ion, radical libre ou atome) qui entre en jeu dans une réaction. Dans la nitration du benzène, par exemple, les réactifs sont les acides nitrique et sulfurique, mais les réactants sont le benzène et l'ion nitronium. L'adoption du mot "réactant" a un autre avantage, celui de pouvoir rejeter l'appellation "produits initiaux" qui, avec les "produits finaux" (ou finals), constituent encore les tenants et les aboutissants de beaucoup de réactions françaises. Appellation malheureuse, car lorsqu'on parle de "produits initiaux" et de "produits finaux", on donne au substantif deux sens différents et l'on fait un pléonasme très vicieux. On parlera donc souvent dans ce livre des réactants et des produits des réactions.

Réplication. Il existe des équivalents français tels que copie, fac-similé ou réplique. Mais le mot anglais *replication* est maintenant universellement adopté et l'on étudiera dans ce livre, par exemple, la réplication des acides nucléiques.

Stéréoisomère, diastéréoisomère, énantiomère, conformère, rotamère, épimère, anomère, dont la signification est précise et qui, sauf *énantiomère*, n'ont pas de synonyme.

Hétérolyse, homolyse, ammoniolyse, hydrogénolyse, alcoolyse, solvolyse, etc., qui s'ajoutent à *hydrolyse* et à *ozonolyse*, les seuls mots chimiques en *lyse* connus des dictionnaires français.

Nous emploierons également d'autres substantifs, toujours ignorés des dictionnaires français, mais néanmoins utilisés depuis des décennies:

Orbitale, substituant, hétéroatome, covalence (curieusement, *électrovalence* est, en revanche, un mot reconnu français)

Concertation (dans son sens "synchronisme"), *délocalisation, insaturation, stœchiométrie,*

Electrophile, nucléophile, diénophile,

Cyclisation, tautomérisation, métallation,

Aldolisation, alkylation, amination, diazotation, énolisation, etc.

Nous utiliserons aussi des substantifs plus récents, tels que *chiralité* et *achiralité*, et enfin de nombreux adjectifs dérivés des substantifs ci-dessus: *radicalaire, orbitalaire, liant, antiliant, chiral, achiral, prochiral, électrovalent, covalent, conformationnel, configurationnel, vibrationnel, rotationnel, stéréosélectif, stéréospécifique, régiosélectif, stœchiométrique, alicyclique, électrocyclique, péricyclique, carbocyclique*, etc.

En ce qui concerne le **genre**, masculin ou féminin, des noms des composés chimiques, j'ai cru sage de suivre les usages, car il semble trop tard pour apporter ne serait-ce qu'un peu de logique dans ce dédale. On sait, en effet, que par suite de décisions anciennes et dont l'origine est absconse, qu'il s'agisse des noms vulgaires ou des noms systématiques, les acides, alcools, aldéhydes, nitriles, amides, imides, etc., les enzymes, les cations, les anions, etc., seraient masculins; mais les cétones, lactones, amines, imines, hydrazones, etc., les diastases, les morphine, quinine, cocaïne (et autres alcaloïdes), etc., seraient féminines! Aux acides on a donné, en général, le genre masculin, aux bases le genre féminin et à leur progéniture, les sels et les esters, le genre masculin! Les amino-acides font exception car, bien qu'à la fois acide et base, leurs noms sont féminins: glycine, alanine, leucine, etc., sauf le tryptophane et deux autres, l'acide aspartique et l'acide glutamique, qui ont alors, il est vrai, deux groupes acides et un seul groupe basique...

Le genre neutre n'existant pas en français, on aurait pu penser que nos anciens auraient eu la sagesse de choisir un seul genre pour tous les composés organiques. Il n'en a rien été, ce qui constitue un autre handicap de la langue française. Car le genre des noms de ces composés, qui embarrasse souvent les francophones, sera toujours un casse-tête pour le chimiste étranger qui se risque à publier ses travaux en français.

Quant à la **nomenclature** utilisée dans ce livre, j'ose espérer qu'elle ne choquera personne. C'est, en effet, la seule question de mon enquête préalable à l'adaptation française de ce livre qui ait reçu une réponse unanime: oui! il est temps de suivre maintenant la nomenclature internationale et d'en finir ainsi avec les difficultés que rencontre de temps à autre tout lecteur francophone de la littérature en général.

On sait que la nomenclature française en chimie organique s'est voulue différente de la nomenclature anglo-saxonne, internationale, en particulier dans la position des numéros des substituants attachés au squelette hydrocarboné, principal, de la molécule. Considérant ce numéro comme un adjectif, les Anglo-Saxons le placent logiquement avant le nom du substituant concerné. Mais les Français le placent après, ce qui est beaucoup moins logique, car en français l'adjectif ne se place pas systématiquement après le nom. Et puis la langue française a-t-elle quelque chose à gagner dans le maintien, contre vents et marées, de détails de ce genre?

J'ai donc suivi la nomenclature internationale, celle que rencontrera le chimiste organicien, dans plus de 90% des cas, quand il devra consulter la littérature chimique.

Jean-Marie Conia
Août 1987

INTRODUCTION

A l'attention de l'étudiant

Qu'est-ce que la chimie organique ?

A priori le terme "organique" suggère que la chimie organique traite des organismes ou des êtres vivants. En effet, à l'origine, elle ne s'intéressait qu'aux substances obtenues à partir de la matière vivante. A la fin du XVIIIe et au début du XIXe siècle, la plupart des chimistes s'occupaient surtout d'extraction, de purification et d'analyse de substances d'origines animale et végétale, motivés qu'ils étaient tant par leur curiosité que par leur recherche de nouveaux médicaments, colorants, etc.

Mais on s'aperçut peu à peu que la plupart des composés d'origines animale et végétale étaient différents des autres comme les composés minéraux. Ainsi, ils ne sont constitués que de quelques éléments: carbone, hydrogène, oxygène, azote, parfois soufre, phosphore, et quelques autres. Mais le carbone est virtuellement présent dans toutes ces substances, d'où la définition actuelle: la chimie organique est la chimie des composés du carbone, définition qui inclut alors, non seulement les composés naturels, mais aussi les composés synthétiques, c'est-à-dire ceux qui ont été ou qui sont préparés pour la première fois au laboratoire.

Composés organiques synthétiques

Les savants ont longtemps pensé que les composés présents dans la matière vivante étaient différents des autres substances en ce qu'ils possédaient une certaine **force vitale**, immatérielle. Cette idée découragea les chimistes de faire, dans leur laboratoire, la synthèse des composés organiques. Mais, en 1828, l'Allemand F.Wöhler, alors âgé de 28 ans, prépara fortuitement de l'urée, un constituant bien connu de l'urine, en chauffant une substance inorganique (ou minérale), le cyanate d'ammonium.

Enthousiasmé par ce résultat, il écrivit dans une lettre à son premier professeur de chimie, le Suédois J.J. Berzélius: "Je puis faire de l'urée sans utiliser pour cela un rein ou même un animal, homme ou chien." Cette expérience et d'autres analogues discréditèrent peu à peu la théorie de la force vitale et ouvrirent la voie à la chimie organique moderne.

La synthèse consiste d'ordinaire à construire des structures moléculaires complexes à partir de molécules plus simples ou (et) plus accessibles. Mais, pour faire une molécule comportant beaucoup d'atomes à partir d'autres qui n'en comportent que peu, il faut savoir comment lier ces atomes les uns aux autres; autrement dit, il faut savoir comment créer et comment rompre les liaisons chimiques. La synthèse de l'urée par Wöhler était fortuite, mais une telle synthèse est beaucoup plus avantageuse quand elle est faite rationnellement et sciemment, de telle manière que dans leur assemblage les atomes soient reliés correctement les uns aux autres en donnant le produit désiré.

Des liaisons chimiques sont créées et d'autres sont rompues dans les réactions chimiques. Dans ce livre l'étudiant examinera quelques réactions typiques et leur intérêt dans la formation de nouvelles liaisons. Il apprendra ainsi comment assembler des molécules de manière spécifique, utile pour la synthèse.

Pourquoi faire des synthèses ?

A l'heure actuelle, le nombre de composés organiques synthétisés dans les laboratoires de recherche et par l'industrie chimique est de loin supérieur à celui des composés naturels isolés à partir des végétaux et des animaux. Pourquoi est-il donc si important de savoir synthétiser des molécules? Il y a plusieurs raisons à cela.

D'abord, la synthèse en laboratoire d'un produit naturel peut être intéressante parce que ce dernier est ainsi plus facilement accessible et moins cher que celui fourni par la nature. Nombreux sont les types de composés d'abord isolés à partir de sources naturelles et maintenant préparés synthétiquement: vitamines, amino-acides, antibiotiques, camphre, indigo, etc. Malgré le sens péjoratif qu'on donne parfois au mot "synthétique", qui implique alors quelque chose d'artificiel, le produit en question préparé par synthèse est néanmoins identique à celui que fournit la nature.

Un autre intérêt de la synthèse est qu'elle permet de créer de nouvelles substances qui pourront avoir des propriétés plus intéressantes que celles des produits naturels. Ainsi, des produits synthétiques comme le nylon ou l'orlon ont des propriétés particulières qui en font des matières beaucoup plus utiles, dans de nombreux cas, que les fibres naturelles comme la soie, le coton et le chanvre. La plupart des produits pharmaceutiques tels que l'aspirine, l'éther, la novocaïne, les barbituriques, sont synthétiques. La liste des produits synthétiques que nous devons à l'industrie est en effet très longue: plastiques, détergents, insecticides, contraceptifs oraux, entre autres. Tous sont des composés carbonés, donc des composés organiques.

Enfin les chimistes organiciens font parfois la synthèse de composés nouveaux pour tester des théories chimiques et parfois aussi pour le plaisir. Certaines structures géométriques, par exemple, peuvent présenter un intérêt d'ordre esthétique et ce peut être un défi que de tenter la synthèse de molécules présentant un tel arrangement d'atomes. C'est le cas d'un hydrocarbure, le cubane C_8H_8, qui fut synthétisé pour la première fois en 1964; il a huit carbones occupant les huit coins d'un cube, chacun d'eux étant lié à un hydrogène et à trois autres carbones:

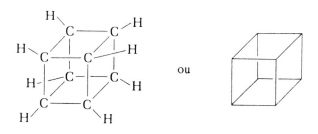

cubane, C_8H_8

F 130-131° C

P.E. Eaton (Université de Chicago), 1964

De même on a synthétisé des hydrocarbures (composés ne comportant que des carbones et des hydrogènes) correspondant à des figures à trois dimensions, telles que le prismane, les rotanes et le dodécaédrane:

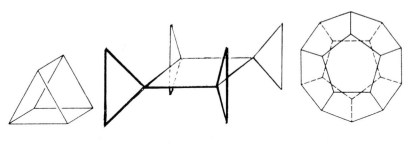

prismane, C_6H_6
(liquide)
T.J. Katz
Univ[té] Columbia (1973)

[4]- rotane, $C_{12}H_{16}$
F 76-78°
J.M. Conia et J.M. Denis
Univ[té] de Paris-Sud (1969)

dodécaédrane, $C_{20}H_{20}$
cristaux, F non précisé
L. Paquette
Univ[té] d'Etat de l'Ohio (1982)

La chimie organique dans la vie quotidienne

Plus que toute autre science, la chimie organique a son rôle dans notre vie de tous les jours. Presque toutes les réactions qui ont lieu dans la matière vivante mettent en jeu des substances organiques et il est impossible de comprendre la vie, tout au moins du point de vue physique, sans connaître la chimie organique. Les principaux constituants de la matière vivante: protéines, hydrates de carbone, lipides (corps gras), acides nucléiques (ADN, ARN), membranes cellulaires, enzymes, hormones, etc., sont organiques et l'on verra leurs structures dans la dernière partie de ce livre. Ces structures sont complexes et, pour les comprendre, il faut d'abord examiner les molécules plus simples.

On se trouve quotidiennement en contact avec d'autres substances organiques telles que l'essence, l'huile et les pneus de nos automobiles, le bois et le papier de nos meubles et de nos livres, nos vêtements, nos médicaments, nos sacs de plastique, nos films photographiques, nos parfums, nos tapis, etc. Tous les jours, dans les journaux ou à la télévision, on parle de polyéthylène, de résines époxy, de nicotine, de saccharine, de corps gras non saturés, de cholestérol, d'indice d'octane. Tous ces mots se rapportent à des substances organiques qu'on examinera dans ce livre.

Bref, la chimie organique est plus qu'une branche de la science pour le chimiste ou pour le médecin, le dentiste, le vétérinaire, le pharmacien, l'infirmière ou l'agriculteur. Elle fait partie de notre culture technologique.

Sur les problèmes que comporte ce livre

La clé du succès dans l'étude de la chimie organique est surtout l'examen et la résolution de problèmes.

Chaque chapitre de ce livre expose un grand nombre de faits qu'il faut assimiler. Les connaissances du l'étudiant s'accroissant graduellement, il est essentiel pour lui, afin de comprendre la suite, d'avoir à l'esprit ou d'avoir la possibilité de se remémorer ce qui a été examiné avant. Pour apprendre et retenir tous ces faits, la lecture attentive et la relecture du texte sera nécessaire mais non pas suffisante. Il lui faudra aussi savoir utiliser ses connaissances et cela ne lui sera possible qu'en faisant beaucoup de problèmes.

Ce livre en comporte plusieurs types. Certains, appelés *Exemples de problème*, sont insérés dans le texte de chaque chapitre et immédiatement suivis d'une solution. Le plus souvent, ils sont aussi suivis de *Problèmes* , inclus également dans le texte du chapitre, et dont l'objectif est le renforcement immédiat de la connaissance du lecteur. Ils permettent à celui-ci de tester cette connaissance et de s'assurer de sa compréhension. A la fin de chaque chapitre, enfin, se trouvent des *Problèmes supplémentaires* ; les premiers sont essentiellement des exercices, mais les autres font davantage appel à la réflexion.

L'étudiant aura intérêt à faire le maximum de problèmes, seul, ou mieux, avec quelques camarades et, en cas de difficultés, à demander l'aide d'un assistant.

L'utilisation de *modèles moléculaires* lui sera ici souvent d'un précieux secours et, d'une façon générale, dans l'étude de la chimie organique.

CHAPITRE 1

A LIAISONS ET ISOMERIE

Dans ce premier chapitre seront abordés quelques concepts assez abstraits relatifs aux modes de formation des liaisons entre atomes. Malgré leur abstraction, ils sont importants car ils permettent de concevoir la structure des molécules et leurs réactions avec d'autres molécules. Il se peut que certains de ces concepts soient assez familiers au lecteur étudiant qui a pu déjà les rencontrer. Ce dernier pourra alors survoler chacun des paragraphes du chapitre pour se rendre compte de son savoir et il tentera de faire les problèmes. S'il n'éprouve alors aucune difficulté, il pourra sans crainte sauter le paragraphe en question. Mais, si ce n'est pas le cas, il aura intérêt à étudier soigneusement le chapitre entier, car tout au long du livre, on appliquera fréquemment les concepts suivants.

1.1 Disposition des électrons dans les atomes

Les atomes comportent un **noyau** petit et dense entouré d'**électrons.** Le noyau est chargé positivement et renferme la quasi-totalité de la masse de l'atome. Il est constitué de **protons**, qui sont positifs, et de **neutrons**, qui sont neutres. La seule exception est le noyau de l'hydrogène qui n'est constitué que d'un seul proton. La charge positive du noyau est exactement équilibrée par la charge négative des électrons qui l'entourent. Le nombre de protons du noyau ou le nombre (égal) de ses électrons est le **numéro atomique** de l'élément. Sa **masse atomique** est approximativement égale à la somme du nombre de protons et du nombre de neutrons du noyau, les électrons étant, en comparaison, d'une extrême légèreté.

On s'intéressera notamment aux électrons, car leur nombre et leur disposition dans un atome sont la clé de ses réactions avec d'autres atomes qui forment les molécules. Seule sera ici considérée la disposition des électrons des atomes les plus légers, car ces derniers sont les plus importants en chimie organique.

Les électrons sont concentrés dans certaines régions de l'espace autour du noyau, appelées **orbitales**, chacune d'elles ne pouvant contenir plus de deux électrons.

Ce sont les domaines où l'on dit que la **densité électronique** est maximale. Dans le cas des atomes isolés il s'agit d'**orbitales atomiques.** Dans le cas des atomes liés des molécules, les orbitales fusionnées sont dites **orbitales moléculaires** (voir plus loin). Les orbitales atomiques diffèrent par leur forme leur taille; on les désigne par les lettres s, p et d. Elles sont groupées en **couches**, désignées par les numéros 1, 2, 3, etc., chaque couche pouvant comporter, selon son numéro, des types et des nombres différents d'orbitales.

Table 1.1
Les différents types d'orbitales atomiques

N° de la couche	Nombre d'orbitales de chaque type			Nombre total d'électrons des couches remplies
	s	p	d	
1	1	0	0	2
2	1	3	0	8
3	1	3	5	18

Table 1.2
Répartition électronique des dix-huit premiers éléments

Nombre atomique	Elément	Nombre d'électrons dans les orbitales				
		$1s$	$2s$	$2p$	$3s$	$3p$
1	H	1				
2	He	2				
3	Li	2	1			
4	Be	2	2			
5	B	2	2	1		
6	C	2	2	2		
7	N	2	2	3		
8	O	2	2	4		
9	F	2	2	5		
10	Ne	2	2	6		
11	Na	2	2	6	1	
12	Mg	2	2	6	2	
13	Al	2	2	6	2	1
14	Si	2	2	6	2	2
15	P	2	2	6	2	3
16	S	2	2	6	2	4
17	Cl	2	2	6	2	5
18	Ar	2	2	6	2	6

Par exemple, la couche 1 ne comporte qu'un seul type d'orbitale, qu'on appelle orbitale $1s$; la couche 2 ne comporte que deux types, l'orbitale $2s$ et trois orbitales $2p$; la couche 3 comporte trois types: l'orbitale $3s$, les trois orbitales $3p$ et cinq orbitales $3d$. Ensuite, les nombres d'orbitales s, p et d des couches supérieures sont respectivement 1, 3 et 5.

Ces règles permettent de connaître le nombre d'électrons par couche remplie (voir table 1.1). La table 1.2 montre comment sont répartis les électrons dans les couches et les orbitales des dix-huit premiers éléments

Table 1.3	Groupe	I	II	III	IV	V	VI	VII	VIII
Electrons de valence des dix-huit premiers éléments		H·							He:
		Li·	Be·	·Ḃ·	·Ċ·	·N̈:	·Ö:	:F̈:	:N̈e:
		Na·	Mg·	·Al·	·Si·	·P̈·	·S̈:	:Cl·	:Är·

Remarquons que la première couche est remplie chez l'hélium (He) et tous les éléments suivants et que la seconde est remplie chez le néon (Ne) et aussi chez les éléments suivants. Ces couches remplies ne jouent aucun rôle dans les liaisons chimiques. Ce sont les couches externes ou **couches de valence** qui interviennent surtout dans ces liaisons et ce sont elles qui seront essentiellement l'objet de notre attention.

La table 1.3 montre les **électrons de valence**, c'est-à-dire ceux de la couche externe, des dix-huit premiers éléments. Les lettres H, He, Li, etc., symbolisent ici le noyau de l'élément avec ses couches remplies et les points représentent les électrons de valence. Les éléments sont disposés en colonnes, celles du tableau périodique et, sauf pour l'hélium, les numéros de ces colonnes correspondent au nombre des électrons de valence de ces éléments.

L'orbitale atomique dont le niveau d'énergie est le plus bas (ou dont la "stabilité" est la plus grande) est l'orbitale $1s$, la plus près du noyau. D'un niveau d'énergie juste supérieur est l'orbitale $2s$. Toutes les orbitales s sont des sphères dont le noyau occupe le centre. L'orbitale $2s$ est plus grande, donc moins "stable" que l'orbitale $1s$.

D'énergie un peu plus élevée que l'orbitale $2s$ se placent les trois orbitales $2p$ (d'égale énergie). Elles ont la forme d'haltères (voir figure 1.1), le noyau de l'atome se tenant entre les deux lobes. L'axe de chaque orbitale $2p$ est perpendiculaire aux axes des deux autres. On les différencie par les symboles $2p_x$, $2p_y$ et $2p_z$.

Connaissant ainsi la **configuration électronique** (ou répartition électronique) des atomes, la forme et l'énergie des principales orbitales atomiques, on est maintenant prêt à s'attaquer au problème de la combinaison de ces atomes entre eux avec formation des liaisons chimiques.

1.2 Liaisons ioniques et liaisons covalentes

G.N. Lewis, alors professeur à l'Université de Californie à Berkeley, a proposé dès 1916 une théorie de la liaison chimique encore très utile aujourd'hui. Remarquant que l'hélium, gaz rare, inerte, n'a que deux électrons entourant son noyau et que le gaz rare qui le suit dans sa colonne, le néon, en a dix (2 + 8; voir table 1.2), il conclut que les atomes de ces gaz (on les pensait alors incapables de se combiner avec d'autres atomes) devaient avoir une configuration électronique très stable. Il suggéra en outre que les autres atomes devaient réagir de manière à acquérir une telle configuration stable et cela, soit par transfert complet d'électrons d'un atome à l'autre, soit par mise en commun d'électrons par ces deux atomes.

1.2a Composés ioniques

Les liaisons ioniques sont formées par transfert d'un ou de plusieurs électrons de valence d'un atome à l'autre. Celui qui abandonne le (ou les) électron(s) devient chargé positivement; c'est un **cation**. Celui qui reçoit le (ou les) électron(s) devient chargé négativement; c'est un **anion**. Une réaction typique de transfert d'électron est celle des atomes de sodium et de chlore qui donne du chlorure de sodium (ou sel de cuisine):

$$Na\cdot \quad + \quad \cdot\overset{..}{\underset{..}{Cl}}: \quad \rightarrow \quad Na^{-} \quad + \quad :\overset{..}{\underset{..}{Cl}}:^{-}$$

$$\text{(1.1)}$$

sodium	chlore	sodium	chlorure
(atome)	(atome)	(cation)	(anion)

L'atome de sodium n'a qu'un électron de valence (dans sa couche 3). En l'abandonnant, il acquiert la configuration électronique du néon et devient chargé positivement, donc un cation sodium. L'atome de chlore a sept électrons de valence. En acceptant un électron supplémentaire il acquiert la configuration électronique de l'argon et devient chargé négativement, donc un anion chlore (ou chlorure). Les atomes comme le sodium qui tendent à abandonner un (ou des) électron(s) sont dits **électropositifs**. Ceux, comme le chlore, qui tendent à accepter un (ou des) électron(s) sont dits **électronégatifs**.

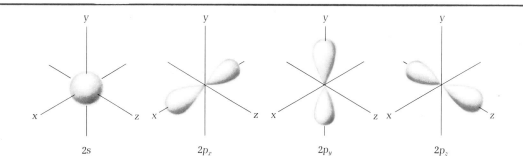

Figure 1.1   Formes de l'orbitale $2s$ et des trois orbitales $2p$ ($2p_x$, $2p_y$, $2p_z$) occupées par les quatre électrons de valence de l'atome de carbone. (Le noyau est à l'origine des trois axes de coordonnées; l'orbitale remplie $1s$ n'est pas représentée.)

Le produit de l'équation 1.1 est le chlorure de sodium, composé ionique formé d'un nombre égal d'ions sodium et d'ions chlore. En général, il y a formation d'un composé ionique lorsque des atomes fortement électropositifs se combinent avec d'autres fortement électronégatifs. Dans le cristal d'une substance ionique, la cohésion des ions est le résultat de la force attractive entre leurs charges opposées. Voir par exemple le cristal de chlorure de sodium de la figure 1.2.

Dans un certain sens, la liaison ionique n'est pas une vraie liaison. Les ions de charges opposées sont attirés l'un vers l'autre comme les pôles opposés d'un aimant. Dans le cristal ils sont empaquetés d'une manière définie, mais on ne peut pas dire que tel ion est connecté à tel autre. Et, bien sûr, quand la substance est dissoute, les ions sont séparés et capables de se mouvoir librement dans la solution.

Exemple de problème 1.1   Quelle doit être la charge de l'ion béryllium?

Solution   **La table 1.3 montre que le béryllium a deux électrons de valence. Pour acquérir la couche remplie de l'hélium, il doit perdre ces deux électrons de valence. Le cation béryllium portera donc deux charges positives: Be^{2+}.**

Problème 1.1   **En s'aidant de la table 1.3, dire quelle charge peut porter l'ion correspondant, quand chacun des éléments suivants réagit en formant un composé ionique: Al, F, Li, Mg, S, H.**

Exemple de problème 1.2   Du lithium et du béryllium, quel est l'atome le plus électropositif?

Solution   **Pour acquérir la répartition électronique de l'hélium, le lithium ne doit abandonner qu'un seul électron, tandis que le béryllium doit en abandonner deux. Le lithium est donc le plus électropositif. Une autre façon de voir les choses est de considérer que le noyau du lithium étant moins positif (charge +1) que le noyau du béryllium (charge +2), il est plus facile de lui enlever un électron que d'en enlever deux au béryllium.**

En général, dans une même rangée horizontale du tableau périodique, les éléments les plus électropositifs sont à l'extrême-gauche et les plus électronégatifs à l'extrême-droite. Dans une même colonne, les plus électropositifs sont en bas (ce sont eux qui ont le plus de couches remplies d'électrons entre le noyau et les électrons de valence, donc auxquels il est le plus facile d'enlever l'un de ces derniers) et les plus électronégatifs sont en haut.

Problème 1.2   **En s'aidant de la table 1.3, dire quel est l'élément le plus électropositif de chacune des paires suivantes: sodium ou aluminium? bore ou carbone? bore ou aluminium?**

Problème 1.3   **En s'aidant de la table 1.3, dire quel est l'élément le plus électronégatif de chacune des paires suivantes: oxygène ou fluor? oxygène ou azote? fluor ou chlore?**

Problème 1.4   **De par sa position dans la table 1.3, peut-on penser que l'atome de carbone doit être électropositif ou électronégatif?**

1.2b La liaison covalente

Les éléments qui ne sont ni fortement électropositifs ni fortement électronégatifs tendent à former des liaisons par mise en commun de paires d'électrons entre atomes et non plus par transfert complet d'électrons d'un atome à l'autre. La **liaison covalente** met en jeu ce partage d'une ou plusieurs paires d'électrons entre deux atomes.

Figure 1.2

Le chlorure de sodium Na⁺Cl⁻ est un cristal ionique. Les sphères colorées représentent des ions sodium Na⁺ et les sphères grises des ions chlorure Cl⁻. Tout ion, sauf ceux qui sont situés à la surface du cristal, est entouré par six ions de charge opposée.

Quand ces derniers sont identiques ou ont même électronégativité les paires d'électrons sont également partagées. C'est le cas de la molécule d'hydrogène.

$$H \cdot + H \cdot \rightarrow H : H + \text{chaleur} \qquad\qquad (1.2)$$

atomes   molécule

On peut considérer que, dans le processus du partage d'électrons, chaque atome d'hydrogène a rempli sa couche électronique; autrement dit, chacun d'eux "possède" alors les deux électrons mis en commun, ce que montrent les "cercles" colorés ci-après.

H : H   H : H

Quand deux atomes d'hydrogène se combinent pour former une molécule, il y a dégagement d'une assez importante quantité de chaleur. Inversement il faut fournir cette même chaleur, cette même énergie, pour rompre la molécule en ses deux atomes. Pour rompre une mole, à savoir 2 x 1 = 2 g, d'hydrogène moléculaire en atomes, il faut fournir 104 kcal (ou 435 kj*).

La liaison H—H est très forte. C'est surtout parce que la paire d'électrons de valence, mise en commun dans la molécule, est attirée par la charge positive des deux noyaux, tandis que, dans l'atome, l'électron ne subit l'effet que d'un noyau. Mais dans la molécule d'autres forces interviennent; ce sont les répulsions entre les deux noyaux d'une part et entre les deux électrons d'autre part. Il y a alors équilibre entre forces attractives et forces répulsives.

Les hydrogènes ne se séparent pas; ils restent liés l'un à l'autre et vibrent à une certaine distance l'un de l'autre, qu'on appelle **longueur de liaison**. Dans la molécule d'hydrogène, cette longueur, distance moyenne entre les noyaux, est 0,74 Å**.

* La plupart des chimistes organiciens expriment les quantités de chaleur en kilocalories; mais l'unité internationale, qui est aussi utilisée, est le kilojoule (1 kcal = 4,184 kj).
** L'angström (1 Å) vaut 10^{-8} cm; la longueur de la liaison H—H est donc 0,74 x 10^{-8} cm.

1.3 Le carbone et la liaison covalente

Examinons maintenant le carbone et ses liaisons. On représente l'atome par le symbole $\cdot\dot{\text{C}}\cdot$, la lettre C figurant le noyau avec la première couche électronique, les quatre points figurant les quatre électrons de valence.

Avec ces quatre électrons, la couche de valence est à moitié remplie (ou à moitié vide). Les atomes n'ont tendance ni à perdre leurs quatre électrons (et devenir C^{4+}) ni à en gagner quatre (et devenir C^{4-}). Situé en effet au milieu du Tableau Périodique, le carbone n'est ni fortement électropositif, ni fortement électronégatif. Il forme au contraire des liaisons covalentes avec d'autres atomes par mise en commun d'électrons. C'est le cas, par exemple, avec quatre atomes d'hydrogène, chacun d'eux apportant un électron de valence. La substance en question est le **méthane**. C'est aussi le cas avec quatre atomes de chlore; la substance est alors le **tétrachlorure de carbone**.

$$
\begin{array}{cccc}
\text{H} & \text{H} & \ddot{\text{Cl}} & \text{Cl} \\
\text{H:\dot{C}:H} \quad\text{ou}\quad \text{H—C—H} & & \text{:Cl:\dot{C}:Cl:} \quad\text{ou}\quad \text{Cl—C—Cl} \\
\text{H} & \text{H} & \ddot{\text{Cl}} & \text{Cl}
\end{array}
$$

méthane   tétrachlorure de carbone

Par la mise en commun de paires d'électrons les atomes complètent ainsi leur couche de valence. Dans ces deux exemples le carbone a maintenant ses huit électrons; dans le méthane les quatre hydrogènes ont complété leur couche de valence (la couche 1) à deux électrons et dans le tétrachlorure de carbone les quatre chlores ont complété la leur (la couche 3) à huit électrons. Toutes les couches de valence sont ainsi remplies et les composés sont alors très stables.

On appelle **liaison covalente** une paire d'électrons qui, mise en commun par deux atomes, les lie l'un à l'autre (il y a attraction des noyaux par les deux électrons). On représente habituellement la liaison simple par un tiret, comme le montre ici la deuxième formule du méthane et du tétrachlorure de carbone.

Exemple de problème 1.3 **Donner la formule développée du chlorométhane (ou chlorure de méthyle) CH$_3$Cl.**

Solution

$$
\begin{array}{ccc}
\text{H} & & \text{H} \\
\text{H:\dot{C}:\ddot{Cl}:} & \text{ou} & \text{H—C—Cl} \\
\text{H} & & \text{H}
\end{array}
$$

Problème 1.5   **Donner la formule développée du dichlorométhane (ou chlorure de méthylène) et celle du trichlorométhane (ou chloroforme) CHCl$_3$.**

1.4 La liaison simple carbone-carbone

La propriété unique des atomes de carbone, qui donne aux chimistes la possibilité de construire effectivement des millions de composés organiques, est leur aptitude presque illimitée à partager des électrons, non seulement avec d'autres atomes de carbone, mais aussi avec des atomes autres que le carbone. Par exemple, dans l'éthane et dans l'hexachloroéthane, chaque carbone est lié respectivement à trois atomes d'hydrogène et à trois atomes de chlore.

$$H \overset{\overset{\displaystyle H}{|}}{\underset{\underset{\displaystyle H}{|}}{C}} : \overset{\overset{\displaystyle H}{|}}{\underset{\underset{\displaystyle H}{|}}{C}} : H \quad \text{ou} \quad H-\overset{\overset{\displaystyle H}{|}}{\underset{\underset{\displaystyle H}{|}}{C}}-\overset{\overset{\displaystyle H}{|}}{\underset{\underset{\displaystyle H}{|}}{C}}-H \qquad :\!\overset{..}{\underset{..}{Cl}}\!: \overset{..}{\underset{..}{C}} : \overset{..}{\underset{..}{C}} :\!\overset{..}{\underset{..}{Cl}}\!: \quad \text{ou} \quad Cl-\overset{\overset{\displaystyle Cl}{|}}{\underset{\underset{\displaystyle Cl}{|}}{C}}-\overset{\overset{\displaystyle Cl}{|}}{\underset{\underset{\displaystyle Cl}{|}}{C}}-Cl$$

éthane   hexachloroéthane

Bien qu'ayant deux carbones, ces composés ont des propriétés analogues à celles du méthane et du tétrachlorure de carbone respectivement.

La liaison carbone-carbone de l'éthane, comme la liaison hydrogène-hydrogène de la molécule d'hydrogène, est purement covalente avec la même mise en commun d'électrons par les deux atomes de carbone identiques. Tout comme on l'a vu pour la molécule d'hydrogène, il faut de la chaleur pour rompre ici la liaison carbone-carbone en deux fragments CH_3 (qu'on appelle radicaux méthyles, un radical étant un fragment qui comporte un nombre impair d'électrons non partagés).

$$H-\overset{\overset{\displaystyle H}{|}}{\underset{\underset{\displaystyle H}{|}}{C}} : \overset{\overset{\displaystyle H}{|}}{\underset{\underset{\displaystyle H}{|}}{C}}-H \xrightarrow{\Delta} 2\, H-\overset{\overset{\displaystyle H}{|}}{\underset{\underset{\displaystyle H}{|}}{C}}\cdot$$

(1.3)

éthane   radical méthyle

Il faut cependant moins de chaleur (88 kcal, c'est-à-dire 368 kj par mole) pour rompre la liaison carbone-carbone de l'éthane que la liaison hydrogène-hydrogène de la molécule d'hydrogène. La première est donc un peu plus faible et, d'autre part, elle est plus longue (1,54 Å) que la liaison H—H (0,74 Å). La rupture de la liaison carbone-carbone par la chaleur, telle qu'elle est représentée par l'équation 1.3, est la première étape du craquage des pétroles, procédé industriel important de préparation de l'essence (voir "A propos du pétrole" page 116).

Exemple de problème 1.4   Que peut-on penser de la longueur de la liaison C—H du méthane ou de l'éthane?

Solution   Elle est probablement intermédiaire entre la longueur de la liaison H—H (0,74 Å) et celle de la liaison C—C de l'éthane (1,54 Å). La valeur réelle est voisine de 1,09 Å.

Problème 1.6   Quelle est la plus longue des liaisons: H—H ou C—Cl, C—C ou C—Cl, sachant que la longueur de la liaison Cl—Cl est 1,98 Å ?

Problème 1.7   Connaissant la structure de l'éthane, écrire celle du propane C_3H_8.

Il n'y a presque aucune limite au nombre de carbones susceptibles d'être liés les uns aux autres, certaines molécules comportant des chaînes de plus de cent liaisons carbone-carbone. On appelle parfois **caténation** cette aptitude d'un élément à former des chaînes par des liaisons entre ses atomes. Les atomes de carbone peuvent ainsi former des chaînes continues et l'on verra qu'ils peuvent aussi former des chaînes ramifiées et des cycles de tailles variées.

1.5 Liaisons covalentes polaires

On a vu qu'il peut y avoir liaison de covalence, non seulement entre atomes identiques (H—H, C—C), mais aussi entre atomes différents (C—H, C—Cl), pourvu qu'ils ne diffèrent pas trop en électronégativité. Les électrons ne sont pas alors également partagés entre les deux atomes concernés et une telle liaison est parfois appelée **liaison covalente polaire**, l'un des atomes portant une charge partielle négative et l'autre une charge partielle positive.

Exemple de liaison covalente polaire: celle de la molécule de chlorure d'hydrogène (acide chlorhydrique). Les atomes de chlore sont plus électronégatifs que les atomes d'hydrogène, mais la différence de leurs électronégativités est telle qu'ils forment encore une liaison covalente plutôt qu'une liaison ionique. La paire d'électrons est alors plus attirée par le chlore qui est donc légèrement négatif, tandis que l'hydrogène est légèrement positif. On symbolise cette polarisation de la liaison par une flèche dont la pointe est négative et dont on marque la queue par le signe "plus"; on peut aussi écrire les charges partielles δ^+ et δ^- (qu'on nomme "delta plus" et "delta moins") sur les atomes concernés.

$$
\overset{\longrightarrow}{\text{H :Cl:}} \qquad \text{ou} \qquad \overset{\delta+\ \ \ \ \delta-}{\text{H :Cl:}} \qquad \text{ou} \qquad \overset{\delta+\ \ \ \ \delta-}{\text{H—Cl:}}
$$

La paire d'électrons liants (ceux qui constituent la liaison) est inégalement partagée; elle se trouve plus près du chlore.

On peut se reporter au tableau périodique (table 1.3) pour décider des extrémités positive et négative d'une liaison covalente polaire donnée. En parcourant de gauche à droite une période déterminée, on passe à des éléments de plus en plus électronégatifs, parce que leur numéro atomique, donc la charge de leur noyau, est de plus en plus grand. Et en parcourant de haut en bas une colonne donnée, on passe à des éléments de moins en moins électronégatifs, parce que les électrons de valence sont de plus en plus protégés de l'effet du noyau par le nombre croissant d'électrons des couches internes. On peut donc prévoir que, dans chacune des liaisons suivantes, c'est l'atome de droite qui est négatif.

$$
\overset{\longrightarrow}{\text{C—N}} \qquad \overset{\longrightarrow}{\text{C—Cl}} \qquad \overset{\longrightarrow}{\text{H—O}} \qquad \overset{\longrightarrow}{\text{Br—Cl}}
$$
$$
\overset{\longrightarrow}{\text{C—O}} \qquad \overset{\longrightarrow}{\text{C—Br}} \qquad \overset{\longrightarrow}{\text{H—S}} \qquad \overset{\longrightarrow}{\text{Si—C}}
$$

Problème 1.8   **Quelle doit être la polarité des liaisons N—Cl et S—O ?**

La liaison C—H, si commune en chimie organique, est assez particulière, car les électronégativités du carbone et de l'hydrogène sont presque identiques. Elle est donc presque purement covalente. Sa longueur, dans le méthane ou l'éthane, est de 1,09 Å, intermédiaire entre celles des liaisons H—H et C— C.

Exemple de problème 1.5   Indiquer la polarisation des liaisons du tétrachlorure de carbone.

Solution

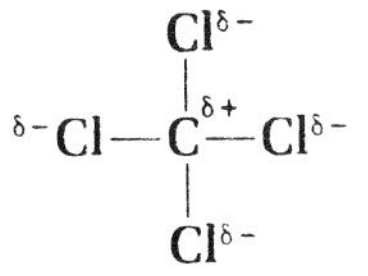

$$\overset{Cl^{\delta-}}{\underset{Cl^{\delta-}}{\overset{\mid}{{}^{\delta-}Cl - \overset{\delta+}{C} - Cl^{\delta-}}}}$$

Le chlore est plus électronégatif que le carbone. Dans chaque liaison C—Cl les électrons sont donc déplacés vers le chlore.

Problème 1.9   Ecrire la formule développée du liquide réfrigérant qu'est le dichlorodifluorométhane (Fréon 12) en indiquant la polarité des liaisons au moyen de la flèche +—>.

Problème 1.10   Développer la formule de l'alcool méthylique CH_3OH en indiquant la polarité des liaisons au moyen de la flèche +—>.

1.6 Liaisons covalentes multiples

Pour compléter leur couche de valence les atomes peuvent parfois mettre en commun plus d'une paire d'électrons. C'est le cas du dioxyde de carbone (anhydride carbonique) CO_2. Le carbone a quatre électrons de valence et chacun des oxygènes en a six. Une formulation qui permet à chacun des trois atomes de compléter sa couche de valence est:

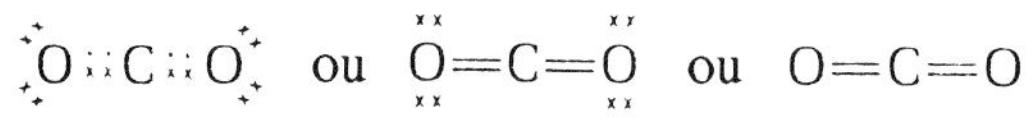

$$\overset{.}{\underset{.}{O}}::C::\overset{.}{\underset{.}{O}} \quad ou \quad \overset{..}{\underset{..}{O}}=C=\overset{..}{\underset{..}{O}} \quad ou \quad O=C=O$$

$$\quad A \qquad\qquad B \qquad\qquad\quad C$$

Dans la formule A les points représentent les électrons du carbone et les croix ceux des oxygènes; dans B sont indiqués les liaisons et les électrons non partagés des oxygènes; dans C on n'écrit que les liaisons covalentes. Les "cercles" colorés des formules ci-après montrent que chacun des trois atomes est entouré de huit électrons de valence.

$$\overset{..}{O}::C::\overset{..}{O} \qquad \overset{..}{O}::C::\overset{..}{O} \qquad \overset{..}{O}::C::\overset{..}{O}$$

Deux paires d'électrons sont mises en commun par le carbone et chacun des deux oxygènes. On appelle donc de telles liaisons des **liaisons doubles.** D'autre part, chaque oxygène porte **deux paires d'électrons non liants** ou **électrons non partagés.**

Le cyanure d'hydrogène (acide cyanhydrique) HCN est un exemple de composé simple comportant une triple liaison, c'est-à-dire une liaison dans laquelle sont mises en commun trois paires d'électrons.

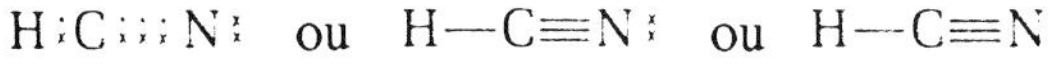

$$H:C:::N: \quad ou \quad H-C\equiv N: \quad ou \quad H-C\equiv N$$

cyanure d'hydrogène

Problème 1.11   Montrer, en les entourant comme ci-dessus, comment chacun des trois atomes du cyanure d'hydrogène complète sa couche de valence.

Exemple de problème 1.6   Dire ce qui est inexact dans l'arrangement électronique suivant du dioxyde de carbone:

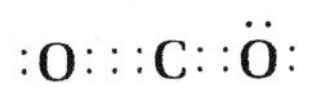

$$:O:::C::\ddot{O}:$$

Solution   La formule comporte le nombre total correct d'électrons de valence (16) et chaque oxygène est bien entouré de huit de ces électrons. Mais le carbone en a alors *dix*, à savoir deux de trop.

Problème 1.12   Montrer ce qui est inexact dans les arrangements électroniques suivants du dioxyde de carbone:

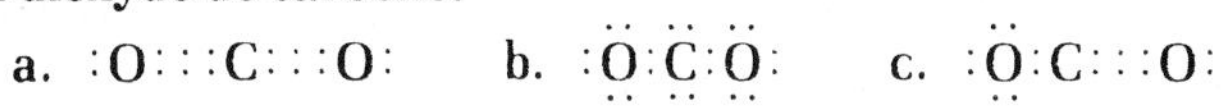

a. $:O:::C:::O:$ b. $:\ddot{O}:\ddot{C}:\ddot{O}:$ c. $:\ddot{O}:C:::O:$

Problème 1.13   La formule brute du formaldéhyde est H_2CO. Ecrire une formule montrant comment sont disposés les électrons de valence.

Problème 1.14   Ecrire la formule du monoxyde de carbone CO avec tous ses électrons de valence.

Les atomes de carbone peuvent être liés les uns aux autres, aussi bien par des liaisons doubles ou triples que par des liaisons simples. Ainsi, il existe trois hydrocarbures (composés ne comportant que des atomes de carbone et d'hydrogène) dont les molécules ont deux atomes de carbone: l'éthane, l'éthylène et l'acétylène.

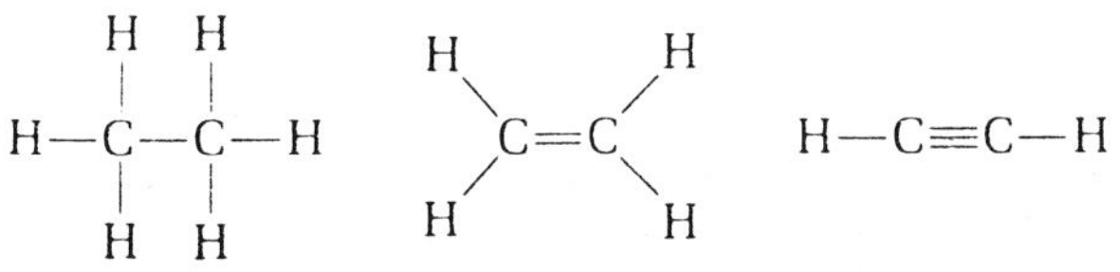

éthane   éthylène   acétylène

Ils diffèrent en ce sens qu'ils ont respectivement une simple, une double et une triple liaison. Comme on le verra plus tard, leurs réactivités chimiques sont très différentes, à cause de ces liaisons différentes.

Exemple de problème 1.7   Ecrire la formule du composé C_3H_6 qui comporte une double liaison.

Solution   On écrit d'abord les trois carbones avec la double liaison: C = C—C. On ajoute alors les hydrogènes de telle manière que chaque carbone ait ses huit électrons périphériques (ou de telle manière que de chacun d'eux partent quatre liaisons):

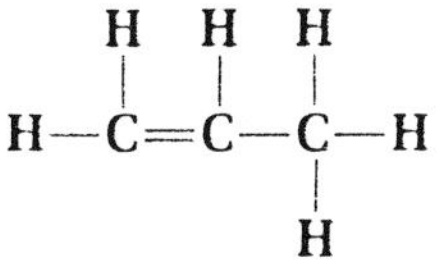

Problème 1.15   Ecrire les structures différentes d'au moins trois composés de formule C_4H_8 qui comportent une double liaison.

1.7 Valence

D'après son origine (le latin *valentia*, puissance ou capacité), la valence d'un élément est le pouvoir de se combiner. En fait, pour nous, c'est tout simplement le nombre de liaisons qu'il peut avoir. Le plus souvent ce nombre est égal au nombre d'électrons nécessaires pour remplir la couche de valence de l'atome. La table 1.4 rassemble les valences courantes de quelques éléments.

Remarquons la différence entre valence et électrons de valence. L'oxygène, par exemple, a la valence 2, mais 6 électrons de valence. Dans la table 1.4, on voit que ces deux nombres ne sont égaux que chez l'hydrogène et le carbone. Mais dans tous les cas, la somme des deux est égale à celle des électrons de la couche remplie.

Table 1.4 Valences des éléments les plus courants	**Elément**	H·	·C̈·	·N̈:	·Ö:	:F̈:	:C̈l:
	Valence	1	4	3	2	1	1

Les valences de la table 1.4 sont inchangées, que les liaisons soient simples, doubles ou triples. Le carbone, par exemple, a quatre liaisons dans toutes les formules qu'on a écrites jusqu'ici: méthane, éthane, éthylène, acétylène, dioxyde de carbone, tétrachlorure de carbone, etc. Il faut retenir ces valences pour pouvoir écrire correctement les formules.

Exemple de problème 1.8   Avec des tirets représentant les liaisons, écrire les formules développées d'un composé C_3H_4 respectant les valences 1 de l'hydrogène et 4 du carbone.

Solution   Il y a trois possibilités:

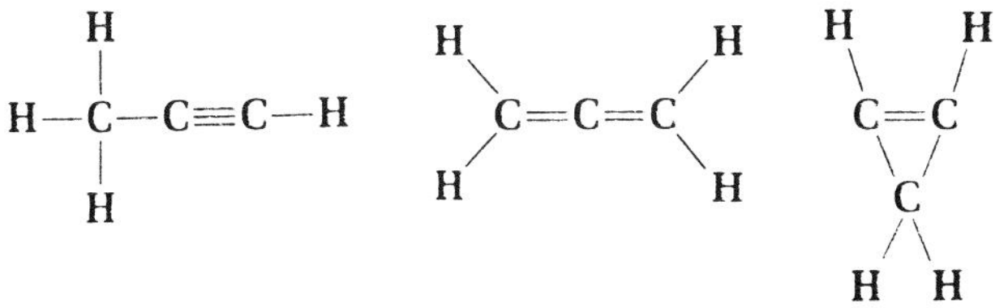

On connaît effectivement trois composés qui répondent respectivement à chacune de ces trois formules.

Problème 1.16   Avec des tirets représentant les liaisons et en utilisant les valences de la table 1.4, écrire des structures pour:
a. CH_5N b. CH_4O.

Problème 1.17   La formule C_2H_5 est-elle celle d'une molécule stable?

Dans l'exemple de problème 1.8, on a vu qu'on peut lier les uns aux autres trois carbones et quatre hydrogènes de trois manières différentes, satisfaisant toutes trois aux valences de ces derniers. Examinons maintenant cela d'un peu plus près.

1.8 Isomérie

La **formule brute** ou **formule moléculaire** d'une substance ne donne que les nombres et les types d'atomes qui la constituent. Sa **formule développée** ou **formule structurale** montre comment ces atomes sont disposés les uns par rapport aux autres; autrement dit, elle précise leur arrangement. Ainsi la formule moléculaire de l'eau H_2O nous indique que chaque molécule comporte deux atomes d'hydrogène et un atome d'oxygène. Par contre, sa formule développée H—O—H nous en dit plus; elle précise que les hydrogènes sont tous deux liés à l'oxygène et non pas l'un à l'autre.

Comme on l'a vu précédemment (paragraphe 1.7), il est souvent possible d'arranger les mêmes atomes de plusieurs manières, tout en respectant leur valence. De telles molécules sont des **isomères** (du grec *isos*, égal et *meros*, partie). Les **isomères de constitution** ou **isomères structuraux** sont des composés de même formule moléculaire, mais de formules développées différentes. Examinons, par exemple, une paire donnée d'isomères.

On connaît deux substances de même formule moléculaire C_2H_6O, mais très différentes l'une de l'autre; l'une est un liquide bouillant à 78,5°C; l'autre est un gaz à la température ordinaire (Eb – 23,6°C). La seule explication d'une telle différence est un arrangement différent des atomes dans les molécules de ces deux substances.

Effectivement, il y a deux et seulement deux formules développées en C_2H_6O satisfaisant aux valences 4 du carbone, 2 de l'oxygène et 1 de l'hydrogène. Ce sont:

$$\begin{array}{ccccccc} & H & H & & & H & & H \\ & | & | & & & | & & | \\ H- & C- & C- & O-H & \quad \text{et} \quad & H-C- & O- & C-H \\ & | & | & & & | & & | \\ & H & H & & & H & & H \end{array}$$

Dans l'une, les deux carbones sont connectés l'un à l'autre par une liaison covalente simple; dans l'autre, tous deux sont connectés à l'oxygène.

Maintenant se pose le problème suivant: à quel arrangement correspond la substance liquide et auquel correspond la substance gazeuse? On peut résoudre cela de plusieurs façons. Dans le cas présent, un simple test chimique suffit. Le liquide C_2H_6O (appelé alcool éthylique ou éthanol) réagit avec le sodium métal en donnant un dégagement d'hydrogène et un nouveau composé C_2H_5ONa. Par contre, le gaz C_2H_6O (appelé diméthyléther ou éther diméthylique) ne réagit pas du tout avec le sodium métal. L'explication la plus raisonnable est que l'alcool éthylique doit être représenté par une formule développée dont un hydrogène est différent des cinq autres, celui qui est lié à l'oxygène et qui doit pouvoir être remplacé par un atome de sodium. Par contre, dans l'éther diméthylique les six hydrogènes sont identiques, tous liés à un carbone, et aucun n'est remplaçable par un atome de sodium. On peut donc relier chacune des deux formules développées à son nom et à ses propriétés.

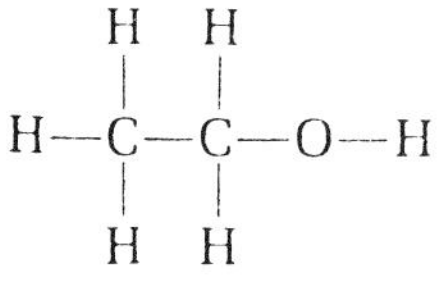

H   H
| |
H—C—C—O—H
| |
H   H

alcool éthylique
Eb 78,5°C

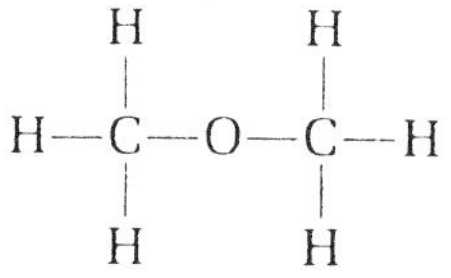

H   H
| |
H—C—O—C—H
| |
H   H

diméthyléther
Eb -23,6°C

On a beaucoup d'autres preuves expérimentales de ces structures. On donnera d'ailleurs plus loin (chapitres 7 et 8) une explication des différences de propriétés, notamment des points d'ébullition (plus de 100°) de ces substances, dues aux arrangements différents de leurs atomes dans les molécules.

Bref, l'alcool éthylique et l'éther diméthylique sont des isomères de constitution. Ils ont même formule brute, mais des formules développées différentes. Les différences de leurs propriétés physiques et chimiques sont la conséquence de leurs structures moléculaires différentes.

Problème 1.18 **Ecrire les formules développées de tous les isomères possibles en C_3H_8O (il y en a trois).**

1.9 Ecriture des formules développées

Dans l'étude de la chimie organique, il faudra écrire nombre de formules développées et les suggestions suivantes auront leur intérêt. Examinons donc un autre type d'isomérie: l'**isomérie de position.** (Il s'agit en fait d'un cas particulier d'isomérie structurale.)

Supposons, par exemple, qu'on veuille écrire toutes les formules développées répondant à la formule brute C_5H_{12}. Commençons par écrire une **chaîne continue** de cinq carbones, qu'on appelle aussi **chaîne droite** (alors qu'on verra, par exemple p. 60, qu'elle est en réalité en zigzag).

C — C — C — C — C
chaîne continue

Cette chaîne met en jeu une valence de chacun des deux carbones extrêmes et deux valences de chacun des trois carbones internes. Il reste trois valences aux deux premiers et deux valences aux trois autres carbones pour autant de liaisons avec des hydrogènes, d'où la formule développée:

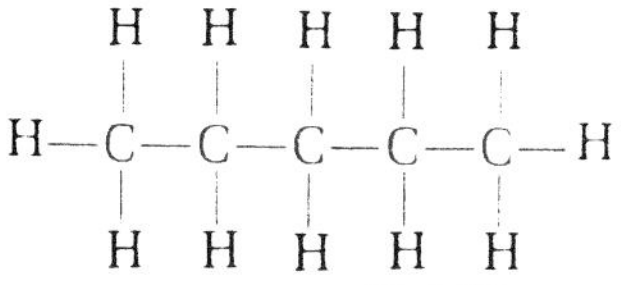

H   H   H   H   H
| | | | |
H—C—C—C—C—C—H
| | | | |
H   H   H   H   H

n-pentane, Eb 36°C

Pour trouver les formules développées des autres isomères, on doit considérer des **chaînes ramifiées.** On peut, par exemple, réduire à quatre le nombre de carbones de la chaîne la plus longue et connecter le cinquième à l'un des carbones internes, comme dans:

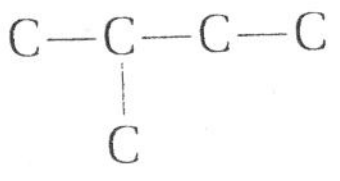

$$C-\overset{\displaystyle |}{\underset{\displaystyle |}{C}}-C-C$$
$$\quad\ C$$

chaîne ramifiée

En écrivant toutes les liaisons C—H et sachant que le carbone a la valence 4, on constate que trois des carbones sont liés à trois hydrogènes, un autre à deux hydrogènes et un cinquième à un seul, la formule moléculaire restant cependant C_5H_{12}.

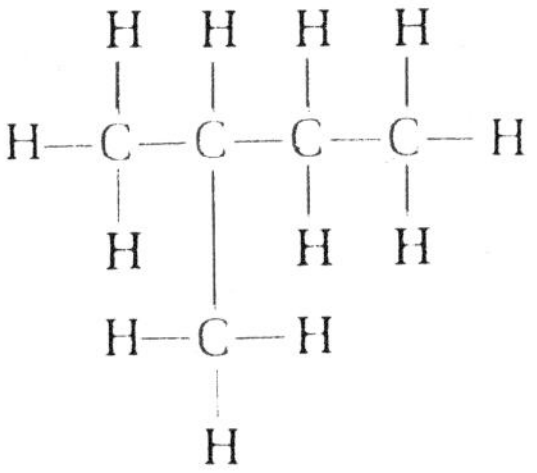

isopentane ou 2-méthylbutane
Eb 28°C

Supposons maintenant que, conservant la chaîne de quatre carbones, on connecte le cinquième successivement sur chacun d'eux; considérons donc les enchaînements suivants:

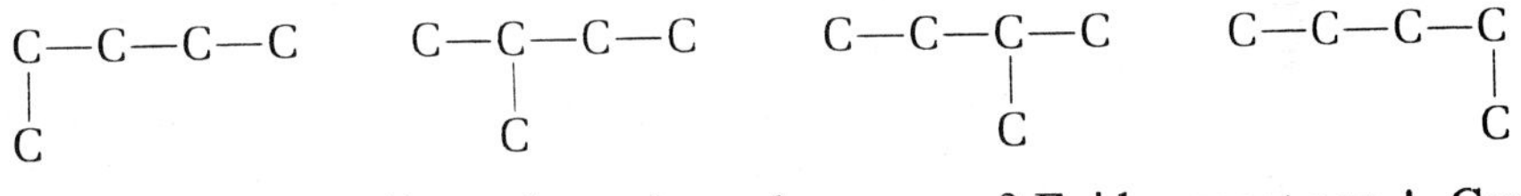

Nous apportent-ils quelque chose de nouveau? Evidemment non ! Car les deux extrêmes ont la même chaîne continue, celle du *n*-pentane, et ceux du centre ont la même chaîne ramifiée, celle de l'isopentane.

Mais il existe un troisième isomère en C_5H_{12}. On le constate en réduisant à trois le nombre de carbones de la chaîne la plus longue et en connectant les deux autres au même carbone central.

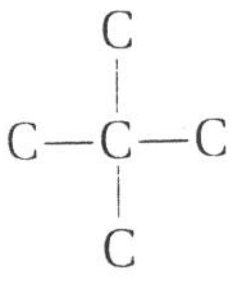

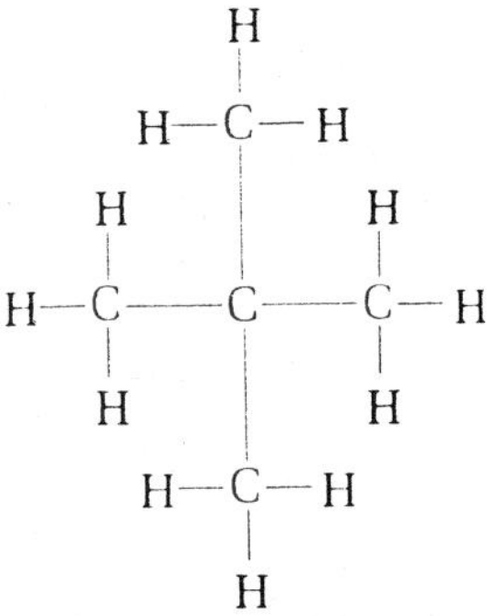

néopentane ou 2,2-diméthylpropane
Eb 10°C

En écrivant tous les hydrogènes, on voit que le carbone central n'est lié à aucun d'eux.

Ainsi, on ne peut écrire que trois et seulement trois formules développées différentes répondant à la formule brute C_5H_{12}; on ne connaît, en effet, que trois substances chimiques différentes ayant une telle formule; ce sont le pentane normal, l'isopentane et le néopentane. C'est un exemple typique d'isomérie de position.

Un autre exemple de cette isomérie est celui de l'alcool propylique et de l'alcool isopropylique qui ne diffèrent que par la position du groupe OH (hydroxyle).

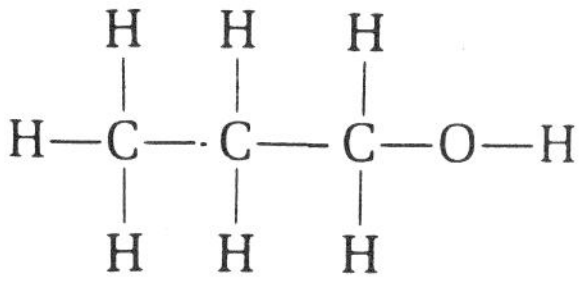

alcool propylique

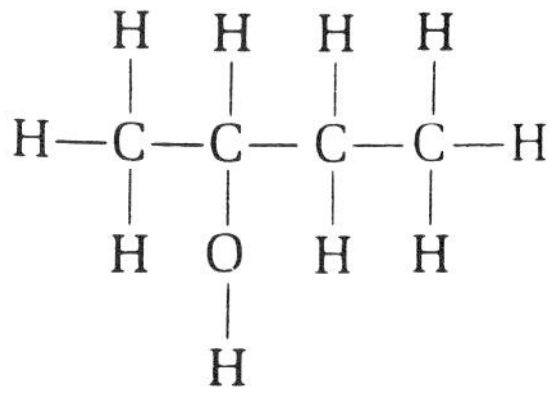

alcool isopropylique

Problème 1.19   **A quel isomère C_5H_{12} correspond chacune des trois formules développées suivantes?**

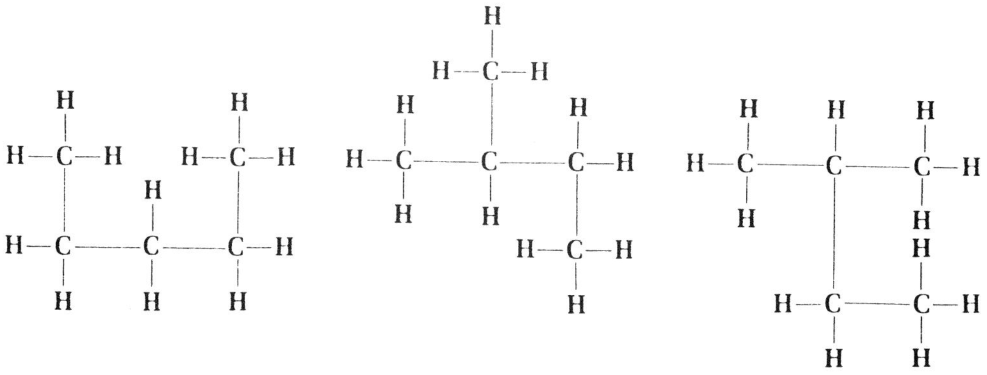

1.10 Abréviation des formules développées

Les formules développées, telles qu'on les a écrites jusqu'ici, sont peu commodes. Leur écriture nécessite une surface importante et passablement de temps, d'où l'utilisation courante de simplifications n'enlevant rien à la signification de ces formules. On peut, par exemple, écrire ainsi la formule développée de l'alcool éthylique:

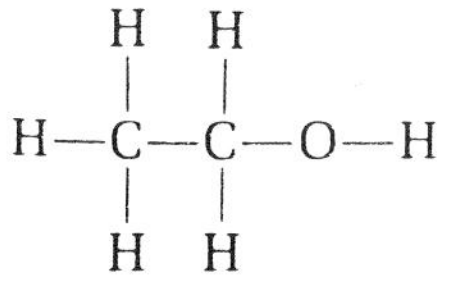

ou $CH_3 - CH_2 - OH$ ou CH_3CH_2OH

Chacune de ces trois formules montre que, dans la molécule, deux carbones sont liés l'un à l'autre, que l'un d'eux porte trois hydrogènes et l'autre seulement deux et un groupe OH. Toutes trois différencient pleinement l'alcool éthylique de l'éther diméthylique qu'on peut représenter au moyen de l'une quelconque des trois formules suivantes:

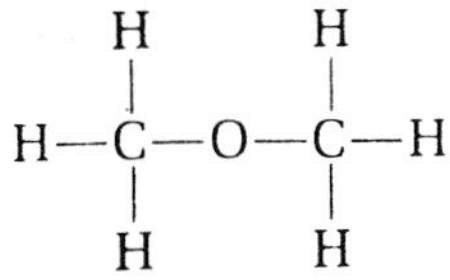

$$H-\overset{\overset{\displaystyle H}{|}}{\underset{\underset{\displaystyle H}{|}}{C}}-O-\overset{\overset{\displaystyle H}{|}}{\underset{\underset{\displaystyle H}{|}}{C}}-H \qquad ou \qquad CH_3-O-CH_3 \qquad ou \qquad CH_3OCH_3$$

De la même façon on écrira les formules développées des trois pentanes:

$$CH_3CH_2CH_2CH_2CH_3 \qquad CH_3\underset{\underset{\displaystyle CH_3}{|}}{C}HCH_2CH_3 \qquad CH_3-\overset{\overset{\displaystyle CH_3}{|}}{\underset{\underset{\displaystyle CH_3}{|}}{C}}-CH_3$$

n-pentane   isopentane 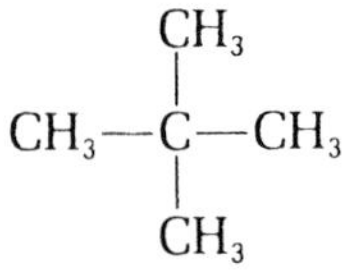   néopentane

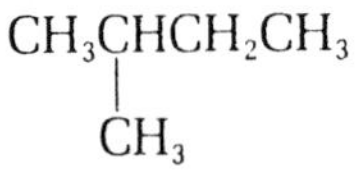

ou sur une même ligne:

$$CH_3(CH_2)_3CH_3 \qquad (CH_3)_2CHCH_2CH_3 \qquad (CH_3)_4C$$

Exemple de problème 1.9   **Ecrire la formule développée, avec toutes les liaisons, de $CH_3CCl_2CH_3$ et de $(CH_3)_2C(CH_2CH_3)_2$.**

Solution

a. 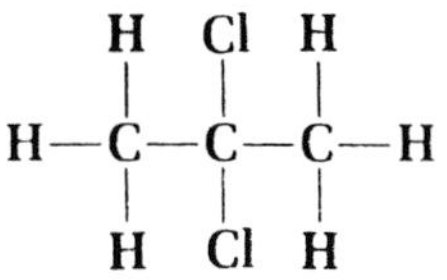 $H-\overset{\overset{\displaystyle H}{|}}{\underset{\underset{\displaystyle H}{|}}{C}}-\overset{\overset{\displaystyle Cl}{|}}{\underset{\underset{\displaystyle Cl}{|}}{C}}-\overset{\overset{\displaystyle H}{|}}{\underset{\underset{\displaystyle H}{|}}{C}}-H$

b. 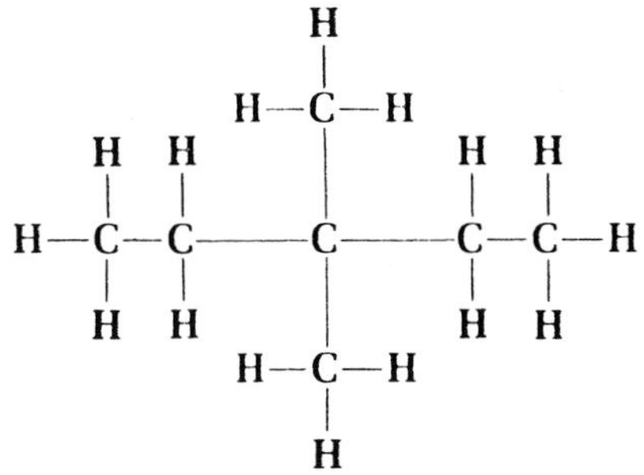 (formule développée avec toutes les liaisons)

Problème 1.20   **Ecrire la formule développée, avec toutes les liaisons, de $(CH_3)_2CHCH_2OH$ et de $CCl_2=CCl_2$.**

L'écriture la plus simple des structures utilise des tirets qui représentent le squelette carboné, chacune de leurs deux extrémités étant supposée occupée par un atome de carbone. Les hydrogènes ne sont pas indiqués, mais il est facile d'en imaginer le nombre au niveau de chaque carbone en soustrayant de quatre le nombre de tirets partant de ces carbones.

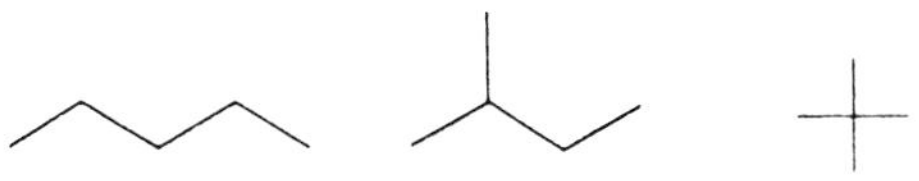

n-pentane   isopentane   néopentane

On représente les liaisons doubles ou triples par un tiret double ou triple. Par exemple, l'hydrocarbure comportant une chaîne de cinq carbones avec une double liaison entre le deuxième et le troisième carbone, c'est-à-dire $CH_3CH=CHCH_2CH_3$, sera écrit:

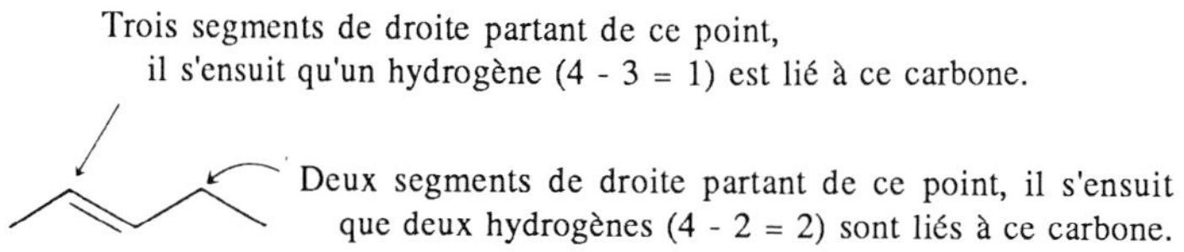

Trois segments de droite partant de ce point,
il s'ensuit qu'un hydrogène (4 - 3 = 1) est lié à ce carbone.

Deux segments de droite partant de ce point, il s'ensuit
que deux hydrogènes (4 - 2 = 2) sont liés à ce carbone.

Exemple de problème 1.10   Ecrire la formule développée détaillée de

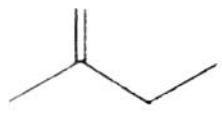

Solution

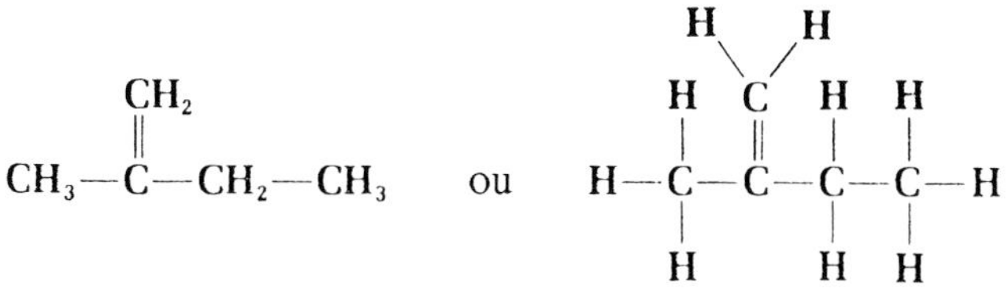

$$CH_3-\overset{\overset{\displaystyle CH_2}{\|}}{C}-CH_2-CH_3 \quad ou \quad H-\overset{\overset{\displaystyle H}{|}}{\underset{\underset{\displaystyle H}{|}}{C}}-\overset{\overset{\displaystyle H\,\,\,H}{\diagdown\diagup}}{\underset{\|}{C}}-\overset{\overset{\displaystyle H}{|}}{\underset{\underset{\displaystyle H}{|}}{C}}-\overset{\overset{\displaystyle H}{|}}{\underset{\underset{\displaystyle H}{|}}{C}}-H$$

Problème 1.21   Ecrire la formule développée simplifiée (avec seulement des tirets) de
$(CH_3)_2CHCH(CH_3)_2$.

1.11 Energies de liaison. Homolyse et hétérolyse

Dans une réaction chimique, lorsqu'on passe des réactants aux produits, il y a souvent modification de la température. La réaction est dite exothermique, s'il y a dégagement de chaleur et endothermique, s'il y a absorption de chaleur. Cette **chaleur de réaction** est symbolisée par ΔH; par convention, elle est considérée comme négative s'il s'agit de chaleur dégagée, et positive s'il s'agit de chaleur absorbée.

On peut calculer la chaleur de réaction de beaucoup de réactions chimiques au moyen des tables des énergies de dissociation des liaisons (D). Ces tables, constituées après de nombreuses mesures, rassemblent ces énergies de liaison, c'est-à-dire les quantités d'énergie absorbées (ou libérées) quand des liaisons spécifiques d'une molécule sont rompues (ou formées).Voir, par exemple, la table 1.5.

Il s'agit de ruptures homolytiques de liaisons covalentes dans lesquelles chacun des deux fragments emmène avec lui un électron, c'est-à-dire que sont formés des atomes ou des groupes d'atomes (il y a **homolyse**). Il ne s'agit pas de ruptures hétérolytiques (**hétérolyse**), dans lesquelles seraient formés deux ions positif et négatif, qui nécessiteraient des énergies beaucoup plus élevées.

H – H	104	C – C	83[b]	C = N	147
H – F	135	C = C	146	C ≡ N	213
H – I	71	C ≡ C	200	F – F	38
H – S	83	C – F	110	Cl – Cl	58
H – Si	76	C – I	52	N – N	38
H – O	111	C – O	86[c]	N = N	100
H – N	93	C = O	178	N ≡ N	226
H – C	99[a]	C – N	83	N – O	53

a) phényl – H   111,   allyl – H   86
b) phényl – CN   131,   phényl – phényl 115,   t-butyl – t-butyl   71
c) phényl – OH   111,   allyl – OH   78

Table 1.5   Energies de liaison moyennes (en kcal/mole)

On voit dans la table 1.5 que ces énergies de liaison sont très différentes les unes des autres. D'autre part, la comparaison des énergies des liaisons carbone-carbone ou azote-azote, par exemple, simples, doubles ou triples (83 - 146 - 200 et 38 - 100 - 226 kcal/mole) montre que leur énergie croît avec leur multiplicité; par contre, elle croît quand décroît leur longueur (1,54 - 1,34 - 1,21 et 1,48 - 1, 24 - 1,10 Å).

Exemple de problème 1.11   **Pourquoi peut-on dire que la table 1.5 nous révèle que la réaction du fluor avec l'hydrogène est exothermique, la chaleur dégagée étant de 128 kcal/mole?**

Solution   Dans la réaction:
$$H\!-\!H \ + \ F\!-\!F \ \longrightarrow \ 2\,H\!-\!F \qquad\qquad (1.4)$$
il faut respectivement +104 et +38 kcal/mole pour *rompre* les liaisons H—H et F—F, soit un total de +142 kcal/mole. Les liaisons H—F *formées* représentent –2 x 135 kcal/mole, soit –270 kcal/mole. La réaction est donc exothermique: $\Delta H = (-270 + 142 \text{ kcal/mole}) = -128$ kcal/mole.

Problème 1.22   **Pourquoi la rupture hétérolytique d'une liaison nécessite-t-elle plus d'énergie que la rupture homolytique?**

1.12 Résonance

Parfois des électrons ne font pas partie d'une liaison donnée comme pourraient le faire croire les formules de Lewis. C'est le cas, par exemple, de l'ion carbonate CO_3^{2-}.

Son nombre total d'électrons est 24 (4 du carbone, 3 x 6 = 18 des trois oxygènes et 2 dus à ses charges négatives venant d'un métal, par exemple 2 atomes de sodium). Selon l'écriture de Lewis, on peut alors l'écrire, pour respecter l'octet du carbone et des trois oxygènes:

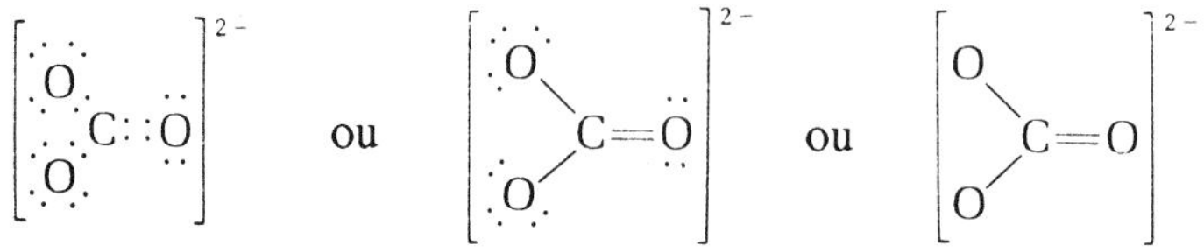

ion carbonate, $CO_3{}^{2-}$

Une telle structure comporte deux liaisons simples et une liaison double carbone-oxygène. Le carbone est formellement neutre, de même que l'oxygène doublement lié; mais chacun des deux oxygènes simplement liés porte une charge négative.

Problème 1.23 **Vérifier la phrase précédente.**

Dans une telle écriture le choix de l'oxygène doublement lié est purement arbitraire. On peut écrire, en effet, trois structures strictement équivalentes:

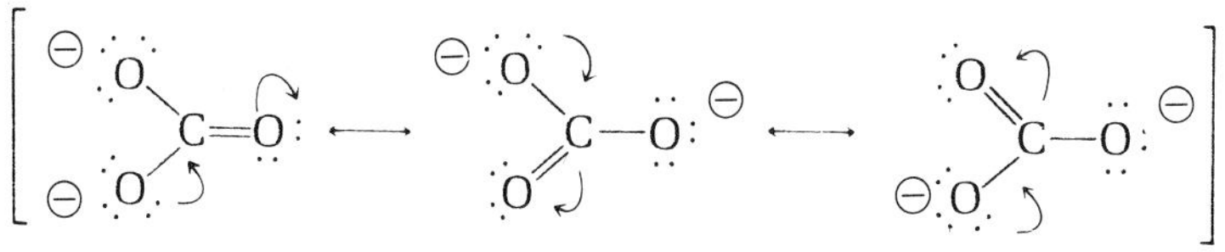

trois formes limites, équivalentes, de l'ion carbonate

Toutes trois comportent une double liaison C=O et deux liaisons simples C—O, les flèches incurvées* montrant comment se conçoit l'interconversion de ces structures. Ces dernières ont la même disposition d'atomes, elles sont planes avec des angles égaux, chaque oxygène étant connecté au carbone dans chacune des trois. Elles ne diffèrent que par les emplacements de leurs électrons.

* Les chimistes utilisent ces flèches incurvées pour ne pas perdre de vue les électrons. Dans la structure

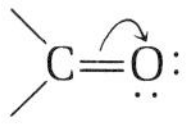

la flèche incurvée signifie que dans l'*une* des liaisons carbone-oxygène les deux électrons se déplacent sur l'oxygène pour donner

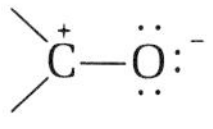

De même, dans la structure

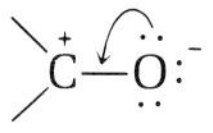

la flèche incurvée signifie qu'une *paire* d'électrons libres de l'oxygène se déplace entre l'oxygène et le carbone pour former une autre liaison carbone-oxygène et donner

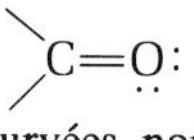

Dans ce livre, on utilisera ces flèches incurvées, non seulement dans les structures en résonance, mais d'une façon générale chaque fois qu'il faudra ne pas perdre de vue des électrons. On trouvera en fin de chapitre quelques problèmes qui aideront l'étudiant à se familiariser avec ce formalisme.

Des mesures physiques nous apprennent qu'aucune de ces structures ne décrit exactement l'ion carbonate "réel". Par exemple, l'expérience indique que les trois liaisons carbone-oxygène sont de même longueur (1,31 Å), intermédiaire entre celles de la liaison double normale C=O (1,20 Å) et de la liaison simple C—O (1,41 Å). Pour sortir de ce dilemme, on dit souvent que la structure de l'ion carbonate "réel" est un **hybride de résonance** de ces trois structures (qu'on appelle aussi *formes mésomères* ou *formes limites* ou *formes canoniques* ou, en anglais, *contributing structures*), comme si la molécule réelle était une sorte de "moyenne" entre ces trois structures. Dans l'ion carbonate "réel", les deux charges négatives sont dispersées sur les trois oxygènes, chacun d'eux portant, en somme, les deux tiers d'une charge négative.

Il y a résonance, ou mésomérie, quand, pour une molécule donnée, on peut écrire deux ou plus de deux structures différant par la répartition des électrons, les atomes conservant par ailleurs la même disposition. Il ne faut pas confondre résonance et isomérie, car dans les isomères les atomes sont disposés différemment. Quand il y a résonance, on dit que la structure de la substance concernée est un hybride de résonance de plusieurs structures. On utilise la flèche à deux têtes <—> entre ces structures, pour les distinguer des espèces réelles en équilibre, qui sont symbolisées par deux flèches inversées ⇌.

Problème 1.24   **Ecrire les trois structures de Lewis équivalentes de l'ion nitrate NO_3^-. Quelle est la charge formelle portée par l'atome d'azote et par les trois atomes d'oxygène dans ces formes limites? Quelle est la charge des oxygènes et de l'azote dans l'hybride de résonance? Montrer par des flèches incurvées l'interconversion possible de ces structures.**

Aucune des liaisons carbone-oxygène de l'ion carbonate n'est simple ou double; c'est un chiffre intermédiaire, par exemple 1,33, qu'il faut considérer, puisque toute liaison carbone-oxygène donnée est simple dans deux formes limites et double dans la troisième. Il n'est pas possible de représenter l'hybride de résonance au moyen d'une formule classique de Lewis, mais souvent on le fait en écrivant un tiret plein pour la liaison effective et des pointillés pour la liaison partielle (d'un tiers dans le cas présent).

hybride de résonance de l'ion carbonate

Bien que souvent très utiles, les formules de Lewis ont un intérêt limité. C'est notamment le cas quand il s'agit de la géométrie tridimensionnelle des molécules. Mais une autre théorie, mettant en jeu des orbitales, est alors plus intéressante.

1.13 Interprétation orbitalaire de la liaison. La liaison sigma

On a vu (paragraphe 1.1) que les orbitales atomiques ont des formes définies, les orbitales s étant sphériques, tandis que les orbitales p, perpendiculaires les unes aux autres, ont la forme d'haltères, dont les axes sont ceux des trois coordonnées x, y et z. (voir figure 1.1).

Figure 1.3
Orbitale moléculaire
de la liaison covalente
formée à partir de deux
atomes d'hydrogène.

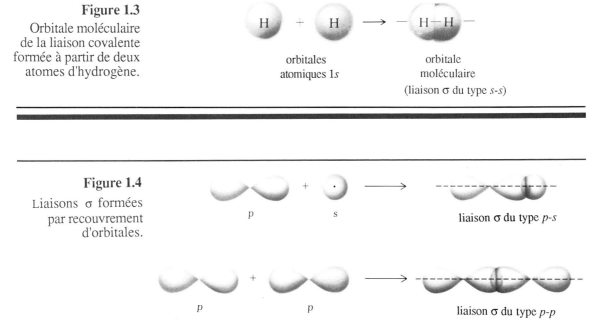

Figure 1.4
Liaisons σ formées
par recouvrement
d'orbitales.

Dans la théorie orbitalaire de la liaison, les atomes concernés sont suffisamment proches l'un de l'autre pour que leurs orbitales atomiques puissent se recouvrir et former ainsi la liaison.

Par exemple, quand deux atomes d'hydrogène se combinent pour former une molécule, deux orbitales sphériques $1s$ se recouvrent pour donner une autre orbitale qui englobe les deux atomes et deux électrons de valence apportés par l'un et l'autre hydrogènes. On l'appelle **orbitale moléculaire**.

Comme l'orbitale atomique, une telle orbitale moléculaire ne peut contenir plus de deux électrons. La figure 1.3 montre l'espace entre les noyaux ainsi occupé par les électrons de la molécule d'hydrogène. Cette orbitale est de symétrie cylindrique par rapport à l'axe internucléaire H—H. On appelle ces orbitales des **orbitales sigma** (σ) et les liaisons correspondantes des **liaisons sigma**. De telles liaisons peuvent aussi être formées par le recouvrement d'orbitales s et p ou de deux orbitales p (voir figure 1.4).

Examinons maintenant l'application de ces concepts à la liaison dans les composés carbonés.

1.14 Le carbone sp^3. Hybridation des orbitales

On a vu que, dans l'atome de carbone, la distribution des électrons est la suivante: deux électrons, d'égale énergie (la plus basse), occupent l'orbitale $1s$; deux autres, également de même énergie, mais plus élevée, occupent l'orbitale

2s; enfin, les deux derniers sont situés dans deux orbitales *p,* toujours d'égale énergie, mais encore plus élevée. Sont donc remplies les deux orbitales 1*s* et 2*s,* alors que deux orbitales *p* ne sont occupées l'une et l'autre que par un seul électron et que la troisième est vacante (la figure 1.5 illustre les énergies des électrons occupant ces diverses orbitales). Bien sûr, plus l'électron est proche du noyau, plus faible est son énergie, car plus il est soumis à l'effet attracteur de ce noyau; c'est pourquoi les électrons de l'orbitale 1*s* n'interviennent pas dans la liaison. L'orbitale 2*s* a une énergie un peu plus faible que les trois orbitales 2*p* d'égale énergie (elles ne diffèrent en effet – voir figure 1.1 – que par leurs directions). Plutôt que la même orbitale 2*p,* les deux électrons d'énergie la plus haute occupent deux orbitales 2*p* différentes, parce que, ainsi séparés, leur répulsion (ce sont des particules de même charge) est réduite.

Figure 1.5

Répartition des six électrons
de l'atome de carbone.

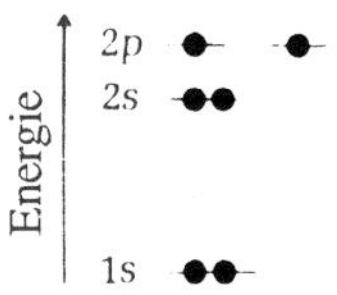

La figure 1.5 donnerait cependant une idée fausse de la liaison dans les composés carbonés. On pourrait penser, par exemple, que le carbone ne devrait former que deux liaisons (pour compléter les deux orbitales 2*p* partiellement remplies) ou peut-être trois (si un autre atome, donneur de deux électrons susceptibles de remplir l'orbitale 2*p* vide, était présent). Mais on sait bien que tout cela est inexact et que le carbone a le plus souvent quatre liaisons simples, lesquelles peuvent être toutes équivalentes comme dans CH_4 ou CCl_4. Comment donc sortir de ce dilemme et réconcilier théorie et expérience?

Figure 1.6
Formation des quatre
orbitales hybrides sp^3
du carbone. On a omis
les électrons de
l'orbitale 1*s* puisqu'ils
n'interviennent
pas dans les liaisons.

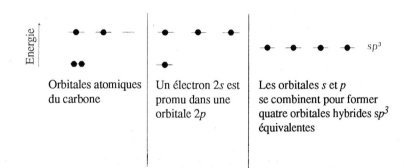

La figure 1.6 illustre une solution possible. D'abord, l'un des électrons $2s$ est "promu" dans l'orbitale $2p$ vide (voir le milieu de la figure). Faire passer cet électron du niveau $2s$ au niveau $2p$ nécessite de l'énergie; mais une certaine partie de celle-ci est compensée par la diminution de la répulsion entre électrons, car aucune orbitale ne contient maintenant deux électrons.

L'état de l'atome de carbone ainsi acquis n'est pas encore pleinement satisfaisant. On a bien maintenant quatre orbitales à moitié remplies et l'on peut imaginer quatre liaisons, par exemple avec quatre hydrogènes; mais ces liaisons n'auraient pas la même énergie. Or, on sait que les quatre liaisons C—H du méthane sont identiques.

Un moyen de sortir de ce dilemme est de permettre aux orbitales s et p de se combiner (ou de se "mélanger") et de former ainsi quatre **orbitales hybrides sp^3,** ainsi appelées parce que nées de la combinaison d'une orbitale s et de trois orbitales p. Les calculs montrent que (voir figure 1.6 à droite) l'énergie de ces orbitales hybrides est légèrement inférieure à celle des orbitales $2p$, mais légèrement supérieure à celle des orbitales $2s$. Leur forme rappelle celle des orbitales p, mise à part, ici, l'absence de symétrie de l'haltère et le fait qu'on a plus de chances de trouver leurs électrons à une plus grande distance du noyau dans l'une des deux directions (voir figure 1.7). Les quatre orbitales hybrides sp^3 de l'atome de carbone isolé sont dirigées vers les sommets d'un tétraèdre régulier. Dans cette géométrie, chaque orbitale est la plus éloignée possible des trois autres, ce qui minimise la répulsion entre elles lorsqu'elles sont occupées par des paires d'électrons. L'angle entre les liaisons formées à partir de quatre orbitales sp^3 est approximativement de 109,5°; c'est celui qui existe entre les segments de droite reliant le centre de gravité du tétraèdre régulier et ses sommets.

Figure 1.7
L'orbitale sp^3 s'étend principalement dans une direction partant du noyau et forme une liaison avec un autre atome dans cette direction. On montre, à droite de la figure, que les quatre orbitales sp^3 de l'atome de carbone sont dirigées vers les sommets d'un tétraèdre régulier (dans cette partie de la figure, on a omis, dans un but de simplification, les petits lobes arrière des orbitales).

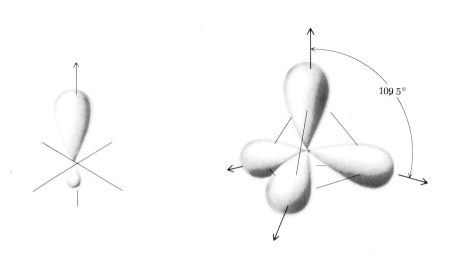

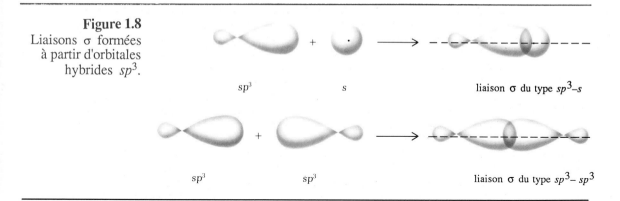

Figure 1.8
Liaisons σ formées
à partir d'orbitales
hybrides sp^3.

sp^3 s liaison σ du type sp^3–s

sp^3 sp^3 liaison σ du type sp^3– sp^3

Les orbitales hybrides peuvent former des liaisons sigma par recouvrement avec d'autres orbitales du même type ou de types différents. La figure 1.8 en donne quelques exemples.

1.15 Carbone tétraédrique. Liaisons dans le méthane

On peut maintenant imaginer la manière dont l'atome de carbone se combine avec quatre atomes d'hydrogène dans le méthane (voir figure 1.9). Il s'agit de quatre liaisons σ, toutes nées du recouvrement d'une orbitale sp^3 du carbone avec l'orbitale s d'un hydrogène. Partant du noyau du carbone, ces quatre liaisons σ sont dirigées vers les sommets d'un tétraèdre régulier. La paire d'électrons de chacune d'elles est ainsi soumise à un minimum de répulsion par les électrons des autres liaisons. Chaque angle H—C—H (angle de liaisons) est le même, à savoir 109,5°. Bref, le méthane comporte quatre liaisons sigma C—H du type sp^3—s, partant du carbone et dirigées vers les sommets d'un tétraèdre régulier.

Problème 1.25   **Considérant la répulsion entre les paires d'électrons des liaisons, expliquer pourquoi la géométrie plane du méthane serait moins stable que la géométrie tétraédrique.**

Vu le rôle capital de la géométrie tétraédrique du carbone en chimie organique, il est judicieux de se familiariser avec les caractéristiques essentielles du tétraèdre régulier, à savoir que son centre et deux sommets quelconques forment un plan perpendiculaire et bissecteur du plan identique formé par le centre et les deux autres sommets (voir figure 1.10).

On représente souvent la géométrie du carbone avec ses quatre liaisons simples, comme dans le méthane, de la manière suivante:

dans laquelle les liaisons C—H en traits normaux sont considérées dans le plan de la feuille, la liaison en trait gras dont l'extrémité large est celle de l'hydrogène (dirigée vers le lecteur) se trouvant devant ce plan et la liaison en pointillés dont l'extrémité large est celle du carbone (s'éloignant du lecteur) se trouvant derrière ce plan.

Figure 1.9

Molécule de méthane CH_4 formée par le recouvrement de quatre orbitales sp^3 du carbone avec l'orbitale $1s$ de quatre atomes d'hydrogène. La molécule a la géométrie du tétraèdre régulier et quatre liaisons du type sp^3-s.

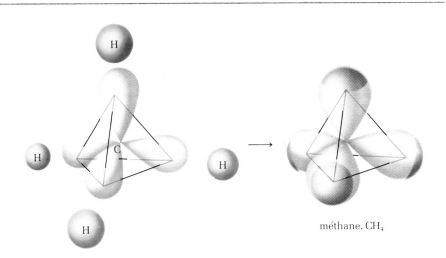

méthane, CH_4

Maintenant qu'on a décrit les liaisons covalentes simples et leur géométrie dans les composés du carbone (on verra plus loin, au chapitre 3, les orbitales et la géométrie des doubles et des triples liaisons), on va pouvoir s'attaquer, dans le chapitre suivant, à la structure et à la chimie des hydrocarbures saturés. Cependant on donnera préalablement une vue d'ensemble de la chimie organique et de l'ordre dans lequel elle sera étudiée.

Figure 1.10

Le carbone et deux des hydrogènes du méthane définissent un plan perpendiculaire et bissecteur du plan défini par ce carbone et les deux autres hydrogènes.

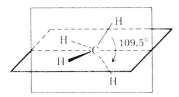

Etant donné les nombreuses façons dont les atomes de carbone peuvent se lier les uns aux autres ou avec d'autres atomes, le nombre de composés organiques possibles apparaît pratiquement illimité. A l'heure actuelle, plus de sept millions de tels composés ont été caractérisés et leur nombre s'accroît chaque jour. Comment, dans ces conditions, pouvoir espérer mener l'étude systématique d'un si vaste domaine de la science? Heureusement, on peut classer les composés organiques selon leurs structures en un nombre de groupes relativement faible. On peut, en effet, classer les structures d'après leur charpente carbonée (souvent appelée "squelette" carboné) et d'après les groupes qui y sont attachés.

1.16 Classification des composés organiques selon leur squelette carboné

Il y a trois catégories:

1.16a Les composés acycliques

Les composés organiques acycliques, ou aliphatiques, n'ont pas de cycle, mais seulement des chaînes d'atomes de carbone, lesquelles peuvent être, comme on l'a déjà vu, continues ou ramifiées.

chaîne non ramifiée
de huit carbones

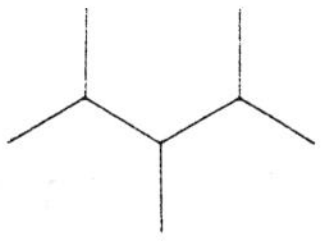

chaîne ramifiée
de huit carbones

Ainsi le pentane est un composé acyclique non ramifié, tandis que l'isopentane et le néopentane sont des composés acycliques ramifiés (voir paragraphe 1.9). L'alcool éthylique, l'éther diméthylique, l'éthane, l'éthylène, l'acétylène, le méthane et le tétrachlorure de carbone, tous composés cités dans ce chapitre, sont des composés organiques acycliques. La figure 1.11 montre la structure de quelques composés acycliques naturels.

Figure 1.11
Quelques produits naturels acycliques, leurs sources (entre parenthèses) et quelques-unes de leurs caractéristiques.

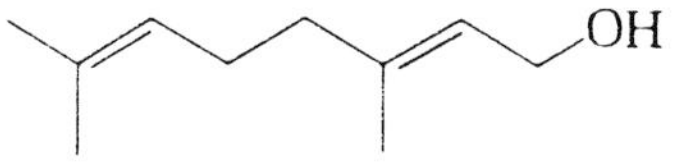

géraniol
(essence de rose)
Eb 229-230°C

Composé à chaîne ramifiée
utilisé en parfumerie

$CH_3(CH_2)_5CH_3$

heptane
(pétrole)
Eb 98,4°C

Hydrocarbure présent
dans le pétrole, utilisé
comme carburant-test
dans les moteurs à essence

$CH_3\overset{O}{\overset{\|}{C}}(CH_2)_4CH_3$

2-heptanone
(essence de girofle)
Eb 151,5°C

Liquide incolore à odeur
fruitée, en partie responsable de l'odeur piquante
des fromages "bleus"

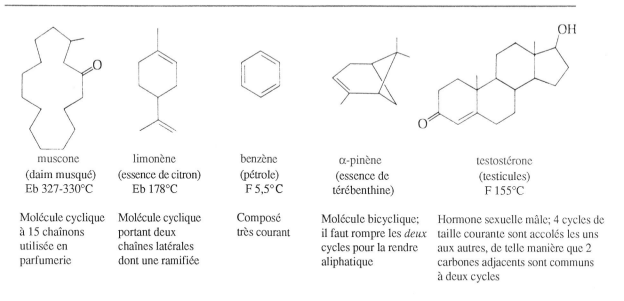

muscone	limonène	benzène	α-pinène	testostérone
(daim musqué)	(essence de citron)	(pétrole)	(essence de	(testicules)
Eb 327-330°C	Eb 178°C	F 5,5°C	térébenthine)	F 155°C

| Molécule cyclique à 15 chaînons utilisée en parfumerie | Molécule cyclique portant deux chaînes latérales dont une ramifiée | Composé très courant | Molécule bicyclique; il faut rompre les *deux* cycles pour la rendre aliphatique | Hormone sexuelle mâle; 4 cycles de taille courante sont accolés les uns aux autres, de telle manière que 2 carbones adjacents sont communs à deux cycles |

Figure 1.12   Composés carbocycliques naturels de tailles et de formes variées.

1.16b Les composés carbocycliques

Ces composés comportent des cycles d'atomes de carbone. Le plus petit cycle carboné en a trois, mais on en connaît beaucoup d'autres de tailles et de formes variées. Ces cycles peuvent porter des chaînes carbonées et comporter aussi des liaisons multiples. On connaît également des composés comportant plusieurs carbocycles. On trouvera dans la figure 1.12 la structure de quelques composés carbocycliques naturels. Ce sont les cycles à cinq et six chaînons qui sont les plus courants dans ces composés, mais on rencontre aussi des cycles plus petits et des cycles plus grands.

1.16c Les composés hétérocycliques

Ces composés constituent la troisième et peut-être la plus riche catégorie de squelettes moléculaires organiques. Dans ces derniers, au moins un atome du cycle est un hétéroatome, c'est-à-dire un atome autre que le carbone.

Les hétéroatomes les plus courants sont l'oxygène, l'azote et le soufre; mais on connaît beaucoup d'hétérocycles dont l'hétéroatome est autre. Plusieurs hétéroatomes, identiques ou différents, peuvent être présents dans le cycle. Ce dernier peut être de taille variée, contenir des liaisons multiples et porter des chaînes ou des cycles carbonés. Bref, beaucoup de structures d'hétérocycles sont possibles. La figure 1.13 rassemble celles de quelques produits naturels. Dans ces formules développées, mais simples, les hétéroatomes sont mentionnés, tandis que les carbones sont symbolisés de la manière habituelle.

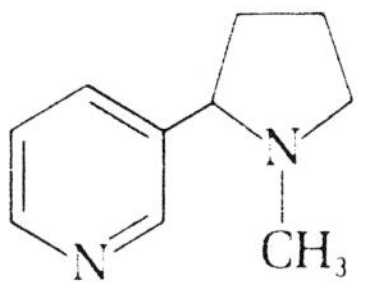

nicotine
Eb 246°C

Présente dans le tabac.
Les deux hétérocycles
azotés de la molécule
sont de tailles différentes

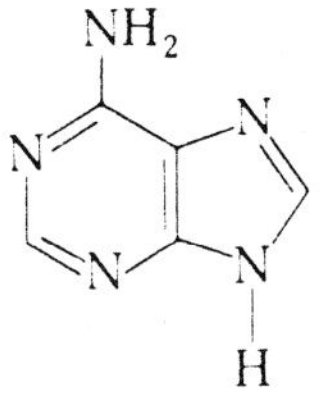

adénine
F 360-365°C

L'une des 4 bases
hétérocycliques de
l'ADN ; les deux cycles
accolés sont diazotés

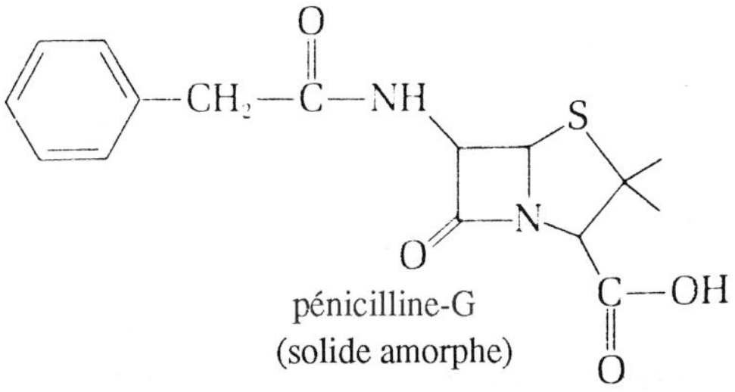

pénicilline-G
(solide amorphe)

L'un des antibiotiques
les plus courants. Le plus
petit des deux hétérocycles
joue un rôle essentiel dans
l'activité biologique

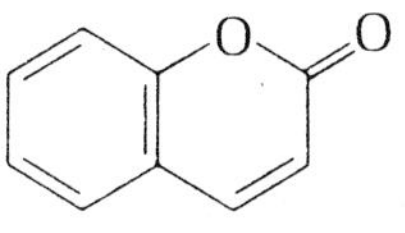

coumarine
F 71°C

Présente dans l'herbe et
le trèfle, elle a l'odeur
agréable du gazon
fraîchement tondu

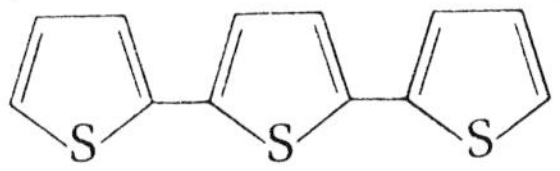

α-terthiényle
F 92-93°C

Présente dans certaines
espèces de soucis

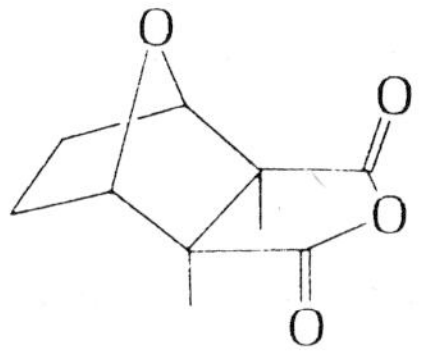

cantharidine
F 218°C

Hétérocycle oxygéné,
c'est le principe actif de la
cantharide, elle-même extraite
d'insectes du type *Cantharis
vesicatoria* et supposée, à tort,
accroître le désir sexuel

Figure 1.13   Composés hétérocycliques naturels typiques. On constate la grande
variété des hétéroatomes et des tailles de cycles.

Les formules développées des figures 1.11 à 1.13 précisent non seulement les
squelettes carbonés, mais aussi les divers groupes d'atomes qui leur sont
attachés. Heureusement on peut aussi classer ces groupes de manière à simplifier
l'étude de la chimie organique.

	Structure	Catégorie	Exemple	Nom et usage du composé cité comme exemple
A. Groupes fonctionnels faisant partie du squelette carbone	$\diagdown C - C \diagup$	alcène	$CH_2 = CH_2$	éthylène, utilisé dans la préparation du polyéthylène
	$- C \equiv C -$	alcyne	$HC \equiv CH$	acétylène, utilisé dans le soudage
B. Groupes fonctionnels oxygénés **1. à un oxygène simplement lié**	$- C - OH$	alcool	CH_3CH_2OH	alcool éthylique, présent dans la bière, le vin, les liqueurs
	$- C - O - C -$	éther	$CH_3CH_2OCH_2CH_3$	diéthyl-éther, anesthésique
2. à un oxygène doublement lié*	$- C - H$	aldéhyde	$CH_2 = O$	formaldéhyde, utilisé pour conserver les pièces anatomiques
	$- C - \overset{O}{\overset{\|}{C}} - C -$	cétone	$CH_3\overset{O}{\overset{\|}{C}}CH_3$	acétone, solvant des vernis, caoutchouc, etc.
3. à trois oxygènes l'un simplement et l'autre doublement liés	$\overset{O}{\overset{\|}{C}} - OH$	acide carboxylique	$CH_3\overset{O}{\overset{\|}{C}} - OH$	acide acétique, présent dans le vinaigre
	$\overset{O}{\overset{\|}{C}} - O - C -$	ester	$CH_3\overset{O}{\overset{\|}{C}} - OCH_2CH_3$	acétate d'éthyle, solvant de vernis à ongle et d'enduits variés
C. Groupes fonctionnels azotés**	$- C - NH_2$	amine primaire	$CH_3CH_2NH_2$	éthylamine, odeur d'ammoniac
	$- C \equiv N$	cyanure ou nitrile	$CH_2 = CH - C \equiv N$	acrylonitrile, matière première de la fabrication de l'orlon

*On appelle **groupe carbonyle** le groupe $\diagup C = O$ présent dans plusieurs groupes fonctionnels. On appelle **groupe car-**

boxyle le groupe $- \overset{O}{\overset{\|}{C}} - OH$ (contraction de carbonyle et hydroxyle)

On appelle **groupe amino le groupe $- NH_2$.

	Structure	Catégorie	Exemple	Nom et usage du composé cité comme exemple
D. Groupes fonctionnels oxygénés et azotés	$\overset{\displaystyle O}{\overset{\|}{-C}}-NH_2$	amide primaire	$H_2N-\overset{\displaystyle O}{\overset{\|}{C}}-NH_2$	urée, fertilisant, présent dans l'urine
E. Groupes fonctionnels sulfurés*	$-\overset{\|}{\underset{\|}{C}}-SH$	thiol (aussi appelé mercaptan)	CH_3SH	méthanethiol, odeur de chou pourri
	$-\overset{\|}{\underset{\|}{C}}-S-\overset{\|}{\underset{\|}{C}}-$	thioéther (aussi appelé sulfure)	$(CH_2 = CHCH_2)_2S$	sulfure d'allyle, odeur d'ail

*Thiols et sulfures sont les analogues sulfurés des alcools et des éthers.

Table 1.6 Les principaux groupes fonctionnels

1.17 Classification des composés organiques selon leur groupe fonctionnel

Certains groupes d'atomes ont des propriétés dépendant peu du squelette carboné auquel ils sont attachés. Ces groupes d'atomes, dont le comportement chimique est le même, quelle que soit la molécule dont ils font partie, sont appelés des **groupes fonctionnels***, parce qu'ils sont responsables d'une certaine **fonction** de ces molécules. Le **groupe hydroxyle —OH** est un exemple de groupe fonctionnel, les composés qui le portent étant les **alcools**. Dans la plupart des réactions organiques, des modifications apparaissent au niveau du groupe fonctionnel, le reste de la molécule conservant sa structure inchangée. Ainsi, dans la réaction de l'alcool éthylique avec le sodium (paragraphe 1.8), l'hydrogène de l'hydroxyle est remplacé par le sodium.

$$2\ CH_3CH_2OH\ +\ 2\ Na\ \longrightarrow\ 2\ CH_3CH_2O^-\ Na^+\ +\ H_2 \qquad (1.5)$$

alcool éthylique   sodium   éthanolate de sodium   hydrogène

Mais les autres atomes (2 carbones, 5 hydrogènes et l'oxygène) ont, dans le produit de la réaction (l'éthanolate de sodium), l'arrangement qu'ils avaient dans le composé de départ (l'alcool éthylique).

* Certains organiciens réservent le terme "groupe fonctionnel" exclusivement aux groupes comportant un (ou des) hétéroatome(s). D'autres, par contre, incluent dans les groupes fonctionnels les liaisons multiples et c'est cette convention qui sera suivie dans ce livre.

C'est souvent le cas dans la réaction chimique et cela en simplifie l'étude, la plupart des modifications ayant lieu au niveau des divers groupes fonctionnels. On étudie alors des catégories de composés (par exemple les alcools) au lieu d'examiner chaque composé en particulier. C'est pourquoi, généralement, dans un but de simplification, on symbolise par la lettre R la partie de la molécule qui, dans une réaction donnée, est retrouvée inchangée. On utilisera, par exemple, pour les alcools en général, la formule R—OH.

Exemple de problème 1.12   **Quel doit être le produit de la réaction de l'alcool isopropylique $CH_3CH(OH)CH_3$ avec le sodium?**

Solution

$$2\ CH_3\underset{\underset{OH}{|}}{CH}CH_3\ +\ 2\ Na \rightarrow 2\ CH_3\underset{\underset{O^-Na^+}{|}}{CH}CH_3\ +\ H_2$$

alcool isopropylique   isopropylate de sodium

Dans le produit, seul l'hydrogène du groupe —OH est remplacé par Na, tout comme dans l'équation 1.5, l'oxygène restant attaché au carbone central de la molécule. En fait, la réaction générale des alcools avec le sodium peut s'écrire:

$$2\ ROH\ +\ 2\ Na\ \longrightarrow\ 2RO^-Na^+\ +\ H_2 \tag{1.6}$$

où R est un groupe organique.

Problème 1.26   **Ecrire la structure des produits des réactions du sodium métal avec $CH_3CH_2CH_2OH$ et avec $CH_3CH(OH)CH_2CH_3$.**

La table 1.6 rassemble certains des principaux groupes fonctionnels qui seront examinés dans ce livre et quelques composés typiques de chacun de ces groupes.

On verra plus en détail dans des chapitres ultérieurs ces classes de composés; toutefois il est bon pour le lecteur de se familiariser dès maintenant avec leurs noms et leurs structures. Quand il rencontrera un groupe fonctionnel particulier dont la chimie n'a pas encore été étudiée en détail, il pourra se reporter à la table 1.6 ou à la couverture interne de ce livre.

Problème 1.27   **Quels groupes fonctionnels trouve-t-on dans les produits naturels suivants, dont les formules sont données dans les figures 1.11 et 1.12:**
a. géraniol,   b. muscone,   c. limonène,   d. testostérone ?

Résumé de la première partie

Les atomes sont constitués d'un noyau entouré d'électrons disposés dans des orbitales. Les électrons de valence, ceux de la couche externe, interviennent dans les liaisons. Les liaisons ioniques sont formées par transfert d'électron d'un atome électropositif à un atome électronégatif. Les atomes d'électronégativités voisines forment des liaisons covalentes par mise en commun d'électrons. Une liaison simple met en jeu la mise en commun d'une paire d'électrons entre deux atomes.

Le carbone, avec ses quatre électrons de valence, forme principalement des liaisons covalentes, soit avec d'autres carbones, soit avec d'autres atomes tels que l'hydrogène, l'oxygène, le chlore et le soufre. Dans la liaison covalente pure, les électrons sont également partagés par les atomes concernés, tandis que dans la liaison covalente polaire, ils sont plus proches de l'atome le plus électronégatif. La liaison multiple, dans laquelle deux ou trois paires d'électrons sont partagées par deux atomes, est également possible.

Les isomères structuraux ou de constitution sont des composés ayant même formule moléculaire, mais des arrangements différents des atomes dans la molécule. La notion d'isomérie est très importante en chimie organique à cause de l'aptitude des atomes de carbone à s'assembler de nombreuses façons: chaînes droites, chaînes ramifiées et cycles.

Il y a résonance quand, pour une molécule ou un ion on peut écrire plusieurs structures ayant même disposition des atomes, mais des dispositions différentes des électrons. La structure correcte est celle d'un hybride de résonance de plusieurs formes limites, qu'on sépare d'ordinaire par une flèche à deux têtes <—> . En chimie organique, on utilise la flèche incurvée $\curvearrowright$ / $\frown$ pour symboliser le déplacement de paires d'électrons.

Une liaison sigma (σ) est formée entre atomes par recouvrement de deux orbitales atomiques. Pour former quatre liaisons de ce genre le carbone utilise des orbitales hybrides sp^3. Ces liaisons, partant du noyau de l'atome de carbone, sont dirigées vers les sommets d'un tétraèdre. Dans le méthane, par exemple, le carbone est situé au centre d'un tétraèdre régulier, dont les sommets sont occupés par les quatre hydrogènes, les angles H—C—H étant de 109,5°.

Par commodité, on classera les composés carbonés selon leur squelette carboné, c'est-à-dire en acycliques, en carbocycliques (qui comportent des cycles d'atomes de carbone) et en hétérocycliques (qui comportent au moins un cycle dont l'un des atomes est différent de l'atome de carbone). On peut aussi classer ces composés carbonés selon leur groupe fonctionnel (table 1.6).

B LA REACTION
EN CHIMIE ORGANIQUE

Les composés minéraux, le plus souvent formés de liaisons ioniques ou à caractère ionique prononcé, sont stables thermiquement; ce sont des électrolytes, donc solubles dans l'eau. En chimie minérale (ou inorganique), la réaction a lieu entre ions, espèces très réactives. Elle est donc essentiellement immédiate, complète et univoque.

Les composés organiques, le plus souvent formés de liaisons covalentes, sont peu solubles dans l'eau. En chimie organique, la réaction nécessite des collisions efficaces entre molécules ou entre molécules et ions et, le plus souvent, elle doit être conduite dans des solvants autres que l'eau. Elle est donc essentiellement lente, réversible et rarement univoque et elle est très sensible aux conditions réactionnelles: concentrations, température, nature du solvant, etc.

Le chimiste organicien doit donc posséder des notions complémentaires de chimie générale telles que: types de réactions, ordre de réaction, diagramme énergétique, énergie d'activation, état de transition, intermédiaires réactionnels, etc. C'est l'objet des derniers paragraphes de ce chapitre. L'étudiant gagnera à voir ce texte dès maintenant, même s'il n'en saisit pas tous les détails, quitte à y revenir par la suite.

1.18 Types de réactions

Si l'on considère simplement le bilan des réactions, on peut les diviser en quatre types:
les réactions de substitution,
les réactions d'addition,
les réactions d'élimination,
les réactions de réarrangement (ou de transposition).

1) Dans les **réactions de substitution**, un atome ou un groupe d'atomes en remplace un autre dans une molécule. Une telle réaction est dite nucléophile si l'espèce réagissante est riche en électrons; c'est le cas de la réaction de l'ion hydroxyde (OH^-) (de la soude par exemple) avec l'iodure de méthyle (éq.1.7):

$$OH^- + CH_3I \rightarrow CH_3OH + I^- \tag{I.7}$$

Elle est dite électrophile si l'espèce réagissante est pauvre en électrons; c'est le cas de l'action du brome sur le benzène (éq.1.8), dans laquelle un brome substitue un hydrogène, l'attaque étant commencée par un cation Br^+ :

$$C_6H_6 \; + \; Br_2 \; \rightarrow \; C_6H_5Br \; + \; HBr \qquad\qquad (1.8)$$

La substitution est dite radicalaire si l'espèce réagissante est un atome ou un radical libre, c'est-à-dire un groupe d'atomes portant un électron célibataire. Exemple: la chloration du méthane à la lumière (éq.1.9), où tout commence par l'attaque d'un atome de chlore:

$$CH_4 \; + \; Cl_2 \; \rightarrow \; CH_3Cl \; + \; HCl \qquad\qquad (1.9)$$

2) Dans les **réactions d'addition**, les fragments d'une molécule se fixent sur deux atomes d'une autre molécule, le plus souvent sur les carbones d'une liaison multiple. Exemple: l'addition d'acide bromhydrique à l'éthylène (éq. 1.10):

$$CH_2 = CH_2 \; + \; HBr \; \rightarrow \; CH_2Br - CH_3 \qquad\qquad (1.10)$$

Cette addition est électrophile si l'attaque de la double liaison est lancée par H^+; elle est radicalaire si elle est lancée par un atome Br•. Cela dépend des conditions opératoires: c'est H^+ qui attaque si l'opération est conduite lentement et en milieu polaire, mais c'est l'atome Br• si l'on opère en milieu apolaire et en présence de peroxydes.

3) Les **réactions d'élimination** sont l'inverse des réactions d'addition, deux fragments d'une molécule étant arrachés à une autre molécule. C'est le cas de la déshydratation (acide) de l'éthanol (éq.1.11) et de la débromhydratation (basique) du bromure d'éthyle (éq. 1.12):

$$CH_3 - CH_2OH \; \xrightarrow{H^+} \; CH_2 = CH_2 \; + \; HOH \qquad\qquad (1.11)$$
$$CH_3 - CH_2Br \; \xrightarrow{OH^-} \; CH_2 = CH_2 \; + \; HBr \qquad\qquad (1.12)$$

4) Dans les **réactions de réarrangement**, certains atomes d'une molécule changent de place. L'exemple le plus simple est l'énolisation d'un aldéhyde ou d'une cétone (éq.1.13):

$$CH_3 - CH = O \; \rightarrow \; CH_2 = CHOH \qquad\qquad (1.13)$$

Mais on considère plutôt comme réarrangement celui du squelette carboné d'une molécule. C'est le cas, par exemple, de la transposition pinacolique, dans laquelle la déshydratation acide d'un glycol (ou diol) bitertiaire, le pinacol, conduit à une cétone (éq.1.14).

$$\underset{\substack{| \quad | \\ HO \;\; OH \\ \text{pinacol}}}{(CH_3)_2C - C(CH_3)_2} \; \xrightarrow{H^+} \; \underset{\text{pinacolone}}{CH_3 - CO - C(CH_3)_3} \; + \; H_2O \qquad (1.14)$$

Dans le processus, il y a migration d'un groupe méthyle sur le carbone voisin.

1.19 Diagrammes énergétiques. Mécanismes réactionnels

Les produits d'une réaction exothermique (qui a perdu de l'énergie) sont plus stables, c'est-à-dire ont moins d'énergie que les réactants. On pourrait penser qu'une telle réaction devrait être spontanée. Mais il n'en est rien, car une réaction chimique entre deux molécules nécessite des collisions entre elles, dont l'énergie cinétique soit suffisante, par exemple pour rompre certaines liaisons des molécules réagissantes ou pour leur imposer une géométrie particulière ou une distribution électronique inhabituelle, etc. (C'est la raison pour laquelle le chimiste organicien chauffe le plus souvent ses mélanges réactionnels.) C'est l'énergie d'activation E_a, c'est-à-dire le minimum d'énergie nécessaire au lancement de la réaction. On peut tracer le **diagramme énergétique** de celle-ci (figure 1.14) qui montre, en ordonnée, la variation de l'énergie potentielle du système avec, en abscisse, l'avancement de la réaction. Des liaisons commençant à se rompre ou à se former, l'énergie croît d'abord jusqu'à un maximum qui est l'énergie d'activation. Là, les réactants passent par un état de transition, dont la géométrie est bien définie, mais qui est éminemment instable (on l'appelle parfois un "complexe activé"). Puis l'énergie descend au niveau de celle des produits. Une réaction très simple de ce type est la réaction de substitution de l'iodure de méthyle avec la soude, c'est-à-dire avec l'ion hydroxyde, qui conduit au méthanol et à l'ion iodure:

$$HO^- + CH_3—I \quad \rightarrow \quad HO\cdots CH_3\cdots I \quad \rightarrow \quad HO—CH_3 + I^- \qquad \textbf{(1.15)}$$

réactants   état de transition   produits

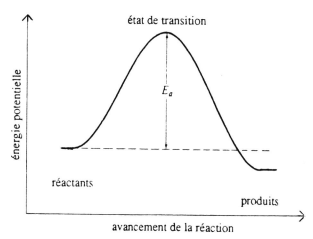

Figure 1.14 Diagramme énergétique d'une réaction en une étape.

Mais la plupart des réactions sont la somme de réactions élémentaires successives et leur diagramme énergétique est assez différent. Considérons, par exemple, une autre réaction de substitution, celle du bromure de *t*-butyle avec l'ion hydroxyde, qui conduit au *t*-butanol et à l'ion bromure.

$$(CH_3)_3C\text{—}Br \; + \; OH^- \; \rightarrow \; (CH_3)_3C\text{—}OH \; + \; Br^- \qquad \textbf{(1.16)}$$

bromure de t-butyle   t-butanol

Partant des réactants, au fur et à mesure que progresse la réaction, l'énergie commence par croître et ce jusqu'à un premier maximum qui correspond à un premier état de transition. Puis elle descend, tandis que s'achèvent la rupture et la formation des liaisons conduisant à un intermédiaire réactionnel. L'énergie remonte ensuite, la rupture et la formation d'autres liaisons commencent et aboutissent à un second état de transition. Enfin l'énergie descend jusqu'au niveau de celui des produits, le t-butanol et l'ion bromure (voir figure 1.15).

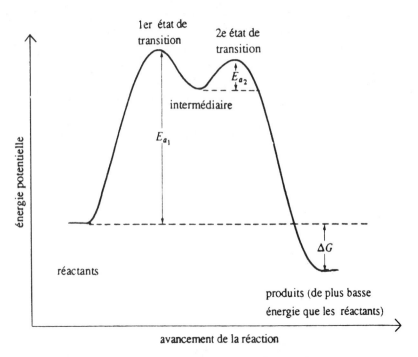

Figure 1.15 Diagramme énergétique d'une réaction en deux étapes.

La réaction a lieu cette fois en deux étapes (éq.1.17). La première est l'ionisation du bromure de t-butyle, c'est-à-dire la formation du cation organique t-butyle. La deuxième est la réaction de ce cation avec un anion OH^-; c'est évidemment la plus rapide. C'est nécessairement la première étape, lente, dont l'énergie de transition est la plus élevée, qui régira la vitesse de la réaction (dans le paragraphe suivant, on examinera l'aspect cinétique des réactions).

1ère étape (lente)   2ème étape (rapide)

$$CH_3\text{—}\underset{\underset{CH_3}{|}}{\overset{\overset{CH_3}{|}}{C}}\text{—}Br \; + \; OH^- \xrightarrow{\quad(I)\quad} \underset{CH_3}{\overset{CH_3}{C}}{}^{+} \; + \xrightarrow{\quad(II)\quad} Br^- \; + \; HO\text{—}\underset{\underset{CH_3}{|}}{\overset{\overset{CH_3}{|}}{C}}\text{-}CH_3 \qquad \textbf{(1.17)}$$

état de transition   état de transition

bromure de
t-butyle

carbocation plan
intermédiaire

t-butanol

Il faut bien distinguer état de transition et intermédiaire. L'état de transition, dont la géométrie est certes bien définie, n'est effectivement qu'un état, particulièrement instable, par lequel doivent passer les réactants pour pouvoir redescendre vers les produits ou un intermédiaire. Cet intermédiaire, par contre, dont la durée de vie peut être très courte, a néanmoins une existence réelle. Comme on le verra dans le paragraphe 1.22, ce peut être un carbocation, un carbanion, un radical libre ou un carbène.

La description détaillée d'une réaction, avec tous ses états de transition et ses intermédiaires, constitue le **mécanisme réactionnel**. En réalité, pour le connaître, il faudrait avoir déterminé: la position exacte de tous les atomes qui entrent en jeu tout au long de la réaction tant dans les molécules de solvant que dans les molécules réagissantes, la nature des interactions ou des liaisons entre ces atomes, l'énergie du système à chaque instant et les vitesses auxquelles se produisent les divers changements au cours de la réaction.

Mais bien rares sont les réactions dont tous ces aspects sont connus et notre objectif est beaucoup plus limité. Pour postuler un mécanisme à une réaction, on se satisfait ordinairement d'avoir une idée de ses intermédiaires et de ses étapes.

On démontre généralement un mécanisme, ou plus exactement on montre la possibilité d'un mécanisme, dans l'état actuel de nos connaissances, par exclusion d'alternatives raisonnables et par l'exposé de toutes les épreuves auxquelles il résiste.

1) Le mécanisme doit rendre compte des produits formés, de leur stéréochimie et des résultats obtenus par marquage isotopique. Ainsi, l'addition de brome au cyclopentène donne le *trans*-1,2-dibromocyclopentane et non pas l'isomère *cis*.

(1.18)

Le mécanisme proposé doit expliquer la géométrie *trans* du produit.

De même, lorsqu'on traite le chlorobenzène par de l'amidure de potassium, on obtient de l'aniline:

$$C_6H_5Cl \; + \; KNH_2 \; \rightarrow \; C_6H_5NH_2 \; + \; KCl \qquad (1.19)$$
aniline

Mais si le chlorobenzène est marqué à l'aide de carbone 14, radioactif (ce qui implique de faire préalablement la synthèse d'un tel composé dont le carbone porteur du chlore est un ^{14}C), le produit est alors un mélange 50:50 d'aniline dont le groupe NH_2 est lié au carbone radioactif et d'aniline dont le groupe NH_2 est lié au carbone voisin. Le mécanisme postulé doit expliquer ce résultat.

(1.20)

2) Si l'on postule l'existence d'intermédiaires réactionnels, il est souhaitable qu'ils puissent être détectés par un moyen physique ou chimique. Quoi qu'il en soit, dans tous les cas, un échantillon authentique d'un intermédiaire supposé

doit conduire aux produits corrects, si on l'introduit dans le milieu réactionnel au cours de la réaction.

3) Le mécanisme doit rendre compte des effets d'un changement dans les conditions réactionnelles, par exemple sur la nature des produits et sur les vitesses de réaction dues à des changements de solvant ou de température, ou sur les réactivités différentes de membres différents d'une même famille.

4) Le mécanisme doit rendre compte de la cinétique de la réaction. C'est l'objet du paragraphe suivant.

1.20 Cinétique

Tout mécanisme postulé entraîne des prévisions cinétiques qui peuvent être vérifiées expérimentalement.

En général, la vitesse d'une réaction dépend, d'une manière ou d'une autre, des concentrations des réactants et de la présence ou de l'absence de catalyseurs. C'est l'aspect essentiel de la cinétique chimique. Ainsi, on a pu montrer que la vitesse de la formation de méthanol par réaction de l'ion hydroxyde avec l'iodure de méthyle (éq.1.7) est proportionnelle à la concentration de chaque réactant (si on double l'une ou l'autre des concentrations, on double la vitesse, et si on double l'une et l'autre, on la quadruple). On peut traduire cela par une expression différentielle simple:

$$\text{Vitesse} = \frac{d[CH_3OH]}{dt} = k[OH^-][CH_3I] \qquad \textbf{(1.21)}$$

qui signifie que la vitesse de formation du méthanol est proportionnelle au produit des concentrations de OH^- et CH_3I. La constante de proportionnalité k est appelée la constante de vitesse.

L'équation de vitesse d'une réaction, qui est déterminée expérimentalement, permet de connaître son ordre cinétique. Dans le cas présent, la réaction est globalement du deuxième ordre, (le second membre de l'équation contenant le produit de *deux* concentrations); mais elle est du premier ordre par rapport à OH^-, puisque $[OH^-]$ apparaît à la puissance un, et du premier ordre aussi par rapport à CH_3I. Un mécanisme bimoléculaire, dans lequel OH^- déplace simplement I^- sur le groupe méthyle, permet d'interpréter cette réaction du deuxième ordre :

$$HO^- + CH_3{-}I \quad \rightarrow \quad HO{-}CH_3 + I^- \qquad \textbf{(1.22)}$$

Mais d'autres mécanismes pourraient aussi rendre compte d'une telle expression de la vitesse.

On a vu aussi ci-dessus que l'action du brome sur le cyclopentène donne du dibromocyclopentane. Ici aussi on observe une cinétique du deuxième ordre:

$$\text{Vitesse} = k[Br_2][\text{cyclopentène}]$$

Cela pourrait correspondre à une réaction bimoléculaire, avec addition directe de Br_2 sur la double liaison du cyclopentène. Mais une telle réaction devrait conduire au *cis*-dibromopentane, alors que seul est obtenu l'isomère *trans* (voir éq. 1.18). Il est donc clair que le mécanisme comporte deux étapes:

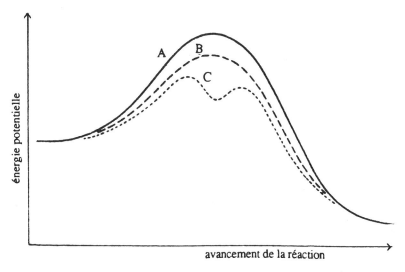

(1.23)

La seconde est pratiquement immédiate puisqu'elle met en jeu deux ions. C'est la première qui est lente et qui régit nécessairement la vitesse de la réaction. Celle-ci est bimoléculaire et la vitesse est du deuxième ordre. Bref, l'étape qui détermine la vitesse d'une réaction globale détermine en même temps son ordre.

1.21 Catalyse

On sait qu'un catalyseur est une substance ou un phénomène physique qui accélère une réaction chimique sans paraître y prendre part. Le propre d'un catalyseur est d'accélérer la vitesse de cette réaction en diminuant son énergie d'activation, autrement dit en augmentant le nombre de molécules satisfaisant à ses exigences énergétiques. La figure 1.16 montre les diagrammes énergétiques d'une réaction non catalysée et de la même réaction catalysée.

Figure 1.16   Diagramme énergétique d'une réaction non catalysée (A) et de la même réaction catalysée (B ou C).

Souvent le catalyseur se lie à l'un des réactants ou à l'un des fragments de réactant et il est régénéré ultérieurement. Exemple: la réaction de l'ion hydroxyde avec l'iodure de méthyle (éq.1.7) est beaucoup plus lente avec le chlorure correspondant. On accélère cette dernière en opérant en présence d'un peu d'iodure de sodium, c'est-à-dire d'ions iodure I^-.

$$OH^- + CH_3Cl \rightarrow CH_3OH + Cl^- \quad \text{(réaction lente)}$$
(profil énergétique du type **A**. figure 1.16)

$$OH^- + CH_3Cl + I^-\text{(traces)} \rightarrow CH_3OH + Cl^- \quad \text{(réaction rapide)}$$
(profil énergétique du type **C** figure 1.16)

L'effet catalytique de I^- provient de ce que la réaction a lieu alors en deux étapes:

1) $CH_3Cl + I^- \rightarrow CH_3I + Cl^-$

2) $OH^- + CH_3I \rightarrow CH_3OH + I^-$

avec la formation d'un intermédiaire CH_3I (le "creux" du profil **C** – figure 1.16 – entre les deux états de transition), beaucoup plus réactif que le réactant CH_3Cl, tandis que l'ion I^-est régénéré systématiquement.

1.22 Intermédiaires réactionnels

Quatre intermédiaires réactionnels particuliers, extrêmement réactifs, donc la plupart non isolables, sont mis en jeu en chimie organique. Ce sont le carbocation, le carbanion, le radical libre et le carbène. On pourrait considérer les plus simples d'entre eux comme formés respectivement à partir du méthane: le carbocation par arrachement d'un hydrogène avec ses deux électrons de liaison, le carbanion par le même arrachement sans ces deux électrons, le radical libre avec un seul électron et le carbène par arrachement de deux hydrogènes avec chacun un électron. D'où la charge positive du premier, la charge négative du deuxième et la neutralité des deux derniers (voir figure 1.17).

Le **carbocation** est un ion dont la charge positive est portée par un atome de carbone.   Sa formation la plus simple est la rupture hétérolytique (l'un des deux fragments emmène avec lui le doublet d'électrons) d'une liaison entre un carbone et un atome plus électronégatif, comme un halogène. Exemple:

$$CH_3CH_2CH_2\text{—}X \quad \rightarrow \quad CH_3CH_2CH_2^+ + X^- \qquad \textbf{(1.24)}$$
carbocation propyle

Intermédiaire très réactif, de durée de vie très courte, il est d'autant plus stable qu'il est plus substitué (les carbocations primaires sont d'une extrême instabilité), c'est-à-dire d'autant plus stable que sa charge est délocalisée sur plusieurs carbones.

L'ordre de stabilité des carbocations est donc:

carbocation tertiaire   carbocation secondaire   carbocation primaire

$$R_3C^+ \quad > \quad R_2CH^+ \quad > \quad RCH_2^+$$

L'état d'hybridation du cation méthyle est sp^2: il est donc plan, géométrie permettant une séparation maximale des électrons des trois liaisons, avec une orbitale $2p$ vide (voir figure 1.17).

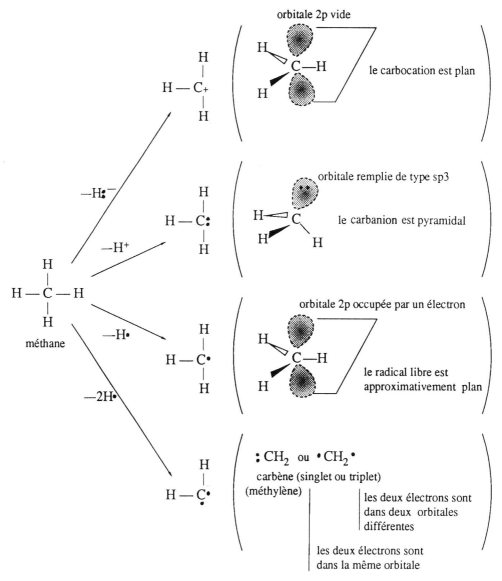

Figure 1.17 Structure des principaux intermédiaires réactionnels : carbocation, carbonion, radical libre et carbène, supposés formés à partir du méthane.

Le **carbanion** est un anion dont la charge négative est portée par un carbone. Sa formation la plus simple est la rupture hétérolytique de la liaison entre un carbone et un atome moins électronégatif, comme un atome métal. Exemple:

$$RCH_2\text{—}MgX \quad \rightarrow \quad RCH_2^- \quad + \quad {}^+MgX \tag{1.25}$$

carbanion

L'état d'hybridation de l'anion méthyle est sp^3; il est donc pyramidal, avec une paire d'électrons libres dans une orbitale du type sp^3 (voir figure 1.17).

Espèce comportant un électron célibataire au niveau d'un carbone, le **radical libre** résulte de la rupture homolytique (chacun des deux fragments emmène avec lui un électron) d'une liaison C—C ou C—H ou C—X, etc. Exemple:

$$RCH_2\text{—}H \quad \rightarrow \quad RCH_2{\bullet} \quad + \quad H{\bullet} \tag{1.26}$$

Très réactifs également, les radicaux libres ont la particularité de réagir entre eux.

$$RCH_2{\bullet} + {\bullet}CH_2R \quad \rightarrow \quad RCH_2CH_2R$$

Leur géométrie est moins bien connue. Leur état d'hybridation doit être approximativement sp^2. Ils doivent donc être à peu près plans avec une orbitale $2p$ comportant un seul électron (voir figure 1.17).

Le **carbène** est un intermédiaire à carbone divalent. Le premier terme est le méthylène $:CH_2$, les mieux connus étant les dihalogénocarbènes. Le dichlorocarbène, par exemple $:CCl_2$, s'obtient en enlevant HCl au chloroforme au moyen d'une base forte:

$$CHCl_3 + \text{base forte} \quad \rightarrow \quad :CCl_2 \tag{1.27}$$

Extrêmement réactifs, les carbènes ont la particularité de pouvoir exister sous deux formes, selon que leurs deux électrons sont appariés (c'est-à-dire occupent la même orbitale; on peut alors écrire $:CH_2$ par exemple) ou non appariés (c'est-à-dire occupent deux orbitales différentes; on peut alors écrire ${\bullet}CH_2{\bullet}$). Cela dépend de leur mode d'obtention. Le premier se comporte fort justement à la fois comme un carbocation et un carbanion, tandis que le deuxième a les propriétés d'un biradical. Leur structure électronique sort du cadre de ce livre.

1.23 Acides et bases. Electrophiles et nucléophiles

Les notions d'acide et de base ont varié avec le temps.

Comme **Arrhénius**, on a d'abord considéré les acides et les bases comme des substances capables de se dissocier en solution aqueuse en donnant respectivement des protons (H^+) et des ions OH^-. Exemples: H^+Cl^-, $H^+SO_4H^-$ d'une part et Na^+OH^-, $NH_4{}^+OH^-$ d'autre part. Mais une telle définition s'est révélée trop restrictive, beaucoup de réactions apparaissant du type "acide-base" même en l'absence d'eau. C'est le cas du mélange gazeux $HCl + NH_3$ qui donne aussi le sel $NH_4^+ Cl^-$.

Brönsted définit alors un acide comme une substance qui fournit des protons à une base, celle-ci étant une substance qui accepte des protons apportés par un acide. Ces acides sont donc les acides forts (comme les acides chlorhydrique et sulfurique, HCl et H_2SO_4) ou faibles (comme l'acide acétique, $CH_3—COOH$), tandis que ces bases sont les bases fortes (comme l'ion OH^-) ou faibles (comme l'ammoniac NH_3).

A tout acide correspond donc une base, dite "base conjuguée", et à toute base correspond un acide, dit "acide conjugué". Ainsi, dans la dissociation réversible

$$BH \rightleftarrows B^- + H^+$$

B^- est la base conjuguée de BH, tandis que BH est l'acide conjugué de B^-.

De ce point de vue, nombreuses sont les réactions en chimie organique qu'on peut considérer comme des réactions "acide-base". Ainsi en milieu acide, beaucoup mettent en jeu la fixation d'un proton sur un doublet d'électrons libres. Le porteur de ce doublet est alors une base, qui est ainsi transformée en son acide conjugué. Cette base pourra être un alcool, une amine, la double liaison d'un alcène, etc. De même, en milieu basique, beaucoup de molécules se voient arracher un proton. Ce sont donc des acides, qui sont ainsi tranformés en leur base conjuguée. Ces acides pourront être des alcynes vrais, des alcools, des cétones, etc.

Selon **Lewis**, les réactions "acide-base" ne sont pas limitées à un échange de protons. Est acide toute substance comportant un atome susceptible de se fixer sur un doublet d'électrons libres. Est une base toute molécule porteuse d'un tel doublet libre. Les acides de Lewis sont alors beaucoup plus nombreux que ceux de Brönsted. Ce sont, par exemple, le proton lui-même (H^+), l'ion Ag^+, le trifluorure de bore (BF_3), le chlorure d'aluminium ($AlCl_3$) et les carbocations (CH_3^+ par exemple), qui sont ou des ions positifs ou des espèces comportant des atomes dont l'octet n'est pas rempli. Quant aux bases de Lewis, elles sont peu différentes de celles de Brönsted. Ce sont, par exemple, l'ion hydroxyde (OH^-), l'ammoniac ($:NH_3$), l'ion chlorure (Cl^-), l'eau (H_2O) et les carbanions (CH_3^- par exemple). Une réaction "acide-base" typique selon Lewis est la formation du complexe trifluorure de bore-ammoniac:

$$\underset{\text{acide}}{BF_3} + \underset{\text{base}}{:NH_3} \rightarrow F_3BNH_3$$

dans laquelle l'orbitale vide de l'atome de bore de l'acide BF_3 vient recueillir le doublet libre de l'azote de la base $:NH_3$.

En chimie organique, on appelle **électrophiles** les acides de Lewis pouvant former une liaison covalente en acceptant une paire d'électrons apportée par un atome de carbone. On appelle **nucléophiles** les bases de Lewis pouvant former une liaison covalente en apportant une paire d'électrons à un atome de carbone.

D'autre part, il ne faut pas confondre les termes basicité et pouvoir nucléophile (ou nucléophilie). La basicité est définie comme l'affinité d'une base pour un proton et mesurée, comme on vient de le rappeler ci-dessus, par la position d'un équilibre. Le pouvoir nucléophile est défini comme l'affinité d'une base pour un atome de carbone et mesuré par la vitesse d'une réaction dans laquelle est formée une liaison covalente avec ce carbone.

On peut constater aussi que le "caractère électrophile" correspond au "caractère acide", tandis que le "caractère nucléophile" correspond au "caractère basique".

Résumé de la deuxième partie

Si l'on considère simplement leur bilan, on peut dire qu'il y a quatre types de réactions en chimie organique, les réactions de substitution, d'addition, d'élimination et de réarrangement. La substitution, dans laquelle un atome ou un groupe d'atomes en remplace un autre, est nucléophile si l'espèce réagissante est riche en électrons, électrophile si elle est pauvre en électrons et radicalaire si elle est un atome ou un radical libre. Il y a addition quand des fragments d'une molécule se fixent sur deux atomes (ceux d'une double liaison le plus souvent) d'une autre molécule et élimination dans le cas contraire.

Le diagramme énergétique d'une réaction exothermique simple qui, donnant en ordonnée la variation de l'énergie potentielle du système avec, en abscisse, l'avancement de la réaction, montre que l'énergie croît d'abord jusqu'à un maximum, qui est l'énergie d'activation, les réactants passant alors par un état de transition, puis descend au niveau de celle des produits. Dans le cas d'une réaction endothermique, l'énergie des produits est supérieure à celle des réactants.

Mais la plupart des réactions se font en plusieurs étapes et ont un diagramme énergétique qui présente au moins deux états de transition, entre lesquels se place un intermédiaire réactionnel.

La description détaillée d'une réaction avec tous ses états de transition et ses intermédiaires constitue le mécanisme réactionnel.

Un mécanisme peut être prouvé de différentes manières. Il doit notamment rendre compte de la cinétique de la réaction, tout mécanisme postulé entraînant des prévisions cinétiques qui peuvent être vérifiées expérimentalement.

Le propre d'un catalyseur est d'accélérer la vitesse d'une réaction en diminuant son énergie d'activation.

Les quatre intermédiaires réactionnels les plus courants sont le carbocation, le carbanion, le radical libre et le carbène.

Le comportement acide-base des composés organiques permet souvent d'expliquer leurs propriétés. Brönsted définit un acide comme une substance qui fournit des protons à une base, celle-ci étant la substance qui accepte les protons apportés par un acide. A chaque acide correspond donc une base, dite base conjuguée, et à chaque base correspond un acide, dit acide conjugué. Nombreuses sont donc, de ce point de vue, les réactions acide-base en chimie organique.

Selon Lewis, est acide toute substance, beaucoup plus courante, comportant un atome susceptible de se fixer sur un doublet d'électrons libres et est une base toute molécule porteuse d'un tel doublet libre. On appelle électrophiles les acides de Lewis pouvant former une liaison covalente en acceptant une paire d'électrons apportés par un carbone et on appelle nucléophiles les bases de Lewis pouvant former une liaison covalente en apportant une paire d'électrons à un carbone.

PROBLEMES SUPPLEMENTAIRES

1.28 Quel est le nombre d'électrons de valence des atomes suivants? On écrira le symbole de l'élément (considéré comme étant le noyau avec ses électrons des couches internes) et les points représentant les électrons de valence: carbone, fluor, silicium, bore, soufre, phosphore.

1.29 Quand on traite une solution aqueuse de sel (chlorure de sodium) par une solution aqueuse de nitrate d'argent, il y a formation immédiate d'un précipité blanc. Par contre, quand on agite cette solution aqueuse de nitrate d'argent avec du tétrachlorure de carbone, aucun précipité n'apparaît. Cette différence entre les deux chlorures est due à la différence des liaisons concernées. Expliquer.

1.30 Connaissant les positions relatives des éléments dans le tableau périodique, classer les composés ci-après en ioniques ou covalents:
a. NaF **b.** F_2 **c.** $MgCl_2$ **d.** P_2S_5
e. S_2Cl_2 **f.** $LiCl$ **g.** ClF **h.** $SiCl_4$

1.31 Quelle est la valence et quel est le nombre d'électrons de valence des éléments suivants: oxygène, hydrogène, chlore, azote, soufre, carbone?

1.32 Ecrire la formule développée des composés suivants, la liaison simple étant représentée par un tiret et les électrons non partagés par des points:
a. CH_3Cl **b.** C_3H_8 **c.** C_2H_5F
d. CH_3NH_2 **e.** CH_3CH_2OH **f.** CH_2O

1.33 Ecrire la formule développée des composés covalents suivants. Quelles sont les liaisons polaires? Préciser leur polarité au moyen des symboles ∂^+ et ∂^- correctement placés.
a. Cl_2 **b.** CH_3F **c.** CO_2 **d.** HBr
e. SF_6 **f.** CH_4 **g.** SO_2 **h.** CH_3OCH_3

1.34 Etant donné la polarité des liaisons, quel est l'hydrogène de l'acide acétique CH_3COOH qui doit être le plus acide? Ecrire l'équation de sa réaction avec le sodium métal.

1.35 Ecrire les formules développées de tous les isomères possibles des molécules suivantes:
a. C_3H_8 **b.** C_3H_7Cl **c.** $C_2H_4Cl_2$ **d.** $C_3H_6Br_2$
e. C_4H_9F **f.** $C_2H_2Cl_2$ **g.** C_3H_6 **h.** $C_4H_{10}O$

1.36 Quelles sont les formules développées des cinq isomères en C_6H_{14}? Tenter de raisonner systématiquement.

1.37 Ecrire les formules développées (avec les liaisons) des formules abrégées suivantes:
a. $CH_3(CH_2)_4CH_3$ **b.** $(CH_3)_3CCH_2CH_3$ **c.** $(CH_3)_2CHOH$
d. $(CH_3CH_2)_2S$ **e.** CH_2ClCH_2OH **f.** $(CH_3)_2NCH_2CH_3$

1.38 Ecrire la formule développée, avec le nombre correct d'hydrogènes sur chaque carbone, des formules abrégées suivantes:

a. 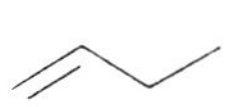   **b.** 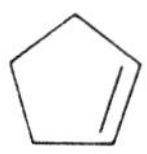   **c.**    **d.**

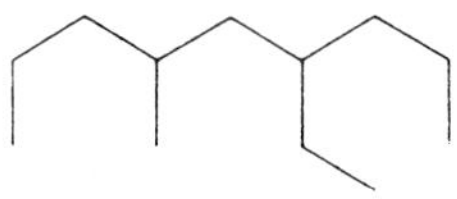

e.   **f.**    **g.**

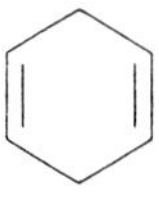

1.39 La figure 1.11 donne une formule abrégée du géraniol.

a. Combien la molécule comporte-t-elle de carbones?

b. Quelle est sa formule moléculaire?

c. Ecrire une formule développée plus détaillée.

1.40 Quelle est la formule moléculaire des composés suivants (voir leurs formules abrégées dans les figures 1.12 et 1.13): muscone, benzène, testostérone, nicotine, limonène, adénine?

1.41 Ecrire les formules selon Lewis des espèces suivantes en précisant les atomes chargés le cas échéant:

a. acide nitreux $HONO$

b. acide nitrique $HONO_2$

c. formaldéhyde H_2CO

d. ion ammonium NH_4^+

e. ion cyanure CN^-

f. monoxyde de carbone CO

g. ion sulfate SO_4^{2-}

h. trifluorure de bore BF_3

i. péroxyde d'hydrogène H_2O_2

j. ion bicarbonate HCO_3^-

1.42 Ecrire la formule selon Lewis de chacune des deux formes limites de l'hybride de résonance de l'ion nitrite NO_2^- (les deux oxygènes sont liés à l'azote). Préciser la charge de chaque oxygène dans les deux formes limites et dans l'hybride de résonance. Montrer par des flèches incurvées l'interconversion des deux formes limites.

1.43 Ecrire les formes limites de l'hybride de résonance de: **a.** l'ion azoture, un ion linéaire constitué de trois azotes contigus N_3^- **b.** l'ion acétate $CH_3CO_2^-$.

1.44 Ecrire la structure obtenue en déplaçant les électrons comme il est indiqué par les flèches incurvées de la formule suivante:

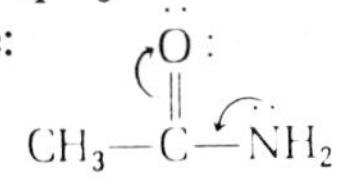

$$CH_3-\overset{\overset{\displaystyle \ddot O:}{\|}}{C}-NH_2$$

La couche électronique externe de chacun des atomes de la structure résultante est-elle complète?

1.45 Ajouter les flèches incurvées à chacune des structures suivantes pour montrer les déplacements des paires d'électrons qui permettent de les interconvertir:

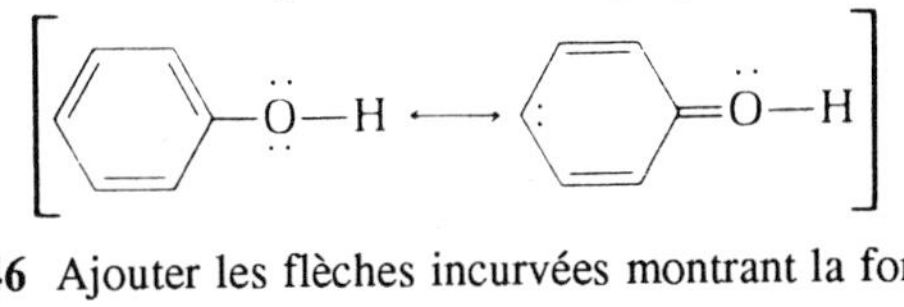

1.46 Ajouter les flèches incurvées montrant la formation du produit de l'équation suivante à partir des réactants:

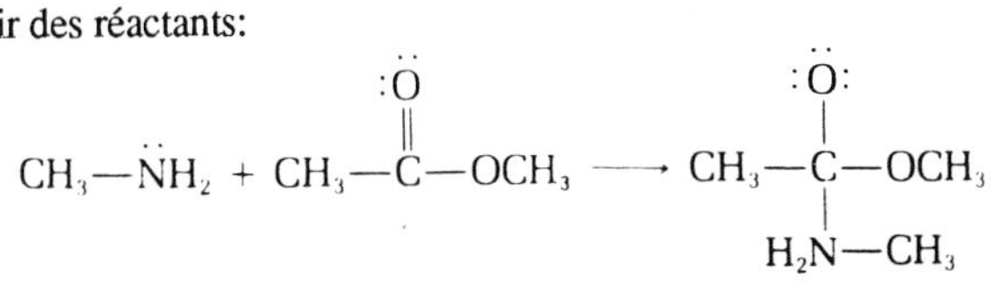

$$CH_3-\ddot N H_2 + CH_3-\overset{\overset{\displaystyle :\ddot O}{\|}}{C}-OCH_3 \longrightarrow CH_3-\underset{\underset{\displaystyle H_2N-CH_3}{|}}{\overset{\overset{\displaystyle :\ddot O:}{|}}{C}}-OCH_3$$

1.47 Les composés suivants comportent à la fois des liaisons ioniques et des liaisons covalentes. Ecrire leur formule selon Lewis. CH_3ONa et NH_4Cl.

1.48 Indiquer toutes les paires d'électrons libres des formules suivantes:

a. CH_3CH_2OH **b.** CH_3COOH **c.** $(CH_3)_2NH$ **d.** $CH_3OCH_2CH_2OH$

1.49 Ecrire, comme dans la partie droite de la figure 1.6, ce que serait la distribution électronique dans l'atome d'azote, si les orbitales s et p étaient hybridées sp^3. Quelle serait alors la géométrie de la molécule d'ammoniac NH_3?

1.50 L'ion ammonium NH_4^+ a exactement la géométrie tétraédrique du méthane. Interpréter cette géométrie au moyen des orbitales atomiques et des orbitales moléculaires.

1.51 Le silicium est juste au-dessous du carbone dans le tableau périodique (table 1.3). Quelle doit donc être la géométrie du silane?

1.52 Au moyen de tirets normaux, gras et ombrés, montrer la géométrie de CCl_4 et de CH_3OH.

1.53 Ecrire une formule développée correspondant à la formule brute $C_5H_{10}O$ et qui soit:
a. acyclique, **b.** carbocyclique, **c.** hétérocyclique.

1.54 Diviser les composés suivants en trois groupes selon les propriétés analogues qu'on peut en attendre:

a. CH_3OH **b.** CH_3OCH_3 **c.** $CH_2(OH)CH(OH)CH_2(OH)$

d. C_5H_{12} **e.** C_4H_9OH **f.** C_8H_{18}

g. C_3H_7OH **h.** $(CH_3CH_2)_2O$ **i.** $CH_3OCH_2CH_2OCH_3$

1.55 Ecrire la réaction du cyclohexanol avec le sodium métal, analogue à l'équation 1.6.

cyclohexanol

1.56 A l'aide de la table 1.5, écrire une formule développée de chacun des composés suivants:
a. un alcool $C_4H_{10}O$ **b.** un éther C_3H_8O

c. un aldéhyde C_3H_6O **d.** une cétone C_4H_8O

e. un acide carboxylique $C_3H_6O_2$ **f.** un ester $C_5H_{10}O_2$

g. un autre ester $C_5H_{10}O_2$ **h.** une amine C_3H_9N

CHAPITRE 2

ALCANES ET CYCLANES.
ISOMERIE CONFORMATIONNELLE
ET ISOMERIE GEOMETRIQUE

2.1 Introduction

Les principaux constituants des pétroles et des gaz naturels, source importante de notre énergie, sont des **hydrocarbures**. Comme leur nom l'indique, ils ne comportent que du carbone et de l'hydrogène. On distingue trois catégories principales: les **saturés**, les **non saturés** (ou insaturés) et les **aromatiques,** selon les types de liaisons carbone-carbone des molécules. Les hydrocarbures saturés ne comportent que des liaisons simples, alors que les non saturés comportent au moins une liaison multiple, double ou triple. Les hydrocarbures aromatiques constituent une catégorie particulière de composés non saturés cycliques dont la structure est apparentée à celle du benzène. On examinera dans le présent chapitre les hydrocarbures saturés, tandis que les deux autres catégories seront étudiées dans les deux chapitres suivants.

Les hydrocarbures saturés peuvent être acycliques ou cycliques; on les appelle alors respectivement les **alcanes** et les **cyclanes**. On utilise encore le terme ancien de *paraffines* pour désigner les alcanes, la paraffine elle-même étant un mélange d'hydrocarbures saturés à longue chaîne.

2.2 Structure des alcanes

L'alcane le plus simple est le méthane et l'on a décrit au paragraphe 1.15 sa structure tétraédrique (voir figure 1.9). On passe aux membres suivants de la série des alcanes en allongeant la chaîne carbonée et en ajoutant le nombre approprié d'hydrogènes satisfaisant à la valence du carbone (table 2.1 et figure 2.1*).

---

* Les modèles moléculaires permettent de représenter les structures organiques dans l'espace. Ils seront très utiles tout au long de ce cours, notamment quand il s'agira d'isomérie. Relativement bon marché, on les trouve d'habitude dans les librairies scientifiques et l'enseignant pourra suggérer, le cas échéant, le type de modèles souhaitable. L'étudiant qui se trouvera dans l'impossibilité d'en trouver, pourra s'en fabriquer aisément avec des cure-dents (pour les liaisons) et des boules de gomme (pour les atomes).

Figure 2.1

Modèles moléculaires de l'éthane, du propane et du butane. Les modèles éclatés, à gauche, montrent comment les atomes sont liés les uns aux autres et représentent correctement les angles de liaisons. Les modèles compacts, à droite, sont construits à l'échelle et donnent une meilleure idée de la forme des molécules.

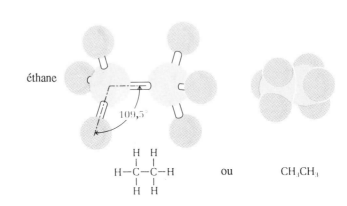

éthane

$$H-\overset{\overset{\displaystyle H}{|}}{C}-\overset{\overset{\displaystyle H}{|}}{C}-H \qquad \text{ou} \qquad CH_3CH_3$$

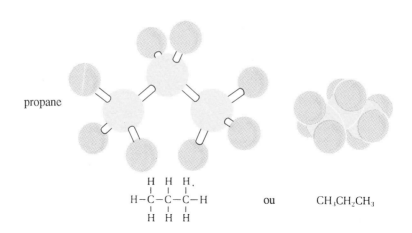

propane

$$H-\overset{\overset{\displaystyle H}{|}}{C}-\overset{\overset{\displaystyle H}{|}}{C}-\overset{\overset{\displaystyle H}{|}}{C}-H \qquad \text{ou} \qquad CH_3CH_2CH_3$$

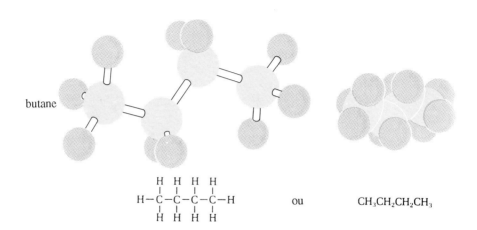

butane

$$H-\overset{\overset{\displaystyle H}{|}}{C}-\overset{\overset{\displaystyle H}{|}}{C}-\overset{\overset{\displaystyle H}{|}}{C}-\overset{\overset{\displaystyle H}{|}}{C}-H \qquad \text{ou} \qquad CH_3CH_2CH_2CH_3$$

Nom	Nombre de carbones	Formule brute	Formule développée	Nombre d'isomères (normaux et ramifiés)
méthane	1	CH_4	CH_4	1
éthane	2	C_2H_6	CH_3CH_3	1
propane	3	C_3H_8	$CH_3CH_2CH_3$	1
butane	4	C_4H_{10}	$CH_3CH_2CH_2CH_3$	2
pentane	5	C_5H_{12}	$CH_3(CH_2)_3CH_3$	3
hexane	6	C_6H_{14}	$CH_3(CH_2)_4CH_3$	5
heptane	7	C_7H_{16}	$CH_3(CH_2)_5CH_3$	9
octane	8	C_8H_{18}	$CH_3(CH_2)_6CH_3$	18
nonane	9	C_9H_{20}	$CH_3(CH_2)_7CH_3$	35
décane	10	$C_{10}H_{22}$	$CH_3(CH_2)_8CH_3$	75

Table 2.1   Noms et formules des dix premiers alcanes normaux

La formule moléculaire générale des alcanes est C_nH_{2n+2}, n étant le nombre d'atomes de carbone. On appelle **alcanes normaux**, ou **n-alcanes**, ceux dont la chaîne est continue, non ramifiée. Un groupe $-CH_2-$, appelé **groupe méthylène**, différencie tout membre et les deux qui l'encadrent dans la série. Celle-ci est dite alors **série homologue**; ses différents membres ont des propriétés chimiques et physiques analogues (par exemple point d'ébullition et densité), en ce sens qu'elles varient régulièrement quand on allonge la chaîne d'un atome de carbone.

2.3 Nomenclature des composés organiques

Dans les premiers temps de la chimie organique, on donnait à chaque composé nouveau un nom basé sur sa source ou sur son utilisation. La plupart des composés des figures 1.11 à 1.13 ont ainsi été nommés, par exemple le limonène (de l'anglais "lemon", citron), l'α-pinène (du pin), la coumarine (du "cumaru", nom donné par les indigènes d'Amérique du Sud à l'odorante fève de tonka), la pénicilline (des cultures de *Penicillium notatum*). Et même actuellement, c'est encore de cette manière qu'on décide du nom de certaines molécules de structure complexe .

D'autres noms ont une origine plus familière. C'est le cas de l'acide barbiturique dont les dérivés, les barbiturates, sont des sédatifs bien connus, et qui aurait été ainsi nommé en l'honneur d'une Barbara, amie du chimiste allemand A. von Baeyer qui le découvrit. C'est, par contre, à cause de la forme de leurs molécules qu'ont été nommés des composés tels que le cubane, le prismane et les rotanes (voir page XXVI).

Depuis longtemps était apparue néanmoins la nécessité de disposer d'autre chose que des appellations communes ou triviales pour nommer les composés organiques et une méthode systématique s'imposait, l'idéal étant que les règles du système devaient conduire à un nom unique pour chaque composé. Il fallait, à la vue de la structure d'un composé et connaissant les règles, pouvoir énoncer son nom systématique et, à la lecture de son nom, pouvoir en écrire la structure correcte.

On élabora finalement un système de nomenclature reconnu et adopté par tous les chimistes du monde. C'est le système recommandé par l'International Union of Pure and Applied Chemistry (IUPAC).

Si seuls étaient utilisés les noms IUPAC, il suffirait au chimiste de connaître ce système. Mais certains noms communs sont employés depuis si longtemps qu'ils semblent devoir l'être indéfiniment. Par exemple, personne n'utilise le nom systématique acide éthanoïque, pour appeler l'acide acétique, ou le nom propanone, pour appeler l'acétone. D'autres noms communs, quoique relativement récents (tels que cubane), sont tellement faciles à retenir, qu'ils ne sauraient être remplacés par leur nom systématique (qui, dans le cas du cubane, est pentacyclo[4.2.0.0.^{2,5}0.^{3,8}O.^{4,7}]octane). Dans ce livre on emploiera surtout les noms systématiques, mais aussi les noms communs quand il s'agira de composés très connus, car ce sont alors les plus utilisés par les chimistes expérimentateurs.

2.4 Règles de l' IUPAC pour les alcanes

1. On donne le nom général d'**alcanes** aux hydrocarbures acycliques, la terminaison -*ane* étant utilisée pour tous les hydrocarbures saturés.
2. Mis à part les quatre premiers, dont les noms sont communs, on appelle les alcanes non ramifiés d'après leur nombre d'atomes de carbone, les racines grecques (penta-, hexa-, etc.) désignant la longueur de la chaîne (voir table 2.1).
3. Avec les alcanes ramifiés, la racine grecque utilisée indique le nombre de carbones de la chaîne continue la plus longue. Par exemple, la chaîne la plus longue de la structure

$$CH_3-\underset{\underset{CH_3}{|}}{CH}-\underset{\underset{CH_3}{|}}{CH}-CH_2-CH_3$$

a cinq carbones. On considère donc ce composé comme un pentane substitué, bien qu'il comporte sept carbones.
4. On appelle substituants les atomes ou groupes d'atomes attachés à la chaîne principale. Les substituants saturés ne comportant que des atomes de carbone et d'hydrogène sont appelés des **groupes alkyles**. On les nomme comme l'alcane correspondant, mais en changeant la terminaison -*ane* en -*yle*.*

---

* **Sur l'orthographe et la nomenclature françaises:** L'usage veut qu'en français les groupes alkyles (les appellations bizarres alcoyle, alcoyles, alcoyl-, qui ont primé longtemps, sont heureusement le plus souvent abandonnées) soient écrits avec un e, sauf lorsqu'il s'agit de groupes incorporés dans un nom systématique. On parlera, par exemple, du groupe méthyle, des radicaux méthyles, de l'iodure d'éthyle, d'un halogénure d'alkyle, mais du diméthylcyclopentane, du méthyl- éthyl-éther, etc.

Dans l'exemple ci-dessus les deux ramifications n'ont qu'un seul carbone. Un tel groupe, dérivé du méthane qui a perdu l'un de ses hydrogènes, est appelé **groupe méthyle.**

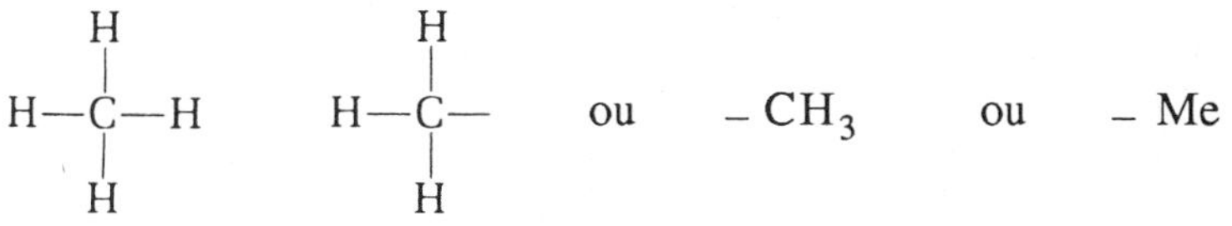

$$H—\underset{\underset{H}{|}}{\overset{\overset{H}{|}}{C}}—H \qquad H—\underset{\underset{H}{|}}{\overset{\overset{H}{|}}{C}}— \qquad ou \qquad -CH_3 \qquad ou \qquad -Me$$

méthane   groupe méthyle

5. La position des groupes est précisée par un numéro*. On numérote donc la chaîne principale et de telle manière que le premier substituant rencontré reçoive le numéro le plus petit possible. Quand plusieurs groupes identiques sont liés à la chaîne principale, on utilise, selon les cas, les préfixes *di-*, *tri-* ou *tétra-*. Tout substituant doit être nommé et numéroté, même si deux d'entre eux sont liés au même carbone. Le nom correct de l'hydrocarbure

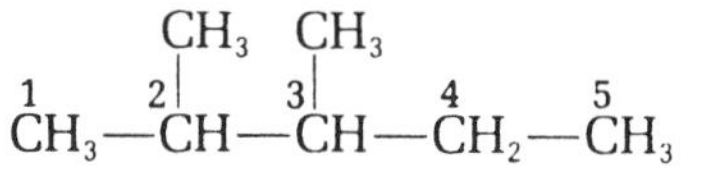

$$\overset{1}{CH_3}—\overset{2}{\underset{|}{CH}}—\overset{3}{\underset{|}{CH}}—\overset{4}{CH_2}—\overset{5}{CH_3}$$
$$\qquad\quad \overset{CH_3}{}\ \ \overset{CH_3}{}$$

est donc 2,3-diméthylpentane (on apprend ainsi que le composé a deux substituants méthyles, l'un lié au carbone-2 et l'autre au carbone-3 d'une chaîne de cinq carbones).

6. La ponctuation dans la nomenclature IUPAC est importante. On doit écrire les noms en un seul mot, en séparant les numéros les uns des autres par des virgules et en les séparant des lettres par des traits d'union. Quand plusieurs types différents de substituants sont présents, on suit l'ordre alphabétique (pour en faciliter l'indexation), sachant que les préfixes tels que *di-*, *tri-*, etc., ne doivent pas intervenir dans cet ordre.

Exemple de problème 2.1   Selon la nomenclature IUPAC, nommer le composé:

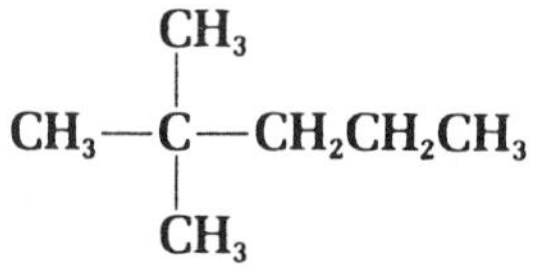

$$CH_3—\underset{\underset{CH_3}{|}}{\overset{\overset{CH_3}{|}}{C}}—CH_2CH_2CH_3$$

Solution   On nomme la chaîne la plus longue de gauche à droite (les substituants recevant ainsi le numéro le plus petit – règle 5). Le nom correct est 2,2-diméthyl-pentane.

Problème 2.1   Nommer les composés suivants dans le système IUPAC:

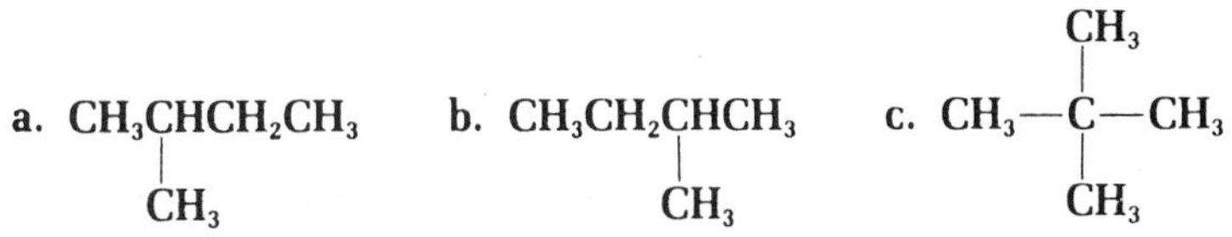

a. $CH_3CHCH_2CH_3$ **b.** $CH_3CH_2CHCH_3$ **c.** $CH_3—\underset{\underset{CH_3}{|}}{\overset{\overset{CH_3}{|}}{C}}—CH_3$
$\qquad\ \ \underset{|}{CH_3}$ $\qquad\qquad\qquad\ \ \ \underset{|}{CH_3}$

*La place du numéro précisant la position d'un substituant dans le nom d'une molécule fait encore l'objet d'une discussion étonnante entre tenants de la nomenclature internationale, qui placent ce numéro avant le groupe concerné, et ceux de la nomenclature française, qui le placent après. Les premiers parleront donc, par exemple, du 2-éthyl-3-méthylcyclopentane et les autres de l'éthyl-2 méthyl-3 cyclopentane. Comme l'indique l'avant-propos, c'est la nomenclature internationale qui sera suivie systématiquement dans ce livre.

2.5 Substituants alkyles et substituants halogènes

Comme on l'a vu pour les groupes méthyles (règle **4** de l'IUPAC), les noms des substituants alkyles dérivent des alcanes correspondants en changeant leur terminaison *-ane* en *-yle*. Ainsi, de l'éthane dérive le groupe éthyle:

$$CH_3CH_3 \qquad\qquad CH_3CH_2- \quad ou \quad -C_2H_5 \quad ou \quad -Et$$

éthane   groupe éthyle

Cependant, du propane dérivent deux groupes alkyles, selon le type d'hydrogène qui a été enlevé. Si c'est un hydrogène d'un carbone extrême, le groupe est appelé propyle normal ou *n*-propyle (ou 1-propyle):

$$CH_3CH_2CH_3 \qquad CH_3CH_2CH_2- \quad ou \quad n\text{-}Pr-$$

propane   groupe *n*-propyle ou 1-propyle

Si c'est un hydrogène du carbone central, le groupe est appelé isopropyle:

$$CH_3CH_2CH_3 \qquad\qquad CH_3CHCH_3 \quad ou \quad i\text{-}Pr$$

propane   groupe isopropyle ou 1-méthyléthyle

Il y a quatre groupes butyles différents:

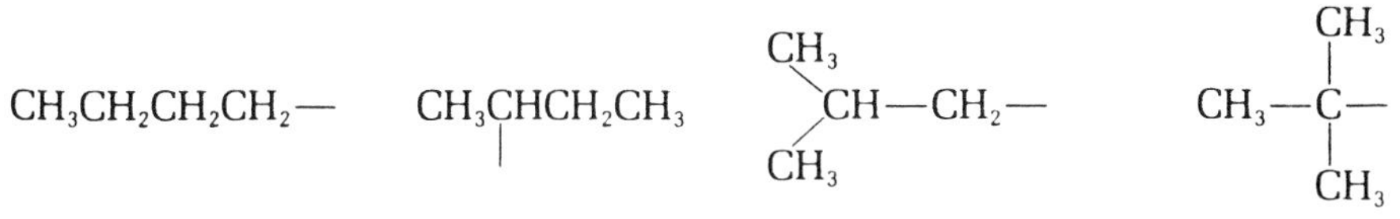

$$CH_3CH_2CH_2CH_2- \qquad CH_3CHCH_2CH_3 \qquad\qquad \begin{array}{c} CH_3 \\ \diagdown \\ CH-CH_2- \\ \diagup \\ CH_3 \end{array} \qquad\qquad CH_3-\overset{\displaystyle CH_3}{\underset{\displaystyle CH_3}{C}}-$$

n-butyle	*s*-butyle	isobutyle	*t*-butyle
(ou butyle)	(ou 1-méthylpropyle)	(ou 2-méthylpropyle)	(ou 1,1-diméthyléthyle)

Il faut retenir les noms de tous ces groupes alkyles qui comportent de 1 à 4 atomes de carbone, car on les rencontrera souvent dans ce livre.

On verra plus loin que la réactivité d'un substituant X (OH, halogène, etc.) de beaucoup de composés dépend du degré de substitution du carbone qui porte ce substituant. Il est souvent commode de classer ces composés selon le nombre d'atomes de carbone liés à celui qui est substitué.

Un carbone primaire n'est directement lié qu'à un carbone, un carbone secondaire est directement lié à deux carbones, un carbone tertiaire à trois et un carbone quaternaire à quatre carbones.

Ainsi, parmi les chlorures cités ci-dessous, les chlorures de *n*-butyle et d'isobutyle sont des chlorures primaires, le chlorure de *s*-butyle est secondaire et le chlorure de *t*-butyle est tertiaire.

$$CH_3CH_2CH_2CH_2Cl \qquad\qquad\qquad (CH_3)_2CH_2Cl$$

chlorure de *n*-butyle   chlorure d'isobutyle

$$CH_3CHClCH_2CH_3 \qquad\qquad\qquad (CH_3)_3CCl$$

chlorure de *s*-butyle   chlorure de *t*-butyle

On utilise la lettre R comme symbole général du groupe alkyle. La formule R—H représente donc un alcane quelconque et la formule R—Cl un chlorure d'alkyle quelconque.

On nomme les substituants halogènes en ajoutant la terminaison *o* ou en remplaçant l'*e* terminal de l'élément par *o*.

F –	Cl –	Br –	I –
fluoro-	chloro-	bromo-	iodo-

Exemple de problème 2.2   **Quels sont le nom commun et le nom IUPAC de $CH_3CH_2CH_2Br$?**

Solution   **Le nom commun est bromure de propyle, c'est-à-dire le nom commun du groupe alkyle précédé de celui de l'halogénure. Le nom IUPAC est 1-bromopropane où l'halogène est le substituant d'une chaîne à trois carbones.**

Problème 2.2   **Quelles sont la formule du groupe 1-pentyle et celle du groupe 2-pentyle?**

Problème 2.3   **Quelle est la formule de chacun des composés suivants: bromure de *n*-propyle, chlorure d'isopropyle, 2-chloropropane, iodure de *t*-butyle, alcool isobutylique, un quelconque fluorure d'alkyle?**

2.6 Application des règles de l' IUPAC

Les exemples donnés dans la table 2.2 illustrent l'application des règles de l'IUPAC à la nomenclature de composés de structure déterminée.

Pour écrire une formule développée d'après un nom, il faut d'abord écrire la chaîne carbonée la plus longue, puis la numéroter, ajouter correctement les substituants des carbones et enfin préciser le nombre d'hydrogènes au niveau de chaque carbone.

Par exemple, écrire la formule du 2,2,4-triméthylpentane nécessite trois temps:

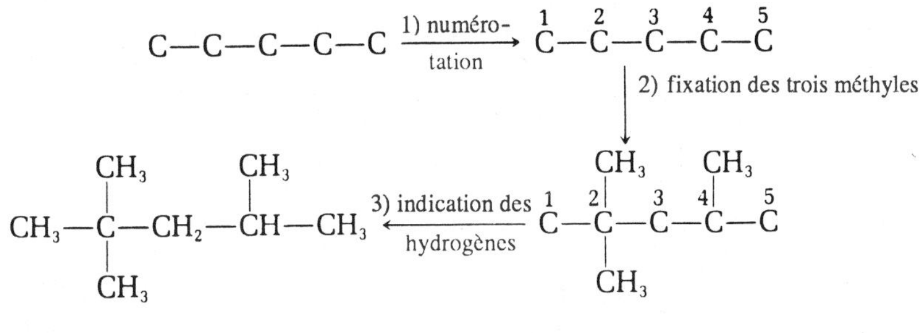

Problème 2.4   **Nommer les composés suivants dans le système IUPAC:**
CH_3CHFCH_3 et $(CH_3)_3CCH_2CHClCH_3$

Problème 2.5   Ecrire la formule développée du 3,3-diméthylpentane.

Problème 2.6   Pourquoi 1,3-dichlorobutane est-il un nom IUPAC correct, mais non pas 1,3-diméthylbutane?

Table 2.2

Quelques applications des règles de l' IUPAC

$$\overset{5}{C}H_3\overset{4}{C}H_2\overset{3}{C}H_2\overset{2}{C}H\overset{1}{C}H_3$$
$$\underset{CH_3}{|}$$

2-méthylpentane

(et non pas 4-méthyl-pentane)

La terminaison *-ane* indique que toutes les liaisons C – C sont simples; le préfixe *penta-* implique cinq carbones dans la chaîne la plus longue; on numérote de droite à gauche pour donner au substituant méthyle le numéro le plus petit possible.

$$\overset{3}{C}H_3\overset{4}{C}HCH_2\overset{5}{C}H_2\overset{6}{C}H_3$$
$$\overset{2}{\underset{CH_2CH_3}{|}}\,\overset{1}{}$$

3-méthylhexane

(et non pas 2-éthyl-pentane)

Chaîne saturée de six carbones avec un méthyle lié au 3e. Une écriture préférable : $CH_3CH_2CHCH_2CH_2CH_3$.
$$\underset{CH_3}{|}$$

$$\overset{CH_3}{\underset{}{|}}$$
$$\overset{1}{C}H_3-\overset{2}{C}-\overset{3}{C}H_2\overset{4}{C}H_3$$
$$\underset{CH_3}{|}$$

2,2-diméthylbutane

(et non pas 2-diméthyl-butane ni 2,2-méthyl-butane)

Il faut un numéro pour chaque substituant, le préfixe *di-* indiquant qu'il y a deux substituants méthyles.

$$\overset{1}{C}H_2\overset{2}{C}H_2\overset{3}{C}H\overset{4}{C}H_3$$
$$\underset{Cl}{|}\quad\underset{Br}{|}$$

1-chloro–3-bromobutane

(et non pas 4-chloro-2-bromobutane)

La chaîne du butane est numérotée de façon à donner au 1er substituant le numéro le plus petit possible.

2.7 Etat naturel des alcanes

Actuellement, les deux plus importantes sources naturelles d'alcanes sont les **pétroles** et les **gaz naturels**. Le *pétrole* est un mélange liquide complexe de composés organiques, dont beaucoup sont des alcanes ou des cyclanes. On a isolé du pétrole tous les alcanes normaux jusqu'en $C_{33}H_{68}$ et beaucoup d'alcanes ramifiés. Pour plus de détails sur le raffinage du pétrole et l'obtention de l'essence, du fuel et autres substances, voir "A propos du pétrole, de son raffinage et de l'indice d'octane", page 118.

Le *gaz naturel*, souvent présent dans les gisements de pétrole, est constitué essentiellement de méthane (environ 80%) et d'éthane (5-10%), à côté de quelques alcanes plus lourds. Le propane est le constituant principal du gaz de pétrole liquéfié, un combustible surtout utilisé dans les campagnes.

Le gaz naturel apparaît de plus en plus comme une source énergétique concurrente du pétrole. Pendant la dernière décennie, ses réserves connues ont doublé alors que celles du pétrole sont restées pratiquement inchangées. En 1984, on estimait les réserves de gaz naturel à 100 trillions (100 milliers de milliards) de m^3, dont presque 40% en Union Soviétique, puis 14% en Iran et 6% aux Etats-Unis. Aux Etats-Unis, plus de 400.000 kilomètres de pipelines distribuent le gaz naturel à travers le pays. Ce gaz est aussi distribué à travers le monde au moyen de tankers géants. Pour des questions de volume (un m^3 de gaz liquéfié étant équivalent à 600 m^3 de gaz à la pression ordinaire), on liquéfie le gaz naturel (à $-$ 160°C) et on le transporte dans de gros tankers de plus de 100.000 m^3. Il est probable que dans les années futures, dans les pays en voie de développement, on obtiendra de l'énergie à meilleur marché en augmentant les ressources en gaz naturel plutôt qu'en important du pétrole.

L'épuisement des réserves de pétrole et de gaz naturel, deux de nos principales sources d'énergie et des composés carbonés nécessaires à la fabrication des plastiques, produits pharmaceutiques, etc., est l'un des problèmes majeurs de notre temps. Une nouvelle source d'énergie est le *schiste bitumineux*, un mélange d'hydrocarbures analogue au pétrole, qu'on trouve dans les roches poreuses, en énormes quantités notamment dans l'ouest des Montagnes Rocheuses. Une autre source d'énergie est le *charbon*, qu'on peut convertir en carburant liquide. Il reste, enfin, une autre possibilité; c'est de transformer la végétation elle-même en carburant liquide, par des méthodes plus rapides et plus directes que la formation des gisements de pétrole. Il s'agit d'un travail formidable, mais incontestablement réalisable si les nations sont capables de rester en paix et de coopérer dans la recherche d'une solution.

2.8 Propriétés physiques des alcanes

Les alcanes sont insolubles dans l'eau et ceux qui sont liquides, étant moins denses que l'eau, flottent à sa surface (d'où le dicton: "l'huile et l'eau ne se mélangent pas"). La raison en est que les molécules d'eau sont polaires et s'attirent mutuellement, alors que les alcanes ne le sont pas. Pour entremêler les molécules d'eau et d'alcane, il faudrait rompre les forces attractives entre les premières et cela serait difficile.

La non-miscibilité des alcanes et de l'eau est mise à profit par beaucoup de végétaux. Souvent des alcanes font partie de la couche protectrice des feuilles et des fruits; on voit bien, par exemple, que la peau, ou cuticule, des pommes comporte des cires; parmi celles-ci, il y a les *n*-alcanes en C_{27} et C_{29}; de même la cire des feuilles de chou et de brocoli est surtout constituée de l'alcane *n*-$C_{29}H_{60}$, alors que celui des feuilles de tabac est le *n*-$C_{31}H_{64}$. On a trouvé des hydrocarbures du même type dans la cire d'abeilles. Le rôle principal de ces cires est d'empêcher les pertes d'eau par évaporation.

Pour une masse moléculaire donnée, les alcanes ont un point d'ébullition plus bas que beaucoup d'autres composés organiques. C'est parce que les forces attractives entre molécules non polaires sont faibles et que leur séparation les unes des autres (ce que l'on fait quand on change un liquide en gaz) nécessite relativement peu d'énergie. La figure 2.2 rassemble les points d'ébullition de quelques alcanes. Plus grande est la surface des molécules et plus grandes sont les forces attractives entre elles; c'est pourquoi les points d'ébullition s'élèvent quand s'accroît la longueur de la chaîne et qu'ils s'abaissent quand la chaîne est plus ramifiée et que la molécule s'approche alors de la forme sphérique.

Figure 2.2
Points d'ébullition des premiers alcanes normaux *(courbe à gauche)* et de trois alcanes en C$_5$H$_{12}$ *(table à droite)*. La courbe montre que ces points d'ébullition s'élèvent régulièrement avec l'accroissement de la longueur de la chaîne. Mais la table illustre l'abaissement de ces points d'ébullition avec l'accroissement de la ramification.

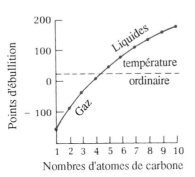

Nom	Formule	Eb (°C)
pentane	CH$_3$CH$_2$CH$_2$CH$_2$CH$_3$	36
2-méthylbutane (isopentane)	CH$_3$CHCH$_2$CH$_3$ CH$_3$	28
2,2-diméthylpropane (néopentane)	CH$_3$ CH$_3$-C-CH$_3$ CH$_3$	10

2.9 Conformation des alcanes

La forme des molécules affecte leurs propriétés et, depuis peu, les chimistes portent attention aux détails subtils de leur géométrie. Une molécule simple comme l'éthane, par exemple, par suite de la rotation possible d'un atome de carbone (avec les hydrogènes qui lui sont liés) par rapport à l'autre, peut avoir une infinité d'arrangements. Ces derniers sont appelés des **conformations**. Il y en a deux particulières pour l'éthane (voir figure 2.3).

Les projections de Newman, représentations spatiales astucieuses de la liaison interatomique, dues à M. S. Newman de l'Université d'Etat de l'Ohio, sont particulièrement utiles ici. Dans cette représentation, on regarde la molécule dans l'axe de la liaison C—C; les liaisons du carbone "avant", le plus proche de l'observateur et symbolisé par un cercle, partent du centre de ce cercle, tandis que celles du carbone "arrière", le plus éloigné de l'observateur et caché par l'autre, n'apparaissent que hors de ce cercle. La figure 2.3 illustre cette représentation des conformations particulières de l'éthane, de même que les modèles compacts correspondants et une autre représentation très parlante, la perspective cavalière.

Dans la **conformation décalée** de l'éthane, chaque liaison C—H bissecte l'angle H—C—H de l'autre carbone, tandis que dans la **conformation éclipsée** les liaisons C—H des carbones avant et arrière sont alignées. On peut passer de l'une à l'autre par une rotation de 60° d'un carbone par rapport à l'autre. Entre ces deux extrêmes, il y a une infinité de conformations possibles.

Quoique inséparables, les conformations décalée et éclipsée de l'éthane peuvent être considérées comme deux **isomères rotationnels** (ou **rotamères**), à savoir interconvertibles par rotation d'une liaison simple C—C.

Cette rotation autour de la liaison σ est facile, car elle n'affecte pas le recouvrement des orbitales sp^3 de l'un et l'autre carbones (voir figure 1.8). En effet, il y a suffisamment de chaleur à la température ordinaire pour provoquer une interconversion rapide des formes décalée et éclipsée de l'éthane. On sait cependant que ces deux formes ne sont pas d'égale stabilité, la conformation décalée étant favorisée à la température ordinaire (99% des molécules d'éthane ont alors cette conformation). C'est probablement parce que, dans cet arrangement, les trois paires d'électrons liants des carbones adjacents sont les plus éloignées les unes des autres.

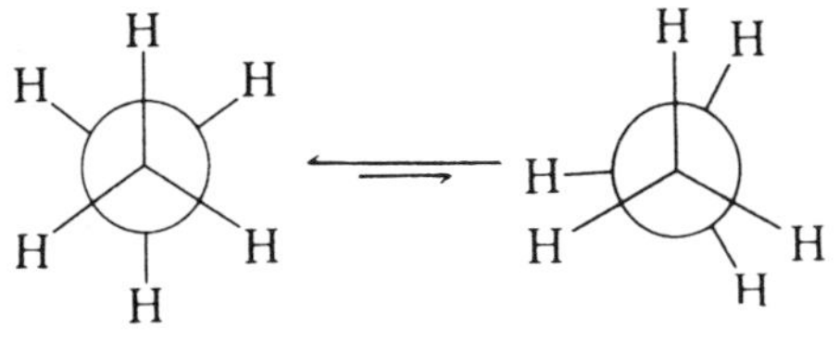

décalé   éclipsé

(2.1)

Exemple de problème 2.3   Donner les formules en projection de Newman des conformations décalée et éclipsée du propane.

Solution

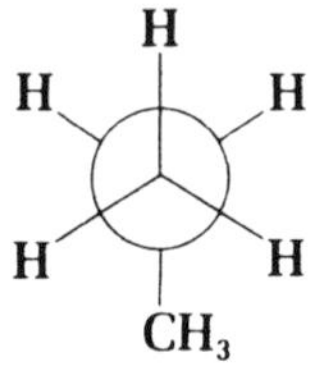

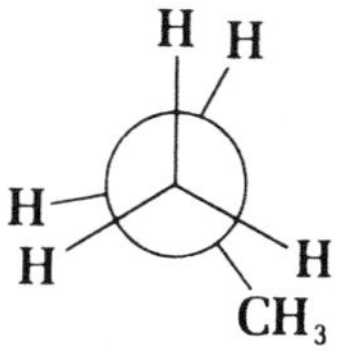

décalé   éclipsé

Si l'on considère les rotations autour de la liaison centrale du butane, on s'aperçoit que les conformations éclipsées sont encore plus défavorisées que dans l'éthane du fait de la taille des groupes méthyles. De plus, les conformations décalées (tout comme les conformations éclipsées) ne sont pas équivalentes: on distingue une conformation *anti* et des conformations *gauches*. L'énergie de ces conformations *gauches* est supérieure à celle de la conformation *anti*, par suite des répulsions entre groupes méthyles dans les premières.

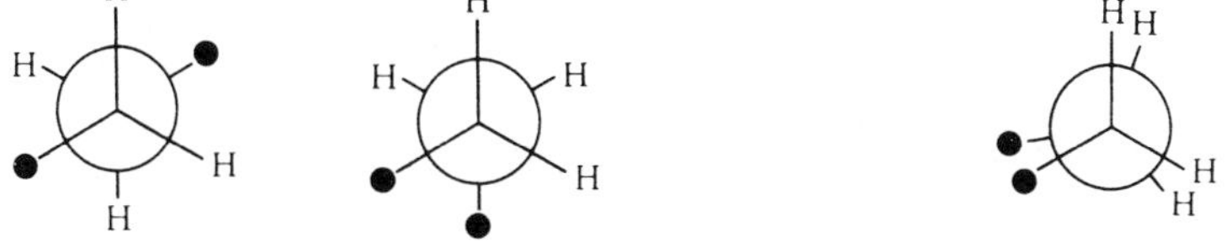

anti   gauches
décalées (favorisées)   éclipsées (défavorisées)
conformations typiques du butane (les gros points symbolisent les méthyles)

Ce qu'il faut surtout savoir quand on parle d' **isomères conformationnels** (ou **conformères**), c'est qu'il s'agit de formes à peine différentes d'une même molécule et qu'elles sont interconvertibles par des rotations autour de liaisons simples (σ). Le plus souvent il y a, pour cela, suffisamment d'énergie thermique à la température ordinaire et cette rotation est inévitable. Il n'est donc pas possible généralement de séparer les conformères les uns des autres.

Il en va de même pour les chaînes de plus de deux carbones; la forme la plus favorisée est l'arrangement "en zigzag", dans lequel toutes les liaisons C—C ont la conformation décalée (c'est le cas du *n*-pentane). Mais il n'est pas étonnant que, même à la température ambiante, de telles chaînes se pelotonnent très aisément, conséquence de faibles rotations au niveau des diverses liaisons C—C.

la chaîne en zigzag du n-pentane et son modèle compact
(d'après P. Arnaud *Cours de chimie organique*, Bordas 1983)

Examinons maintenant les cyclanes et l'effet que la structure cyclique impose à leurs conformations a priori possibles.

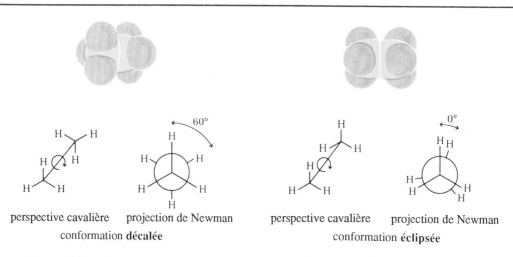

perspective cavalière   projection de Newman   perspective cavalière   projection de Newman

conformation **décalée**   conformation **éclipsée**

Figure 2.3   Les deux conformations extrêmes, décalée et éclipsée, de l'éthane. Les flèches incurvées montrent que l'interconversion est aisée par une simple rotation de 60° autour de la liaison C—C. En haut de la figure sont représentés les modèles compacts et en bas les perspectives cavalières et les projections de Newman.

2.10 Nomenclature et conformation des cyclanes

On nomme les hydrocarbures cycliques que sont les **cyclanes** en plaçant le préfixe *cyclo-* devant le nom de l'alcane dont la chaîne a le même nombre d'atomes de carbone. Les structures et les noms des six premiers cyclanes non substitués sont:

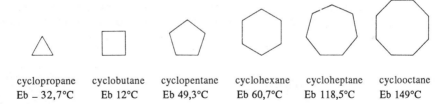

cyclopropane	cyclobutane	cyclopentane	cyclohexane	cycloheptane	cyclooctane
Eb – 32,7°C	Eb 12°C	Eb 49,3°C	Eb 60,7°C	Eb 118,5°C	Eb 149°C

La nomenclature des cycles porteurs de substituants alkyles ou halogènes est analogue à celle des alcanes. Si le substituant est unique, il n'est pas besoin de numéroter les carbones; mais il en va différemment si plusieurs substituants sont présents. On donne toujours le numéro 1 à l'un d'entre eux et l'on numérote alors les carbones du cycle de telle manière que les autres substituants reçoivent le numéro le plus petit possible. Exemples:

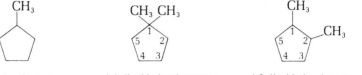

méthylcyclopentane   1,1-diméthylcyclopentane   1,2-diméthylcyclopentane
(non pas 1-méthylcyclopentane)   (non pas 1,5-diméthylcyclopentane)

Problème 2.7   **Ecrire la formule développée du 1,3-diméthylcyclopentane et du 1,2,3-trichlorocyclopropane.**

Problème 2.8   **Donner les noms IUPAC des composés:**

a.   CH₂CH₃   b.   Cl
                                        Cl

Examinons maintenant la conformation des cyclanes. Le cyclopropane, avec seulement trois carbones, est nécessairement plan, puisque trois points déterminent un plan. L'angle C—C—C n'est que de 60°, c'est-à-dire beaucoup plus petit que l'angle de 109,5° du tétraèdre régulier. Les hydrogènes se tiennent au-dessus et au-dessous du plan des carbones et il y a éclipse parfaite entre les hydrogènes de deux carbones adjacents. La conséquence d'une telle structure et notamment de la petitesse des angles C—C—C est une tension de la molécule et sa tendance à donner des produits d'ouverture de cycle.

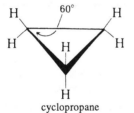

cyclopropane

Exemple de problème 2.4   Pourquoi les hydrogènes du cyclopropane sont-ils disposés

au-dessus et au- dessous du plan du cycle?

Solution   Les carbones du cyclopropane ont une géométrie analogue à ceux de la figure
             1.10, mis à part l'angle C—C—C qui est ici déformé et qui est plus petit que
             celui du tétraèdre. Il s'ensuit que l'angle H—C—H est plus ouvert et qu'il est
             plus grand que celui du tétraèdre (environ 120°).

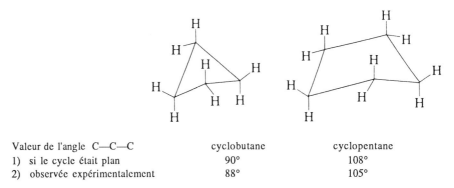

Le plan H—C—H bissecte perpendiculairement le plan C—C—C comme dans
la figure 1.10.

Tous les cyclanes dont le cycle a plus de trois carbones ont une conformation
plissée. Dans cette conformation, le cyclobutane et le cyclopentane ont des
angles C—C—C encore plus petits que ceux qu'ils auraient dans la
conformation plane; mais l'éclipse entre méthylènes voisins est moindre et
compense largement cela du point de vue énergétique.

Valeur de l'angle C—C—C	cyclobutane	cyclopentane
1) si le cycle était plan	90°	108°
2) observée expérimentalement	88°	105°

Les cycles à six carbones méritent une attention particulière et ils ont été
étudiés en détail, car ils sont très courants dans les produits naturels. C'est
surtout à la suite de leurs travaux sur l'analyse conformationnelle moderne et
notamment sur les cyclohexanes que les professeurs O. Hassel de Norvège et
D.H.R. Barton de Grande-Bretagne ont reçu, en 1969, le prix Nobel. Si le
cyclohexane était un hexagone plan, les angles C—C—C internes seraient de
120°, donc assez différents de l'angle de 109,5° du tétraèdre régulier. La tension
qui en résulterait empêcherait donc la planéité du cycle. La conformation la plus
favorisée du cyclohexane est la **conformation chaise,** dans laquelle tous les
angles C—C—C ont la valeur normale de 109,5° et tous les hydrogènes de
deux carbones adjacents sont parfaitement décalés. La figure 2.4 montre
quelques modèles de cette conformation*.

* Le diamant est l'une des formes naturelles du carbone. Dans le cristal, les atomes sont liés
les uns aux autres de manière analogue à la forme chaise du cyclohexane dont tous les
hydrogènes sont remplacés par des carbones, ce qui donne un réseau continu d'atomes. Les
hydrocarbures **adamantane** et **diadamantane** montrent le début d'une structure diamant avec
leurs cycles cyclohexane chaise accolés.

Figure 2.4
Modèle éclaté et modèle compact de la conformation chaise du cyclohexane. Les hydrogènes axiaux se trouvent au-dessus et au-dessous du plan moyen du cycle, tandis que les hydrogènes équatoriaux se trouvent approximativement dans ce plan. Le schéma de droite illustre l'origine de la terminologie "chaise".

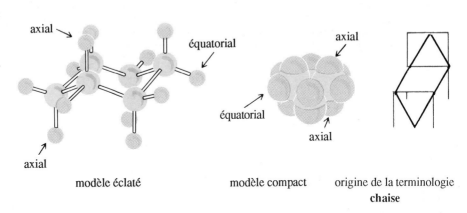

modèle éclaté   modèle compact   origine de la terminologie
                                                                chaise

On constate que, dans cette conformation (voir figure 2.5), il y a deux types d'hydrogènes qu'on appelle **axiaux** et **équatoriaux**. Trois hydrogènes axiaux se trouvent au-dessus et trois autres au-dessous du plan moyen du cycle et perpendiculaires à lui, tandis que six hydrogènes équatoriaux se trouvent approximativement dans ce plan. Par une déformation dans laquelle trois carbones alternés du cycle (par exemple 1, 3 et 5) se déplacent dans une direction (vers le bas), alors que les trois autres se déplacent dans la direction opposée (vers le haut), une conformation chaise peut être convertie en une autre conformation chaise dans laquelle tous les hydrogènes axiaux dans l'une deviennent équatoriaux dans l'autre et vice versa.*

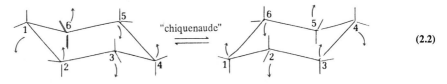

(2.2)

Les liaisons axiales (colorées) dans la conformation de gauche deviennent équatoriales dans celle de droite née de l'inversion du cycle.

---

* Etant donné l'importance de la chimie des cycles à six carbones et le rôle capital de leur géométrie dans cette chimie, l'étudiant devra s'exercer à écrire correctement ces cycles sous leurs deux conformations chaise avec toutes leurs liaisons axiales et équatoriales.

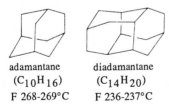

adamantane   diadamantane
$(C_{10}H_{16})$ $(C_{14}H_{20})$
F 268-269°C   F 236-237°C

A la température ordinaire, la fréquence de cette inversion de conformation est élevée, mais, à basse température (à − 90° par exemple), elle est ralentie et, par certaines techniques spectroscopiques, on peut mettre en évidence les deux types différents d'hydrogènes.

Figure 2.5

Liaisons axiales et équatoriales dans la conformation chaise du cyclohexane. Les liaisons axiales (a) sont parallèles à l'axe vertical traversant le milieu du cycle. Les liaisons équatoriales (e) sont en gros dans le plan moyen du cycle.

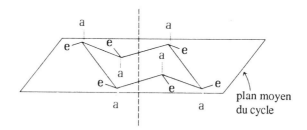

Il nous faut considérer maintenant un autre aspect important de la conformation du cyclohexane. Si l'on examine son modèle compact (figure 2.4), on constate que, pratiquement, les trois hydrogènes axiaux situés du même côté du cycle se touchent. Si l'un de ces hydrogènes axiaux est remplacé par un groupe plus volumineux tel qu'un méthyle, l'encombrement devient important. C'est pourquoi la conformation alors favorisée est celle dans laquelle le substituant méthyle est équatorial.

répulsion stérique

CH_3—————H

H—1

"chiquenaude"

H H

H

CH_3—1

H

(2.3)

méthyle axial   méthyle équatorial

(5%)   (95%)

Dans le *t*-butylcyclohexane un tel encombrement est très important et ce composé existe presque uniquement sous la seule conformation dans laquelle le groupe *t*-butyle est équatorial.

Il existe une autre conformation du cycle cyclohexane dans laquelle tous les angles C—C—C ont la valeur normale de 109,5°; c'est la **conformation bateau**. Mais, sauf cas particuliers, elle est beaucoup moins stable que la conformation chaise, à cause des éclipses sur les flancs du bateau et de la répulsion effective existant entre la proue et la poupe de ce dernier; pour le cyclohexane lui-même une telle conformation bateau est presque inexistante.

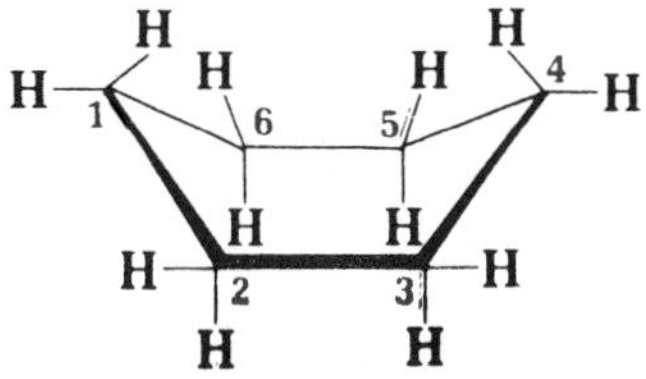

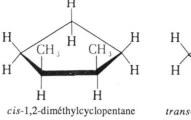

cyclohexane "bateau"

Avant d'examiner les réactions des alcanes et des cyclanes, il nous faut considérer un type d'isomérie qui peut apparaître quand des substituants sont présents sur deux ou plus de deux carbones d'un cyclane.

2.11 Isomérie *cis-trans* des cyclanes

La **stéréoisomérie** traite des molécules dont les atomes sont liés les uns aux autres dans le même ordre, mais diffèrent par leur disposition dans l'espace. L'**isomérie cis-trans** (aussi appelée isomérie géométrique) est un type de stéréoisomérie, mais il est plus facile de la considérer comme un cas spécifique. Examinons, par exemple, les structures possibles du 1,2-diméthylcyclopentane. Pour simplifier, négligeons le plissement peu accentué du cycle et écrivons-le comme s'il était plan. Les deux groupes méthyles peuvent se trouver du même côté ou de part et d'autre du cycle.

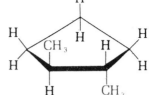

cis-1,2-diméthylcyclopentane	*trans*-1,2-diméthylcyclopentane
Eb 99°C	Eb 92°C

On dit que les méthyles sont **cis** ou **trans** l'un par rapport à l'autre.

Les isomères *cis* et *trans* ne diffèrent entre eux que par la position dans l'espace d'atomes ou de groupes d'atomes. Cependant cela est suffisant pour qu'ils aient des propriétés physiques et chimiques différentes (remarquer, par exemple, leurs points d'ébullition). Les isomères *cis* et *trans* sont des composés distincts et uniques. Contrairement aux isomères conformationnels, ils ne sont pas interconvertibles par rotation autour d'une liaison carbone-carbone. Dans l'exemple ci-dessus, la struture cyclique empêche cette rotation. Le plus souvent on peut séparer l'un de l'autre deux isomères *cis* et *trans* et les conserver ainsi séparés.

L'isomérie *cis-trans* peut être importante en déterminant les propriétés biologiques de molécules. Par exemple, une molécule comportant deux groupes réactifs en *cis* réagira différemment de son isomère *trans* avec un enzyme ou un récepteur biologique.

Problème 2.9 **Ecrire la structure des isomères *cis* et *trans* du 1,2-dichlorocyclopropane et du 1-bromo- 3-chlorocyclobutane.**

2.12 Isomères conformationnels et *cis-trans* des cyclohexanes

Quand l'isomérie *cis-trans* et l'isomérie conformationnelle sont également possibles, comme c'est souvent le cas pour les cyclohexanes, les choses sont un peu plus compliquées. Examinons, par exemple, les isomères *cis* et *trans* du 1,2-diméthylcyclohexane. L'isomère *cis* est représenté par l'équilibre suivant:

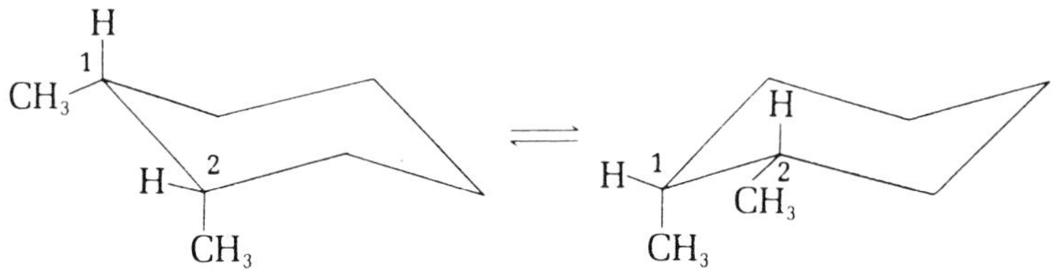

(e,a)   (a,e)

cis-1,2-diméthylcyclohexane

(2.4)

Dans chacune des deux conformations chaise, les méthyles sont attachés au carbone-1 et au carbone-2 par la plus basse des deux liaisons partant de chacun d'eux. Ils sont donc en *cis* l'un par rapport à l'autre dans les deux structures. D'autre part, dans la conformation de gauche, le méthyle en C1 est équatorial et le méthyle en C2 est axial (autrement dit, il s'agit d'une conformation **e,a**). Quand il y a inversion de cycle, le méthyle en C1 devient axial et le méthyle en C2 équatorial (conformation **a,e**). Ayant toutes les deux un méthyle axial et un autre équatorial, ces conformations sont d'une égale stabilité et l'équilibre montré par l'équation 2.4 est donc 50:50.

La situation est différente pour le *trans*-1,2-diméthylcyclohexane.

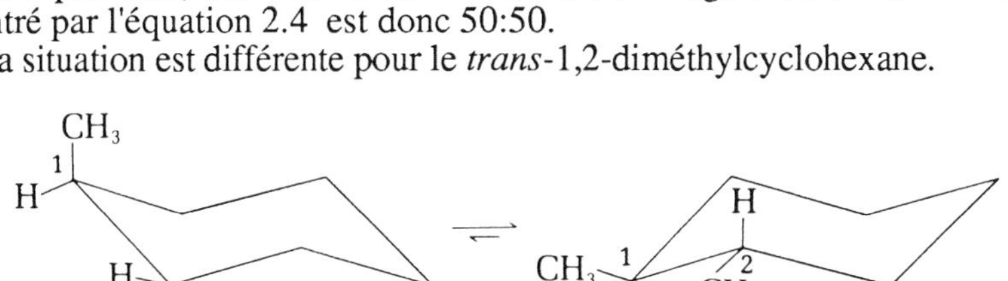

(2.5)

Dans les deux conformations, les méthyles sont en *trans* l'un par rapport à l'autre (le méthyle en C1 est attaché par la plus haute des deux liaisons, tandis que le méthyle en C2 l'est par la plus basse). Dans la conformation de gauche les deux méthyles sont axiaux, alors qu'ils sont équatoriaux dans celle de droite. C'est pourquoi cette dernière (**e,e**) est la structure préférée du *trans*-1,2-diméthylcyclohexane et que l'équilibre montré par l'équation 2.5 est fortement déplacé vers la droite.

Exemple de problème 2.5   Toutes les structures suivantes représentent le 1,4-diméthyl-cyclohexane. Dire pour chacune d'elles si les méthyles sont *cis* **ou** *trans* **et s'ils sont axiaux ou équatoriaux.**

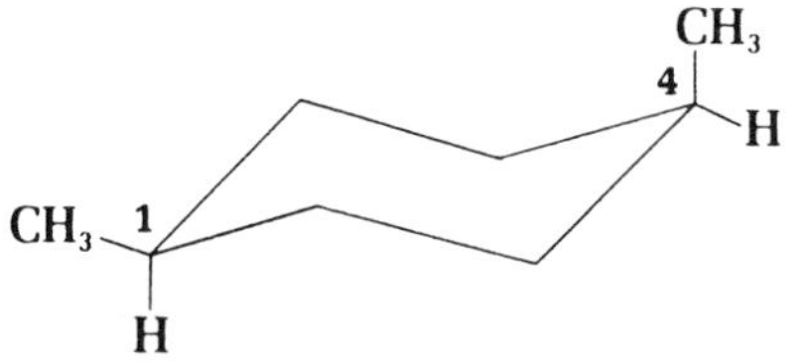

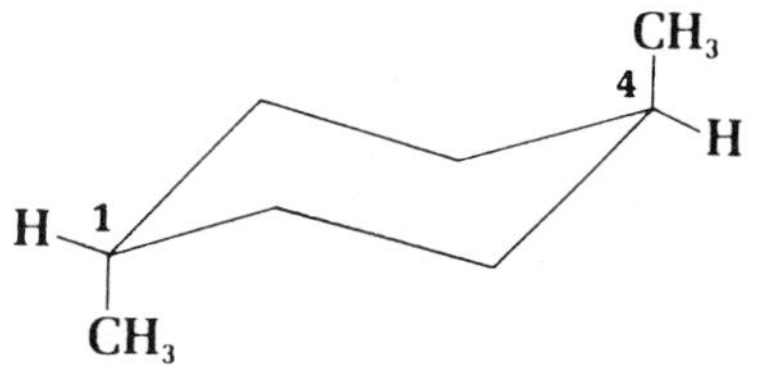

Solution   I a la configuration *cis* **(e,a); les deux méthyles sont attachés en C1 et en C4 par les liaisons du dessus. II a la configuration** *trans* **(a,a) et III la configuration** *trans* **(e,e); dans II et III les méthyles sont attachés à un carbone par une liaison du dessus et à l'autre par une liaison du dessous.**

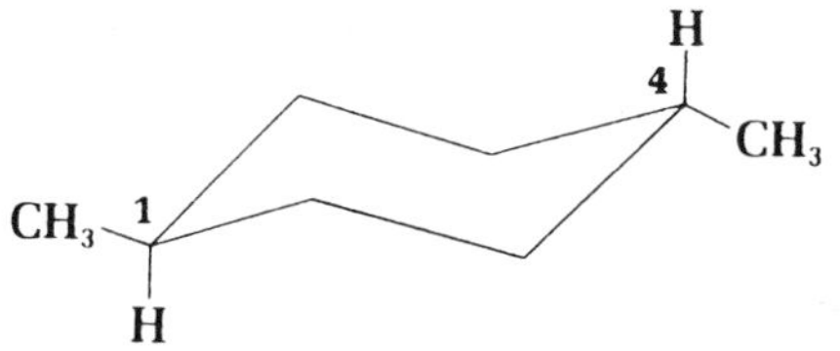

Problème 2.10   Quelle doit être la forme la plus stable du 1,4-diméthylcyclohexane I, II ou III ?

Problème 2.11   Ecrire les structures formées par inversion du cycle cyclohexane chaise de I et de II. Préciser, au moyen des flèches comme dans les équations 2.4 et 2.5, la position de l'équilibre.

2.13 Réactions des alcanes

Les alcanes ne comportent que des liaisons simples, covalentes et non polaires. Ils sont donc relativement inertes (le terme ancien "paraffines" vient du latin *parum affinis*, de faible affinité). Les alcanes ne réagissent ni avec les bases, ni avec les acides, ni avec les agents oxydants ou réducteurs courants. Ils sont donc utilisés, à cause de cette inertie, comme solvants d'extraction ou comme solvants réactionnels. Cependant ils réagissent avec certains réactifs comme l'oxygène et les halogènes, ce qui fait l'objet des paragraphes suivants.

2.14 Oxydation et combustion

Les alcanes sont surtout utilisés comme **combustibles**. Ils brûlent dans un excès d'oxygène en formant du dioxyde de carbone et de l'eau, la réaction dégageant (ce qui est plus important) de grandes quantités de chaleur; autrement dit, la réaction est **exothermique**.

$$CH_4 + 2\ O_2 \rightarrow CO_2 + 2\ H_2O + 212,8\ kcal/mole \tag{2.6}$$

$$C_4H_{10} + \tfrac{13}{2}\ O_2 \rightarrow 4\ CO_2 + 5\ H_2O + 688\ kcal/mole \tag{2.7}$$

Ces réactions de combustion sont à la base de l'emploi des hydrocarbures pour le chauffage (gaz naturel et mazout) et les moteurs (essence). L'amorçage de telles réactions est nécessaire, souvent par une flamme ou une étincelle; mais, une fois lancées, elles sont exothermiques.

Vu les énormes quantités mises en jeu, la combustion des alcanes et des autres hydrocarbures est l'une des réactions organiques les plus importantes. Cependant, cela ne va pas sans problèmes. Par exemple, s'il n'y a pas suffisamment d'oxygène pour que la réaction soit complète, la combustion peut n'être que partielle et conduire à la formation de polluants tels que le monoxyde de carbone (éq. 2.8) ou de carbone (éq. 2.9) ou de produits organiques d'oxydation comme des aldéhydes (éq. 2.10) et des acides (éq. 2.11).

$$2\ CH_4 + 3\ O_2 \rightarrow 2\ CO + 4\ H_2O \tag{2.8}$$

$$CH_4 + O_2 \rightarrow C + 2\ H_2O \tag{2.9}$$

$$CH_4 + O_2 \rightarrow \quad CH_2O \quad + H_2O \tag{2.10}$$
$$\text{formaldéhyde}$$

$$2\ C_2H_6 + 3\ O_2 \rightarrow 2\ CH_3CO_2H + 2\ H_2O \tag{2.11}$$
$$\text{acide acétique}$$

Le monoxyde de carbone toxique des gaz d'échappement, les suies crachées abondamment par les camions à moteur diésel, les aldéhydes facteurs de production des brouillards et les acides formés à partir des huiles de graissage sont le prix que nous payons pour vivre dans une société motorisée. Cependant, bien que le plus souvent non désirée, la combustion incomplète du gaz naturel est parfois mise à profit, comme dans la fabrication de noirs de carbone, du noir de fumée notamment, utilisé comme pigment dans la préparation des encres.

2.15 Halogénation des alcanes

Quand on conserve à basse température et à l'obscurité un mélange de chlore et d'un alcane, il n'y a aucune réaction. Mais à la lumière ou à température élevée, il y a réaction exothermique. Un ou plusieurs atomes d'hydrogène de l'alcane sont remplacés par des atomes de chlore, l'équation générale de la réaction étant:

$$R-H + Cl-Cl \xrightarrow[\text{ou } \Delta]{\text{lumière}} R-Cl + H-Cl \tag{2.12}$$

et, avec le méthane:

$$CH_4 + Cl-Cl \xrightarrow[\text{ou } \Delta]{\text{lumière}} CH_3Cl + HCl \tag{2.13}$$

chlorométhane
(chlorure de méthyle)
Eb – 24,2°

C'est une **chloration**, plus exactement une **réaction de substitution**, un chlore étant ainsi substitué à un hydrogène.

Une réaction analogue, la **bromation,** a lieu avec le brome.

$$R-H + Br-Br \xrightarrow[\text{ou } \Delta]{\text{lumière}} R-Br + HBr \tag{2.14}$$

Quand il y a un excès d'halogène, la réaction peut continuer et donner des produits polyhalogénés. Le méthane avec un excès de chlore peut ainsi donner du chlorure de méthylène, du chloroforme et du tétrachlorure de carbone.*

$$CH_3Cl \xrightarrow{Cl_2} CH_2Cl_2 \xrightarrow{Cl_2} CHCl_3 \xrightarrow{Cl_2} CCl_4 \tag{2.15}$$

dichlorométhane   trichlorométhane   tétrachlorométhane
(chlorure de méthylène)   (chloroforme)   (tétrachlorure de carbone)
Eb 40°C   Eb 61,7°C   Eb 76,5°

En jouant sur les conditions réactionnelles et les proportions en chlore et en méthane, on peut favoriser la formation de l'un ou l'autre des produits possibles.

Problème 2.12   **Ecrire le nom et la structure de tous les produits de bromation possibles du méthane.**

Avec les alcanes à plus longue chaîne, on peut obtenir dès la première étape des mélanges de produits. Par exemple, avec le propane,**

$$CH_3CH_2CH_3 + Cl_2 \xrightarrow[\text{ou } \Delta]{\text{lumière}} CH_3CH_2CH_2Cl + \underset{\underset{Cl}{|}}{CH_3CHCH_3} + HCl \tag{2.16}$$

propane   1-chloropropane   2-chloropropane
                                      (chlorure de propyle)   (chlorure d'isopropyle)

* Comme dans l'équation 2.15, on écrit souvent, par commodité, la formule de l'un des réactants (dans ce cas Cl_2) sur la flèche. On omettra couramment les produits minéraux de telles réactions (ici HCl).

** Comme dans l'équation 2.15, on n'écrit pas souvent les réactions en précisant tous les réactants et tous les produits. Dans le membre de droite de l'équation, on préfère se limiter aux produits organiques importants.

Avec un alcane encore plus long (comme l'octane), l'halogénation conduit à un mélange d'isomères encore plus complexe, qui sont alors difficilement séparables et isolables à l'état pur, ce qui diminue l'intérêt de cette méthode d'halogénation comme mode de synthèse des halogénures d'alkyle. Cependant, à partir de cyclanes non substitués, où tous les hydrogènes sont équivalents, on peut obtenir un seul produit organique pur.

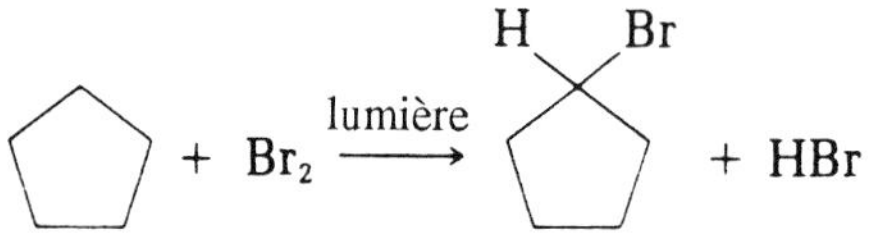

$$\text{cyclopentane} + Br_2 \xrightarrow{\text{lumière}} \text{bromocyclopentane} + HBr \qquad (2.17)$$

cyclopentane

bromocyclopentane
(bromure de cyclopentyle)

Problème 2.13   Ecrire la structure de tous les produits de monobromation du pentane. Remarquer la complexité du mélange ainsi formé, comparée à celle du produit de monobromation du cyclopentane (équation 2.17).

Problème 2.14   Combien de produits organiques peuvent être obtenus par monochloration de l'octane? du cyclooctane?

2.16 Mécanisme de l'halogénation

Comment a lieu l'halogénation? Pourquoi la lumière ou la chaleur est-elle nécessaire? Certes, les équations 2.12 et 2.13 expriment la réaction d'halogénation globale; elles indiquent la structure des réactants et des produits et, avec la flèche, les conditions et les catalyseurs réactionnels. Mais elles ne nous disent pas exactement comment sont formés les produits à partir des réactants. Or, un **mécanisme réactionnel** (voir le paragraphe 1.19 et les suivants) est une description, étape par étape, des processus de rupture et de formation de liaisons, quand les réactants sont convertis en produits.

Dans l'halogénation, diverses expériences ont montré que la réaction n'a pas lieu en une seule, mais en plusieurs étapes: elle met en jeu une **chaîne de réactions radicalaires**.

L'**étape d'amorçage** (ou d'**initiation de chaîne**) est la rupture de la molécule d'halogène en atomes.

$$\textit{amorçage} \qquad Cl—Cl \rightarrow 2\ Cl\bullet \qquad (2.18)$$

C'est la liaison Cl—Cl, plus faible (son énergie n'est que de 58 kcal/mole) que toutes les liaisons C—H et C—C de l'alcane (respectivement 99 et 83 kcal/mole – voir la table 1.5), qui est rompue par action de la lumière ou de la chaleur , ce qui lance la réaction.

Les **étapes de propagation de chaîne** sont:

$$propagation \begin{cases} \text{R—H} + \text{Cl•} \rightarrow \text{HCl} + \text{R•} \text{ (radical alkyle)} & \textbf{(2.19)} \\ \\ \text{R•} + \text{Cl—Cl} \rightarrow \text{Cl•} + \text{R—Cl} \text{ (chlorure d'alkyle)} & \textbf{(2.20)} \end{cases}$$

Les atomes de chlore sont très réactifs. Ils peuvent soit se recombiner pour former des molécules de chlore (c'est l'inverse de l'équation 2. 8), soit entrer en collision avec une molécule d'alcane, lui arracher un atome d'hydrogène et former du chlorure d'hydrogène et un radical alkyle. (On a vu paragraphe 1.4 qu'un radical est un fragment comportant un nombre impair d'électrons non partagés.) Remarquons que les modèles compacts de la figure 2.1 montrent que les alcanes semblent avoir un squelette carboné recouvert d'hydrogènes et il est très probable que, dans leur collision avec un atome de chlore, c'est un hydrogène de carbone terminal qui soit arraché.

Comme l'atome de chlore, le radical alkyle né dans la première étape de la chaîne (éq. 2.19) est très réactif. S'il entre en collision avec une molécule de chlore, il peut donner naissance à une molécule de chlorure d'alkyle et à un nouvel atome de chlore (éq. 2.20). Ce dernier ainsi formé peut réagir comme dans l'équation 2.19 et répéter la séquence. On remarquera qu'en additionnant les équations 2.19 et 2.20, on obtient l'équation globale de la chloration (éq. 2.12). D'autre part, dans chacune des deux étapes de propagation de la chaîne, un radical ou un atome est formé et continue la chaîne. Presque tous les réactants sont ainsi consumés et presque tous les produits sont formés dans ces étapes.

Théoriquement tous les réactants pourraient réagir et disparaître si n'intervenaient des réactions de **terminaison de chaîne**. Or, dans la réaction d'amorçage, si beaucoup de molécules de chlore donnent deux atomes, de nombreuses chaînes démarrent en même temps. En réalité, au cours de la réaction, peu de radicaux ou d'atomes sont présents et si deux d'entre eux seulement se combinent, la chaîne s'arrête. En effet, il y a trois possibilités:

$$terminaison \begin{cases} \text{2 Cl•} \rightarrow \text{Cl—Cl} & \textbf{(2.21)} \\ \\ \text{2 R•} \rightarrow \text{R—R} & \textbf{(2.22)} \\ \\ \text{R•} + \text{Cl•} \rightarrow \text{R—Cl} & \textbf{(2.23)} \end{cases}$$

Aucun radical n'est formé dans ces réactions, d'où la rupture de la chaîne.

Problème 2.15   Ecrire les réactions de toutes les étapes (amorçage, propagation terminaison) de la chloration radicalaire du méthane en chlorure de méthyle.

Problème 2.16   Interpréter la formation de petites quantités d'éthane et de chloréthane dans la chloration du méthane.

2.17 Préparations des alcanes et des cyclanes

L'étudiant constatera vite que les préparations chimiques des différents types de composés organiques sont presque toujours des applications directes de propriétés chimiques d'autres types de composés. Il est donc plus logique d'examiner ces préparations en même temps que ces derniers composés et c'est ce mode d'exposé qui sera adopté dans ce livre. Mais, pour donner un aperçu plus complet de chacun des groupes fonctionnels, on rappellera ou annoncera systématiquement dans un paragraphe final (en renvoyant le lecteur aux chapitres correspondants) les principales méthodes de préparation des composés au fur et à mesure de leur étude.

Il est rare qu'un chimiste de laboratoire ait à préparer un hydrocarbure saturé, car un tel composé, surtout à cause de son inertie, présente souvent peu d'intérêt. Par contre, la préparation des hydrocarbures est essentiellement un problème industriel et l'on verra ci-après, par exemple (A propos du méthane, du gaz des marais et de l'expérience de Miller,   page 73) que l'industrie fabrique d'énormes quantités de mélanges d'alcanes, tels que: alcanes légers à partir d'alcanes lourds, alcanes ramifiés ou cyclanes à partir d'alcanes linéaires, etc.

Quant aux préparations d'un alcane ou d'un cyclane déterminé, il faut savoir que les principales sont:

– l'hydrogénation catalytique des alcènes et des alcynes (voir paragraphes 3.9 et 3.26),

– la même hydrogénation des halogénures d'alkyle (en présence d'une base faible, comme une amine, pour neutraliser et ainsi capter l'hydracide formé):

$$RBr + H_2 \; \longrightarrow \; HBr + RH \tag{2.24}$$

– le traitement par l'eau de l'organomagnésien que donne, avec le magnésium, presque tout halogénure d'alkyle (voir éq. 6.46):

$$RCl + Mg \; \rightarrow \; RMgCl \; \xrightarrow{\text{eau}} \; RH \tag{2.25}$$

– la réaction de couplage produite par l'action d'un métal (Na, Zn) sur un halogénure d'alkyle (réaction de Wurtz)

$$2RBr + 2Na \; \rightarrow \; R\!-\!R + 2NaBr \tag{2.26}$$

réaction qui peut être conduite sur un mélange de deux halogénures d'alkyles et donner, dans les cas favorables, l'hydrocarbure mixte:

$$RBr + R'Br + 2Na \; \rightarrow \; R\!-\!R' + 2NaBr \quad (+ \; R\!-\!R + R'\!-\!R') \tag{2.27}$$

ou même sur une chaîne carbonée dihalogénée à ses deux extrémités et donner un cyclane:

$$BrCH_2(CH_2)_4CH_2Br \; + \; Zn \; \rightarrow \; \text{⬡} \; + \; ZnBr_2 \tag{2.28}$$

– la réduction totale des aldéhydes et des cétones par l'action du zinc et de l'acide chlorhydrique (réaction de Clemmensen: voir équation 9.34).

A PROPOS DU METHANE, DU GAZ DES MARAIS ET DE L'EXPERIENCE DE MILLER

Dans la nature, on trouve ordinairement du méthane partout où il y a décomposition bactérienne de matière organique en l'absence d'oxygène (conditions anaérobies), c'est-à-dire dans les bas-fonds, les marais et la vase des lacs, d'où son nom commun de gaz des marais. Effectivement, en Chine, le méthane était jadis collecté au fond des marais et utilisé pour la cuisine et l'éclairage domestique. Il est formé aussi dans l'appareil digestif de certains animaux comme les bovins et autres ruminants.

La production bactérienne de méthane est énorme et l'atmosphère terrestre en contient une partie par million (1 ppm) en moyenne. Pourtant, étant donné la petite taille de la planète et la légèreté du méthane comparée à celle des autres constituants (O_2, N_2) de l'air, davantage de ce gaz devrait s'échapper. On a calculé, en effet, que sa concentration à l'équilibre devrait être bien inférieure (peut-être seulement une partie pour 10^{35} parties d'air) à celle qui est observée. Sa concentration anormalement élevée dans l'air s'explique par son renouvellement constant dû à la décomposition bactérienne de matière végétale.

Dans les villes, la proportion de méthane dans l'atmosphère atteint des niveaux beaucoup plus élevés, jusqu'à plusieurs ppm. La concentration est notamment maximale tôt le matin et tard dans l'après-midi, en corrélation directe avec le trafic automobile. Heureusement ce gaz, qui constitue environ 50% des hydrocarbures qui polluent l'atmosphère, ne semble pas avoir d'effets nocifs sur la santé de l'homme.

Il arrive que le méthane s'accumule dans les mines de charbon, par exemple quand une poche de ce gaz a été percée. Or, mélangé à 5 à 14% d'air, il devient explosif et c'est alors le coup de grisou. Mais on dispose maintenant de nombreux dispositifs de sécurité capables de détecter les concentrations dangereuses dans l'air, y compris les canaris qui, très sensibles à de faibles concentrations sans danger pour l'homme, succombent, alertant ainsi les mineurs. Par contre, ceux-ci peuvent être asphyxiés par le méthane (plus exactement par manque d'oxygène); mais ils tombent alors sur le sol, là où, vu sa légèreté, sa concentration est la plus faible, et reprennent souvent connaissance.

Aux premiers temps de l'existence de la Terre, le méthane était probablement l'un des principaux constituants de l'atmosphère terrestre. D'ailleurs, l'hydrogène est l'élément le plus abondant du système solaire (il constitue 87% de la masse du Soleil) et il est vraisemblable que, lors de la formation de la planète Terre, d'autres éléments étaient présents sous une forme réduite (plutôt qu'oxydée): le carbone à l'état de méthane, l'azote à l'état d'ammoniac, l'oxygène à l'état d'eau. En effet, des planètes plus volumineuses comme Saturne ou Jupiter, qui ont des champs gravitationnels intenses et de basses températures à leur surface (ce qui facilite la retenue des molécules légères) ont encore des atmosphères riches en méthane et en ammoniac. Une expérience maintenant célèbre, réalisée en 1955 par S.L. Miller dans le laboratoire de H.C. Urey à l'Université Columbia, vient à l'appui de ceux qui pensent que la vie sur Terre est apparue dans une atmosphère réduite. Miller constata que lorsqu'on soumet des mélanges de méthane, d' ammoniac, d'eau et d'hydrogène à des décharges électriques (pour simuler la foudre), il y a formation de certains composés organiques, des amino-acides par exemple, dont le rôle est important en biologie et qui sont nécessaires à la vie. Par la suite, on a obtenu des résultats analogues en remplaçant les décharges électriques par de la chaleur ou par de la lumière ultraviolette. (Il est probable que l'atmosphère terrestre des premiers temps était soumise à beaucoup plus de radiations ultraviolettes que maintenant.) Mais, quand on ajoute de l'oxygène à ces atmosphères "des premiers âges", aucun amino-acide n'est ainsi formé, ce qui montre clairement que l'atmosphère originale de la Terre ne comportait pas d'oxygène libre.

L'expérience de Miller a ouvert une nouvelle branche de la science, appelée maintenant *chimie prébiotique,* qui étudie l'aspect chimique des événements ayant eu lieu sur Terre et ayant conduit à l'apparition de la première cellule vivante.

A présent, les deux principales sources d'alcanes sur Terre sont les pétroles et les gaz naturels. Le pétrole est un mélange liquide complexe de composés organiques, dont la plupart sont des alcanes et des cyclanes. On a isolé du pétrole tous les alcanes normaux jusqu'à $C_{33}H_{68}$ et beaucoup d'autres ramifiés. Les gaz naturels, qui accompagnent souvent les pétroles, consistent essentiellement en méthane (environ 80%), éthane (5 à 10%) et alcanes supérieurs. Dans les seuls Etats-Unis, il existe plus de 150.000 km de pipelines de gaz naturel, qui distribuent cette source d'énergie dans toutes les parties du pays. D'énormes pétroliers, butaniers ou méthaniers distribuent aussi à travers le monde les gaz naturels qui ont été préalablement liquéfiés (– 160°C) (1 m^3 de gaz liquéfié équivaut à environ 600 m^3 de gaz à la pression ordinaire). Certains tankers sont capables de transporter jusqu'à 100.000 m^3 de gaz liquéfié. L'épuisement de ces deux sources capitales d'énergie que sont le pétrole et le gaz naturel et leur remplacement sont deux préoccupations essentielles de notre temps.

Résumé du chapitre

Les hydrocarbures ne comportent que des atomes de carbone et d'hydrogène. Les alcanes sont des hydrocarbures acycliques saturés (seules sont présentes des liaisons simples dans leurs molécules), les cyclanes étant analogues mais avec des cycles carbonés.

La formule générale des alcanes est C_nH_{2n+2}. Les quatre premiers membres de cette série homologue sont le méthane, l'éthane, le propane et le butane, chacun d'eux différant du suivant par un groupe méthylène $-CH_2-$. C'est le système de nomenclature internationale de l'IUPAC (International Union of Pure and Applied Chemistry) qui est utilisé partout pour nommer les composés organiques. Les règles de l'IUPAC relatives aux alcanes sont exposées dans les paragraphes 2.4–2.6. De manière analogue on nomme les groupes alkyles en changeant la terminaison *-ane* en *-yle*. On utilise le symbole R pour tout groupe alkyle.

Les gaz naturels et les pétroles sont les deux principales sources naturelles d'alcanes. Ces derniers sont insolubles dans l'eau et plus légers qu'elle. Leurs points d'ébullition s'accroissent avec leurs masses moléculaires et ceux des isomères sont d'autant moins élevés qu'ils sont plus ramifiés.

Les conformations sont des structures différentes qui sont interconvertibles par simple rotation autour de liaisons. En général, la conformation décalée est plus stable que la conformation éclipsée (figure 2.3).

On utilise le préfixe *cyclo* pour nommer les cyclanes. Le cyclopropane est nécessairement plan, mais tous les cycles carbonés plus grands sont plissés. Le cyclohexane existe principalement sous la conformation chaise, dans laquelle toutes les liaisons de deux carbones adjacents sont décalées. Une liaison de chaque carbone du cycle est axiale (perpendiculaire au plan moyen du cycle), l'autre est équatoriale (à peu près dans ce plan). Ces liaisons sont interconverties par "inversion" du cycle, une modification de ce dernier qui ne requiert que des rotations de liaisons C—C et qui, pour le cyclohexane lui-même, a lieu très rapidement à la température ordinaire. La présence d'un substituant sur le cycle le conduit à prendre la conformation dans laquelle ce substituant est équatorial parce que moins gêné stériquement .

Dans les stéréoisomères, l'ordre dans lequel sont attachés les atomes de la molécule est le même, mais leurs arrangements dans l'espace sont différents. Deux substituants d'un cyclohexane, par exemple, peuvent être du même côté (*cis*) ou de part et d'autre (*trans*) du plan moyen du cycle. On peut diviser les stéréoisomères en deux types, les isomères conformationnels (qui sont interconvertibles par rotation de liaison) et les isomères configurationnels (qui ne le sont pas). Les isomères *cis-trans* appartiennent à ce dernier type.

Les alcanes sont des carburants; ils brûlent dans l'air si on les enflamme. Leur combustion qui, lorsqu'elle est complète donne du dioxyde de carbone et de l'eau, donne du monoxyde de carbone et d'autres formes moins oxydées, lorsqu'elle n'est que partielle.

Les alcanes réagissent avec les halogènes (chlore et brome) si de la chaleur ou de la lumière initient la réaction. Un ou plusieurs hydrogènes sont alors remplacés par un ou des halogènes. Cette réaction de substitution met en jeu un mécanisme radicalaire en chaîne.

PROBLEMES SUPPLEMENTAIRES

2.17   Ecrire les formules développées des composés suivants :

a. 3-méthylpentane
b. 2,3-diméthylbutane
c. 3,3-diméthyl-4-éthylhexane
d. 2-chloro-3-méthylpentane
e. 2,2,3-triméthylbutane
f. 2-bromopropane
g. 1,1-dichlorocyclopropane
h. 1,1,3,3-tétrachloropropane
i. 3-bromo-1,1-diméthylcyclopentane
j. 1,4-dichlorocyclohexane

2.18   Ecrire les formules des composés suivants et les nommer dans le système IUPAC.

a. $CH_3(CH_2)_3CH_3$
b. $CH_3CH(CH_3)CH_2CH_3$
c. $CH_3CH_2C(CH_3)_2CH_2CH_3$
d. $CH_3(CH_2)_2C(CH_3)_3$
e. $CH_3CH_2CHBrCH_3$
f. $CH_3CCl_2CBr_3$
g. $(CH_3CH_2)_4C$
h. CH_2ClCH_2Br
i. $CH_2BrCH(CH_3)CH(CH_3)_2$
j. $(CH_2)_5$
k. MeI
l. i-PrBr

2.19   Donner un nom commun et le nom IUPAC des composés suivants :

a. CH_3I
b. CH_3CH_2Cl
c. CH_2Cl_2
d. $CHBr_3$
e. $CH_3CH_2CH_2Cl$
f. $(CH_3)_2CHBr$
g. $CHCl_3$
h. $CH_2{-}CH{-}Cl$
   $\quad\quad\quad\quad |\quad\quad\quad |$
   $\quad\quad\quad CH_2{-}CH_2$
i. $CH_3CHICH_2CH_3$
j. $(CH_3)_3CCl$

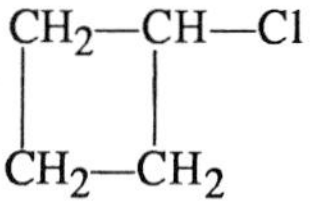

2.20   Ecrire une structure pour chacun des composés suivants. Expliquer pourquoi leur nom est inacceptable et en donner le nom correct.

a. 1-méthylpentane
b. 2-éthylbutane
c. 2,3-dichloropropane
d. 1,4-diméthylcyclobutane
e. 1,1,3-triméthylpropane
f. 3-bromo-2-méthylpropane

2.21   On appelle *phéromones* les composés chimiques utilisés dans la nature pour la communication. Celui qu'emploie la femelle du tigre pour attirer le mâle est un alcane, le 2-méthylheptadécane. Ecrire sa formule.

2.22   Ecrire la formule développée de tous les isomères (leur nombre est indiqué entre parenthèses) de chacun des composés suivants et nommer chaque isomère dans le système IUPAC.

a. C_4H_{10} (2)   **b.** C_4H_9Br (4)   **c.** C_6H_{14} (5)
d. $C_3H_6Br_2$ (4)   **e.** $C_2H_2BrCl_3$ (3)   **f.** C_3H_6BrCl (5)

2.23 Ecrire les formules développées et donner les noms de tous les cyclanes possibles de formules moléculaires suivantes. Inclure, le cas échéant, les isomères *cis-trans*. Nommer chaque composé dans le système IUPAC.

a C_5H_{10} **b** C_6H_{12} (il y en a 16)

2.24 Sans consulter les tables, dresser la liste des cinq hydrocarbures suivants dans l'ordre des points d'ébullition:

a. 2-méthylhexane   **b.** *n*-heptane   **c.** 3,3-diméthylpentane
d. *n*-hexane   **e.** 2-méthylpentane.

2.25 Dans le paragraphe 2.9 on a écrit deux conformations décalées du butane (vu dans l'axe de la liaison C2—C3). Selon cet axe il y a aussi deux conformations éclipsées. Ecrire les projections de Newman correspondantes. Classer les quatre conformations dans l'ordre des stabilités décroissantes.

2.26 Ecrire toutes les conformations décalées et éclipsées du 1-bromo-2-chloroéthane au moyen des projections de Newman. Au-dessous de chacune d'elles, écrire les projections cavalières. Classer ces structures dans l'ordre des stabilités décroissantes .

2.27 Ecrire les conformations favorisées:

a. de l'éthylcyclohexane   **b.** du *trans* -1,2-dibromocyclohexane
c. du *cis* -1-méthyl-3-isopropylcyclohexane   **d.** du 1,1-dibromocyclohexane

2.28 Nommer chacune des paires de composés suivants :

a.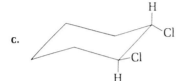

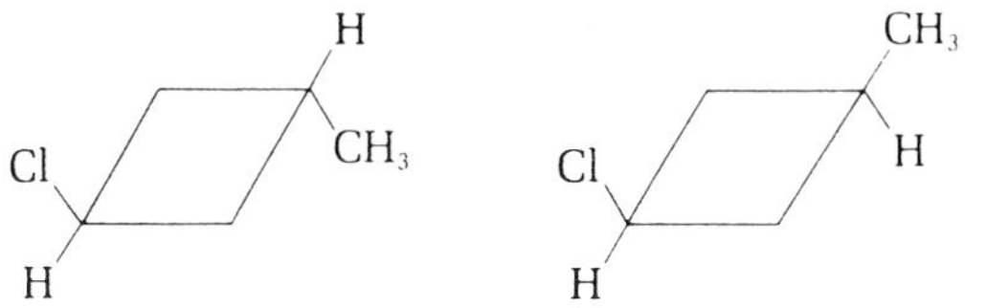

b.

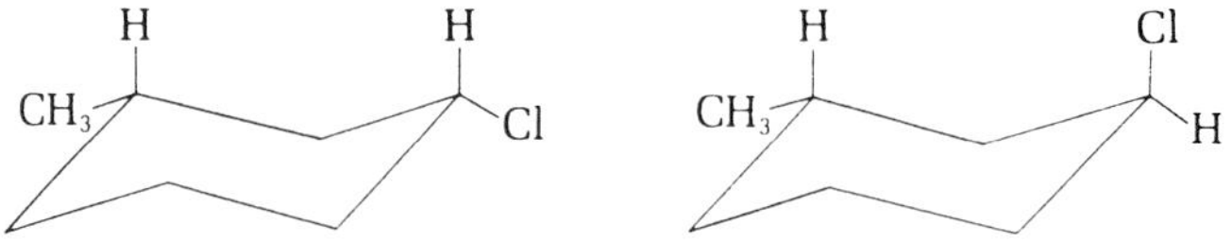

c.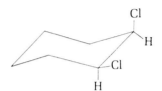

d.

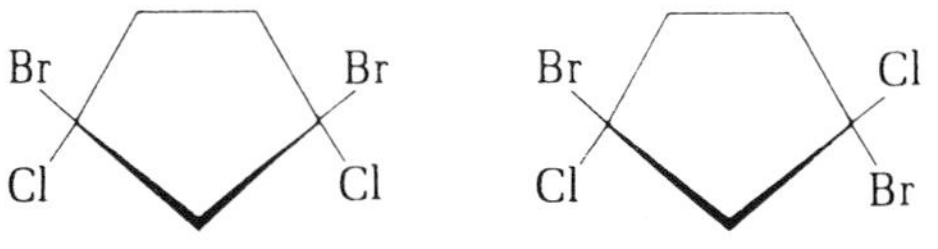

2.29 Expliquer à l'aide des conformations pourquoi le 1,3-diméthylcyclohexane *cis* est plus stable que le *trans*, alors que c'est l'inverse pour les isomères 1,2 et 1,4.

2.30 Quel doit être le plus stable des deux , le *cis* ou le *trans*-1,4-di-*tert*-butylcyclohexane?
Expliquer par les conformations.

2.31 Ecrire les formules développées de tous les produits possibles de dichloration du
cyclopentane, y compris les isomères *cis-trans*.

2.32 Quel doit être l'isomère le plus stable du 1,2,3,4,5,6-hexachlorocyclohexane ?
(un mélange d'isomères de ce composé est vendu dans le commerce comme insecticide sous le
nom de "Lindane").

2.33 Avec les formules développées, écrire les équations des réactions suivantes et nommer
chaque produit organique formé :

    a. la combustion complète du pentane
    b. la combustion complète du cyclopentane
    c. la monobromation du propane
    d. la monochloration du cyclopentane
    e. la chloration complète de l'éthane.

2.34 Dans la dichloration du propane, on a isolé quatre produits isomères en $C_3H_6Cl_2$,
qu'on a appelés A, B, C et D. Chacun d'eux a été soumis séparément à une nouvelle
chloration et a donné un ou plusieurs trichloropropanes $C_3H_5Cl_3$. A et B ont donné
trois composés trichlorés, C en a donné un et D en a donné deux. En déduire les structures de
C et D. D'autre part, l'un des produits formés à partir de A est identique à celui qui est formé à
partir de C. En déduire les structures de A et de B.

2.35 Ecrire toutes les étapes de la monochloration de l'éthane par le mécanisme en chaîne par
radicaux libres :

    $CH_3CH_3 + Cl_2 \rightarrow CH_3CH_2Cl + HCl$

Etant donné les étapes de la terminaison de chaîne, de quels sous-produits (à l'état de traces)
peut-on attendre la formation?

CHAPITRE 3

ALCENES ET ALCYNES

3.1 Définition et classification

On appelle **alcènes** et **alcynes*** les hydrocarbures qui comportent respectivement une double et une triple liaison carbone-carbone. Ils ont pour formule générale:

$$C_nH_{2n} \qquad \text{et} \qquad C_nH_{2n-2}$$
$$\text{alcènes} \qquad\qquad\qquad \text{alcynes}$$

Ces deux catégories font partie des hydrocarbures **non saturés** (ou insaturés), ainsi appelés parce qu'ils portent, par carbone, moins d'hydrogènes que les alcanes (dont la formule générale est C_nH_{2n+2}), qui peuvent d'ailleurs être obtenus, à partir des alcènes ou des alcynes, par addition d'une ou deux molécules d'hydrogène.

$$\underset{\text{alcène}}{RCH=CHR} \xrightarrow[\text{catalyseur}]{H_2} \underset{\text{alcane}}{RCH_2CH_2R} \xleftarrow[\text{catalyseur}]{2\,H_2} \underset{\text{alcyne}}{RC\equiv CR} \qquad \textbf{(3.1)}$$

On connaît des composés ayant plus d'une double ou d'une triple liaison. Ce sont les **alcadiènes** ou, plus communément, les **diènes** s'ils comportent deux doubles liaisons. Sont également connus: les triènes, les tétraènes, etc., et d'une façon générale, les polyènes (du grec *poly*, beaucoup), de même que des composés qui possèdent plus d'une triple liaison, ou, à la fois, des doubles et des triples liaisons.

Exemple de problème 3.1 **Quelles formules développées peut-on donner à un composé C_3H_4?**

Solution **La formule C_3H_4 correspond à la formule générale C_nH_{2n-2}. Le composé en question pourrait avoir une triple liaison ou deux doubles liaisons ou une double liaison et un cycle. Les structures sont données dans la solution de l'exemple de problème 1.8 (page 12).**

---

* On donnait autrefois aux alcènes le nom d'oléfines (ce qui signifie "qui font de l'huile"), parce que l'éthylène, traité par le chlore, donnait un liquide huileux. Les alcynes sont aussi appelés acétylènes ou acétyléniques, du nom du premier membre de la série.

Problème 3.1   **Quelles formules développées peut-on donner à un composé C_4H_6? (Neuf formules sont possibles: quatre acycliques et cinq cycliques; ces neuf composés sont connus.)**

Quand il y a plus d'une double liaison dans une molécule, il est utile de classer la structure en conséquence, en fonction des positions relatives des liaisons multiples. On dit que des doubles liaisons sont **cumulées** quand elles sont contiguës, que des liaisons multiples sont **conjuguées** quand elles sont alternées, c'est-à-dire séparées par une seule liaison simple, enfin qu'elles sont **isolées** ou **non conjuguées** quand elles sont séparées par plus d'une liaison simple. Les plus courantes dans les produits naturels sont les conjuguées; leur chimie est également la plus intéressante.

$$C=C=C \qquad C=C-C=C \qquad C=C-C-C=C$$

$$\underset{\text{cumulées}}{C=C=C=C} \qquad \underset{\text{conjuguées}}{C=C-C\equiv C} \qquad \underset{\text{isolées}}{C\equiv C-C-C-C\equiv C}$$

Problème 3.2   **Quels sont, parmi les composés suivants, ceux qui ont des doubles liaisons conjuguées?**

a. 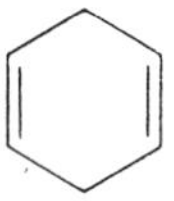   b. 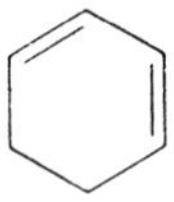   c. 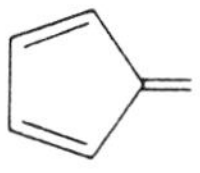   d.

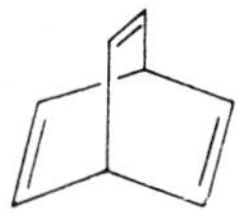

3.2 Nomenclature

Les règles de l'IUPAC sont ici semblables à celles des alcanes (paragraphe 2.4), des règles supplémentaires permettant de préciser le nom et la position des liaisons multiples. Ces règles sont les suivantes:

1. On désigne la double liaison carbone-carbone par la terminaison **-ène** et par les terminaisons **-diène, -triène**..... quand il s'agit de deux, de trois..... doubles liaisons. Quant à la triple liaison, on la désigne par la terminaison **-yne** (**-diyne, -triyne**.....pour deux, pour trois..... triples liaisons). Quand les deux types de liaisons sont présents dans la molécule, on utilise les deux terminaisons **-ène** et **-yne**.

2. La chaîne numérotée doit inclure la liaison multiple et la numérotation doit être faite de telle manière que les carbones de cette liaison reçoivent les numéros les plus petits possible.

3. Le plus faible numéro de la (des) liaison(s) multiple(s) indique la position de celle(s)-ci et l'on place ce(s) numéro(s) devant le nom du composé.

Voici quelques applications de ces règles. Les premiers membres de la série sont:

$$\underset{\text{éthane}}{CH_3CH_3} \qquad\qquad \underset{\text{éthène}}{CH_2=CH_2} \qquad\qquad \underset{\text{éthyne}}{HC\equiv CH}$$

$$\underset{\text{propane}}{CH_3CH_2CH_3} \qquad\qquad \underset{\text{propène}}{CH_3CH=CH_2} \qquad\qquad \underset{\text{propyne}}{CH_3C\equiv CH}$$

Remarquons que la racine du nom (*éth-* ou *prop-*) indique le nombre de carbones et la terminaison (*-ane*, *-ène* ou *-yne*) précise le type de liaison (simple, double ou triple). Dans ces cas aucune numérotation n'est nécessaire puisqu'une seule structure est possible.

Quand la molécule a au moins quatre atomes de carbone, il faut préciser la position de la liaison multiple.

$$\overset{1}{C}H_2=\overset{2}{C}H\overset{3}{C}H_2\overset{4}{C}H_3 \qquad \overset{1}{C}H_3\overset{2}{C}H=\overset{3}{C}H\overset{4}{C}H_3 \qquad H\overset{1}{C}\equiv\overset{2}{C}\overset{3}{C}H_2\overset{4}{C}H_3 \qquad \overset{1}{C}H_3\overset{2}{C}\equiv\overset{3}{C}\overset{4}{C}H_3$$

$$\text{1-butène} \qquad\qquad \text{2-butène} \qquad\qquad \text{1-butyne} \qquad\qquad \text{2-butyne}$$

Le numéro utilisé est le plus bas des deux carbones de cette liaison.
Les ramifications sont nommées de la manière habituelle.

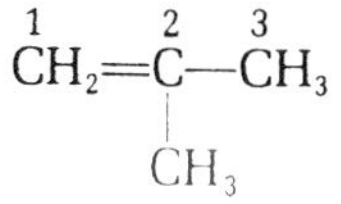

$$\overset{1}{C}H_2=\overset{2}{\underset{\underset{CH_3}{|}}{C}}-\overset{3}{C}H_3 \qquad \overset{1}{C}H_2=\overset{2}{\underset{\underset{CH_3}{|}}{C}}-\overset{3}{C}H_2\overset{4}{C}H_3 \qquad \overset{1}{C}H_3-\overset{2}{\underset{\underset{CH_3}{|}}{C}}=\overset{3}{C}H\overset{4}{C}H_3$$

$$\text{méthylpropène} \qquad\qquad \text{2-méthyl-1-butène} \qquad\qquad \text{2-méthyl-2-butène}$$
$$\text{(isobutylène)}$$

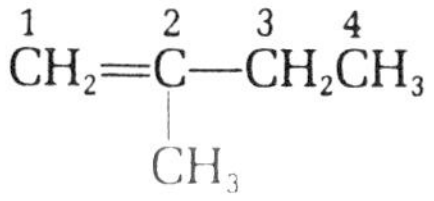

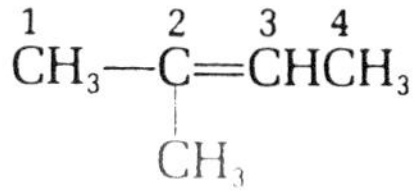

Exemples:

$$\overset{1}{C}H_3-\overset{2}{C}H=\overset{3}{C}H-\overset{4}{\underset{\underset{CH_3}{|}}{C}}H-\overset{5}{C}H_3 \qquad \overset{1}{C}H_2=\overset{2}{\underset{\underset{CH_2CH_3}{|}}{C}}-\overset{3}{C}H_2\overset{4}{C}H_3 \qquad \overset{1}{C}H_2=\overset{2}{C}H-\overset{3}{C}H=\overset{4}{C}H_2$$

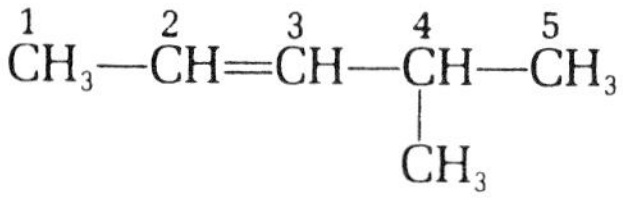 4-méthyl-2-pentène	2-éthyl-1-butène	1,3-butadiène
Non pas 2-méthyl-3-pentène; (La numérotation est telle que la double liaison a les plus petits numéros.)	(Il s'agit d'un butène et non pas d'un pentane, car la double liaison doit faire partie de la chaîne principale.)	

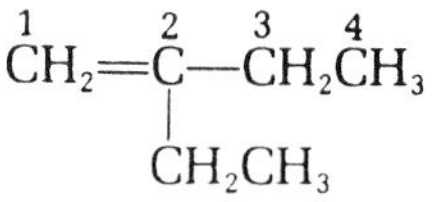

Avec les hydrocarbures cycliques, on commence la numérotation du cycle par les carbones des doubles liaisons:

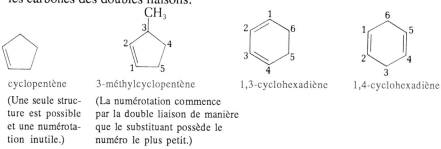

cyclopentène	3-méthylcyclopentène	1,3-cyclohexadiène	1,4-cyclohexadiène
(Une seule structure est possible et une numérotation inutile.)	(La numérotation commence par la double liaison de manière que le substituant possède le numéro le plus petit.)		

Problème 3.3   **Donner un nom dans le système IUPAC à chacune des structures suivantes:**

     a. $ClCH=CHCH_3$ **b.** $(CH_3)_2C=C(CH_3)_2$ **c.** $CH_2=C(CH_3)CH=CH_2$
     d. CH_3 **e.** $CH_2=C(Cl)CH_3$ **f.** $HC\equiv C(CH_2)_3CH_3$

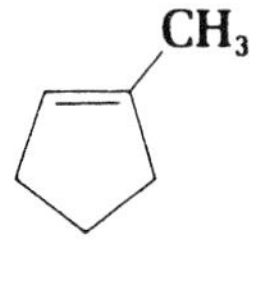

Exemple de problème 3.2   Ecrire la formule développée du 3-méthyl-2-pentène.

Solution   **Pour passer du nom IUPAC à la formule, on écrit d'abord la chaîne la plus longue ou le cycle, on la (ou le) numérote et précise la position de la liaison multiple. Dans le cas présent, la chaîne a cinq carbones et la double liaison se trouve entre les carbones 2 et 3:**

$$\overset{1}{C}-\overset{2}{C}=\overset{3}{C}-\overset{4}{C}-\overset{5}{C}$$

On ajoute alors le substituant:

$$\overset{1}{C}-\overset{2}{C}=\overset{3}{C}-\overset{4}{C}-\overset{5}{C}$$
$$\underset{CH_3}{|}$$

Enfin, on précise le nombre d'hydrogènes portés par chaque carbone de cette écriture.

$$CH_3-CH=\underset{\underset{CH_3}{|}}{C}-CH_2-CH_3$$

Problème 3.4   Ecrire la formule développée du 2,4-diméthyl-2-pentène, du 2-hexyne, du 1,2-dibromocyclobutène et du 2-chloro-1,3-butadiène.

En plus des règles de l'IUPAC, des noms communs, qu'il faut connaître, sont utilisés, tels que éthylène, acétylène, propylène, plus souvent employés que éthène, éthyne, propène.

D'autre part, trois groupes importants dérivés de l'éthylène, du propylène et du propyne ont un nom commun. Ce sont les groupes vinyle, allyle et propargyle.

$$CH_2=CH-\qquad\qquad CH_2=CH-CH_2-\qquad\qquad HC\equiv C-CH_2-$$
groupe vinyle   groupe allyle   groupe propargyle

Ces groupes apparaissent dans des noms communs, tels que:

$$CH_2=CHCl\qquad\qquad CH_2=CH-CH_2Cl\qquad\qquad HC\equiv C-CH_2Br$$
chlorure de vinyle   chlorure d'allyle   bromure de propargyle
(chloréthène)   (3-chloropropène)   (3-bromopropyne)

Problème 3.5   Ecrire la formule développée du vinylcyclohexane, de l'alcool allylique et de l'alcool propargylique.

3.3 Caractéristiques de la double liaison

Certaines particularités distinguent la double liaison de la simple. Ainsi les deux carbones de la liaison double ne sont liés qu'à trois atomes (au lieu de quatre pour le carbone tétraédrique). On dit qu'un tel carbone est **trigonal**. En outre, les deux atomes de la double liaison et les quatre autres auxquels ils sont liés se trouvent dans un même plan. La planéité de l'éthylène est montrée dans la figure 3.1; les angles H—C—H et H—C=C y sont approximativement de 120°. Contrairement à la liaison simple, la rotation de la double liaison est empêchée. L'éthylène reste plan et n'adopte pas d'autre conformation, un carbone de la double liaison avec les deux hydrogènes auxquels il est lié étant incapable de tourner par rapport à l'autre carbone. Enfin, la double liaison carbone-carbone est plus courte que la simple.

Figure 3.1

Trois modèles de l'éthylène montrant que les quatre atomes liés à la double liaison carbone-carbone se trouvent dans un même plan.

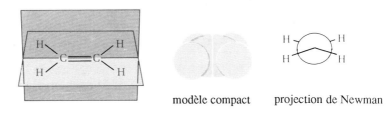

modèle compact   projection de Newman

Ces différences entre simple et double liaisons sont résumées dans la table 3.1. Examinons maintenant comment la théorie des orbitales moléculaires permet d'interpréter la structure et la réactivité de la double liaison.

Table 3.1

Comparaison des liaisons C—C et C=C

Caractéristiques	C — C	C = C
1. Nombre d'atomes liés au carbone	4 (tétraédrique)	3 (trigonal)
2. Rotation	relativement libre	empêchée
3. Géométrie	beaucoup de conformations, surtout les décalées	plane
4. Angles de liaisons	109,5°	120°
5. Longueurs de liaisons	1,54 Å	1,34 Å

3.4 Modèle orbitalaire de la double liaison. La liaison π

La figure 3.2 montre ce qu'il faut faire des orbitales atomiques du carbone pour constituer un système trigonal, c'est-à-dire lier ce carbone à trois autres atomes. Les deux premières parties de la figure sont les mêmes que celles de la figure 1.6, qui exposent le premier stade de l'hybridation, à savoir la promotion d'un électron $2s$ du carbone dans une orbitale $2p$. Mais on combine ensuite seulement trois de ces orbitales pour obtenir trois orbitales hybrides sp^2 équivalentes (appelées sp^2 parce que formées par la combinaison d'une orbitale s et de deux orbitales p). Toutes trois sont situées dans un plan et dirigées vers les sommets d'un triangle équilatéral. Elles forment entre elles un angle de 120°, idéal pour une répulsion minimale entre électrons. L'électron de valence restant occupe l'orbitale $2p$ restante, dont l'axe est perpendiculaire au plan formé par les trois orbitales hybrides sp^2. La figure 3.3 illustre le résultat de l'hybridation sp^2.

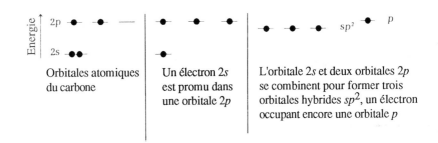

Figure 3.2
La formation de trois orbitales hybrides sp^2 (comparer avec la figure 1.6).

Orbitales atomiques du carbone

Un électron $2s$ est promu dans une orbitale $2p$

L'orbitale $2s$ et deux orbitales $2p$ se combinent pour former trois orbitales hybrides sp^2, un électron occupant encore une orbitale p

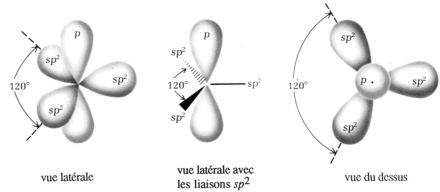

Figure 3.3
Carbone trigonal montrant trois orbitales hybrides sp^2 dans un plan, faisant entre elles un angle de 120°. L'orbitale p restante est perpendiculaire aux orbitales hybrides sp^2. Pour plus de clarté, on a omis le petit lobe arrière de chaque orbitale sp^2.

vue latérale

vue latérale avec les liaisons sp^2

vue du dessus

Voyons maintenant ce qui arrive quand deux orbitales hybrides sp^2 se recouvrent pour former une double liaison. On peut imaginer un processus en deux temps, tel qu'il est illustré dans la figure 3.4. L'une des deux liaisons, née du recouvrement de deux orbitales sp^2, est une liaison sigma (σ). L'autre est formée différemment: si deux carbones sont disposés correctement, si les orbitales p de chaque carbone sont parallèles, elles peuvent se recouvrir, comme le montre le bas de la figure 3.4. La liaison ainsi formée, par recouvrement latéral d'orbitales p, est appelée **liaison** π. Elle est illustrée, dans le cas de l'éthylène, par la figure 3.5.

Figure 3.4
Schéma de la formation de la double liaison carbone-carbone. Le recouvrement axial de deux orbitales sp^2 forme une liaison σ et le recouvrement latéral de deux orbitales p parallèles forme une liaison π.

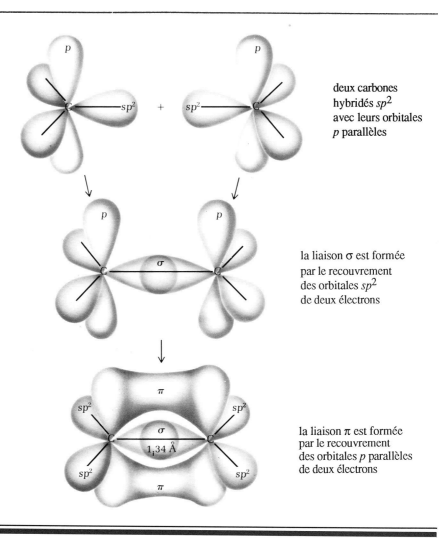

deux carbones hybridés sp^2 avec leurs orbitales p parallèles

la liaison σ est formée par le recouvrement des orbitales sp^2 de deux électrons

la liaison π est formée par le recouvrement des orbitales p parallèles de deux électrons

Ce modèle permet d'interpréter les caractéristiques de la double liaison rassemblées dans la table 3.1. La rotation autour de cette double liaison est empêchée, parce qu'elle impliquerait la "rupture" de la liaison π (voir figure 3.6). Pour l'éthylène, il en coûterait environ 62 kcal/mole (259 kJ/mole), c'est-à-dire plus que l'énergie "thermiquement disponible" à la température ordinaire. Quand la liaison π est intacte, les orbitales sp^2 présentes sur chaque carbone se tiennent dans un même plan et l'angle de 120° entre les liaisons minimise la répulsion entre les électrons de ces orbitales. Enfin, la double liaison C=C est plus courte que la simple C—C, parce que les deux paires d'électrons attirent les noyaux l'un vers l'autre plus que ne le fait une seule paire.

Figure 3.5
Représentation
orbitalaire de l'éthylène :
une liaison σ carbone-
carbone *sp²-sp²*, quatre
liaisons σ carbone-
hydrogène du type *sp²-s*
et une liaison π
du type *p-p*.

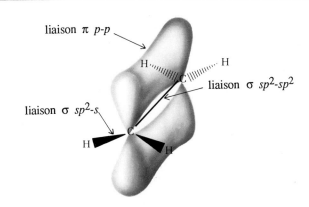

Bref, ce modèle orbitalaire de la double liaison carbone-carbone consiste en une liaison σ et une liaison π. La paire d'électrons de la liaison σ se trouve le long de l'axe internucléaire, tandis que celle de la liaison π se tient dans une région de l'espace au-dessus et au-dessous du plan formé par les deux carbones et par les quatre atomes auxquels ils sont liés. Les électrons π sont plus exposés que les électrons σ et l'on verra qu'ils sont sujets à des attaques par des réactifs électrophiles variés.

Mais, avant d'examiner ces réactions de la double liaison, examinons une conséquence importante de sa rotation empêchée.

Figure 3.6
La rotation de 90° d'un
carbone de double liaison
par rapport à l'autre
oriente les orbitales *p*
de telle sorte que leur
recouvrement, donc
une liaison π,
est impossible.

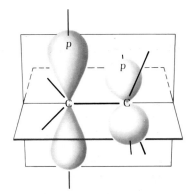

3.5 Isomérie *cis-trans* des alcènes

Par suite de la rotation empêchée de la double liaison carbone-carbone, l'isomérie *cis-trans*, appelée aussi "isomérie éthylénique", devient possible chez les alcènes convenablement substitués. Par exemple, le 1,2-dichloréthène (ou -éthylène) existe sous deux formes différentes:

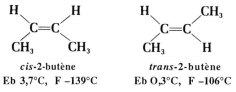

cis-1,2-dichloréthène   *trans*-1,2-dichloréthène
Eb 60°C, F –80°C   Eb 47°C, F –50°C

A la température ordinaire, on ne passe pas facilement de l'un à l'autre de ces stéréoisomères par rotation autour de la double liaison. Ce sont des stéréoisomères configurationnels, qui sont donc séparables par distillation puisque leurs points d'ébullition sont différents.

Exemple de problème 3.3 **Le 1-butène et le 2-butène existent-ils l'un et l'autre sous deux formes isomères *cis* et *trans* ?**

Solution   **Seulement le 2-butène:**

cis-2-butène   *trans*-2-butène
Eb 3,7°C, F –139°C   Eb O,3°C, F –106°C

Quant au 1-butène, il a deux "groupes" (ici deux atomes d'hydrogène) identiques attachés à son carbone-1; une seule structure est donc possible.

est identique à

Pour qu'il y ait possibilité d'isomérie *cis-trans* chez les alcènes, il faut que les deux groupes attachés à chaque carbone de la double liaison soient différents l'un de l'autre.

Problème 3.6 **Lesquels des composés suivants peuvent-ils exister sous deux formes isomères *cis*- e t *trans*- : propène, 3-hexène, 2-hexène, 2-méthyl-2-butène? En écrire les formules développées.**

On peut interconvertir des isomères éthyléniques en leur fournissant assez d'énergie pour rompre la liaison π et permettre la rotation autour de la liaison σ restante, plus forte. Cette énergie peut être de la lumière ou de la chaleur.

$$\underset{cis}{} \xrightarrow[\text{lumière}]{\Delta \text{ ou}} \quad \rightleftharpoons \quad \underset{trans}{} \tag{3.2}$$

A PROPOS DE LA CHIMIE DE LA VISION

L'isomérie *cis-trans* est importante dans certains processus biologiques, par exemple dans celui de la vision. Les cellules en bâtonnet de la rétine renferment un pigment rouge, sensible à la lumière, appelé *rhodopsine*. C'est le complexe d'une protéine, appelée *opsine*, avec un aldéhyde polyéthylénique, le 11-*cis*-rétinal.

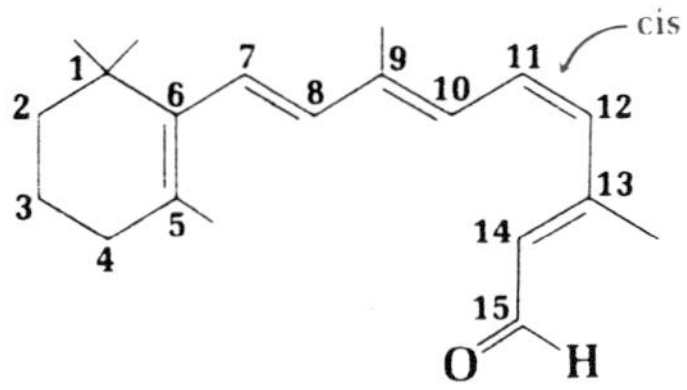

11-*cis*-rétinal 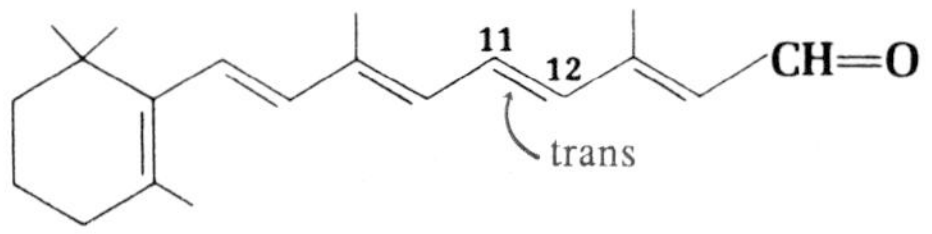   *trans*-rétinal

Quand de la lumière visible d'énergie appropriée est absorbée par la rhodopsine, le *cis*-rétinal est converti en l'isomère *trans*. Comme le montrent les structures, les formes de l'un et de l'autre sont très différentes. Le complexe du *trans*-rétinal avec l'opsine (appelé lumi-rhodopsine) est moins stable que le complexe *cis* correspondant et il se dissocie en opsine et en *trans*-rétinal. Ce changement de géométrie déclenche aussi une réponse dans les cellules nerveuses en bâtonnet, qui est transmise au cerveau ; c'est la vision.

S'il en était ainsi, on ne devrait voir que pendant quelques instants, car tout le 11-*cis*- rétinal présent dans les cellules en bâtonnet serait rapidement épuisé. Mais il existe une enzyme, la rétinal isomérase qui, en présence de lumière, retransforme le *trans*-rétinal en l'isomère *cis*, permettant ainsi la fermeture du cycle. La figure 3.7 illustre ces différentes étapes de la chimie de la vision.

$$\text{rhodopsine} \xrightarrow[\text{lumineuse}]{\text{énergie}} \text{lumi-rhodopsine (+ impulsion nerveuse)}$$

$$\text{opsine} + \text{11-}cis\text{-rétinal} \xleftarrow[\text{+ lumière}]{\substack{\text{rétinal} \\ \text{isomérase}}} \text{trans-rétinal} + \text{opsine}$$

Figure 3.7 Cycle de la vision. Représentation simplifiée parce que ne tenant pas compte des complexes intermédiaires entre la rhodopsine d'une part et le *trans*-rétinal et l'opsine pleinement dissociée d'autre part.

Pour la vision, il est important d'ingérer de la vitamine A, car elle a presque la structure du rétinal, mise à part la présence d'un groupe alcool (–CH$_2$OH) au lieu d'un groupe aldéhyde (–CH=O) à l'extrémité de la chaîne. La vitamine A que nous absorbons est oxydée (par un enzyme) en rétinal.

3.6 Propriétés physiques des alcènes

Les hydrocarbures non saturés ont des propriétés physiques analogues à celles des alcanes. Ils sont moins denses que l'eau et y sont très peu solubles. Comme les alcanes correspondants, ceux qui ne comportent que quatre carbones ou moins sont des gaz incolores, tandis que les homologues à cinq carbones ou plus sont des liquides volatils.

3.7 Réactions d'addition et de substitution

On a vu au chapitre 2 que, mise à part la combustion, la réaction la plus commune des alcanes est la **substitution** (l'halogénation par exemple). On peut exprimer cette réaction type par l'équation générale:

$$R—H + A—B \rightarrow R—A + H—B \quad \text{substitution} \tag{3.3}$$

(où A—B représente le réactif halogéné). Par contre, la réaction la plus commune des alcènes est l'**addition**:

$$\underset{\diagup}{\overset{\diagdown}{}}C{=}C\underset{\diagdown}{\overset{\diagup}{}} + A—B \rightarrow —\overset{|}{C}—\overset{|}{C}— \quad \text{addition} \tag{3.4}$$
$$\qquad\qquad\qquad\quad\; \underset{A}{|}\;\; \underset{B}{|}$$

Dans l'addition, le "groupe" (ou l'atome) A du réactant A—B se fixe sur l'un des carbones de la double liaison, tandis que le "groupe" (ou l'atome) B se fixe sur l'autre. Exemples de ces deux types de réactions:

$$CH_3—CH_3 + Br_2 \xrightarrow[\text{(lumière)}]{h\nu} CH_3CH_2Br + HBr \quad \text{substitution} \tag{3.5}$$
$$\qquad\qquad\qquad\qquad\qquad\qquad \text{bromoéthane}$$

$$CH_2{=}CH_2 + Br_2 \rightarrow \underset{\underset{Br}{|}}{C}H_2—\underset{\underset{Br}{|}}{C}H_2 \quad \text{addition} \tag{3.6}$$
$$\qquad\qquad\qquad\quad \text{1,2-dibromoéthane}$$

Dans une réaction d'addition, il y a rupture de la liaison σ du réactant A—B et de la liaison π de l'alcène, mais non pas de sa liaison σ. Par contre, deux nouvelles liaisons, également σ, sont ainsi créées. Autrement dit, en rompant une liaison π et une liaison σ, on crée deux liaisons σ. Comme celles-ci sont plus fortes que les liaisons π, la réaction est favorisée.

Problème 3.7   **Pourquoi une liaison σ entre deux atomes est-elle, en général, plus forte qu'une liaison π entre les mêmes atomes?**

On examinera dans les paragraphes suivants quelques réactions d'addition typiques sur les alcènes; puis on en précisera les mécanismes.

3.8 Addition des halogènes

Les alcènes additionnent aisément le chlore ou le brome.

$$CH_3CH\!\!=\!\!CHCH_3 \ + \ Cl_2 \rightarrow CH_3CH\!\!-\!\!CHCH_3$$
$$\underset{Cl}{|} \quad \underset{Cl}{|}$$

(3.7)

2-butène   2,3-dichlorobutane
Eb 1-4°C   Eb 117-119°C

$$CH_2\!\!=\!\!CH\!\!-\!\!CH_2\!\!-\!\!CH\!\!=\!\!CH_2 \ + \ 2 \ Br_2 \rightarrow CH_2\!\!-\!\!CH\!\!-\!\!CH_2\!\!-\!\!CH\!\!-\!\!CH_2$$
$$\underset{Br}{|} \quad \underset{Br}{|} \qquad \underset{Br}{|} \quad \underset{Br}{|}$$

(3.8)

1,4-pentadiène   1,2,4,5-tétrabromopentane
Eb 26°C   F 85-86°C

D'habitude, on dissout l'halogène dans un solvant inerte comme le tétrachlorure de carbone ou le chloroforme et l'on ajoute cette solution goutte à goutte à l'alcène. Le plus souvent la réaction est instantanée, même à la température ordinaire. De telles conditions réactionnelles sont beaucoup plus douces que celles nécessitées par les réactions de substitution.

Problème 3.8   **Ecrire les réactions d'addition du brome, à la température ordinaire, au 1-butène et au 2-méthyl-2-butène.**

On utilise fréquemment l'addition du brome comme réaction-test de l'insaturation d'un composé organique. En effet, la solution de cet halogène dans le tétrachlorure de carbone est d'un brun rougeâtre foncé, alors que les composés non saturés et leur produit d'addition du brome sont généralement incolores et, quand on ajoute la solution de l'halogène au composé non saturé, la couleur disparaît. Si le composé à tester est saturé, il n'y a pas de réaction dans ces conditions et la couleur persiste.

3.9 Addition d'hydrogène

En présence d'un catalyseur approprié, l'hydrogène s'additionne aux alcènes. C'est la réaction d'**hydrogénation.**

$$\underset{}{>}\!\!C\!\!=\!\!C\!\!\underset{}{<} \ + \ H_2 \ \xrightarrow{\text{catalyseur}} \ -\!\!\underset{H}{\overset{|}{C}}\!\!-\!\!\underset{H}{\overset{|}{C}}\!\!-$$

(3.9)

D'habitude, le catalyseur est un métal comme le nickel, le platine ou le palladium, à l'état finement divisé; un tel métal adsorbe l'hydrogène et active ainsi les liaisons H—H. Les deux atomes s'additionnent le plus souvent sur la même face de la double liaison. Par exemple, le 1,2-diméthylcyclopentène conduit ainsi principalement au *cis*-1,2-diméthylcyclopentane:

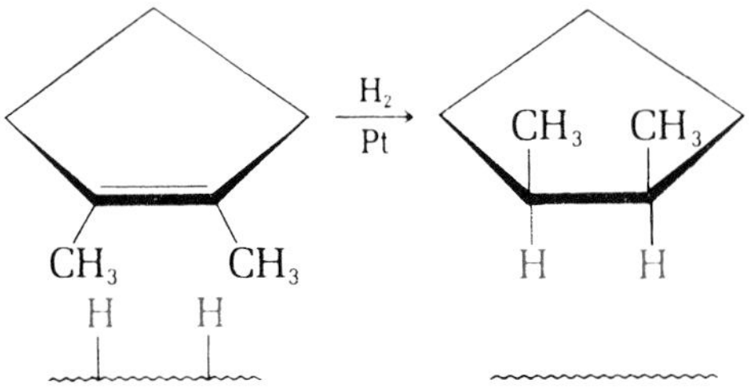

$$\text{(3.10)}$$

catalyseur · · · · · · · · · catalyseur

Cette méthode d'hydrogénation est due à P. Sabatier (Université de Toulouse, prix Nobel 1912). Dans l'industrie, on utilise l'hydrogénation catalytique pour transformer les huiles végétales (non saturées) en margarine et autres graisses de cuisine (paragraphe 11.11).

Problème 3.9   **Ecrire les réactions d'hydrogénation catalytique du 2-méthylpropène et du 1,2-diméthylcyclobutène.**

3.10 Addition d'eau (hydratation)

L'eau s'additionne aux alcènes en présence d'un catalyseur acide en donnant des alcools.

$$CH_2\!=\!CH_2 + H\!-\!OH \xrightarrow{\text{H}^+} \underset{\underset{H}{|}\ \ \underset{OH}{|}}{CH_2\!-\!CH_2} \qquad (\text{ou } CH_3CH_2OH) \qquad \text{(3.11)}$$

alcool éthylique (ou éthanol)

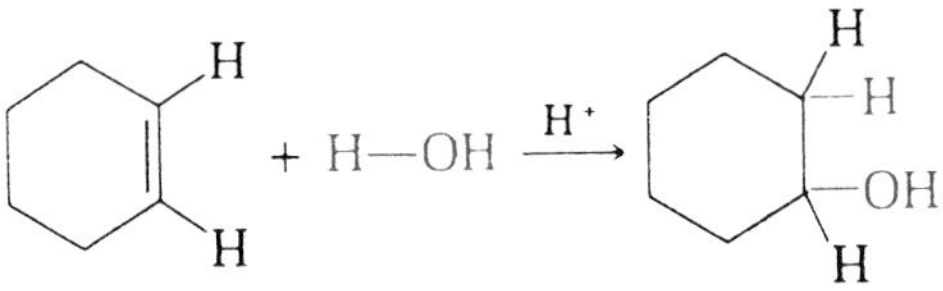

$$\text{(3.12)}$$

cyclohexène   cyclohexanol
Eb 83,0°C   Eb 161,1°C

Dans l'industrie, mais aussi parfois au laboratoire, on utilise cette réaction pour synthétiser des alcools à partir des alcènes. On expliquera le rôle, capital, du catalyseur acide, quand on discutera du mécanisme de ces réactions d'addition.

Problème 3.10   **Ecrire les réactions d'addition d'eau au 2-butène et au cyclopentène par catalyse acide.**

3.11 Addition d'acides

Divers acides s'additionnent à la double liaison des alcènes. Le cation hydrogène (proton) se fixe sur un carbone, le reste de l'acide se fixant sur l'autre carbone.

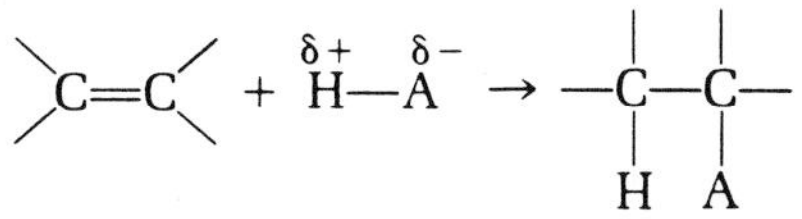

$$\text{C=C} \;+\; \overset{\delta+}{\text{H}}-\overset{\delta-}{\text{A}} \;\rightarrow\; -\underset{\text{H}}{\overset{|}{\text{C}}}-\underset{\text{A}}{\overset{|}{\text{C}}}- \tag{3.13}$$

Ces acides sont les halogénures d'hydrogène (HF, HCl, HBr, HI), l'acide sulfurique (H– OSO_3H) et les acides carboxyliques organiques (H–OOCR). Exemples:

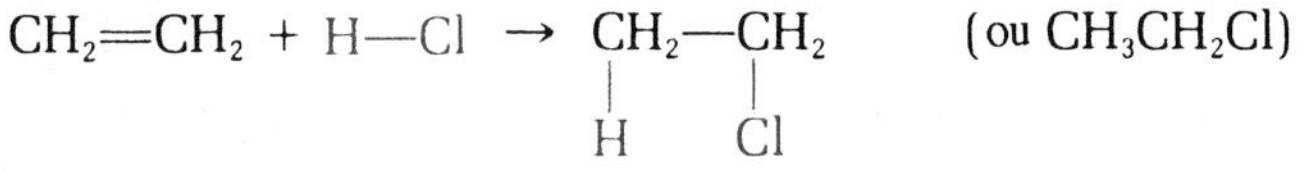

$$CH_2{=}CH_2 + H{-}Cl \;\rightarrow\; \underset{H}{\overset{|}{CH_2}}{-}\underset{Cl}{\overset{|}{CH_2}} \qquad (\text{ou } CH_3CH_2Cl) \tag{3.14}$$

éthylène   chlorure   chlorure d'éthyle
           d'hydrogène   (chloréthane)

$$\text{(cyclopentène)} \;+\; H{-}OSO_3H \;\rightarrow\; \text{(sulfate acide de cyclopentyle)} \tag{3.15}$$

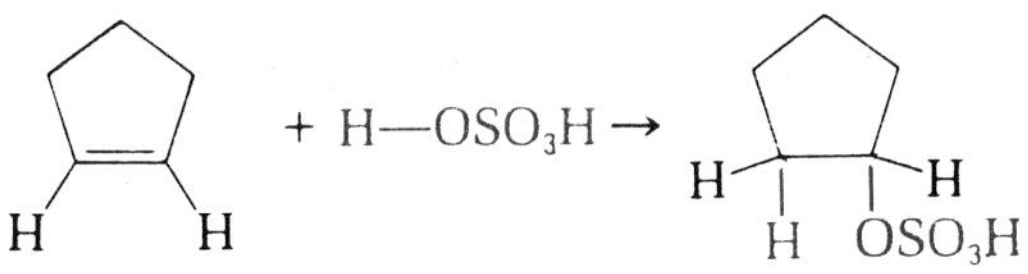

cyclopentène   acide   sulfate acide
        sulfurique   de cyclopentyle

Problème 3.11   **Ecrire une équation pour chacune des réactions suivantes:**
a. 2-butène + HI   **b. cyclopentène + HBr**

Avant d'aborder le mécanisme des réactions d'addition, il nous faut envisager une complication que tous les exemples choisis jusqu'ici ont permis d'éviter.

3.12   Addition de réactifs dissymétriques aux alcènes dissymétriques. Règle de Markovnikov

Comme l'illustre la table 3.2, on peut, dans les réactions d'addition, classer les réactifs et les alcènes en symétriques et dissymétriques. Quand un réactif et (ou) un alcène est symétrique, seule est possible la formation d'un unique produit. En réexaminant toutes les équations et tous les produits des paragraphes 3.7 à 3.11, on peut voir que, soit le réactif, soit l'alcène, soit l'un et l'autre, sont symétriques. Mais quand le réactif et l'alcène sont tous deux dissymétriques, la formation de deux produits est théoriquement possible.

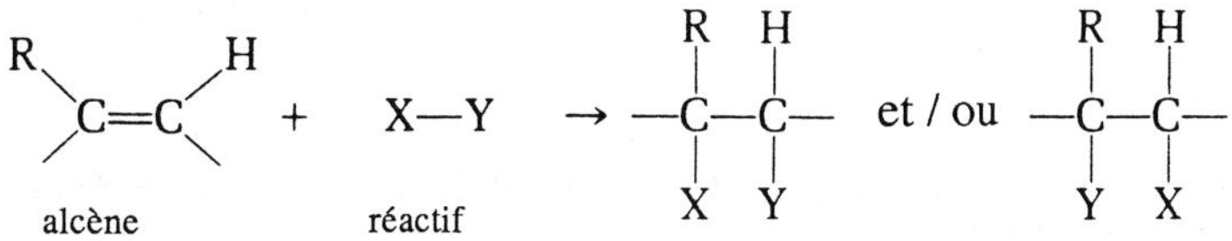

$$\underset{H}{\overset{R}{\text{C=C}}} \;+\; X{-}Y \;\rightarrow\; -\underset{X}{\overset{R|}{C}}{-}\underset{Y}{\overset{H|}{C}}- \;\text{et / ou}\; -\underset{Y}{\overset{R|}{C}}{-}\underset{X}{\overset{H|}{C}}- \tag{3.16}$$

alcène   réactif
dissymétrique   dissymétrique

Table 3.2		Symétriques	Dissymétriques
Symétrie des alcènes et des réactifs dans les réactions d'addition	Réactifs	$Br\!-\!\!\mid\!-\!Br$ $Cl\!-\!\!\mid\!-\!Cl$ $H\!-\!\!\mid\!-\!H$	$H\!-\!\!\mid\!-\!Br$ $H\!-\!\!\mid\!-\!OH$ $H\!-\!\!\mid\!-\!OSO_3H$
	Alcènes	$CH_2\!=\!\!\mid\!=\!CH_2$ $CH_3CH\!=\!\!\mid\!=\!CHCH_3$	$CH_3CH\!=\!\!\mid\!=\!CH_2$ $CH_3CH_2CH\!=\!\!\mid\!=\!CHCH_3$ CH_3

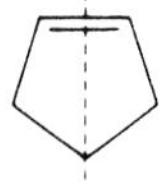

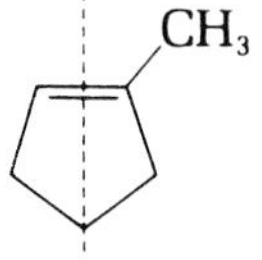

On appelle parfois les deux produits de l'équation 3.16 des **régioisomères**. Si une telle réaction ne donne qu'un seul des deux régioisomères, on dit qu'elle est **régiospécifique**. Si elle donne principalement l'un des deux, on dit qu'elle est **régiosélective**.

Considérons, par exemple, l'addition acido-catalysée d'eau au propylène. En principe, deux produits peuvent être formés, le 1-propanol ou le 2-propanol, selon que l'H de l'eau se fixe en C1 et l'OH en C2 du propylène ou l'inverse. En fait, l'expérience conduit à un seul produit. L'addition est donc régiospécifique; et le seul produit est le 2-propanol.

$$
\underset{\substack{3 \quad 2 \quad 1 \\ \text{propène}}}{CH_3CH\!=\!CH_2}
\begin{cases}
\xrightarrow[H^+]{H-OH} \underset{\substack{|\\OH\\ \text{2-propanol}}}{CH_3CHCH_3} \\[2em]
\xrightarrow[H^+]{H-OH}\!\!\!\!/\!/\ \ \underset{\text{1-propanol}}{CH_3CH_2CH_2-OH}
\end{cases}
\tag{3.17}
$$

Beaucoup de réactions d'addition aux alcènes montrent une tendance analogue à la formation d'un seul produit. Exemples:

$$
CH_3CH\!=\!CH_2 + H-Cl \rightarrow \underset{\substack{|\\Cl}}{CH_3CHCH_3} \qquad (\text{ pas } CH_3CH_2CH_2Cl) \tag{3.18}
$$

$$
\underset{\substack{|\\CH_3}}{CH_3C\!=\!CH_2} + H-OH \xrightarrow{H^+} \underset{\substack{|\\CH_3}}{\overset{\substack{OH\\|}}{CH_3CCH_3}} \qquad (\text{pas } \underset{\substack{|\\CH_3}}{CH_3CHCH_2OH}) \tag{3.19}
$$

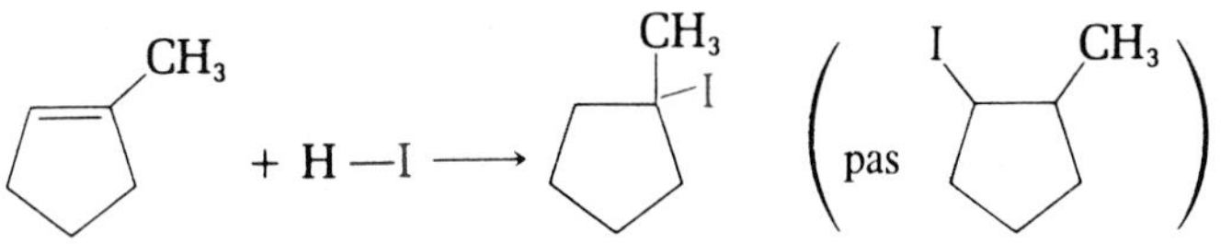

$$\text{(3.20)}$$

Après l'étude de nombreuses réactions d'addition de ce type, le chimiste russe V. Markovnikov a énoncé, il y a plus de 100 ans, la règle suivante: quand un réactif dissymétrique s'additionne à un alcène dissymétrique, la partie électropositive du réactif se fixe sur le carbone de la double liaison qui est lié au plus grand nombre d'hydrogènes.

Problème 3.12   **En appliquant la régle de Markovnikov, prévoir le régioisomère qui prédomine dans les réactions suivantes:**
   a. 1-butène + HCl   b. 2-méthyl-2-butène + H_2O (H^+ catalyseur)

Problème 3.13   **Quels sont les deux produits théoriquement possibles de l'addition de HCl au 2-pentène? Doit-on attendre une réaction régiospécifique?**

On va maintenant tenter, à la lumière de la théorie moderne de la chimie, d'apporter une interprétation rationnelle de la règle de Markovnikov.

3.13 Mécanisme de l'addition électrophile aux alcènes

Plus que les électrons σ, les électrons π constituent la partie faible de la double liaison et sont plus exposés aux réactifs. Ce sont eux qui entrent en jeu dans les additions aux alcènes, la double liaison intervenant comme pourvoyeuse d'électrons aux réactifs accepteurs. On appelle **électrophiles** ces réactifs accepteurs d'électrons. Ce sont, soit des cations, soit d'autres espèces, neutres, manquant d'électrons.

Considérons, par exemple, l'addition des acides aux alcènes. Le proton H^+ est l'électrophile attaquant. Quand il approche de la double liaison, les deux électrons π de celle-ci forment une liaison entre ce proton et l'un des deux carbones. L'autre carbone acquiert donc une charge positive, d'où la naissance d'un **carbocation** (aussi appelé *ion carbonium*).

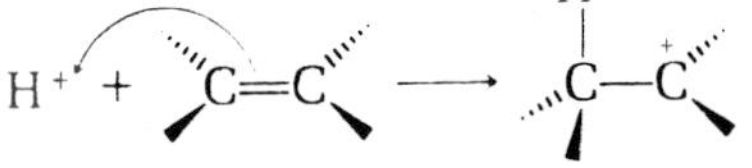

$$\text{(3.21)}$$

carbocation
(ion carbonium)

En général, le carbocation est extrêmement réactif, car il n'a que six (et non pas huit) électrons autour du carbone positif. Il se combine rapidement avec les espèces qui peuvent lui apporter deux électrons. On appelle **nucléophiles** ces réactifs donneurs d'électrons; ce sont, soit des anions, soit d'autres espèces, neutres, porteuses d'une paire d'électrons libres.

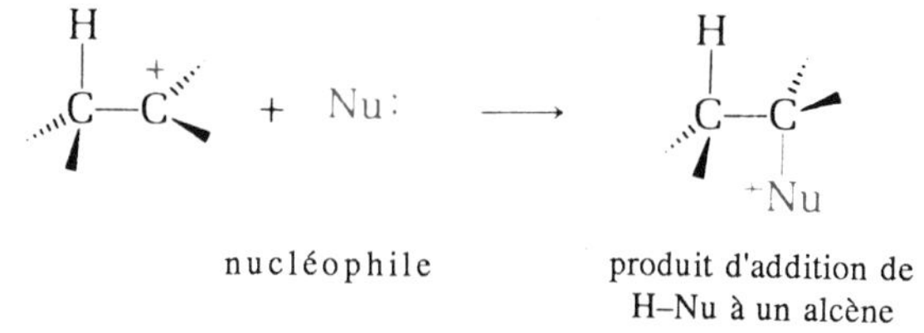

(3.22)

nucléophile   produit d'addition de
                           H–Nu à un alcène

Les équations 3.23 montrent les étapes intervenant dans les additions de H—Cl H—OSO$_3$H et H—OH à une double liaison. Dans une première étape, l'électrophile H$^+$ se fixe sur un carbone, donnant ainsi naissance à un carbocation qui, dans une seconde étape, réagit avec le nucléophile.

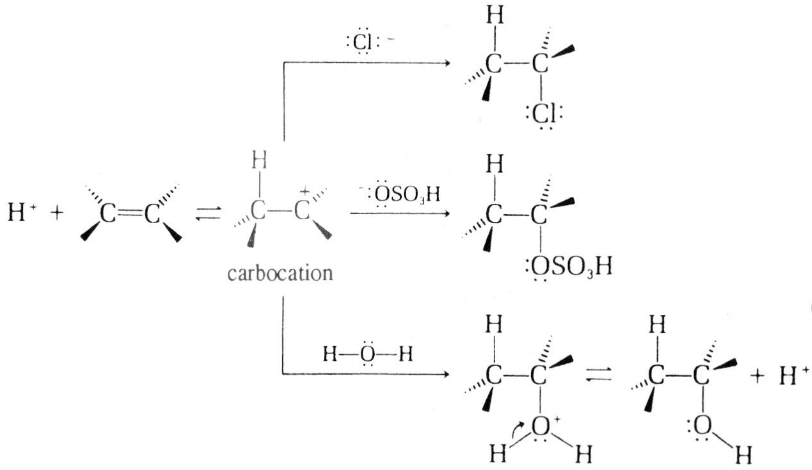

(3.23)

La première étape, la formation du carbocation, est la plus lente des deux, alors que, vu l'extrême réactivité de ce dernier, sa combinaison avec le nucléophile est très rapide. L'étape initiant l'addition étant l'attaque par l'électrophile, on appelle **addition électrophile** le processus dans son entier.

Exemple de problème 3.4   **Donner la représentation orbitalaire des liaisons du carbocation.**

Solution   Le carbone est positif; il ne dispose donc que de trois électrons de valence pour se lier. Chacun d'eux est situé dans une orbitale sp^2. Les trois orbitales sp^2 constituent les trois liaisons; elles se trouvent dans un même plan et font entre elles des angles de 120°. L'orbitale p restante est perpendiculaire à ce plan et est vacante.

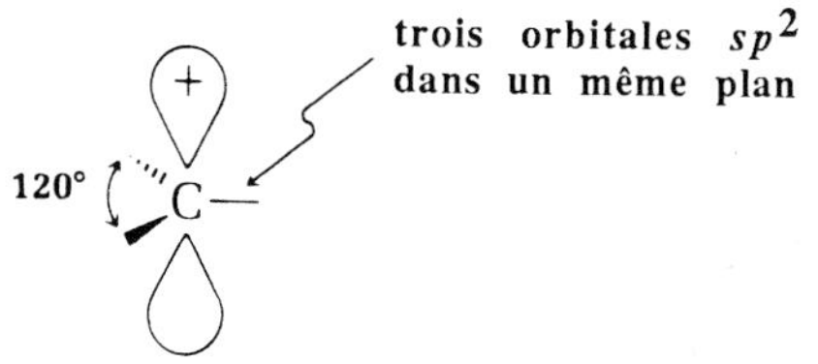

trois orbitales sp^2
dans un même plan

120°

3.14 Interprétation de la règle de Markovnikov

Considérons, par exemple, l'addition de H—Cl au propylène. La première étape est la fixation d'un proton, qui peut conduire à la formation, soit du cation isopropyle, soit du cation n-propyle.

$$\overset{3}{CH_3}-\overset{2}{CH}=\overset{1}{CH_2} \quad \xrightarrow{H^+}$$

fixation en C1 → $CH_3\overset{+}{C}HCH_3$
cation isopropyle

fixation en C2 ⇸ $CH_3CH_2CH_2^+$
cation n-propyle

(3.24)

propène

A ce stade, la structure du produit est déjà déterminée, car la combinaison du cation isopropyle avec l'ion chlorure ne peut donner que le 2-chloropropane, alors que la même combinaison à partir du cation propyle n'aurait pu conduire qu'au 1-chloropropane. Le seul produit obtenu étant le 2-chloropropane, on doit conclure que le proton se fixe en C1 et que seul est formé le cation isopropyle. Pourquoi?

En fait, l'étude de nombreuses réactions mettant en jeu un carbocation intermédiaire et l'étude directe de carbocations en solutions fortement acides (où ils sont stables et où ils ont une certaine durée de vie) ont montré que la présence de groupes alkyles sur le carbone positif stabilise les carbocations.

On peut classer ces carbocations en tertiaires, secondaires ou primaires selon que le carbone positif porte trois, deux ou un seul groupe alkyle. De nombreuses études ont montré que leur stabilité décroît dans l'ordre suivant:

$$\underset{\underset{R}{|}}{\overset{\overset{R}{|}}{R-\overset{+}{C}}} \quad > \quad \underset{\underset{R}{|}}{R-\overset{+}{C}H} \quad \gg \quad R-\overset{+}{C}H_2 \quad > \quad \overset{+}{C}H_3$$

tertiaire (3e)   secondaire (2e)   primaire (1e)   méthyle

plus stable   ———————————————→   moins stable

Une raison de cet ordre des stabilités c'est qu'un carbocation est d'autant plus stable que sa charge positive peut être délocalisée sur les atomes voisins. Dans ces cations, cette délocalisation s'opère par un certain glissement, vers le carbone positif, de la densité électronique existant au niveau des liaisons. Plus il y a d'atomes de carbone environnant le carbone positif, plus il y a de liaisons σ aidant à la délocalisation de la charge. C'est la raison principale de l'ordre de stabilité des carbocations jusqu'ici observé.

On peut maintenant de nouveau énoncer la règle de Markovnikov: l'orientation de l'addition d'un réactif dissymétrique à une double liaison dissymétrique est telle qu'elle met en jeu le carbocation intermédiaire le plus stable.

Problème 3.14   **Ecrire les étapes des additions électrophiles des équations 3.19 et 3.20 et vérifier que, dans chaque cas, la réaction met en jeu le carbocation le plus stable.**

Il est intéressant de noter que l'addition de HBr aux alcènes (les autres halogénures d'hydrogène n'ont pas le même comportement) ne suit plus la règle de Markovnikov quand on opère en présence d'un peroxyde. C'est ce qu'on appelle **l'effet Kharasch**.

$$CH_3—CH=CH_2 \ + \ HBr \ \xrightarrow{\text{peroxyde}} \ CH_3—CH_2—CH_2Br \qquad (3.25)$$

On explique cette addition "anti-Markovnikov" en disant que la réaction n'est plus alors une addition électrophile, mais une addition radicalaire. En effet, les peroxydes RO—OR (et notamment RCO—O—O—COR, ces derniers en perdant CO_2 dans le processus) sont connus comme des producteurs de radicaux libres R• initiateurs de réactions radicalaires.

$$RO—O R \ \longrightarrow \ 2 \, R \, O• \qquad (3.26)$$

peroxyde organique   deux radicaux

$$RCO—O—O—COR \ \longrightarrow \ 2 \, R• \ + \ 2 \, CO_2 \qquad (3.27)$$

deux radicaux

Ces radicaux, en attaquant des molécules de HBr, engendrent des atomes de brome et amorcent une réaction en chaîne, dans laquelle ces derniers se fixent sur le carbone le moins substitué de la double liaison C=C, parce que donnant ainsi naissance à un radical libre secondaire, plus stable). Ce radical capte alors l'atome d'hydrogène d'une molécule HBr et régénère un atome Br• qui assure la poursuite de la réaction.

$$R• \ + \ HBr \ \longrightarrow \ R:H \ + \ Br• \qquad (3.28)$$

$$CH_3—CH=CH_2 \ \xrightarrow{Br \, •} \ CH—\underset{•}{CH}—CH_2Br \ \xrightarrow{HBr} \ CH_3—CH_2—CH_2Br \ + \ Br• \longrightarrow \quad (3.29)$$

3.15 Mécanisme de l'addition d'halogène

Le mécanisme de l'addition des halogènes aux alcènes est légèrement différent de celui de l'addition des acides. Ici, dans la première étape de l'addition de brome, par exemple, les électrons π déplacent l'ion bromure d'une molécule de brome et le produit intermédiaire est un **ion bromonium cyclique**.

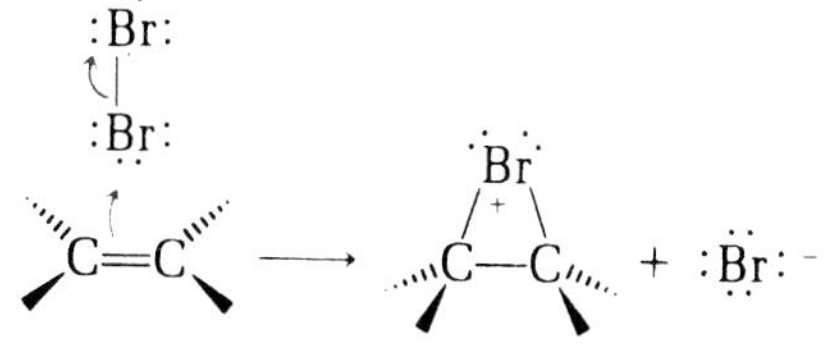

$$(3.30)$$

ion bromonium

La réaction de l'ion bromure avec l'ion bromonium conduit alors au produit: un dibromoalcane.

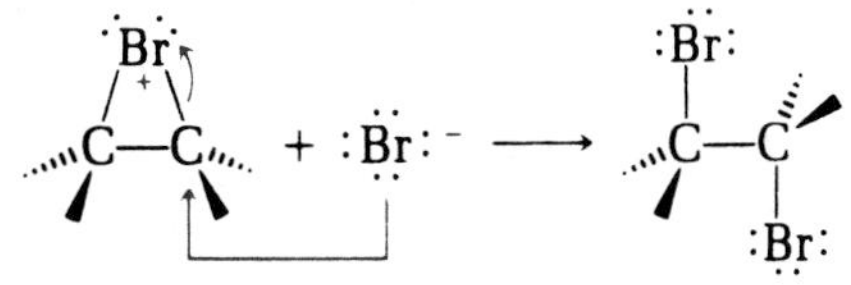

$$\text{(3.31)}$$

Problème 3.15   **Montrer que, dans un ion bromonium, c'est le brome qui porte la charge positive.**

Exemple de problème 3.5   **Expliquer pourquoi la réaction de brome et d'eau avec l'éthylène donne un mélange de $BrCH_2CH_2Br$ et $BrCH_2CH_2OH$, sachant que, dans les mêmes conditions, $BrCH_2CH_2Br$ ne réagit pas avec l'eau pour donner $BrCH_2CH_2OH$.**

Solution   **La première étape du mécanisme est exprimée par l'équation 3.30. L'ion bromonium résultant réagit alors rapidement avec tout nucléophile présent, c'est-à-dire soit avec un ion bromure, soit avec une molécule d'eau. La formation des deux produits est une preuve expérimentale de l'addition du brome en deux étapes.**

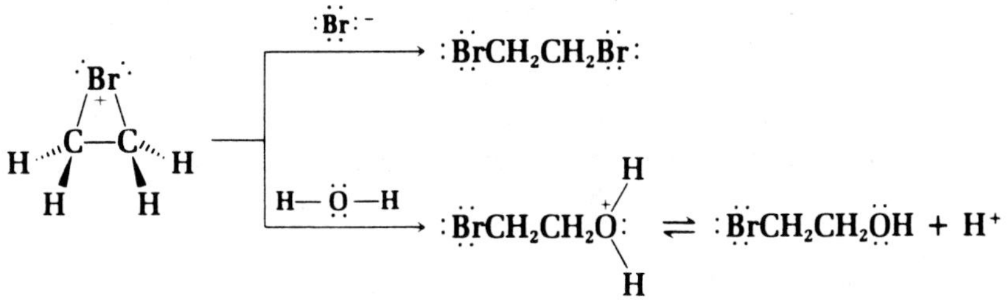

Problème 3.16   **L'addition de brome au cyclopentène donne du *trans*-1,2-dibromocyclopentane et presque pas de l'isomère *cis*. Montrer que l'ion bromonium intermédiaire explique aisément cette observation.**

3.16 Addition-1,4 aux diènes conjugués

Quand on ajoute une mole d'acide bromhydrique à une mole de 1,3-butadiène, on obtient un résultat assez surprenant, à savoir la formation de deux produits.

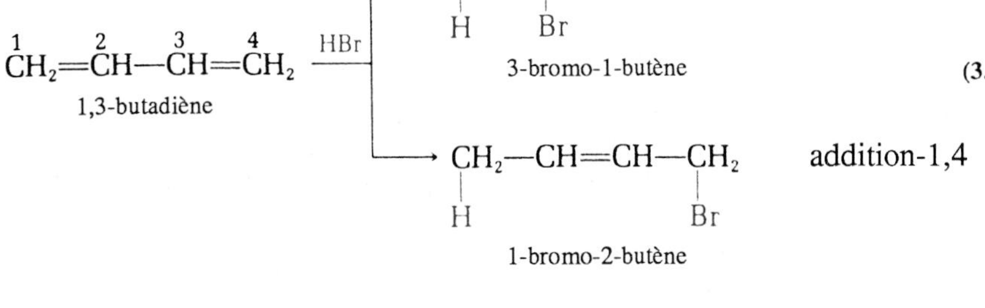

$$\text{(3.32)}$$

Le premier est le produit résultant de l'addition de HBr sur l'une des deux doubles liaisons, l'autre étant encore présente dans sa position première. On l'appelle le produit d'**addition-1,2**. A priori, le deuxième est inattendu; le brome et l'hydrogène se sont fixés sur les carbones C1 et C4 du diène et une nouvelle double liaison est apparue entre les carbones C2 et C3. On l'appelle le produit d'**addition-1,4.** Un tel processus est très général avec les systèmes conjugués. Comment donc l'expliquer?

Dans un premier temps, en accord avec la règle de Markovnikov, un proton se fixe sur un carbone terminal.

$$H^+ + CH_2=CH-CH=CH_2 \rightarrow CH_3-\overset{+}{C}H-CH=CH_2 \tag{3.33}$$

Le carbocation résultant est stabilisé par résonance (paragraphe 1.12); il est en fait un hybride de deux formes limites:

$$\left[CH_3-\overset{+}{C}H-CH=CH_2 \leftrightarrow CH_3-CH=CH-\overset{+}{C}H_2 \right]$$

La charge positive est délocalisée sur les carbones C2 et C4 et, quand le carbocation réagit avec un ion bromure, il peut le faire soit par C2 en donnant le produit d'addition-1,2, soit par C4 en donnant le produit d'addition-1,4.

$$\left.\begin{array}{c} \underset{1}{CH_3}-\underset{2}{\overset{+}{C}H}-\underset{3}{CH}=\underset{4}{CH_2} \\ \\ \updownarrow \\ \\ \underset{1}{CH_3}-\underset{2}{CH}=\underset{3}{CH}-\underset{4}{\overset{+}{C}H_2} \end{array}\right\} \xrightarrow{Br^-} \begin{array}{c} CH_3CH-CH=CH_2 \\ \quad\quad | \\ \quad\quad Br \\ + \\ CH_3-CH=CH-CH_2 \\ \quad\quad\quad\quad\quad | \\ \quad\quad\quad\quad\quad Br \end{array} \tag{3.34}$$

Problème 3.17   **Expliquer pourquoi, dans la première étape de l'addition de HBr au 1,3-butadiène, le proton se fixe en C1 (équation 3.33) et non pas en C2.**

Dans ces réactions, le carbocation intermédiaire est une espèce unique, même s'il nous faut deux structures limites pour le décrire. On appelle **cation allylique** ce type de carbocation qui comporte une double liaison carbone-carbone adjacente au carbone positif. De tels ions sont plus stables que les cations alkyles saturés de même squelette carboné, parce qu'ils ont leur charge positive délocalisée sur deux atomes de carbone.

Problème 3.18   **Ecrire une équation rendant compte de l'addition-1,2 et de l'addition-1,4 de brome au 1,3-butadiène.**

3.17 Synthèse diénique (réaction de Diels et Alder)

La plus connue des cycloadditions – réactions dans lesquelles deux ou, dans certains cas, plus de deux molécules se combinent en formant un cycle – est la réaction de Diels et Alder ou **synthèse diénique**. C'est un autre type d'addition-1,4, dans laquelle est formé un cyclohexène par chauffage d'un diène conjugué avec un alcène (qu'on appelle le **diénophile**) dont la double liaison est activée par un groupe (Z) capteur conjugué d'électrons, tel que: C=C, HC=O, RC=O, COOR.

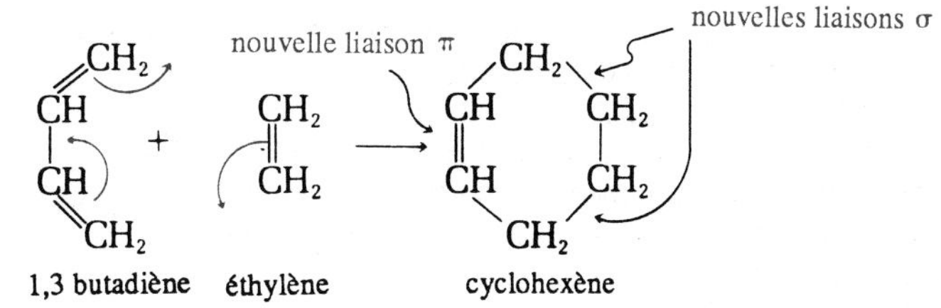

$$\text{1,3 butadiène} \quad \text{éthylène} \qquad \text{cyclohexène}$$

(3.35)

Exemples:

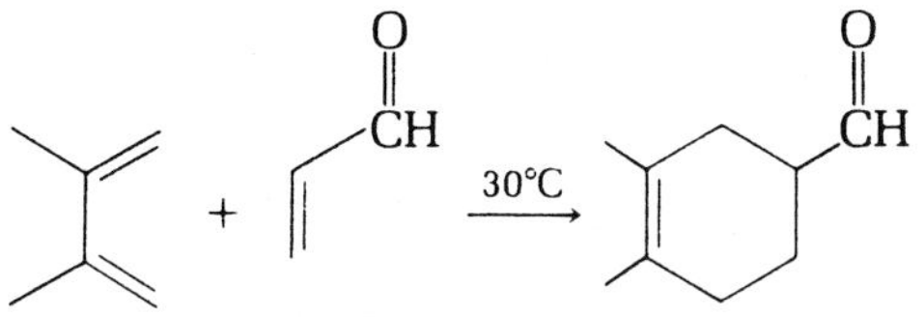

(3.36)

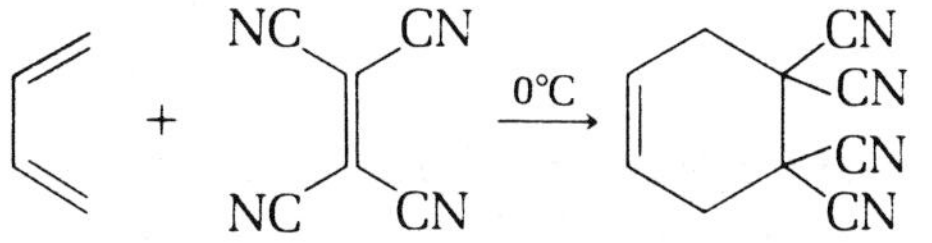

(3.37)

Exemple de problème 3.6   Par quelle réaction de Diels-Alder peut-on synthétiser la cétone suivante:

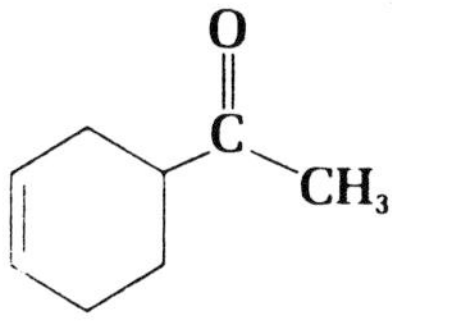

Solution: La double liaison du produit est la liaison simple du diène de départ. On a donc:

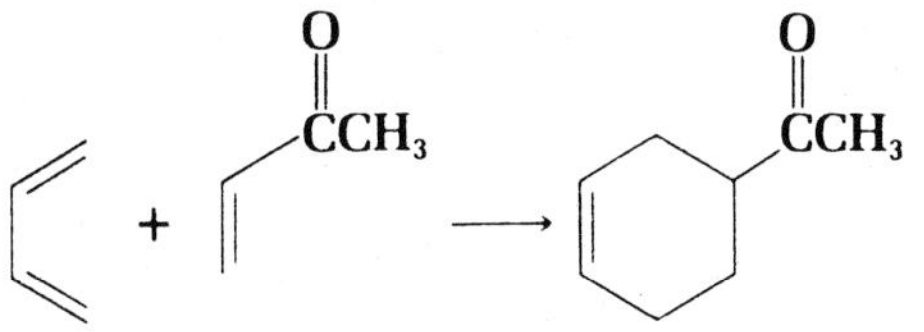

Problème 3.19   Montrer comment le limonène (figure 1.12) peut être formé par réaction de Diels-Alder de l'isoprène (2-méthyl-1,3-butadiène) sur lui-même.

Problème 3.20   Donner la structure du produit des deux synthèses diéniques suivantes:

a. 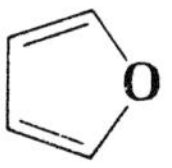 O + CH$_2$=CHC≡N

b. CH$_2$=CHCH=CH$_2$ + N≡C–C≡C–C≡N

C'est un cyclohexène qui est ainsi formé, car une double liaison apparaît entre celles du diène originel. La réaction, extrêmement riche, qui a valu à ses découvreurs le prix Nobel de chimie en 1950, est purement thermique. Elle a été longtemps mystérieuse, mais elle fait maintenant partie des réactions dites péricycliques (selon l'appellation de Woodward et Hoffmann). Ces réactions sortent du cadre de ce livre, mais l'étudiant doit savoir que, dans le cas présent, la naissance des deux liaisons σ et celle de la liaison π du cycle sont simultanées, d'où la formation de molécules cycliques de stéréochimie précise.

Dans la synthèse diénique, la stéréochimie du diène et celle du diénophile sont conservées. Par exemple, le chauffage du butadiène avec le maléate d'éthyle, diester de géométrie *cis*, donne un seul produit de cycloaddition qui a conservé la stéréochimie *cis*.

$$(3.38)$$

3.18 Polymérisation radicalaire. Polymères vinyliques

Quelques réactifs s'additionnent aux alcènes en suivant, non un mécanisme ionique, mais un mécanisme radicalaire. Sur le plan industriel, les plus importantes de ces additions par radicaux libres sont celles qui conduisent à des polymères.

Un **polymère** est une macromolécule, souvent de masse moléculaire élevée, construite à partir de petites unités répétées de nombreuses fois. On appelle **monomère** la molécule simple dont dérivent ces unités et **polymérisation** le processus qui convertit un monomère en polymère.

Certains polymères, comme l'amidon, la cellulose et la soie sont des **polymères naturels**, d'origine animale ou végétale. D'autres sont des **polymères synthétiques**, ou **matières plastiques** (du latin *plasticus,* apte au moulage), qui peuvent être fondus, moulés, coulés, etc., et ainsi obtenus sous des formes très variées; en font aussi partie les films et les filaments utilisés comme fibres textiles.

Les plus importants des polymères synthétiques sont les **polymères vinyliques**, préparés catalytiquement à partir d'un monomère vinylique.

$$(3.39)$$

monomère
vinylique

polymère vinylique

Dans le produit de l'équation 3.39, la structure entre parenthèses est le motif, l'unité de base du polymère. Pour toute molécule d'un polymère, le nombre n peut varier de quelques-unes à des milliers d'unités. Aux deux extrémités de la chaîne, il peut y avoir soit une molécule du catalyseur, soit une autre terminaison. Quand n est grand, ces groupes terminaux n'ont qu'un rôle insignifiant sur le comportement de la molécule. Quant à l'atome ou au groupe X de l'équation 3.39, ce peut être un hydrogène, un halogène, un groupe alkyle, etc.

Table 3.3

Monomères et polymères vinyliques industriels

Monomère	Polymère	Usages
$CH_2 = CH_2$	Polyéthylène (ou polythène)	Feuilles et films, objets moulés, articles de ménage et jouets, câbles, conteneurs de marchandises par voie maritime
$CH_2 = CHCH_3$	Polypropylène	Fibres pour tapis, emballage, jouets et articles de ménage, articles moulés pour automobiles
$CH_2 = C(CH_3)_2$	Polyisobutylène	Adhésifs
$CH_2 = CHCl$	Chlorure de polyvinyle (PVC)	Tuyaux de plastique, emboîtement de tuyaux, carrelage, disques, revêtement, feuilles et films
$CH_2 = CHCN$	Polyacrylonitrile (Orlon, Acrilan)	Chandails et autres vêtements
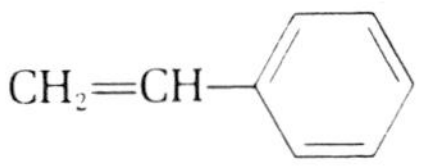 $CH_2 = CH - \bigcirc$	Polystyrène	Emballage, isolation, ameublement, jouets, sacs à nourriture
$CH_2 = CH - \overset{\overset{O}{\|}}{O}CCH_3$	Polyacétate de vinyle (Acétate de polyvinyle)	Adhésifs et peinture-caoutchouc
$CH_2 = C(CH_3) - \overset{\overset{O}{\|}}{C}OCH_3$	Polyméthacrylate de méthyle (plexiglas)	Objets qui doivent être clairs, transparents et durs
$CH_2 = CCl_2$	Polychlorure de vinylidène (Chlorure de polyvinylidène) (Saran)	Emballage de nourriture
$CF_2 = CF_2$	Polytétrafluoroéthylène (Téflon)	Revêtements thermorésistants pour ustensiles de cuisine, isolateurs électriques, lentilles pour lampes à décharge électrique de haute intensité

La table 3.3 rassemble quelques-uns des monomères vinyliques les plus courants, ainsi que les noms et les utilisations des polymères dérivés. On remarquera que, dans certains exemples, le monomère correspond à la formule générale $CH_2=CX_2$ ou $CH_2=CXY$ ou même $CX_2=CX_2$.

Pour convertir un monomère vinylique en un polymère vinylique, on dispose de plusieurs types de catalyseurs, mais les plus courants sont des **"initiateurs" de polymérisation radicalaire en chaîne.** Ces catalyseurs comportent une liaison particulière, faible, qui est aisément rompue par chauffage en donnant des radicaux libres. C'est le cas de peroxydes organiques (on en a déjà signalé l'intérêt; voir, par exemple, le paragraphe 3.14 et les équations 3.25–3.29).Un radical fourni par le catalyseur RO—OR se fixe d'abord sur un atome de la double liaison du monomère vinylique. On a, par exemple, avec l'éthylène:*

$$RO\bullet \quad CH_2 = CH_2 \rightarrow RO—CH_2—CH_2 \tag{3.40}$$

radical
catalyseur   radical libre carboné

Un radical libre carboné est ainsi formé, qui se fixe sur une autre molécule d'éthylène et ainsi de suite:

$$ROCH_2CH_2\bullet \xrightarrow{CH_2=CH_2} ROCH_2CH_2CH_2CH_2\bullet \xrightarrow{CH_2=CH_2}$$

$$ROCH_2CH_2CH_2CH_2CH_2CH_2\bullet \quad \text{etc.} \tag{3.41}$$

La chaîne s'allonge de plus en plus, jusqu'à ce que survienne une réaction de "terminaison de chaîne".

On pourrait penser que seule devrait être ainsi possible la formation d'une longue chaîne carbonée; mais ce n'est pas toujours le cas. En effet, une telle chaîne en formation peut extraire un atome d'hydrogène de l'arrière et par là même provoquer la naissance d'une ramification:

$$\text{etc.} \tag{3.42}$$

Et l'on obtient finalement une molécule géante comportant des chaînes longues et courtes:

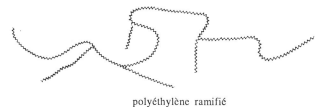

polyéthylène ramifié

* Remarquons qu'on utilise la flèche incurvée ⌢ pour spécifier le mouvement d'une paire d'électrons et l'hameçon ⌢ pour spécifier celui d'un seul électron.

Par le choix du catalyseur et des conditions réactionnelles, on peut souvent contrôler le degré de ramification, la masse moléculaire et autres caractéristiques de la structure macromoléculaire. D'ordinaire, on effectue sous haute pression la polymérisation de l'éthylène.

La production industrielle de polymères vinyliques est énorme. Par exemple, pour les seuls Etats-Unis, la production annuelle est voisine de 5 millions de tonnes de polyéthylène (la production correspondante française est voisine de 1 million de tonnes) et de 15 millions de tonnes de polymères vinyliques en général.

On a vu (équation 3.39) que le monomère vinylique qu'on soumet à la polymérisation peut être substitué. Ainsi la formule du polypropylène est:

$$\left(\!\!\begin{array}{c} CH_2CH \\ | \\ CH_3 \end{array}\!\!\right)_{\!n}$$

ou plus exactement:
$$-CH_2CH-CH_2CH-CH_2CH-CH_2CH- \\ \quad\ \ |\qquad\qquad |\qquad\qquad |\qquad\qquad | \\ \quad\ \ CH_3\qquad\ CH_3\qquad\ CH_3\qquad\ CH_3$$

c'est-à-dire que les méthyles se retrouvent sur des carbones alternés, aucune unité des types ci-après n'apparaissant d'ordinaire dans ce polymère.

$$-CH_2-CH\!\mid\!CH-CH_2- \qquad\text{ou}\qquad -CH-CH_2\!\mid\!CH_2-CH- \\ \qquad\quad\ |\quad\ \ | \qquad\qquad\qquad\qquad\quad |\qquad\qquad\qquad\ | \\ \qquad\quad\ CH_3\ \ CH_3 \qquad\qquad\qquad\quad\ CH_3\qquad\qquad\ CH_3$$

Et pourtant le catalyseur radical peut se fixer de deux manières sur le propylène:

$$RO\!\cdot\ +\ CH_2\!\!=\!\!CH \rightarrow RO-CH_2-\overset{\bullet}{C}H \qquad\text{ou}\qquad \overset{\bullet}{C}H_2-CH-OR \qquad\qquad (3.43) \\ \qquad\qquad\qquad\quad\ |\qquad\qquad\qquad\qquad\ |\qquad\qquad\qquad\qquad\ | \\ \qquad\qquad\qquad\quad CH_3\qquad\qquad\qquad\ CH_3\qquad\qquad\qquad\ CH_3$$

la première conduisant à un radical libre carboné secondaire et la seconde à un radical primaire. Or, l'ordre de stabilité des radicaux libres est le même que celui des carbocations, à savoir $3° > 2° > 1°$. C'est pourquoi seul est formé le radical secondaire. Et quand il se fixe sur l'unité propylène suivante, un autre radical secondaire est formé, et ainsi de suite:

$$RO-CH_2-\overset{\bullet}{C}H\ +\ CH_2\!\!=\!\!CH \rightarrow RO-CH_2-CH-CH_2-\overset{\bullet}{C}H \rightarrow \text{polymère} \quad (3.44) \\ \qquad\qquad\ |\qquad\qquad\ |\qquad\qquad\qquad\qquad\ |\qquad\qquad\ | \\ \qquad\qquad CH_3\qquad\quad CH_3\qquad\qquad\qquad\ CH_3\qquad\ CH_3$$

Dans la chaîne du polymère on retrouve donc les méthyles sur des carbones alternés.

3.19 Caoutchouc naturel et caoutchouc synthétique

Quand Christophe Colomb mit pied dans le Nouveau Monde, il aperçut des indigènes jouant avec des balles faites de gomme extraite de certains arbres. Vraisemblablement, ces indigènes enduisaient aussi de cette matière certains de leurs vêtements pour se protéger de la pluie et ils savaient comment préparer des chaussures et des bouteilles en enduisant des moules d'argile avec du caoutchouc et en les laissant sécher. Bien sûr, ce n'est que bien plus tard qu'on connut la nature chimique du caoutchouc. C'est J. Priestley (qui découvrit l'oxygène) qui donna le nom de *rubber* à cette matière (de *to rub,* frotter) qu'il utilisait pour effacer les traces de crayon. Quant au mot *caoutchouc,* il est d'origine péruvienne.

Le **caoutchouc naturel** est un polymère hydrocarboné non saturé. On l'obtient à partir de la sève laiteuse (le latex) de l'hévéa. On a déduit sa structure notamment de l'observation (faite au XIXe siècle) que le chauffage du latex en l'absence d'air donne principalement un hydrocarbure non saturé simple, qu'on a appelé **isoprène.**

$$
\text{caoutchouc naturel} \xrightarrow{\Delta} \underset{\underset{CH_3}{|}}{CH_2\!=\!C}\!-\!CH\!=\!CH_2 \tag{3.45}
$$

isoprène
(2-méthyl-1,3-butadiène)

Il apparaissait clairement que le caoutchouc devait être constitué de molécules d'isoprène réunies en longues chaînes.

On sait maintenant synthétiser une matière pratiquement identique au caoutchouc naturel en traitant de l'isoprène avec un catalyseur particulier (tel que le triéthylaluminium $(CH_3CH_2)_3Al$ + trichlorure de titane $TiCl_3$). Les molécules d'isoprène se lient les unes aux autres par une addition-1,4 tête à queue.

$$\tag{3.46}$$

molécules d'isoprène

catalyseur particulier
$(R_3Al\!-\!TiCl_3)$

caoutchouc analogue au caoutchouc naturel

Dans le caoutchouc naturel les doubles liaisons sont dites "isolées", c'est-à-dire qu'elles sont séparées les unes des autres par plus d'une liaison simple. D'autre part, elles ont la géométrie *cis,* ce qui signifie que, tout le long de la chaîne, on atteint et on quitte chaque double liaison du même côté. La masse moléculaire du caoutchouc dépasse souvent 1.000.000; mais elle peut varier avec la source et la technique utilisée pour l'isoler. Celui des plantations contient, à l'état brut, à côté du polyisoprène, environ 2,5 à 3,5% de protéines, 2,5 à 3,2% de corps gras, 0,1 à 1,2% d'eau et des traces de matière minérale.

On appelle **unité isoprène** le motif à cinq carbones (quatre en chaîne plus un cinquième lié en C2) de la molécule de caoutchouc naturel (cette unité apparaît délimitée par des pointillés dans la structure ci-dessus):

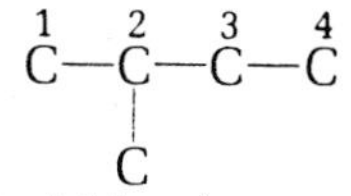

$$\overset{1}{C}-\overset{2}{C}-\overset{3}{C}-\overset{4}{C}$$
$$\overset{\displaystyle |}{C}$$

unité isoprène

On retrouve cette unité de cinq carbones dans beaucoup de produits naturels.

Problème 3.21 **Ecrire la formule développée des produits naturels suivants et en délimiter les unités isoprène au moyen de pointillés: a . géraniol (figure 1.11), b. limonène (figure 1.12), c. α-pinène (figure 1.12).**

Le caoutchouc naturel n'a pas que des propriétés intéressantes, et les objets qu'on fabriquait jadis avec lui étaient souvent gluants et malodorants, s'amollissant par temps chaud et durcissant à froid. Ces inconvénients disparurent quand C. Goodyear inventa la **vulcanisation**, qui consiste à chauffer le caoutchouc avec du soufre, créant ainsi des "ponts" entre les chaînes du polymère. Ces liens transversaux accentuent la solidité du caoutchouc et interviennent comme une sorte de "mémoire" qui aide le polymère à retrouver sa forme originale après allongement.

chaîne du polymère

élongation

relâchement

liaisons de croisement

Après ces améliorations, il restait d'autres problèmes. Par exemple, jadis il n'était pas rare de devoir contrôler la pression de l'air des pneumatiques presque chaque fois qu'on faisait le plein d'essence. Il fallait donc préparer des **caoutchoucs synthétiques,** c'est-à-dire des polymères plus ou moins différents chimiquement du caoutchouc naturel, mais ayant ses propriétés et d'autres également intéressantes.

De nombreux monomères ou des mélanges de monomères donnent, par polymérisation, des **élastomères** (substances ayant les propriétés élastiques du caoutchouc). Le plus fabriqué est un **copolymère** de styrène (25%) et de 1,3-butadiène (75%), appelé SBR ("styrène-butadiène rubber").

$$n\ CH_2{=}CHC_6H_5\ +\ 3n\ CH_2{=}CH{-}CH{=}CH_2\ \xrightarrow[\text{radicaux libres}]{\text{initiateur de}}$$

styrène   butadiène

(3.47)

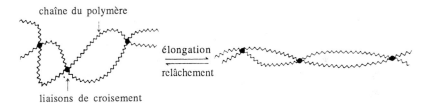

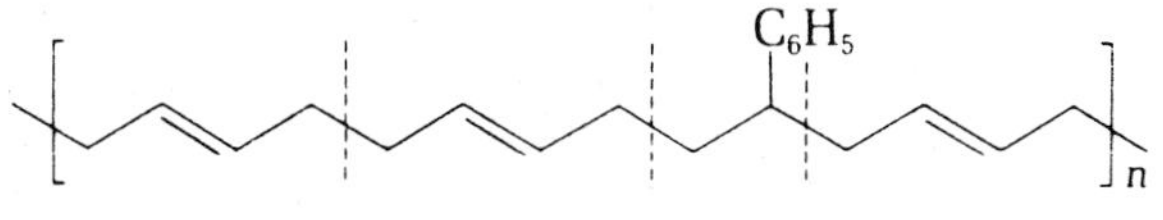

SBR

Sa structure n'est qu'approximativement celle indiquée par l'équation 3.47, car environ 20 % du butadiène subit l'addition-1,2 (seule l'addition-1,4 est montrée dans cette équation). Ses doubles liaisons ont la géométrie *trans,* les pointillés indiquant les unités à partir desquelles il est construit. Environ les deux tiers du SBR servent à la fabrication des pneumatiques; sa production est deux fois plus importante que celle du caoutchouc naturel.

On n'a surtout considéré jusqu'ici que deux types de réactions, les additions électrophiles et les additions radicalaires. Examinons maintenant trois réactions quelque peu différentes des alcènes.

3.20 Hydroboration des alcènes

L'hydroboration a un énorme intérêt en synthèse et a valu à son découvreur, le Professeur H.C. Brown (Université de Purdue, Indiana), le prix Nobel de chimie en 1979. On ne traitera ici que de sa principale application, la synthèse des alcools en deux étapes à partir des alcènes.

L'hydroboration met en jeu l'addition d'une liaison hydrogène-bore à un alcène. La liaison H—B étant polarisée dans le sens $H^{\delta-}$— $B^{\delta+}$, le bore se fixe, dans l'addition, sur le carbone le moins substitué de la double liaison.

$$R-CH=CH_2 \;+\; \overset{\delta-\;\;\;\delta+}{H-B} \;\longrightarrow\; R-CH_2-CH_2-B \qquad (3.48)$$

Par exemple, trois moles de propylène réagissent avec une mole de borane BH_3 (qui a trois liaisons B—H) pour donner le tri-*n*-propylborane.

$$3\,CH_3CH=CH_2 \;+\; BH_3 \rightarrow CH_3CH_2CH_2-B\!\!\begin{array}{l} CH_2CH_2CH_3 \\[4pt] CH_2CH_2CH_3 \end{array} \qquad (3.49)$$

propylène   borane   tri-*n*-propylborane

D'ordinaire, on n'isole pas le trialkylborane ainsi formé, mais on le traite *in situ* par un autre réactif pour obtenir le produit final désiré. Par exemple, les trialkylboranes sont facilement oxydés en alcools par l'eau oxygénée en milieu basique.

$$(CH_3CH_2CH_2)_3B \;+\; 3\,H_2O_2 \;+\; 3\,NaOH \rightarrow 3\,CH_3CH_2CH_2OH \;+\; Na_3BO_3 \;+\; 3\,H_2O$$

tri-*n*-propylborane   alcool *n*-propylique   borate de sodium

$$(3.50)$$

Un grand avantage de cette séquence hydroboration-oxydation est qu'elle permet de faire des alcools inaccessibles par l'hydratation acido-catalysée des alcènes (revoir l'équation 3.17).

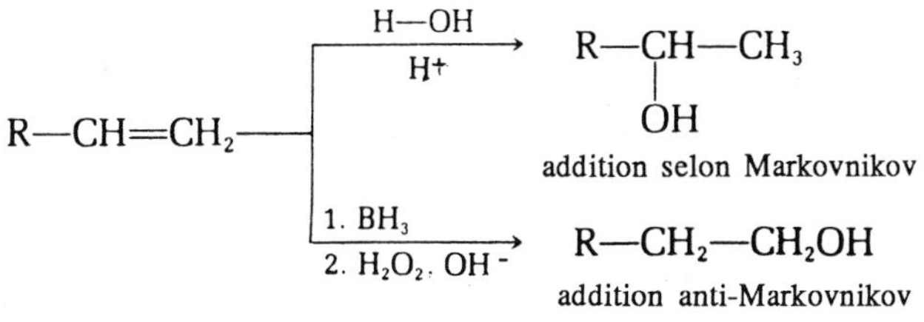

$$R-CH=CH_2 \begin{cases} \xrightarrow[H^+]{H-OH} & R-\underset{\underset{OH}{|}}{CH}-CH_3 \\ & \text{addition selon Markovnikov} \\ \xrightarrow[\text{2. } H_2O_2, \, OH^-]{\text{1. } BH_3} & R-CH_2-CH_2OH \\ & \text{addition anti-Markovnikov} \end{cases}$$

(3.51)

Exemple de problème 3.7   **Quel est l'alcool accessible par la séquence suivante:**

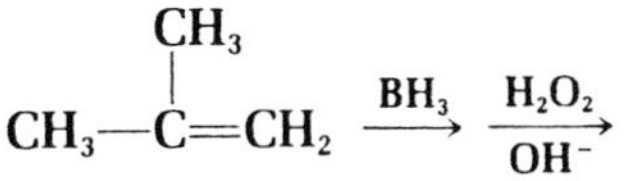

$$CH_3-\underset{\underset{CH_3}{|}}{C}=CH_2 \xrightarrow[OH^-]{BH_3 \quad H_2O_2}$$

Solution   **Sachant que le bore se fixe sur le carbone le moins substitué de la double liaison, l'oxydation doit donner l'alcool correspondant.**

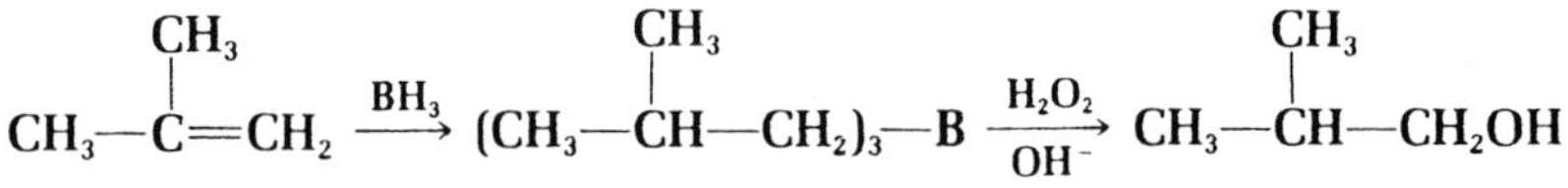

$$CH_3-\underset{\underset{CH_3}{|}}{C}=CH_2 \xrightarrow{BH_3} (CH_3-\underset{\underset{CH_3}{|}}{CH}-CH_2)_3-B \xrightarrow[OH^-]{H_2O_2} CH_3-\underset{\underset{CH_3}{|}}{CH}-CH_2OH$$

Equation à comparer avec l'équation 3.19.

Problème 3.22   **Quel alcool doit-on obtenir en appliquant la séquence hydroboration-oxydation au 2-méthyl-2-butène?**

Problème 3.23   **Quel alcène donnera l'alcool** ⬠—CH₂CH₂OH **par la séquence hydroboration-oxydation?**

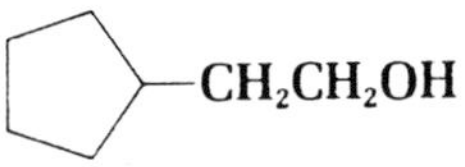

3.21 Oxydation des alcènes par le permanganate

En général, les alcènes sont beaucoup plus facilement oxydés que les alcanes par les agents d'oxydation, ces derniers attaquant les électrons π de la double liaison. Ainsi les alcènes réagissent avec le permanganate de potassium alcalin en donnant des **glycols** (composés ayant deux groupes hydroxyles adjacents).

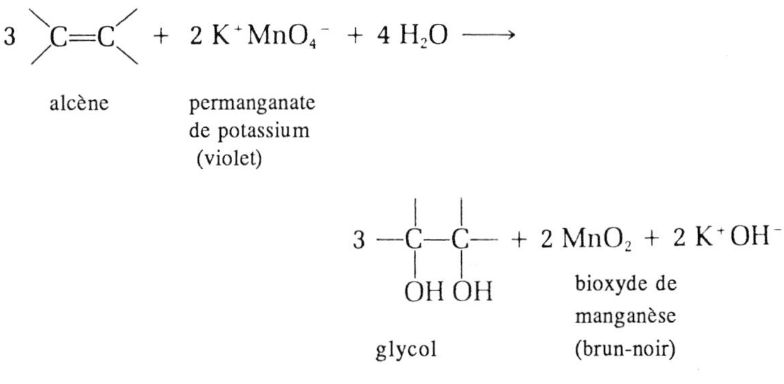

$$3 \, \underset{\text{alcène}}{\diagup C = C \diagdown} + \underset{\substack{\text{permanganate} \\ \text{de potassium} \\ \text{(violet)}}}{2 \, K^+MnO_4^-} + 4 \, H_2O \longrightarrow$$

(3.52)

$$3 \, \underset{\underset{OH \; OH}{|\;\;\;\;|}}{-C-C-} + \underset{\substack{\text{bioxyde de} \\ \text{manganèse} \\ \text{(brun-noir)}}}{2 \, MnO_2} + 2 \, K^+OH^-$$

glycol

Le violet de la solution de l'ion permanganate est remplacé par le précipité brun de bioxyde de manganèse et la réaction est parfois utilisée comme réaction-test permettant de distinguer les alcènes des alcanes. Mais ce test d'insaturation est de valeur limitée, car d'autres groupes fonctionnels sont oxydés par le réactif. Il n'est vraiment fiable que si le composé inconnu est un hydrocarbure.

3.22 Ozonolyse des alcènes

Un alcène réagit rapidement et quantitativement avec l'ozone O_3. Le produit est un **ozonide**, produit de réarrangement du molozonide intermédiaire né de l'addition de l'ozone sur la double liaison. D'habitude, on n'isole pas les ozonides, car certains sont des explosifs, mais on les traite *in situ* par un agent réducteur (le plus souvent de la poudre de zinc et un acide aqueux) et l'on obtient des aldéhydes ou des cétones.

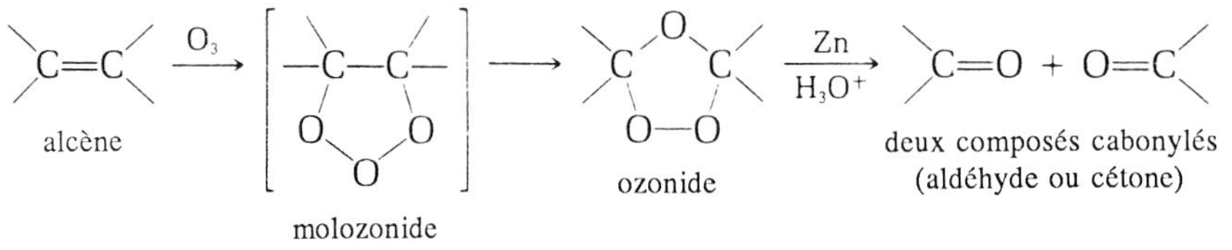

$$\text{(3.53)}$$

On a ainsi rompu la double liaison de l'alcène et formé, au niveau de l'un et l'autre carbones de celle-ci, deux doubles liaisons carbone-oxygène (groupes carbonyles). On appelle **ozonolyse** le processus dans son entier.

On peut utiliser l'ozonolyse pour déterminer la position d'une double liaison dans une molécule. Par exemple, le 1-butène donne deux aldéhydes différents par ozonolyse, tandis que le 2-butène n'en donne qu'un seul.

$$CH_2 = CHCH_2CH_3 \xrightarrow[\text{2. Zn. } H^+]{\text{1. } O_3} CH_2 = O \; + \; O = CHCH_2CH_3 \tag{3.54}$$

1-butène   formaldéhyde   propionaldéhyde

$$CH_3CH = CHCH_3 \xrightarrow[\text{2. Zn. } H^+]{\text{1. } O_3} 2 \; CH_3CH = O \tag{3.55}$$

2-butène   acétaldéhyde

Il est ainsi facile de dire à quel butène on a affaire. De plus, en examinant de près les produits d'ozonolyse d'un alcène déterminé, on peut en déduire sa structure.

Exemple de problème 3.8   Par ozonolyse, un alcène donne des quantités équivalentes d'acétone $(CH_3)_2C = O$ et de formaldéhyde $CH_2=O$. En déduire sa structure.

Solution   Il faut lier l'un à l'autre par une double liaison les carbones liés à l'oxygène dans les produits de l'ozonolyse. L'alcène est donc $(CH_3)_2C=CH_2$.

Problème 3.24 Quel alcène ne donnerait que de l'acétone comme produit d'ozonolyse?

3.23 Préparation des alcènes

On verra ci-après (p. 109 et 117) que les alcènes de petite masse moléculaire, matières premières de grande importance, sont obtenus dans l'industrie surtout par craquage d'alcanes du pétrole.

En laboratoire, mise à part l'hydrogénation catalytique partielle des alcynes qu'on examinera au paragraphe 3.26, le plus souvent la préparation des alcènes met en jeu une réaction d'élimination. Il s'agit d'abord de la déshydratation acide des alcools (paragraphe 7.8).

$$\text{CH} \overset{|}{\underset{\overset{|}{OH}}{-C-}} \longrightarrow \quad C{=}C \qquad (3.56)$$

Des réarrangements du squelette carboné de la molécule et la migration de la double liaison formée accompagnent souvent cette élimination qui met en jeu un carbocation intermédiaire (voir paragraphe 6.10). Mais, en soumettant à une température élevée, non pas l'alcool lui-même, mais certains dérivés tels que son acétate, on évite ces inconvénients. Il s'agit alors d'une élimination purement thermique d'acide acétique, ce qui revient à une élimination d'eau.

$$RCH_2{-}CH_2OCOCH_3 \overset{\Delta}{\to} RCH{=}CH_2 + CH_3COOH \qquad (3.57)$$

Une élimination d'un autre type, appelée élimination de Hofmann, et conduisant aux alcènes, a lieu par chauffage des hydroxydes d'ammonium quaternaires comportant au moins un hydrogène lié au carbone en β par rapport à l'azote (paragraphe 12.11).

Une autre élimination importante est celle d'une molécule d'hydracide XH à partir d'un halogénure d'alkyle, par action d'une base (paragraphe 6.8). Exemple:

$$CH_3CHBrCH_3 + OH^- \rightarrow CH_3CH{=}CH_2 + Br^- + H_2O \qquad (3.58)$$

Dans la plupart des cas, ces réactions d'élimination basiques sont applicables à la préparation des cyclènes; mais une excellente voie d'accès aux cyclohexènes est le plus souvent la réaction de Diels et Alder (paragraphe 3.17).

Enfin, une réaction relativement récente, appelée réaction de Wittig, permet de créer une double liaison C=C aux lieu et place du groupe carbonyle d'un aldéhyde ou d'une cétone. On traite pour cela le composé carbonylé par un ylure de phosphore (voir le paragraphe 9.12).

A PROPOS DE L'ETHYLENE ET DE L'ACETYLENE

L'*éthylène*, premier membre de la série des alcènes, est aussi le premier des produits chimiques industriels. En 1984, les productions totales des Etats-Unis et de la France ont dépassé respectivement les quatorze millions et deux millions de tonnes. La production du propène, qui vient au second rang, est environ la moitié de celle de l'éthylène. Cependant, aucun des autres alcènes ne fait partie des cinquante premiers produits chimiques organiques fabriqués par l'industrie.

Comment est obtenu tout cet éthylène et qu'en fait-on? On peut "craquer" la plupart des hydrocarbures et obtenir de l'éthylène (voir "A propos du pétrole, de son raffinage et de l'indice d'octane" page 116). Aux Etats-Unis, la matière première pour cela est l'éthane qu'on soumet à haute température pendant un temps très court:

$$CH_3 — CH_3 \xrightarrow{700-900°C} CH_2 = CH_2 + H_2$$

Une partie importante de l'éthylène est convertie en polyéthylène, comme on l'a vu précédemment (paragraphe 3.18). Mais, à cause de la réactivité de sa double liaison, il est aussi la matière première clé de la fabrication d'autres produits organiques, comme le montre la figure 3.8 avec neuf des cinquante principaux composés préparés industriellement à partir de lui.

Par ses propriétés biochimiques, l'éthylène joue aussi un rôle crucial en agriculture. Il est une hormone végétale qui peut causer la germination des graines, la floraison, la maturation et la chute des fruits, l'étiolement et le brunissement des feuilles et des pétales. Il est produit naturellement par les plantes à partir d'un amino-acide, la méthionine, via un amino-acide cyclique peu courant, l'acide 1-aminocyclopropane-1-carboxylique (ACC), qui est alors converti en éthylène en plusieurs étapes.

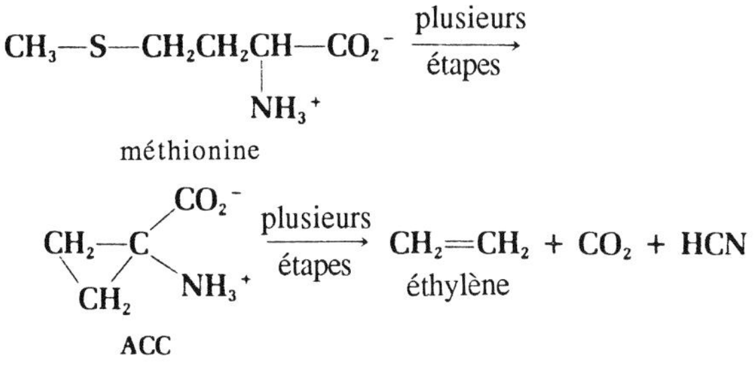

$$CH_3—S—CH_2CH_2CH—CO_2^- \xrightarrow[\text{étapes}]{\text{plusieurs}}$$
$$\underset{|}{NH_3^+}$$

méthionine

$$\underset{CH_2}{\overset{CO_2^-}{CH_2—C}} \underset{NH_3^+}{} \xrightarrow[\text{étapes}]{\text{plusieurs}} CH_2=CH_2 + CO_2 + HCN$$

éthylène

ACC

Le mode d'action biologique de l'éthylène (peut-être par liaison à un ion cuivre au niveau d'un site récepteur) est encore à l'étude.

Les chimistes ont préparé des composés synthétiques qui abandonnent de l'éthylène aux plantes de manière contrôlée. C'est le cas de l'acide 2-chloroéthylphosphonique $ClCH_2CH_2PO(OH)_2$. Ce composé, vendu par Union Carbide sous le nom d'Ethrel, est soluble dans l'eau et absorbé par les plantes où il se décompose en éthylène, chlorure et phosphate. On l'a utilisé en agriculture pour obtenir la maturation uniforme d'ananas, de tomates, etc. et permettre ainsi la récolte facile de surfaces entières. Il a servi également à réguler la croissance et faciliter la récolte de blé, pommes, cerises et coton. Les quantités nécessaires sont très faibles (des concentrations inférieures à 0,1 ppm de gaz suffisent), par suite de la grande sensibilité des plantes à l'éthylène.

Comme l'éthylène, l'*acétylène* est fabriqué par pyrolyse, mais à partir du méthane plutôt qu'à partir de l'éthane. Il faut une température plus élevée pendant un temps très court.

$$2\ CH_4 \xrightarrow[< 0,1\ s]{1500°C} HC\equiv CH\ +\ 3\ H_2$$

A cause de cette température élevée, l'acétylène est beaucoup plus cher que l'éthylène. La plus grande partie est utilisée directement dans la soudure à arc plutôt que comme matière première de l'industrie chimique.

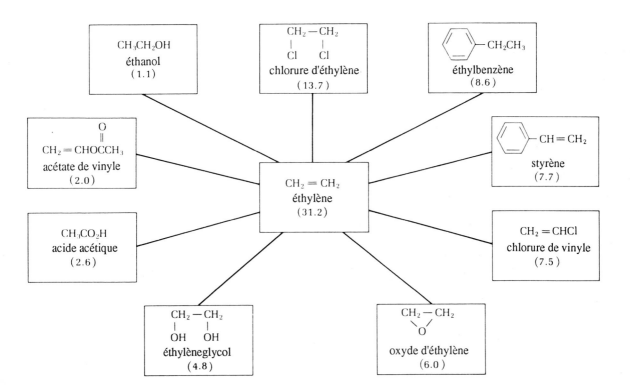

Figure 3.8   L'éthylène est la matière première de la fabrication de produits industriels. Les nombres entre parenthèses sont les productions américaines en 1984 (en millions de tonnes).

3.24 Structure de la triple liaison

On consacrera les derniers paragraphes de ce chapitre à la triple liaison et aux alcynes. On distingue les alcynes (ou acétyléniques) vrais R–C≡C–H et les alcynes (ou acétyléniques) disubstitués R–C≡C–R'.

Un carbone de triple liaison n'est attaché qu'à deux autres atomes et l'angle de liaisons est de 180°. Les acétyléniques sont donc linéaires (voir figure 3.9). La longueur de la triple liaison carbone-carbone est voisine de 1,21 Å; elle est nettement plus courte que celle de la double liaison (1,34 Å) ou de la simple liaison (1,54 Å). Apparemment, trois paires d'électrons entre deux carbones les rapprochent donc l'un de l'autre plus que ne le font deux paires d'électrons. Etant donné leur géométrie linéaire, aucune isomérie *cis-trans* n'est possible chez les alcynes.

Examinons maintenant comment la théorie des orbitales moléculaires permet l'interprétation de cette structure de la triple liaison.

Figure 3.9
Modèles moléculaires
de l'acétylène montrant
sa linéarité.

3.25 Représentation orbitalaire de la triple liaison

Comme on l'a fait pour les orbitales hybrides sp^3 et sp^2, on commence par promouvoir un électron de l'orbitale atomique $2s$ dans l'orbitale $2p$ vacante (figure 3.10). Mais, comme le carbone acétylénique n'est lié qu'à deux autres atomes, il nous suffit de combiner cette orbitale $2s$ avec une seule orbitale $2p$ pour obtenir deux orbitales hybrides sp. Celles-ci sont orientées dans deux directions opposées à partir de l'atome de carbone, l'angle qu'elles font entre elles étant de 180°; la répulsion entre les électrons qui les occupent est ainsi minimisée. Les deux électrons de valence restants occupent les deux orbitales p qui sont perpendiculaires l'une à l'autre et perpendiculaires aux orbitales hybrides sp.

La figure 3.11 montre la formation de la triple liaison à partir de deux carbones hybridés sp. Le recouvrement bout à bout de deux orbitales sp forme une liaison σ entre les deux carbones, tandis que le recouvrement latéral des orbitales p parallèles forme deux liaisons π (désignées par π_1 et π_2 dans la figure). Ce modèle orbitalaire explique clairement la linéarité de la triple liaison.

triple liaison.

Figure 3.10
Formation de deux
orbitales hybrides *sp*.

Orbitales atomiques   Un électron 2*s*   L'orbitale 2*s* et une orbitale 2*p*
du carbone   est promu dans   se combinent en formant deux
                             une orbitale 2*p*   orbitales hybrides *sp*, laissant
                                                       un électron dans chacune des
                                                       deux autres orbitales *p*.

3.26 Réactions d'addition des alcynes

Beaucoup de réactions d'addition signalées ci-dessus avec les alcènes ont lieu aussi avec les alcynes. Le brome, par exemple, s'additionne comme suit:

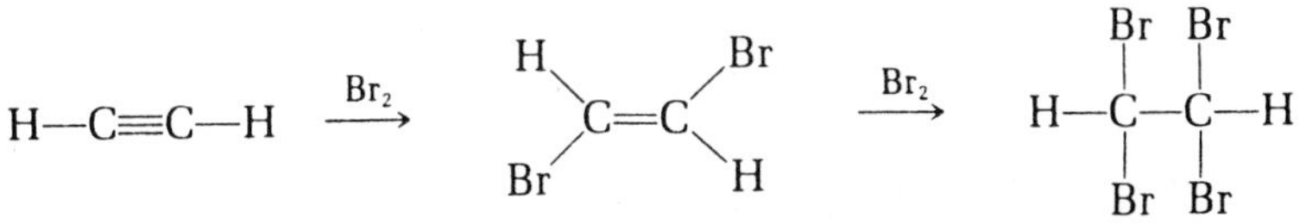

$$H—C\equiv C—H \xrightarrow{Br_2} \quad \underset{Br}{\overset{H}{}}C=C\overset{Br}{\underset{H}{}} \quad \xrightarrow{Br_2} \quad H—\underset{Br}{\overset{Br}{C}}—\underset{Br}{\overset{Br}{C}}—H \qquad (3.59)$$

trans-1,2-dibromoéthène   1,1,2,2-tétrabromoéthane

Remarquons que l'addition est également *trans*.

Avec un catalyseur ordinaire (nickel ou platine), l'hydrogénation des alcynes conduit directement aux alcanes. Mais avec un catalyseur particulier, au palladium, appelé catalyseur de Lindlar, on peut contrôler l'addition d'hydrogène de manière à ne fixer qu'une seule mole. Le produit est alors un alcène *cis*, car les deux hydrogènes qui se fixent sur la double liaison viennent de la surface du catalyseur.

$$(3.60)$$

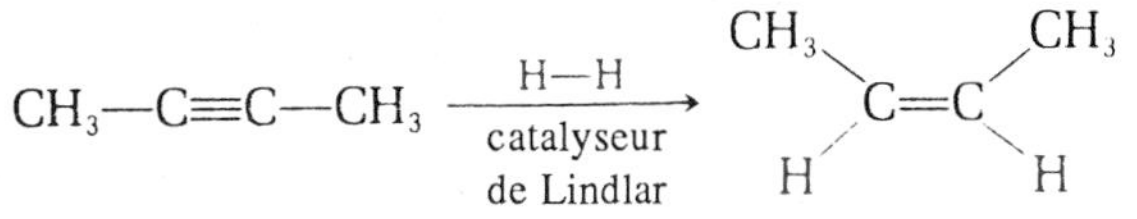

$$CH_3—C\equiv C—CH_3 \xrightarrow[\text{catalyseur de Lindlar}]{H—H} \quad \underset{H}{\overset{CH_3}{}}C=C\overset{CH_3}{\underset{H}{}}$$

2-butyne   *cis*-2-butène
Eb 27°C   Eb 3,7°C

Avec les triples liaisons dissymétriques et les réactifs dissymétriques, dans chaque étape, la réaction obéit à la règle de Markovnikov. Exemple:

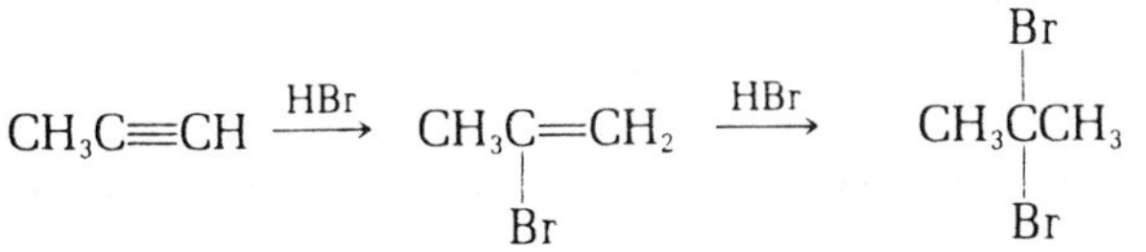

$$CH_3C\equiv CH \xrightarrow{HBr} CH_3\underset{Br}{\overset{}{C}}=CH_2 \xrightarrow{HBr} CH_3\underset{Br}{\overset{Br}{C}}CH_3 \qquad (3.61)$$

propyne   2-bromopropène   2,2-dibromopropane

Figure 3.11

Schéma de la formation de la triple liaison. Il y a recouvrement bout à bout de deux orbitales hybrides *sp* pour former une liaison σ, puis recouvrement latéral de deux orbitales *p* parallèles, puis de deux autres, formant deux liaisons π dont les orbitales sont perpendiculaires l'une à l'autre.

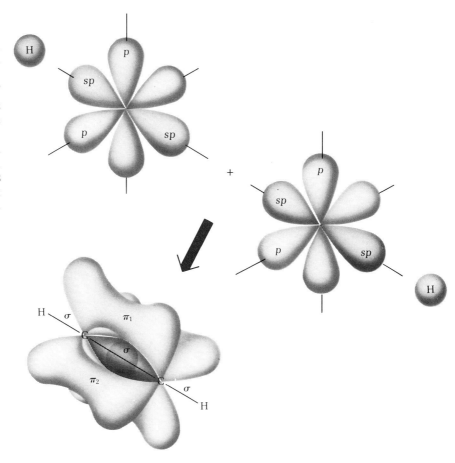

L'addition d'eau aux alcynes nécessite non seulement un catalyseur acide, mais aussi l'ion mercurique, qui forme un complexe avec la triple liaison et active l'addition. La réaction est analogue à celle des alcènes, mais ici le produit initial, à savoir un alcool vinylique ou énol, n'est pas stable et se réarrange.

$$R-C\equiv CH + H-OH \xrightarrow[\text{HgSO}_4]{\text{H}^{\cdot}} \left[\begin{array}{c} \overset{HO}{|} \overset{H}{|} \\ R-C=C-H \end{array} \right] \longrightarrow R-\overset{\overset{O}{\|}}{C}-CH_3 \qquad (3.62)$$

un énol
(ou alcool vinylique)

Finalement, on obtient une méthylcétone ou, à partir de l'acétylène lui-même (R = H), de l'acétaldéhyde. On traitera au chapitre 9 de la chimie des énols et du mécanisme de la seconde étape de cette addition d'eau aux alcynes.

Problème 3.25   **Ecrire les réactions suivantes:**

   a. $CH_3C≡CH$ + Cl_2 (1 mol.) →

   b. $CH_3C≡CH$ + Cl_2 (2 mol.) →

   c. 1-butyne + HBr (1 et 2 mol.) →

   d. 1-butyne + H_2O (Hg^{2+}, H^+) →

3.27 Acidité des alcynes

Les acétyléniques vrais sont faiblement acides, l'hydrogène lié à un carbone de triple liaison pouvant être arraché par une base forte. L'amidure de sodium, par exemple, transforme les acétyléniques vrais en acétylures de sodium.

$$R—C≡C—H + Na^+NH_2^- \xrightarrow{\text{NH}_3 \text{ liquide}} R—C≡C:^-Na^+ + NH_3 \qquad (3.63)$$

cet hydrogène   amidure   un acétylure
est assez mobile   de sodium   de sodium

Pourquoi une telle réaction est-elle facile avec un hydrogène attaché à une triple liaison, mais pas avec un hydrogène attaché à une liaison double et surtout à une liaison simple? Considérons donc l'hybridation de l'atome de carbone des liaisons C—H.

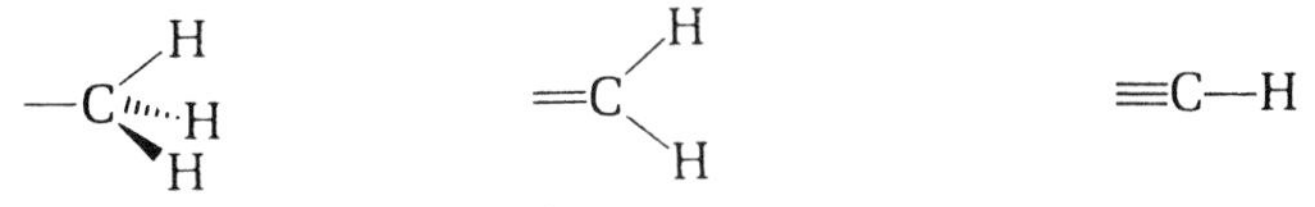

sp^3	sp^2	sp
25 % de s	33,3 % de s	50 % de s
75 % de p	66,6 % de p	50 % de p

→

acidité croissante

Plus l'hybridation du carbone a de "caractère s" et moins de "caractère p", plus s'accroît l'acidité de l'hydrogène qui lui est attaché.   Il faut se rappeler, en effet, que les orbitales s sont plus proches du noyau que les orbitales p. Il s'ensuit que les électrons de la liaison C—H sont plus près du carbone dans la liaison ≡C—H, d'où l'arrachement facile de ce pseudo-proton par une base. L'amidure de sodium est une base assez forte pour cela.

Problème 3.26   **Ecrire la réaction du 1-butyne avec l'amidure de sodium dans l'ammoniac liquide.**

Problème 3.27   **Le 2-butyne réagira-t-il avec l'amidure de sodium? Pourquoi?**

On peut profiter de l'acidité des acétyléniques vrais pour synthétiser les acétyléniques disubstitués. Exemple:

$$CH_3C\equiv CH \ + \ NaNH_2 \ \longrightarrow \ CH_3C\equiv C^-Na^+ \ + \ NH_3 \qquad (3.64)$$

$$CH_3C\equiv C^-Na^+ \ + \ C_2H_5I \ \longrightarrow \ CH_3C\equiv C{-}C_2H_5 \ + \ NaI \qquad (3.65)$$

3.28 Préparation des alcynes

L'acétylène lui-même est préparé industriellement en deux temps, d'abord par chauffage au four électrique d'un mélange de coke et de chaux qui conduit au carbure de calcium et au monoxyde de carbone, puis par traitement du carbure de calcium par l'eau:

$$3\ C \ + \ CaO \ \xrightarrow{\ 2500°\ } \ CaC_2 \ + \ CO \qquad (3.66)$$

$$CaC_2 \ + \ 2H_2O \ \longrightarrow \ HC\equiv CH \ + \ Ca(OH)_2 \qquad (3.67)$$

A partir de l'acétylène, on peut obtenir, par action de l'amidure de sodium et d'un halogénure d'alkyle, un acétylénique vrai et, en recommençant l'opération, par exmple avec un autre halogénure, on peut obtenir un acétylène disubstitué:

$$HC\equiv CH \ \xrightarrow{\ NaNH_2\ } \ HC\equiv C^-Na^+ \ \xrightarrow{\ RX\ } \ HC\equiv C{-}R \qquad (3.68)$$

$$HC\equiv C{-}R \ \xrightarrow{\ NaNH_2\ } \ Na^+C\equiv C{-}R \ \xrightarrow{\ R'X\ } \ R'{-}C\equiv C{-}R \qquad (3.69)$$

La préparation des alcynes peut aussi mettre en jeu une double élimination, à savoir l'enlèvement de deux molécules d'hydracide à un dérivé dihalogéné de la forme —CHX—CHX— ou de la forme —CH$_2$—CX$_2$— par action de deux équivalents d'une base comme l'amidure de sodium (éq.6.28 et 6.29).

A PROPOS DU PETROLE, DE SON RAFFINAGE ET DE L'INDICE D'OCTANE

Le pétrole est aujourd'hui le plus important de nos combustibles liquides. Nos besoins actuels en pétrole ne sont dépassés que par nos besoins en nourriture, en air et en eau et par la nécessité de nous loger. Quel est donc cet "or noir" et qu'en fait-on?

Le pétrole est un mélange complexe d'hydrocarbures formés pendant des millénaires par la décomposition lente de matières animales et végétales ensevelies sous terre. A l'*état brut*, c'est un liquide visqueux, noir, emprisonné dans de vastes poches souterraines des roches sédimentaires (d'où le mot pétrole ou "huile de roche", du latin *petra*, roche et *oleum*, huile). On le ramène à la surface par forage, par pompage, puis on le raffine.

Le premier stade du raffinage est le plus souvent une *distillation*. On chauffe l'huile brute jusqu'à environ 400°C, les vapeurs étant conduites dans une grande colonne à fractionnement. Les fractions à bas point d'ébullition montent plus vite et plus haut dans la colonne, puis sont condensées en liquides, tandis que les fractions de point d'ébullition plus élevé montent moins haut. En soutirant du liquide à des hauteurs variées de la colonne, on sépare ainsi les fractions que donne la table 3.4.

La fraction essence ne représente que 25 % de l'huile brute. C'est la plus intéressante à la fois comme carburant et comme source de matières premières variées de l'industrie pétrochimique, celle qui produit nos fibres synthétiques, nos plastiques, etc. D'ailleurs, de nombreux procédés de conversion des autres fractions en essence ont été mis au point.

On peut "craquer" les fractions à haut point d'ébullition par action de la chaleur et de catalyseurs comme la silice et l'alumine. On obtient ainsi des produits à plus bas point d'ébullition, parce que constitués de chaînes carbonées plus courtes et de longueurs variées, car les chaînes du pétrole peuvent se rompre en plusieurs points. Exemples:

$$
\begin{array}{lll}
 & \text{alcane} & \text{alcène} \\
\rightarrow & C_5H_{12} & + & C_5H_{10} \\
\rightarrow & C_8H_{18} & + & C_2H_4 \\
C_{10}H_{22} \rightarrow & C_2H_6 & + & C_8H_{16} \\
\rightarrow & C_4H_{10} & + & (C_4H_8 + C_2H_4)
\end{array}
$$

Ces ruptures de chaînes conduisent au moins à un alcane et à un alcène. Le craquage catalytique d'alcanes de grande taille les transforme donc en un mélange d'alcanes et d'alcènes de petite taille et augmente ainsi la proportion en essence obtenue à partir du pétrole.

Ebullition	Nom	Nombre de carbones par molécule	Usages
Eb < 40°C	Gaz	C_1 à C_4	Chauffage et matières premières de l'industrie
40-180°	Essence ou gazoline (angl.) ou benzin (all.)	C_6 à C_{10}	Essence ordinaire du commerce; les fractions légères (éther de pétrole) et des fractions lourdes (ligroïne, white spirit) sont utilisées comme solvants
180-230°	Pétrole lampant ou kérosène	C_{11} et C_{12}	Carburant des moteurs à réaction
230-300°	Gazole ou gas-oil (angl.)	C_{13} à C_{17}	Carburant des moteurs diesel et chauffage
300-400°	Fuel	C_{18} à C_{25}	Chauffage
400-500°	Lubrifiants	C_{26} à C_{38}	Vaseline (lubrifiant léger) Paraffine (lubrifiant plus lourd)
Résidu liquide de distillation	Mazout		Chauffage
Résidu solide de distillation sous vide	Asphaltes ou brais		Revêtement des routes

Table 3.4 Fractions de distillation du pétrole

Dans le craquage sont aussi formées d'importantes quantités d'hydrocarbures gazeux de très petite taille: éthylène, propène, butane et butènes. Certains, notamment l'éthylène, sont des matières premières interessantes de l'industrie pétrochimique. Mais, pour disposer de davantage d'essence encore, on a mis au point des techniques permettant de tranformer ces hydrocarbures de très petite taille en d'autres plus grands, dont les points d'ébullition se trouvent dans le domaine 40-180°C de l'essence. L'une de ces réactions est l'*alkylation* qui est la combinaison d'un alcane et d'un alcène en un alcane plus lourd:

$$C_2H_6 \; + \; C_4H_8 \xrightarrow{\text{catalyseur}} C_6H_{14}$$

$$C_4H_{10} \; + \; C_4H_8 \xrightarrow{\text{catalyseur}} C_8H_{18}$$

La mise au point de telles réactions, réalisée au cours des années 1930-1940, a permis de fabriquer du carburant pour avions pendant la Deuxième Guerre mondiale et, encore maintenant, elle permet de préparer de l'essence à haut indice d'octane.

Qu'est-ce donc que l'*indice d'octane* et quelle est son importance? Certains hydrocarbures, les plus ramifiés notamment, brûlent "doucement" dans le moteur et déplacent "doucement" les pistons. D'autres, par contre, notamment les hydrocarbures à chaîne droite, tendent à exploser dans les cylindres et déplacent violemment les pistons, d'où des chocs indésirables. On a établi une échelle arbitraire pour évaluer le pouvoir antidétonant des essences et on a donné la valeur 100 à l'isooctane (2,2,4-triméthylpentane), un excellent carburant de structure très ramifiée, et la valeur 0 à l'heptane, un carburant très pauvre de ce point de vue. Quand on dit d'une essence qu'elle a, par exemple, un indice d'octane de 87, cela signifie que son pouvoir antidétonant est celui d'un mélange constitué de 87 % d'isooctane et 13 % d'heptane.

L'addition à l'essence de petites quantités de *tétraéthylplomb* ("plomb tétraéthyle") $(CH_3CH_2)_4Pb$ augmente son indice d'octane. En France, le "super", avec 0,40 g par litre de tétraéthylplomb, a un indice d'octane de 98. Mais, pour des raisons de pollution, de telles additions ne sont pas souhaitables. On sait, par exemple, que là où les fumées d'automobiles sont intenses, le niveau du plomb dans le sang des jeunes enfants notamment est très élevé. D'autre part ces fumées empoisonnent rapidement et irrémédiablement les catalyseurs (Pt et

Rh) susceptibles de réduire les oxydes d'azote des gaz d'échappement (aux Etats Unis et au Japon). Mais l'essence "sans plomb" doit contenir alors, en proportions élevées, des hydrocarbures à haut indice d'octane. La solution est donc d'utiliser des additifs moins toxiques que le tétraéthylplomb — c'est le cas de l'alcool t-butylique, malheureusement cher — ou de créer d'autres sources d'hydrocarbures à chaîne ramifiée à partir d'hydrocarbures à chaîne droite.

Avec certains catalyseurs, on peut produire des alcanes à chaîne ramifiée à partir d'alcanes à chaîne droite. Exemple :

$$CH_3CH_2CH_2CH_3 \xrightarrow[\text{alumine}]{AlCl_3, \ HCl} \underset{\substack{| \\ CH_3}}{CH_3CHCH_3}$$

n-butane   isobutane

Ce processus, appelé *isomérisation*, est utilisé dans l'industrie.

Les hydrocarbures aromatiques ou arènes, comme le benzène et le toluène, ont un indice d'octane élevé. On utilise des catalyseurs au platine pour cycliser des alcanes en cyclohexanes et les déshydrogéner en arènes. Exemple :

$$CH_3(CH_2)_5CH_3 \xrightarrow[\text{catalyseur}]{Pt} \quad \xrightarrow[\text{catalyseur}]{Pt}$$

méthylcyclohexane   toluène

Bien sûr, de grandes quantités d'hydrogène sont également formées dans ces réactions. C'est ainsi qu'aux Etats-Unis sont produits journellement des milliers de tonnes d'hydrocarbures aromatiques, à la fois pour augmenter l'indice d'octane de l'essence sans plomb et pour obtenir de la matière première de l'industrie pétrochimique

Résumé du chapitre

Les alcènes ont une double liaison et les alcynes une triple liaison carbone-carbone. Les règles de nomenclature sont données au paragraphe 3.2.

Chaque carbone de double liaison est trigonal et lié à seulement trois autres atomes. Ceux-ci se tiennent dans un même plan et font entre eux des angles de 120°. Ordinairement, il y a empêchement de la rotation libre des doubles liaisons, les six atomes de l'éthylène, par exemple, se trouvant dans un même plan. La longueur de la liaison C=C est 1,34 Å ; elle est plus courte que celle (1,54 Å) de la liaison C—C. La représentation orbitalaire du carbone trigonal avec trois orbitales hybrides sp^2 (toutes trois occupées par un seul électron), le quatrième électron se trouvant dans une orbitale p perpendiculaire aux trois autres, permet d'interpréter ces faits. La double liaison est faite du recouvrement axial d'orbitales sp^2 formant une liaison σ et du recouvrement latéral d'orbitales p parallèles formant une liaison π (figures 3.4 et 3.5). La rotation autour de la double liaison étant empêchée, l'isomérie *cis-trans* est possible si à chacun de ses deux carbones sont attachés deux groupes différents.

La réaction principale des alcènes est l'addition, les réactifs typiques étant les halogènes, l'hydrogène (il faut alors un catalyseur métallique), l'eau (il faut un catalyseur acide) et divers acides. Si l'alcène ou le réactif est symétrique (table 3.2), un seul produit est possible, mais si l'un et l'autre sont dissymétriques, deux produits sont alors possibles, la règle de Markovnikov permettant de prévoir lequel l'emportera (paragraphes 3.12-3.14). Ce sont des additions électrophiles et leur mécanisme est à deux étapes: dans la première, l'électrophile se fixe sur le carbone de la double liaison qui conduit à la formation du carbocation le plus stable (l'ordre de stabilité des carbocations étant 3aires > 2aires > 1aires); dans la deuxième, le carbocation se combine avec le nucléophile présent pour donner le produit. L'addition du brome est analogue, mais l'intermédiaire n'est plus un carbocation mais un ion bromonium cyclique.

Les diènes conjugués ont des liaisons simples et doubles alternées. Ils peuvent subir l'addition-1,2 ou l'addition-1,4. Ils donnent aussi des réactions de cycloaddition avec les alcènes (réaction de Diels-Alder), voie d'accès intéressante aux cycles à six carbones.

L'addition à la double liaison peut aussi mettre en jeu un mécanisme radicalaire. Les polymères vinyliques (polyéthylène, etc., table 3.3), qui peuvent ainsi être préparés à partir de monomères vinyliques, sont des produits industriels importants. Le caoutchouc naturel est un polymère de l'isoprène, tandis que le caoutchouc synthétique est un copolymère de styrène et de butadiène.

Les alcènes donnent beaucoup d'autres réactions telles que l'hydroboration, l'oxydation par le permanganate et l'ozonolyse.

La triple liaison est linéaire, les deux carbones étant hybridés *sp* (figure 3.10). Comme les alcènes, les alcynes subissent des réactions d'addition. L'hydrogène lié au carbone d'une triple liaison est faiblement acide et il peut être arraché par une base forte comme l'amidure de sodium $NaNH_2$.

Dans la deuxième et la troisième rubriques "A propos" de ce chapitre, on insiste sur l'importance industrielle de l'éthylène et du pétrole.

PROBLEMES SUPPLEMENTAIRES

3.28   Ecrire les formules développées et donner les noms IUPAC de tous les isomères possibles des composés suivants, avec les nombres de liaisons multiples indiqués:

a. C_4H_8 (une double liaison)   **b.** C_5H_{10} (une double liaison)

c. C_5H_8 (deux doubles liaisons)   **d.** C_5H_8 (une triple liaison)

3.29   Nommer les composés suivants dans le système IUPAC:

a. $CH_3CH_2CH = CHCH_3$ **b.** $(CH_3)_2C = CHCH_3$ **c.**

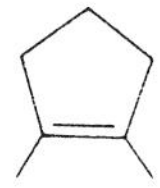

d. $CH_3C \equiv CCH_2CH_3$ **e.** $CH_2 = CCl - CH = CH_2$ **f.**

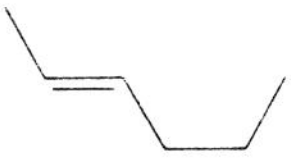

g.

3.30 Ecrire la formule développée de chacun des composés suivants:

a. 3-hexène   **b.** cyclobutène

c. 1,3-dibromo-2-butène   **d.** 3-méthyl-1-pentyne

e. 1,4-hexadiène   **f.** bromure de vinyle

g. chlorure d'allyle   **h.** vinylcyclopentane

i. 4-méthylcyclohexène   **j.** 2,3-dibromo-1,3-cyclopentadiène

3.31 Expliquer pourquoi les noms suivants sont incorrects et donner les noms corrects:

a. 3-butène   **b.** 3-pentyne

c. 2-éthyl-1-propène   **d.** 2-méthylcyclopentène

e. 3-méthyl-1,3-butadiène   **f.** 1-méthyl-2-butène

3.32 a. Quelle est la longueur normale de la liaison simple (sp^3–sp^3), de la liaison double (sp^2–sp^2) et de la liaison triple (sp–sp)?

b. Dans les composés suivants, la liaison simple a la longueur indiquée. Pourquoi?

$$CH_2{=}CH{-}CH{=}CH_2 \qquad CH_2{=}CH{-}C{\equiv}CH \qquad HC{\equiv}C{-}C{\equiv}CH$$

$$\uparrow \qquad\qquad\qquad \uparrow \qquad\qquad\qquad \uparrow$$

$$1.47 \text{ Å} \qquad\qquad 1.43 \text{ Å} \qquad\qquad 1.37 \text{ Å}$$

3.33 Lesquels des composés suivants peuvent-ils exister sous deux formes *cis* et *trans?* Les écrire.

a. 1-pentène   **b.** 2-pentène   **c.** 1-chloropropène

d. 3-chloropropène   **e.** 1;3,5-hexatriène   **f.** 1,2-dibromocyclodécène

3.34 L'antibiotique *mycomycine* a la formule:

$$HC{\equiv}C{-}C{\equiv}C{-}CH{=}C{=}CH{-}CH{=}CH{-}CH{=}CH{-}CH_2\overset{\displaystyle O}{\overset{\|}{C}}{-}OH$$

Numéroter les carbones de la chaîne en partant du carbone du carboxyle.

a. Quelles sont les liaisons multiples conjuguées?

b. Quelles sont les liaisons multiples cumulées?

c. Quelles sont les liaisons multiples isolées?

3.35 Ecrire la formule développée et donner le nom du produit obtenu quand chacun des composés suivants est traité par un équivalent de brome:

a. 2-butène   **b.** bromure de vinyle   **c.** 1-méthylcyclopentène

d. 1,3-cyclohexadiène   **e.** 1,4-cyclohexadiène   **f.** 2,3-diméthyl-2-butène

3.36 Ecrire l'équation de chacune des réactions suivantes du 1-butène avec:

a. le chlore   **b.** le chlorure d'hydrogène

c. l'hydrogène et le catalyseur platine   **d.** l'ozone, puis par Zn, H^+

e. H_2O, H^+ **f.** B_2H_6 [c'est-à-dire $(BH_3)_2$], puis par H_2O_2, OH^-)

3.37 Avec quel hydrocarbure non saturé et quel réactif peut-on obtenir chacun des composés suivants?

a. $CH_3CHBrCHBrCH_3$ **b.** $(CH_3)_3COH$ **c.** $(CH_3)_2CHOSO_3H$

d. 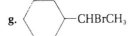   **e.** $CH_3CH{=}CHCH_2Br$ **f.** $CH_3CCl_2CCl_2CH_3$

g. ⟨hexagone⟩—$CHBrCH_3$

3.38 Le β-carotène, pigment jaune présent dans la carotte et dans beaucoup d'autres végétaux, est un polyène de formule brute $C_{40}H_{56}$. Son hydrogénation totale donne un hydrocarbure saturé $C_{40}H_{78}$. Combien y a-t-il de doubles liaisons et combien de cycles dans le β–carotène?

3.39 L'hydratation acido-catalysée du 1-méthylcyclohexène donne le 1-méthylcyclohexanol:

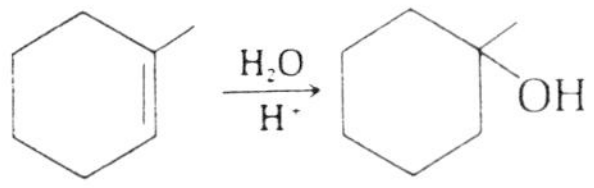

Ecrire le mécanisme de chacune des étapes de la réaction.

3.40 Quelle est la structure des deux terpinéols formés par la monohydratation du limonène (voir figure 1.12)? Quelle est la structure du diol (di-alcool) obtenu par l'hydratation des deux doubles liaisons du limonène?

3.41 Quand on traite le propylène par du brome dans le méthanol, deux produits sont formés, de formules brutes $C_3H_6Br_2$ et C_4H_9BrO. Quelles sont leurs structures et quel est le mécanisme de leur formation?

3.42 L'addition d'une mole de HBr au 2,4-hexadiène donne deux produits. Ecrire leur structure et le mécanisme de leur formation.

3.43 Quels sont les produits des réactions de Diels-Alder suivantes?

a. 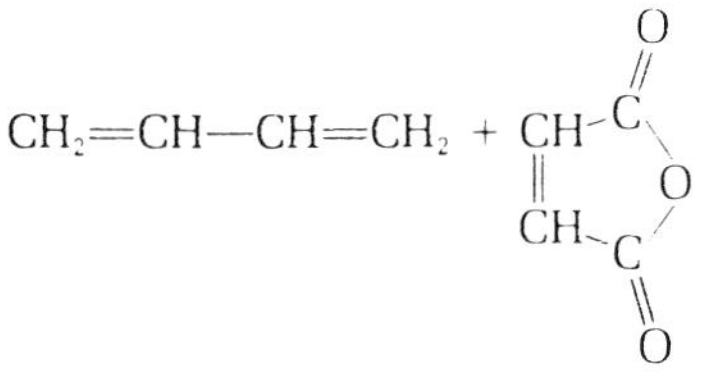 $CH_2{=}CH{-}CH{=}CH_2$ +

b. 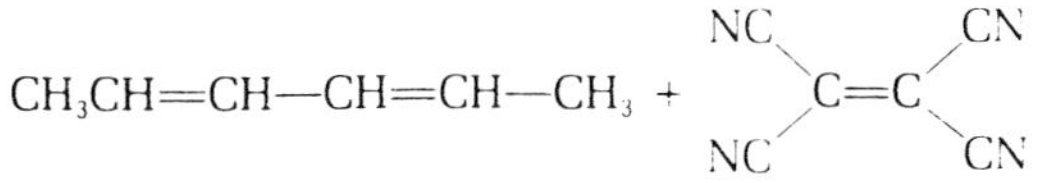 $CH_3CH{=}CH{-}CH{=}CH{-}CH_3$ +

3.44 A partir de quel diène et de quel diénophile peut-on faire les composés ci-après?

a.

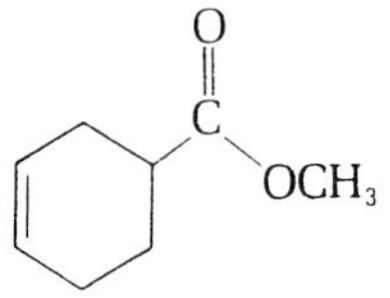

b.

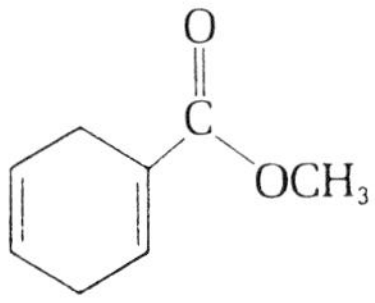

3.45 En s'aidant de la table 3.3 pour connaître le monomère de chacun des polymères suivants, donner la structure de leur unité-motif.

a. Orlon   **b.** Chlorure de polyvinyle   **c.** Polystyrène   **d.** Saran

3.46 Ecrire les étapes du mécanisme de la copolymérisation du styrène et du 1,3-butadiène en caoutchouc synthétique SBR (éq.3.47).

3.47 Le néoprène est un caoutchouc synthétique inventé par la Compagnie DuPont il y a quelque cinquante ans. On l'utilise dans l'industrie pour faire des tuyaux souples, des courroies de transmission, des joints de fenêtre, des semelles de chaussures et du matériel d'emballage. C'est un polymère du 2-chloro-1,3-butadiène. En supposant principalement l'addition-1,4 dans la polymérisation, écrire la structure du motif du polymère.

3.48 Ecrire la réaction montrant clairement la formation de l'alcool obtenu par la séquence hydroboration-oxydation:

a. du 2-méthyl-1-butène   **b.** du 1,2-diméthylcyclopentène

3.49 Ecrire les réactions montrant comment l'hydrocarbure 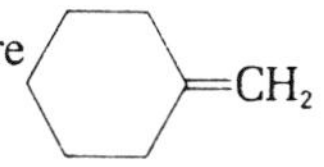 peut être converti en:

a. 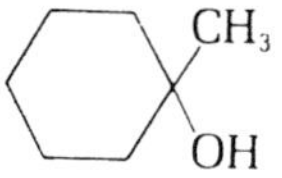   **b.**

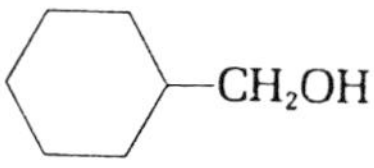

3.50 Donner deux tests chimiques simples permettant de distinguer le cyclohexane du cyclohexène.

3.51 Donner la formule des alcènes qui, par ozonolyse, conduisent à:

a. $CH_3CH_2CH=O$ seulement   **b.** $(CH_3)_2C=O$ et $CH_3CH=O$

c. $CH_2=O$ **d.** $O=CHCH_2CH_2CH=O$

3.52 L'ozonolyse du caoutchouc naturel conduit à l'aldéhyde lévulinique:

$$CH_3\underset{\underset{O}{\|}}{C}CH_2CH_2CH=O$$

Expliquer comment ce résultat s'accorde avec sa formule donnée dans l'équation 3.46.

3.53 Compléter les réactions suivantes:

a. 2-pentyne $+$ Cl_2 (2 mole) $\rightarrow$

b. 3-hexyne $+$ H_2 (1 mole) $+$ catalyseur de Lindlar $\rightarrow$

c. propyne $+$ H_2O $+$ H^+ $+$ $HgSO_4$ $\rightarrow$

d. propyne $+$ amidure de sodium dans l'ammoniac liquide $\rightarrow$

3.54 Quel alkyne et quel réactif donneraient:

a. le 2,2-dibromobutane   **b.** le 2,2,3,3-tétrabromobutane ?

CHAPITRE 4

COMPOSES AROMATIQUES

4.1 Historique

Herbes et épices ont longtemps joué un rôle romanesque dans le courant de l'histoire. Qu'on se rappelle les mystérieuses marchandises qu'étaient alors l'encens et la myrrhe et les grands explorateurs des siècles passés – Vasco de Gama, Christophe Colomb, Magellan, Sir Francis Drake – qui, dans leur recherche des épices, ont ouvert le Nouveau Monde. Ce commerce était extrêmement florissant; il n'est donc pas étonnant que ces herbes et ces épices aient été parmi les premiers types de produits naturels étudiés par les chimistes organiciens. Si l'on pouvait isoler, à partir de ces végétaux, les substances pures responsables de ces odeurs et de ces saveurs si recherchées, et en déterminer la structure, on pourrait peut-être les synthétiser en quantités importantes et à bas prix.

La plupart de ces produits naturels odoriférants ou **aromatiques** ont des structures relativement simples. Beaucoup comportent un même motif à six carbones qui reste intact dans les diverses réactions chimiques subies par le reste de la molécule. Ce groupe $-C_6H_5$ est commun à de nombreuses substances, telles que le **benzaldéhyde** (présent dans l'essence d'amandes amères), l'**alcool benzylique** (présent dans le benjoin, un baume résineux extrait de certains arbres du Sud-Est asiatique) et le **toluène** (un hydrocarbure tiré du baume de Tolu). Effectivement, dans l'oxydation de l'un quelconque de ces composés, le groupe $-C_6H_5$ reste intact et, dans chaque cas, le produit est de l'**acide benzoïque** (un autre constituant du benjoin). Par chauffage de son sel de calcium, cet acide donne l'hydrocarbure de base C_6H_6, auquel sont reliées toutes ces substances du point de vue structural (équation 4.1).

$$C_6H_5CH=O \xrightarrow{\text{oxydation}}$$
benzaldéhyde

$$C_6H_5CH_2OH \xrightarrow{\text{oxydation}} C_6H_5CO_2H \xrightarrow[\text{2) }\Delta]{\text{1) CaO}} C_6H_6 \qquad \textbf{(4.1)}$$
alcool benzylique   acide benzoïque   benzène

$$C_6H_5CH_3 \xrightarrow{\text{oxydation}}$$
toluène

Cet hydrocarbure fut d'abord isolé par M. Faraday en 1825 à partir de gaz d'éclairage comprimé. C'est le **benzène,** hydrocarbure de base d'une catégorie de composés appelés maintenant **composés aromatiques**, non pas à cause de leur arôme, mais à cause de leurs propriétés chimiques particulières. Voyons quelques-unes de ces propriétés.

4.2 Quelques particularités du benzène

Les proportions en carbone et en hydrogène dans la formule brute du benzène C_6H_6 ou $(CH)_6$, comparées à celles de l'alcane (saturé) qu'est l'hexane C_6H_{14} ou du cyclane (saturé) qu'est le cyclohexane C_6H_{12}, suggèrent une structure très "insaturée".

Problème 4.1   **Ecrire au moins cinq structures isomères de formule brute C_6H_6. Noter qu'elles sont nettement "insaturées" et (ou) qu'elles comportent des petits cycles tendus.**

Malgré sa formule moléculaire et ce qu'elle suggère, le benzène ne se conduit pratiquement pas comme s'il était insaturé. Par exemple, contrairement aux alcènes et aux alcynes, il ne décolore pas les solutions de brome et il n'est pas facilement oxydé par le permanganate de potassium. Il ne subit pas les réactions d'addition typiques des alcènes et des alcynes, telles que celles des acides chlorhydrique ou sulfurique. Le benzène, au contraire, donne principalement des réactions de substitution. Ainsi, quand il est traité par le brome en présence de bromure ferrique (qui joue le rôle de catalyseur), il donne du bromobenzène et de l'acide bromhydrique.

$$C_6H_6 \; + \; Br_2 \; \xrightarrow[\text{catalyseur}]{FeBr_3} \quad C_6H_5Br \; + \; HBr \tag{4.2}$$

benzène   bromobenzène

Le chlore en présence de chlorure ferrique donne une réaction analogue.

$$C_6H_6 \; + \; Cl_2 \; \xrightarrow[\text{catalyseur}]{FeCl_3} \quad C_6H_5Cl \; + \; HCl \tag{4.3}$$

chlorobenzène

On n'a jamais isolé qu'un seul monobromobenzène ou qu'un seul monochlorobenzène, c'est-à-dire qu'il n'y a pas formation d'isomères dans ces réactions. Cela implique que les six hydrogènes du benzène sont équivalents chimiquement.Toute structure proposée pour le benzène devra permettre d'interpréter ce fait.

Quand on traite le bromobenzène par un second équivalent de brome et le même catalyseur qu'est le bromure ferrique, on obtient trois dibromobenzènes.

$$C_6H_5Br \; + \; Br_2 \; \xrightarrow[\text{catalyseur}]{FeBr_3} \quad C_6H_4Br_2 \; + \; HBr \tag{4.4}$$

dibromobenzènes
(trois isomères)

Ces trois isomères ne sont pas formés en quantités égales, car deux prédominent nettement; mais ce qui est important c'est que trois et seulement trois sont ainsi formés. Il en va de même dans la chloration du chlorobenzène. Il faudra aussi expliquer ces observations, quand on proposera une structure pour le benzène.

Le problème de cette structure ne semble pas terrible; il fallut néanmoins plusieurs décennies pour le résoudre. Examinons les principales propositions qui ont finalement conduit à notre conception moderne de la structure du benzène.

4.3 Structure du benzène selon Kékulé

En 1865 Kékulé fit la première proposition raisonnable sur la structure du benzène*. Il suggéra que les six atomes de carbone occupent les sommets d'un hexagone régulier, portant chacun un atome d'hydrogène et, pour satisfaire la tétravalence du carbone, que les liaisons dans le cycle sont alternativement simples et doubles (ce qu'on appelle maintenant un système de doubles liaisons conjuguées). Il s'agit donc d'une structure particulièrement insaturée, mais pour expliquer les tests négatifs de l'insaturation du benzène, Kékulé suggéra que les liaisons simples et doubles changent de position dans le cycle si rapidement que les réactions caractéristiques des alcènes ne peuvent avoir lieu.

structure du benzène selon Kékulé

Problème 4.2   **Ecrire les équations 4.2 et 4.4 avec la structure du benzène de Kékulé. Cette structure explique-t-elle l'existence d'un seul monobromobenzène et seulement trois dibromobenzènes?**

Problème 4.3   **Comment Kékulé pouvait-il expliquer l'existence d'un seul dibromobenzène dont les deux bromes sont liés à deux carbones adjacents, alors qu'on peut écrire deux formules différentes, les carbones porteurs de brome étant liés simplement dans l'une et doublement dans l'autre?**

* F.A. Kékulé (1829-1896) fut un pionnier dans l'étude des structures et de la formulation des composés organiques. Il enseigna aux universités de Bonn et de Gand. Il fut l'un des premiers à reconnaître la tétravalence du carbone et l'importance des chaînes carbonées dans les structures organiques. Il est surtout connu pour ses propositions sur la structure du benzène et d'autres composés aromatiques. On notera avec intérêt que Kékulé étudia d'abord l'architecture et, seulement après, la chimie. A en juger par ses travaux en chimie, il voyait celle-ci, semble-t-il, comme une architecture moléculaire. Il serait arrivé à "sa" structure du benzène en rêvassant devant les flammes d'un foyer qui lui rappelaient le serpent mordant sa queue.

4.4 Le benzène et la résonance

La formulation de Kékulé est presque, mais pas tout à fait, correcte. On admet maintenant que les deux formules du benzène de Kékulé ne diffèrent que dans la disposition des électrons, tous les atomes occupant la même position dans ces deux formules. C'est précisément la condition requise pour qu'il y ait **résonance** (revoir le paragraphe 1.12). Autrement dit, les formules de Kékulé représentent *deux* formes limites identiques de *la* structure hybride de résonance du benzène.

Au lieu d'écrire, entre ces deux formes, la double flèche, symbole de l'équilibre – comme le faisait Kékulé – on écrit la flèche à deux têtes, symbole de l'hybride de résonance.

le benzène est l'hybride de résonance
de ces deux formes limites

En d'autres termes, toutes les molécules de benzène sont identiques et aucune des deux formes limites ne les décrit correctement. Etant un hybride de résonance, il est plus stable que l'une ou l'autre de ces formes limites. Cette structure hybride n'a ni simple, ni double liaison, mais un seul type, intermédiaire, de liaison carbone-carbone. Il n'est donc pas surprenant que le benzène réagisse assez différemment des alcènes

Les mesures physiques modernes confirment cette formulation du benzène. La molécule est plane et chaque carbone occupe le sommet d'un hexagone régulier. Contrairement à ce que suggère la structure de Kékulé, toutes les liaisons carbone-carbone ont la même longueur (1,39 Å), intermédiaire entre celle de la liaison simple (1,54 Å) et celle de la liaison double (1,34 Å). Un modèle du benzène à l'échelle est donné figure 4.1.

Figure 4.1
Modèle compact
du benzène.

Propriétés
liquide incolore
Eb 80°C
F 5,5°C

4.5   Représentation orbitalaire du benzène

La théorie des orbitales moléculaires, si utile pour rationaliser la géométrie des alcanes, des alcènes et des alcynes, va nous permettre encore d'interpréter la structure du benzène. Dans la molécule, chaque atome de carbone n'étant lié qu'à trois autres atomes (deux carbones et un hydrogène), on peut considérer qu'il est hybridé sp^2, comme dans l'éthylène. Deux orbitales sp^2 de chaque carbone recouvrant des orbitales analogues des carbones adjacents forment les liaisons σ de l'hexagone. La troisième orbitale sp^2 de chaque carbone recouvre l'orbitale $1s$ d'un hydrogène et les six liaisons σ C—H sont ainsi formées. Il reste, au niveau de chacun des six carbones et perpendiculaire au plan de ses trois orbitales sp^2, une orbitale p occupée par le quatrième électron de valence du carbone. Ces six orbitales p parallèles se recouvrent latéralement pour donner des orbitales π qui créent un nuage électronique au-dessus et au-dessous du plan du cycle. La figure 4.2 donne le schéma de l'édification d'un cycle benzénique à partir de six carbones hybridés sp^2. Ce modèle explique clairement la planéité du benzène, ainsi que sa forme hexagonale avec ses angles H—C—C et C—C—C de 120°.

4.6   Symboles du benzène

On utilise deux symboles pour représenter le benzène: la formule classique de Kékulé et l'hexagone avec un cercle inscrit qui figure le nuage d'électrons π délocalisés.

formule de Kékulé

représentation délocalisée π

Quel que soit le symbole, on écrit rarement les hydrogènes, mais il faut se souvenir qu'à chaque sommet de l'hexagone est présent un tel atome.

Le deuxième symbole à électrons π délocalisés, distribués uniformément autour du cycle, est le plus proche de la réalité. Mais le premier, celui de Kékulé, rappelle que la molécule comporte six électrons π; il permet donc de suivre ce que deviennent les électrons de valence dans les réactions chimiques du benzène. C'est la formule de Kékulé qu'on utilisera dans ce livre; mais on n'oubliera pas que ses "doubles liaisons" n'ont pas la position fixe indiquée et qu'elles ne sont pas, en fait, de vraies doubles liaisons.

Exemple de problème 4.1   Ecrire la formule développée du benzaldéhyde (équation 4.1)

Solution   **Un hydrogène de la formule du benzène est remplacé par un groupe aldéhyde.**

Problème 4.4   **Ecrire la formule développée de l'alcool benzylique, du toluène et de l'acide benzoïque (équation 4.1)**

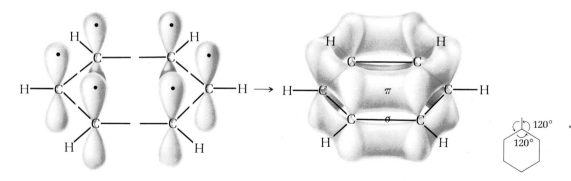

Figure 4.2   Représentation orbitalaire des liaisons du benzène. Les liaisons σ
sont formées par le recouvrement d'orbitales sp^2, tandis que chaque
carbone contribue au système π avec un électron, par recouvrement
latéral de son orbitale p avec l'orbitale p de ses deux voisins.

4.7 Nomenclature des composés aromatiques

La chimie aromatique s'est développée au petit bonheur, bien avant l'adoption
de méthodes systématiques de nomenclature; il s'ensuit que beaucoup de noms
triviaux ont acquis une respectabilité historique et sont encore fréquemment
utilisés. Exemples:

benzène   toluène   styrène   phénol   aniline

Quelques particularités systématiques existent cependant. On appelle aussi
arènes les hydrocarbures aromatiques. On nomme les benzènes monosubstitués
comme des dérivés du benzène.

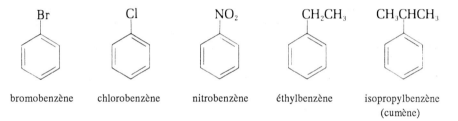

bromobenzène   chlorobenzène   nitrobenzène   éthylbenzène   isopropylbenzène
(cumène)

Quand deux substituants sont présents, trois structures isomères sont
possibles et on les désigne ordinairement par les préfixes *ortho-, méta-* et
para- ou par les abréviations *o-, m-* et *p-*.

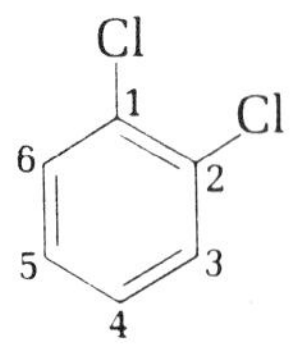

Cl

Cl

| *ortho*-dichloro-
benzène | *méta*-dichloro-
benzène | *para*-dichloro-
benzène | *para*-xylène |

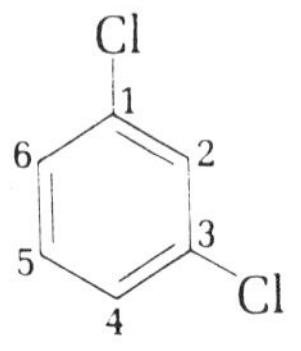

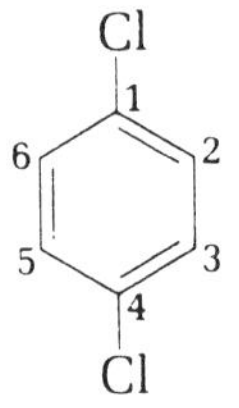

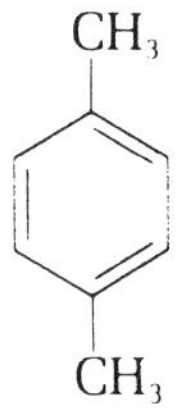

Problème 4.5   **Ecrire la formule développée de l'*ortho*-xylène et du *méta*-xylène.**

On peut utiliser les préfixes *ortho-*, *méta-* et *para-* même quand les deux substituants diffèrent l'un de l'autre.

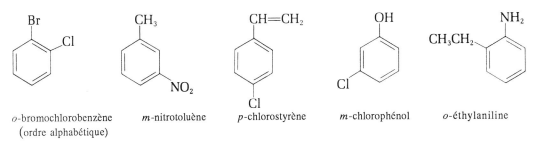

o-bromochlorobenzène   *m*-nitrotoluène   *p*-chlorostyrène   *m*-chlorophénol   *o*-éthylaniline
(ordre alphabétique)

On peut aussi préciser la position des substituants en numérotant les carbones du cycle; cela est nécessaire quand plus de deux substituants sont présents sur ce cycle.

1,2,4-triméthylbenzène   3,5-dichlorotoluène   2,4,6-trinitrotoluène
(TNT)

Problème 4.6   **Ecrire la formule:**
             a. du *para*-nitrotoluène   **b. de l'*ortho*-bromophénol**
             c. du *méta*-dinitrobenzène   **d. du *para*-divinylbenzène**

Problème 4.7   **Ecrire la formule:**
             a . du 1,2,3-triméthylbenzène   **b. du 2,6-dibromo-4-chlorotoluène.**

Deux groupes aromatiques très courants ont un nom particulier; ce sont le **groupe phényle** et le **groupe benzyle.**

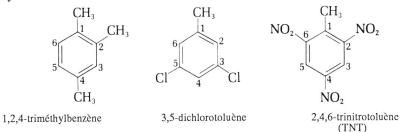

C_6H_5—   ou $C_6H_5CH_2$—   ou   —CH_2—

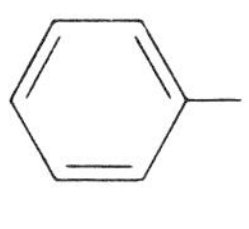

groupe phényle   groupe benzyle

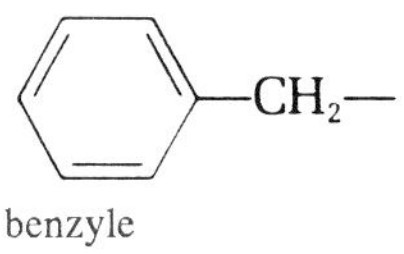

Pour désigner le groupe phényle, on utilise souvent l'abréviation Ph (ou quelquefois Φ, phi). Les lettres **Ar** symbolisent le groupe **aryle** (aromatique) en général, comme la lettre **R** symbolise le groupe **alkyle** en général. Les exemples ci-après illustrent l'emploi de ces symboles et de ces noms de groupes:

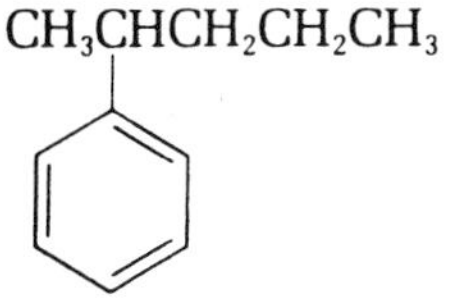

$CH_3CHCH_2CH_2CH_3$

2-phénylpentane    *para*-chlorophénylcyclopropane 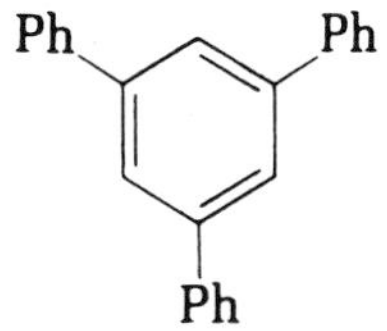   1,3,5-triphénylbenzène

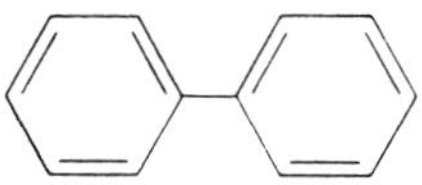

biphényle 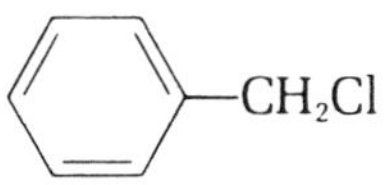   chlorure de benzyle 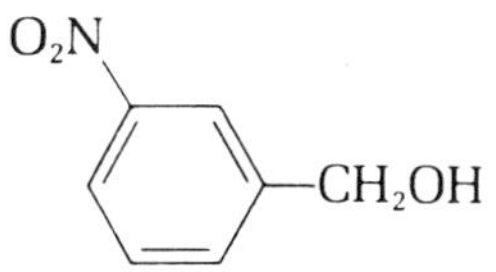   alcool *m*-nitrobenzylique

Problème 4.8 **Ecrire la formule développée:**
a. du phénylcyclohexane   **b. de l'alcool benzylique**
c. du *para*-phénylstyrène   **d. du dibenzyle**

Problème 4.9 **Nommer les composés suivants:**

a. 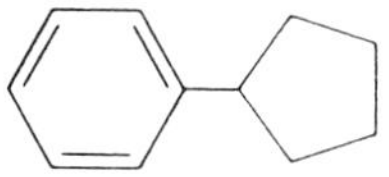   b.

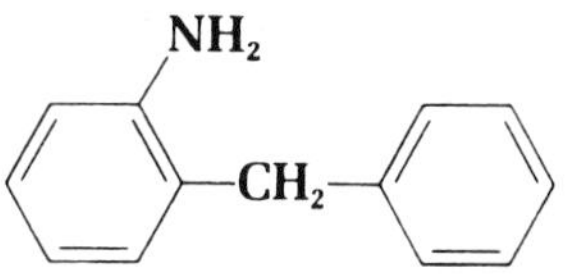

4.8 Energie de résonance du benzène

Dans les paragraphes 1.12 et 4.4 on a postulé qu'un hybride de résonance est toujours plus stable que n'importe laquelle de ses formes limites. Il est heureux que, dans le cas du benzène, il soit facile de vérifier expérimentalement ce postulat et même de mesurer la plus grande stabilité du benzène par rapport à celle de la molécule hypothétique qu'est le 1,3,5-cyclohexatriène (nom IUPAC de l'une des structures de Kékulé).

L'hydrogénation d'une double liaison carbone-carbone est une réaction exothermique. On mesure que la quantité d'énergie libérée est de 26 à 30 kcal par mole d'alcène.

$$\ce{C=C} + H-H \rightarrow -\overset{|}{\underset{|}{C}}-\overset{|}{\underset{|}{C}}- + 26-30\,kcal/mole$$

H   H

(4.5)

(La valeur exacte est fonction du nombre de groupes alkyles liés à la double liaison.) Quand on hydrogène complètement une molécule comportant deux doubles liaisons, la chaleur dégagée est double, et ainsi de suite. Ainsi, l'hydrogénation du cyclohexène libère 28,6 kcal/mole. Autrement dit, le cyclohexène est moins stable (ou a plus d'énergie) que le cyclohexane de 28,6 kcal/mole. L'hydrogénation complète du 1,3-cyclohexadiène doit donc libérer à peu près deux fois cette chaleur (2 x 28,6 = 57,2 kcal/mole). L'expérience donne effectivement une valeur proche.

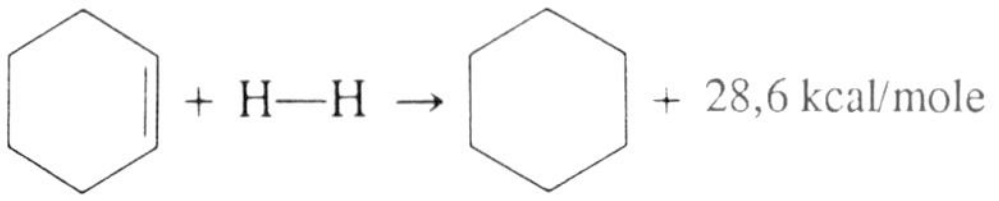

$$\bigcirc + H-H \rightarrow \bigcirc + 28,6 \text{ kcal/mole} \tag{4.6}$$

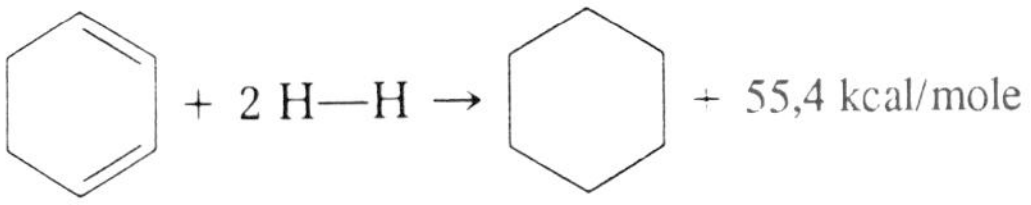

$$\bigcirc + 2 H-H \rightarrow \bigcirc + 55,4 \text{ kcal/mole} \tag{4.7}$$

La chaleur d'hydrogénation d'un triène tel que l'hypothétique 1,3,5-cyclo-hexatriène devrait donc correspondre à la valeur pour trois doubles liaisons, c'est-à-dire 84 à 86 kcal/mole. Cependant, quand on mesure la chaleur d'hydrogénation du benzène en cyclohexane, on trouve que cette valeur (expérimentale) est bien moindre: elle n'est que de 49,8 kcal/mole.

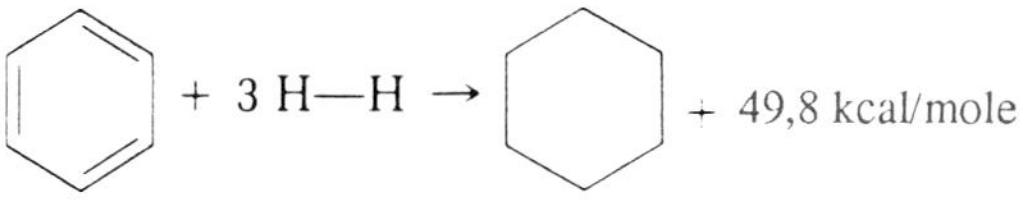

$$\bigcirc + 3 H-H \rightarrow \bigcirc + 49,8 \text{ kcal/mole} \tag{4.8}$$

benzène   cyclohexane

En d'autres termes, l'hypothétique 1,3,5-cyclohexatriène serait moins stable que le cyclohexane d'environ 84-86 kcal/mole, alors que le benzène n'est moins stable que le cyclohexane que de 49,8 kcal/mole. On peut dire aussi que la molécule vraie du benzène est plus stable d'environ 36 kcal/mole (86 − 50 = 36) que l'une des formes limites, à savoir la molécule hypothétique qu'est le 1,3,5-cyclohexatriène.

Par définition, l'**énergie de stabilisation** ou **énergie de résonance** d'une substance est la différence entre l'énergie effective de la molécule vraie (l'hybride de résonance) et l'énergie calculée de la forme limite la plus stable. Pour le benzène, cette valeur (36 kcal/mole) est importante. Il s'ensuit, comme on aura l'occasion de le voir, que le benzène et les autres composés aromatiques réagissent de manière à conserver leur structure aromatique et à retenir ainsi leur énergie de résonance.

4.9 Substitution aromatique électrophile

Les réactions les plus courantes des composés aromatiques impliquent la substitution d'autres atomes ou de groupes d'atomes à un hydrogène du cycle. Voici quelques réactions de substitution typiques du benzène:

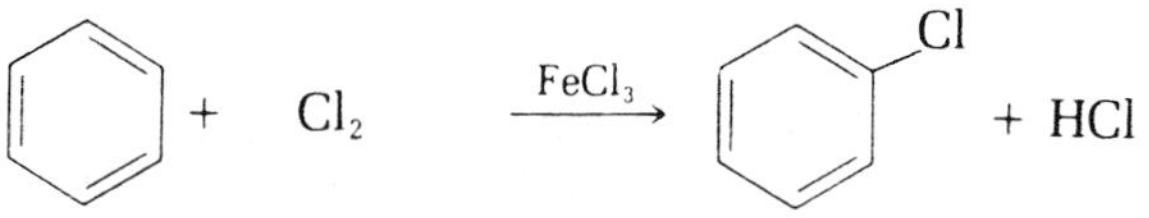

$$C_6H_6 + Cl_2 \xrightarrow{FeCl_3} C_6H_5Cl + HCl \qquad \text{chloration} \qquad (4.9)$$

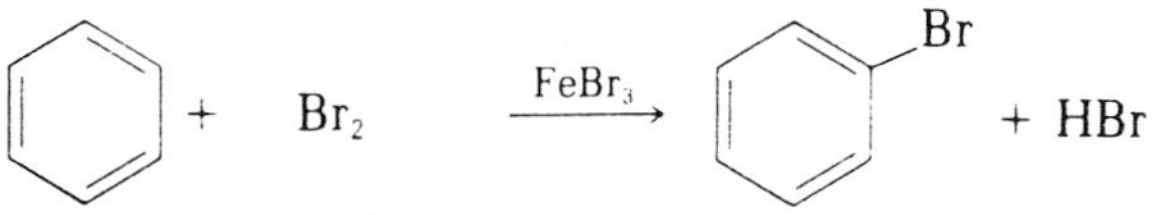

$$C_6H_6 + Br_2 \xrightarrow{FeBr_3} C_6H_5Br + HBr \qquad \text{bromation} \qquad (4.10)$$

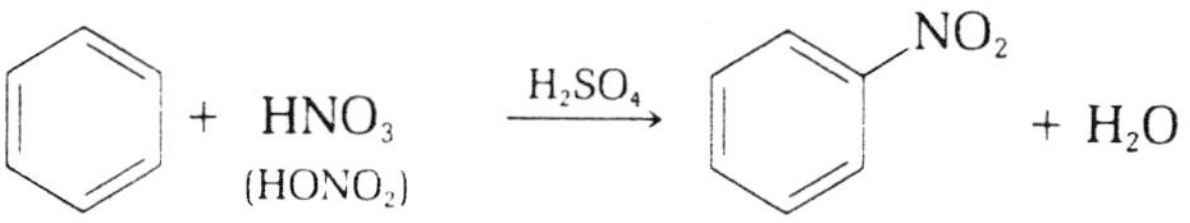

$$C_6H_6 + HNO_3 \xrightarrow{H_2SO_4} C_6H_5NO_2 + H_2O \qquad \text{nitration} \qquad (4.11)$$ 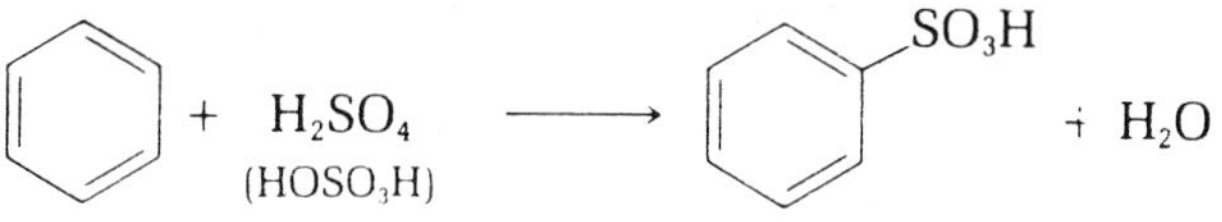
$$(HONO_2)$$

$$C_6H_6 + H_2SO_4 \longrightarrow C_6H_5SO_3H + H_2O \qquad \text{sulfonation} \qquad (4.12)$$ 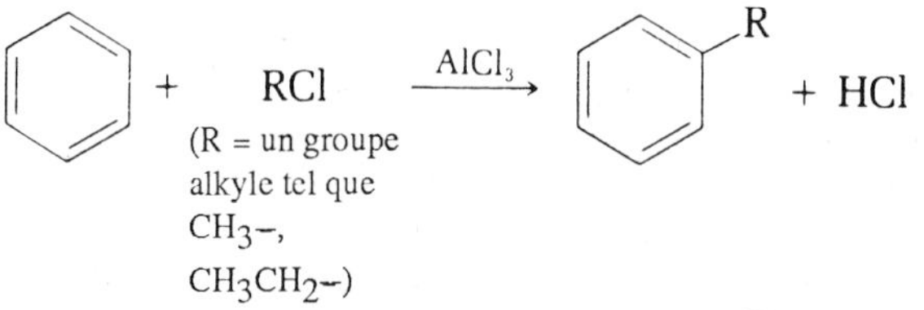
$$(HOSO_3H)$$

$$C_6H_6 + RCl \xrightarrow{AlCl_3} C_6H_5R + HCl \qquad \text{alkylation} \qquad (4.13)$$

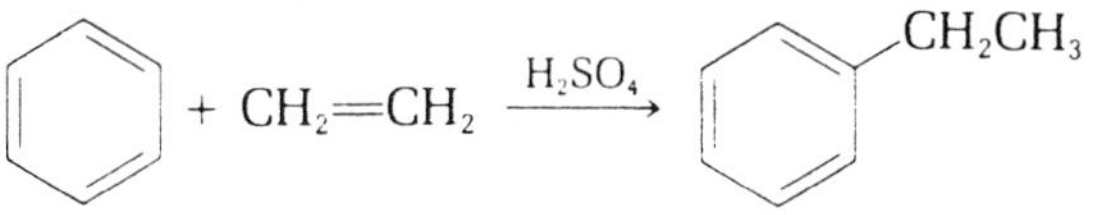

(R = un groupe alkyle tel que CH_3-, CH_3CH_2-)

$$C_6H_6 + CH_2{=}CH_2 \xrightarrow{H_2SO_4} C_6H_5CH_2CH_3 \qquad \text{alkylation} \qquad (4.14)$$

Avec le benzène, la plupart de ces réactions sont conduites à des températures de 0 à 50°C; mais il peut être nécessaire de mettre en jeu des conditions plus douces ou plus sévères si d'autres substituants sont déjà présents sur le cycle benzénique. Si nécessaire, on peut aussi introduire plus d'un substituant et ajuster les conditions en conséquence.

On examinera dans les paragraphes suivants comment ont lieu ces réactions, pourquoi il y a substitution plutôt qu'addition, et quel est, sur la réaction de substitution, l'effet d'un substituant déjà présent sur le cycle aromatique.

4.10 Mécanisme de la substitution aromatique électrophile

De nombreux faits indiquent que toutes les réactions mentionnées dans le précédent paragraphe mettent en jeu l'attaque du cycle benzénique par un réactif électrophile. Considérons, par exemple, le cas typique de la chloration (équation 4.9). Sans catalyseur, la réaction du chlore avec le benzène est extrêmement lente; mais avec un catalyseur, elle est très vive. Que fait donc le catalyseur? Il agit comme acide de Lewis et transforme le chlore, électrophile faible, en un électrophile fort en polarisant la liaison Cl—Cl.

$$\ddot{\underset{..}{Cl}}{-}\ddot{\underset{..}{Cl}}\colon + \underset{\underset{Cl}{|}}{\overset{\overset{Cl}{|}}{Fe}}{-}Cl \rightleftharpoons \overset{\delta+}{Cl}\cdots\overset{\delta-}{Cl}\cdots\underset{\underset{Cl}{|}}{\overset{\overset{Cl}{|}}{Fe}}{-}Cl \qquad (4.15)$$

La réaction de l'électrophile avec le benzène commence exactement comme l'addition électrophile à la double liaison carbone-carbone (paragraphe 3.13). L'électrophile se fixe sur le cycle aromatique en utilisant deux des électrons du nuage aromatique π et en formant une liaison σ avec l'un des carbones du cycle.

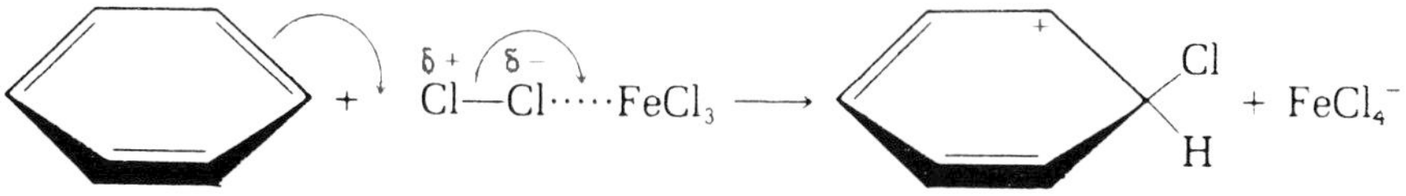

$$+ \overset{\delta+}{Cl}\overset{\delta-}{-}Cl\cdots FeCl_3 \longrightarrow + FeCl_4^- \quad (4.16)$$

ion benzénonium

Le carbocation résultant est appelé **ion benzénonium.** La charge positive de ce carbocation est délocalisée par résonance sur les carbones en *ortho* et en *para* de celui qui porte le chlore.

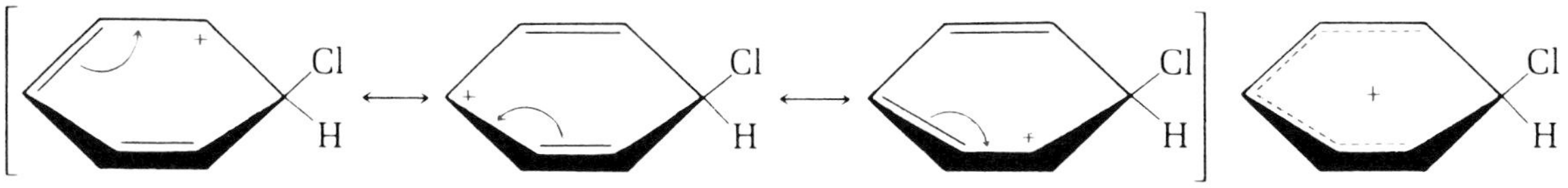

formes limites d'un ion benzénonium

représentation composite
d'un ion benzénonium

Cependant, dans le produit de cette première étape, le cycle n'est plus aromatique et la délocalisation de la charge ne supplée que partiellement à l'énergie de résonance aromatique perdue avec la formation de l'ion. La réaction se termine par la perte d'un proton (celui qui est lié au carbone du cycle auquel s'est fixé l'électrophile) qui régénère la structure aromatique.

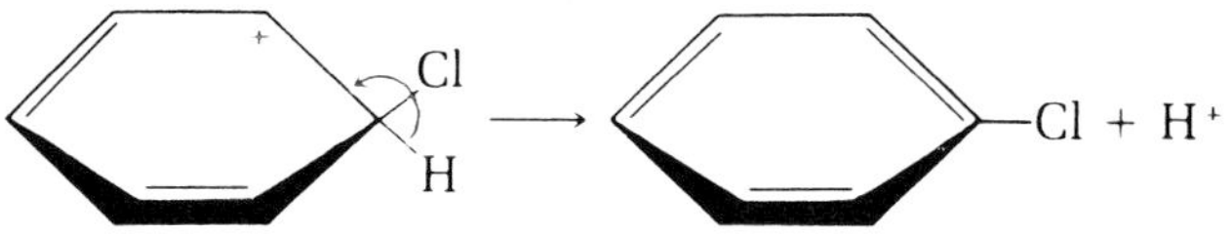

$$\longrightarrow -Cl + H^+ \quad (4.17)$$

La réaction globale de chloration est alors:

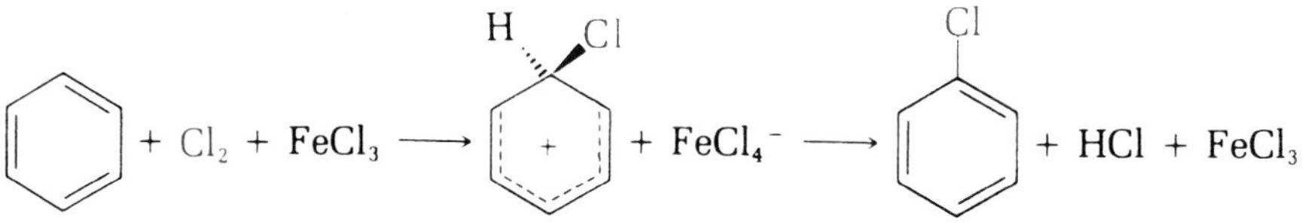

$$+ Cl_2 + FeCl_3 \longrightarrow + FeCl_4^- \longrightarrow + HCl + FeCl_3 \quad (4.18)$$

Bref, la substitution aromatique électrophile a lieu en deux étapes. Dans la première, l'électrophile se fixe sur le cycle aromatique en donnant un ion benzénonium; dans la deuxième, cet ion intermédiaire perd un proton. L'équation ci-après (équation 4.19) exprime le mécanisme général de toutes les substitutions aromatiques électrophiles:

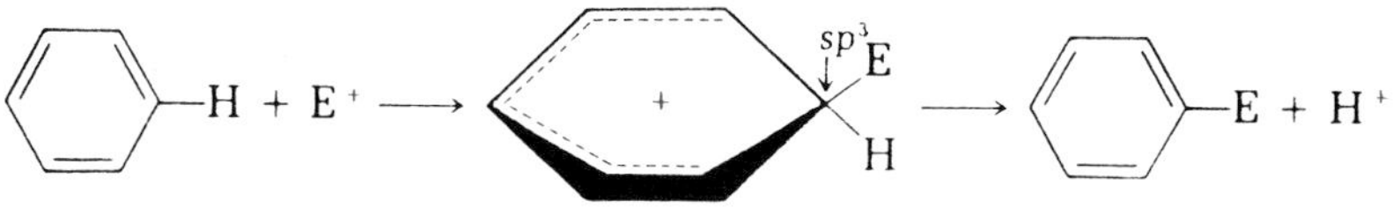

$$-H + E^+ \longrightarrow \overset{sp^3}{E} \longrightarrow -E + H^+ \quad (4.19)$$

$$E^+ = \overset{\delta+}{X}\cdots\overset{\delta-}{FeX_4} \quad \text{ou} \quad NO_2^+ \quad \text{ou} \quad SO_3 \text{ ou } SO_3H^+ \quad \text{ou} \quad R^+$$

ou plus simplement	ion nitronium	trioxyde de soufre	carbocation
X⁺ (X = Cl, Br)		ou sa forme protonée	
(halogénation)	(nitration)	(sulfonation)	(alkylation)

Figure 4.3 Les électrophiles dans les réactions de substitution aromatique courantes.

La figure 4.3 rassemble les divers électrophiles mis en jeu dans les réactions de substitution aromatique typiques.

Dans les nitrations (équation 4.11), le catalyseur qu'est l'acide sulfurique intervient en protonant l'acide nitrique et en produisant ainsi l'ion nitronium. Et ce dernier attaque alors le cycle aromatique selon le mécanisme montré dans l'équation 4.19.

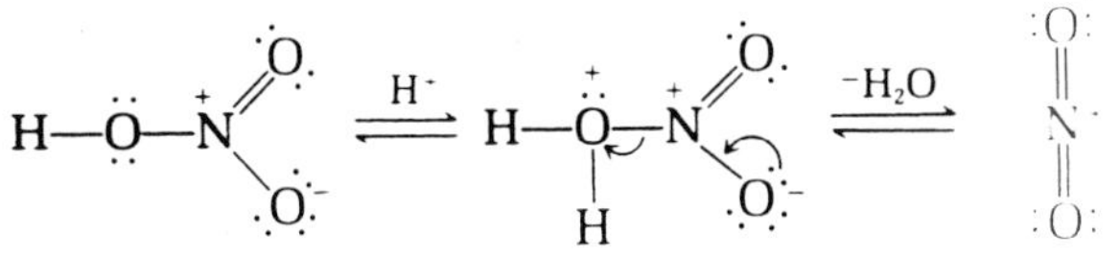

$$(4.20)$$

acide nitrique   ion nitronium

Exemple de problème 4.2   Ecrire les étapes du mécanisme de la nitration du benzène.

Solution   La première étape, la formation de l'électrophile NO_2^+, est montrée dans l'équation 4.20. Le mécanisme peut donc s'écrire:

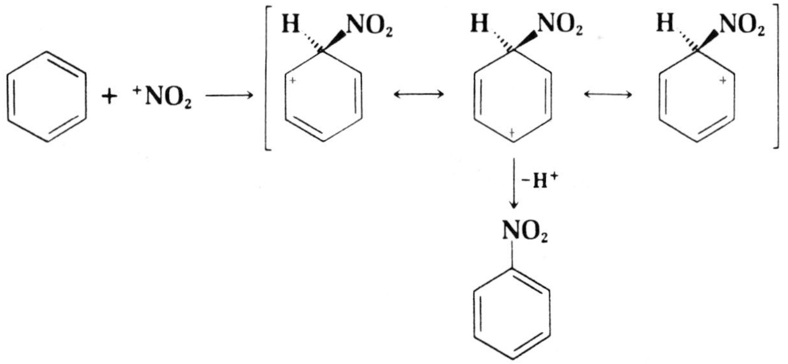

Dans la sulfonation (équation 4.12), on utilise de l'acide sulfurique concentré ou fumant; l'électrophile peut être le trioxyde de soufre ou le trioxyde de soufre protoné $^+SO_3H$.

Problème 4.10   **Ecrire les étapes du mécanisme de la sulfonation du benzène.**

On appelle souvent **réaction de Friedel-Crafts** l'alkylation des composés aromatiques (éq. 4.13 et 4.14) que C. Friedel _ France _ et J.M. Crafts _ Etats-Unis _ découvrirent en 1877. L'électrophile est un carbocation qui peut être formé soit en arrachant un ion halogénure à un halogénure d'alkyle avec un catalyseur acide de Lewis tel que $AlCl_3$, soit en ajoutant un proton à un alcène. Exemple: la synthèse de l'éthylbenzène.

$$Cl-Al\overset{\displaystyle Cl}{\underset{\displaystyle Cl}{|}} + ClCH_2CH_3 \rightleftharpoons Cl-Al\overset{\displaystyle Cl}{\underset{\displaystyle Cl}{|}}-Cl + {}^+CH_2CH_3 \overset{H^+}{\longleftarrow} CH_2{=}CH_2 \quad (4.21)$$

cation
éthyle

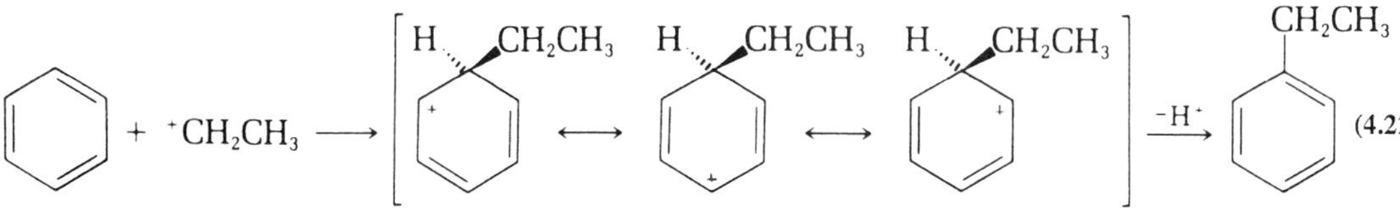

$$\text{(benzène)} + {}^+CH_2CH_3 \longrightarrow \left[\cdots \right] \overset{-H^+}{\longrightarrow} \text{(éthylbenzène)} \quad (4.22)$$

éthylbenzène

Problème 4.11   **Quel produit attendre du remplacement de l'éthylène par le propylène dans l'équation 4.14: le *n*-propylbenzène ou l'isopropylbenzène? Pourquoi?**

La réaction d'alkylation de Friedel-Crafts a quelques limites. En général, elle n'est pas applicable à un cycle aromatique déjà porteur d'un groupe nitro ou d'un groupe acide sulfonique, car ces groupes forment des complexes avec le chlorure d'aluminium et ainsi le désactivent.

4.11 Substituants activants et substituants désactivants du cycle aromatique

Dans ce paragraphe et le suivant on décrira quelques faits expérimentaux qui confirment le mécanisme de la substitution aromatique électrophile qu'on vient de voir. On va examiner ici comment la présence préalable de substituants sur le cycle aromatique peut affecter les réactions de substitution ultérieures.

Considérons, par exemple, les vitesses relatives (par rapport au benzène) des réactions de nitration des composés suivants, conduites dans les mêmes conditions:

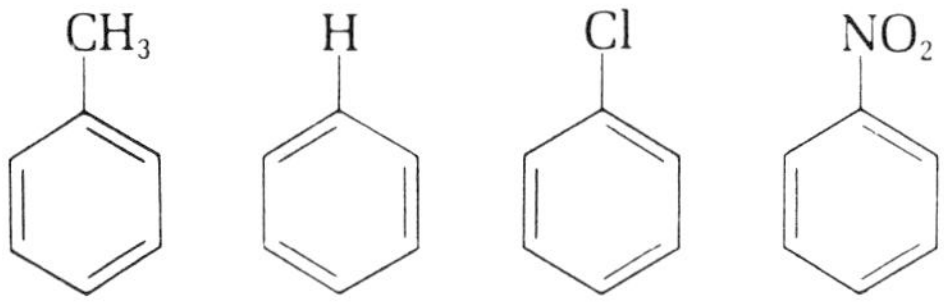

	CH_3	H	Cl	NO_2
k (nitration)	24,5	1,0	0,033	0,0000001

On voit que certains substituants, comme CH_3, rendent le cycle plus réactif que le benzène lui-même, alors que d'autres, comme Cl ou NO_2, le désactivent. On sait par ailleurs que, comparé à l'hydrogène, le méthyle est donneur d'électrons, tandis que le chlore et le groupe nitro sont attracteurs d'électrons.

Ces observations sont en plein accord avec le mécanisme électrophile de la substitution. En effet, si la vitesse de la réaction est régie par l'attaque du cycle par l'électrophile, les substituants donneurs d'électrons au cycle doivent l'accélérer, tandis que les attracteurs doivent diminuer la disponibilité des électrons π face à l'électrophile, donc ralentir la réaction. C'est exactement ce qu'on observe, non seulement dans la nitration, mais dans toutes les réactions de substitution aromatique qu'on a considérées.

4.12 Groupes orienteurs en *ortho* et *para* et groupes orienteurs en *méta*

Les substituants déjà présents sur le cycle aromatique déterminent la position que prendra le nouveau substituant. Par exemple, la nitration du toluène donne principalement un mélange d'*ortho-* et de *para*-nitrotoluène.

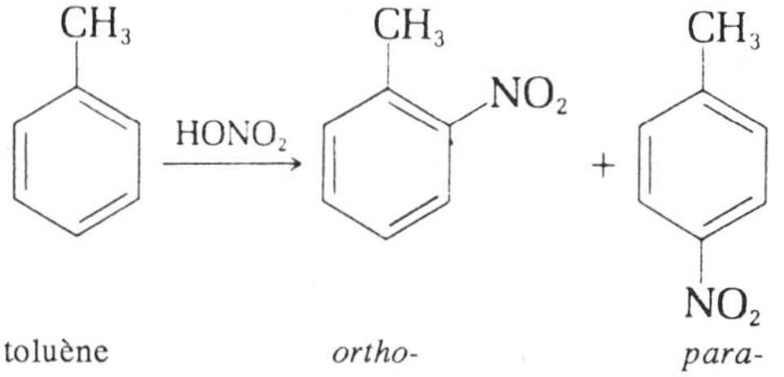

(+ 4% d'isomère *méta*) **(4.23)**

toluène — *ortho-* Eb 222°C 59% — *para-* Eb 238°C, F 51°C 37%

Par contre, la nitration du nitrobenzène donne surtout l'isomère *méta*.

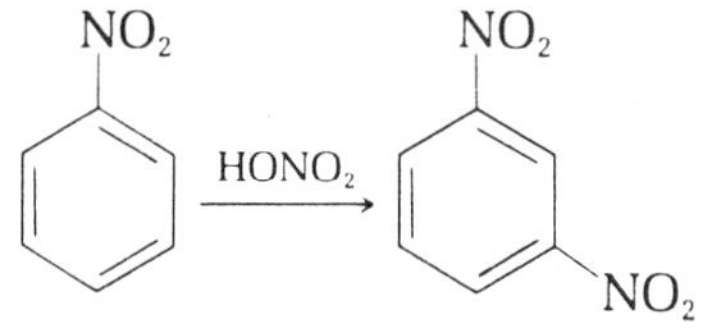

(+ 7% d'isomère *ortho*) **(4.24)**

nitrobenzène — *méta-* F 89°C 93%

Table 4.1	Orientent en *ortho, para*	Orientent en *méta*
Effets orienteurs des groupes fonctionnels courants	$-CH_3$, $-CH_2CH_3$ (alkyle—R)	$-\overset{+}{N}(=O)O^-$, $-S(=O)_2-OH$
	—F, —Cl, —Br, —I	
	—OH, $-OCH_3$, —OR	
	$-NH_2$, —NHR, $-NR_2$	$-C(=O)-R$, $-C(=O)-OH$, $-C(=O)-OR$
		$-C\equiv N$

La même orientation est constatée dans d'autres réactions de substitution aromatique électrophile telles que la chloration, la bromation, la sulfonation, etc., le toluène subissant ces réactions surtout en positions *ortho* et *para* alors que le nitrobenzène les subit en *méta*.

La table 4.1 donne les listes des groupes courants qui orientent ces réactions en *ortho* et *para* et de ceux qui les orientent en *méta*.

Examinons maintenant comment ces observations sur l'orientation s'accordent avec le mécanisme de la réaction. Considérons d'abord la nitration du toluène; dans la première étape, l'attaque de l'ion nitronium peut avoir lieu a priori en *ortho*, en *méta* ou en *para* du méthyle.

Le cation benzénonium intermédiaire est, dans le cas d'une attaque en *ortho, para* :

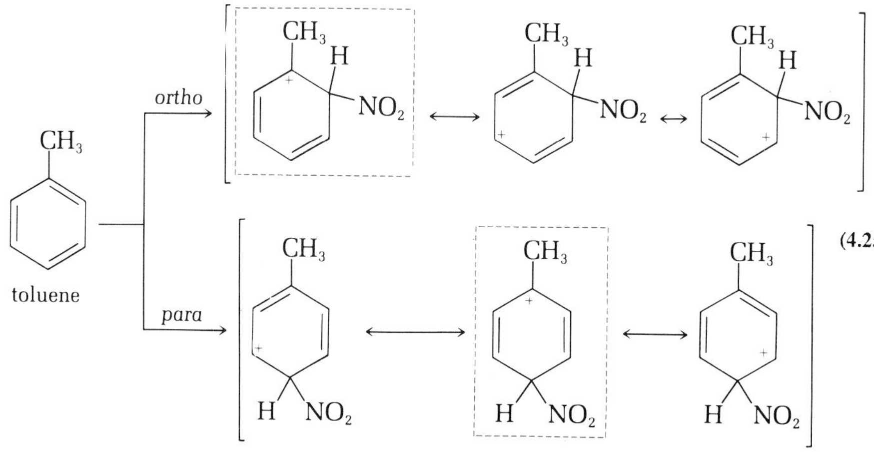

(4.25)

et, dans le cas d'une attaque en *méta* :

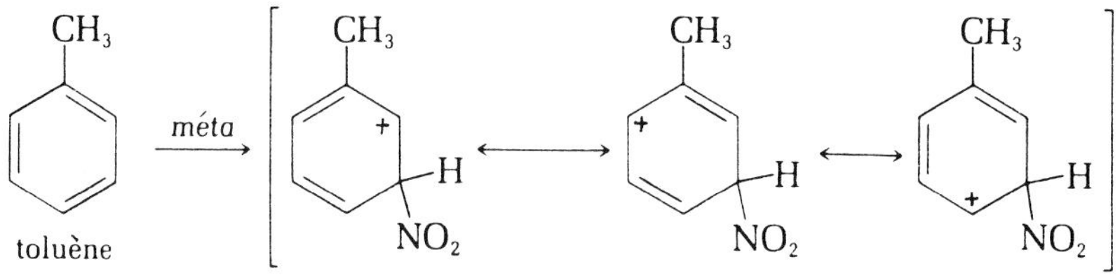

(4.26)

Remarquons que, dans les cas de substitution en *ortho* ou en *para*, l'une des trois formes limites du cation benzénonium intermédiaire (celle qui est encadrée) a sa charge positive sur le carbone porteur du méthyle. Carbocation tertiaire, cette forme limite est plus stable que les autres, qui sont des carbocations secondaires. Aucune forme limite de ce genre n'apparaît dans l'hybride de résonance intermédiaire de la substitution en *méta*. La substitution du toluène en *ortho, para* est donc favorisée.

Examinons maintenant de la même manière la nitration du nitrobenzène pour expliquer son orientation en *méta*. L'azote étant ici positif dans toutes les formes limites, les équations correspondantes sont:

dans les cas d'une attaque en *ortho, para* :

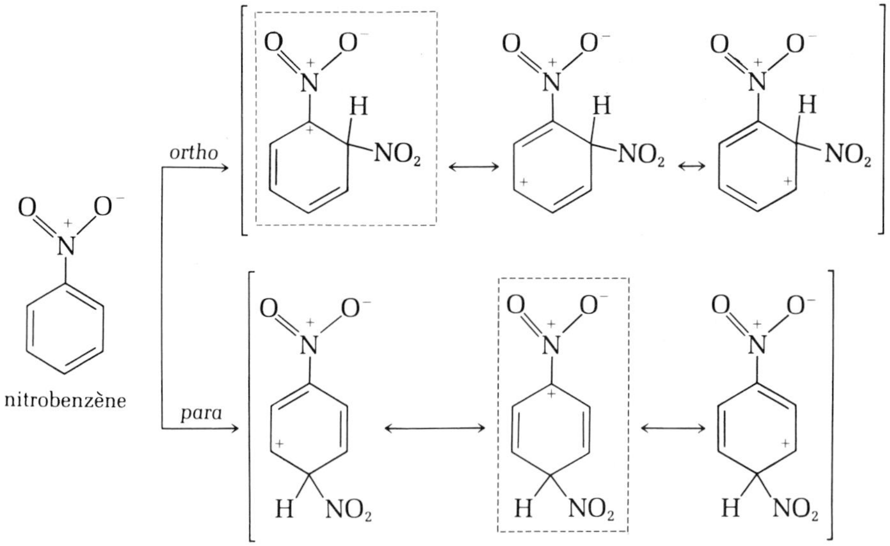

(4.27)

et, dans le cas d'une attaque en *méta* :

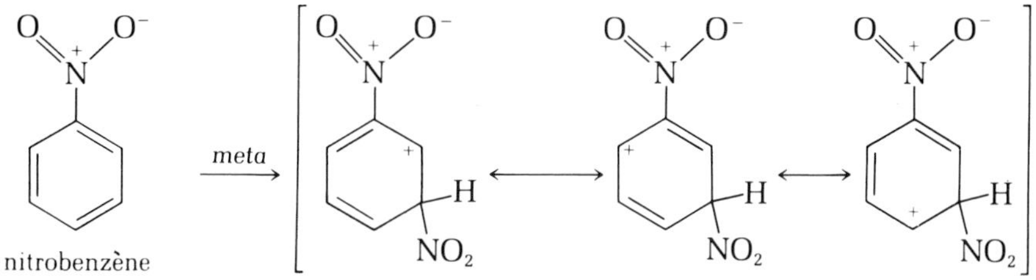

(4.28)

Remarquons que dans l'équation 4.27, l'une des trois formes limites de l'hybride de résonance intermédiaire de l'*ortho-* et de la *para*-substitution (celle qui est encadrée) a deux charges adjacentes positives, une disposition particulièrement défavorable, ce qui n'est pas le cas dans la *méta*-substitution (équation 4.28). En conséquence, c'est la *méta*-substitution qui l'emporte.

Peut-on généraliser ces explications aux autres groupes et aux autres atomes de la table 4.1? Notons d'abord que tous les groupes orienteurs en *ortho, para* de la table (sauf les groupes alkyles) ont un atome, directement attaché au cycle, qui est porteur d'une paire d'électrons libres (par exemple O, N ou halogène). Cette paire d'électrons peut aider la délocalisation (et donc la stabilisation) d'une charge adjacente positive. Les formes limites ci-après du carbocation intermédiaire de l'*ortho-* et de la *para*-substitution illustrent cette stabilisation.

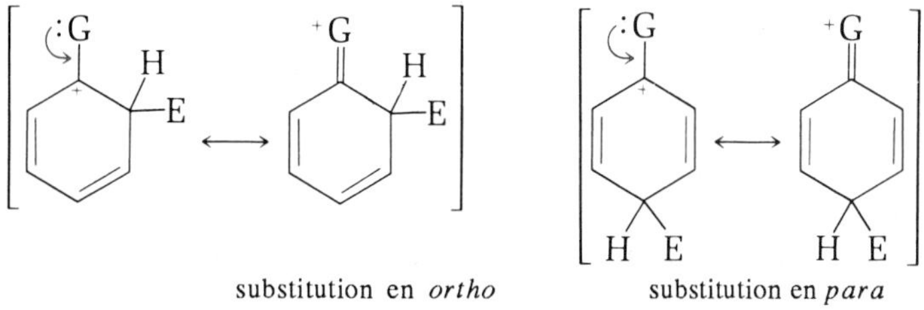

G est un groupe dont l'atome attaché au cycle comporte une paire d'électrons libres

substitution en *ortho*   substitution en *para*

Les groupes, qui sont attachés au cycle par un atome porteur d'électrons libres, orientent la substitution en *ortho, para*.

Exemple de problème 4.3   Montrer que, dans le cas du phénol, la *para*-bromation et non pas la *méta*-bromation est favorisée par le groupe hydroxyle.

Solution   Dans la *para*-bromation, l'ion benzénonium intermédiaire est

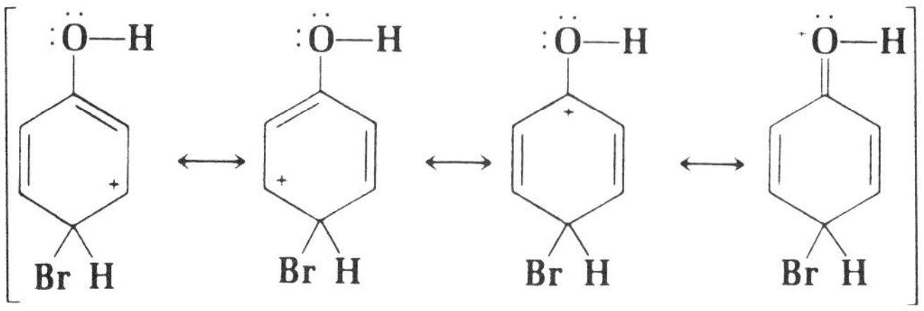

dont la charge positive est délocalisable sur l'oxygène.
Dans la *méta*-bromation, l'ion benzénonium est

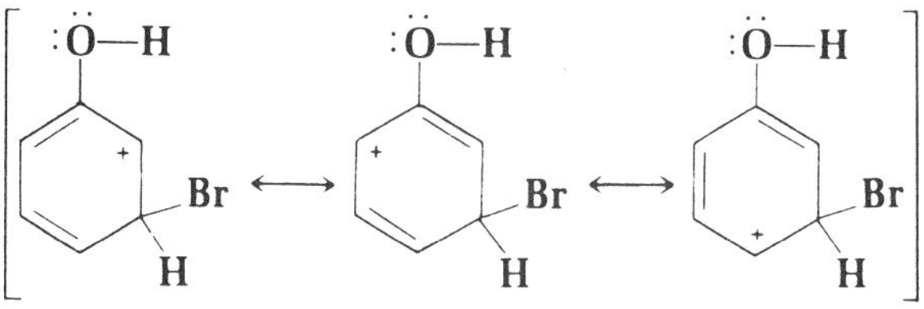

dont aucune forme limite ne porte de charge positive sur le carbone du cycle lié à l'oxygène, donc délocalisable. D'où la bromation en *para* (et en *ortho*).

Problème 4.12   Ecrire les formes limites de l'intermédiaire de la bromation de l'anisole et expliquer pourquoi la substitution en *ortho*, *para* prédomine.

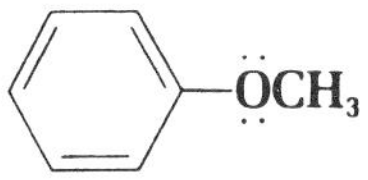

anisole

Considérons maintenant les groupes de la table 4.1, qui orientent la substitution en *méta*. Remarquons que chacun d'eux est attaché au cycle par un atome faisant partie d'une double ou d'une triple liaison dont l'autre atome (O et N notamment) est plus électronégatif que le carbone. Dans ces cas, l'atome directement attaché au cycle benzénique portera une charge positive partielle (comme l'azote du groupe nitro).

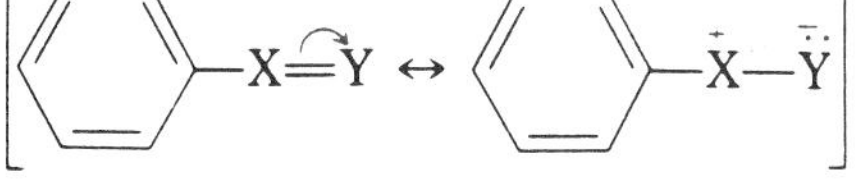

Dans la forme limite générale, vu que l'atome Y (O et N par exemple) est attracteur d'électrons, il existe une charge positive partielle sur l'atome X.

Bref, l'orientation en *méta* par de tels groupes a la même origine que l'orientation en *méta* par le groupe nitro.

Problème 4.13   **Comparer les ions benzénonium intermédiaires de la *méta*- et de la *para*-bromation de l'acide benzoïque et expliquer pourquoi le produit majoritaire est l'acide *m*-bromobenzoïque.**

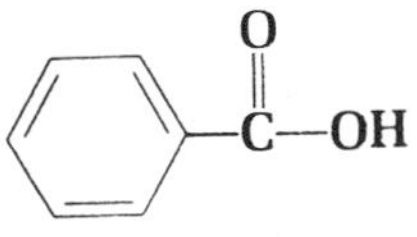

acide   benzoïque

Finalement on notera que, dans tous les groupes orienteurs en *méta*, l'atome lié au cycle, à cause de sa charge positive partielle, tendra à attirer les électrons hors de ce cycle. Tous les groupes orienteurs en *méta* sont donc aussi des groupes désactivants. Par contre, les groupes orienteurs en *ortho*, *para* peuvent en général apporter des électrons au cycle et sont donc aussi des groupes activants. Avec les halogènes (F, Cl, Br et I), deux effets opposés sont responsables de la seule exception importante à ces règles: à cause de leur électronégativité, les halogènes sont des désactivants du cycle, mais leurs paires d'électrons libres en font des orienteurs en *ortho, para*.

4.13 Importance de l'orientation en synthèse

Si l'on se propose de faire une synthèse en plusieurs étapes qui nécessite une substitution aromatique électrophile, il faut prévoir les effets orienteur et activant des groupes mis en jeu. Considérons, par exemple, la bromation et la nitration du benzène pour faire du bromonitrobenzène. Si l'on brome d'abord et qu'on nitre ensuite, on aura un mélange des isomères *ortho* et *para* :

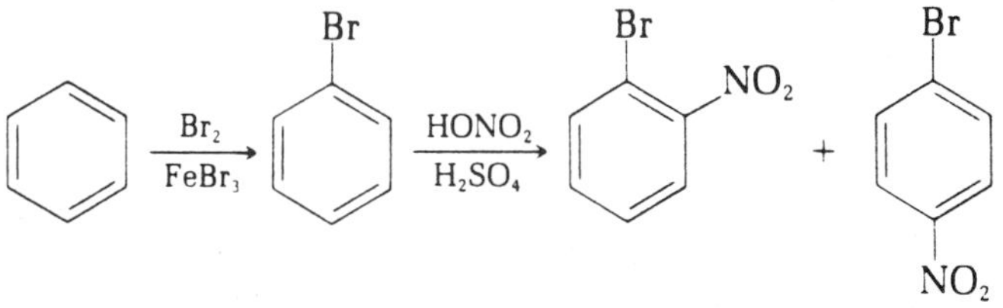

$$(4.29)$$

Cela est dû au fait que l'atome de brome dans le bromobenzène oriente en *ortho*, *para*. Par contre, si l'on nitre d'abord et qu'on brome ensuite, on obtiendra principalement l'isomère *méta*, parce que le groupe nitro dans le nitrobenzène oriente en *méta*.

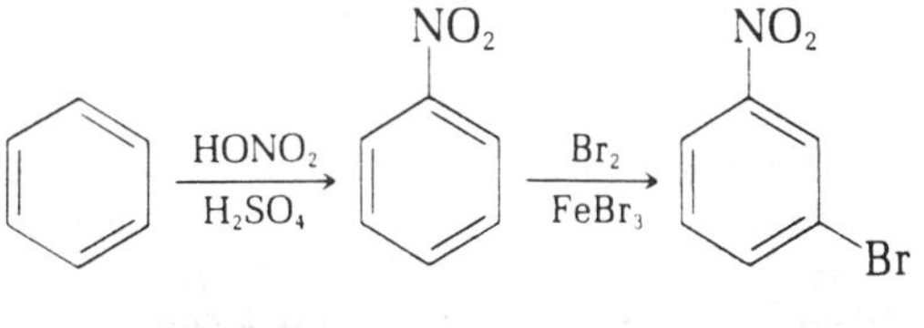

$$(4.30)$$

L'ordre dans lequel on conduira les réactions est donc essentiel, car il déterminera le type de produit formé.

Problème 4.14   Imaginer une synthèse, à partir du benzène, de:
a. l'acide *m*-chlorobenzènesulfonique   b. le *p*-nitrotoluène.

Problème 4.15   Serait-il possible de préparer le *m*-bromochlorobenzène ou l'acide *p*-nitrobenzènesulfonique au moyen de deux substitutions aromatiques électrophiles successives? Pourquoi?

A PROPOS DU BENZENE, PRODUIT INDUSTRIEL

Le benzène, premier terme de la série aromatique, est un composé industriel très important. La production annuelle des seuls Etats-Unis est d'environ 5 millions de tonnes ! Il est le troisième des produits de gros tonnage, juste derrière le propylène, et sa production est à peu près la moitié de celle de l'éthylène, qui est le premier.

Le benzène ne constitue que 8 % du goudron de houille, autrefois sa source principale. Actuellement il est surtout fabriqué par réformage (reforming) catalytique des alcanes et des cyclanes (p. 118) ou par craquage de certaines fractions d'essence.

Que fait-on de tout ce benzène? On en utilise d'abord environ la moitié pour faire du styrène selon la séquence suivante:

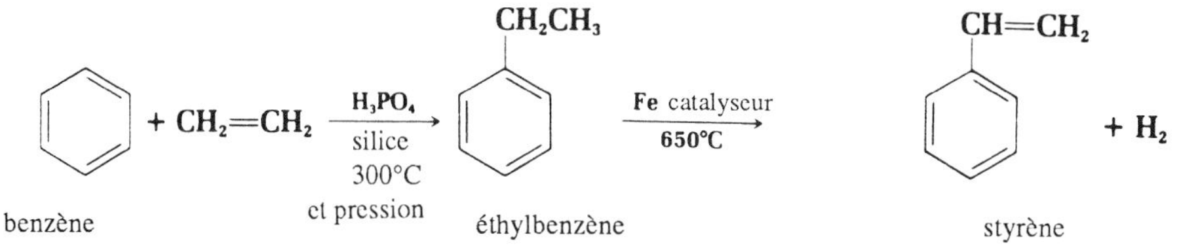

La première étape est une alkylation de Friedel-Crafts (équation 4.14) et la seconde une déshydrogénation catalytique. Le styrène est surtout converti en polymères (table 3.3), notamment en caoutchouc synthétique (équation 3.39).

La seconde application importante du benzène est la fabrication de phénol et d'acétone:

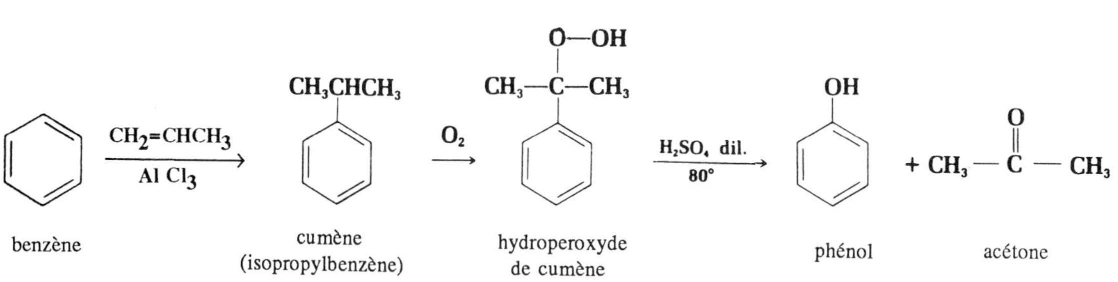

La première étape est encore une alkylation de Friedel-Crafts, cette fois avec le propylène. L'oxydation du cumène résultant, à l'air, conduit à un hydroperoxyde qui, par acidification, est décomposé en phénol et acétone, lesquels ont de nombreux usages.

De grandes quantités de benzène sont également hydrogénées catalytiquement en cyclohexane, matière première essentielle de la fabrication du nylon.

Ces trois fabrications: styrène, phénol et cyclohexane utilisent 80 % de la production industrielle du benzène. Des quantités appréciables servent aussi à élever l'indice d'octane d'essence "sans plomb". Le reste sert notamment à faire de l'aniline et du chlorobenzène. A l'heure actuelle, toutes ces matières essentielles viennent donc presque uniquement du pétrole, nouvelle évidence, s'il en est, de notre dépendance des sources naturelles.

4.14 Hydrocarbures aromatiques polycycliques

Le concept d'**aromaticité**, c'est-à-dire la stabilité particulière de certains systèmes cycliques pleinement conjugués, s'étend bien au-delà du benzène lui-même et de ses dérivés substitués simples. Les derniers paragraphes de ce chapitre traitent de ces extensions.

Le coke, utilisé en grandes quantités dans la fabrication de l'acier, est obtenu par chauffage du charbon en l'absence d'air. Un sous-produit de cette opération est le **goudron de houille,** un mélange complexe de nombreux hydrocarbures aromatiques, dont notamment du benzène, du toluène et des xylènes. Des fractions à plus haut point d'ébullition du goudron, on a d'abord isolé le **naphtalène** $C_{10}H_8$; c'était facile, car ce composé se sublime aisément à partir du goudron sous la forme de beaux cristaux incolores (F 80°C). C'est une molécule plane comportant deux cycles benzéniques "accolés", c'est-à-dire ayant en commun deux atomes de carbone. On dit aussi que c'est un hydrocarbure à deux noyaux condensés.

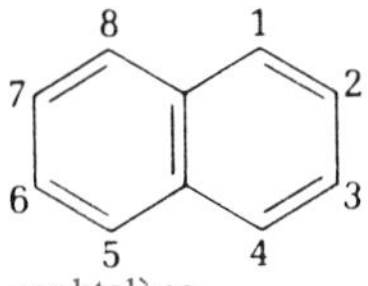

naphtalène
F 80°C

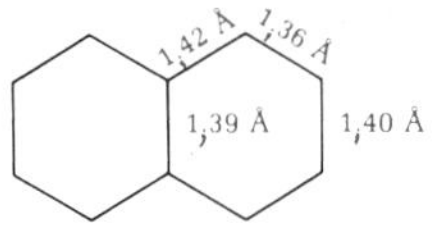

longueurs des liaisons
dans le naphtalène

Le naphtalène a des liaisons qui n'ont pas toutes la même longueur, mais toutes sont voisines de celles du benzène (1,39 Å). Son énergie de résonance est d'environ 60 kcal/mole, donc quelque peu inférieure à deux fois celle du benzène. A cause de sa symétrie, le naphtalène comporte deux ensembles d'atomes de carbones équivalents, 1,4,5,8 et 2,3,6,7. Comme le benzène, il subit les réactions de substitution électrophile (halogénation, nitration, etc.) et même dans des conditions plus douces que ce dernier. Deux produits de monosubstitution sont possibles, mais la substitution qui prédomine a lieu le plus souvent en C1.

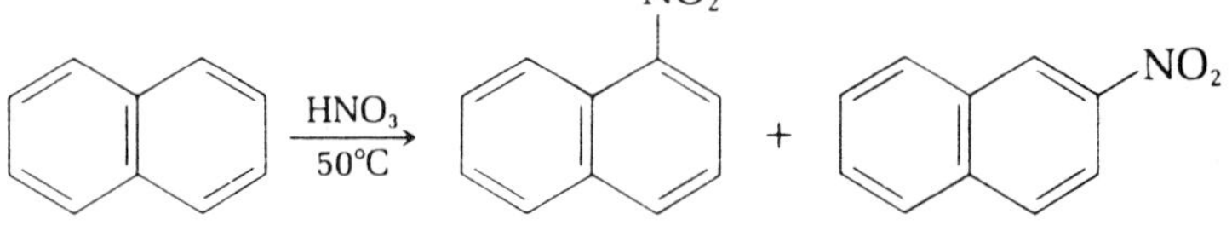

$$\text{HNO}_3 \xrightarrow{} \text{50°C} \qquad (4.31)$$

1-nitronaphtalène   2-nitronaphtalène
(rapport 10:1)

Exemple de problème 4.4   Ecrire les formes limites du carbocation intermédiaire de la nitration du naphtalène en C1; ne retenir que les structures qui conservent l'aromaticité benzénoïde du cycle non substitué.

Solution   Quatre formes limites sont possibles:

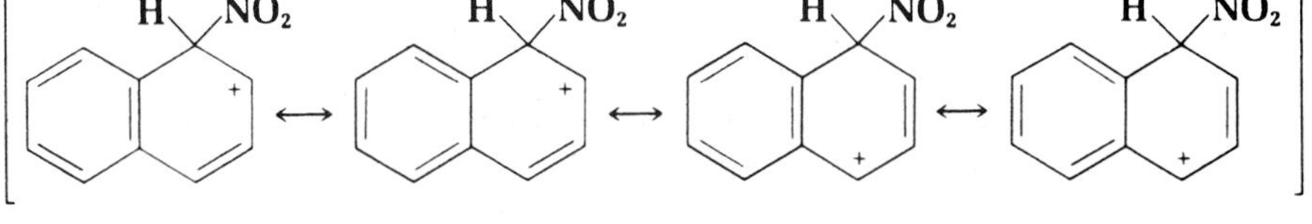

Problème 4.16   Répéter l'exemple de problème 4.4 pour la nitration en C2. Pourquoi la substitution en C1 est-elle favorisée?

Les liaisons C1—C2 et C3—C4 du naphtalène, les plus courtes, rappellent celles des diènes conjugués. Par exemple, elles sont facilement oxydées et elles acceptent l'addition du chlore. L'un des deux cycles du naphtalène n'est donc pas pleinement aromatique.

Le naphtalène est le premier terme d'une série d'hydrocarbures polycycliques à noyaux condensés, comprenant notamment l'anthracène, le phénanthrène et le pyrène.

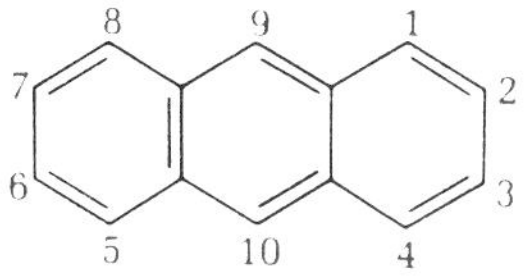

anthracène
F 217°C

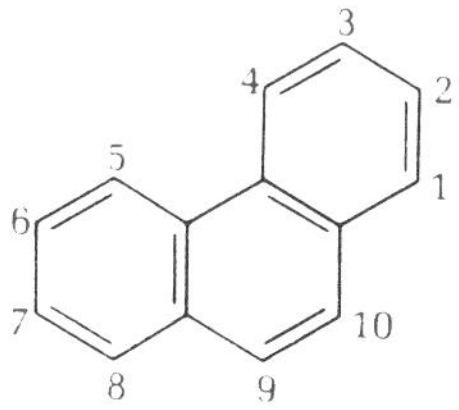

phénanthrène
F 98°C

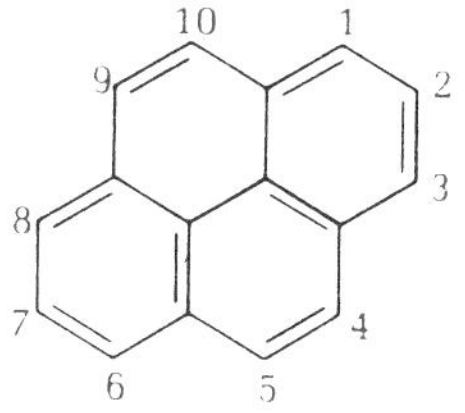

pyrène
F 156°C

Problème 4.17   Calculer les proportions en carbone et en hydrogène chez le benzène, le naphtalène, l'anthracène et le pyrène. Remarquer qu'avec l'accroissement du nombre de cycles, la proportion en carbone s'accroît aussi, l'extrapolation conduisant au graphite.

A PROPOS DES HYDROCARBURES AROMATIQUES POLYCYCLIQUES ET DU CANCER

Certains hydrocarbures aromatiques polycycliques sont cancérigènes, les plus violents provoquant rapidement une tumeur de la peau de la souris qu'on a simplement badigeonnée avec seulement des traces de ces composés. Ces hydrocarbures cancérigènes sont présents dans le goudron de houille, mais aussi dans la suie et dans la fumée de tabac. Dès 1775, on avait déjà remarqué cet effet en constatant que la suie était responsable du grand nombre de cancers du scrotum chez les ramoneurs.

On connaît maintenant assez bien le mode d'action de ces cancérigènes. Ordinairement, l'organisme élimine les hydrocarbures en les oxydant et en les rendant ainsi plus solubles dans l'eau, donc susceptibles d'élimination par excrétion. Il semble d'ailleurs que les vrais coupables du cancer soient ces produits d'oxydation métabolique.C'est le cas du benzo[a]pyrène l'un des plus violents cancérigènes de ce type qui, par oxydation enzymatique, est converti en un diol-époxyde:

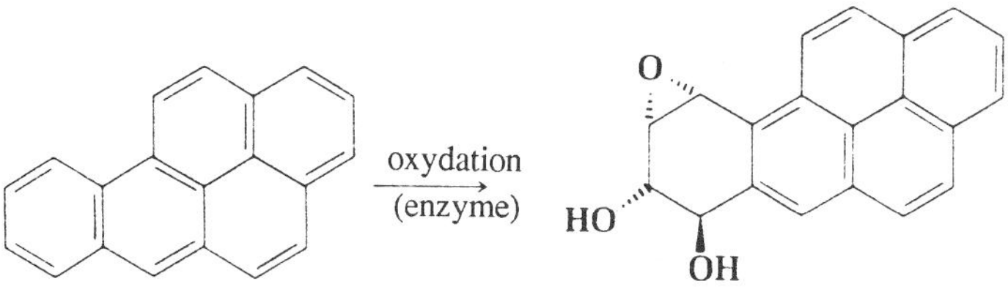

benzo[a]pyrène

oxydation
(enzyme)

diol-époxyde

Ce diol-époxyde réagit avec l'ADN des cellules en causant des mutations qui peuvent en perturber la reproduction normale.

Le benzène lui-même est très toxique pour l'homme et il peut être responsable de sérieuses atteintes du foie. Le toluène l'est beaucoup moins. Cette différence s'explique par l'oxydation du cycle aromatique, la seule possible dans le cas du benzène pour permettre son élimination et qui conduit alors à des produits effectivement toxiques, mais non pas dans le cas du toluène qui subit facilement l'oxydation (en acide benzoïque) au niveau de son méthyle exocyclique, et qui, de là, est facilement éliminable, aucun intermédiaire d'une telle oxydation ne posant alors de problème de toxicité.

Certains composés chimiques sont donc cancérigènes, mais d'autres peuvent aider à prévenir ou à soigner le cancer. La chimiothérapie de ce dernier est un domaine de recherche important des années présentes et futures.

4.15 Aromaticité. Règle de Hückel

Le benzène et ses dérivés ont six électrons π dans un système pleinement conjugué, cyclique. Les systèmes à six électrons π sont-ils les seuls qui soient aromatiques? Qu'en est-il de ceux qui ont plus ou moins de six électrons π? Par exemple, on peut imaginer des systèmes cycliques pleinement conjugués à quatre ou huit électrons π comme le cyclobutadiène ou le cyclooctatétraène:

cyclobutadiène   cyclooctatétraène   conformation vraie
du cyclooctatétraène

Ces composés sont-ils aromatiques? En fait, aucun des deux n'a de propriétés aromatiques, bien qu'on puisse écrire pour l'un et l'autre des formes limites impliquant une délocalisation des électrons. Le cyclobutadiène est un hydrocarbure extrêmement réactif; il n'est stable que dans une matrice inerte comme l'argon solide (– 269°C), proche du zéro absolu. Et le cyclooctatétraène, bien que liquide stable (Eb 152°C), subit des réactions typiques des alcènes telles que l'addition de brome, l'oxydation, la polymérisation, etc. plutôt que les réactions de substitution typiques des composés aromatiques. D'ailleurs, il n'est pas plan.

Les raisons de cette différence entre les systèmes à 4 et à 8 électrons π d'une part et le benzène avec ses 6 électrons p d'autre part sont assez complexes. Sans entrer dans le détail, on peut dire que l'un des triomphes de la théorie des orbitales moléculaires (sur la théorie de la résonance), c'est qu'elle permet d'interpréter toutes ces observations. Les systèmes monocycliques conjugués à $(4n + 2)$ électrons π (où n est un nombre entier) sont aromatiques. C'est la **règle de Hückel**. Ainsi, les systèmes monocycliques conjugués à 2, 6, 10, 14... électrons π sont aromatiques. Mais les systèmes du même type à 4, 8, 12... électrons π ne sont pas aromatiques. Ils sont même particulièrement instables et réactifs et on les appelle parfois *anti-aromatiques*. Les plus courants des systèmes aromatiques sont de loin ceux qui ont six électrons π. On verra cependant ci-après que certains de ces six électrons π peuvent être fournis par des atomes autres que des carbones.

4.16 Composés aromatiques hétérocycliques

Si un hétéroatome, tel qu'un azote, un oxygène ou un soufre, remplace l'un des atomes de carbone d'un cycle aromatique, le composé en question conserve ses propriétés aromatiques. En fait, il y a deux catégories de composés aromatiques hétérocycliques: ceux dont l'hétéroatome fournit *un* électron au système π aromatique et ceux dont l'hétéroatome en fournit *deux*. La **pyridine** et le **pyrrole** illustrent respectivement ces deux catégories.

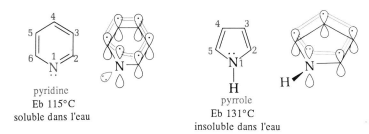

pyridine
Eb 115°C
soluble dans l'eau

pyrrole
Eb 131°C
insoluble dans l'eau

Dans la pyridine, l'azote est hybridé sp^2 et l'électron qui participe à l'aromaticité du cycle est dans une orbitale p perpendiculaire à ce dernier. La paire d'électrons libres sur l'azote occupe une orbitale sp^2 dans le plan du cycle et ne fait pas partie du système π aromatique. Elle est donc disponible et peut accueillir un proton. Il s'ensuit que la pyridine peut former des liaisons H avec l'eau (donc y être soluble) et peut réagir avec les acides pour donner des sels.

$$\text{pyridine} + H^+Cl^- \longrightarrow \text{pyridinium} \quad Cl^- \tag{4.32}$$

chlorure de pyridinium
F 82°C

Dans le pyrrole, par contre, la paire d'électrons libres sur l'azote est dans une orbitale p qui est perpendiculaire au plan du cycle et elle fait partie du système π aromatique. La protonation de son azote détruirait le système aromatique (l'azote devenant hybridé sp^3). En conséquence, le pyrrole ne donne pas facilement de liaisons H. Il est insoluble dans l'eau et, base très faible, il ne forme pas de sels avec les acides aqueux.

D'autres cycles aromatiques importants du type pyridinique, dont l'hétéroatome ne contribue que par un seul électron au système π aromatique, sont, par exemple, la pyrimidine, la quinoléine et l'isoquinoléine:

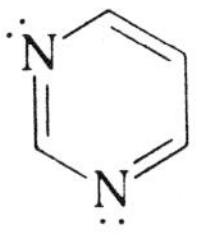

pyrimidine   quinoléine   isoquinoléine

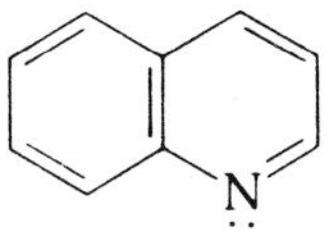

F 22°C, Eb 124°C   Eb 238°C   Eb 243°C

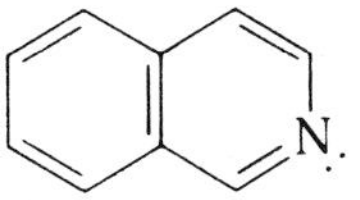

Trois des bases importantes des acides nucléiques (la cytosine, la thymine et l'uracile; voir chapitre 15) sont des pyrimidines. Dans beaucoup de produits pharmaceutiques d'origine végétale (voir chapitre 16), on trouve les systèmes cycliques de la quinoléine et de l'isoquinoléine.

D'autres cycles aromatiques du type pyrrolique, dont l'hétéroatome contribue par deux électrons au système π aromatique, sont, par exemple, l'imidazole, l'indole, la purine, le furanne et le thiophène:

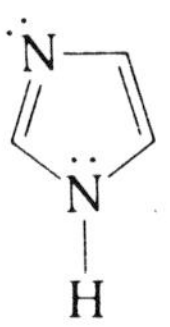

imidazole   indole   purine   furanne   thiophène

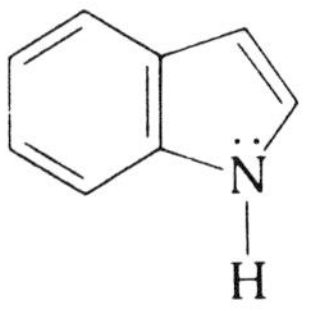

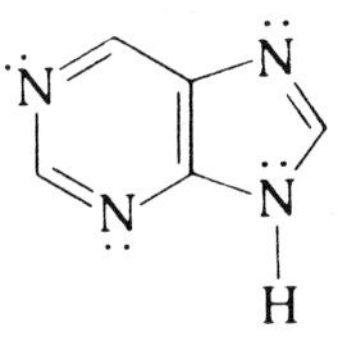

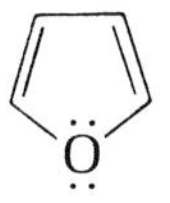

F 91°C   F 52°C   F 217°C   Eb 32°C   Eb 84°C

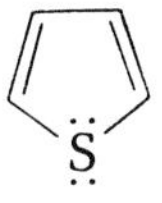

On rencontre tous ces cycles dans des produits naturels. Le système purine, par exemple, constitué de cycles pyrimidine et imidazole "condensés", est présent dans l'adénine et la guanine (chapitre 15), importantes bases de l'ADN et de l'ARN.

Exemple de problème 4.5   **Donner des représentations orbitalaires de la pyrimidine et du furanne analogues à celles de la pyridine et du pyrrole du début de ce paragraphe.**

Solution

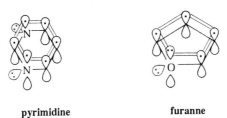

pyrimidine   **furanne**

Dans la pyrimidine, chaque azote contribue au système π avec un électron (d'une orbitale p); chaque azote a aussi une paire d'électrons dans une orbitale sp^2 située dans le plan du cycle. Dans le furanne, l'oxygène contribue au

système π avec deux électrons (d'une orbitale p); il a aussi une paire d'électrons dans une orbitale sp^2 située dans le plan du cycle.

Problème 4.18   Donner une représentation orbitalaire de l'imidazole.

Problème 4.19   Seul l'un des deux atomes de l'imidazole est très basique. Lequel et pourquoi?

Résumé du chapitre

Le benzène est l'hydrocarbure aromatique de base. Il est constitué de six carbones situés dans un plan aux sommets d'un hexagone régulier et à chacun desquels est lié un hydrogène. Le benzène est l'hybride de résonance de deux formes limites, dites structures de Kékulé.

Dans sa représentation orbitalaire, chaque carbone est hybridé sp^2, ses orbitales formant des liaisons σ avec l'hydrogène et les deux carbones voisins, tous trois se trouvant dans le plan du cycle. D'autre part, les six carbones portent chacun une orbitale p perpendiculaire à ce plan. Le recouvrement latéral de ces six orbitales p forme au-dessus et au-dessous du plan du cycle un nuage électronique d'orbitales π.

Dans le benzène, les angles des liaisons sont de 120° et leurs longueurs, toutes égales, de 1,39 Å. Le composé est plus stable que les formes limites, dites structures de Kékulé; il a une énergie de résonance (ou de stabilisation) de 36 kcal/mole.

Le paragraphe 4.7 expose la nomenclature des dérivés du benzène. Les noms communs et les structures qu'il faut retenir sont notamment le toluène, le styrène, le phénol, l'aniline, le xylène. On nomme les benzènes monosubstitués comme les dérivés du benzène (ex. bromobenzène, nitrobenzène, etc.), les benzènes disubstitués en utilisant les préfixes *ortho* (1,2), *méta* (1,3) et *para* (1,4), selon les positions relatives des substituants.Deux noms de groupes sont à retenir, le phényle C_6H_5- et le benzyle $C_6H_5CH_2-$.

La réaction principale des composés aromatiques est la substitution aromatique électrophile, dans laquelle un ou plusieurs hydrogènes du cycle sont remplacés par un électrophile. Les réactions typiques sont la chloration, la bromation, la nitration, la sulfonation et l'alkylation (réaction de Friedel-Crafts). Le mécanisme met en jeu deux étapes, la fixation de l'électrophile sur un carbone du cycle produisant un ion intermédiaire benzénonium, suivie de la perte d'un proton qui redonne le système aromatique devenu substitué (équation 4.19).

La présence de substituants sur le cycle affecte la vitesse et l'orientation d'une substitution ultérieure. La plupart des groupes orientent en *méta* en désactivant le cycle ou bien orientent en *ortho-para* en activant le cycle (table 4.1). Les substituants halogènes font exception; ils orientent en *ortho-para* en désactivant le cycle. Il faut tenir compte de ces effets dans les synthèses en série aromatique.

Le benzène est un composé industriel important; il est la source du styrène, du phénol et autres aromatiques et du cyclohexane.

Parmi les hydrocarbures aromatiques polycycliques à noyaux benzéniques condensés, citons le naphtalène, l'anthracène, le phénanthrène et quelques cancérigènes (tels que le benzo[a]pyrène).

La règle de Hückel étend le concept d'aromaticité (c'est-à-dire la stabilité particulière de certains systèmes cycliques pleinement conjugués). Elle établit que les systèmes monocycliques conjugués plans à $(4n + 2)$ électrons π seront aromatiques et les mêmes systèmes à $4n$ électrons π seront anti-aromatiques (n étant un nombre premier ou nul).

Les carbones d'un cycle aromatique peuvent être remplacés par un ou plusieurs hétéroatomes (O, N, S, etc.) et donner des composés aromatiques hétérocycliques. L'hétéroatome peut participer au système π aromatique avec un électron (comme dans la pyridine) ou avec deux électrons (comme dans le pyrrole).

PROBLEMES SUPPLEMENTAIRES

4.20 Ecrire la formule développée des composés suivants:

a. 1,3,5- tribromobenzène
b. *m*-chlorotoluène
c. *o*-diéthylbenzène
d. isopropylbenzène
e. bromure de benzyle
f. *p*-chlorophénol
g. 2,3-diphénylbutane
h. *p*-bromostyrène
i. 2-chloro-4-éthyl-3,5-dinitrotoluène
j. acide *m*-chlorobenzènesulfonique
k. acide *p*-bromobenzoïque
l. 2,4,6-triméthylaniline

4.21 Nommer les composés suivants:

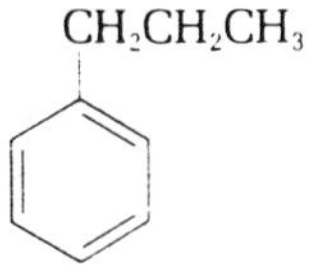

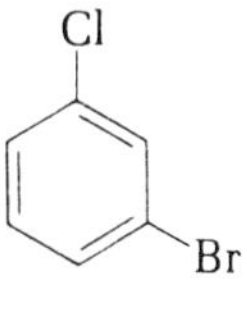

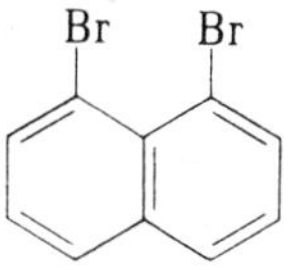

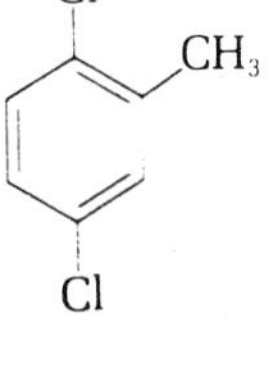

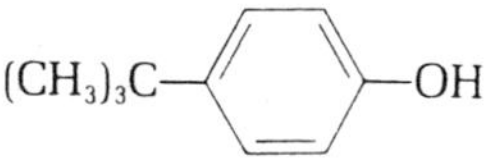

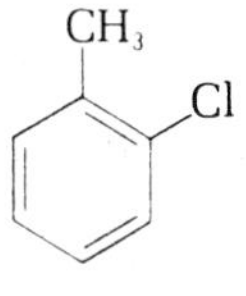

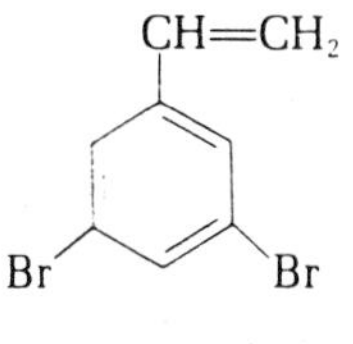

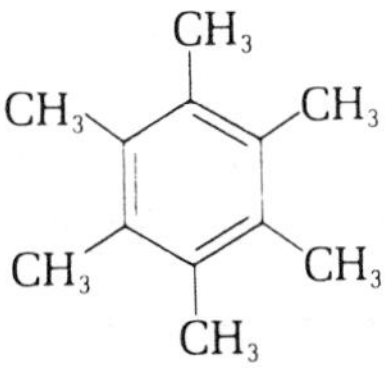

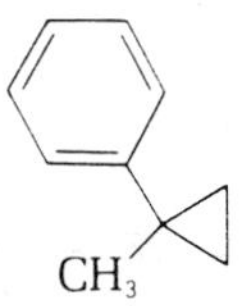

4.22 Nommer et écrire la structure des isomères suivants :
a. les triméthylbenzènes   **b.** les dichloronitrobenzènes

4.23 Il existe trois dibromobenzènes (*o*-, *m*- et *p*-). Supposons qu'on dispose d'un échantillon de chacun d'eux dans trois flacons différents, mais qu'on ne sache pas quel isomère est contenu dans tel ou tel flacon. Appelons A, B et C ces trois échantillons. Par nitration, le composé A (F 87°C) ne donne qu'un seul nitrodibromobenzène alors que B (isomère liquide) en donne deux et que C (un autre liquide) en donne trois (en quantités inégales, bien sûr). Quelle est la structure de A, de B et de C et de leurs produits de mononitration ? Cette méthode d'identification, connue comme la méthode de Körner, a été très utilisée pour préciser la structure des dérivés benzéniques isomères.

4.24 Donner la structure et le nom de chacun des hydrocarbures aromatiques suivants:

a. C_8H_{10}, qui donne trois dérivés monobromés sur le cycle

b. C_9H_{12}, qui ne peut donner qu'un dérivé mononitré

c. C_9H_{12}, qui peut donner quatre dérivés mononitrés

4.25 Par hydrogénation du 1,3,5,7-cyclooctatétraène (paragraphe 4.15), la chaleur dégagée est de 110 kcal/mole. Que peut-on en déduire sur l'énergie de résonance éventuelle de ce composé?

4.26 On donne généralement au groupe nitro la structure

Cependant, des mesures physiques montrent que les deux liaisons azote-oxygène ont la même longueur (1,21 Å), intermédiaire entre celle (1,36 Å) de la liaison simple N—O et celle (1,18 Å) de la liaison double N=O. Ecrire les formules développées qui expliquent ces mesures.

4.27 En précisant les charges formelles, écrire toutes les formules de Lewis raisonnables de l'ion nitronium $(NO_2)^+$, l'électrophile des nitrations aromatiques. Laquelle serait favorisée et pourquoi?

4.28 Ecrire toutes les étapes du mécanisme des réactions suivantes:

a. p-xylène + acide nitrique + H_2SO_4 (catalyseur) →

b. benzène + chlorure de t-butyle + $AlCl_3$ →

4.29 Ecrire toutes les formes limites possibles du carbocation intermédiaire de la chloration du chlorobenzène. Expliquer pourquoi les produits principaux sont l'*ortho*- et le *para*-dichlorobenzène (C'est ainsi qu'est préparé industriellement le *p*-dichlorobenzène utilisé contre les mites).

4.30 Répéter le problème 4.29 avec la chloration de l'acide benzènesulfonique et expliquer pourquoi le produit est l'acide *m*-chlorobenzènesulfonique.

4.31 Quelles sont les principaux produits de monosubstitution de chacune des réactions suivantes, sachant que certains substituants orientent la substitution en *méta* et d'autres en *ortho,para*?

a. toluène + chlore + Fe (catalyseur)

b. nitrobenzène + acide sulfurique concentré (+ chauffage)

c. bromobenzène + chlore + Fe (catalyseur)

d. chlorobenzène + brome + Fe (catalyseur)

e. acide benzènesulfonique + acide nitrique concentré (+ chauffage)

f. éthylbenzène + brome + Fe (catalyseur)

g. iodobenzène + brome + Fe (catalyseur)

4.32　Pourquoi utilise-t-on $FeCl_3$ comme catalyseur de la chloration aromatique et $FeBr_3$ pour la bromation? Autrement dit, pourquoi utilise-t-on l'ion halogénure correspondant à l'agent d'halogénation?

4.33　A partir du benzène ou du toluène comme seul composé aromatique de départ, imaginer des synthèses des composés suivants:

a. *m*-bromonitrobenzène　　　　　**b.** acide *p*- toluènesulfonique
c. *p*-nitroéthylbenzène　　　　　　**d.** méthylcyclohexane
e. 2,6-dibromo-4-nitrotoluène　　　**f.** *p*-bromonitrobenzène
g. 2-chloro-4-nitrotoluène　　　　　**h.** 3,5-dinitrochlorobenzène

4.34　Quand on traite du benzène par un excès de D_2SO_4 à la température ordinaire, les hydrogènes du cycle sont graduellement remplacés par du deutérium. Ecrire un mécanisme de cette réaction.

4.35　Les substituants suivants d'un cycle benzénique seraient-ils orienteurs en *ortho, para* ou en *méta* et seraient-ils activants ou désactivants du cycle?

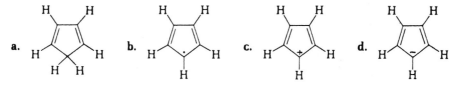

a. $-SCH_3$　　**b.** $-\overset{+}{N}(CH_3)_3$　　**c.** $-O-\overset{\overset{\displaystyle O}{\|}}{C}-CH_3$　　**d.** $-\overset{\overset{\displaystyle O}{\|}}{C}-NH_2$

4.36　On peut préparer l'explosif TNT (2,4,6-trinitrotoluène) par nitration du toluène avec un mélange d'acides nitrique et sulfurique, mais en mettant en jeu des conditions réactionnelles de plus en plus sévères au fur et à mesure que la réaction progresse. Pourquoi?

4.37　Dans la réaction de substitution électrophile, par exemple la nitration, quel est, parmi les paires de composés suivantes, le plus réactif?

a. anisole ou acide benzoïque　　　**b.** toluène et bromobenzène

4.38　Pour la synthèse, en une étape, de l'acide 3-bromo-5-nitrobenzoïque, quel est le meilleur composé de départ, l'acide 3-bromo- ou l'acide 3-nitrobenzoïque?

4.39　Montrer comment on peut préparer le 3,5-dinitrobromobenzène pur à partir d'un benzène disubstitué.

4.40　Combien y a-t-il de produits de monosubstitution possibles de l'anthracène et du phénanthrène?

4.41　La nitration de l'anthracène donne surtout le 9-nitroanthracène. Ecrire les étapes du mécanisme de la réaction.

4.42　Lesquelles des espèces suivantes seraient aromatiques d'après la règle de Hückel?

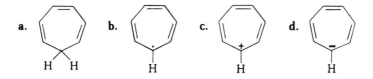

4.43　Lesquelles des espèces suivantes seraient aromatiques d'après la règle de Hückel?

4.44 Lesquelles des espèces suivantes seraient aromatiques d'après la règle de Hückel?

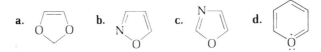

4.45 Quel produit obtiendrait-on par protonation du pyrrole sur l'azote? Comparer avec l'équation 4.32 et expliquer pourquoi le pyrrole n'est pas aussi basique que la pyridine

4.46 Lesquels des atomes d'azote de la purine participent-ils avec un électron au système π aromatique et lesquels le font-ils avec deux électrons? Lequel des quatre azotes est-il le moins basique (le moins apte à subir la protonation par un acide)? Pourquoi?

CHAPITRE 5

STEREOISOMERIE ET ACTIVITE OPTIQUE

5.1 Introduction

On appelle **stéréoisomères** des composés qui ont même constitution moléculaire (leurs atomes sont identiques et liés les uns aux autres de la même façon dans les molécules) mais qui diffèrent par la disposition de certains de ces atomes dans l'espace. On a déjà décrit deux types qui répondent à cette définition, les isomères conformationnels (paragraphes 2.9 et 2.10) et les isomères *cis-trans* (paragraphes 2.11 et 3.5). On va maintenant classer les stéréoisomères de manière plus systématique.

Il est commode, en effet, de les classer d'abord en deux catégories selon qu'ils sont images l'un de l'autre dans un miroir (on les appelle des **énantiomères** ou énantiomorphes ou antipodes ou inverses optiques), ou qu'ils ne le sont pas (on les appelle des **diastéréoisomères** ou diastéréomères). Ceux qu'on a examinés jusqu'ici appartiennent à cette deuxième catégorie; ce sont les *cis-* et *trans*-2-butènes (p. 86), qui ne sont pas images l'un de l'autre dans un miroir et sont donc des diastéréoisomères. Dans le présent chapitre, on discutera notamment des énantiomères.

On peut aussi voir les choses différemment et classer les stéréoisomères en deux types, selon la facilité de leur interconversion. Ou bien, on peut passer de l'un à l'autre par simple rotation autour de liaisons simples: ce sont des **isomères conformationnels** ou conformères (ils diffèrent par leur **conformation**). Ou bien passer de l'un à l'autre nécessite la rupture de liaisons covalentes et leur reformation différente: ce sont des **isomères configurationnels** (ils diffèrent par leur **configuration**). Ainsi, les stéréoisomères décalé et éclipsé de l'éthane sont du premier type, tandis que les *cis-* et *trans*-2-butènes sont du deuxième. L'interconversion d'isomères conformationnels ne nécessite le plus souvent qu'une faible quantité d'énergie; aussi la plupart n'ont-ils qu'une courte durée de vie et sont-ils difficilement isolables. Par contre, l'interconversion d'isomères configurationnels exige une énergie importante, suffisante pour rompre des liaisons; aussi la plupart ont-ils une longue durée de vie et sont-ils isolables à l'état pur.

Dans ce chapitre on examinera donc les isomères configurationnels que sont les énantiomères et les diastéréoisomères. Cela nécessite préalablement une bonne compréhension de leur interaction avec la lumière polarisée dans un plan.

Figure 5.1

Main droite et main gauche, images l'une de l'autre dans un miroir. L'image d'une main gauche dans un miroir n'est pas une main gauche, mais une main droite.

5.2 Objets chiraux et objets achiraux. Les énantiomères

Tout le monde sait qu'il est facile à deux droitiers ou à deux gauchers de se serrer la main, mais qu'il n'est pas possible de serrer correctement une main droite avec une main gauche. Certaines molécules possèdent aussi cette asymétrie et elle a ses conséquences en chimie. Qu'en est-il de cette asymétrie moléculaire?

Tous les objets (et toutes les molécules) sont chiraux ou achiraux.

Un objet est **chiral** – du grec "χειρ", main – s'il peut exister sous deux formes, comme une main droite et une main gauche. Exemples: des mains, des pieds, des gants, des souliers, des vis, des hélices (telles qu'un escalier en spirale, ou la double hélice de l'ADN). On reconnaît un objet chiral au fait que son image dans un miroir ne lui est pas superposable, donc ne lui est pas identique. La figure 5.1, qui montre que l'image d'une main gauche dans un miroir n'est pas une autre main gauche mais une main droite, illustre ce fait.

On dit qu'un objet (ou une molécule) et son image, non superposables dans un miroir, sont des **énantiomères** – du grec "εναντιο", opposé et "μερος", partie. On peut dire qu'une main gauche et une main droite constituent une paire d'énantiomères (figure 5.1). On verra plus loin qu'une relation analogue peut exister chez les molécules.

On dit d'un objet (ou d'une molécule), qui ne peut exister sous deux formes comme une main droite et une main gauche, qu'il (ou elle) est **achiral(e)**. C'est, par exemple, une sphère, un cube, un carré, un rectangle, un triangle équilatéral ou isocèle, etc. On peut reconnaître un objet (ou une molécule) achiral(e) au fait que son image dans un miroir lui est superposable, donc identique, et qu'il (ou elle) ne peut donc exister sous deux formes énantiomères.

Problème 5.1   **Parmi les objets suivants, dire ceux qui sont chiraux et ceux qui ne le sont pas:**

a. un club de golf	**b une tasse de thé**	**c. un ballon de football**
d. une raquette de tennis	**e. un soulier**	**f. un portrait**

Comment dire rapidement si un objet (ou une molécule) est chiral(e) ou achiral(e)? Bien sûr, comme on vient de le faire, un moyen est de comparer directement l'objet (ou la molécule) et son image dans un miroir. Mais un autre moyen est d'examiner sa symétrie.

5.3 Plans de symétrie

Un **plan de symétrie** est un plan qui coupe un objet (ou une molécule) de façon telle que ce qui est d'un côté de ce plan soit l'exacte réflexion de ce qui est de l'autre côté. Tout objet qui a un plan de symétrie est achiral et les objets chiraux n'ont pas de plan de symétrie. Une manière rapide de savoir si un objet (ou une molécule) est chiral(e) ou achiral(e) est de chercher s'il (ou elle) possède un plan de symétrie.

Exemple de problème 5.1   Quels sont les plans de symétrie du carré?

Solution   **Les plans perpendiculaires au plan du carré et qui coupent en leur milieu deux côtés opposés (plans AA et BB) ou qui passent par deux sommets opposés (plans CC et DD) sont des plans de symétrie.**

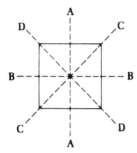

Problème 5.2   Montrer les plans de symétrie des objets typiquement achiraux mentionnés au paragraphe 5.2: cube, rectangle, triangles équilatéral et isocèle.

Problème 5.3   Examiner les objets typiquement chiraux mentionnés au paragraphe 5.2: pied, gant, soulier, vis, hélice. Peut-on leur trouver un plan de symétrie?

Problème 5.4   Lesquels des objets mentionnés au problème 5.1 ont-ils un plan de symétrie? Est-ce une question de chiralité ou d'achiralité?

Exemple de problème 5.2   Quels sont les plans de symétrie du cyclopropane?

Solution   **Il y a quatre plans de symétrie. Trois sont perpendiculaires au plan du cycle, comprenant un carbone et ses deux hydrogènes et coupant la liaison opposée en son centre. Le quatrième est le plan du cycle lui-même.**

Problème 5.5   Préciser la position des plans de symétrie de la conformation éclipsée de l'éthane. Cette molécule est-elle chirale ou achirale?

Problème 5.6   Préciser les plans de symétrie des *cis*- et *trans*-dichloréthène. Ces molécules sont-elles chirales ou achirales?

Les expériences qui ont conduit au concept de chiralité de certaines molécules ont commencé au début du XIXe siècle. Il s'agissait de lumière polarisée et de son effet sur des molécules. Ouvrons donc ici une digression là-dessus pour voir comment se sont développées ces idées, qui sont au centre de notre compréhension de la chimie organique et de la biochimie.

Figure 5.2

A gauche: Faisceau de lumière ordinaire, avec tous ses plans de vibrations, se dirigeant vers le lecteur.
A droite: Faisceau de lumière AB pouvant être décomposé en ses composantes verticale CD et horizontale EF. Tout faisceau de lumière de la gauche de la figure peut être ainsi décomposé de la même façon en ses composantes verticale et horizontale.

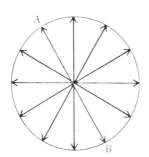
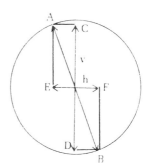

Figure 5.3

Faisceau de lumière AB vibrant initialement dans toutes les directions, mais dont la seule composante verticale traverse une substance polarisante.

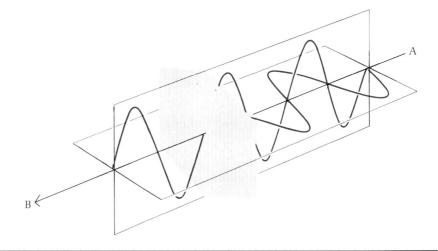

5.4 Lumière polarisée plane

Un faisceau de lumière ordinaire est constitué d'ondes vibrant perpendiculairement à sa direction dans tous les plans comprenant cette direction. La figure 5.2 illustre la section droite d'un tel faisceau se dirigeant vers le lecteur. La partie droite de cette figure montre qu'on peut décomposer en une composante verticale et une composante horizontale toute onde vibrant dans un plan déterminé. Si le faisceau lumineux traverse une substance qui ne laisse passer que l'une de ces composantes, le faisceau résultant aura toutes ses ondes vibrant dans un même plan. Une telle lumière est dite polarisée plane; elle est schématisée par la figure 5.3.

En 1808 le physicien français E. Malus découvrit que l'on pouvait polariser la lumière ordinaire. Une manière commode est de la faire passer à travers un prisme de spath d'Islande (carbonate de calcium cristallisé) appelé **nicol,** du nom du physicien britannique W. Nicol; mais un matériau plus récent, inventé par l'Américain E.H. Land, est le **Polaroïd,** qui contient un composé organique cristallisé, correctement orienté et enrobé d'un plastique transparent. (Les verres de lunettes de soleil sont souvent faits de Polaroïd.)

Un faisceau de lumière ordinaire ne traversera correctement deux épaisseurs de matière polarisante que si leurs axes sont alignés; s'ils sont perpendiculaires l'un à l'autre, aucune lumière ne passera (figure 5.4).

Figure 5.4
Deux disques de matière polarisante, dont les axes sont perpendiculaires l'un à l'autre, sont transparents, sauf dans la région où ils se recouvrent, qui est alors opaque. Il est facile de vérifier cela avec deux paires de lunettes de soleil Polaroïd.

5.5 Polarimètre et activité optique

Le polarimètre est l'appareil servant à étudier l'effet des diverses substances sur la lumière polarisée plane. La figure 5.5 en donne le schéma. Le principe de son fonctionnement est le suivant: quand la lumière est allumée et que le tube destiné à recevoir la substance étudiée est vide, on fait tourner le prisme analyseur de manière à bloquer complètement le faisceau lumineux; le champ de vision est alors noir, car les axes du polariseur et de l'analyseur sont perpendiculaires l'un à l'autre. Plaçons maintenant dans le tube la substance à examiner. Si elle est **optiquement inactive**, il ne se passe rien et le champ de vision reste noir. Si elle est **optiquement active** (ou douée de **pouvoir rotatoire**), elle fait tourner le plan de polarisation de la lumière et celle-ci traverse l'analyseur et parvient à l'observateur. Ce dernier, en faisant tourner l'analyseur dans le sens des aiguilles d'une montre ou dans le sens inverse, peut rebloquer complètement le faisceau lumineux et rétablir le champ de vision noir.

L'angle α (en degrés) dont il faut, pour cela, faire tourner l'analyseur est le **pouvoir rotatoire** (ou la rotation observée). S'il faut le faire tourner à droite (dans le sens des aiguilles d'une montre), on dit que la substance optiquement active est **dextrogyre** (ou droite) et s'il faut le faire tourner à gauche (dans le sens inverse des aiguilles d'une montre), on dit que la substance est **lévogyre** (ou gauche). Par convention, on symbolise un pouvoir rotatoire positif par le signe (+) ou **d** et un pouvoir rotatoire négatif par le signe (–) ou **l***.

Le pouvoir rotatoire d'un échantillon donné d'une substance optiquement active dépend évidemment de la structure de la molécule (on examinera cet aspect plus loin), mais aussi de l'épaisseur traversée, donc de la longueur du tube qui porte l'échantillon, de la concentration de la solution de cette substance, de la température, de la longueur d'onde de la source lumineuse et de la nature du solvant. Ordinairement, on standardise tous ces facteurs quand on veut comparer l'activité optique de plusieurs substances. Le **pouvoir rotatoire spécifique** (ou rotation spécifique) [α] d'une substance optiquement active est défini comme celui causé par une solution contenant 1g de substance par millilitre de solution placée dans un tube de 1 décimètre (10 cm) de long. Son expression est:

$$\text{Pouvoir rotatoire spécifique} = [\alpha]_\lambda^t = \frac{\alpha}{l \times c} \text{ (solvant)}$$

où l est la longueur du tube en décimètres, c la concentration en grammes par millilitre, t est la température de la solution et λ la longueur d'onde de la lumière; on indique ensuite le solvant entre parenthèses. D'habitude on fait les mesures à la température ordinaire et on utilise comme source lumineuse la raie D d'une lampe à vapeur de sodium ($\lambda = 589,3$ nm).

Le pouvoir rotatoire spécifique d'une substance optiquement active, mesuré dans des conditions précises, est une propriété définie de cette substance, tout comme son point de fusion, son point d'ébullition ou sa densité.

Exemple de problème 5.3   **Le pouvoir rotatoire, mesuré avec la raie D du sodium, d'une solution de 1g de sucre ordinaire dans 100 ml d'eau, placée dans un tube de 2 décimètres, est +1,33° à 25°. Calculer et donner l'expression du pouvoir rotatoire spécifique de ce sucre .**

Solution $[\alpha]_D^{25} = \dfrac{+1,33}{2 \times 0,01} = +66,5°$ (H_2O)

Noter que $c = 1 \text{ g}/100 \text{ mL} = 0,01 \text{ g/mL}$

*Une mesure unique ne permet pas de dire si une rotation est (+) ou (–), si elle est, par exemple, +10° ou –350°. On peut le savoir aisément, par exemple, en augmentant la concentration, disons de 10 %. La lecture +10° deviendrait +11°, mais la lecture –350° deviendrait –385° (–350 –35).

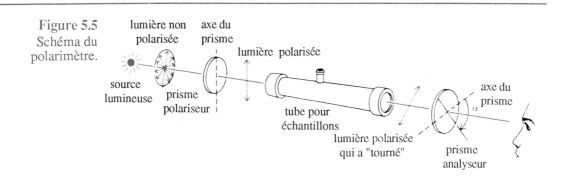

Figure 5.5
Schéma du
polarimètre.

Problème 5.7   Du camphre (1,5 g) dissous dans un volume (total) de 50 ml et placé dans un tube de 5 cm accuse à 20° un pouvoir rotatoire de +0,66° avec la raie D du sodium. Calculer et donner l'expression du pouvoir rotatoire spécifique de ce camphre.

Au début du XIXe siècle, le physicien français J. B. Biot, étudiant un grand nombre de substances avec un polarimètre, constata que l'essence de térébenthine, l'essence de citron, des solutions de camphre dans l'alcool et de sucre de canne dans l'eau, etc., étaient optiquement actives. Par contre, d'autres telles que l'eau, l'alcool, des solutions aqueuses de sel, etc., ne l'étaient pas. Plus tard, beaucoup de produits naturels (hydrates de carbone, protéines, stéroïdes, etc.) se révélèrent aussi optiquement actifs. Comment donc se fait-il que certaines molécules le soient et que d'autres ne le soient pas? D'ingénieuses expériences de Pasteur ont été capitales en ce domaine.

5.6 Travaux de Pasteur

Le grand savant français Louis Pasteur fut le premier à voir que l'activité optique est liée à ce qu'on appelle maintenant la chiralité. Il se rendit compte que des molécules d'une même substance qui font tourner le plan de polarisation de la lumière polarisée plane dans des directions opposées sont entre elles comme un objet et son image, non superposable, dans un miroir; autrement dit elles constituent une paire d'énantiomères. Voici comment il arriva à cette conclusion.

Travaillant, au milieu du siècle dernier, dans un pays célèbre pour ses vins, Pasteur connaissait deux acides isomères qui se déposent dans les tonneaux de vin pendant la fermentation: l'un, appelé **acide tartrique**, était optiquement actif et dextrogyre et l'autre, appelé **acide racémique,** était optiquement inactif.

Préparant quelques sels de ces acides, il remarqua que les *cristaux* du sel double de sodium et d'ammonium de l'acide tartrique étaient chiraux, c'est-à-dire qu'ils n'avaient pas de plan de symétrie. Tous ces cristaux étaient de stéréoisomérie identique, plus exactement de même chiralité. Disons qu'ils étaient tous dextrogyres. Examinant alors les cristaux du même sel double de sodium et d'ammonium de l'acide dit racémique, il constata que eux aussi étaient chiraux, mais qu'ils présentaient des faces hémiédriques différentes, comme une main droite par rapport à une main gauche. Bref, les cristaux eux-mêmes étaient des énantiomères. Avec une loupe et une paire de brucelles, Pasteur sépara soigneusement les deux types de cristaux, les fit dissoudre séparément dans de l'eau et examina les solutions au polarimètre. Observation cruciale s'il en est, il constata que les deux solutions (obtenues à partir de cristaux d'un acide optiquement inactif) étaient optiquement actives. L'une des deux avait un pouvoir rotatoire spécifique identique à la solution du sel double de sodium et d'ammonium de l'acide tartrique! L'autre avait même pouvoir rotatoire mais de signe opposé; l'acide en question devait être l'image du premier dans un miroir, donc l'acide tartrique lévogyre. Pasteur en conclut correctement que l'acide racémique n'était pas une substance unique, mais un mélange 50:50 des acides (+) et (−) tartriques et que son pouvoir rotatoire nul était dû à des quantités égales des deux énantiomères. On définit maintenant tout racémique comme un mélange 50:50 d'énantiomères; il est par conséquent optiquement inactif par compensation.

Enfin, Pasteur reconnut que l'activité optique doit être due, non pas au cristal, mais aux *molécules* elles-mêmes, puisque les solutions conservent cette activité optique. Mais la raison précise de cette dernière ne fut connue que vingt-cinq ans plus tard.

5.7 Explication de Le Bel et Van't Hoff*

Les travaux de Pasteur s'achevaient alors que Kékulé en Allemagne exposait ses théories sur la structure des composés organiques. Kékulé admettait alors la tétravalence du carbone et même, dans certains de ses écrits (vers 1867) (les mêmes suppositions étaient faites par les chimistes russe A. M. Butlerov et italien E. Paterno), il supposait l'atome de carbone tétraédrique. Mais ce n'est qu'en 1874 que le Hollandais J. H. Van't Hoff et le Français J. A. Le Bel émettaient simultanément et tout à fait indépendamment une hypothèse audacieuse sur le carbone, qui devait expliquer l'activité optique de certaines molécules organiques et l'inactivité optique d'autres molécules.

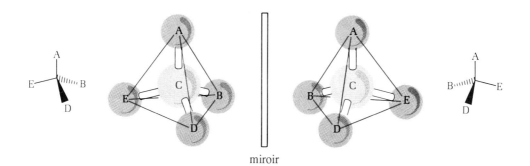

miroir

Figure 5.6   Quatre atomes ou groupes d'atomes peuvent être placés de deux manières différentes aux quatre sommets d'un tétraèdre.

---

* Pour se représenter correctement les structures dont il est question dans le reste de ce chapitre, il sera utile de le faire avec des modèles moléculaires.

Figure 5.7
Si l'on considère un carbone asymétrique avec ses quatre atomes (ou groupes d'atomes) différents et son image dans un miroir, on constate que les molécules résultantes ne sont pas superposables. Même en faisant tourner les liaisons ou en tordant les molécules dans n'importe quelle direction, on ne peut faire coïncider les quatre atomes (ou groupes d'atomes) sans d'abord rompre des liaisons.

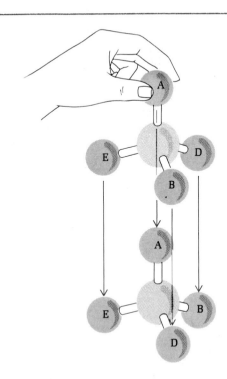

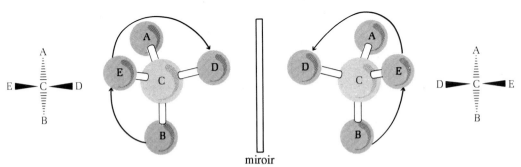

Figure 5.8   Chiralité des énantiomères. En regardant le carbone de la liaison C—A du modèle de gauche, il faut, pour pouvoir épeler le mot BED, tourner dans le sens des aiguilles d'une montre; mais avec l'image dans un miroir, il faut tourner dans le sens inverse.

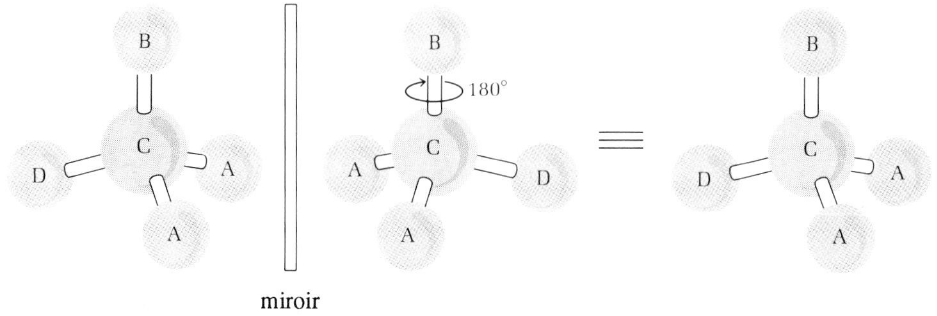

miroir

Figure 5.9   Le carbone tétraédrique de gauche a deux de ses sommets occupés
par deux atomes (ou groupes d'atomes) identiques A. Il a un plan
de symétrie qui passe par les atomes BCD et bissecte l'angle ACA.
Son image dans un miroir est identique, comme le montre une
rotation de cette image de 180° autour de la liaison C—B. Une telle
molécule est donc achirale.

Van't Hoff et Le Bel remarquèrent que lorsque quatre atomes ou groupes
d'atomes différents occupent les sommets d'un tétraèdre, il y a deux
arrangements possibles. Ces arrangements (voir les figures 5.6 et 5.7) sont
entre eux comme un objet et son image dans un miroir, non superposables,
c'est-à-dire comme deux énantiomères. On peut aisément concevoir la chiralité
de ces modèles en les regardant dans le prolongement de l'une des liaisons,
comme le montre la figure 5.8.

Objet et image dans un miroir ne sont pas ici superposables parce que les
quatre atomes ou groupes d'atomes sont différents. Si deux ou plus de deux de
ces atomes ou groupes d'atomes étaient identiques, la structure aurait un plan de
symétrie et serait donc achirale. Autrement dit, l'image dans un miroir serait
identique à l'objet, comme on peut le constater dans la figure 5.9.

Le Bel et Van't Hoff appliquèrent ces concepts à l'interprétation de l'activité
optique de composés organiques. Ils émirent l'hypothèse que les valences du
carbone, partant du noyau, sont dirigées vers les sommets d'un tétraèdre
régulier et ils définirent l'**atome de carbone asymétrique** comme celui auquel sont
liés quatre atomes ou groupes d'atomes différents. On dit maintenant qu'un tel
atome de carbone est un **centre chiral**, une molécule possédant un tel centre
pouvant exister sous deux formes, à savoir les deux membres d'une paire
d'énantiomères. Ceux-ci, le droit comme le gauche, font tourner le plan de
polarisation, mais dans des sens opposés. Quand Le Bel et Van't Hoff
avancèrent leur théorie, on ne connaissait que treize composés optiquement
actifs dont les structures étaient établies. Chacun d'eux comportait effectivement
au moins un centre chiral. Beaucoup d'autres résultats ont confirmé, par la suite,
l'exactitude de cette théorie.

**Exemple de Problème 5.4   Quel est le centre chiral dans le 2-bromobutane
$CH_3CHBrCH_2CH_3$?**

Solution   **Le carbone du 2-bromobutane marqué d'un astérisque est un centre chiral, car il est lié à quatre atomes ou groupes d'atomes différents: H, Br, –CH$_3$ et –CH$_2$CH$_3$; mais les autres carbones sont liés à au moins deux atomes ou groupes d'atomes identiques.**

Exemple de Problème 5.5   **Ecrire les deux énantiomères du 2-bromobutane.**

Solution   **On écrit le tétraèdre du centre chiral C2, puis son image dans un miroir.**

Problème 5.8   **Repérer les centres chiraux de:**
                    a. le 3-méthylhexane   b. le 2,3-dichlorobutane
                    c. le 3-méthylcyclohexène   d. le 1-bromo-1-chloroéthane

Problème 5.9   **Lequel des composés suivants est-il chiral:**
                    a. le 1-bromo-1-phényléthane   b. le 1-bromo-2-phényléthane

Problème 5.10   **Ecrire les formules dans l'espace des deux énantiomères du composé chiral du problème 5.9.**

5.8 Propriétés des énantiomères. L'acide lactique

Deux énantiomères ne diffèrent l'un de l'autre que par leur chiralité. Pour tout le reste, ils sont identiques. Il ne faut donc attendre de différences entre eux que dans leurs propriétés également chirales. Illustrons d'abord cela avec des objets familiers.

Le joueur de base-ball gaucher (chiral) peut utiliser la même balle (achirale) que le joueur droitier. Mais il est évident que ce même joueur gaucher (chiral) ne peut utiliser qu'un gant gauche (chiral) de baseball. De même, avec un boulon (chiral) dont le pas de vis est droit, on peut utiliser la même rondelle (achirale) qu'avec un boulon dont le pas de vis est gauche. Mais un tel boulon (chiral) dont le pas de vis est droit ne peut pénétrer que l'écrou (chiral) dont le pas de vis est droit. Pour généraliser, disons que la chiralité n'a d'importance que face à la chiralité; elle est sans importance face à l'achiralité.

Ainsi, les propriétés achirales de deux énantiomères sont identiques: point de fusion, point d'ébullition, densité, spectres, solubilité dans un solvant achiral. Par contre, leurs propriétés chirales, par exemple le signe de la rotation optique (dans le sens des aiguilles d'une montre ou dans le sens inverse) qu'ils imposent à la lumière polarisée plane, sont différentes. Mais leurs pouvoirs rotatoires spécifiques, les signes mis à part, sont égaux, parce que le nombre de degrés n'est pas une propriété chirale. Par contre, le sens de la rotation optique est une propriété chirale et en voici un exemple spécifique.

L'acide lactique est un hydroxy-acide optiquement actif qui joue un rôle important dans plusieurs processus biologiques. Il possède un centre chiral. La figure 5.10 montre sa structure et donne quelques-unes de ses propriétés. Remarquons que les deux énantiomères ont même point de fusion et, mis à part le signe, même pouvoir rotatoire spécifique.

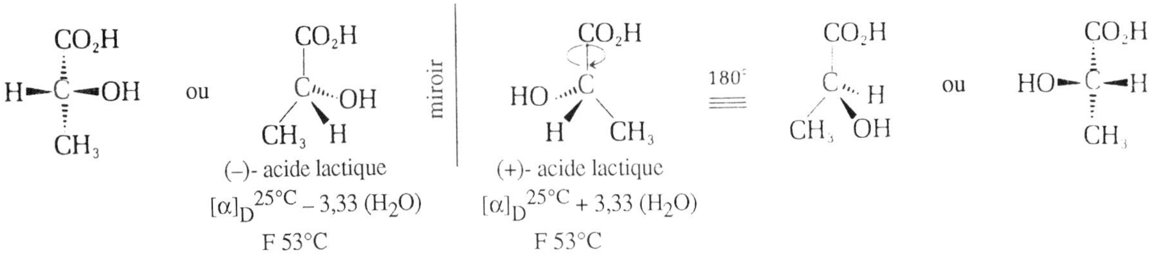

Figure 5.10   Structure et propriétés des énantiomères de l'acide lactique.

Deux énantiomères ont souvent des propriétés biologiques différentes. C'est parce qu'une propriété biologique implique ordinairement une réaction avec une autre molécule chirale. Par exemple, l'enzyme **déshydrogénase de l'acide lactique** oxyde l'acide droit, et non pas l'acide gauche, en acide pyruvique :

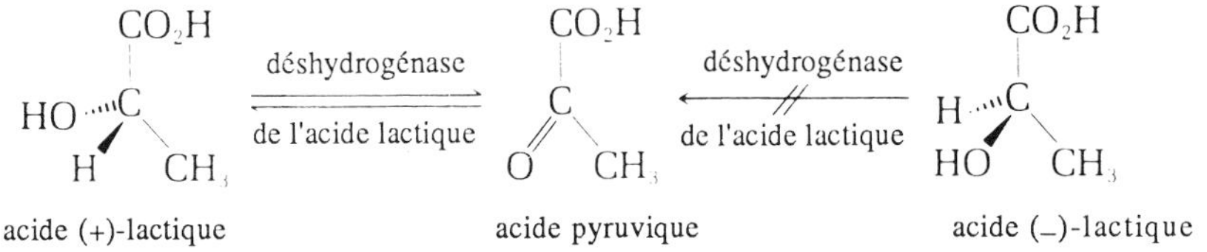

$$(5.1)$$

C'est parce que l'enzyme lui-même est chiral et fait la distinction entre les molécules d'acide lactique droites et gauches.

Dans beaucoup d'activités biologiques, il y a une grande différence entre deux énantiomères. Un énantiomère peut être un médicament utile et l'autre totalement inefficace. C'est le cas de la (−)-adrénaline qui, contrairement à son isomère droit, est un stimulant cardiaque. Un énantiomère peut être, ou toxique et l'autre pas, ou antibiotique et l'autre sans le moindre effet, ou attractif sexuel d'insectes et l'autre pas ou même, au contraire, répulsif sexuel. Bref, dans le monde biologique, la chiralité est d'une extrême importance.

A PROPOS DE L'ODEUR ET DE LA CHIRALITE

On ne sait pas grand-chose des rapports entre la structure chimique et les odeurs, ni sur les processus physiques et chimiques mis en jeu quand une substance odoriférante entre en contact avec les récepteurs olfactifs de la muqueuse nasale de l'homme. Par contre, on sait que ces récepteurs sont extrêmement complexes et que certaines odeurs sont aussi très complexes chimiquement. Ainsi, l'arôme du café est l'effet de plus de cent composés organiques volatils.

Ce que l'on sait des récepteurs olfactifs du nez humain, c'est qu'ils sont chiraux. On le sait parce qu'ils enregistrent des odeurs différentes avec les énantiomères de certaines paires. C'est le cas de la carvone.

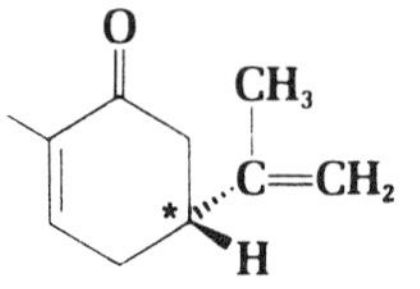

(–)-carvone
Eb 231°C
(menthe verte)

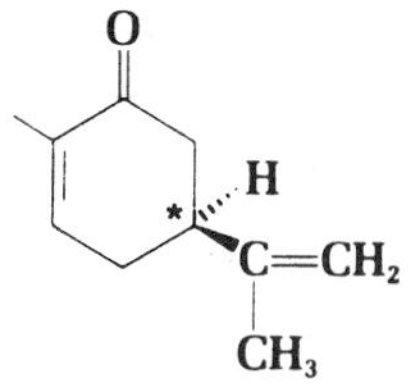

(+)-carvone
Eb 231°C
(graines de carvi)

Celle-ci n'a qu'un centre chiral. On trouve l'énantiomère gauche dans la menthe verte, qui en a l'odeur, tandis que l'énantiomère droit est responsable de l'odeur des graines de carvi. On remarquera que, bien qu'ayant des odeurs différentes, ils ont même point d'ébullition. Toute théorie sérieuse sur l'odeur devra tenir compte de la chiralité des récepteurs olfactifs du nez.

5.9 Configuration et convention R–S

Les énantiomères diffèrent dans l'arrangement des atomes ou des groupes d'atomes attachés au centre chiral. Cet arrangement est la **configuration** du centre chiral. Deux énantiomères sont des isomères configurationnels. On dit qu'ils ont des configurations opposées. Pour les interconvertir, il faut échanger deux des groupes du centre chiral.

Exemple de problème 5.6   Montrer que les structures suivantes obtenues par l'interversion des groupes méthyle et éthyle sont énantiomères.

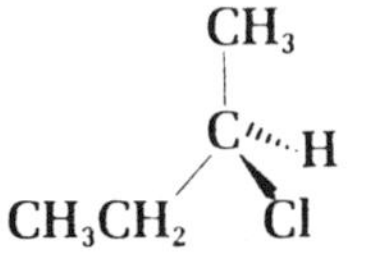

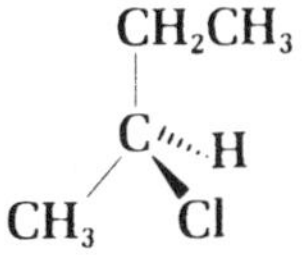

Solution   On fait tourner deux fois de 180° la structure de droite comme suit:

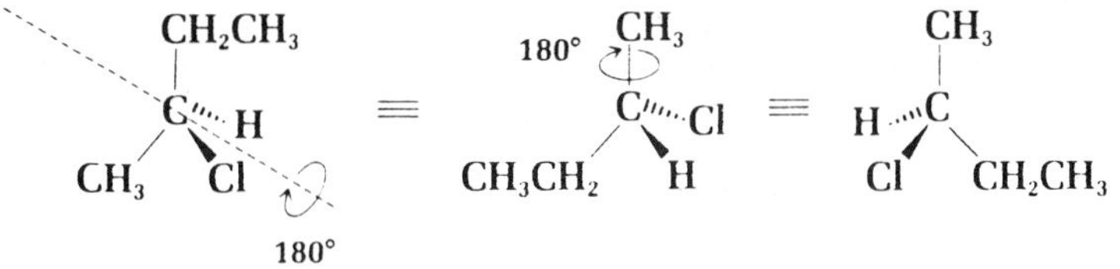

On voit qu'elle est devenue image dans un miroir de la première.

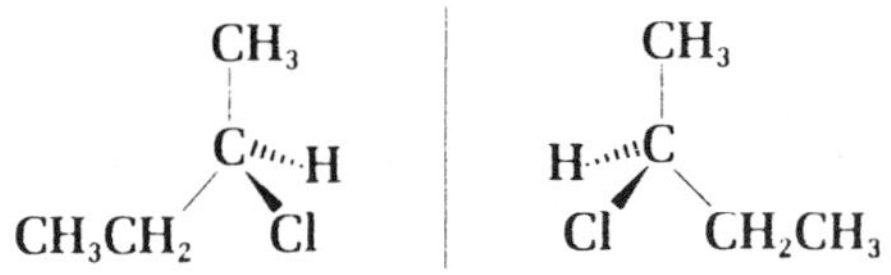

Problème 5.11   Les structures suivantes sont-elles identiques ou sont-elles énantiomères?

a.

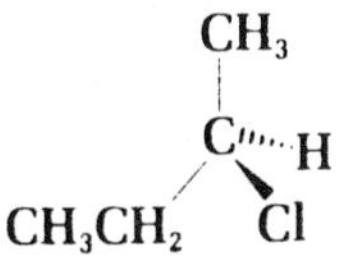

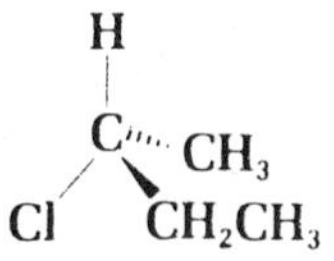

b. 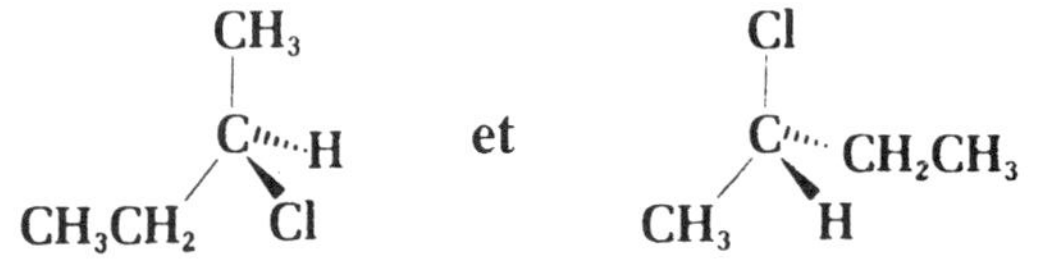 $\underset{CH_3CH_2}{\overset{CH_3}{\underset{|}{C}}}\overset{\,}{\underset{Cl}{\cdots H}}$ **et** $\underset{CH_3}{\overset{Cl}{\underset{|}{C}}}\overset{\cdots CH_2CH_3}{\underset{H}{}}$

Considérant un énantiomère determiné, on doit pouvoir en spécifier la configuration, sans pour cela devoir en écrire la structure. Pour ce faire, deux Anglais, R. S. Cahn et C. K. Ingold et un Suisse, V. Prelog (qui reçut le prix Nobel en 1975) proposèrent un système, appelé système Cahn-Ingold-Prelog ou système *R—S* dont voici la règle.

On donne un ordre des préséances aux quatre atomes ou groupes d'atomes liés au centre chiral: a → b → c → d (en suivant la régle donnée dans l'alinéa ci-après). On regarde alors le centre chiral du côté opposé au dernier atome ou groupe d'atomes (d) dans l'ordre des préséances. Si les trois autres, pris par ordre décroissant des préséances (a → b → c) se présentent au regard dans le sens des aiguilles d'une montre, la configuration est symbolisée par *R* (du latin *rectus*, droit) et, si c'est dans le sens inverse, par *S* (du latin *sinister*, gauche).

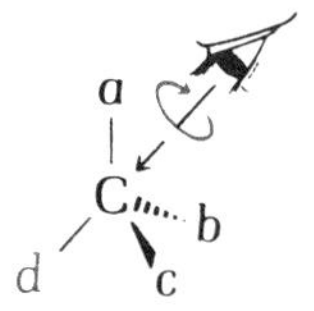

a → b → c dans le sens
des aiguilles d'une montre
configuration *R*
        a → b → c dans le sens inverse 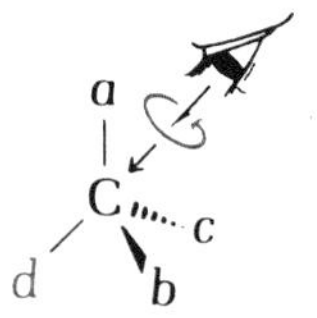
des aiguilles d'une montre
configuration *S*

L'ordre des préséances (ou de priorité) est établi de la manière suivante:

1. On classe les atomes attachés directement au centre chiral dans l'ordre de leurs numéros atomiques décroissants, les numéros atomiques les plus élevés ayant donc la préséance. On a, par exemple:

$$I > Br > Cl > OH > NH_2 > C > H$$

prioritaires ———————→ non prioritaires

Invariablement, lorsqu'un hydrogène est attaché directement au centre chiral, c'est lui le dernier dans l'ordre des préséances.

2. Quand deux ou plus de deux atomes attachés directement au centre chiral sont identiques, ce sont les numéros atomiques des atomes suivants les plus proches qui emportent la décision. Exemples:

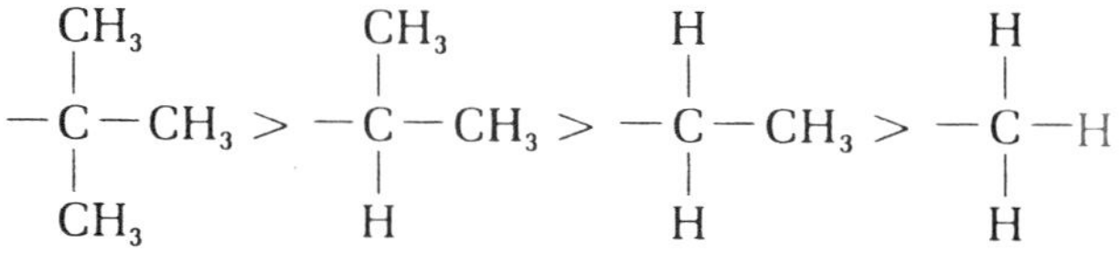

$$\underset{CH_3}{\overset{CH_3}{-\underset{|}{\overset{|}{C}}-CH_3}} > \underset{H}{\overset{CH_3}{-\underset{|}{\overset{|}{C}}-CH_3}} > \underset{H}{\overset{H}{-\underset{|}{\overset{|}{C}}-CH_3}} > \underset{H}{\overset{H}{-\underset{|}{\overset{|}{C}}-H}}$$

t-butyle   isopropyle   éthyle   méthyle

3. On considère les liaisons doubles (ou triples) comme deux (ou trois) liaisons simples. Par exemple, le groupe vinyle — $CH=CH_2$ est considéré comme

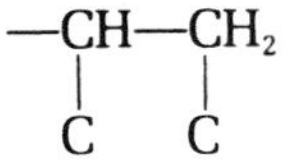

$$-CH-CH_2$$
$$| |$$
$$C C$$

Exemple de problème 5.7   **Quel est l'ordre de priorité des atomes et groupes suivants:**
H, Br, $-CH_2CH_3$, $-CH_2OCH_3$

Solution   **Cet ordre est Br > $-CH_2OCH_3$ > CH_2CH_3 > H car les numéros atomiques des atomes liés au centre chiral décroissent dans l'ordre Br > C > H et que O ayant priorité sur C, on a $-CH_2OCH_3$ > $-CH_2CH_3$.**

Exemple de problème 5.8   **Du vinyle et de l'isopropyle, quel est le groupe prioritaire?**

Solution $-CH=CH_2$ $\equiv$ $-CH-CH_2$
                      vinyle $||$
                                               CC

                      $-CH(CH_3)_2$ $\equiv$ $-CH-CH_2$
                      isopropyle $||$
                                                 CH_3H

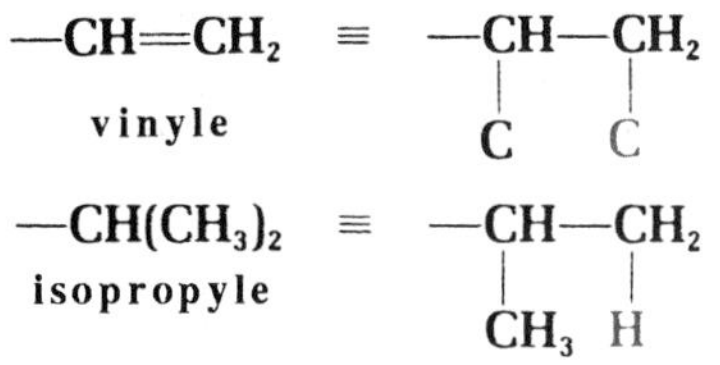

          C'est le groupe vinyle qui a la priorité.

Problème 5.12   **Dans chacun des ensembles suivants, quel est l'ordre de priorité:**
                          a. $-CH_3$, $-C(CH_3)_3$, $-H$, $-OH$
                          b. $-OH$, $-OCH_3$, $-CH_3$, $-CH_2OH$
                          c. $-CN$, $-NHCH_3$, $-CH_2NH_2$, $-OH$
                          d. $-C\equiv CH$, $-CH=CH_2$, $-C_6H_5$, $-CH_2CH_3$

Examinons, par exemple, comment l'application de ces règles à l'acide (–)-lactique (figure 5.10) permet de dire si sa configuration est R ou S.

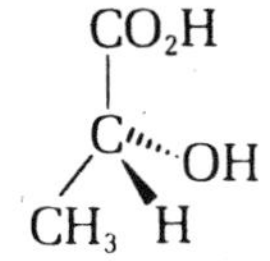

$$CO_2H$$
$$|$$
$$C\cdots OH$$
$$CH_3 \quad H$$

acide (–)-lactique

L'ordre des préséances des quatre groupes attachés au centre chiral est : OH > CO_2H > CH_3 > H. Il faut maintenant regarder la molécule du côté opposé à H, le dernier des quatre. Une manière de le faire est de la tourner de la façon suivante:

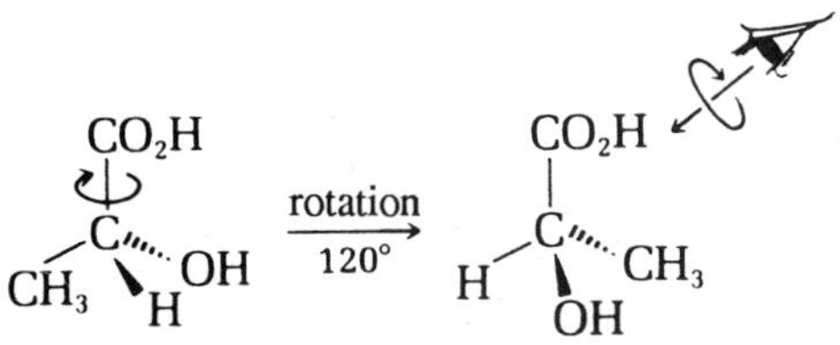

$$CO_2H \qquad\qquad CO_2H$$
$$| \qquad\qquad\qquad |$$
$$C\cdots OH \xrightarrow[120°]{rotation} H\quad C\cdots CH_3$$
$$CH_3 \quad H \qquad\qquad\qquad OH$$

On voit alors que, en partant du premier groupe prioritaire -OH, on suit l'ordre des priorités en allant dans le sens des aiguilles d'une montre. La configuration est donc R et le nom de l'acide s'écrit: acide (R)-$(-)$-lactique.

Exemple de Problème 5.9 **Ecrire la structure spatiale du (R)-2-bromobutane.**

Solution **On écrit d'abord la formule développée plane et l'on précise l'ordre de préséance des quatre atomes ou groupes d'atomes attachés au centre chiral**

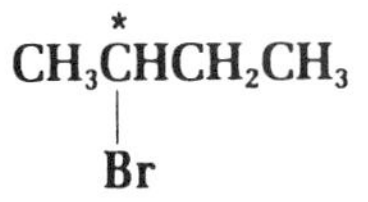

$$\overset{*}{CH_3}CHCH_2CH_3$$
$$\vert$$
$$Br$$

$$Br > CH_3CH_2— > CH_3— > H$$

On écrit ensuite le carbone chiral et l'H (le dernier dans l'ordre de préséance) et, se plaçant de l'autre côté, on écrit les trois autres groupes dans le sens des aiguilles d'une montre. Le (R)-2-bromobutane est alors:

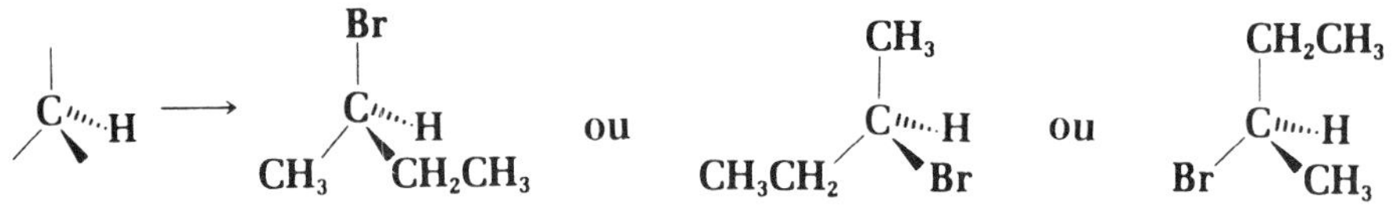

Problème 5.13   **Quelle est la configuration (R ou S) du centre chiral de:**

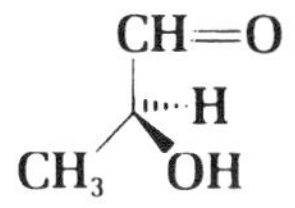

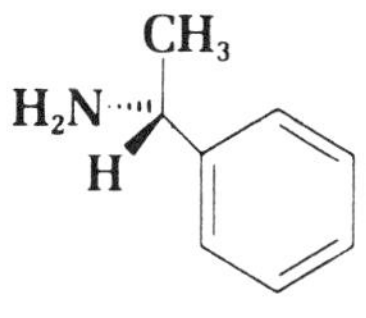

Problème 5.14   **Ecrire la structure du:**
a. (R)-3-méthylhexane   b. (S)-3-méthyl-1-pentène.

Il n'y a aucun rapport entre la configuration (R ou S) d'un composé (qu'on appelle souvent sa **configuration absolue**) et le signe (+ ou −) de son pouvoir rotatoire. On a vu, par exemple, que l'acide (R)-lactique est lévogyre. Par contre, quand on le convertit en son ester méthylique (équation 5.2), la configuration restant inchangée puisque aucune des liaisons du centre chiral n'est mise en jeu dans la réaction, le pouvoir rotatoire devient néanmoins positif.

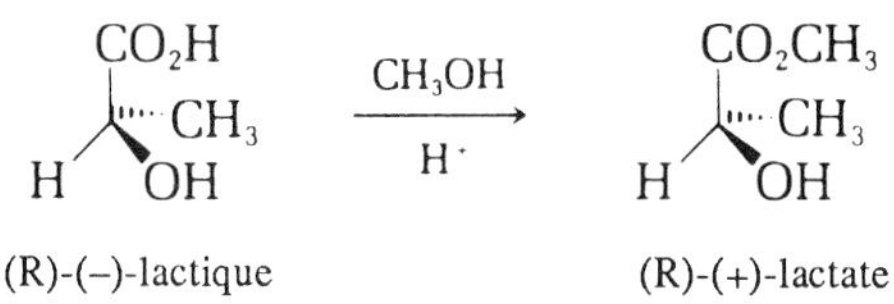

$$(5.2)$$

acide (R)-(−)-lactique   (R)-(+)-lactate de méthyle

5.10 La convention *E–Z* pour les isomères *cis-trans*

Avant de passer à l'étude des molécules plus complexes comportant deux ou plus de deux centres chiraux, examinons brièvement l'extension du système de nomenclature Cahn-Ingold-Prelog aux isomères *cis-trans* (paragraphe 3.5). En effet la nomenclature *cis-trans* est parfois ambiguë, donc insuffisante, comme dans les exemples suivants:

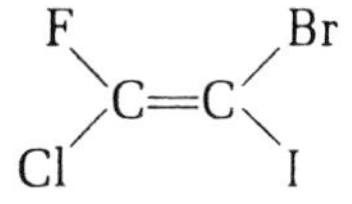

$$\begin{array}{cc} \underset{Cl}{\overset{F}{>}}C=C\underset{I}{\overset{Br}{<}} & \underset{CH_3}{\overset{CH_3CH_2}{>}}C=C\underset{Br}{\overset{Cl}{<}} \end{array}$$

cis ou *trans* 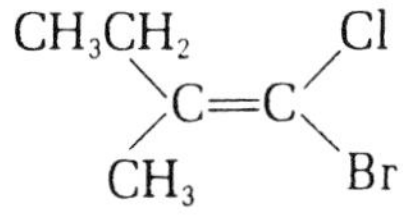 ?   *cis* ou *trans* ?

On a étendu aux isomères éthyléniques le système de nomenclature des centres chiraux qu'on vient d'examiner. On utilise exactement les mêmes règles de préséance concernant les deux atomes ou groupes d'atomes liés à chacun des deux carbones de la double liaison. Quand les groupes qui ont préséance sont situés de part et d'autre de la double liaison, on utilise le préfixe *E* (de l'allemand *entgegen*, opposé). S'ils sont du même côté, c'est le préfixe *Z* qu'on emploie (de l'allemand *zusammen*, ensemble). Exemples (les atomes ou groupes d'atomes qui ont préséance sont en couleur):

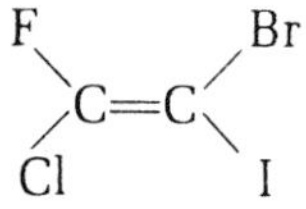

$$\begin{array}{cc} \underset{Cl}{\overset{F}{>}}C=C\underset{I}{\overset{Br}{<}} & \underset{CH_3}{\overset{CH_3CH_2}{>}}C=C\underset{Br}{\overset{Cl}{<}} \end{array}$$

(Z)-1-bromo-2-chloro-   (E)-1-bromo-2-chloro-
2-fluoro-1-iodoéthène   2-fluoro-1-iodoéthène

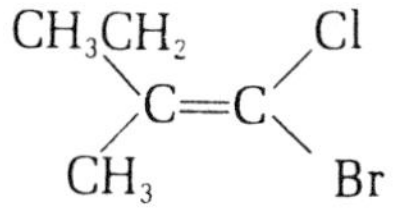

Problème 5.15 **Nommer les composés suivants dans le système *E – Z*:**

a. 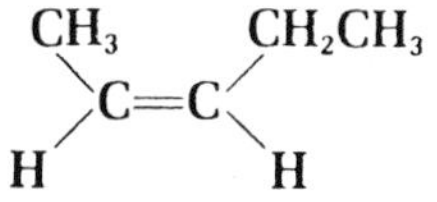 $\underset{H}{\overset{CH_3}{>}}C=C\underset{H}{\overset{CH_2CH_3}{<}}$ b. $\underset{Br}{\overset{Cl}{>}}C=C\underset{F}{\overset{H}{<}}$

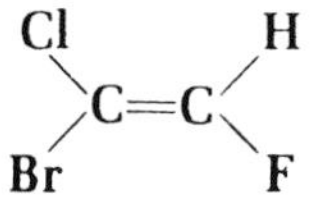

Problème 5.16 **Ecrire la formule développée:**
a. du (*E*)-2-pentène   b. du (*Z*)-1,3-pentadiène.

5.11 Composés ayant plus d'un centre chiral. Diastéréoisomères

Beaucoup de produits naturels ont plus d'un centre chiral; il est donc important de pouvoir en déterminer le nombre d'isomères possibles et de les relier les uns aux autres. Prenons l'exemple, non pas d'un produit naturel, mais d'un composé de structure simple: le 2-bromo-3-chlorobutane:

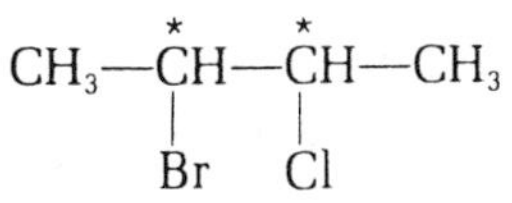

$$CH_3-\overset{*}{C}H-\overset{*}{C}H-CH_3$$
$$\underset{Br}{|}\underset{Cl}{|}$$

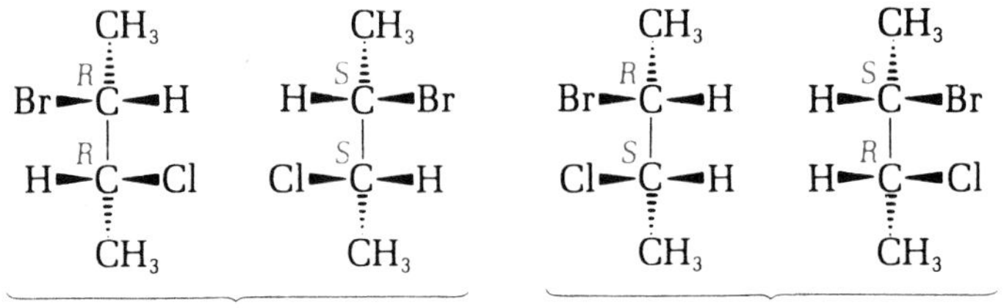

Figure 5.11

Les quatre stéréoisomères d'un composé comportant deux centres chiraux différents, le 2-bromo-3-chlorobutane.

Comme l'indiquent les astérisques, la molécule a deux centres chiraux, chacun d'eux pouvant avoir la configuration R ou S. Il y a donc quatre isomères possibles: RR, SS, RS et SR, la première lettre se rapportant à la configuration du carbone-2 et la deuxième à celle du carbone-3. La figure 5.11 donne une manière, parmi d'autres, de représenter ces quatre isomères. Remarquons qu'il y a deux paires d'énantiomères, les formes (RR) et (SS) étant images l'une de l'autre dans un miroir et non superposables, et qu'il en va de même pour les formes (RS) et (SR).

Mais quelle est la relation, par exemple, entre les formes (RR) et (RS)? Elles ne sont pas images l'une de l'autre dans un miroir, puisqu'elles ont la même configuration en C2 mais des configurations opposées en C3. Pour de telles paires de stéréoisomères on utilise le terme **diastéréoisomères** ou diastéréomères. Des diastéréoisomères sont des stéréoisomères qui ne sont pas images l'un de l'autre dans un miroir.

La différence entre énantiomères et diastéréoisomères est importante. Puisqu'ils sont images l'un de l'autre dans un miroir, les énantiomères ne diffèrent que par leurs propriétés chirales. Et, comme ils ont les mêmes propriétés achirales, telles que point de fusion, point d'ébullition et solubilité dans les solvants ordinaires, ils ne sont pas séparables par les méthodes qui mettent en jeu ces propriétés, comme la recristallisation ou la distillation. Par contre, les diastéréoisomères ne sont pas images l'un de l'autre dans un miroir. Ils diffèrent donc par toutes sortes de propriétés, qu'elles soient chirales ou achirales, telles que point de fusion, point d'ébullition, solubilité et grandeur de leur pouvoir rotatoire. Bref, ils se comportent comme deux substances chimiques différentes et ils sont séparables l'un de l'autre par les moyens classiques comme la distillation et la recristallisation.

Remarquons que les isomères *cis-trans,* stéréoisomères mais non pas images l'un de l'autre dans un miroir, sont en fait des diastéréoisomères. On a d'ailleurs déjà vu (paragraphe 3.5) que ces paires d'isomères ont, en effet, des propriétés achirales différentes, comme les points de fusion et d'ébullition.

Problème 5.17   Que peut-on attendre des pouvoirs rotatoires spécifiques (grandeur et signe) des isomères (RR) et (SS) et des isomères (RR) et (SR) du 2-bromo-3-chlorobutane?

On peut généraliser quant au nombre de stéréoisomères possibles des composés qui comportent un plus grand nombre de centres chiraux. Supposons qu'on ajoute un troisième centre chiral aux composés de la figure 5.11; considérons, par exemple, les 2-bromo-3-chloro-4-iodopentanes. Le nouveau centre chiral ajouté à chacune des quatre structures peut lui aussi avoir la configuration R ou S, le nombre total d'isomères devenant ainsi huit. D'où la règle simple: une molécule ayant n centres chiraux différents peut exister sous 2^n formes stéréoisomères (il y a au maximum $2^n / 2$ paires d'énantiomères).

Problème 5.18   **L'une des formules du glucose est:**

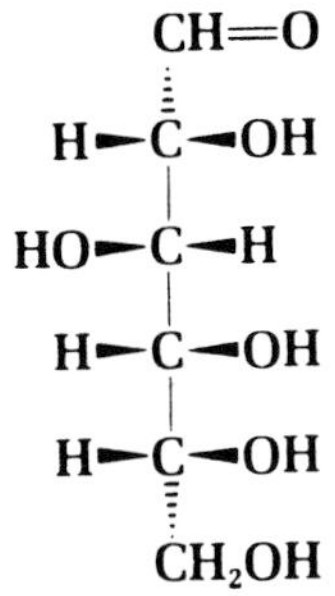

$$CH{=}O$$

H—C—OH

HO—C—H

H—C—OH

H—C—OH

$$CH_2OH$$

glucose

Combien y a-t-il de stéréoisomères possibles de ce sucre?

En réalité, le nombre de stéréoisomères prévus par cette règle est un nombre maximum. Parfois certaines particularités de la structure réduisent ce nombre. Dans le paragraphe suivant on examinera un cas de ce type.

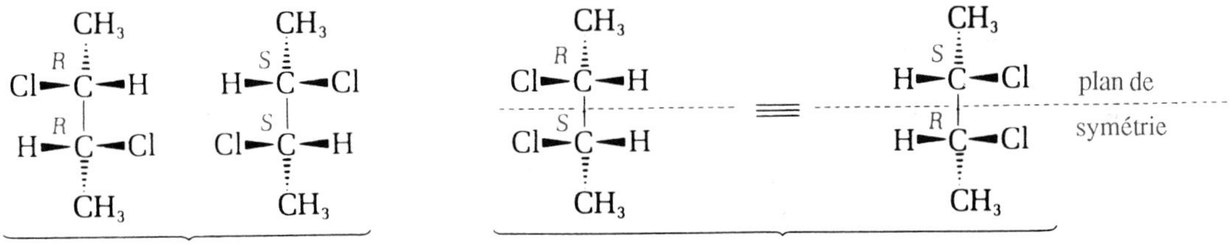

énantiomères (chiraux)   identiques (achiraux)
                                          (c'est la forme *méso*)

Figure 5.12   Les trois stéréoisomères du 2,3-dichlorobutane.

5.12 Composés méso.
Stéréoisomères de l'acide tartrique

Considérons les stéréoisomères du 2,3-dichlorobutane. Comme le 2-bromo-3-chlorobutane qu'on a examiné au prédédent paragraphe, il comporte deux centres chiraux, marqués d'un astérisque:

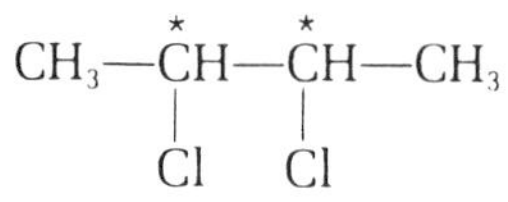

$$CH_3—\overset{*}{C}H—\overset{*}{C}H—CH_3$$
$$\underset{Cl}{|}\qquad\underset{Cl}{|}$$

Comme on l'a fait précédemment (figure 5.11), écrivons les stéréoisomères possibles (voir figure 5.12). Ici aussi, les isomères (*RR*) et (*SS*) constituent une paire d'énantiomères. Ils sont bien images l'un de l'autre, non superposables, dans un miroir. Mais les "deux autres structures" (*RS*) et (*SR*) ne représentent plus cette fois qu'un seul et même composé. On constate, en effet, qu'en faisant tourner l'une d'elles de 180° dans le plan du papier, elles sont alors superposables. Une telle structure a d'ailleurs un plan de symétrie, perpendiculaire au plan du papier, qui bissecte la liaison centrale C—C. C'est pourquoi elle est superposable à son image dans un miroir, comme on vient de le voir, et elle est achirale. On donne le nom de **composé méso** à une telle structure. Le composé *méso*, étant achiral bien qu'ayant plusieurs centres chiraux, est donc optiquement inactif. Le 2,3-dichlorobutane présente une structure *méso* parce que ses deux centres chiraux portent les mêmes quatre atomes ou groupes d'atomes: H–, CH_3–, Cl– et CH_3CHCl–·

L'acide tartrique, dont l'activité optique a fait l'objet des importants travaux de Pasteur (paragraphe 5.6), a aussi deux centres chiraux identiques.

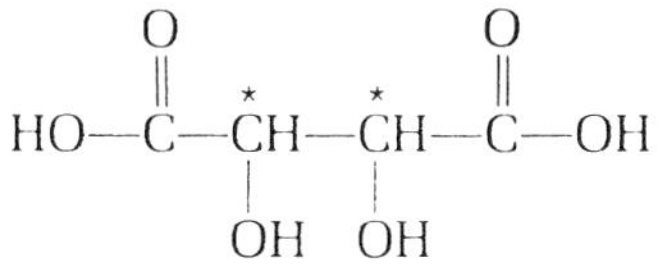

$$HO—\overset{\overset{O}{\|}}{C}—\overset{*}{C}H—\overset{*}{C}H—\overset{\overset{O}{\|}}{C}—OH$$
$$\underset{OH}{|}\quad\underset{OH}{|}$$

acide tartrique

La figure 5.13 rassemble les structures et certaines des propriétés des trois stéréoisomères. Les propriétés des énantiomères sont identiques, mis à part le signe de leur pouvoir rotatoire, tandis que la forme *méso*, diastéréoisomère de chacun des deux énantiomères, est différente en tout.

Près de cent ans après les travaux de Pasteur, il était encore impossible de déterminer la configuration précise d'un énantiomère donné. Plus exactement, tout ce qu'on savait, c'était que l'acide (+)-tartrique avait l'une des deux configurations (*RR*) ou (*SS*) et l'acide (–)-tartrique la configuration opposée.

Figure 5.13
Les stéréoisomères de l'acide tartrique.

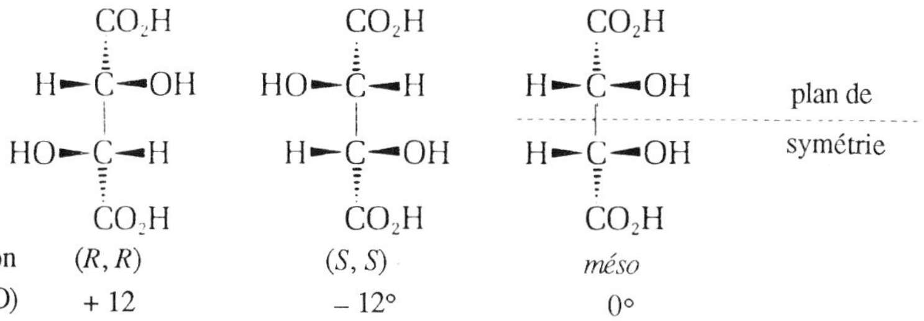

Configuration	(R, R)	(S, S)	méso
$[\alpha]_D^{20°}$ (H_2O)	+ 12	– 12°	0°
Fusion (°C)	170	170	140

En 1951, le Hollandais J.M. Bijvoet résolut le problème au moyen d'une technique particulière aux rayons X. Examinant des cristaux du sel mixte de sodium et de rubidium de l'acide (+)-tartrique, il montra qu'il avait la configuration (*RR*). Or, on avait auparavant établi les **configurations relatives** de nombreuses molécules chirales. Par exemple, on avait converti chimiquement, en plusieurs étapes, l'acide (+)-tartrique en d'autres composés chiraux et de là à d'autres encore. C'est ainsi qu'il est devenu possible de connaître, de proche en proche, les **configurations absolues** de nombreuses paires d'énantiomères.

Exemple de Problème 5.10 Ecrire tous les stéréoisomères du 1,2-diméthylcyclobutane.

Solution Les carbones qui portent les méthyles sont chiraux. Ces méthyles peuvent être *cis* ou *trans*. L'isomère *cis* a un plan de symétrie, perpendiculaire au plan du cycle, qui bissecte la liaison C1—C2; il s'agit donc d'une forme achirale *méso*. Par contre, l'isomère *trans* n'a pas de plan de symétrie et il existe sous les deux formes chirales d'une paire d'énantiomères.

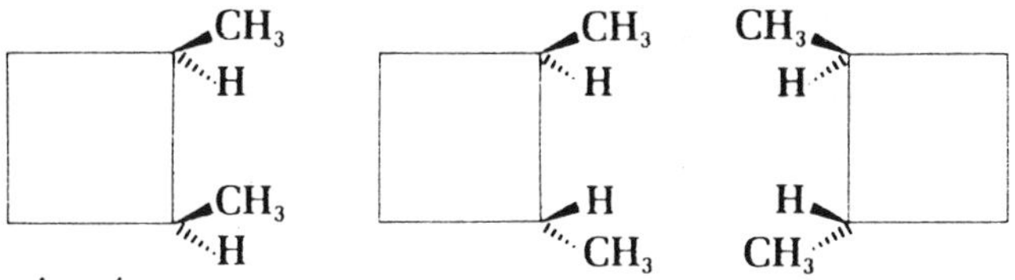

cis, méso
(achiral)
(*R,R*) (*S,S*)
paire d'énantiomères (chiraux)

Problème 5.19 Ecrire les stéréoisomères du 1,3-diméthylcyclopentane. (Il faut noter qu'une molécule peut avoir une forme *méso*, même si ses centres chiraux ne sont pas adjacents.)

5.13 Stéréochimie. Récapitulation de définitions

Le lecteur connaît maintenant trois modes de classification des stéréoisomères. Ils peuvent être soit des isomères conformationnels, soit des isomères configurationnels; chacun d'eux peut être soit chiral, soit achiral; ils peuvent être des énantiomères ou des diastéréoisomères. A toute paire de stéréoisomères on peut appliquer l'un ou l'autre de ces qualificatifs.
Exemples:
1. Les *cis* – et *trans* –2–butènes

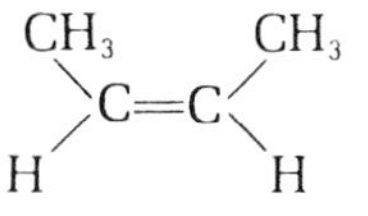

et

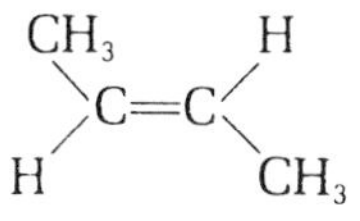

Ce sont des isomères configurationnels (ils ne sont pas interconvertibles par rotation autour de liaisons simples), achiraux (ils sont superposables à leur image dans un miroir), diastéréoisomères (ils ne sont pas images l'un de l'autre dans un miroir).

2. Les formes décalée et éclipsée de l'éthane

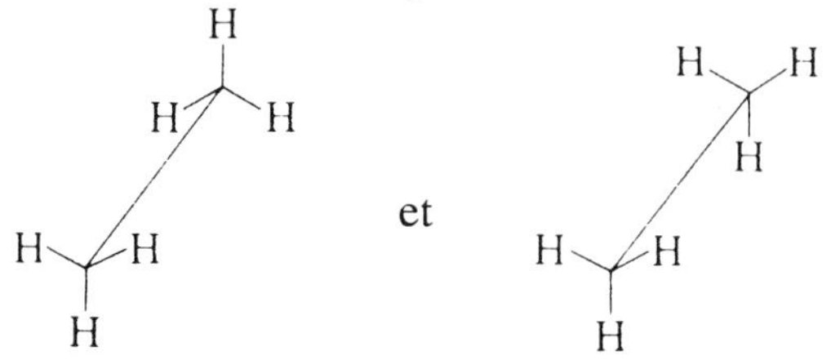

et

Ce sont des isomères conformationnels, achiraux, diastéréoisomères.

3. Les acides (R)- et (S)-lactiques

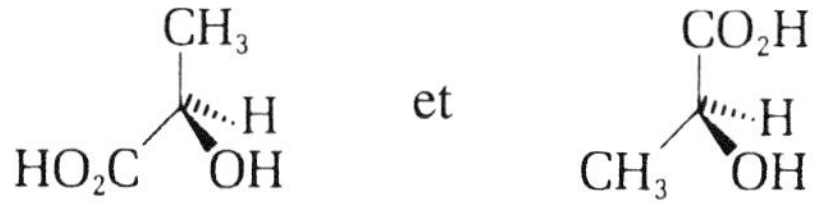

et

Ce sont des isomères configurationnels, chiraux, énantiomères.

4. Les acides *méso*- et (R,R)-tartriques

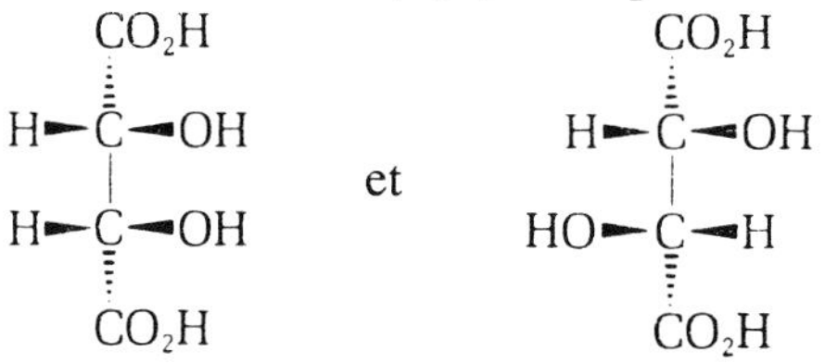

et

Ce sont des isomères configurationnels et des diastéréoisomères, l'un est achiral, l'autre chiral.

Des énantiomères, tels que les acides (R)- et (S)-lactiques, ne diffèrent que par leurs propriétés chirales. Ils ne sont donc pas séparables par les méthodes achirales ordinaires comme la distillation ou la recristallisation. Les diastéréoisomères diffèrent par toutes leurs propriétés, chirales ou achirales. S'ils sont aussi des isomères configurationnels, comme les *cis*- et *trans*-2-butènes ou comme les acides *méso*- ou (R,R)-tartriques, ils sont séparables par les méthodes achirales ordinaires telles que la distillation ou la recristallisation. Par contre, s'ils sont des isomères conformationnels, comme l'éthane décalé et l'éthane éclipsé, ils peuvent s'interconvertir si aisément qu'ils ne sont pas alors séparables.

Problème 5.20   **Ecrire les stéréoisomères du 1,3–diméthylcyclobutane et les classer comme ci-dessus.**

5.14 Dédoublement des racémiques

Dans la plupart des réactions chimiques, qu'elles soient conduites au laboratoire ou dans l'industrie, les produits formés, qui comportent un centre chiral, sont constitués d'un mélange 50:50 d'énantiomères, c'est-à-dire d'un mélange racémique. Considérons, par exemple, l'addition de HBr au 1-butène en accord avec la règle de Markovnikov:

$$CH_3CH_2CH=CH_2 + HBr \rightarrow CH_3CH_2\overset{*}{C}HCH_3 \qquad (5.3)$$
$$| $$
$$Br$$

1-butène   2-bromobutane

Le produit a un centre chiral, marqué d'un astérisque. Mais les deux énantiomères sont formés en quantités rigoureusement égales. En effet, si l'on considère le mécanisme réactionnel (paragraphe 3.13):

$$CH_3CH_2CH=CH_2 + H^- \rightarrow CH_3CH_2\overset{+}{C}HCH_3 \xrightarrow{Br^-} CH_3CH_2CHCH_3$$

cation 2-butyle

$$| $$
$$Br \qquad (5.4)$$

à savoir la formation du carbocation intermédiaire 2-butyle qui est plan, et l'attaque de ce dernier par l'ion bromure, celle-ci peut se faire soit par le dessus, soit par le dessous, avec exactement la même probabilité:

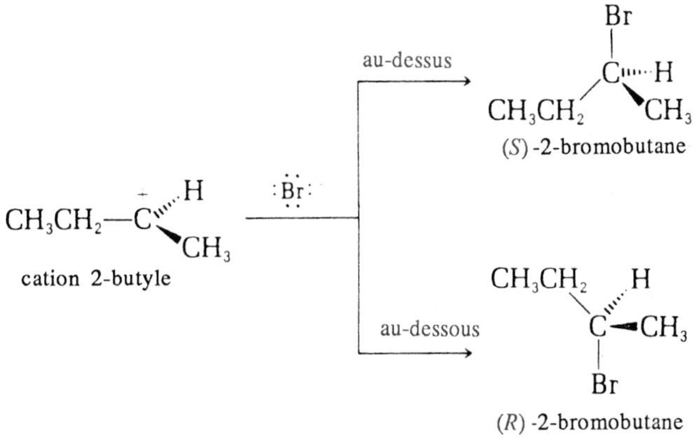

(5.5)

Le produit est donc un **racémique**, c'est-à-dire le mélange optiquement inactif de deux énantiomères.

Problème 5.21   **Montrer que la chloration radicalaire du butane en C2 donnera un mélange 50:50 des deux 2-chlorobutanes énantiomères.**

Les produits de la plupart des réactions chimiques sont des racémiques. Le **dédoublement d'un racémique** est la séparation de l'énantiomère droit de l'énantiomère gauche. Comment alors séparer les deux constituants d'un racémique, sachant que deux énantiomères ont mêmes propriétés achirales?

On peut le faire en mettant le racémique en réaction avec un réactif chiral. En effet, le produit est alors une paire de diastéréoisomères, lesquels, différant dans toutes leurs propriétés, chirales et achirales, sont alors séparables par les méthodes ordinaires. On a l'équation générale suivante:

$$\begin{Bmatrix} R \\ S \end{Bmatrix} + R \longrightarrow \begin{Bmatrix} R-R \\ S-R \end{Bmatrix} \qquad (5.6)$$

paire d'énantiomères   réactif   diastéréoisomères
(inséparables)   chiral   (séparables)

Après séparation des diastéréoisomères, on soumet chacun d'eux à une réaction qui régénère le réactif chiral et les énantiomères maintenant séparés:

$$R\!-\!R \;\to\; R \;+\; R$$

et　　　　　　　　　　　　　　　　　　　　　　　　　　　　　　(5.7)

$$S\!-\!R \;\to\; S \;+\; R$$

Louis Pasteur est le premier qui, dans l'histoire de la chimie, dédoubla un mélange racémique quand il sépara les sels doubles d'ammonium et de sodium des acides (+)- et (−)-tartriques. Dans un sens, il était un réactif chiral puisqu'il pouvait distinguer les cristaux droits des cristaux gauches. On verra dans le chapitre 12 un exemple spécifique de la technique chimique en ce domaine.

Le principe sur lequel s'appuie le dédoublement des racémiques est le même que celui de la spécificité de la plupart des réactions biologiques, dans lesquelles un réactif chiral (un enzyme dans les cellules, par exemple) peut faire la distinction entre deux énantiomères, parce que les deux produits possibles d'une telle interaction sont des diastéréoisomères.

Résumé du chapitre

Les stéréoisomères ont les mêmes connexités de leurs atomes mais des dispositions différentes de ces atomes dans l'espace. Un stéréoisomère peut être chiral ou achiral. Il est chiral s'il n'est pas identique ou superposable à son image dans un miroir; il est achiral si la molécule et son image dans un miroir sont identiques. Deux molécules images l'une de l'autre dans un miroir constituent une paire d'énantiomères. Toute molécule ayant un plan de symétrie est achirale.

Les molécules chirales sont optiquement actives; autrement dit, elles sont douées du pouvoir rotatoire: elles font tourner le plan de polarisation de la lumière polarisée. Elles sont dextrogyres (+) ou lévogyres (−) selon qu'elles le font dans le sens des aiguilles d'une montre ou dans le sens inverse. On mesure le pouvoir rotatoire avec un polarimètre et l'on définit le pouvoir rotatoire spécifique $[\alpha]$

$$[\alpha]_{\lambda}^{t} \;=\; \frac{\alpha}{l \times c}$$

où α est la rotation observée, l est la longueur, en décimètres, du tube à échantillons, c est la concentration de l'échantillon en grammes par millilitre et t est la température, λ la longueur d'onde de la lumière polarisée. Les molécules achirales sont optiquement inactives.

Pasteur montra que l'activité optique est liée à ce qu'on appelle maintenant la chiralité. Plus tard, Le Bel et Van't Hoff émirent l'hypothèse que les quatre valences du carbone sont dirigées vers les sommets d'un tétraèdre. Si les quatre groupes sont différents, il y a deux arrangements possibles, comme un objet et son image non superposable dans un miroir. Un tel carbone est un centre chiral et les deux arrangements sont énantiomères. Ces molécules ne diffèrent que par leurs propriétés chirales, telles que le sens de la rotation qu'elles font subir au plan de la lumière polarisée. Elles ont des propriétés achirales telles que F et Eb.

La configuration se rapporte à la disposition des groupes attachés à un centre chiral. Les énantiomères ont des configurations opposées. La convention R/S permet de désigner les configurations. On donne un ordre de priorité aux groupes attachés au centre chiral, qui est celui des numéros atomiques décroissants, et l'on regarde la molécule du côté opposé au dernier groupe. La configuration du centre est dite R si les trois autres groupes, dans l'ordre des priorités décroissant, sont lus dans le sens des aiguilles d'une montre. Elle est dite S si ces trois groupes sont lus dans le sens inverse. On a appliqué une convention analogue (*E/Z*) aux isomères *cis/trans*.

Les diastéréoisomères sont des stéréoisomères qui ne sont pas images l'un de l'autre dans un miroir. Ils peuvent différer dans tous les types de propriétés, chirales et achirales.

Les composés qui comportent n centres chiraux différents peuvent exister sous 2^n formes au maximum, lesquelles sont constituées de $2^n/2$ paires d'énantiomères. Des stéréoisomères appartenant à différentes paires d'énantiomères sont des diastéréoisomères. Si deux ou plus de deux centres chiraux sont identiques, certains isomères sont identiques. Une forme *méso* est une forme optiquement inactive, achirale, d'un composé qui a des centres chiraux. L'acide tartrique, qui a deux centres chiraux identiques, existe sous trois formes : *R,R* et *S,S* (une paire d'énantiomères) et une forme achirale *méso*.

Un racémique est un mélange 50:50 de deux énantiomères. Il est optiquement inactif. On ne peut séparer ses deux énantiomères par les moyens classiques chimiques, tels que la distillation, la cristallisation, la chromatographie (sauf, dans ce dernier cas, si c'est sur une substance chirale). Mais on peut le faire en convertissant les deux énantiomères en diastéréoisomères par réaction avec un réactif chiral, séparation de ces diastéréoisomères, puis régénération des énantiomères (alors séparés) et du réactif chiral.

PROBLEMES SUPPLEMENTAIRES

5.22 Définir:

a. la molécule chirale   b. les énantiomères
c. la lumière polarisée   d. le pouvoir rotatoire spécifique
e. le centre chiral   f. le plan de symétrie
g. le racémique   h. les diastéréoisomères
i. le composé *méso*   j. le dédoublement des racémiques

5.23 Comment peut-on dire qu'un composé peut exister sous des formes énantiomères?

5.24 Lesquelles des substances suivantes peuvent-elles exister sous des formes optiquement actives?

a. 2,2-dibromopropane   b. 1,2-dibromopropane
c. 3-éthylhexane   d. 2,3-diméthylhexane
e. méthylcyclopentane   f. 1-deutérioéthanol (CH_3CHDOH)

5.25 Avec un astérisque, préciser la position des centres chiraux des composés suivants:

a. $C_6H_5CH(OH)CO_2H$ b. $CH_2(OH)CH(OH)CH(OH)CHO$

c. —$CH(OH)CH_3$ d. $CH_3CHClCCl_3$

e. CH_3——CH_3 f. —$CH(OH)CH_3$

5.26 Qu'arrive-t-il au pouvoir rotatoire mesuré d'une solution aqueuse de sucre:
a. si on double la concentration?
b. si on double la longueur du tube à échantillon?
Qu'arrive-t-il au pouvoir rotatoire spécifique dans les mêmes conditions?

5.27 Le pouvoir rotatoire d'une solution donnée est de + 30°. Comment savoir s'il s'agit de +30° ou de − 330°?

5.28 Ecrire la formule développée d'un composé optiquement actif, de formule brute:
a. $C_4H_{10}O$ **b.** $C_5H_{11}Br$ **c.** $C_4H_8(OH)_2$ **d.** C_6H_{12}

5.29 Ecrire la formule développée d'un chlorure d'alkyle non saturé C_5H_9Cl

a. qui ne présente ni l'isomérie *cis-trans* ni l'isomérie optique
b. qui présente l'isomérie *cis-trans* mais pas l'isomérie optique
c. qui présente l'isomérie optique, mais pas l'isomérie *cis- trans*
d. qui présente à la fois l'isomérie *cis-trans* et l'isomérie optique

5.30 Placer les atomes ou groupes d'atomes suivants dans l'ordre des préséances selon la convention *R—S*:
a. CH_3-, $H-$, $HO-$, CH_3CH_2-
b. $H-$, CH_3-, C_6H_5-, $Cl-$
c. CH_3-, $HO-$, $-CH_2Cl$, $-CH_2OH$
d. CH_3CH_2-, $CH_3CH_2CH_2-$, $CH_2{=}CH-$, $-CH{=}O$

5.31 En supposant que les quatre atomes ou groupes d'atomes de chacune des quatre molécules du problème 5.29 soient liés à un atome de carbone, écrire la formule tridimensionnelle de la configuration *R* de ces molécules.

5.32 Les centres chiraux des structures suivantes marqués d'un astérisque ont-ils la configuration *R* ou *S* ?

| (−)-menthone | (−)-sérine | (−)-épinéphrine |
| (de l'essence de menthe poivrée) | (amino-acide de protéines) | (ou adrénaline) |

5.33 Déterminer la configuration *R* ou *S* de la (+)-carvone présente dans les graines de carvi (pour la structure, voir p.165).

5.34 Nommer les composés suivants dans la convention *E—Z*.

a.   b.   c.   d.

5.35 Le 4-bromo-2-pentène a une double liaison qui peut avoir la configuration *E* ou *Z* et un centre chiral dont la configuration peut être *R* ou *S*. Combien de stéréoisomères peuvent-ils exister? Les écrire et grouper les énantiomères par paires.

5.36 Combien de stéréoisomères peuvent présenter chacune des structures suivantes? Les écrire et les nommer dans les conventions *R—S* et *E—Z*.
a. 3-méthyl-1,4-pentadiène **b.** 3-méthyl-1,4-hexadiène
c. 2-bromo-5-chloro-3-hexène **d.** 2,5-dibromo-3-hexène

5.37 Deux configurations possibles d'une molécule ayant trois centres chiraux différents sont *R—R—R* et son image dans un miroir *S—S—S*. Quelles sont les autres possibilités? Refaire le problème avec une molécule ayant quatre centres chiraux différents.

5.38 Par chloration du 2-chlorobutane racémique, on obtient du 2,3-dichlorobutane, constitué de 71 % de l'isomère *méso* et 29 % du racémique et non pas le mélange 50:50. Pourquoi?

5.39 A 20°, la solubilité dans l'eau de l'acide (+)-tartrique est de 139 g et celle de l'acide *méso*-tartrique de 125 g pour 100 ml. Quelle doit être la solubilité de l'acide (−)-tartrique?

5.40 Voici les projections de Newman des trois acides tartriques (*RR*), (*SS*) et *méso*. Attribuer à chacune des trois sa configuration.

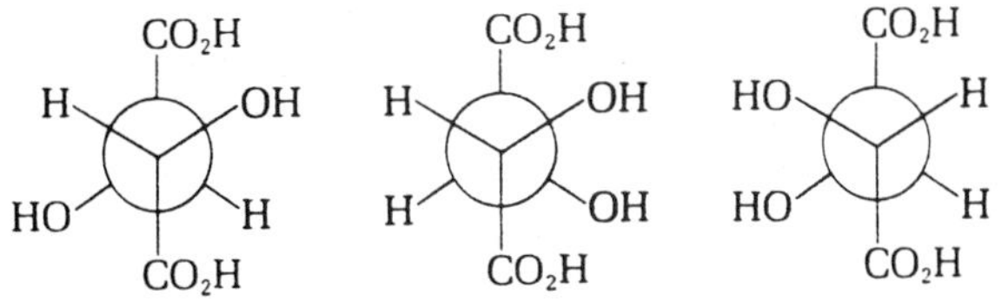

5.41 Ecrire la perspective cavalière et la projection de Newman de l'acide *méso*-tartrique dans la conformation de la figure 5.13. Les liaisons aux centres chiraux sont-elles décalées ou éclipsées?

5.42 On peut aussi écrire l'acide méso-tartrique

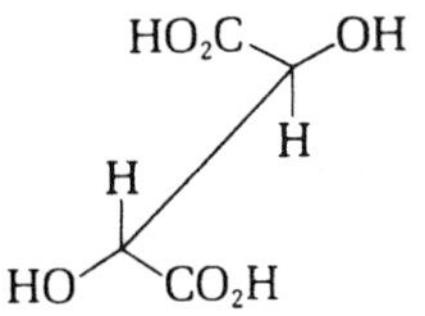

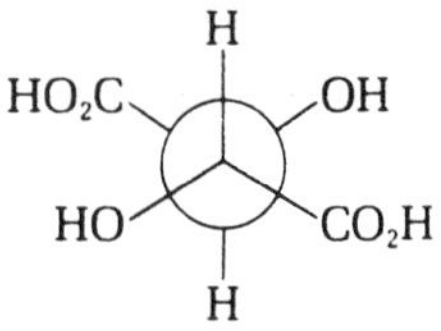

Ces conformations ont-elles un plan de symétrie? Sont-elles chirales ou achirales?

5.43 Deux structures isomères possibles du 1,2-dichloréthane sont:

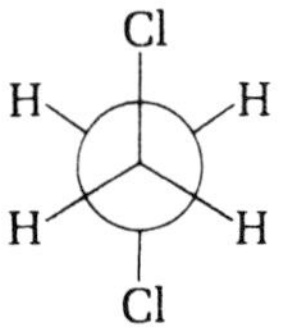

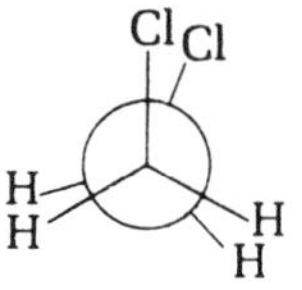

Les classer comme on l'a fait paragraphe 5.13.

5.44 Deux structures isomères possibles du 1,2-dichloréthane sont:

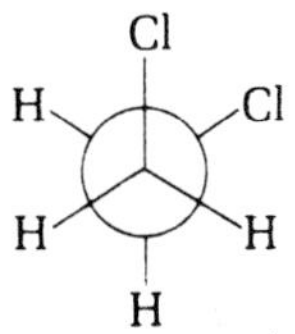

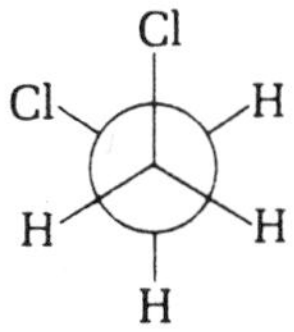

Les classer comme dans le problème 5.43.

5.45 La formule de la muscarine, constituant toxique de champignons vénéneux, est:

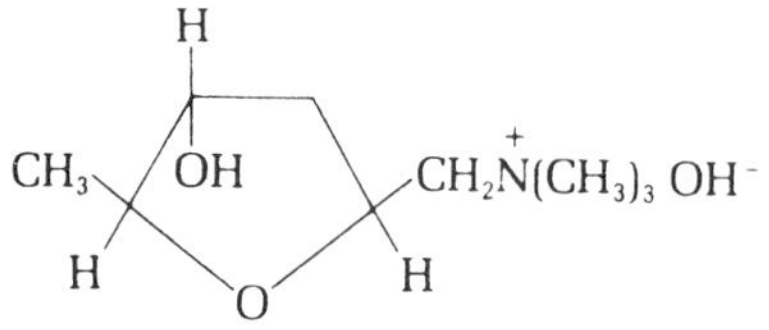

Est-elle chirale? Combien y a t-il d'isomères possibles? [Sur un meurtre mystérieux, dont la solution dépend de la distinction entre les formes optiquement active et racémique de ce poison, voir entre autres H. Hart, "Accident, Suicide or Murder? A Question of Stereochemistry", *J. Chem. Educ.*, **52**, 444 (1975)]

5.46 L'antibiotique qu'est le **chloramphénicol** a la formule

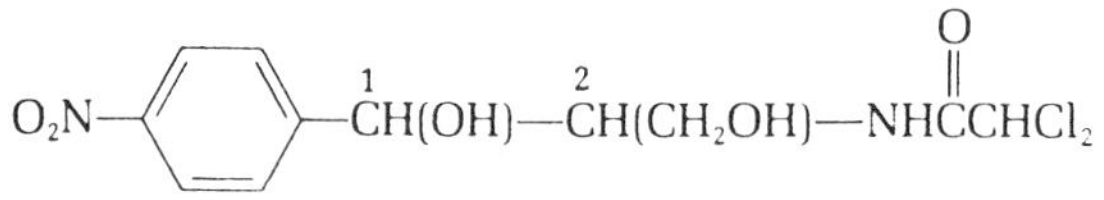

Le stéréoisomère (*RR*) est l'antibiotique le plus actif, beaucoup plus que son diastéréoisomère dont la configuration en C2 est *S*, tandis que leurs énantiomères sont totalement inactifs. Ecrire ces quatre structures.

5.47 Les réactions entre composés achiraux donnant toujours des produits achiraux ou racémiques, imaginer comment a pu être produite la première molécule chirale.

(Pour une brève mais intéressante discussion concernant quelques théories sur l'origine de l'activité optique et l'importance de la stéréochimie dans le monde biologique, voir G. Natta et M. Farina, *Stereochemistry*, New York, Harper & Row, 1972.)

CHAPITRE 6

COMPOSES ORGANIQUES HALOGENES. REACTIONS DE SUBSTITUTION ET D'ELIMINATION. COMPOSES ORGANO-METALLIQUES

6.1 Introduction

On a récemment isolé, d'éponges, de mollusques et d'autres créatures marines, des produits naturels comportant du chlore et d'autres comportant du brome. Ces exceptions mises à part, on peut dire que tous les composés organiques halogénés sont des créations de laboratoire. On passera en revue au paragraphe 6.12 leurs divers modes de préparation.

Leur importance est multiple. D'abord, les halogénures d'alkyle (RX) et d'aryle (ArX), notamment les bromures et les chlorures, apparaissent comme les "chevaux de labour" de la synthèse organique. Par des réactions de substitution, qu'on examinera dans ce chapitre, on peut remplacer l'halogène de ces halogénures par de nombreux groupes fonctionnels et, par des réactions d'élimination, on peut les convertir en composés non saturés. Enfin, beaucoup de composés halogénés sont utilisés tels quels, par exemple comme insecticides, herbicides, ignifuges, solvants de nettoyage et de réfrigération. Ce sont tous ces aspects de la chimie des composés halogénés qui font l'objet de ce chapitre.

6.2 Substitution nucléophile

Le bromure d'éthyle réagit avec l'ion hydroxyde pour donner l'alcool éthylique et l'ion bromure.

$$^-OH + CH_3CH_2 - Br \xrightarrow{H_2O} CH_3CH_2 - OH + Br^-$$

bromure d'éthyle   alcool éthylique

(6.1)

C'est la **réaction de substitution nucléophile** typique. L'ion hydroxyde est le **nucléophile** (Nu :). Il réagit avec le **substrat** (le bromure d'éthyle) chez lequel il remplace l'ion bromure. Dans une telle réaction, ce dernier est appelé le nucléofuge ou, bien que monoatomique dans le cas présent, **groupe partant** (: L) (de "leaving group"). Dans ce type de réaction, une liaison covalente est rompue, ici une liaison carbone-brome, et une autre est formée, ici une liaison carbone-oxygène Le groupe partant (l'ion bromure) emporte avec lui les deux électrons de la liaison C—Br, tandis que le nucléophile fournit les deux électrons de la nouvelle liaison C—O.

L'équation générale suivante résume la réaction de substitution nucléophile.

$$Nu: \quad + \quad R:L \quad \rightarrow \quad R:Nu \quad + \quad :L^-$$

| nucléophile | substrat | produit | groupe |
| (neutre) | | | partant |

(6.2)

ou

$$Nu:^- \quad + \quad R:L \rightarrow R:Nu \quad + \quad :L^-$$

(anion)

On a déjà vu (paragraphe 1.23) que le nucléophile, qui peut être neutre ou négatif, est un réactif qui apporte une paire d'électrons pour créer une liaison covalente avec un atome de carbone.

En principe, toute réaction du type 6.2 est évidemment réversible, car le groupe partant : L, ayant une paire d'électrons libres susceptible de former une liaison covalente, est aussi un nucléophile. On peut orienter la réaction de plusieurs façons dans le sens indiqué ; par exemple, en utilisant un nucléophile Nu : plus fort que le groupe partant : L ou en déplaçant l'équilibre, soit par l'emploi d'un grand excès de l'un des réactants, soit par élimination de l'un des produits au fur et à mesure de sa formation.

6.3 Exemples de substitutions nucléophiles

On peut classer les nucléophiles selon le type d'atome qui donne lieu à la formation de la nouvelle liaison covalente. Par exemple, l'ion hydroxyde de l'équation 6.1 est un nucléophile oxygéné et, dans le produit, une nouvelle liaison carbone-oxygène est formée. Les nucléophiles les plus courants sont les nucléophiles oxygénés, azotés, soufrés ou carbonés et les halogènes (voir table 6.1). Les exemples 15 et 16 de la table sont particulièrement importants parce qu'il s'agit de réactions dans lesquelles sont formées des liaisons carbone-carbone et qu'on utilise fréquemment pour construire les squelettes carbonés.

Exemple de Problème 6.1   A l'aide la table 6.1, écrire l'équation de la réaction du méthanolate de sodium avec le bromure d'éthyle.

Solution   Le méthanolate de sodium étant le dérivé alcalin de l'alcool méthylique (revoir l'équation 1.7), l'équation est :

$$CH_3O^- Na^+ \quad + \quad CH_3CH_2Br \quad \rightarrow \quad CH_3OCH_2CH_3 \quad + \quad Na^+Br^-$$

Le produit est un éther.

Table 6.1 Réactions des nucléophiles courants avec les halogénures d'alkyle* ; $Nu: + R - X \rightarrow R - \overset{+}{N}u + X^-$

Formule de Nu	Nom	Formule de R-Nu	Nom de R-Nu	Commentaire
Nucléophiles oxygénés				
1. $H\ddot{O}:^-$	hydroxyde	$R - H$	alcool	
2. $R\ddot{O}:^-$	alcoolate	$R - OR$	éther	
3. $H\ddot{O}H$	eau	$R - \overset{+}{\underset{}{O}}\big\langle{}^H_H$	ion alkyloxonium	Ces ions perdent facilement un proton.
4. $R\ddot{O}H$	alcool	$R - \overset{+}{\underset{}{O}}\big\langle{}^R_H$	ion dialkyloxonium	
5. $R\ddot{O}R$	éther	$R - \overset{+}{\underset{}{O}}\big\langle{}^R_R$	ion trialkyloxonium	
6. $R - C \big\langle{}^O_{\ddot{O}:^-}$	carboxylate	$R - O\overset{O}{\overset{\|}{C}} - R$	ester	
Nucléophiles azotés				
7. $\dot{N}H_3$	ammoniac	$R - \overset{+}{N}H_3$	ion alkylammonium	Avec une base, ces ions perdent facilement un proton en donnant des amines.
8. $R\dot{N}H_2$	amine 1^{aire}	$R - \overset{+}{N}H_2R$	ion dialkylammonium	
9. $R_2\dot{N}H$	amine 2^{aire}	$R - \overset{+}{N}HR_2$	ion trialkylammonium	
10. $R_3\dot{N}$	amine 3^{aire}	$R - \overset{+}{N}R_3$	ion tétraalkylammonium	
Nucléophiles sulfurés				
11. $H\ddot{S}:^-$	ion hydro-sulfure	$R - SH$	thiol	
12. $R\ddot{S}:^-$	ion sulfure	$R - SR$	thioéther (sulfure)	
13. $R_2\ddot{S}:$	thioéther	$R - \overset{+}{\underset{..}{S}}R_2$	ion trialkylsulfonium	
Nucléophiles halogénés				
14. $:\ddot{I}:^-$	iodure	$R - I$	iodure d'alkyle	Le solvant usuel de la réaction est l'acétone, qui solubilise NaI, mais non pas NaBr ni NaCl.
Nucléophiles carbonés				
15. $^-:C \equiv N:$	cyanure	$R - CN$	nitrile	L'isonitrile RNC est parfois formé.
16. $^-:C \equiv CR$	acétylure	$R - C \equiv CR$	acétylénique	

* Ordinairement, les halogénures d'aryle et de vinyle ne subissent pas ces réactions de substitution nucléophile.

Exemple de problème 6.2   Compléter l'équation suivante:

$$NH_3 + CH_3CH_2Br \rightarrow$$

Solution   L'ammoniac est un nucléophile azoté, l'atome d'azote portant une paire d'électrons libres.

$$\overset{..}{N}H_3 + CH_3CH_2{-}Br \longrightarrow CH_3CH_2{-}\overset{+}{N}H_3 + :\overset{..}{\underset{..}{Br}}:{}^{-}$$

Dans le produit l'azote porte une charge positive.

Exemple de problème 6.3   Imaginer une synthèse du cyanure de *n*-propyle par une réaction de substitution nucléophile.

Solution   On écrit d'abord le produit désiré : $CH_3CH_2CH_2 {-} CN$

Si on utilise l'ion cyanure comme nucléophile, par exemple le cyanure de sodium ou de potassium, l'halogénure d'alkyle doit avoir son halogène lié à un groupe *n*-propyle. L'équation est

$$CN^- + CH_3CH_2CH_2Br \rightarrow CH_3CH_2CH_2CN + Br^-$$

Problème 6.1   A l'aide de la table 6.1 , écrire l'équation de chacune des réactions de substitution nucléophile suivantes :
a. $NaOH + CH_3CH_2CH_2Br$
b. $(CH_3CH_2)_3N + CH_3CH_2Br$

c. $KCN + $ $ {-}CH_2Br$

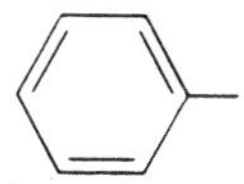

Problème 6.2   Ecrire l'équation de la préparation de chacun des composés suivants utilisant une réaction de substitution nucléophile. Désigner dans chaque cas le nucléophile, le substrat et le groupe partant.
a. $CH_3CH_2CH_2CH_2SH$ b. $(CH_3)_2CHCH_2OH$
c. $(CH_3CH_2CH_2)_2NH$ d. $(CH_3CH_2)_3S^+Br^-$

     Toutes les réactions rassemblées dans la Table 6.1 sont utilisées en synthèse organique et donnent les produits R—Nu. La plupart sont classiques, mais certaines nécessitent quelques explications qui feront l'objet des prochains paragraphes.

     La réaction 2. de la table 6.1 est la seconde étape de la synthèse dite de Williamson, une méthode générale de **préparation des éthers**. Dans la première étape, un alcool est traité par le sodium métal pour produire l'alcoolate.

$$R{-}OH + Na \rightarrow RO^-Na^+ + 1/2\ H_2 \qquad (6.3)$$
$$\underset{\text{alcool}}{} \qquad\qquad \underset{\substack{\text{alcoolate} \\ \text{de sodium}}}{}$$

On ajoute alors l'halogénure d'alkyle et on chauffe le mélange pour produire l'éther.

$$R'{-}X + RO^-Na^+ \rightarrow R{-}O{-}R' + Na^+X^- \qquad (6.4)$$
$$\underset{\text{éther}}{}$$

R et R' pouvant être de structures très différentes, il s'agit d'un mode de synthèse général. La réaction marche bien quand R' est un groupe primaire ou secondaire, mais non pas tertiaire. La structure de R n'est pas sujette à une telle limitation.

Les réactions 7-9 de la table 6.1 constituent d'excellentes voies de **synthèse des amines**, les plus importantes des bases organiques que l'on examinera en détail au chapitre 12. L'ammoniac réagit avec les halogénures d'alkyle pour donner des amines, selon un processus en deux stades. Le premier est une réaction de substitution nucléophile :

$$H_3N: \; + \; R-X \rightarrow R-\overset{+}{N}H_3 \; + \; X \qquad (6.5)$$

halogénure
d'alkylammonium

On utilise un excès d'ammoniac, lequel agit comme base dans le deuxième stade en enlevant un proton à l'ion alkylammonium, formant ainsi l'amine.

$$(6.6)$$

ion alkylammonium   amine

Comme dans le cas de la synthèse des éthers de Williamson, la substitution nucléophile ne marche bien que si le groupe R de RX est primaire ou secondaire. On peut rassembler les équations 6.5 et 6.6 en une seule réaction globale :

$$2\,\overset{..}{N}H_3 \; + \; R-X \rightarrow R\overset{..}{N}H_2 \; + \; NH_4{}^+X^- \qquad (6.7)$$

ammoniac   halogénure   amine
          d'alkyle   1aire

La réaction 16 de la table 6.1 est la seconde étape d'un important mode de **synthèse des alcynes**. La première étape est le remplacement de l'hydrogène acide (faible) de la triple liaison par du sodium (voir paragraphe 3.25).

$$R-C\equiv C-H + Na^+NH_2{}^- \xrightarrow[\text{liquide}]{NH_3} R-C\equiv C:^-Na^+ + NH_3 \qquad (6.8)$$

Le composé organosodique résultant peut réagir avec un halogénure d'alkyle selon une substitution nucléophile.

$$R-C\equiv C:^-Na^+ + R'-X \rightarrow R-C\equiv C-R' + Na^+X^- \qquad (6.9)$$

L'hydrogène acétylénique est ainsi remplacé par un groupe alkyle. Une fois de plus, la réaction ne marche bien que si R' est un groupe primaire ou secondaire.

Les réactions de substitution de la table 6.1 sont, en effet, limitées notamment à certaines sructures du groupe R de l'halogénure RX. Par exemple, quand le nucléophile est soit un anion, soit une base, soit l'un et l'autre, la réaction marche bien quand R est primaire, mais elle marche mal quand R est tertiaire.

$$CN^- + CH_3CH_2CH_2CH_2Br \longrightarrow CH_3CH_2CH_2CH_2CN + Br^- \qquad \textbf{(6.10)}$$

mais

$$CN^{-} + (CH_3)_3CBr \longrightarrow (CH_3)_2C{=}CH_2 + HCN + Br^- \qquad \textbf{(6.11)}$$

$$:NH_3 + CH_3CH_2CH_2CH_2Br \longrightarrow CH_3CH_2CH_2CH_2\overset{+}{N}H_3 + Br^- \qquad \textbf{(6.12)}$$

mais

$$:NH_3 + (CH_3)_3CBr \longrightarrow (CH_3)_2C{=}CH_2 + {}^+NH_4 + Br^- \qquad \textbf{(6.13)}$$

Les nucléophiles neutres, non basiques, donnent cependant les réactions de substitution avec les halogénures tertiaires:

$$H_2O + (CH_3)_3CBr \longrightarrow (CH_3)_3C\overset{+}{O}H_2 + Br^- \qquad \textbf{(6.14)}$$

peu   halogénure 3^{aire} (un peu de 2-méthylpropène
basique   est néanmoins formé)

En jetant un regard sur le mécanisme des réactions de substitution, on pourra comprendre ces différences.

6.4 Mécanismes de la substitution nucléophile

Après bien des expériences qui ont demandé plus de cinquante ans, on comprend maintenant assez bien les mécanismes de ces réactions. Il faut, en effet, employer ici le pluriel, car il y en a plusieurs et celui qu'on observe dépend de la structure du nucléophile et de l'halogénure d'alkyle, du solvant, de la température de la réaction et d'autres facteurs encore.

En somme, il y a deux mécanismes extrêmes dont les symboles sont respectivement S_N2 et S_N1 (S_N signifie "substitution nucléophile" ; quant à la signification des chiffres 2 et 1, elle apparaîtra claire à la lecture du texte qui suit).

6.5 Le mécanisme S_N2

Le mécanisme S_N2 est un processus en une seule étape qu'on peut représenter par l'équation suivante :

$$Nu: + \overset{\diagdown}{\underset{\diagup}{C}}{-}L \rightarrow \left[\overset{\delta+}{Nu}\cdots\overset{|}{C}\cdots\overset{\delta-}{L} \right] \rightarrow \overset{+}{Nu}{-}\overset{\diagup}{C}{\cdots} + :L^- \qquad \textbf{(6.15)}$$

nucléophile substrat   état de transition

Le nucléophile Nu : attaque par l'arrière le carbone de la liaison C—L. A un certain stade (c'est l'état de transition), le nucléophile et le groupe partant : L sont tous deux plus ou moins liés au carbone, siège de la substitution. Puis, tandis que le groupe partant s'en va avec sa paire d'électrons, le nucléophile apporte au carbone une autre paire d'électrons.

Le chiffre 2 qu'on utilise ici symbolise une réaction bimoléculaire, car deux molécules – le nucléophile et le substrat – interviennent dans l'étape-clé (il n'y en a qu'une!).

Comment donc reconnaître qu'un nucléophile et un substrat donnés réagissent selon un mécanisme S_N2 ? On a pour cela plusieurs moyens.

1. Le nucléophile et le substrat intervenant tous les deux dans la réaction, la vitesse est globalement du deuxième ordre; elle est proportionnelle à la concentration de l'un et de l'autre.

$$\text{Vitesse} == \text{k [nucléophile] [substrat]}$$

La réaction de l'ion hydroxyde et du bromure d'éthyle (équation 6.1) est un exemple de réaction S_N2. Si l'on double la concentration en nucléophile (OH^-), on constate que la réaction va deux fois plus vite ; il en va de même si l'on double la concentration en bromure d'éthyle. Et l'on verra que, dans le processus S_N1, on ne constate pas un tel comportement de la vitesse de réaction.

2. La réaction a lieu avec inversion de configuration. Si l'on traite, par exemple, le (R)-2-bromobutane par de la soude, on obtient le (S)-2-butanol.

$$HO^- \; + \quad \underset{CH_3CH_2}{\overset{CH_3}{H\text{-}_{\prime\prime\prime}C\text{—}Br}} \; \rightarrow \; HO\text{—}\underset{CH_2CH_3}{\overset{CH_3}{C_{\prime\prime\prime\prime}H}} \quad + \; Br^- \qquad \text{(6.16)}$$

(R)-2-bromobutane (S)-2-butanol

L'attaque de l'ion hydroxyde ayant lieu à l'arrière de la liaison C—Br (on parle d'une attaque dorsale) quand s'effectue la substitution, il y a inversion des trois groupes liés au carbone sp^3, comme le retournement du parapluie dans le grand vent. Dans le cas d'une attaque frontale, au contraire, l' OH prenant exactement la place du brome, c'est le (R)-2-butanol qui aurait été formé. Cette constatation stéréochimique fut une surprise, car il était plus facile d'imaginer un simple changement de place du nucléophile et du groupe partant. Mais on sait maintenant que tout déplacement S_N2 a lieu avec inversion de configuration. On appelle souvent ce changement de configuration l'**inversion de Walden**.

3. Quand un substrat R—L réagit par un mécanisme S_N2 , la réaction est la plus rapide si R est un méthyle ou un alkyle primaire et la plus lente si R est tertiaire, la vitesse étant intermédiaire quand R est un alkyle secondaire. Le mécanisme S_N2 (équation 6.15) permet d'interpréter cela, l'arrière du carbone qui subit la substitution étant très encombré quand R est tertiaire – d'où une réaction lente – et très dégagé quand R est primaire – d'où une réaction rapide.

$$Nu \longrightarrow C \text{—} X \quad \xrightarrow{S_N2} \quad \text{rapide} \qquad \text{(6.17)}$$

halogénure primaire (l'attaque dorsale n'est pas gênée)

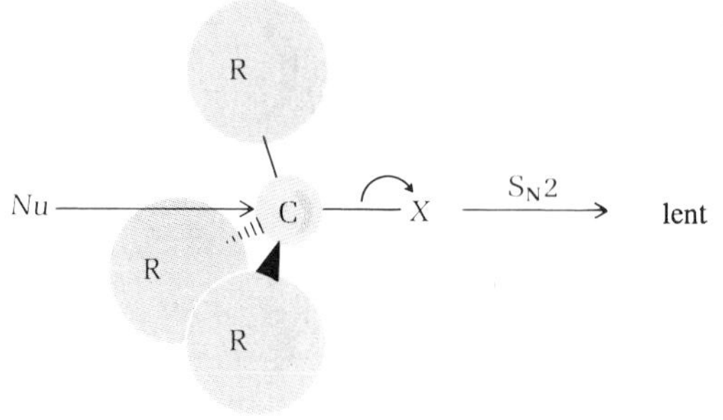

$$(6.18)$$

halogénure tertiaire (l'attaque dorsale est empêchée)

En résumé, le mécanisme S_N2 est un processus en une seule étape, favorisé si le groupe alkyle R de l'halogénure R—X est un méthyle ou est primaire (méthyle > primaire > secondaire > tertiaire). Il y a inversion de configuration et la vitesse dépend à la fois de la concentration du nucléophile et de celle du substrat (l'halogénure d'alkyle).

Les choses seront très différentes dans le mécanisme S_N1.

6.6 Le mécanisme S_N1

Le mécanisme S_N1 est un processus en deux étapes. Dans la première, il y a dissociation du substrat, c'est-à-dire rupture de la liaison entre le carbone et le groupe partant.

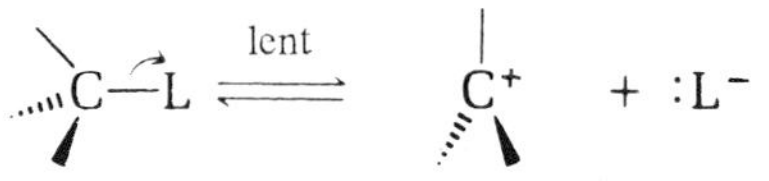

$$(6.19)$$

substrat   carbocation

Les électrons de la liaison s'en vont avec le groupe partant et un carbocation est ainsi formé. Dans la seconde étape, le carbocation se combine avec le nucléophile en donnant le produit.

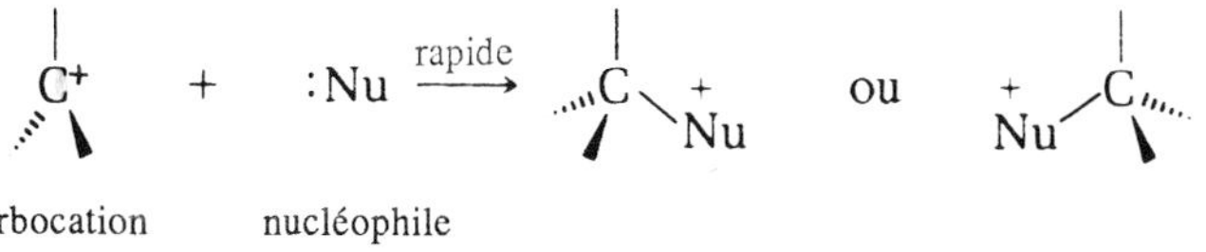

$$(6.20)$$

carbocation   nucléophile

Bien que le mécanisme de cette substitution ait lieu en deux étapes, son symbole porte le chiffre 1, parce que l'étape lente de la réaction (équation 6.19) ne met en jeu que l'un des deux réactants, le substrat. Le nucléophile n'intervient pas du tout dans cette étape ; autrement dit, cette première étape est unimoléculaire.

Comment donc reconnaître qu'un nucléophile donné et un substrat donné réagissent selon un mécanisme S_N1 ? On a pour cela plusieurs moyens.

1. La vitesse de la réaction ne dépend pas de la concentration du nucléophile. Cela est clair puisque le nucléophile n'intervient pas dans la première étape, celle qui détermine la vitesse. La réaction est du premier ordre.

$$\text{Vitesse} == k \, [\text{substrat}]$$

Et, sitôt formé, le carbocation réagit avec le nucléophile.

2. Quand le carbone porteur du groupe partant est chiral, il y a perte quasi totale de l'activité optique dans la réaction (c'est-à-dire racémisation). Le carbone positif du carbocation, étant hybridé sp^2 et plan, peut être attaqué sur chacune de ses deux faces par le nucléophile (voir l'équation 6.21) et donner ainsi le mélange 50:50 de deux énantiomères, c'est-à-dire le racémique. Par exemple, la réaction du (S)-3-bromo-3-méthylhexane avec l'eau donne l'alcool racémique.

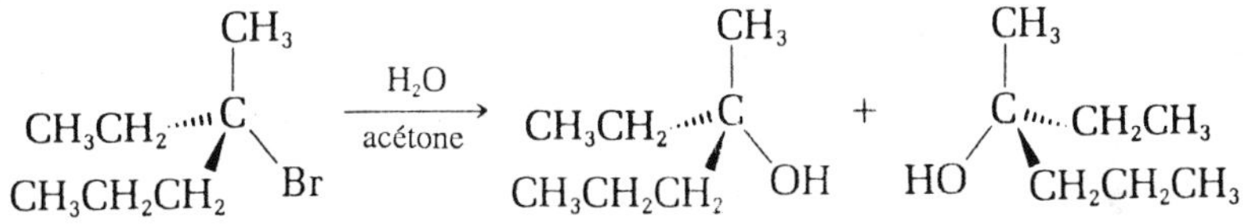

(6.21)

(S)-3-bromo-3-méthylhexane   S (50 %)   R (50 %)

L'intermédiaire est ici le carbocation, plan, dont l'attaque par l'eau sur chacune des deux faces est également possible et conduit au produit racémique.

3. Quand un substrat R—L réagit selon un mécanisme S_N1, la réaction est la plus rapide quand R est tertiaire et la plus lente quand R est primaire. Les réactions S_N1 procédant par l'intermédiaire de carbocations, il n'est pas étonnant que l'ordre des réactivités soit le même que celui des stabilités des carbocations, à savoir 3aire > 2aire > 1aire. Autrement dit, les réactions sont d'autant plus rapides qu'il est facile de former le carbocation.

Table 6.2	S_N2	S_N1
Comparaison des substitutions S_N2 et S_N1	**Structure de l'halogénure**	
	Primaire ou CH$_3$ couramment	jamais*
	Secondaire parfois	parfois
	Tertiaire jamais	couramment
	Stéréochimie inversion	racémisation
	Nucléophile la vitesse dépend de la concentration du nucléophile; le mécanisme est favorisé avec un nucléophile anionique	la vitesse est indépendante de la concentration du nucléophile; le mécanisme est favorisé avec un nucléophile neutre
	Solvant la vitesse est peu affectée par la polarité du solvant	la vitesse est plus rapide dans les solvants polaires

* Normalement les halogénures d'aryle et de vinyle ne subissent pas ces réactions de substitution nucléophile.

En résumé, le mécanisme S_N1 est un processus en deux étapes, favorisé quand l'halogénure d'alkyle est tertiaire > secondaire > primaire. Il a lieu avec racémisation et sa vitesse est indépendante de la concentration du nucléophile.

6.7 Comparaison des mécanismes S_N1 et S_N2

La table 6.2 résume ce qu'on vient de voir au sujet des mécanismes de la substitution et les compare l'un à l'autre, compte tenu d'autres facteurs tels que le solvant et la structure du nucléophile.

Remarquons d'abord que presque tous les halogénures primaires réagissent par le mécanisme S_N2, tandis que les halogénures tertiaires réagissent par le mécanisme S_N1. Ce n'est qu'avec les halogénures secondaires qu'on peut rencontrer les deux possibilités.

La première étape du mécanisme S_N1 impliquant la formation d'ions, il est fortement favorisé dans les solvants polaires. Ainsi, à partir des halogénures secondaires, qui peuvent réagir selon l'un ou l'autre mécanisme, il pourra suffire d'une simple modification de la polarité du solvant pour passer de l'un à l'autre. Par exemple, la conversion d'un halogénure secondaire en l'alcool correspondant, qui s'opère selon un mécanisme S_N2 lorsqu'elle est conduite dans le mélange acétone 95 %-eau 5 % (solvant relativement non polaire), suit un mécanisme S_N1 dans le mélange acétone 50 %-eau 50 % (solvant plus polaire et meilleur ionisant).

Dans ce domaine, il est précieux d'avoir une idée de la polarité des solvants. On consultera souvent avec intérêt la table 6.3.

Exemple de Problème 6.4   **La réaction du (R)-2-iodobutane avec la solution acétone 95%–eau 5% donne surtout le (S)-2-butanol. Mais, avec la solution acétone 30%–eau 70%, le 2-butanol obtenu a un pouvoir rotatoire beaucoup plus faible, car il est constitué de 60% d'isomère S et de 40% d'isomère R. Expliquer.**

n_hexane	1,2-diméthoxyéthane
cyclohexane	chloroforme
tétrachlorure de carbone	dichlorométhane
disulfure de carbone	acétone
toluène	N,N-diméthylformamide
benzène	anhydride acétique
diéthyléther	diméthylsulfoxyde
trichloréthylène	acétonitrile
1,4-dioxanne	acide acétique
tétrahydrofuranne	éthanol
acétate d'éthyle	éthylène glycol
1,2-diméthoxyéthane	eau

Table 6.3   Echelle de polarité des solvants usuels (dans l'ordre croissant du n-hexane à l'eau)

Solution   **Dans le solvant acétone 95%–eau 5%, relativement non polaire, la substitution suit un mécanisme S_N2 ; elle a donc lieu avec inversion de configuration.**

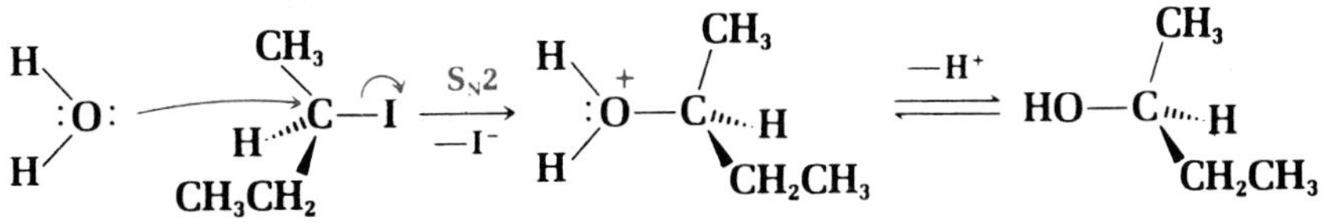

(*R*)-2-iodobutane   (*S*)-2-butanol

Quand la proportion d'eau du solvant est accrue, sa polarité est plus forte et la réaction met en jeu partiellement le processus S_N1.

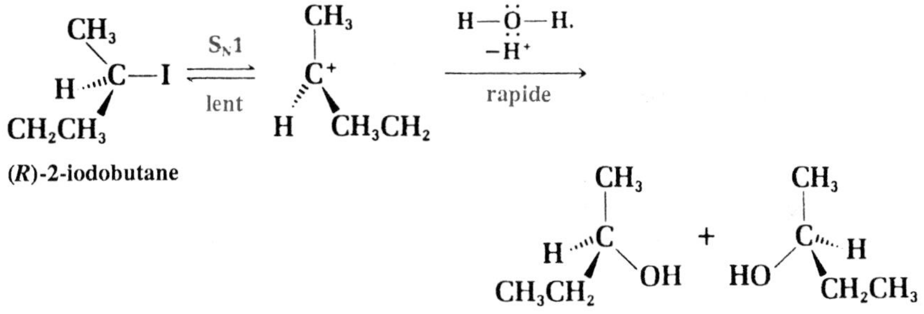

(*R*)-2-iodobutane

(R)-2-butanol   (S)-2-butanol

La formation de l'énantiomère S est légèrement favorisée, ou bien parce que la réaction suit encore partiellement le processus S_N2, ou bien parce que l'ion iodure, qui s'en va dans le mécanisme S_N1, est encore assez proche du carbocation pour gêner l'attaque de son côté par le nucléophile.

On a vu que la vitesse de la réaction S_N2 dépend du nucléophile. Donc si le réactif est un nucléophile fort, le mécanisme S_N2 sera favorisé. Mais quand peut-on dire qu'un nucléophile est fort ou qu'il est faible, ou qu'un nucléophile est plus fort qu'un autre ? Voici, à ce sujet, quelques généralisations utiles.

1. Les ions négatifs sont plus nucléophiles, meilleurs donneurs d'électrons, que les molécules neutres correspondantes. Ainsi :

$$HO^- > HOH \qquad RS^- > RSH$$

$$RO^- > ROH \qquad R\!-\!\underset{\underset{O}{\|}}{C}\!-\!O^- > R\!-\!\underset{\underset{O}{\|}}{C}\!-\!OH$$

2. Dans une même colonne du tableau périodique, les éléments du bas sont plus nucléophiles que ceux du haut. Ainsi :

$$HS^- > HO^- \qquad I^- > Br^- > Cl^- > F^-$$

$$R\ddot{S}H > R\ddot{O}H \qquad (CH_3)_3P\!:\; > (CH_3)_3N\!:$$

3. Plus les éléments d'une même rangée du tableau périodique sont électronégatifs (c'est-à-dire plus leurs électrons sont maintenus solidement), moins ils sont nucléophiles. Ainsi :

$$R-\overset{R}{\underset{R}{\overset{|}{C^-}}} > \overset{R}{\underset{R}{\overset{\diagdown}{N^-}}} > R-O^- > F^- \qquad et \qquad H_3N: > H_2\ddot{O}: > H\ddot{\ddot{F}}:$$

C et N appartenant à la même rangée du tableau périodique, il ne doit pas être étonnant que l'ion cyanure réagisse principalement par son carbone quand il intervient comme nucléophile (voir table 6.1, réaction 15).

Exemple de problème 6.5   Quel mécanisme , S_N1 ou S_N2, peut-on prévoir pour la réaction

$$(CH_3)_3CBr + CH_3OH \rightarrow (CH_3)_3C-O-CH_3 + HBr$$

Solution   **C'est le mécanisme S_N1, car le substrat est un halogénure tertiaire. De plus, le nucléophile est le méthanol, qui est neutre, et il intervient comme solvant, qui est donc ici assez polaire, donc favorise l'ionisation.**

Exemple de problème 6.6   Quel mécanisme, S_N1 ou S_N2, peut-on prévoir pour la réaction

$$CH_3CH_2-I + NaCN \rightarrow CH_3CH_2CN + NaI$$

Solution   **C'est le mécanisme S_N2, car le substrat est un halogénure primaire et le cyanure est un anion et un nucléophile assez fort.**

Problème 6.3   Quel mécanisme S_N1 ou S_N2 peut-on prévoir pour chacune des réactions suivantes ?

     a. $CH_3CHCH_2CH_2CH_3 + Na^+SH^- \rightarrow CH_3CHCH_2CH_2CH_3 + NaBr$
          | |
         Br   SH

     b.   (cyclopentane avec H et Br) $+ CH_3OH \rightarrow$ (cyclopentane avec H et OCH_3) $+ HBr$

     c.   (cyclopentane avec H et Br) $+ Na^+{}^-OCH_3 \rightarrow$ (cyclopentane avec H et OCH_3) $+ NaBr$

Problème 6.4   **Quel est le mécanisme des réactions des équations 6.10 et 6.12 ? Expliquer les éléments structuraux qui empêchent le même type de réaction avec le bromure de butyle tertiaire (équations 6.11 et 6.13).**

La substitution échoue dans les réactions 6.11 et 6.13 parce qu'une autre réaction a lieu. Au lieu d'un produit de substitution, on obtient un alcène. Examinons de plus près cette dernière réaction.

6.8 Réactions d' élimination. Les mécanismes E2 et E1

Quand on traite par un nucléophile un halogénure d'alkyle RX dont le carbone, voisin de celui qui est lié à l'halogène, porte au moins un hydrogène, il peut y avoir compétition entre deux réactions, la **substitution** et l'**élimination**. Les équations 6.10 - 6.13 ont illustré cette compétition.

$$\text{substitution (S)} \quad \longrightarrow \quad -\overset{\displaystyle H}{\underset{\displaystyle |}{C}}-\overset{\displaystyle |}{\underset{\displaystyle |}{C}}-Nu \;+\; X^- \qquad (6.22)$$

$$\overset{2}{C}-\overset{1}{\underset{X}{C}} + Nu:$$

$$\text{élimination (E)} \quad \longrightarrow \quad \underset{/}{\overset{\backslash}{C}}=\underset{\backslash}{\overset{/}{C}} \;+\; Nu\,H \;+\; X^- \qquad (6.23)$$

Dans la réaction de substitution, le nucléophile substitue (c'est-à-dire "remplace") l'halogène X (équation 6.22). Dans la réaction d'élimination, l'halogène X et l'hydrogène du carbone adjacent sont éliminés et une nouvelle liaison (une liaison π) est créée entre les deux carbones concernés (équation 6.23). On utilise le symbole E pour désigner ce processus. Ces réactions d'élimination sont des méthodes classiques de préparation des composés éthyléniques ou acétyléniques.

Souvent, un nucléophile et un substrat donnés subissent simultanément les réactions S et E. L'une ou l'autre peut prédominer, selon la structure du nucléophile, celle du substrat et des conditions réactionnelles. De même que pour la substitution, il y a deux principaux mécanismes d'élimination, qu'on désigne par les symboles E2 et E1, et qu'il nous faut d'abord comprendre avant de pouvoir les contrôler.

Le **mécanisme E2**, comme le mécanisme S_N2, est un processus bimoléculaire en une seule étape. Le nucléophile agit comme base et enlève le proton du carbone voisin de celui qui porte le groupe partant. Simultanément, le groupe partant s'en va et une double liaison est ainsi formée. Les flèches incurvées de la formule ci-après montrent le déplacement des paires d'électrons concernées.

$$Nu: \qquad \overset{\displaystyle H}{C}-\overset{}{\underset{L}{C}} \quad \overset{E2}{\longrightarrow} \quad C=C \;+\; Nu-H \;+\; L^- \qquad (6.24)$$

L'équation 6.24 montre la conformation optimale pour une élimination E2. Les atomes H—C—C—L se trouvent dans un même plan, avec H et L en position *transoïde* (ou *anti*), si bien que les orbitales C—H et C—L sont correctement alignées pour pouvoir se recouvrir et former la nouvelle liaison π.

Le **mécanisme E1** implique d'abord la même première étape que celle du mécanisme S_N1. Cette étape, lente, qui détermine donc la vitesse de la réaction, est l'ionisation du substrat qui donne un carbocation (comparer avec l'équation 6.19)

$$-\overset{\displaystyle H}{\underset{\displaystyle |}{C}}-\overset{\displaystyle |}{\underset{\displaystyle |}{C}}-L \;\rightleftharpoons\; -\overset{\displaystyle H}{\underset{\displaystyle |}{C}}-\overset{\displaystyle |}{\underset{\displaystyle |}{C}}^+ \;+\; L^- \qquad (6.25)$$

$$\underset{\text{substrat}}{} \qquad \underset{\text{carbocation}}{}$$

Deux réactions sont alors possibles pour le carbocation. Il peut, soit être attaqué par le nucléophile (c'est le processus S_N1), soit se stabiliser en perdant un proton du carbone adjacent au carbone positif et donner un alcène (c'est le processus E1); voir la flèche incurvée de la formule ci-après.

$$\text{carbocation} \quad -\overset{\overset{\displaystyle H}{|}}{\underset{|}{C}}-\overset{+}{\underset{|}{C}} \quad \begin{cases} \xrightarrow{\;Nu:\;} -\overset{\overset{\displaystyle H}{|}}{\underset{|}{C}}-\overset{+}{\underset{|}{C}}-Nu \quad S_N 1 \\[2em] \xrightarrow{\;-H^+\;} \;\;\underset{\diagup}{\overset{\diagdown}{C}}=\underset{\diagdown}{\overset{\diagup}{C}} \; + \; H^+ \quad E1 \end{cases} \tag{6.26}$$

La cinétique confirme ces deux mécanismes. On constate que, comme celle de la substitution $S_N 2$, la vitesse de l'élimination E2 , dans laquelle le nucléophile (qu'il vaut mieux appeler ici la base) et le substrat interviennent, dépend de la concentration de l'un et de l'autre. La réaction est du deuxième ordre.

$$\text{Vitesse} \;==\; k\,[\text{base}][\text{substrat}]$$

De même, comme la substitution $S_N 1$, l'élimination E1, où seul n'intervient que le substrat, est une réaction unimoléculaire. Sa vitesse ne dépend que de la concentration de ce dernier. La réaction est du premier ordre.

$$\text{Vitesse} \;==\; k\,[\text{substrat}]$$

Lorsqu'un halogénure d'alkyle peut, par déshydrohalogénation basique comme celles-là, conduire à deux alcènes différant par la position de leur double liaison, l'alcène qui est formé en majorité est celui dont la double liaison est la plus substituée. On verra qu'il en est de même pour les alcènes formés par la déshydratation des alcools. Exemple :

$$CH_3\text{–}CH_2\text{–}CHBr\text{–}CH_3 + \text{Base} \;\longrightarrow\; CH_3\text{–}CH{=}CH\text{–}CH_3 \;(\text{beaucoup})$$
$$+ \; CH_3\text{–}CH_2\text{–}CH{=}CH_2 \;(\text{peu}) \tag{6.27}$$

C'est la **règle de Saytzev**.

A un composé organique dihalogéné de la forme $-CHX{-}CHX-$ (dérivé dihalogéné "vicinal") ou de la forme $-CH_2{-}CX_2-$ (dérivé dihalogéné "géminé"), on peut faire subir une double élimination au moyen de deux équivalents d'une base forte comme l'amidure de sodium ou la potasse alcoolique à chaud (une base forte est nécessaire car le deuxième stade est difficile) et obtenir ainsi un acétylénique. Exemples :

$$CH_3CH_2CHBr_2 + 2\,OH^- \;\longrightarrow\; CH_3C{\equiv}CH + 2\,H_2O + 2\,Br^- \tag{6.28}$$

$$CH_3CHBrCH_2Br + 2\,NH_2^- \;\longrightarrow\; CH_3C{\equiv}CH + 2\,NH_3 + 2\,Br^- \tag{6.29}$$

Examinons maintenant la compétition entre substitution et élimination dans quelques exemples spécifiques.

6.9 Compétitivité de la substitution et de l'élimination

Considérons d'abord la réaction des halogénures d'alkyle avec une solution de potasse dans de l'alcool méthylique. Le nucléophile est l'ion hydroxyde OH^-, nucléophile fort et base forte. Le solvant est d'une polarité modérée; il est moins polaire que l'eau. Ces conditions favorisent les processus S_N2 et E2 et non pas S_N1 et E1.

Supposons que le groupe alkyle de l'halogénure soit primaire, comme dans le cas du bromure de *n*-butyle. Les deux réactions suivantes sont possibles :

$$HO^- + CH_2\!-\!Br \xrightarrow{\;S_N2\;} CH_3CH_2CH_2CH_2OH + Br^-$$
$$\underset{CH_3CH_2CH_2}{|} \qquad\qquad \text{1-butanol}$$

(6.30)

$$HO^- + H$$
$$\underset{CH_3CH_2CH\!-\!CH_2\!-\!Br}{|} \xrightarrow{\;E2\;} CH_3CH_2CH\!=\!CH_2 + H_2O + Br^-$$
$$\qquad\qquad\qquad \text{1-butène}$$

(6.31)

Le produit sera donc un mélange de 1-butanol et de 1-butène. On peut favoriser la réaction S_N2 en utilisant un solvant plus polaire (l'eau), une concentration plus faible en base et une température de réaction modérée. Par contre, on favorisera la réaction E2 en utilisant un solvant moins polaire, une concentration plus élevée en base et une température de réaction plus haute.

Considérons maintenant l'effet du changement d'un halogénure d'alkyle primaire en un tertiaire. A partir du bromure de *t*-butyle, par exemple, la réaction de substitution est très ralentie, à cause de l'encombrement stérique (on a vu que l'ordre des réactivités des réactions S_N2 est $1° > 2° > 3°$). Mais la réaction d'élimination est favorisée, car le produit est alors l'isobutylène, un alcène très substitué. En fait, avec le bromure de *t*-butyle, l'expérience donne uniquement la réaction E2.

$$HO^- + \underset{\substack{CH_3 \\ | \\ CH_3}}{\overset{CH_3}{C}}\!-\!Br \xrightarrow{\;/\!/\;}$$

Chez un halogénure 3^{aire}, l'encombrement stérique empêche toute attaque dorsale, donc toute réaction de substitution nucléophile S_N2.

bromure de *t*-butyle

$$HO^- + H\!-\!\underset{\substack{CH_3 \\ | \\ CH_3}}{\overset{\substack{H \quad H \\ C}}{C}}\!-\!Br \xrightarrow{\;E2\;} \underset{CH_3 \qquad CH_3}{\overset{\substack{CH_2 \\ \| \\ C}}{}} + H_2O + Br^-$$

(6.32)

bromure de *t*-butyle   isobutylène

Comment peut-on alors convertir un bromure de butyle tertiaire en l'alcool correspondant ? On utilise, pour cela, l'eau comme nucléophile au lieu de l'ion hydroxyde ; elle est, en effet, une base plus faible que ce dernier et la réaction E2 (équation 6.31) n'a pas lieu. Mais l'eau est aussi un solvant polaire qui favorise le mécanisme en deux étapes avec ionisation. Peut-on alors éviter aussi l'élimination E1? Non, parce qu'on ne peut échapper à la compétition entre les réactions S_N1 et E1. L'expérience donne un produit constitué de l'alcool (80 %) et de l'alcène (20 %).

$$(CH_3)_3CBr \xrightleftharpoons{H_2O} (CH_3)_3C^- + Br^-$$

bromure de *t*-butyle

$$\xrightarrow[\text{(environ 80%)}]{H_2O, \quad S_N1} (CH_3)_3COH$$

$$\xrightarrow[\text{(environ 20%)}]{E1} (CH_3)_2C{=}CH_2 + H^-$$

(6.33)

En résumé, les halogénures tertiaires réagissent avec les bases fortes dans les solvants non polaires en ne donnant que l'élimination (E2), sans donner la substitution. Avec les bases faibles et les nucléophiles faibles et dans les solvants plus polaires, les halogénures tertiaires donnent surtout la substitution (S_N1), avec un peu d'élimination (E1). Les halogénures primaires ne donnent que les réactions S_N2 et E2, parce qu'ils ne s'ionisent pas en carbocations. Quant aux halogénures secondaires, ils occupent une position intermédiaire et le mécanisme qu'ils suivent est très sensible au choix des conditions réactionnelles. Ils peuvent même réagir simultanément selon les mécanismes S_N1 et S_N2.

Exemple de Problème 6.7   **Quel produit attendre de la réaction du 1-chloro-1-méthyl- cyclopentane avec:**
a. l'éthanolate de sodium dans l'éthanol   b. l'éthanol à reflux

Solution   **Ce chlorure d'alkyle est tertiaire :**

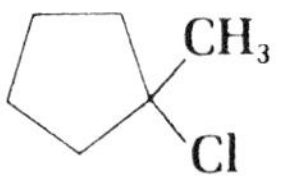

a. Les conditions réactionnelles favorisent ici le processus E2, car l'éthanolate de sodium est une base forte. Deux produits d'élimination sont possibles :

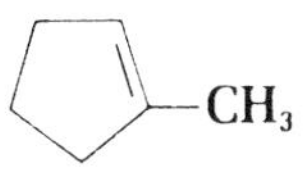

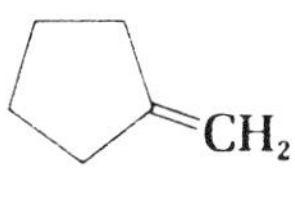

En fait, le premier prédomine.
b. Les conditions favorisent maintenant l'ionisation et le processus S_N1 prédomine. Le produit principal est :

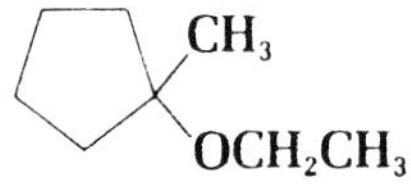

un peu d'alcène étant néanmoins formé selon le mécanisme E1.

Problème 6.5   **Quand $CH_3CH_2CH_2CH_2Br$ réagit avec le méthanolate de sodium**

($Na^{+-}OCH_3$) dans le méthanol, il conduit surtout à l'éther $CH_3CH_2CH_2CH_2OCH_3$, mais avec le *t*-butanolate (ou *t*-butylate) de potassium [$K^{+-}OC(CH_3)_3$] dans l'alcool *t*-butylique, il donne surtout l'alcène $CH_3CH_2CH=CH_2$ et non pas l'éther $CH_3CH_2CH_2CH_2OC(CH_3)_3$. Expliquer.

Exemple de problème 6.8   Donner tous les produits d'élimination E2 possibles dans la réaction du 2-bromobutane avec la soude concentrée.

Solution

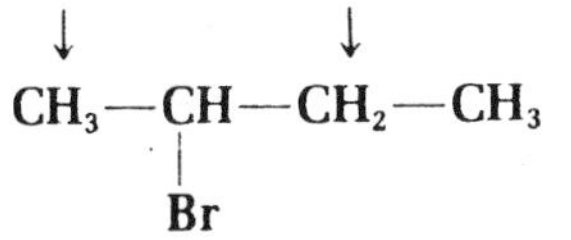

La base peut arracher un proton du méthyle CH_3 ou un proton du méthylène CH_2 (signalés par les flèches) adjacents au carbone porteur du brome. L'attaque d'un proton du méthyle crée une double liaison entre C1 et C2:

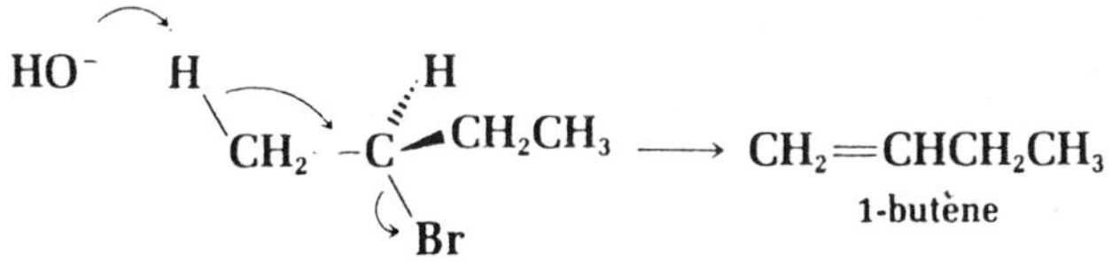

L'attaque d'un proton du méthylène crée une double liaison entre C2 et C3 et donne le 2–butène sous ses deux formes *cis* et *trans*. C'est donc trois alcènes qui, au total, sont formés.

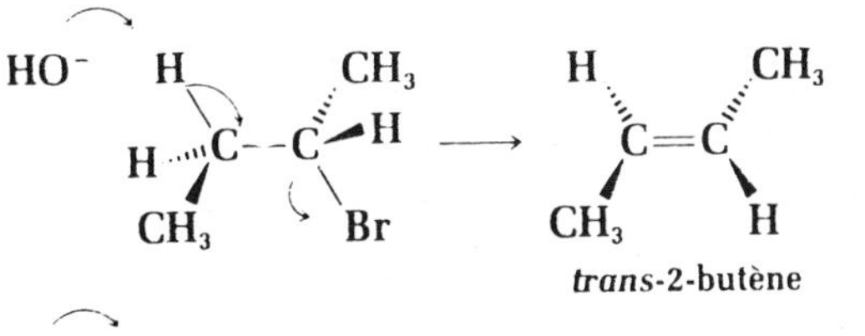

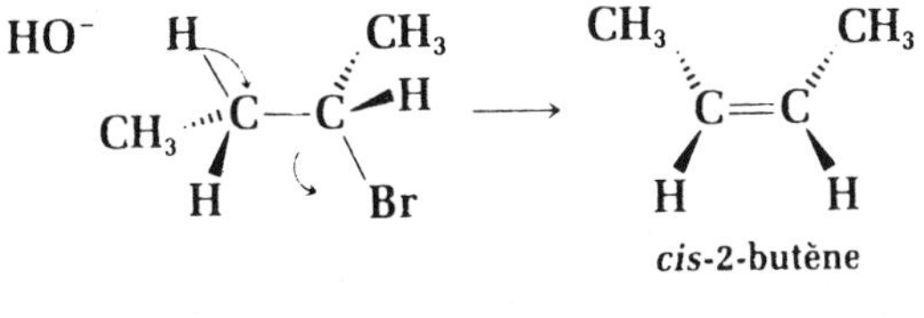

Problème 6.6   Dans la solution de l'exemple de problème 6.8, examiner la façon dont la réaction conduit aux 2–butènes (les deux dernières équations). Remarquer que la configuration du centre chiral C2 est S. Ecrire l'équation analogue de l'énantiomère R. Qu'attendez-vous du rapport *trans/cis* pour l'un et l'autre énantiomère?

Problème 6.7   Ecrire la structure de tous les produits d'élimination accessibles à partir du 1–bromo-1,2– diméthylcyclopentane.

6.10 Réarrangements des carbocations

Dans les réactions qui mettent en jeu l'intervention d'un carbocation comme la substitution S_N1 et l'élimination E1, on constate souvent des réarrangements dits cationiques ou transpositions de Wagner-Meerwein. Dans ces réarrangements, il y a transformation interne du carbocation par migration, sur le carbone positif, d'un H ou d'un groupe alkyle R porté par un carbone voisin et qui se déplace avec son doublet d'électrons.

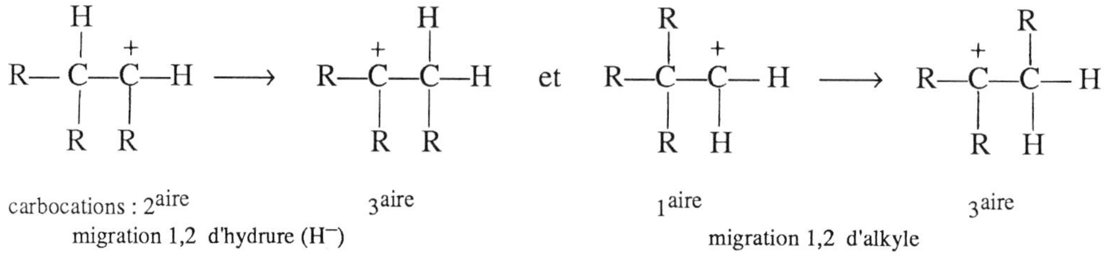

$$
\begin{array}{ccc}
\underset{\substack{|\\R}}{\overset{\substack{H\\|}}{R-C}}-\overset{+}{\underset{\substack{|\\R}}{C}}-H & \longrightarrow & \underset{\substack{|\\R}}{\overset{+}{R-C}}-\overset{\substack{H\\|}}{\underset{\substack{|\\R}}{C}}-H
\end{array}
\quad et \quad
\begin{array}{ccc}
\underset{\substack{|\\R}}{\overset{\substack{R\\|}}{R-C}}-\overset{+}{\underset{\substack{|\\H}}{C}}-H & \longrightarrow & \underset{\substack{|\\R}}{\overset{+}{R-C}}-\overset{\substack{R\\|}}{\underset{\substack{|\\H}}{C}}-H
\end{array}
$$

carbocations : 2^{aire} 3^{aire} 1^{aire} 3^{aire}

migration 1,2 d'hydrure (H$^-$)   migration 1,2 d'alkyle

Ces réarrangements peuvent avoir lieu chaque fois que le nouveau carbocation formé est plus stable que le carbocation originel. C'est le cas lorsque ce dernier, primaire, devient ainsi secondaire, ou quand, secondaire, il devient tertiaire et, à plus forte raison quand, primaire, il devient tertiaire.

On rencontre de tels réarrangements dans beaucoup de réactions par carbocation, c'est-à-dire, par exemple, dans les réactions S_N1 et E1 (paragraphes 6.6 et 6.8), les additions électrophiles sur la double liaison des alcènes (paragraphe 3.13), la réaction de Friedel-Crafts (paragraphe 4.10) et la désamination nitreuse des amines primaires (paragraphe 12.12). Lorsque le groupe alkyle qui migre fait partie d'un cycle, il y a alors agrandissement ou contraction de cycle. Exemples :

L'iodure de néopentyle traité par l'eau en présence de cations Ag+ (qui favorisent la formation de carbocations) conduit à l'alcool tertiaire de transposition :

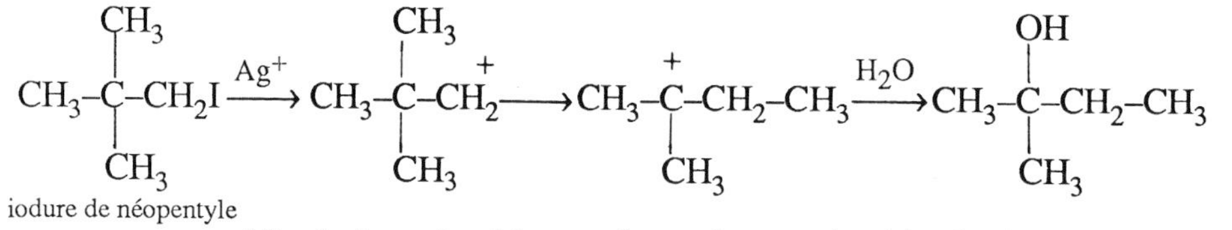

$$
\underset{\substack{|\\CH_3}}{\overset{\substack{CH_3\\|}}{CH_3-C}}-CH_2I \xrightarrow{Ag^+} \underset{\substack{|\\CH_3}}{\overset{\substack{CH_3\\|}}{CH_3-C}}-\overset{+}{C}H_2 \longrightarrow \overset{+}{\underset{\substack{|\\CH_3}}{C}}H_3-C-CH_2-CH_3 \xrightarrow{H_2O} \underset{\substack{|\\CH_3}}{\overset{\substack{OH\\|}}{CH_3-C}}-CH_2-CH_3 \qquad (6.34)
$$

iodure de néopentyle

L'hydrolyse du chlorure de cyclopropylcarbinyle donne un mélange d'alcool non réarrangé et de cyclobutanol, l'alcool d'agrandissement de cycle. Le chlorure de cyclobutyle conduit au même mélange, le carbinol cyclopropanique provenant cette fois de la contraction de cycle.

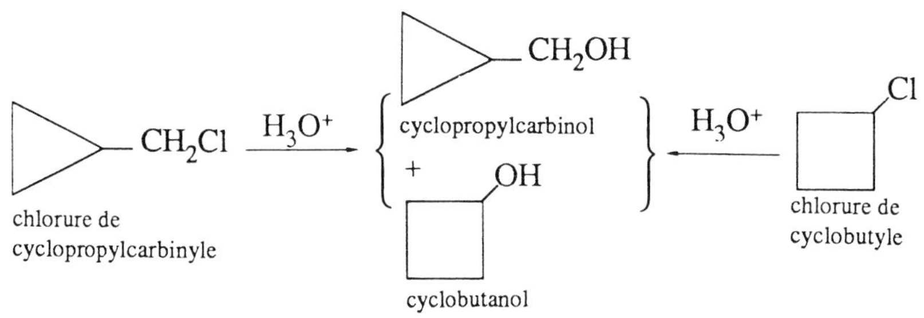

(6.35)

chlorure de
cyclopropylcarbinyle

cyclopropylcarbinol

cyclobutanol

chlorure de
cyclobutyle

De même, en présence d'un acide de Lewis, le chlorhydrate de camphène est en équilibre avec le chlorure d'isobornyle. Ici aussi la modification du squelette carboné est due à un simple déplacement d'alkyle.

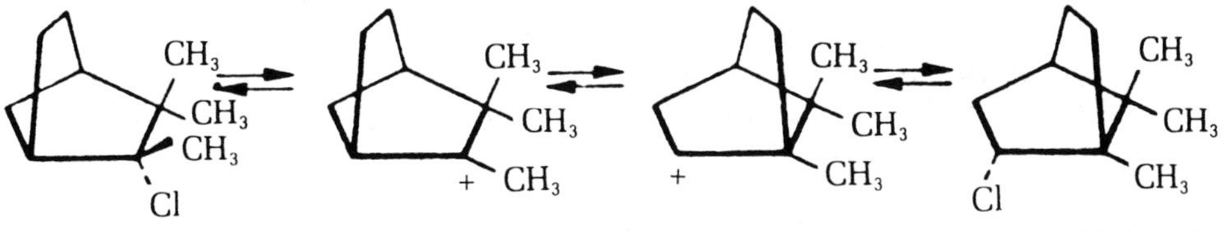

$$(6.36)$$

chlorhydrate de camphène   chlorure d'isobornyle

Ces réarrangements de carbocations sont très courants, mais ils gênent le plus souvent le chimiste organicien dans ses synthèses. Ils sont également nombreux en biochimie.

6.11   α-Elimination. Carbènes

Les éliminations examinées ci-dessus (paragraphe 6.8) sont des β–éliminations, parce qu'elles mettent en jeu le départ du groupe partant du substrat avec l'hydrogène (proton) d'un carbone voisin (en β). Mais, s'il n'y a pas d'hydrogène en β du groupe partant, comme par exemple chez les halogénures de benzyle $C_6H_5CH_2X$ ou chez le chloroforme Cl_3CH, le proton arraché par le nucléophile agissant comme base (on emploiera le plus souvent une base forte pour cela) sera celui (ou l'un de ceux) du carbone porteur de l'halogène. Un anion halogéné est ainsi formé qui, dans le cas du chloroforme, perd l'un des trois chlores à l'état de Cl^-, pour donner le **dichlorocarbène**.

$$Cl_3C-H + K^+ \,{}^-OC(CH_3)_3 \longrightarrow Cl_3C^- \xrightarrow{-Cl^-} Cl_2C: + KCl \qquad (6.37)$$

chloroforme t-butanolate de   anion   dichlorocarbène
           potassium   trichlorométhyle

Si un alcène est présent dans le milieu, il est attaqué par le carbène en donnant un 1,1-dichlorocyclopropane. C'est une méthode de synthèse des cyclopropanes. Exemple :

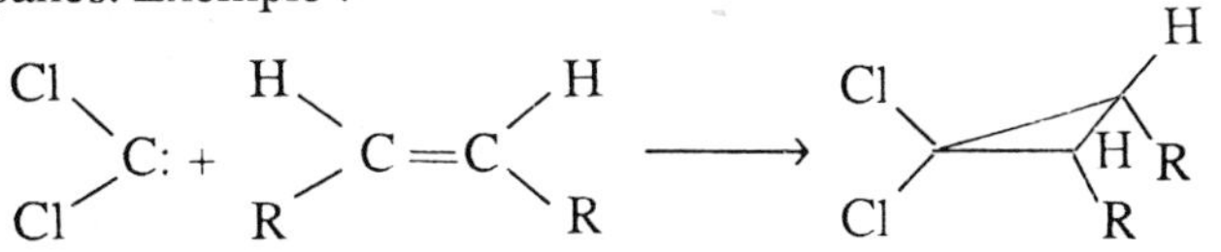

$$(6.38)$$

On a vu que les **carbènes** (paragraphe 1.22) sont des intermédiaires extrêmement réactifs, manquant d'électrons (six électrons seulement entourent le carbone), pouvant fonctionner comme électrophiles ou nucléophiles, mais néanmoins neutres. Avec les alcènes, composés porteurs d'électrons π, ils se conduisent comme des électrophiles et donnent des cyclopropanes.

Une autre synthèse simple des cyclopropanes est la **réaction de Simmons-Smith**, qui utilise l'action d'iodure d'iodométhylzinc ICH_2ZnI sur les alcènes. On prépare préalablement le réactif par action d'iodure de méthylène sur le couple zinc-cuivre (de la poudre de zinc activé par du sulfate de cuivre) ou sur le couple zinc-argent (des copeaux ou de la poudre de zinc activé par des traces d'acétate d' argent). Exemple :

$$ICH_2I \ + \ Zn(Ag) \longrightarrow ICH_2ZnI$$

iodure de
méthylène

$$ICH_2ZnI \ + \ \underset{CH_3}{\overset{H}{\underset{}{}}}C=C\underset{CH_3}{\overset{H}{\underset{}{}}} \longrightarrow \ + \ ZnI_2 \qquad (6.39)$$

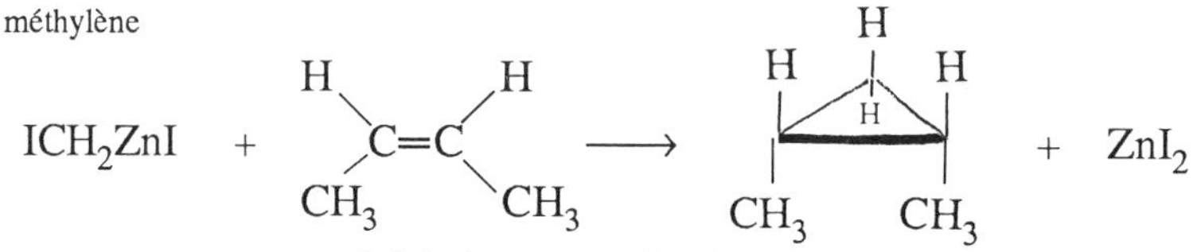

cis 2–butène   cis 1,2–diméthylcyclopropane

Il ne s'agit pas d'une réaction par carbène, mais d'une réaction analogue, et le réactif est appelé un *carbénoïde*.

6.12 Préparation des halogénures d' alkyle et d' aryle

Ces méthodes de préparation sont nombreuses et on en a déjà examiné quelques-unes. Ce sont :

1. L'halogénation directe des alcanes et des cyclanes (paragraphes 2.15 et 2.16), apparemment la plus simple, mais qui présente l'inconvénient de conduire à des mélanges d'isomères de position et aussi à des hydrocarbures polyhalogénés.

2. L'addition des halogénures d'hydrogène aux alcènes (paragraphe 3.11), qui suit la règle de Markovnikov, et aux alcynes (paragraphe 3.26), qui suit aussi cette règle et qui, avec deux équivalents en halogénure d'hydrogène, conduit aux hydrocarbures *gem*-dihalogénés.

3. L'addition des halogènes eux-mêmes aux alcènes (paragraphes 3.8 et 3.15), qui donne les hydrocarbures dihalogénés vicinaux.

On verra dans le chapitre suivant (paragraphes 7.10 et 7.11) que la meilleure méthode de préparation des halogénures d'alkyle est le traitement des alcools correspondants, soit par les halogénures d'hydrogène, soit par les halogénures de phosphore (PCl_3 et PBr_3), soit par le chlorure de thionyle ($SOCl_2$).

Quant aux halogénures d'aryle, on a déjà vu (paragraphes 4.9 et 4.10) qu'une excellente voie d'accès est l'halogénation directe de l'hydrocarbure aromatique en présence d'un catalyseur ; il s'agit d'une substitution aromatique électrophile typique.

6.13 Composés organométalliques. Réactifs de Grignard

On appelle **composés organométalliques** les substances qui comportent un atome métal lié à un ou plusieurs atomes de carbone. Par exemple, le dérivé sodé d'un hydrocarbure acétylénique vrai $RC{\equiv}CNa$ et l'organomagnésien $RMgX$ sont des composés organométalliques, mais non pas l'alcoolate $RONa$.

On prépare ces composés, soit directement par action du métal sur les substances comportant un hydrogène acide (c'est le cas des dérivés sodés des acétyléniques vrais), soit par action du métal sur un halogénure d'alkyle (c'est la méthode la plus courante). Exemples :

$$RCl \ + \ 2\,Li \ \longrightarrow \ LiCl \ + \ RLi \ (\text{alkyllithium}) \tag{6.40}$$

$$RCl \ + \ Mg \ \longrightarrow \ RMgCl \ (\text{chlorure d'alkylmagnésium}) \tag{6.41}$$

Beaucoup de métaux donnent des combinaisons organométalliques, dont l'intérêt chimique est fonction du caractère de la liaison carbone-métal. En effet, dans les composés organo-sodiques, ou -potassiques, la liaison carbone-métal a un caractère ionique très prononcé. Il s'agit donc de composés extrêmement réactifs, souvent difficiles à préparer, car ils réagissent très facilement avec l'halogénure d'alkyle qui sert à les préparer. C'est la **réaction de Wurtz**, qui permet d'obtenir des hydrocarbures par duplication des halogénures d'alkyle :

$$2\,RX \ + \ 2\,Na \ \longrightarrow \ 2\,NaX \ + \ R-R \tag{6.42}$$

De tels composés organométalliques, à cause de leur trop grande réactivité, ont un comportement chimique peu sélectif et présentent peu d'intérêt dans leurs réactions.

Par contre, la liaison carbone-métal d'autres composés organométalliques a un caractère nettement covalent, d'où leur grande stabilité et leur intérêt chimique également faible. C'est le cas des composés organoplombiques comme le tétraéthylplomb (le plomb tétraéthyle du commerce), liquide distillable, utilisé comme additif dans les carburants pour accroître leur indice d'octane.

Du point de vue chimique, les plus intéressants des composés organométalliques sont incontestablement ceux dont la liaison carbone-métal a un caractère intermédiaire entre la liaison électrovalente et la liaison covalente. C'est le cas des organo-cadmiens, -zinciques, -mercuriques et surtout les **composés organomagnésiens**, appelés aussi **réactifs de Grignard**.

Ces réactifs, dont l'intérêt en synthèse organique est énorme, furent découverts par le chimiste organicien français Victor Grignard (Université de Lyon), lequel reçut le prix Nobel de chimie en 1912 pour sa contribution dans ce domaine.

Grignard constata que lorsqu'on agite la solution d'un halogénure d'alkyle ou d'aryle dans l'éther anhydre contenant du magnésium en tournures, ce dernier se dissout peu à peu. La solution résultante contient le réactif dit de Grignard, qu'on peut alors faire réagir *in situ* avec de nombreux types de composés organiques ou inorganiques :

$$R{-}X \ + \ Mg \ \xrightarrow{\text{éther anhydre}} \ \underset{\text{réactif de Grignard}}{R{-}MgX} \tag{6.43}$$

Remarquons que le magnésium s'insère entre le carbone et l'halogène.

Bien que l'éther utilisé comme solvant dans la réaction ne soit pas montré comme faisant partie de la molécule du réactif de Grignard, il joue un rôle important à cause de son pouvoir solvatant (à ce sujet, voir le paragraphe 8.4), les paires d'électrons libres de son atome d'oxygène stabilisant le magnésien par coordination.

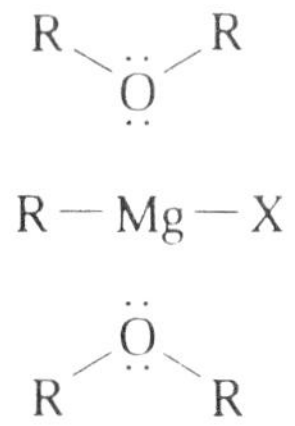

$$R \diagdown \underset{\overset{\cdot\cdot}{O}}{} \diagup R$$

$$R - Mg - X$$

$$\diagup \overset{\cdot\cdot}{\underset{\cdot\cdot}{O}} \diagdown$$
$$R \qquad R$$

Les deux éthers les plus couramment utilisés dans les préparations des organomagnésiens sont l'éther diéthylique C_2H_5–O–C_2H_5 et le tétrahydro-furanne (THF), qui est un éther cyclique (paragraphe 8.9). Pour que la réaction démarre et que le réactif de Grignard se forme, l'éther doit être rigoureusement anhydre et exempt d'alcools.

Les exemples suivants donnent une idée de la nomenclature usuelle des organomagnésiens.

$$CH_3 - I + Mg \xrightarrow{\text{éther}} CH_3MgI \qquad (6.44)$$

iodure de méthyle   iodure de méthylmagnésium

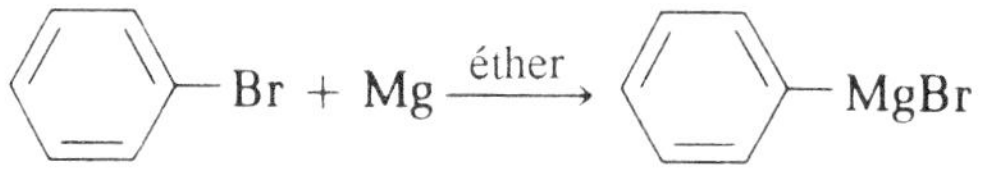

$$\text{—Br} + Mg \xrightarrow{\text{éther}} \text{—MgBr} \qquad (6.45)$$

bromobenzène   bromure de phénylmagnésium

On ne connaît pas encore la nature exacte des solutions d'organomagnésiens. Mais, disons que ces réactifs de Grignard qui, apparemment, ne sont pas ou sont peu ionisés, réagissent comme s'ils l'étaient nettement, le groupe alkyle (ou aryle) étant chargé négativement (il se comporte comme un carbanion ou un nucléophile) et le magnésium étant chargé positivement :

$$\overset{\delta-}{R} - \overset{\delta+}{Mg}X$$

Les réactifs de Grignard réagissent vigoureusement avec l'eau et tous les composés à hydrogène mobile, par exemple ceux qui ont une liaison O—H, S—H ou N—H.

$$\overset{\delta-}{R} - MgX + \overset{\delta+}{H} - OH \rightarrow RH + Mg^{2+}(OH)^-X^- \qquad (6.46)$$

C'est pourquoi l'éther utilisé pour les préparer doit être véritablement anhydre.

On peut utiliser la réaction d'un organomagnésien avec l'eau pour convertir un halogénure d'alkyle en l'hydrocarbure correspondant. Avec l'eau lourde (D_2O), on peut ainsi remplacer l'halogène du composé halogéné de départ par un deutérium.

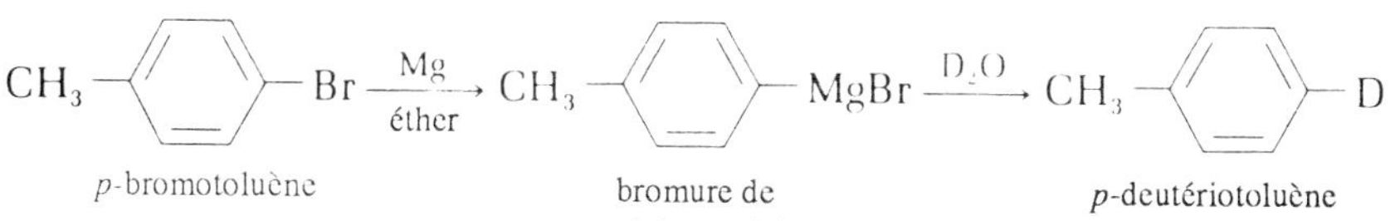

$$CH_3 - \text{—Br} \xrightarrow[\text{éther}]{Mg} CH_3 - \text{—MgBr} \xrightarrow{D_2O} CH_3 - \text{—D} \qquad (6.47)$$

p-bromotoluène   bromure de   p-deutériotoluène
                                   p-tolylmagnésium

Exemple de Problème 6.9   Montrer comment on peut préparer CH_3CHDCH_3 à partir de $CH_2=CHCH_3$.

Solution

$$CH_2=CHCH_3 \xrightarrow{\text{HBr}} CH_3CHCH_3$$
$$| \\ Br$$

$$\downarrow \begin{array}{c} Mg \\ \text{éther} \end{array}$$

$$CH_3CHDCH_3 \xleftarrow{\text{D}_2\text{O}} CH_3CHCH_3$$
$$| \\ MgBr$$

Problème 6.8   Montrer comment on peut préparer CH_3CHDCH_3 à partir de $(CH_3)_2CHOH$.

Problème 6.9   Ecrire l'équation de la préparation du *n*-propyllithium et celle de sa réaction avec l'eau lourde.

On rencontrera souvent dans ce livre des exemples de l'intérêt synthétique des composés organométalliques.

A PROPOS DES REACTIONS S_N2 DANS LA CELLULE : LES METHYLATIONS BIOCHIMIQUES

Les réactions de substitution et d'élimination sont si nombreuses qu'il n'est pas étonnant de les rencontrer dans la matière vivante. Mais les halogénures d'alkyle, comme les hydrocarbures, étant insolubles dans l'eau, sont incompatibles avec le cytoplasme. Les *phosphates d'alkyle* jouent le même rôle dans la cellule que les halogénures d'alkyle au laboratoire. L'équivalent biochimique d'un halogénure d'alkyle est l'adénosine triphosphate (ATP), souvent écrit en abrégé $Ad – O –$Ⓟ–Ⓟ–Ⓟ. $Ad –$ pouvant être considéré comme un groupe alkyle primaire et le groupe triphosphate $– O –$Ⓟ–Ⓟ–Ⓟ comme un groupe partant.

Beaucoup de composés naturels comportent un méthyle lié à un oxygène ou à un azote. C'est le cas, par exemple, de la *mescaline*, l'hallucinogène extrait d'un cactus, le peyotl, qui porte trois groupes méthoxy $–OCH_3$, de la *morphine*, le soporifique et calmant extrait de l'opium, qui porte un groupe $–NCH_3$, de la *codéine*, apparentée à la morphine, utilisée contre la toux, qui porte les groupes $–OCH_3$ et $–NCH_3$.

mescaline

morphine (R = R' = H)
codéine (R = CH₃, R' = H)

Ce serait en deux étapes, toutes deux des substitutions nucléophiles, que ces méthyles arriveraient sur la molécule.

En effet, le donneur de méthyle est un amino-acide, la méthionine, qui comporte un atome de soufre. Dans la première étape, la méthionine est alkylée par l'ATP (voir sa formule paragraphe 15.14), donnant la S-adénosylméthionine (voir figure 6.1). Cette réaction est un exemple biochimique de la réaction 13 de la table 6.1, où la méthionine, nucléophile sulfuré, déplace l'ion triphosphate dans une réaction S_N2.

La seconde étape est la méthylation d'un oxygène ou d'un azote qui, dans une autre réaction S_N2, agit comme nucléophile vis-à-vis de la S-adénosylméthionine, laquelle se comporte comme un halogénure de méthyle.

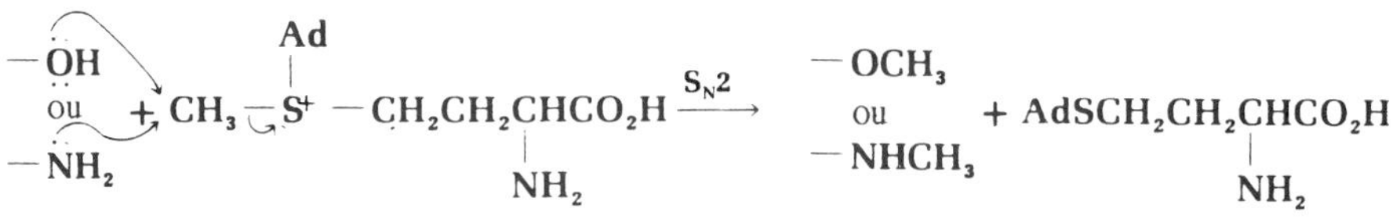

$$-\overset{\frown}{\underset{\text{ou}}{\text{OH}}} + CH_3 \overset{\frown}{-} S^+ - \underset{|}{CH_2CH_2CHCO_2H} \xrightarrow{S_N2} -\overset{-OCH_3}{\underset{\text{ou}}{\text{}}} + AdSCH_2CH_2\underset{|}{CHCO_2H}$$

$$-NH_2 \qquad\qquad NH_2 \qquad\qquad -NHCH_3 \qquad\qquad NH_2$$

S-adénosylhomocystéine

La S-adénosylhomocystéine formée dans cette seconde étape est reconvertible par des enzymes en ATP et en méthionine.

Cette méthylation biochimique n'est que l'un des nombreux exemples des substitutions nucléophiles qui ont lieu dans les divers métabolismes.

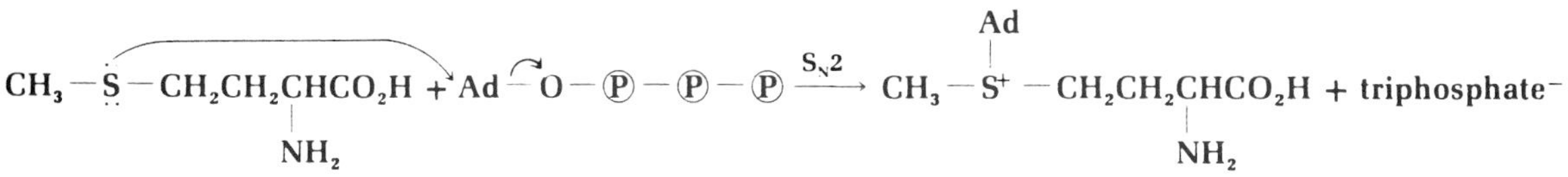

$$CH_3 - \overset{\frown}{S} - \underset{\underset{NH_2}{|}}{CH_2CH_2CHCO_2H} + Ad \overset{\frown}{-} O - P - P - P \xrightarrow{S_N2} CH_3 - \overset{Ad}{\underset{\underset{NH_2}{|}}{S^+}} - CH_2CH_2CHCO_2H + \text{triphosphate}^-$$

méthionine   S-adénosylméthionine

Figure 6.1   Formation de la S-adénosylméthionine

6.14 Composés aliphatiques polyhalogénés

A cause de leurs propriétés particulières, l'industrie fabrique beaucoup de composés polyhalogénés. On passera ici en revue quelques-uns des plus importants.

On prépare les dérivés chlorés du méthane de plusieurs façons, dont la plus directe est la chloration du méthane (équation 2.13). Le **tétrachlorure de carbone** (CCl_4, Eb 77°C) est un liquide incolore d'odeur douce, assez agréable. Il est insoluble dans l'eau, mais c'est un bon solvant des huiles et des graisses et on l'a utilisé dans le nettoyage à sec des vêtements. Ininflammable et de densité élevée, il a été employé comme extincteur, avant d'être supplanté par les composés bromés et fluorés, plus efficaces, $CBrClF_2$ et $CBrF_3$. Le **chloroforme** ($CHCl_3$, Eb 62°C) et le **chlorure de méthylène** (CH_2Cl_2, Eb 40°C) sont tous les deux très utilisés comme solvants de substances organiques. Une bonne ventilation est alors essentielle, car l'un et l'autre sont soupçonnés d'être cancérigènes. On employait jadis le chloroforme en chirurgie comme anesthésique général, mais on l'a abandonné à cause de sa trop grande toxicité et du mal sévère qu'il fait au foie. Depuis 1956, l'anesthésique général de ce type, utilisé mondialement, est l'"**halothane**", $CF_3CHClBr$.

Les **tri-** et **tétrachloréthylènes** sont aussi d'importants solvants du nettoyage à sec et des agents dégraissants des industries métallurgique et textile. On les prépare industriellement, à partir de l'éthylène, par une combinaison de réactions de chloration, déshydrochloration et oxydation.

$$ClCH_2CH_2Cl + Cl_2 + O_2 \xrightarrow[CuCl_2]{420-450°C} Cl_2C\!\!=\!\!CHCl + Cl_2C\!\!=\!\!CCl_2 + H_2O \qquad (6.48)$$

trichloréthylène   tétrachloréthylène
Eb 87°C   Eb 121°C

Une industrie née récemment et dont l'importance va croissant est celle des dérivés polyhalogénés du méthane et de l'éthane, qu'on appelle souvent les "**chlorofluorocarbones**". Parmi eux, les **Fréons**, dérivés polyhalogénés du méthane, sont peut-être les plus importants. Ce sont des gaz ou des liquides à bas point d'ébullition, incolores, non toxiques, ininflammables et relativement non corrosifs. On les emploie comme agents réfrigérants des blocs de conditionnement d'air et de surgélification. On les prépare industriellement par fluoration des dérivés chlorés du méthane.

$$CCl_4 \xrightarrow[SbF_5]{HF} CCl_3F \xrightarrow[SbF_5]{HF} CCl_2F_2 \xrightarrow[SbF_5]{HF} CClF_3 \qquad (6.49)$$

Eb 76,5°C   trichlorofluoro-   dichlorodifluoro-   chlorotrifluoro-
méthane   méthane   méthane
(Fréon 11)   (Fréon 12)   (Fréon 13)
Eb 23,7°C   Eb −29,8°C   Eb −81,1°C

$$CHCl_3 \xrightarrow[SbF_5]{HF} CHCl_2F \xrightarrow[SbF_5]{HF} CHClF_2 \qquad (6.50)$$

Eb 61,7°C   (Fréon 21)   (Fréon 22)
Eb 9°C   Eb −40,8°C

La production des chlorofluorocarbones a pris son essor au début des années 1970 à cause de leur utilisation comme propulseurs d'aérosols. En réalité, cela avait commencé dès les années 1940, à cause des pertes des troupes américaines de la zone du Pacifique, dues davantage à des piqûres d'insectes des tropiques (conduisant à la malaria) qu'à l'action ennemie. On trouva que la manière la plus efficace et la plus commode de répandre des insecticides comme le DDT était de les dissoudre dans un peu d'huile et de dissoudre encore cette solution très concentrée dans CCl_2F_2 et ce dans un récipient sous pression. La décharge automatique de cette solution dans l'atmosphère provoque l'évaporation immédiate de CCl_2F_2, dispersion des gouttelettes d'insecticide en un nuage extrêmement fin (ou aérosol), plus durable et plus efficace contre les insectes que les pulvérisations classiques.

On utilise aussi les Fréons dans la propulsion d'aérosols, non seulement pour les insecticides, mais aussi pour les produits capillaires, les déodorants, les vernis et les peintures, les mousses (à raser), les décapants pour fours, etc. D'ailleurs, l'utilisation excessive de ces matières inertes, non biodégradables, a conduit à se demander s'ils ne devaient pas s'accumuler dans l'environnement et polluer l'atmosphère. Ils peuvent notamment se diffuser en altitude et avoir des effets nocifs sur la couche d'ozone de cette atmosphère qui fait écran aux rayons ultraviolets dangereux que nous envoie le soleil. Cela pourrait conduire à une modification du climat, à des dommages aux récoltes et peut-être aussi à de nouveaux cas de cancers de la peau. C'est pourquoi, à la fin des années 1970, l'emploi des Fréons comme propulseurs d'aérosols a été interdit aux Etats-Unis et remplacé, sauf cas particuliers, par d'autres composés.

L'utilisation des chlorofluorocarbones, malgré leurs inconvénients, est l'un des compromis qu'il a fallu faire entre les effets bénéfiques et les effets nuisibles de nouveaux produits nés de la recherche. Bref, les chlorofluorocarbones et le DDT ont permis de sauver de nombreuses vies humaines pendant la Seconde Guerre mondiale, mais leur utilisation aveugle et inconsidérée pourrait avoir des effets indésirables sur notre environnement*.

Depuis peu de temps, on utilise le Fréon 12 pour la préservation des livres et des documents de valeur. Pour empêcher l'encre de s'étaler, on traite le papier fabriqué avec de la pulpe de bois par des produits chimiques tels que le sulfate d'aluminium et la colophane. Mais ces derniers, avec le temps, produisent des acides qui rompent les fibres de cellulose. Les pages deviennent alors fragiles et les livres fabriqués avec ce papier moderne peuvent atteindre un état déplorable. On évite cela en immergeant ces livres dans une dispersion, sous pression, de composés chimiques alcalins dans le Fréon 12. Après une heure, quand le papier est complètement imprégné, on réduit la pression et l'on évapore le Fréon 12. La durée de vie de tels livres se mesure alors en siècles et non plus en décennies.

A haute température, on transforme le chlorodifluorométhane (CHClF$_2$, Fréon 22) en **tétrafluoréthylène**, la matière première du polymère perfluoré qu'est le **Téflon**.

$$2 \text{ CHClF}_2 \xrightarrow{\text{600–800°C}} \underset{\text{tétrafluoréthylène}}{\text{CF}_2 = \text{CF}_2} + 2 \text{ HCl} \qquad (6.51)$$

$$n \text{ CF}_2 = \text{CF}_2 \xrightarrow[\text{catalyseur}]{\text{peroxyde}} \underset{\text{Téflon}}{\big(\text{CF}_2\text{CF}_2\big)_n} \qquad (6.52)$$

Ce polymère résiste à presque tous les agents chimiques et ses nombreuses utilisations ont créé un réel impact dans notre vie de tous les jours. On l'utilise en effet pour le revêtement des casseroles, poêles à frire et autres ustensiles de cuisine; ces revêtements résistent à la chaleur et empêchent les aliments d'attacher à la surface de ces ustensiles, facilitant ainsi leur nettoyage. Un autre usage du Téflon est bien connu aujourd'hui dans la fabrication du "Gore–Tex", une matière qui comporte plus d'un milliard de pores au cm^2. La taille de ces pores est telle qu'elle permet le passage de la vapeur d'eau, mais pas celle de l'eau liquide. Ainsi la vapeur d'eau de la transpiration la traverse, mais non pas la pluie, ni le vent, ni la neige. Le "Gore-Tex" a révolutionné le vêtement de pluie (et du froid), tant civil que militaire. On en fait des tenues de ski, des chaussures, des sacs de couchage, des tentes, etc. Son utilisation, aussi riche que variée, est aussi à signaler dans l'isolation des fils métalliques, la protection des vitres et des toitures des bâtiments, dans la fabrication de lentilles pour les lampes fortes des appareils industriels modernes et des stades de compétition, dans les greffes vasculaires et les "réparations" du cœur, et tout récemment comme film délicat de certaines expériences biologiques dans l'espace. C'est Roy Plunkett, de la Cie DuPont, qui inventa le Téflon.

---

* L'eau peut sauver la vie de celui qui meurt de soif comme elle peut la prendre au naufragé. Les produits chimiques ne sont ni bons ni mauvais; tout dépend de l'usage qu'on en fait.

A PROPOS DU SANG ARTIFICIEL

Aussi fantastique que cela puisse paraître, on a constaté que des animaux, dont on a remplacé tout ou partie du sang par une émulsion convenable d'hydrocarbures, d'éthers ou d'amines perfluorés _ c'est-à-dire dont tous les hydrogènes sont substitués par des fluors _ peuvent survivre. Cette découverte, qui date du milieu de la décennie 1960-70, riche de promesses dans le domaine médical, a déjà permis de sauver des vies humaines. En voici un bref exposé.

Les composés perfluorés sont capables de dissoudre jusqu'à 60 % d'oxygène en volume, alors que le sang n'en dissout qu'environ 20 % et le plasma sanguin 3 %. Des rats, immergés dans des composés perfluorés saturés d'oxygène, "respirent" encore assez longtemps. Certes, ces composés liquides ne sont pas miscibles à l'eau, mais, en y ajoutant divers surfactants (substances à activité interfaciale analogues aux savons et aux détergents), on arrive à les émulsifier, c'est-à-dire à les transformer en fines gouttelettes qui restent en suspension dans la solution. Voici un exemple de sang artificiel : perfluorotributylamine $(CF_3CF_2CF_2CF_2)_3N$ 11-13 ml ; Pluronic F-68 (polymère émulsifiant) 2,3 - 2,7 g ; "Hydroxyéthyl amidon" 2,5-3,2 g ; NaCl 54 mg ; KCl 32 mg ; $MgCl_2$ 7 mg ; $CaCl_2$ 10 mg ; Na_2HPO_4 9,6 mg, avec suffisamment de Na_2CO_3 pour ajuster le pH à 7,44 et d'eau pour arriver à 100 ml de sang artificiel. Un autre composé perfluoré intéressant est la perfluorodécaline $C_{10}F_{18}$. Diverses techniques permettent de transformer de tels mélanges en émulsions, sang artificiel efficace si les particules en suspension sont d'une taille bien précise.

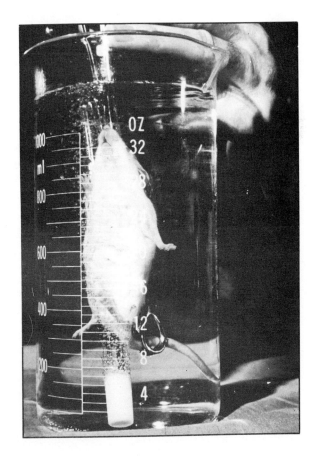

Contrairement au sang ordinaire, le sang artificiel n'est pas altéré par certains poisons. Ainsi, des rats dont tout le sang a été remplacé par du sang artificiel et auxquels on a fait respirer pendant des heures de l'oxygène contenant de 10 à 50 % de monoxyde de carbone survivent normalement par retour dans une atmosphère ordinaire d'azote et d'oxygène. Bien sûr, c'est graduellement qu'on remplace le sang artificiel de l'animal par du sang naturel; il survit et continue de produire son propre sang.

Cette expérience prouve bien que le sang artificiel est tout à fait capable de remplir, comme le sang normal, la fonction de transporteur d'oxygène, car toute cellule de sang rouge éventuellement présente n'aurait pu le faire, vu l'empêchement causé par le monoxyde de carbone.

Il arrive que les composés perfluorés, qui ont fonctionné un certain temps comme sang artificiel, soient excrétés peu à peu (après des jours et des semaines). Mais, apparemment, à cause de leur inertie chimique, ils sont sans danger.

Quelles sont les utilisations prévisibles de ce sang artificiel? Elles sont nombreuses. Par exemple: dans les catastrophes naturelles et quand les banques du sang sont épuisées (aucune analyse n'est ici nécessaire et on peut même l'utiliser sur des patients de groupe sanguin rare); dans la conservation d'organes destinés à la transplantation chirurgicale tels que reins et coeurs; dans le traitement de certaines anémies, telles que l'anémie drépanocytaire ou de maladies liées à un cancer, par des médicaments qui, autrement, réagiraient avec le sang normal. On peut imaginer aussi l'enlèvement total du sang du corps pour le débarrasser de ses virus, toxines, médicaments (ou drogues) pris à trop fortes doses. Au Japon, on a utilisé le sang artificiel sur des malades menacés de mort par suite d'hémorragies intenses et pour sauver la vie d'un patient refusant la transfusion habituelle pour des raisons religieuses.

Quand les premiers composés perfluorés furent préparés, ils furent considérés comme des curiosités chimiques, nul ne pouvant prévoir leurs propriétés et leurs applications. Il s'agit, en fait, d'un exemple remarquable de l'intérêt de la recherche pure et de son financement souhaitable, quel que soit le profit immédiat qu'on puisse en retirer.

A PROPOS DES INSECTICIDES ET DES HERBICIDES

L'emploi de composés polyhalogénés comme insecticides et herbicides est énorme. Le plus connu des *insecticides* est sans doute le DDT (dichlorodiphényltrichloréthane), préparé par réaction acido-catalytique du chlorobenzène et du trichloracétaldéhyde.

On l'a d'abord utilisé pendant la Seconde Guerre mondiale dans la lutte contre les moustiques, propagateurs de la malaria ; mais il s'est également révélé très efficace contre les mouches et beaucoup d'autres insectes nuisibles. Malheureusement, il n'est presque pas biodégradable et son utilisation excessive a conduit à son accumulation dans l'environnement. Il s'accumule, en effet, dans les tissus graisseux des animaux et il est alors très préjudiciable aux oiseaux et aux poissons notamment. L'usage courant du DDT est toléré mais limité, sa production annuelle mondiale étant d'environ 80.000 tonnes.

L'hexachlorocyclohexane, autre composé polyhalogéné, obtenu par la saturation du benzène avec du chlore sous l'action de la lumière, est aussi un insecticide important. C'est un produit commercial, notamment l'un de ses stéréoisomères (gammexane).

L'insecticide le plus fabriqué actuellement en France (Roussel-UCLAF) est un ester cyclopropanique dibromé, le *Décis*.

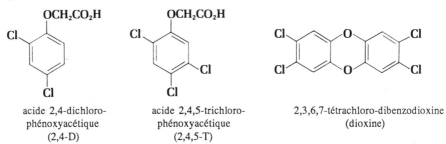

Les problèmes posés à l'agriculture par les "mauvaises herbes" sont également formidables. Celles-ci absorbent les matières nutritives et l'humidité nécessaires aux cultures, réduisent leur ensoleillement et diminuent d'autant les rendements. Aux Etats-Unis par exemple, elles seraient responsables d'une perte de 10 % de la production agricole, c'est-à-dire de 12 milliards de dollars, auxquels s'ajoutent les 6 milliards dépensés annuellement pour les combattre.

On lutte contre les mauvaises herbes surtout avec les *herbicides*. C'est le cas de 85 à 90 % des surfaces américaines en céréales, soja, coton, arachide et riz qui sont ainsi traitées par épandage, certains herbicides étant appliqués avant la plantation, d'autres après, mais avant la moisson, d'autres enfin à la floraison. La population mondiale s'accroissant constamment, il faut produire de plus en plus de nourriture, donc utiliser de plus en plus d'herbicides. En 1981 par exemple, on a utilisé aux Etats-Unis environ 300 millions de kilos d'ingrédients actifs en herbicides et cela augmente chaque année. Certains de ces derniers ont d'autres applications telles que le nettoiement des lignes de chemin de fer, des lignes électriques, du bord des routes, etc., sans oublier les pelouses et les jardins privés.

Il y a longtemps que les herbicides sont utilisés par les agriculteurs ; le sel ordinaire l'était déjà au temps jadis. Avant la Seconde Guerre mondiale, la plupart des herbicides chimiques n'étaient pas très sélectifs, endommageant les cultures en même temps qu'ils détruisaient les mauvaises herbes. Tout changea quand on découvrit que l'acide 2,4-dichlorophénoxyacétique (ou 2,4-D) détruit les mauvaises herbes à feuilles larges, mais laisse intactes, donc favorise, les plantes à feuilles étroites. Avec moins de 2 kg par hectare (à comparer aux 100 kg d'un herbicide minéral comme le chlorate de sodium), le 2,4-D est le plus utilisé dans la culture du blé.

acide 2,4-dichloro-
phénoxyacétique
(2,4-D)

acide 2,4,5-trichloro-
phénoxyacétique
(2,4,5-T)

2,3,6,7-tétrachloro-dibenzodioxine
(dioxine)

Quelques années plus tard arriva sur le marché le 2,4,5-T, supérieur au 2,4-D dans la lutte contre les broussailles des forêts. On l'a utilisé sur les pâturages comme sur les cultures de riz, de blé et de canne à sucre. On a beaucoup critiqué l'emploi par l'armée américaine au Vietnam, comme défoliant de la jungle, d'un mélange 50:50 d'esters du 2,4,5-T et du 2,4-D, qu'on a appelé l'agent "orange", parce que conditionné dans des fûts orange. Quoique la question soit encore à l'étude, il semble que le 2,4,5-T puisse contenir des traces de dioxine, un sous-produit de sa fabrication, l'un des poisons les plus puissants actuellement connus, responsable de la catastrophe de Seveso en Italie. Quand la fabrication du 2,4,5-T est soigneusement réalisée, son contenu en dioxine est inférieur à 1 ppm, qui présente encore néanmoins un certain risque. A l'heure actuelle, son emploi est sévèrement réglementé.

Au moins 40 herbicides font actuellement l'objet d'une utilisation importante, notamment ceux qui comportent un ou plusieurs halogènes.

atrazine
(blé, canne à sucre, ananas)

fluometuron
(coton, canne à sucre)

trifluraline
(coton, melons, tomates)

Un nouvel herbicide récemment lancé par Du Pont et qui semble devoir faire une percée dans ce domaine est un dérivé de l'urée comportant un chlore :

chlorsulforon

Il est efficace contre beaucoup de mauvaises herbes des céréales (blé, orge, avoine), même en très faible quantité (pas plus de 60 g à l'hectare).

A cause du danger de pollution de l'environnement par l'utilisation des pesticides, même à très faibles doses, et à cause de l'impossibilité pour l'agriculture de subvenir aux besoins de l'homme, sans ces pesticides, on recherche d'autres solutions à cet important problème. Beaucoup de végétaux possèdent leur propre système de défense contre les prédateurs et les microbes; ils sécrètent des composés chimiques qui les protègent du mal, soit en tuant les bactéries nocives, soit en repoussant les insectes ou en perturbant le cycle de leur reproduction, soit en empêchant la germination des spores des champignons, soit en contrecarrant la croissance des "mauvaises herbes", ou bien, d'une façon ou d'une autre, ces végétaux exaltent leur protection naturelle. La recherche de nouveaux pesticides commence par l'isolement de ces substances de défense naturelle, la connaissance de leur action, et alors de l'emploi de ces substances elles-mêmes (c'est le cas de la roténone, le constituant insecticide principal de la racine de certaines légumineuses) ou de la synthèse de molécules apparentées. Un exemple récent est celui d'un margousier des régions arides de l'Inde, du Pakistan et du Sri Lanka. On sait depuis des siècles que là où il pousse, il n'y a ni insectes, ni nématodes ni maladies des végétaux. Des extraits de ses graines apportent effectivement une protection contre une centaine de fléaux de récoltes tels que le bombyx disparate, l'escargot du Japon, les pucerons et l'anthonome du cotonnier. Récemment a été tolérée l'utilisation limitée d'un pesticide basé sur ces travaux.

Il est évident que la modernisation de l'agriculture, rendue nécessaire par l'accroissement constant de la population mondiale, serait impossible sans l'emploi des herbicides découverts par les scientifiques.

Résumé du chapitre

Par réaction avec les nucléophiles, réactifs pouvant apporter une paire d'électrons pour former une liaison covalente, les halogénures d'alkyle subissent la substitution nucléophile. Le nucléophile prend la place de l'halogène. La table 6.1 donne seize exemples de cette réaction, qu'on utilise pour convertir les halogénures d'alkyle en alcools, éthers, esters, thiols, nitriles et alcynes.

Deux mécanismes peuvent régir la substitution nucléophile. Le mécanisme S_N2 est un processus à une seule étape. La vitesse de la réaction dépend de la concentration du substrat et de celle du nucléophile. Si le carbone porteur de l'halogène est chiral, la substitution a lieu avec inversion de configuration. Elle est rapide avec les halogénures primaires, mais très lente avec les halogénures tertiaires.

Le mécanisme S_N1 est un processus à deux étapes. La première est l'ionisation de l'halogénure d'alkyle, qui conduit à un carbocation et à un ion halogénure. La seconde voit la combinaison du carbocation et du nucléophile. La vitesse est indépendante de la concentration du nucléophile. Si le carbone porteur de l'halogène est chiral, la substitution a lieu avec racémisation. Elle est rapide avec les halogénures tertiaires, mais très lente avec les halogénures primaires. Dans la table 6.2, on compare les deux mécanismes.

La réaction d'élimination entre souvent en compétition avec la substitution. Il y a alors perte de l'halogène avec un hydrogène lié au carbone adjacent et formation d'un alcène. Comme pour la substitution, deux mécanismes peuvent régir l'élimination. Le mécanisme E2 est un processus à une seule étape. Le nucléophile, agissant comme base, arrache l'hydrogène du carbone adjacent. L'état de transition favorisé est plan, l'hydrogène arraché et le groupe partant prenant la conformation *anti*.

La première étape du mécanisme E1 est l'ionisation comme celle du mécanisme S_N1. Dans la deuxième étape, le carbocation résultant perd alors un proton lié au carbone adjacent à celui qui porte la charge et donne ainsi l'alcène.

Substitutions et éliminations ont lieu aussi dans les systèmes biologiques.

Les composés polyhalogénés ont souvent des propriétés très utiles. Le tétrachlorure de carbone, le chloroforme et le chlorure de méthylène sont des solvants intéressants. D'autres, comme $CBrClF_2$ et $CBrF_3$, sont des extincteurs, $CF_3CHClBr$ est l'anesthésique halothane, les tri– et tétrachloréthènes sont des solvants du nettoyage à sec et les chlorofluorocarbones ou Fréons (CCl_3F, CCl_2F_2, $CClF_3$, $CHCl_2F$, $CHClF_2$) sont utilisés comme réfrigérants, propulseurs d'aérosols et comme solvants. Le Téflon est un polymère du tétrafluoréthylène. On l'utilise dans l'industrie du vêtement, la fabrication du Gore-Tex, des isolants, etc. Certains composés perfluorés sont capables de dissoudre de grandes quantités d'oxygène et sont utilisables comme sang artificiel. Beaucoup de composés halogénés sont d'importants pesticides.

PROBLEMES SUPPLEMENTAIRES

6.10 En s'aidant de la table 6.1 , écrire l'équation de chacune des réactions suivantes:

a. 1-bromobutane + iodure de sodium (dans l'acétone)

b. 2-chlorobutane + éthanolate de sodium

c. bromure de *t*-butyle + eau

d. chlorure de *p*-chlorobenzyle + cyanure de sodium

e. iodure de *n*-propyle + acétylure de sodium

f. 2-chloropropane + hydrosulfure de sodium

g. chlorure d'allyle + ammoniac (2 équivalents)

h. 1,4-dibromobutane + cyanure de sodium (en excès)

i. 1-méthyl-1-bromocyclohexane + méthanol

6.11 Choisir un halogénure d'alkyle et un nucléophile susceptibles de donner chacun des produits suivants :

a. $CH_3CH_2CH_2NH_2$ **b.** $CH_3CH_2SCH_2CH_3$

c. $HC \equiv CCH_2CH_2CH_3$ **d.** $(CH_3)_2CHOCH(CH_3)_2$

e.  $NCCH_2$—⟨ ⟩—CH_2CN **f.** 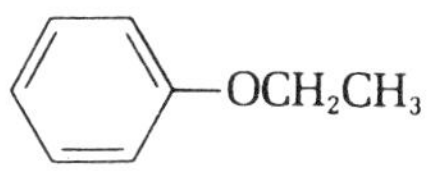 ⟨ ⟩—OCH_2CH_3

6.12 Donner les équations des deux réactions susceptibles de conduire, par la méthode de Williamson, à l'éther de méthyle et de *s*-butyle. Laquelle vous semble préférable ?

6.13 Ecrire chacune des réactions suivantes en montrant clairement la stéréochimie des réactants et des produits:

a. (*S*)-2-bromobutane + méthanolate de sodium (dans le méthanol) $\longrightarrow$ 2-méthoxybutane (réaction S_N2)

b. (*R*)-3-bromo-3-méthylhexane + méthanol $\longrightarrow$ 3-méthoxy-3-méthylhexane (réaction S_N1)

c. *cis* -2-bromo-1-méthylcyclopentane + NaSH $\longrightarrow$ 2-méthylcyclopentanethiol

6.14 Quel est l'ordre des réactivités de $(CH_3)_2CHCH_2Br$, $(CH_3)_3CBr$ et de $CH_3CHBrCH_2CH_3$ dans leurs réactions avec:

a. le cyanure de sodium   **b.** l'acétone aqueuse à 50 % ?

6.15 Traitée par l'iodure de sodium, une solution de (R)-2-iodooctane dans l'acétone perd peu à peu toute son activité optique. Expliquer.

6.16 L'équation 6.26 montre que l'hydrolyse du bromure de t-butyle donne environ 80 % de $(CH_3)_3COH$ et 20 % de $(CH_3)_2C{=}CH_2$. On obtient le même rapport en alcool et en alcène à partir du chlorure ou de l'iodure de t-butyle. Expliquer.

6.17 Quel produit (et par quel mécanisme) peut-on attendre de chacune des réactions suivantes:

a. 1-chloro-1-méthylcyclohexane   +   alcool éthylique $\longrightarrow$

b. 1-chloro-1-méthylcyclohexane   +   éthanolate de sodium (dans l'éthanol) $\longrightarrow$

6.18 Ecrire la formule de tous les produits possibles des réactions du 2-chloro-2-méthyl-butane selon le mécanisme E1.

6.19 Expliquer la différence entre les produits des deux réactions suivantes, compte tenu de la différence des deux mécanismes:

$$CH_2{=}CH{-}CHBr{-}CH_3 + Na^{+-}OCH_3 \longrightarrow CH_2{=}CH{-}CH(OCH_3){-}CH_3$$

$$CH_2{=}CH{-}CHBr{-}CH_3 + CH_3OH \longrightarrow CH_2{=}CH{-}CH(OCH_3){-}CH_3$$
$$+ CH_3OCH_2CH{=}CHCH_3$$

6.20 Le chlorure de menthyle (dérivé du menthol naturel) et le chlorure de néomenthyle ne diffèrent que par la stéréochimie de leur liaison C—Cl.

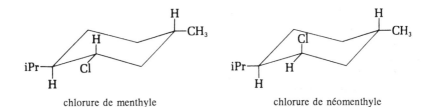

chlorure de menthyle   chlorure de néomenthyle

Quand l'un et l'autre sont traités par une base forte (Na^+ $^-OC_2H_5$ dans C_2H_5OH), le chlorure de menthyle donne 100 % de 2-menthène, tandis que le chlorure de néomenthyle donne 75 % de 3-menthène et seulement 25 % de 2-menthène.

2–menthène   3–menthène

Montrer comment ces résultats sont en accord avec la géométrie transoïde coplanaire de l'état de transition dans les éliminations E2.

6.21 Ecrire les étapes de la réaction qui transforme le tétrafluoréthylène en Téflon (équation 6.52).

6.22 Combiner une addition électrophile et une substitution nucléophile pour faire la synthèse en deux étapes de:

a. $CH_3CHCH_2CH_3$ à partir de $CH_3CH{=}CHCH_3$
     |
    OCH_3

b. CH₃—C—CH₂CH₃ à partir de CH₃—C=CHCH₃ (with CH₃ and OCH₃ substituents / with CH₃ substituent)

$$\text{b.} \quad CH_3-\underset{\underset{OCH_3}{|}}{\overset{\overset{CH_3}{|}}{C}}-CH_2CH_3 \qquad \text{à partir de} \qquad CH_3-\overset{\overset{CH_3}{|}}{C}=CHCH_3$$

c. 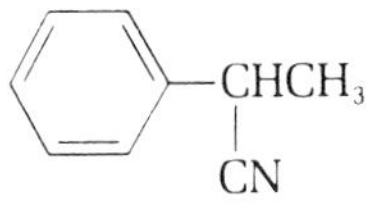 —CHCH₃ à partir de —CH=CH₂
         |
        CN

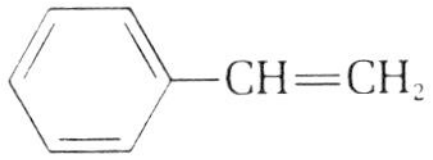

6.23 Imaginer une synthèse en deux étapes de chacun des composés suivants à partir d'un alcène approprié.
a. $C_6H_5CH(NH_2)CH_3$ **b.** $(CH_3CH_2)_2CHSH$

6.24 Combiner la réaction d'un alcool avec le sodium et une substitution nucléophile pour obtenir la synthèse en deux étapes de:
a. $CH_3OCH_2CH_3$ à partir de CH_3OH et CH_3CH_2Br.
b. $CH_3OC(CH_3)_3$ à partir d'un alcool et d'un halogénure d'alkyle

6.25 Combiner une addition–1,4 électrophile et une substitution nucléophile pour faire, en deux étapes, la synthèse de:
a. $CH_3CH{=}CHCH_2CN$ à partir de $CH_2{=}CH{-}CH{=}CH_2$
b. $NCCH_2CH{=}CHCH_2CN$ à partir de $CH_2{=}CH{-}CH{=}CH_2$

6.26 Combiner la réaction de l'éq. 3.63 avec une substitution nucléophile pour obtenir
a. une synthèse en deux étapes de $CH_3C{\equiv}CCH_2C_6H_5$ à partir de $CH_3C{\equiv}CH$ et $C_6H_5CH_2Br$.
b. une synthèse en quatre étapes de $CH_3C{\equiv}CCH_2CH_3$ à partir d'acétylène et des halogénures d'alkyle appropriés

6.27 Combiner une addition électrophile et une élimination pour obtenir une synthèse en deux étapes de:
a. $(CH_3)_2C{=}CHCH_3$ à partir de $CH_2{=}C(CH_3)CH_2CH_3$

b. 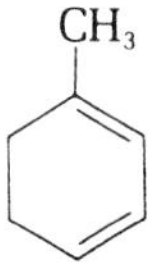 à partir de

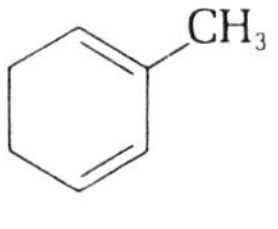

6.28 Combiner une substitution nucléophile et une hydrogénation catalytique pour faire:
a. $CH_3CH_2CH_2OH$ à partir de $CH_2{=}CHCH_2Br$
b. le *cis*-2–butène à partir de propyne et d'iodure de méthyle

CHAPITRE 7

ALCOOLS, PHENOLS ET THIOLS

7.1 Introduction

La formule générale des **alcools** est **R–OH**. Leur structure est analogue à celle de l'eau, l'un des hydrogènes de celle-ci étant remplacé par un groupe alkyle. Le groupe fonctionnel des alcools est le **groupe hydroxyle, – OH**. Les **phénols** ont le même groupe fonctionnel, mais il est attaché directement à l'un des carbones du cycle aromatique. Les **thiols** ont des structures analogues aux alcools et aux phénols, l'oxygène étant remplacé par un soufre.

$$H—\overset{..}{\underset{..}{O}}—H \qquad R—\overset{..}{\underset{..}{O}}—H \qquad Ar—\overset{..}{\underset{..}{O}}—H \qquad R—\overset{..}{\underset{..}{S}}—H \qquad Ar—\overset{..}{\underset{..}{S}}—H$$

eau   alcool   phénol   thiol   thiophénol

Les alcools, phénols et thiols sont tous courants dans la nature. Dans ce chapitre, on discutera des principales propriétés physiques et chimiques de chacune de ces trois catégories de composés. On examinera aussi leurs préparations industrielles et au laboratoire et, par quelques exemples, leur importance en biologie.

7.2 Nomenclature des alcools

On forme le nom commun des alcools en ajoutant le mot *alcool* au groupe *alkyle* auquel est attaché l' –OH. Dans le système IUPAC, on ajoute le suffixe *-ol* (qui indique la présence d'un groupe hydroxyle) au nom de l'alcane correspondant, en précisant sa position si nécessaire. Exemples (les noms communs sont entre parenthèses):

$$CH_3OH \qquad CH_3CH_2OH \qquad \overset{3}{C}H_3\overset{2}{C}H_2\overset{1}{C}H_2OH \qquad \overset{1}{C}H_3\overset{2}{C}H\overset{3}{C}H_3$$
$$\underset{\qquad\qquad\qquad\qquad\qquad\quad OH}{}$$

méthanol   éthanol   1-propanol   2-propanol
(alcool méthylique)   (alcool éthylique)   (alcool *n*-propylique)   (alcool isopropylique)

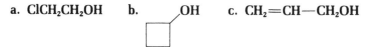

		CH₃	CH₃

$CH_3CH_2CH_2CH_2OH$ $CH_3CHCH_2CH_3$ CH_3CHCH_2OH $CH_3-\overset{\overset{\displaystyle CH_3}{|}}{\underset{\underset{\displaystyle CH_3}{|}}{C}}-OH$

1-butanol   2-butanol   2-méthyl-1-propanol   2-méthyl-2-propanol

(alcool *n*-butylique)   (alcool *s*-butylique)   (alcool isobutylique)   (alcool *t*-butylique)

Exemple de problème 7.1   Nommer les alcools suivants dans le système IUPAC.

a. ClCH₂CH₂OH   **b.**  **OH**   **c. CH₂=CH—CH₂OH**

Solution
a. 2-chloroéthanol (le carbone portant le groupe hydroxyle a le numéro 1)
b. cyclobutanol
c. 2-propène-1-ol (le carbone portant l'—OH a le numéro 1 ; on utilise deux suffixes : -*ène* pour la double liaison et -*ol* pour l'—OH, avec un numéro pour préciser leur position). Ce composé a aussi un nom commun ; c'est l'alcool allylique.

Problème 7.1   Nommer les alcools suivants dans le système IUPAC.

a. BrCH₂CH₂CH₂OH   **b. H**   **OH**   **c. CH₂=CHCH₂CH₂OH**

Problème 7.2   Ecrire la formule développée:
a. du 2-pentanol   b. du 1-phényl-éthanol   c. du 3-pentène-3-ol.

7.3 Classification des alcools

On classe les alcools en primaires, secondaires et tertiaires, selon qu'un, deux ou trois groupes organiques sont liés au carbone portant l'hydroxyle.

$$R-CH_2OH \qquad R-\overset{\overset{\displaystyle R}{|}}{C}HOH \qquad R-\overset{\overset{\displaystyle R}{|}}{\underset{\underset{\displaystyle R}{|}}{C}}-OH$$

primaire   secondaire   tertiaire

L'alcool méthylique qui n'appartient pas vraiment à cette classification est considéré d'habitude comme un alcool primaire. Remarquons que cette classification est analogue à celle des carbocations (paragraphe 3.14). On verra que la chimie d'un alcool dépend souvent de sa catégorie.

Problème 7.3   Classer les huit alcools du paragraphe 7.2 en primaires, secondaires ou tertiaires.

7.4 Nomenclature des phénols

On nomme d'habitude les phénols en les considérant comme des dérivés du composé de base (revoir le paragraphe 4.8).

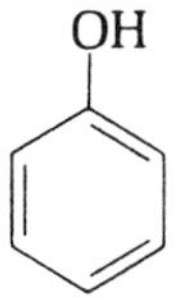

* Récemment, le terme "benzénol" a été proposé pour le phénol et ses dérivés. Bien qu'adopté par les Chemical Abstracts, ce terme est encore peu utilisé par les chimistes organiciens.

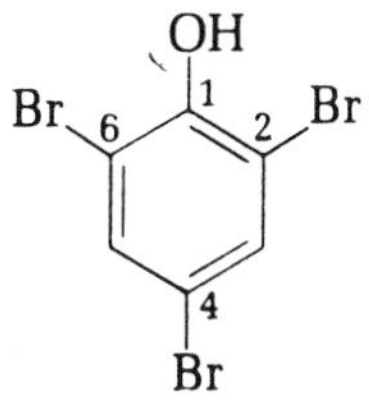

phénol*   *p*-chlorophénol   2,4,6-tribromophénol

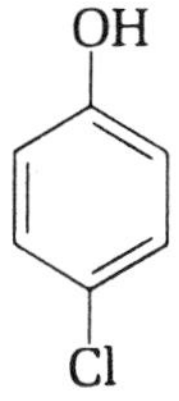

Beaucoup de phénols ont des noms communs, car ils ont été découverts dans les premiers temps de la chimie organique. Les méthylphénols, par exemple, sont connus sous le nom de **crésols** (ce nom vient de *créosote*, un goudron de bois qui en contient).

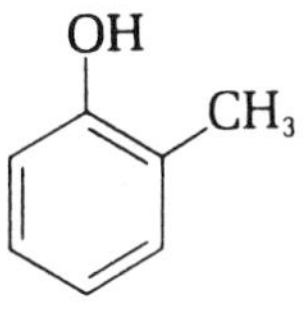

o-crésol
F 30,9°C
Eb 191°C

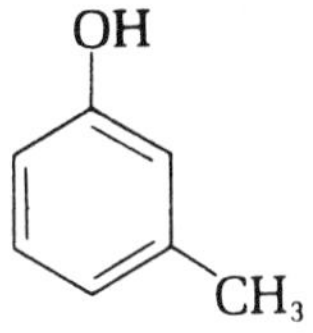

m-crésol
F 11,5°C
Eb 202°C

p-crésol
F 35°C
Eb 202°C

Problème 7.4   **Ecrire la formule :**
a. du p-éthylphénol
b. du pentachlorophénol (un insecticide utilisé contre les termites, qui est aussi un fongicide).

7.5 La liaison hydrogène chez les alcools et les phénols

Le point d'ébullition des alcools est anormalement élevé, comparé à celui des éthers et des hydrocarbures de masse moléculaire identique ou voisine. Exemples :

	CH_3CH_2OH	CH_3OCH_3	$CH_3CH_2CH_3$
M	46	46	44
Eb	+ 78,5°C	− 24°C	− 42°C

C'est parce que les molécules des alcools forment des liaisons hydrogène entre elles. La liaison O—H est très polarisée par suite de l'électronégativité élevée de l'atome d'oxygène (revoir le paragraphe 1.5). Vu cette polarisation, il y a une charge positive partielle mais notable sur l'atome d'hydrogène. Etant donné sa charge positive partielle importante et sa petite taille, ce dernier peut se lier à deux atomes d'oxygène, électronégatifs, comme le montre l'équation suivante :

$$
\underset{\text{deux molécules d'alcool séparées}}{\overset{R}{\underset{\delta-}{O}}{\overset{\delta+}{-}}H \;+\; \overset{R}{\underset{\delta-}{O}}{\overset{\delta+}{-}}H} \;\;\rightleftharpoons\;\; \underset{\text{liaison hydrogène}}{\overset{R}{\underset{\delta-}{O}}{\overset{\delta+}{-}}H\cdots\overset{R}{\underset{\delta-}{O}}{\overset{\delta+}{-}}H} \tag{7.1}
$$

Ainsi, deux ou plus de deux molécules d'alcool s'associent par liaisons hydrogène.

La force de la liaison hydrogène est nettement inférieure à celle de la liaison covalente, peut-être 10 % seulement de celle-ci. Son énergie atteint 5-10 kcal/mole (20-40 kJ/mole). Cette force est néanmoins réelle et c'est pourquoi les alcools et les phénols ont des points d'ébullition relativement élevés, car il faut fournir de la chaleur, non seulement pour vaporiser chaque molécule, mais aussi pour rompre les liaisons hydrogène.

L'eau, bien sûr, est aussi un liquide formé de molécules assemblées par liaisons hydrogène. Les alcools de faible masse moléculaire peuvent aisément remplacer des molécules d'eau de cet assemblage.

Cela explique la miscibilité totale à l'eau des alcools de faible masse moléculaire. Mais, quand la chaîne carbonée est plus longue et que l'alcool se rapproche relativement de l'hydrocarbure, sa solubilité dans l'eau diminue. La table 7.1 illustre ces propriétés.

Table 7.1	Nom	Formule	Eb,°C	Solubilité dans l'eau en g/100 g à 20°C
Points d'ébullition et solubilité dans l'eau de quelques alcools	méthanol	CH_3OH	65	miscible en ttes prop.
	éthanol	CH_3CH_2OH	78,5	miscible en ttes prop.
	1-propanol	$CH_3CH_2CH_2OH$	97	miscible en ttes prop.
	1-butanol	$CH_3CH_2CH_2CH_2OH$	117,7	7,9
	1-pentanol	$CH_3CH_2CH_2CH_2CH_2OH$	137,9	2,7
	1-hexanol	$CH_3CH_2CH_2CH_2CH_2CH_2OH$	155,8	0,59

7.6 Acidité et basicité

Le comportement acide-base des composés organiques aide souvent à en interpréter les propriétés chimiques et on a déjà abordé cette question (paragraphe 1.23). C'est notamment le cas des alcools et on en profitera pour rappeler et exposer ici les concepts fondamentaux de l'acidité et de la basicité.

On a vu qu'une première définition précise des acides et des bases est celle de **Brønsted**, d'après laquelle un acide est un donneur de proton et la base un accepteur de protons. Ainsi, dans l'équation 7.2, la molécule d'eau accepte un proton de la molécule du chlorure d'hydrogène; ce dernier agit comme acide ou donneur de proton, tandis que l'eau agit comme base ou accepteur de proton. On appelle les produits **acide conjugué** (de la base) et **base conjuguée** (de l'acide).

$$H\text{—}\ddot{O}\text{:} + H\text{—}\ddot{C}\text{l:} \quad \xrightleftharpoons \quad H\text{—}\overset{+}{\ddot{O}}\text{—}H + \text{:}\ddot{C}\text{l:}^-$$
$$\qquad | \qquad\qquad\qquad\qquad\qquad | $$
$$\qquad H \qquad\qquad\qquad\qquad\qquad H$$

(7.2)

base   acide   acide conjugué   base conjuguée

La force d'un acide (ou d'une base) est mesurée quantitativement par sa constante d'acidité ou constante d'ionisation, Ka , le plus souvent par rapport à l'eau. Cette constante est la constante d'équilibre de la réaction

$$HA + H_2O \rightleftharpoons H_3O^+ + A^-$$

(7.3)

avec*

$$Ka = \frac{[H_3O^+][A^-]}{[HA]}$$

(7.4)

Plus l'acide est fort, plus l'équilibre de l'équation 7.3 est déplacé vers la droite; autrement dit, plus grande est la concentration en H_3O^+ et plus grande est la valeur de Ka. Ainsi, le Ka de l'eau, acide faible, est $1,8 \times 10^{-16}$. Pour éviter ces nombres exponentiels négatifs, on exprime souvent l'acidité en pKa, qui est le logarithme négatif de la constante d'acidité.

$$pKa = - \log Ka$$

(7.5)

Le pKa de l'eau, par exemple, est:

$$- \log (1,8 \times 10^{-16}) = - \log 1,8 - \log 10^{-16} = - 0,26 + 16 = + 15,74$$

Plus Ka est petit, ou plus pKa est grand, plus faible est l'acide.

Il est bon d'avoir à l'esprit que la force d'un acide et celle de sa base conjuguée varient en raison inverse l'une de l'autre. Dans l'équation 7.2, par exemple, HCl est un acide *fort*, puisque l'équilibre apparaît très déplacé vers la droite. Il s'ensuit que l'anion chlore (ou chlorure) doit être une base *faible* puisqu'elle a peu d'affinité pour le proton. De même, puisque l'eau est un acide *faible*, sa base conjuguée, l'ion hydroxyde, OH^-, doit être une base *forte*.

Une autre définition des acides et des bases est celle de **Lewis**, d'après laquelle une substance est acide (dite acide de Lewis) si elle peut *accepter* une paire d'électrons ; elle est basique (dite base de Lewis) si elle peut *donner* une paire d'électrons. Ainsi, le proton lui-même est considéré comme un acide, car il peut accepter la paire d'électrons d'un donneur (une base de Lewis) pour compléter sa couche électronique $1s$. De même, $FeCl_3$ ou $AlCl_3$, dans leur action comme catalyseurs de la chloration aromatique électrophile (équation 4.15 et 4.16) ou de la réaction de Friedel et Crafts (équation 4.21), interviennent comme acides de Lewis; ils acceptent une paire d'électrons du chlore ou d'un chlorure d'alkyle pour compléter leur octet d'électrons.

---

* Les crochets symbolisent la concentration en moles par litre de l'espèce qu'ils englobent. On omet généralement la concentration en eau $[H_2O]$ du dénominateur puisqu'elle reste pratiquement constante (55,5M), valeur très grande comparée à celles des concentrations des trois autres espèces.

Toute molécule comportant une paire d'électrons libres peut être une base de Lewis. Les équations ci-après illustrent quelques acides et bases de Lewis:

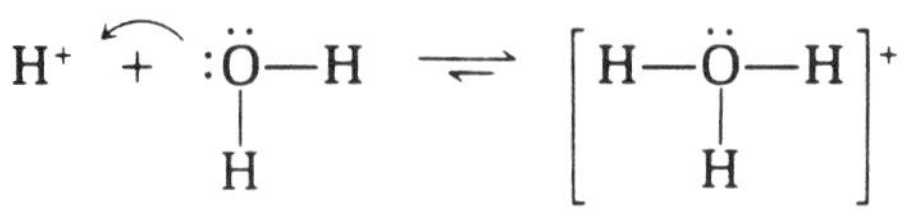

$$H^+ + :\ddot{O}-H \rightleftharpoons \left[H-\ddot{O}-H \right]^+ \qquad (7.6)$$

avec H en bas

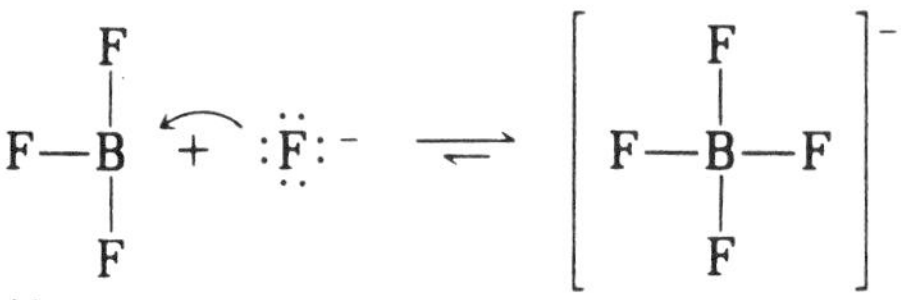

$$F-B + :\ddot{F}:^- \rightleftharpoons \left[F-B-F \right]^- \qquad (7.7)$$

avec F autour

acide   base
de Lewis   de Lewis

Enfin, des substances peuvent agir comme acides ou comme bases selon le composé qu'elles ont en face d'elles. Par exemple, dans les équations 7.2 et 7.6, l'eau agit comme base (accepteur de proton), mais dans l'équation ci-après avec l'ammoniac, elle agit comme acide (donneur de proton).

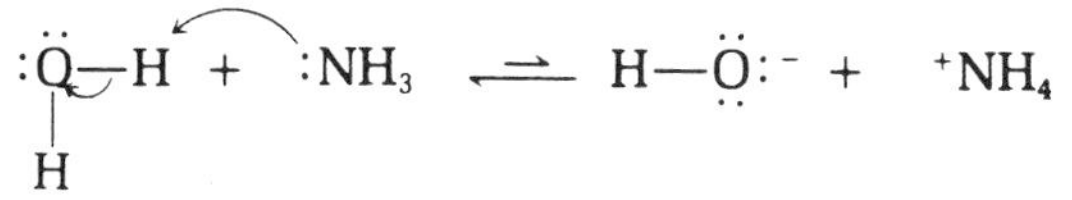

$$:\ddot{O}-H + :NH_3 \rightleftharpoons H-\ddot{O}:^- + {}^+NH_4 \qquad (7.8)$$

avec H en bas

eau   ammoniac   ion   ion
                         hydroxyde   ammonium

Problème 7.5 Quel est le pKa de l'éthanol sachant que son Ka est $1,0 \times 10^{-16}$?

Problème 7.6 Du cyanure d'hydrogène et de l'acide acétique, quel est l'acide le plus fort sachant que leurs pKa respectifs sont 9,2 et 4,7 ?

Problème 7.7 Parmi les composés suivants, quels sont les acides et les bases de Lewis ?
a. $H:^-$ b. $(CH_3)_3B$ c. Mg^{2+}
d. CH_3OCH_3 e. $(CH_3)_3C^+$ f. $(CH_3)_2C=\ddot{O}:$

Problème 7.8 L'ammoniac est une base faible (équation 7.8). Comment peut-on caractériser l'ion ammonium NH_4^+?

Problème 7.9 Ecrire une équation montrant que l'ammoniac, bien qu'acide de Brønsted très faible, peut agir comme tel.

7.7 Acidité des alcools et des phénols

Comme l'eau, les alcools et les phénols sont des acides faibles. Tous comportent le groupe hydroxyle qui peut agir comme donneur de proton et ils se dissocient comme l'eau:

$$R\ddot{O}-H \rightleftharpoons R\ddot{O}:^- + H^+ \qquad (7.9)$$

alcool   alcoolate

Table 7.2
Valeur des pKa
de quelques
alcools et
phénols

Nom	Formule	pKa
eau	HO—H	15,7
méthanol	CH_3O—H	15,5
éthanol	CH_3CH_2O—H	15,9
alcool t-butylique	$(CH_3)_3CO$—H	18
2,2,2-trifluoroéthanol	CF_3CH_2O—H	12,4
phénol	C_6H_5O—H	10,0
p-nitrophénol	p-O_2N-C_6H_4O—H	7,2
acide picrique	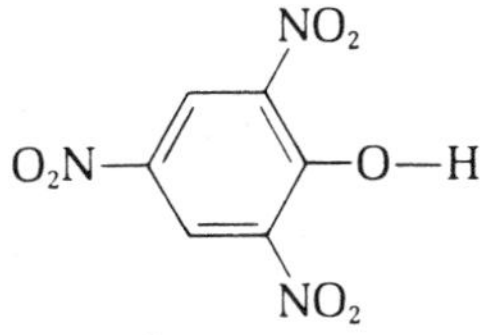	0,25

La base conjuguée d'un alcool est un ion alcoolate, par exemple un méthanolate à partir du méthanol, un éthanolate à partir de l'éthanol, etc.*

La table 7.2 rassemble les pKa de quelques alcools et phénols caractéristiques. Certaines de ces valeurs sont remarquables. Ainsi le méthanol et l'éthanol sont presque aussi acides que l'eau; l'alcool tertiaire qu'est l'alcool *t*-butylique est un acide nettement plus faible. Cependant le phénol est presque 10^6 fois plus acide que l'éthanol. Comment expliquer une telle différence d'acidité entre alcools et phénols qui, dans les deux cas, est due à un même groupe –OH fonctionnant comme donneur de proton?

La raison essentielle de la plus forte acidité des phénols par rapport aux alcools est la stabilisation des phénolates par résonance. Alors que la charge négative d'un alcoolate est localisée sur l'atome d'oxygène, celle d'un phénolate est délocalisée, par résonance, en *ortho* et en *para* du cycle benzénique.

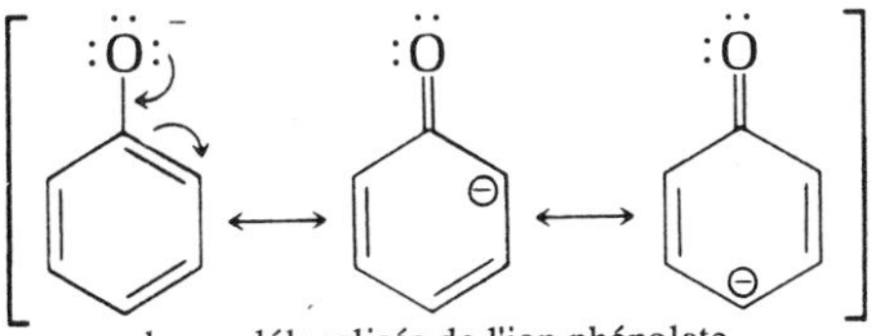

charge délocalisée de l'ion phénolate

R—$\ddot{O}$: ⁻

charge localisée
sur l'atome d'oxygène
des ions alcoolates

Etant donné la stabilisation des phénolates qui en résulte, leur formation à partir des phénols est plus favorisée que celle des alcoolates à partir des alcools, d'où la plus grande acidité des phénols.

* C'est à tort que les alcoolates métalliques ROMétal sont souvent nommés, par exemple : méthylate, éthylate, t-butylate, etc., du nom du groupe alkyle correspondant, dénomination impropre qui ne pourrait être éventuellement que celle des dérivés métalliques RMétal des hydrocarbures. Dans ce livre, on appellera ces alcoolates du nom de l'alcool correspondant : méthanolate, éthanolate, *t*-butanolate et aussi phénolate, etc.

La table 7.2 révèle que le 2,2,2-trifluoroéthanol est un acide environ 2.000 fois plus fort que l'éthanol. Comment interpréter cet effet des fluors? Pour cela, on compare encore les stabilités des anions respectifs. Le fluor est un élément fortement électronégatif. La liaison C—F est donc polarisée avec un fluor partiellement négatif et un carbone partiellement positif.

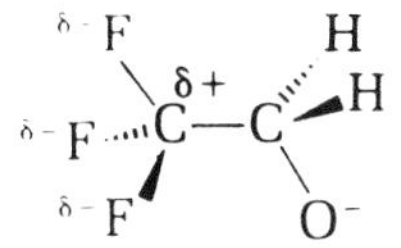

ion 2,2,2-trifluoroéthanolate 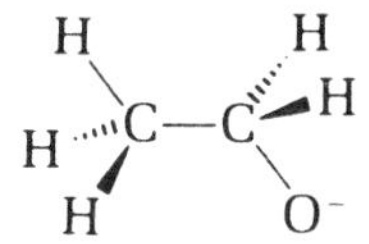   ion éthanolate

La charge positive du carbone participe à la neutralisation, donc à la stabilisation de la charge négative de l'oxygène voisin. Un tel effet, dit **effet inductif**, est absent dans l'ion éthanolate non substitué.

Cet effet du fluor n'est pas une particularité mais l'exemple d'un phénomène général. Tous les groupes attracteurs d'électrons stabilisent ainsi la base conjuguée, donc accroissent l'acidité; et tous les groupes donneurs d'électrons ont l'effet opposé et diminuent l'acidité. Le cas du *p*-nitrophénol en est un autre exemple de la table 7.2. Ce phénol est presque 1.000 fois plus acide que le phénol lui-même. Le groupe nitro intervient ici de deux manières pour stabiliser l'ion *p*-nitrophénolate.

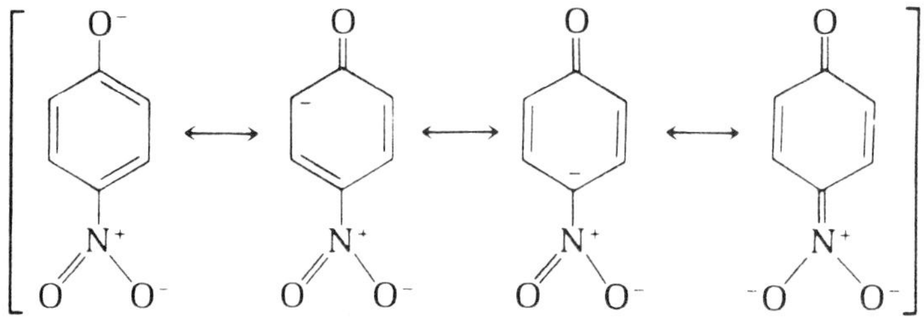

formes limites de l'ion p-nitrophénolate

D'abord l'azote, positif dans toutes les formes limites de cet ion, est attracteur d'électrons. Par effet inductif il accroît donc l'acidité du phénol correspondant; mais, de plus, la charge négative de l'oxygène du phénolate peut être délocalisée, par résonance, non seulement en *ortho* et en *para* comme dans l'ion phénolate lui-même, mais aussi sur les oxygènes du groupe nitro (forme limite IV). L'effet inductif et l'effet de résonance (qu'on appelle aussi effet mésomère) s'additionnent ici pour exalter l'acidité de la molécule.

Une telle addition de ces deux effets explique la très forte acidité de l'acide picrique (2,4,6-trinitrophénol). Il est presque 10 milliards de fois plus acide que le phénol lui-même.

Problème 7.10   **Ecrire les formes limites de l'ion 2,4,6-trinitrophénolate (ion picrate) et montrer que la charge négative peut être délocalisée sur tous les atomes d'oxygène.**

Problème 7.11   **Ranger les composés suivants dans l'ordre des acidités croissantes: 2-chloroéthanol, *p*-chlorophénol, *p*-crésol, éthanol, phénol.**

Les ions alcoolates en solution organique, comme l'ion hydroxyde dans l'eau, sont des bases fortes, et les alcoolates métalliques sont fréquemment utilisés comme tels en chimie organique. Les alcoolates tertiaires alcalins, tels que le t-butylate [$(CH_3)_3CO^-Na^+$] et le t-amylate [$C_2H_5(CH_3)_2CO^-Na^+$] de sodium (ou de potassium) sont des bases particulièrement fortes, vraisemblablement à cause de l'effet donneur des trois groupes alkyles; ce sont d'autre part des nucléophiles faibles à cause de l'encombrement stérique qui gêne toute attaque nucléophile (voir paragraphe 6.12). On les prépare par action d'un alcool avec le sodium ou le potassium ou avec un hydrure métallique

$$2 \underset{\text{alcool}}{R\text{—}OH} + 2\,Na \rightarrow 2\,\underset{\text{alcoolate de sodium}}{RO^-Na^+} + H_2 \tag{7.10}$$

$$RO\text{—}H + \underset{\text{hydrure de sodium}}{Na\text{—}H} \rightarrow R\text{—}O^-Na^+ + H_2 \tag{7.11}$$

Problème 7.12   **Ecrire la réaction de l'alcool t-butylique avec le potassium métal et nommer le produit formé.**

Ordinairement on ne peut convertir un alcool en son ion alcoolate en le traitant par de l'hydroxyde de sodium, parce que les alcoolates sont des bases plus fortes. Par contre, les phénols, à cause de leur plus grande acidité, peuvent donner ainsi des phénolates.

$$C_6H_5\text{—}OH + Na^+OH^- \rightarrow C_6H_5\text{—}O^-Na^+ + HOH \tag{7.12}$$

Le phénol lui-même est 10.000 fois plus acide que l'eau. Sa solution diluée, autrefois appelée **acide phénique**, est un antiseptique efficace et un désinfectant.

Exemple de problème 7.2   **Comment peut-on séparer le 1-octanol (Eb 194°C) de l'o-crésol (Eb 191°C)?**

Solution   **Leurs points d'ébullition étant très proches l'un de l'autre, leur séparation par distillation serait difficile. Mais on peut mettre à profit leur différence d'acidité et traiter le mélange par de la soude aqueuse. L'o-crésol réagit en donnant l'o-crésolate de sodium qui, composé ionique, se dissout dans la couche aqueuse. Le 1-octanol, par contre, acide trop faible, ne réagit pas, surnage et est facilement séparable. Quant à la couche aqueuse, son acidification avec un acide fort comme l'acide chlorhydrique libère l'o-crésol.**

$$CH_3(CH_2)_6CH_2OH + Na^+OH^-(aq) \rightarrow \text{pas de réaction}$$
1-octanol

Problème 7.13   **Ecrire la réaction éventuelle entre:**
a. le p-crésol et la soude aqueuse
b. le cyclohexanol et la soude aqueuse

7.8 Basicité des alcools et des phénols

L'eau n'est pas seulement un acide faible, mais c'est aussi une base faible, les paires d'électrons libres de l'atome d'oxygène pouvant accepter un proton et former un ion oxonium (appelé aussi ion hydronium). De la même manière, les alcools (et les phénols) peuvent être protonés par les acides forts et former des ions alkyloxonium.

$$R-\ddot{O}-H + H^+ \rightleftharpoons \left[R-\overset{\overset{\displaystyle H}{|}}{\underset{..}{O}}-H \right]^+ \tag{7.13}$$

ion alkyloxonium

Cette fixation d'un proton est la première étape de deux réactions importantes des alcools, dont on discutera dans les deux paragraphes suivants : leur déshydratation en alcènes et leur conversion en halogénures d'alkyle.

7.9 La déshydratation des alcools en alcènes

On peut déshydrater les alcools par chauffage avec un acide fort. Par exemple, quand on chauffe de l'éthanol à 180°C avec une petite quantité d'acide sulfurique concentré, on obtient de l'éthylène avec un bon rendement.

$$H-CH_2CH_2-OH \xrightarrow{H^+ . 180°C} CH_2=CH_2 + H-OH \tag{7.14}$$

éthanol   éthylène

La réaction, qui est une méthode de préparation des alcènes, est l'inverse de l'hydratation des alcènes (paragraphe 3.10). C'est une réaction d'élimination et elle peut suivre le mécanisme E1 ou E2, selon la catégorie (primaire, secondaire ou tertiaire) de l'alcool traité.

La déshydratation des alcools tertiaires suit le mécanisme E1, passant par l'intermédiaire d'un carbocation tertiaire, de formation facile. Un exemple typique est celui de l'alcool *t*-butylique. La première étape est la protonation réversible du groupe hydroxyle

$$(CH_3)_3C-\ddot{O}H + H^+ \rightleftharpoons (CH_3)_3C-\overset{+}{\underset{|}{\ddot{O}}}-H \tag{7.15}$$

$$\phantom{(CH_3)_3C-\ddot{O}H + H^+ \rightleftharpoons (CH_3)_3C-}H$$

Ensuite, il y a ionisation facile avec départ d'eau, excellent groupe partant, car est ainsi formé le carbocation tertiaire *t*-butyle.

$$(CH_3)_3C-\overset{..}{\underset{|}{O}}-H \rightleftharpoons (CH_3)_3C^+ + H_2O \qquad \text{(7.16)}$$
$$\underset{H}{} \qquad\qquad \text{cation } t\text{-butyle}$$

Ce carbocation se stabilise enfin par perte d'un proton, l'un de ceux qui sont liés au carbone porteur de la charge positive.

$$\underset{\underset{CH_3}{|}}{\overset{\overset{H \qquad CH_3}{|\qquad|}}{CH_2-C^+}} \rightarrow CH_2=C\overset{CH_3}{\underset{CH_3}{\diagdown}} + H^+ \qquad \text{(7.17)}$$

La réaction globale de déshydratation est la somme de ces trois étapes.

$$\underset{\underset{CH_3}{|}}{\overset{\overset{H \qquad CH_3}{|\qquad|}}{CH_2-C-OH}} \xrightarrow[\Delta]{H^+} CH_2=C\overset{CH_3}{\underset{CH_3}{\diagdown}} + H-OH \qquad \text{(7.18)}$$
$$t\text{-butanol} \qquad\qquad\qquad \text{isobutylène}$$

Si l'alcool est primaire, il n'y a pas formation du carbocation (primaire) intermédiaire, trop instable, mais simultanéité des deux dernières étapes du mécanisme, à savoir la perte d'eau et celle du proton adjacent. Ainsi, les deux étapes du mécanisme E2 de la déshydratation de l'éthanol sont :

$$CH_3CH_2\overset{..}{\underset{..}{O}}H + H^+ \rightleftharpoons CH_3CH_2-\overset{..}{\underset{|}{O}}-H \qquad \text{(7.19)}$$
$$\underset{H}{}$$

$$\overset{\overset{H}{|}}{CH_2-CH_2}-\overset{..}{\underset{|}{O}}-H \rightarrow CH_2=CH_2 + H^+ + H_2O \qquad \text{(7.20)}$$
$$\underset{H}{}$$

Ce qu'il faut retenir concernant la déshydratation des alcools, c'est que : (1) elle commence toujours par la protonation du groupe hydroxyle (autrement dit, l'alcool agit comme base); (2) la facilité de la déshydratation des alcools suit l'ordre $3° > 2° > 1°$ (autrement dit, les vitesses suivent l'ordre de stabilité des carbocations).

Dans certains cas, l'alcool peut conduire à deux ou plus de deux alcènes, parce que le proton perdu dans le processus peut venir de tout carbone adjacent à celui qui porte l'hydroxyle. Par exemple, le 2-méthyl-2-butanol peut donner deux alcènes :

$$\underset{\underset{CH_3}{|}}{\overset{\overset{H \quad OH \; H}{|\quad\;|\quad|}}{CH_2-C-CH-CH_3}} \xrightarrow[(-H_2O)]{H^+, \Delta} \underset{\underset{CH_3}{|}}{\overset{}{CH_2=C-CH_2CH_3}} \quad \text{et/ou} \quad \underset{\underset{CH_3}{|}}{\overset{}{CH_3-C=CHCH_3}} \qquad \text{(7.21)}$$

2-méthyl-2-butanol   2-méthyl-1-butène   2-méthyl-2-butène

Dans ces cas, l'alcène dont la double liaison est la plus substituée prédomine. C'est la **règle de Saytzev**, qu'on a déjà rencontrée (voir paragraphe 6.8). Dans le cas présent, le produit principal est le 2-méthyl-2-butène.

Problème 7.14   **Donner la formule de tous les produits de déshydratation possibles de:**

a. le 3-méthyl-3-hexanol   **b.**

Quel est le produit qui doit prédominer dans l'un et l'autre cas ?

7.10 Réaction des alcools avec les halogénures d'hydrogène

Les alcools réagissent avec les halogénures d'hydrogène en donnant des halogénures d'alkyle.

$$R-OH + H-X \rightarrow R-X + H-OH \tag{7.22}$$

alcool   halogénure
                  d'alkyle

C'est une méthode générale de synthèse des halogénures d'alkyle. La vitesse de la réaction et son mécanisme – S_N1 ou S_N2 (revoir les paragraphes 6.5 - 6.7) – dépendent de la structure (3^{aire}, 2^{aire} ou 1^{aire}) de l'alcool.

Les alcools tertiaires réagissent le plus vite. On peut, par exemple, convertir l'alcool *t*-butylique en chlorure de *t*-butyle par simple agitation pendant quelques minutes à la température ordinaire avec de l'acide chlorhydrique concentré.

$$(CH_3)_3COH + H-Cl \xrightarrow[15 \text{ min}]{\text{temp. ord.}} (CH_3)_3C-Cl + H-OH \tag{7.23}$$

alcool *t*-butylique   chlorure de *t*-butyle

Par contre, il faut chauffer le 1-butanol, alcool primaire, pendant plusieurs heures, avec un mélange d'acide chlohydrique concentré et de chlorure de zinc, pour obtenir le même type de réaction.

$$CH_3CH_2CH_2CH_2OH + H-Cl \xrightarrow[\text{plusieurs heures}]{\Delta,\, ZnCl_2} CH_3CH_2CH_2CH_2-Cl + H-OH \tag{7.24}$$

1-butanol   chlorure de *n*-butyle

Il est clair que la différence de ces conditions réactionnelles est due au changement du mécanisme quand on passe d'un alcool tertiaire à un alcool primaire.

Exemple de Problème 7.3   **Ecrire les étapes du mécanisme de l'équation 7.23.**

Solution   Dans la première étape, l'alcool est protoné par l'acide (équation 7.15). Il y a ensuite ionisation (équation 7.16), étape lente donc déterminant la vitesse, typique du mécanisme S_N1. Dans l'étape finale, le cation *t*-butyle est capté par un nucléophile, l'ion chlorure.

$$(CH_3)_3C^+ + Cl^- \xrightarrow{\text{rapide}} (CH_3)_3CCl$$

Exemple de Problème 7.4   **Ecrire les étapes du mécanisme de l'équation 7.24 et expliquer le rôle catalytique joué par le chlorure de zinc.**

Solution   Comme dans l'exemple précédent, dans la première étape l'alcool est protoné par l'acide.

$$CH_3CH_2CH_2CH_2\text{—}\ddot{O}H + H^+ \rightleftharpoons CH_3CH_2CH_2CH_2\text{—}\overset{+}{\underset{|}{\ddot{O}}}\text{—}H$$
$$\text{H}$$

Dans la seconde étape, l'ion chlorure déplace l'eau dans un processus typiquement S_N2.

$$Cl^- \quad \overset{CH_3CH_2CH_2}{\underset{\underset{\text{H} \quad \text{H}}{\text{H}}{\diagdown}}{\diagup}} C\text{—}\overset{+}{\underset{|}{\ddot{O}}}\text{—}H \quad \rightarrow \quad CH_3CH_2CH_2CH_2Cl + H_2O$$

Le chlorure de zinc, accroissant la concentration en ions Cl^-, accélère la substitution S_N2.

Problème 7.15   **Expliquer pourquoi l'alcool *t*-butylique réagit à la même vitesse avec HCl, HBr et HI (en formant l'halogénure de *t*-butyle correspondant).**

Problème 7.16   **Expliquer pourquoi les vitesses de réaction de l'alcool *n*-butylique avec les halogénures d'hydrogène suivent l'ordre HI > HBr > HCl (en formant l'halogénure de *n*-butyle correspondant).**

Le **test de Lucas**, qui permet de différencier les alcools primaires, secondaires et tertiaires, est basé sur les vitesses différentes auxquelles ces alcools sont convertis en chlorures correspondants. Le réactif de Lucas est une solution de chlorure de zinc dans de l'acide chlorhydrique concentré. Les alcools tertiaires réagissent immédiatement et le chlorure d'alkyle tertiaire apparaît aussitôt sous la forme d'une dispersion floconneuse ou d'une couche séparée. Les alcools secondaires se dissolvent dans la solution chlorhydrique à cause de la formation du cation oxonium (équation 7.13) et, seulement après 5 à 6 minutes, apparaît le chlorure d'alkyle secondaire, qui se sépare de la solution. Quant aux alcools primaires, ils ne sont pas ainsi transformés, à la température ordinaire, en les chlorures correspondants ; ils se dissolvent simplement.

7.11 Autres méthodes de préparation des halogénures d'alkyle à partir des alcools

On a vu au chapitre 6 le grand intérêt des halogénures d'alkyle en synthèse organique. Nombreuses sont donc leurs méthodes de préparation à partir des alcools, autres que l'action des halogénures d'hydrogène (paragraphe 7.10). On utilise aussi des halogénures d'acides inorganiques, tels que le **chlorure de thionyle**.

$$ROH + Cl-\overset{\overset{\displaystyle O}{\|}}{S}-Cl \xrightarrow{\Delta} RCl + HCl\uparrow + SO_2\uparrow \qquad (7.25)$$

chlorure de thionyle

L'avantage de cette méthode, c'est que les deux autres produits de la réaction, l'acide chlorhydrique et l'anhydride sulfureux, sont gazeux et s'échappent du milieu réactionnel, ne laissant derrière eux que le chlorure d'alkyle désiré. Cependant, la méthode ne convient pas pour la préparation des chlorures d'alkyle à bas point d'ébullition (ceux dont R de RCl n'a que quelques carbones) qui sont plus ou moins entraînés par les produits gazeux. Avec le bromure de thionyle et les alcools, on obtient de même les bromures d'alkyle.

Les halogénures de phosphore permettent aussi de préparer les halogénures d'alkyle à partir des alcools.

$$3\,ROH + PCl_3 \rightarrow 3\,RX + H_3PO_3 \qquad (7.26)$$

Ici, l'autre produit de la réaction, l'acide phosphoreux, a un point d'ébullition assez élevé, plus élevé dans la plupart des cas que celui de l'halogénure d'alkyle, lequel peut alors être isolé par distillation.

Problème 7.17 **Comment peut-on préparer les halogénures d'alkyle suivants à partir des alcools correspondants sans utiliser HX?**
a. $CH_3(CH_2)_6CH_2Cl$ **b. $(CH_3)_2CHBr$**

7.12 Esters d'acides minéraux

Les **esters** sont des composés dans lesquels le proton d'un acide a été remplacé par un groupe organique. Les esters d'acides minéraux (ou inorganiques) les plus courants sont les nitrates, les sulfates et les phosphates, c'est-à-dire les esters des acides nitrique, sulfurique et phosphorique.

Les **nitrates d'alkyle** peuvent être préparés par réaction, à froid, des alcools et d'acide nitrique.

$$ROH + HONO_2 \rightarrow RONO_2 + H_2O \qquad (7.27)$$

alcool   acide nitrique   nitrate d'alkyle

Ce sont des explosifs et leur manipulation nécessite des précautions. C'est ainsi que sont préparées la nitroglycérine et la nitrocellulose (fulmicoton).

Les **nitrites d'alkyle** sont préparés de la même façon à partir des alcools et de l'acide nitreux.

$$ROH + HONO \rightarrow RONO + H_2O \qquad (7.28)$$

acide nitreux   nitrite d'alkyle

On utilise les nitrates et les nitrites d'alkyle en médecine, par exemple pour dilater les artères coronaires dans le traitement de certaines maladies cardiaques comme l'angine de poitrine.

Problème 7.18   **Ecrire la réaction qui permet la préparation du nitrite d'isopentyle [(CH$_3$)$_2$CHCH$_2$CH$_2$ONO], le premier nitrite qui fut utilisé en thérapeutique cardiaque.**

La réaction à froid de l'acide sulfurique avec un alcool, en particulier avec un alcool primaire, donne le **sulfate acide d'alkyle.**

$$ROH \ + \ HOSO_3H \ \xrightarrow{\text{froid}} \ ROSO_3H \ + \ H_2O$$

$$\text{alcool} \quad \text{acide sulfurique} \qquad \text{sulfate acide} \atop \text{d'alkyle}$$

(7.29)

On utilise les sulfates acides d'alkyle pour préparer des détergents synthétiques (paragraphe 11.13)

Les alcools donnent aussi divers **phosphates.**

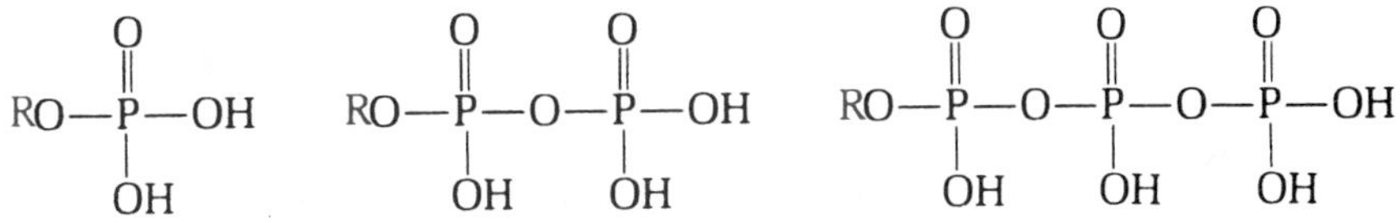

phosphate d'alkyle   diphosphate d'alkyle   triphosphate d'alkyle

Les phosphates, diphosphates et triphosphates d'alkyle sont les "chevaux de labour" du laboratoire biologique qu'est la cellule, comme les halogénures d'alkyle sont ceux du laboratoire de chimie organique. (Voir "A propos des réactions S$_N$2 dans la cellule", page 203).

On examinera plus loin les esters des acides organiques (paragraphes 10.10 et suivants).

7.13   Oxydation des alcools en aldéhydes et en cétones

On peut oxyder en composés carbonylés les alcools qui ont au moins un hydrogène lié au carbone porteur de l'hydroxyle. Les alcools primaires donnent des aldéhydes, oxydables alors en acides; les alcools secondaires donnent des cétones; mais les alcools tertiaires ne subissent pas les mêmes types d'oxydation.

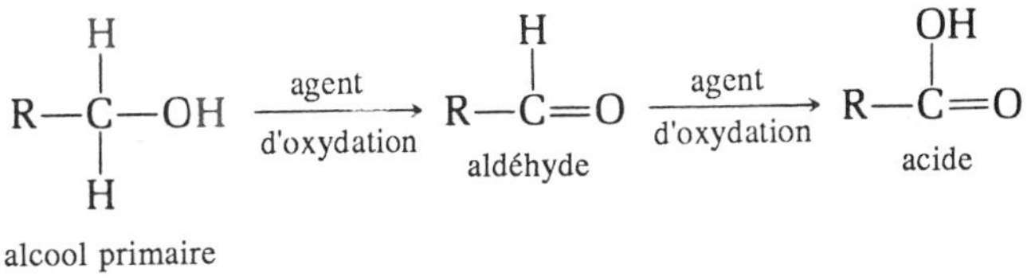

(7.30)

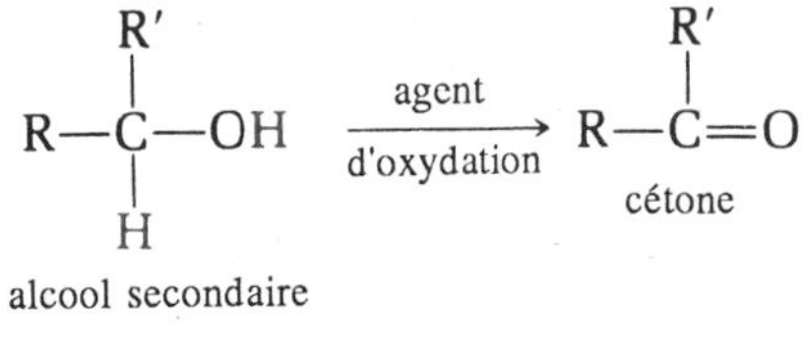

(7.31)

Les agents d'oxydation couramment utilisés pour cela sont l'acide chromique H_2CrO_4 (dérivé du bichromate de potassium K_2CrO_4 par action d'un acide fort) et l'anhydride chromique CrO_3, tous deux contenant des ions Cr^{6+}. Exemple : l'oxydation du cyclohexanol en cyclohexanone.

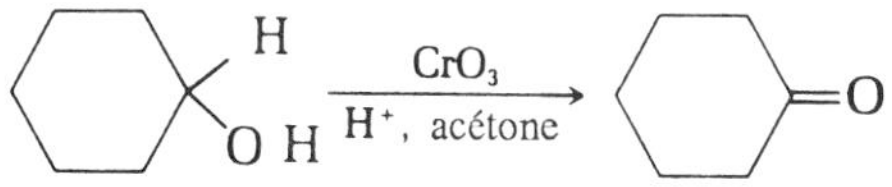

$$\text{(7.32)}$$

cyclohexanol
Eb 161°C

cyclohexanone
Eb 155,6°C

Avec des réactifs particuliers, on peut stopper l'oxydation des alcools primaires au stade aldéhyde. Ainsi, le complexe 2:1 pyridine + anhydride chromique dans un solvant non polaire donne l'aldéhyde avec un bon rendement.

$$CH_3(CH_2)_6CH_2OH \xrightarrow[CH_2Cl_2,\ 25°C]{(pyridine)_2\ CrO_3} CH_3(CH_2)_6CH=O \qquad \text{(7.33)}$$

1-octanol
Eb 194-195°C

octanal
Eb 163-164°C

Problème 7.19   **Ecrire la réaction d'oxydation :**
                       a. du 3-pentanol   b. du 1-pentanol

Le mécanisme de l'oxydation chromique des alcools est complexe, mais on sait qu'elle procède par l'intermédiaire de l'ester chromique de l'alcool, cet ester subissant une réaction d'élimination avec perte d'un proton et donnant les produits.

$$\text{(7.34)}$$

alcool 2^{aire} ester chromique   cétone

L'oxydation des alcools en aldéhydes ou en cétones et la réaction inverse, qui est la réduction de ces derniers, interviennent dans beaucoup de processus métaboliques. L'agent oxydant clé de telles réactions est le *nicotinamide adénine dinucléotide* (ou NAD$^+$) – pour sa structure, voir le paragraphe 15.14 – qui, en présence d'un enzyme, oxyde les alcools en composés carbonylés ; dans ce processus il est réduit en NADH.

$$CH_3CH_2OH + NAD^+ \underset{d'alcool}{\overset{deshydrogénase}{\rightleftharpoons}} CH_3CH=O + NADH \qquad \text{(7.35)}$$

éthanol   acétaldéhyde

Cette réaction, qui a lieu dans le foie, est une étape importante dans les efforts de l'organisme pour se débarrasser de l'alcool absorbé. Certes l'acétaldéhyde, comme l'éthanol, est toxique; mais il est oxydé à son tour en ion acétate d'abord, puis en gaz carbonique et en eau.

7.14   Polyalcools

Les composés qui ont deux groupes hydroxyles liés à deux carbones adjacents sont les **glycols**. Le premier terme est l'**éthylèneglycol**. On connaît aussi des composés qui ont plus de deux groupes hydroxyles et certains, comme le **glycérol** et le **sorbitol**, sont des produits industriels importants.

$$
\begin{array}{lll}
\underset{\underset{\displaystyle OH}{|}}{CH_2}-\underset{\underset{\displaystyle OH}{|}}{CH_2} & \underset{\underset{\displaystyle OH}{|}}{CH_2}-\underset{\underset{\displaystyle OH}{|}}{CH}-\underset{\underset{\displaystyle OH}{|}}{CH_2} & \underset{\underset{\displaystyle OH}{|}}{CH_2}-\underset{\underset{\displaystyle OH}{|}}{CH}-\underset{\underset{\displaystyle OH}{|}}{CH}-\underset{\underset{\displaystyle OH}{|}}{CH}-\underset{\underset{\displaystyle OH}{|}}{CH}-\underset{\underset{\displaystyle OH}{|}}{CH_2}
\end{array}
$$

éthylèneglycol   glycérol (glycérine)   sorbitol
(1,2-éthanediol)   (1,2,3-propanetriol)   (1,2,3,4,5,6-hexanehexaol)
Eb 198°C   Eb 290°C avec décomposition   F 110-112°C

L'éthylèneglycol, utilisé comme antigel des radiateurs d'automobiles, est aussi la matière première de la fabrication du Térylène. Il est miscible à l'eau en toutes proportions et, par suite de la facilité particulière avec laquelle ses molécules sont liées les unes aux autres par liaisons hydrogène, il a un point d'ébullition très élevé alors que sa masse moléculaire ne l'est pas.

Le glycérol (ou glycérine) est un liquide sirupeux, incolore, soluble dans l'eau, bouillant à une température très élevée et d'un goût nettement sucré. On l'emploie dans les savons à barbe, les savons de toilette et dans les gouttes et les sirops contre la toux, à cause de ses propriétés lénitives. On l'utilise aussi comme agent d'humidification du tabac.

La nitration du glycérol donne le **trinitrate de glycéryle** (nitroglycérine), un explosif puissant et sensible aux chocs.

$$
\underset{\underset{\displaystyle CH_2OH}{|}}{\overset{\overset{\displaystyle CH_2OH}{|}}{CHOH}} + 3\ HONO_2 \xrightarrow{H_2SO_4} \underset{\underset{\displaystyle CH_2ONO_2}{|}}{\overset{\overset{\displaystyle CH_2ONO_2}{|}}{CHONO_2}} + 3\ H_2O \tag{7.36}
$$

glycérol   trinitrate de glycéryle
(nitroglycérine)

Alfred Nobel découvrit que la nitroglycérine pouvait être "stabilisée" par absorption sur une matière poreuse, inerte, et inventa la dynamite. Actuellement, celle-ci ne contient pas plus de 15 % de nitroglycérine, le principal explosif étant le nitrate d'ammonium (55 %) et les autres composants étant du nitrate de sodium (15 %) et de la sciure de bois (15 %). La dynamite sert surtout dans l'exploitation minière et les travaux de construction. Le trinitrate de glycéryle est aussi utilisé en médecine comme vaso-dilatateur pour prévenir l'infarctus chez les patients qui souffrent d'angine de poitrine. Les triesters du glycérol sont des huiles et des graisses qu'on examinera au chapitre 11.

Le sorbitol, par ses nombreux groupes hydroxyles, est aussi très soluble dans l'eau. Presque aussi sucré que le sucre de canne, il est utilisé comme édulcorant, notamment par les diabétiques.

A PROPOS DE CERTAINS ALCOOLS D'USAGE QUOTIDIEN

Les alcools de petite masse moléculaire (jusqu'à quatre atomes de carbone) sont fabriqués en très grandes quantités. Ils sont importants en tant que tels et aussi comme matières premières dans la préparation de produits chimiques variés.

Le *méthanol* était jadis obtenu par distillation du bois, d'où son appellation ancienne d'alcool de bois. Le mot "méthyle" vient du grec *méthy*, vin et *yle*, bois. Cependant, on le prépare actuellement à partir d'oxyde de carbone et d'hydrogène.

$$CO + 2H_2 \xrightarrow[\text{400°C, 150 atm}]{ZnO - Cr_2O_3} CH_3OH$$

La production mondiale est voisine de 10 millions de tonnes par an. Il est surtout utilisé comme matière première dans la fabrication du formaldéhyde et d'autres produits chimiques; on l'emploie aussi comme solvant et comme antigel. D'autre part, par suite de la diminution des sources de pétrole, on l'emploie également comme carburant dans les moteurs à combustion interne, car son indice d'octane est plus élevé et il est bon marché.

On s'en sert depuis peu comme source de carbone dans la production industrielle de protéines d'unicellulaires. En effet, certaines levures et bactéries (unicellulaires) sont capables de faire la synthèse de protéines à partir du méthanol et d'autres sources de carbone, en présence de solutions aqueuses de sels nutritifs constitués de composés sulfurés, phosphorés et azotés. Ces protéines sont utilisées comme nourriture animale complémentaire et elles pourraient jouer un rôle dans l'alimentation de l'homme. Cependant, le méthanol lui-même est très toxique et son absorption peut provoquer une cécité définitive ou même la mort.

On prépare l'*éthanol* par fermentation des mélasses, résidus de la purification du sucre de canne ou de betterave.

$$\underset{\text{sucre de canne}}{C_{12}H_{22}O_{11}} + H_2O \xrightarrow{\text{levure}} \underset{\text{alcool éthylique}}{4\ CH_3CH_2OH} + 4\ CO_2$$

De même, on peut soumettre à la fermentation en éthanol l'amidon des grains, de la pomme de terre et du riz; d'où le nom d'*alcool de grain* qu'on donne parfois à l'éthanol.

On fabrique aussi l'éthanol par hydratation acido-catalysée de l'éthylène (équation 3.11). La production mondiale d'éthanol par cette méthode, qui utilise l'acide sulfurique ou d'autres catalyseurs acides, dépasse le million de tonnes.

L'alcool du commerce est un mélange d'éthanol (95 %) et d'eau (5 %) à point d'ébullition constant (azéotrope), qui ne peut donc être purifié plus avant par distillation. Pour éliminer le reste d'eau et obtenir de l'*alcool absolu*, on ajoute de la chaux vive CaO qui réagit avec l'eau en donnant de la chaux éteinte, mais pas avec l'éthanol.

On sait depuis longtemps que les boissons fermentées (bière, vin, whisky, etc.) contiennent de l'alcool. Le terme "proof" qu'on utilise aux Etats-Unis pour définir le taux d'alcool d'une boisson alcoolisée est à peu près le double du pourcentage en volume de l'alcool présent. Ainsi, un "100-proof whiskey" contient 50 % d'alcool. En France, le "degré alcoolique" est le pourcentage en alcool.

On emploie l'éthanol comme solvant, comme antiseptique local et comme matière première dans la préparation de l'éther et des esters d'éthyle. Comme le méthanol, on peut l'utiliser comme combustible et comme source de carbone dans la production industrielle de protéines d'unicellulaires.

Le *2-propanol* (alcool isopropylique) est fabriqué industriellement par hydratation acido-catalysée du propène (équation 3.17). Plus de la moitié de la production (plus d'un million de tonnes par an) sert à la fabrication d'acétone.

7.15 Comparaison des alcools et des phénols

Ayant même groupe fonctionnel, le groupe hydroxyle, les alcools et les phénols ont beaucoup de propriétés semblables. On a déjà mentionné que les uns et les autres donnent lieu à la formation de liaisons hydrogènes, que ce sont des acides faibles, mais que les phénols sont des acides plus forts que les alcools, qu'ils sont aussi des bases faibles. En quoi les alcools et les phénols diffèrent-ils donc?

La principale différence tient dans les réactions qui impliquent la rupture de la liaison C—OH . Alors qu'il est relativement facile, par catalyse acide, de rompre celle des alcools, il n'en va pas de même avec celle des phénols. En effet, la protonation du groupe –OH des phénols avec perte d'une molécule d'eau donnerait un cation phényle.

$$\text{(structure)} \quad \overset{+}{\text{O}}-\text{H} \not\rightarrow \text{(structure)}^+ + \text{H}_2\text{O} \qquad (7.37)$$

cation phényle

Or, lié seulement à deux groupes, le carbone positif du cation phényle devrait être hybridé *sp* et linéaire ; mais une telle géométrie est impossible dans le cycle benzénique. Les cations phényles sont donc très difficiles à former. Il s'ensuit que la substitution de l' –OH des phénols selon un mécanisme S_N1 est impossible. Et il en est de même pour la substitution selon un mécanisme S_N2, à cause de la géométrie du cycle benzénique qui empêche aussi bien l'attaque de tout nucléophile que l'inversion classique du carbone. C'est pourquoi, alors que les halogénures d'hydrogène, les halogénures de phosphore et les halogénures de thionyle provoquent la substitution de l' –OH des alcools par un halogène, aucune réaction de ce type n'a lieu avec les phénols.

Problème 7.20   **Comparer les réactions du cyclohexanol et du phénol avec :**
                          a. HBr   **b. H_2SO_4 à chaud**   **c. PCl_3**

Par contre, les phénols pourront subir d'intéressantes réactions mettant en jeu le cycle aromatique.

7.16 La substitution aromatique des phénols

Le groupe hydroxyle activant fortement le cycle (table 4.1), les phénols subissent la substitution aromatique électrophile, même dans des conditions très douces. Par exemple, on peut nitrer le phénol avec une solution aqueuse diluée d'acide nitrique, le produit prédominant étant le *para*-nitrophénol.

$$\text{(structure)}-\text{OH} + \text{HONO}_2 \rightarrow \text{O}_2\text{N}-\text{(structure)}-\text{OH} + \text{H}_2\text{O} \qquad (7.38)$$

phénol   *p*-nitrophénol

De même, l'eau de brome permet de bromer rapidement le phénol et d'obtenir ainsi le 2,4,6-tribromophénol.

$$\text{(structure)} + 3\ \text{Br}_2 \xrightarrow{\text{H}_2\text{O}} \text{(structure)} + 3\ \text{HBr} \qquad (7.39)$$

phénol   2,4,6-tribromophénol

Exemple de Problème 7.5 Donner la formule développée de l'ion benzénonium intermédiaire de la substitution aromatique électrophile en *para* d'un groupe hydroxyle et montrer comment il est stabilisé par ce groupe.

Solution

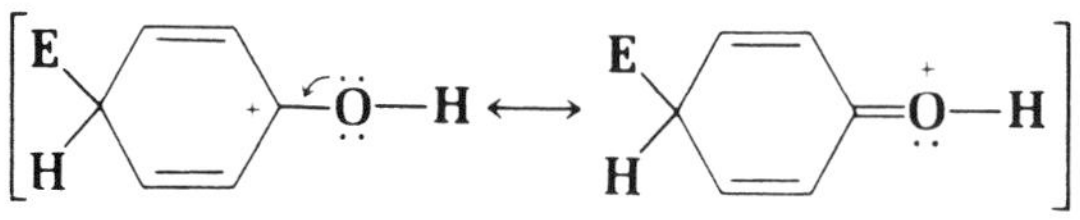

intermédiaire dans la substitution électrophile
en *para* d'un hydroxyle phénolique

L'une des paires d'électrons libres de l'oxygène accentue la délocalisation de la charge positive.

Problème 7.21 Pourquoi l'ion phénolate subirait-il la substitution aromatique électrophile encore plus facilement que le phénol lui-même ?

Problème 7.22 Ecrire les réactions :

a. *p*-crésol + $HONO_2$ (1 mole) $\longrightarrow$

b. *o*-chlorophénol + Br_2 (1 mole) $\longrightarrow$

7.17 Oxydation des phénols

Les phénols sont facilement oxydés. Par exposition à l'air pendant un certain temps, ils se colorent intensément par suite de la formation de produits d'oxydation. L'oxydation de l'**hydroquinone** (1,4-dihydroxybenzène), par exemple, est facilement contrôlée et donne la **1,4-benzoquinone** (communément appelée quinone).

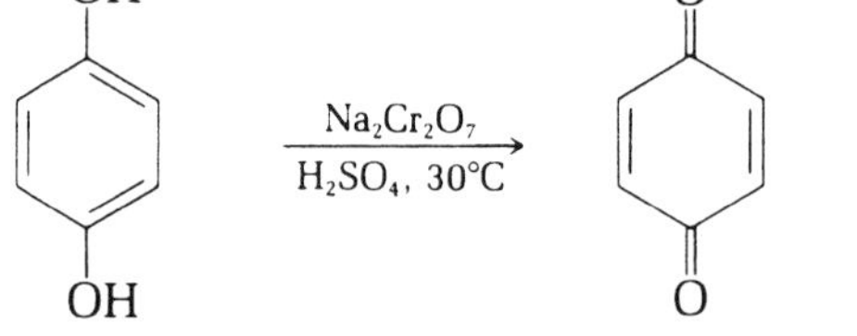

(7.40)

hydroquinone
(incolore, F 171°C)

benzoquinone
(jaune, F 116°C)

On utilise l'hydroquinone et les composés apparentés comme révélateurs en photographie, leur rôle (dans lequel ils sont oxydés en quinones) étant de réduire en argent métal les ions argent non impressionnés. L'oxydation des hydroquinones en quinones est réversible et cette interconversion joue un rôle important dans plusieurs réactions d'oxydo-réduction biologiques. (Voir: A propos des quinones, page 289.)

Problème 7.23   **Ecrire la formule développée des quinones attendues de l'oxydation de :**

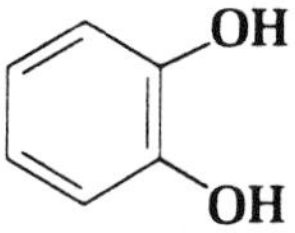

  On peut protéger les substances sensibles à l'oxydation de l'air en leur ajoutant un additif phénolique. C'est ce dernier qui est alors oxydé et qui fonctionne comme **antioxydant**. Exemples d'antioxydants phénoliques : le **BHA** ("butylated hydroxy–anisole") et le **BHT** ("butylated hydroxy–toluene").

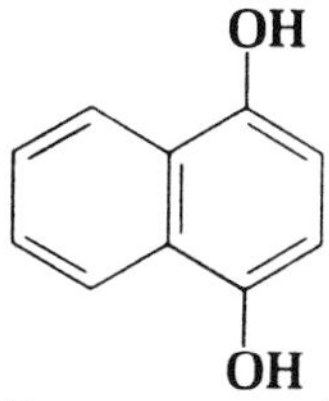

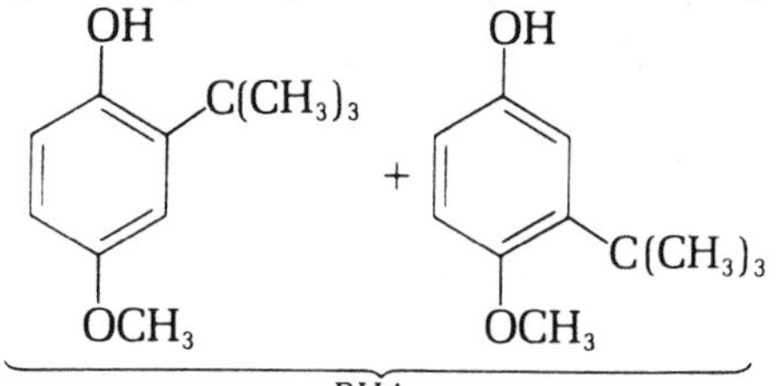

  Le BHA est utilisé comme antioxydant des aliments et notamment des viandes. Quant au BHT, on l'emploie non seulement pour la conservation des aliments, de la nourriture animale et des huiles animales et végétales, mais aussi dans les huiles lubrifiantes, le caoutchouc synthétique et divers plastiques.

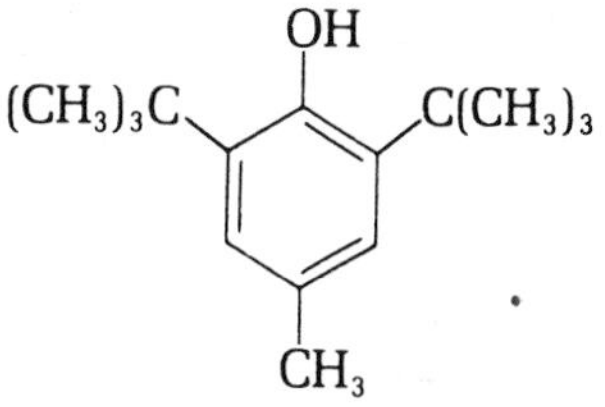

  La vitamine E (α-tocophérol) est un phénol très répandu dans la nature. L'une de ses fonctions biologiques semble être d'agir comme un antioxydant naturel.

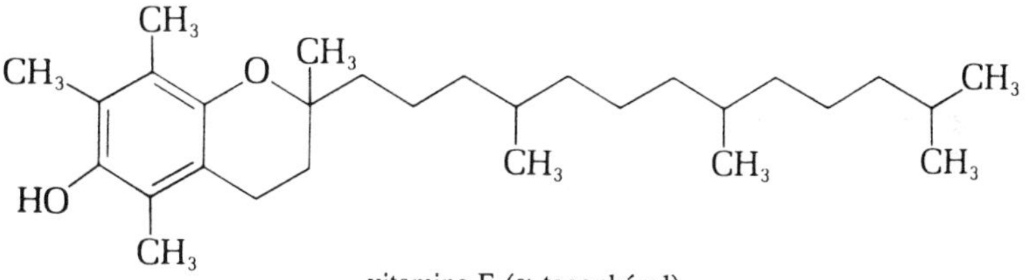

vitamine E (α-tocophérol)

A PROPOS D'ALCOOLS ET DE PHENOLS D'IMPORTANCE BIOLOGIQUE

  Le groupe hydroxyle est présent dans beaucoup de molécules, tant alcooliques que phénoliques, ayant un rôle biologique important. On examinera ici quelques-uns de ces composés.

  Quatre alcools primaires non saturés sont particulièrement intéressants de ce point de vue :

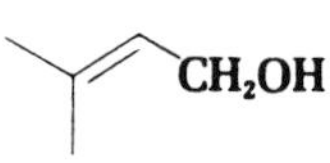

3-méthyl-2-butène-1-ol

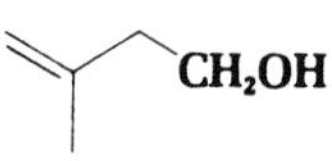

3-méthyl-3-butène-1-ol

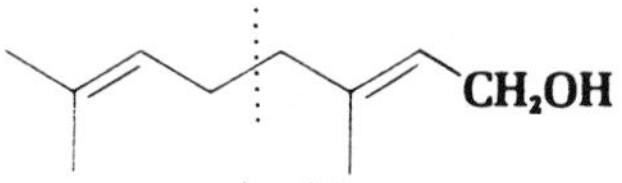

géraniol

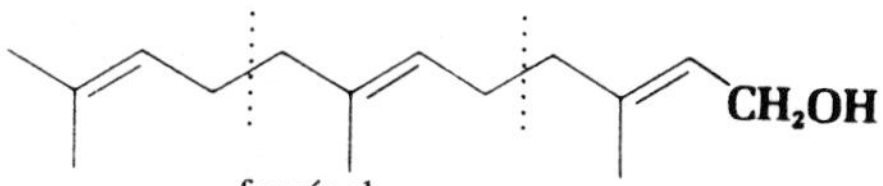

farnésol

Les deux alcools à cinq carbones ont le squelette carboné de l'unité de base isoprène présente dans la molécule de beaucoup de produits naturels. Ces alcools, qu'on trouve dans les cellules à l'état d'esters diphosphates, peuvent se combiner et former le *géraniol*, lequel peut encore fixer une autre unité isoprène et donner le *farnésol*. (Dans la formule de l'un et l'autre, on a séparé les unités isoprène par des pointillés.)

On appelle *terpènes* ou *terpénoïdes* les composés de ce type (le terme "terpènes" étant ordinairement réservé aux composés en C_{10}). On trouve des terpènes dans les huiles essentielles de nombreuses plantes et de nombreuses fleurs. Ils ont 10, 15, 20 , etc., atomes de carbone et sont formés de l'union d'unités isoprène de façons variées.

Comme son nom l'indique, le géraniol est présent dans l'essence de géranium, mais il constitue aussi 50 % de l'essence de rose (extrait des pétales). Il est aussi le précurseur biologique de l'α-pinène (figure 1.12), un terpène qui est le constituant principal de l'essence de térébenthine. Le farnésol, qu'on trouve dans les essences de rose et de cyclamen, a l'agréable odeur du muguet. Géraniol et farnésol sont utilisés en parfumerie.

La combinaison de deux unités farnésol (de 15 carbones chacune) donnerait le *squalène*, un hydrocarbure dont la molécule a 30 carbones, et qui est présent en petites quantités dans le foie de beaucoup d'animaux supérieurs (figure 7.1). Le squalène est le précurseur biologique des stéroïdes.

Le *cholestérol*, alcool stéroïde typique, a pour formule :

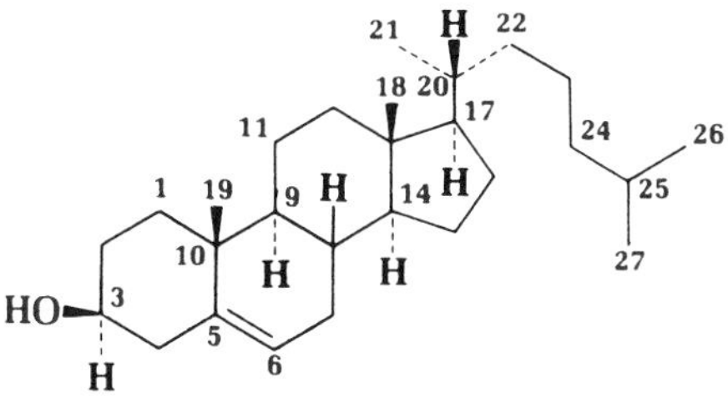

cholestérol
F 148,5°C

Bien qu'il n'ait que 27 carbones (et non pas 30) et que, strictement parlant, il ne soit pas un terpénoïde, le cholestérol est apporté à l'organisme par l'alimentation ou synthétisé par le foie (l'adulte qui a un régime pauvre en cholestérol en synthétise normalement 0,8 g par jour). Cette biosynthèse a lieu à partir de l'acétyl-coenzyme A (voir page 314), via la squalène, selon un processus complexe qui, dans ses derniers stades, implique la perte de trois carbones.

On a isolé le cholestérol des calculs biliaires, dont il est le principal constituant; il est présent aussi dans le cerveau et la moelle épinière et, en faible quantité, dans toutes les cellules des organismes animaux. Le poids total de cholestérol dans le sang et les tissus du corps d'une personne de taille moyenne atteindrait la livre. S'il s'y trouve en excès, il peut précipiter dans la vésicule biliaire (ce sont les calculs) ou sur la paroi des vaisseaux sanguins qu'il sclérose et dont il diminue le diamètre (c'est l'athérosclérose), conduisant ainsi à une augmentation de la pression sanguine.

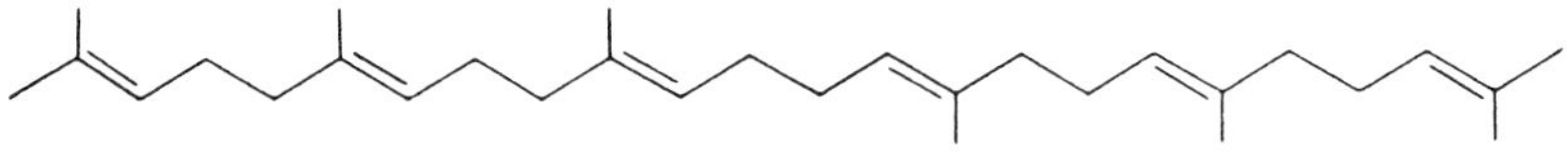

Figure 7.1 Formule du squalène

Les dangers de l'hypercholestérolémie et l'intérêt de son traitement ont fait l'objet de nombreuses discussions. A ce sujet, il faut savoir que le cholestérol et les graisses (triglycérides) (voir paragraphe 11.10) sont transportés dans les fluides corporels par des lipoprotéines (associations de lipides et de protéines) de densités variées, notamment les LDL (low density lipoproteins) et les HDL (high density lipoproteins). On a constaté que les sujets ayant un taux élevé en LDL dans le sang risquaient plus que les autres de faire certaines maladies cardiovasculaires par athérosclérose, en particulier l'infarctus du myocarde. Par contre, les sujets ayant un taux élevé de HDL dans le sang seraient protégés contre ces maladies. D'où l'intérêt de mesurer systématiquement ces taux et de traiter les malades en conséquence. Cette prévention, largement organisée dans certains pays (Etats-Unis,Canada, Australie, Finlande), a permis d'y réduire fortement les maladies cardiovasculaires et les décès par infarctus.

La *vitamine A* , parfois appelée *rétinol*, est un alcool primaire non saturé qui, par action d'une enzyme, est oxydé en rétinal (page 87), une substance jouant un rôle essentiel dans le phénomène de la vision. Son précurseur biologique est le β-carotène, qu'on trouve dans beaucoup de légumes, notamment dans la carotte (figure 7.2).

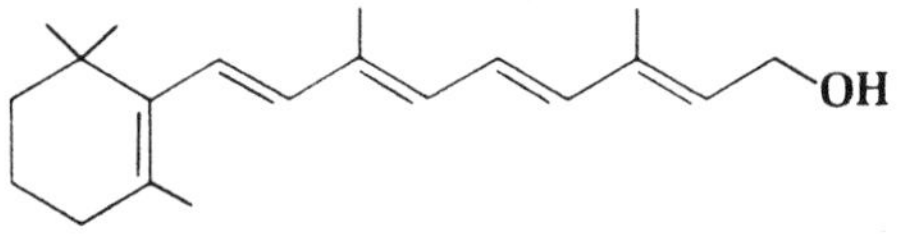

vitamine A

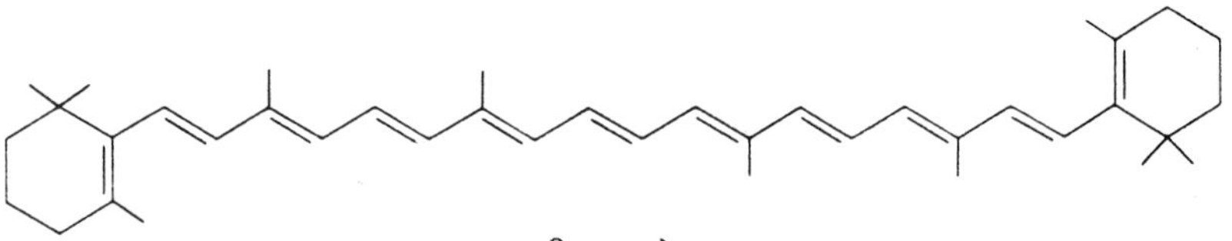

β–carotène

Figure 7.2   Formules de la vitamine A et du β-carotène

Les phénols interviennent moins que les alcools dans les processus métaboliques fondamentaux. Cependant, trois alcools phénoliques sont les cubes du jeu de construction qu'est la *lignine*, un polymère complexe qui, avec la cellulose, est un constituant du bois. Ils ont des structures très voisines.

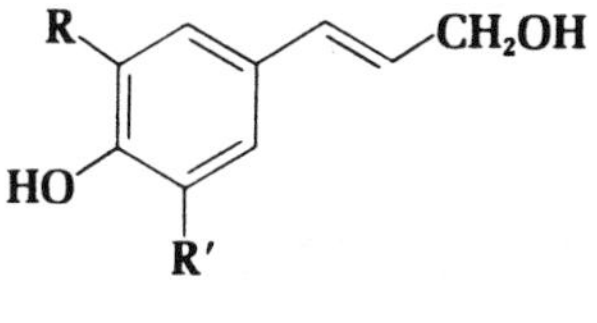

alcool coniférylique (R = OCH₃, R' = H)
alcool sinapylique (R = R' = OCH₃)
alcool *p*-coumarylique (R = R' = H)

7.18 Les thiols, analogues sulfurés des alcools et des phénols

Le soufre est juste au-dessous de l'oxygène dans le tableau périodique et il peut souvent prendre sa place dans les structures organiques. Le groupe –SH, appelé groupe **sulfydryle**, est le groupe fonctionnel des **thiols.** Ceux-ci sont nommés comme suit :

$$CH_3SH \qquad CH_3CH_2CH_2CH_2SH \qquad C_6H_5-SH$$

méthanethiol   1-butanethiol   thiophénol
(méthylmercaptan)   (n-butylmercaptan)   (phénylmercaptan)

On les appelle aussi parfois **mercaptans**, à cause de leur réaction avec l'ion mercurique qui donne des **mercaptides** ou thiolates mercuriques.

$$2\,RSH + HgCl_2 \longrightarrow (RS)_2Hg + 2\,HCl \tag{7.41}$$

un mercaptide

Problème 7.24   **Ecrire la formule développée de :**
a. le 2-butanethiol   b. l'isopropylmercaptan

On peut préparer les alcanethiols à partir des halogénures d'alkyle par déplacement nucléophile avec l'ion sulfhydryle.

$$R-X + {}^-SH \longrightarrow R-SH + X^- \tag{7.42}$$

La caractéristique la plus nette des thiols est vraisemblablement leur odeur intense et désagréable. Ce sont, par exemple, les thiols $CH_3CH=CHCH_2SH$ et $(CH_3)_2CHCH_2CH_2SH$ qui sont responsables de l'odeur du sconse.

Les thiols ont des points d'ébullition plus bas et sont moins solubles dans l'eau que les alcools correspondants. C'est parce que l'atome de soufre est plus gros et moins électronégatif que l'oxygène ; il s'ensuit que les composés à groupes –SH forment des liaisons hydrogènes plus faibles que les composés à groupes –OH.

Les thiols sont plus acides que les alcools. Le pKa de l'éthanethiol, par exemple, est 10,6 à comparer à celui (15,9) de l'éthanol. Avec les bases en solution aqueuse, les thiols forment donc facilement des **thiolates**.

$$RSH + Na^+OH^- \longrightarrow RS^-Na^+ + HOH \tag{7.43}$$

un thiolate
de sodium

Problème 7.25   **Ecrire la réaction de l'éthanethiol avec :**
a. KOH   b. HgCl$_2$

Les agents d'oxydation doux, tels que l'eau oxygénée ou l'iode, transforment aisément les thiols en **disulfures.**

$$2\,RS-H \underset{\text{réduction}}{\overset{\text{oxydation}}{\rightleftharpoons}} RS-SR \tag{7.44}$$

thiol   disulfure

Avec un agent réducteur, on peut inverser le processus. Ainsi, cette réaction d'oxydo-réduction, réversible, peut être utilisée pour manipuler la structure de certaines protéines qui comportent des liaisons disulfures.

A PROPOS DE LA CHEVELURE, BOUCLEE OU NON

Les cheveux sont faits d'une protéine fibreuse appelée *kératine*, dont la proportion en *cystine*, un amino-acide contenant du soufre, est particulièrement élevée. La crinière du cheval, par exemple, comporte 8 % de cystine.

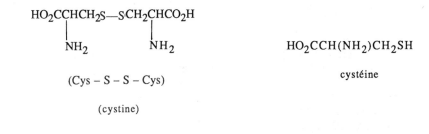

$$HO_2CCHCH_2S\!-\!SCH_2CHCO_2H$$

$$|\qquad\qquad\qquad |$$
$$NH_2 \qquad\qquad NH_2$$

(Cys – S – S – Cys)

(cystine)

$$HO_2CCH(NH_2)CH_2SH$$

cystéine

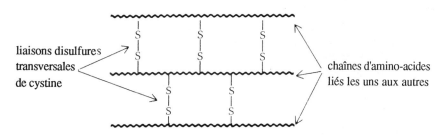

liaisons disulfures transversales de cystine

chaînes d'amino-acides liés les uns aux autres

Figure 7.3   Structure schématique du cheveu.

Les liaisons disulfures de la cystine sont des ponts entre les chaînes d'amino-acides qui constituent la protéine.

La chimie de la permanente est une simple chimie d'oxydo-réduction de la liaison disulfure (équation 7.44). On traite d'abord la chevelure par un agent réducteur qui rompt les liaisons S—S et transforme chaque soufre en groupe –SH, faisant ainsi disparaître les liens entre les longues chaînes de la protéine. On peut alors donner aux cheveux la forme désirée, bouclés ou raides. Enfin on traite par un agent oxydant les cheveux ainsi réduits et réarrangés; il y a reformation des liaisons disulfures entre les chaînes. Ces nouvelles liaisons n'occupent plus leur position originale et maintiennent les cheveux dans leur nouvelle forme.

Résumé du chapitre

Le groupe fonctionnel des alcools et des phénols est le groupe hydroxyle. Dans les alcools il est lié à un carbone aliphatique, tandis que dans les phénols il est lié à un cycle aromatique.

La terminaison IUPAC des alcools est -ol. Ceux-ci sont classés primaires, secondaires ou tertiaires selon qu'un, deux, ou trois groupes organiques sont attachés au carbone porteur du groupe hydroxyle. Les paragraphes 7.2-7.4 donnent un résumé de la nomenclature des alcools et des phénols.

Ces derniers donnent lieu à des liaisons hydrogène , lesquelles expliquent leurs points d'ébullition relativement élevés et la solubilité dans l'eau des premiers membres de la série.

Les définitions des acides et des bases selon Brønsted et selon Lewis sont examinées dans le paragraphe 7.6. L'acidité des alcools est comparable à celle de l'eau, mais celle des phénols est 10^6 fois plus forte. Cette dernière est due à la délocalisation de la charge négative (résonance) dans les ions phénolates. Les atomes ou groupes d'atomes attracteurs d'électrons tels que $-F$ ou $-NO_2$ exaltent l'acidité, soit par effet inductif, soit par effet de résonance, soit par l'un et l'autre.

Les alcoolates, bases conjuguées des alcools, sont préparés par action des métaux réactifs ou des hydrures métalliques sur les alcools. Ils sont utilisés comme bases organiques. A cause de leur plus grande acidité, les phénols donnent les phénolates par traitement avec les bases aqueuses.

Les alcools et les phénols sont des bases faibles, qui peuvent être protonées sur l'oxygène par action d'acides forts. Cette réaction est la première étape de la déshydratation acido-catalysée des alcools en alcènes et de leur conversion en halogénures d'alkyle par action des halogénures d'hydrogène. On peut aussi préparer les halogénures d'alkyle en traitant les alcools par le chlorure de thionyle ou les halogénures de phosphore.

On prépare les esters inorganiques (nitrates, nitrites, sulfates, phosphates) à partir des alcools et des acides correspondants. Les nitrates d'alkyle sont des explosifs. Les phosphates organiques sont des intermédiaires importants des réactions cellulaires.

Par oxydation, les alcools primaires donnent des aldéhydes, tandis que les alcools secondaires donnent des cétones.

Les glycols sont des composés porteurs de plusieurs groupes hydroxyles sur des carbones adjacents. Exemples: éthylène-glycol, glycérol et sorbitol, composés industriels importants.

Trois alcools ont une grande importance industrielle: le méthanol, l'éthanol et l'isopropanol.

Les phénols subissent aisément la substitution aromatique puisque l'hydroxyle est un activant du cycle et il oriente en *ortho-para*. Ils sont aussi facilement oxydés en quinones. Les phénols porteurs de substituants volumineux en *ortho* sont des anti-oxydants du commerce.

Exemples d'alcools dont le rôle biologique est important: géraniol, farnésol, cholestérol, vitamine A.

Le groupe fonctionnel des thiols est le groupe sulfhydryle, $-SH$. On les appelle aussi mercaptans à cause de leur réaction avec les sels mercuriques qui donne des mercaptides. Leur odeur est intense et désagréable. Ils sont plus acides que les alcools et sont aisément oxydés en disulfures.

PROBLEMES SUPPLEMENTAIRES

7.26 Ecrire la formule développée de chacun des composés suivants :
a. 2,2-diméthyl-1-butanol **b.** *o*-bromophénol
c. 2,3-pentanediol **d.** 2-phényléthanol
e. sulfate acide d'éthyle **f.** tricyclopropylméthanol
g. éthanolate de sodium **h.** 1-méthylcyclopentanol
i. *trans* -2-méthylcyclopentanol **j.** (R)-2-butanol

7.27 Les alcools de **a, d, f, h** et **i** du problème 7.26 sont-ils primaires, secondaires ou tertiaires ?

7.28 Nommer les composés suivants :

a. $CH_3C(CH_3)_2CH(OH)CH_3$ **b.** $CH_3CHBrC(CH_3)_2OH$

c.

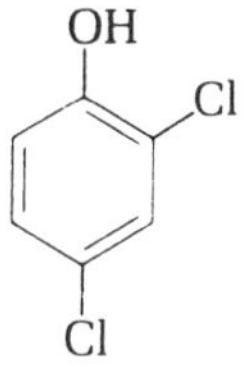

d.

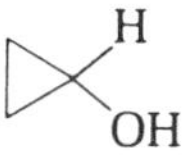

e.

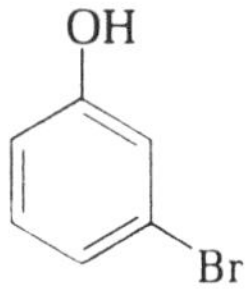

f.

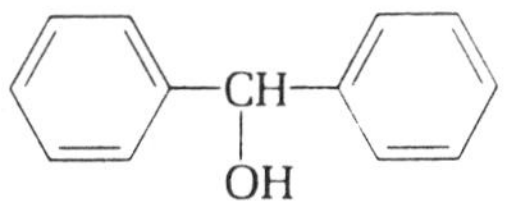

g. $CH_3CH = CHCH_2OH$ **h.** $CH_3CH(SH)CH_3$
i. $HOCH_2CH(OH)CH(OH)CH_2OH$ **j.** $CH_3CH_2CH_2O^- K^-$

k.

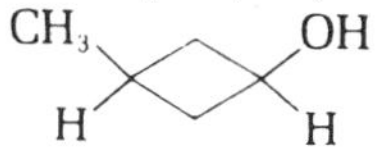

l.

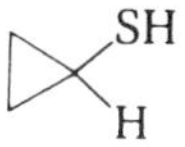

7.29 Expliquer pourquoi les noms donnés aux composés suivants sont incorrects et en donner les noms corrects:
a. 2,2-diméthyl-3-butanol **b.** 2-éthyl-1-propanol
c. 1-propène-3-ol **d.** 5-chlorocyclohexanol
e. 6-bromo-*p*-crésol **f.** 2,3-propanediol

7.30 Classer les composés de chacun des deux groupes suivants par ordre croissant de leur solubilité dans l'eau et en donner brièvement les raisons.
a. éthanol, chlorure d'éthyle, 1-hexanol

b. 1-pentanol, 1,5-pentanediol, $CH_2OH(CHOH)_3CH_2OH$

7.31 Chacun des types de composés organiques suivants est une base de Lewis. Ecrire une réaction pour chacun d'eux montrant qu'il peut réagir avec H^+.
a. éther ROR b. amine R_3N c. cétone $R_2C = O$

7.32 Caractériser chacun des réactants de l'équation 4.32, soit comme acide, soit comme base.

7.33 L'imidazole peut réagir, soit comme acide, soit comme base. Ecrire sa réaction avec
a. H^+ **b.** OH^-

7.34 Classer les composés suivants dans l'ordre des acidités croissantes et en donner les raisons: **a.** cyclohexanol **b.** phénol **c.** p-cyanophénol **d.** 2-chlorocyclohexanol

PROBLEMES SUPPLEMENTAIRES

7.35 Du t-butanolate de potassium et de l'éthanolate de potassium, quelle est la base la plus forte? Suggestion: voir les chiffres de la table 7.2.

7.36 A l'aide d'équations, expliquer ce qui arrive si une solution de cyclohexanol et de p-crésol dans un solvant inerte est successivement: 1) agitée avec une solution de soude aqueuse à 10%, 2) décantée pour permettre la séparation de la couche aqueuse et de la couche organique, 3) sa couche aqueuse soumise à l'acidification.

7.37 Comment peut-on séparer les constituants des mélanges suivants sans utiliser la distillation: **a.** benzène et phénol **b.** phénol et 1-hexanol **c.** 1-propanol et 1-heptanol

7.38 Ecrire les réactions suivantes et nommer les produits:

a. $CH_3CHOHCH_2CH_3 + K \longrightarrow ?$

b. $(CH_3)_2CHOH + NaH \longrightarrow ?$

d. p -ClC_6H_4—$OH + NaOH \longrightarrow ?$

7.39 Donner la structure de tous les produits possibles de déshydratation acide des :
a. cyclohexanol **b.** 2-butanol **c.** 1-méthylcyclopentanol **d.** 2-phényléthanol
Quand plus d'un alcène (ou cyclène) est possible, indiquer celui qui prédominera.

7.40 Expliquer pourquoi la réaction de l'équation 7.16 est beaucoup plus facile que l'ionisation du t-butanol en cation t-butyle et ion hydroxyde. Autrement dit, pourquoi est-il nécessaire de protoner l'alcool pour que l'ionisation puisse avoir lieu ?

7.41 Ecrire toutes les étapes du mécanisme de l'équation 7.21 montrant la formation de chaque produit.

7.42 Bien que la réaction de l'équation 7.23 soit plus rapide que celle de l'équation 7.24 son rendement est plus faible ; le rendement en chlorure de t-butyle n'est en effet que de 80 %, alors que le rendement en chlorure de n-butyle est voisin de 100 %. Quel est le sous-produit de l'équation 7.23 et par quel mécanisme est-il formé ? Pourquoi un sous-produit analogue n'est-il pas formé dans l'équation 7.24 ?

7.43 Ecrire une équation pour chacune des réactions suivantes :

a. 2-méthyl-2-butanol + HCl   **b.** 1-pentanol + Na

c. cyclopentanol + PBr_3 **d.** 1-phényléthanol + $SOCl_2$

e. 1-butanol + H_2SO_4 conc. froid   **f.** éthylène-glycol + $HONO_2$

g. 1-pentanol + NaOH aq.   **h.** 1-octanol + HBr + $ZnBr_2$

i. 2-pentanol + CrO_3, H^+ **j.** alcool benzylique + acide acétique

7.44 Le traitement du 3-butène-2-ol par de l'acide chlorhydrique concentré donne un mélange de deux produits, le 3-chloro-1-butène et le 1-chloro-2-butène. Ecrire un mécanisme réactionnel expliquant la formation de ces deux produits.

7.45 Quels sont les alcools à quatre atomes qu'on peut préparer industriellement par hydratation acido-catalysée d'alcènes ? (Se rappeler la règle de Markovnikov.)

7.46 Ecrire les réactions suivantes à deux étapes:
a. du cyclohexène à la cyclohexanone
b. du 1-bromobutane au butanal
c. du 1-butanol au 1-butanethiol

7.47 Quel produit peut-on attendre de l'oxydation du cholestérol par CrO_3 et H^+ ? (Pour la formule du cholestérol, voir: A propos d'alcools et de phénols d'importance biologique.)

7.48 Le BHT (pour sa formule, voir p. 234) est fabriqué industriellement à partir de p-crésol, isobutylène et d'un catalyseur acide. Ecrire les équations montrant les étapes de cette synthèse de Friedel-Crafts.

7.49 Séparer par des pointillés les unités isoprène dans les formules du squalène, de la vitamine A et du β-carotène (voir formules p. 237).

7.50   Donner le nom IUPAC correct des deux thiols responsables de l'odeur du sconse (paragraphe 7.17).

7.51 Le disulfure de méthyle CH_3S—SCH_3 présent dans la sécrétion vaginale de la femelle du hamster agit comme attracteur sexuel du mâle. Comment peut-on le préparer à partir du méthanethiol ?

7.52   Le disulfure $[(CH_3)_2CHCH_2CH_2S]_2$ est un composant de la sécrétion odorante du vison. Donner une synthèse de ce disulfure à partir du 3-méthyl-1-butanol.

CHAPITRE 8

ETHERS, EPOXYDES ET THIOETHERS

8.1 Introduction

Pour la plupart des gens, le mot éther est synonyme d'anesthésique. Mais cet éther particulier n'est qu'un membre d'une catégorie de composés organiques appelés **éthers** ou éthers-oxydes, dont la molécule est constituée de deux groupes organiques liés à un seul atome d'oxygène. Leur formule générale est donc R—O—R', où R et R' peuvent être identiques ou différents, alkyles ou aryles. Dans l'anesthésique en question, les deux groupes R et R' sont des groupes éthyles : $CH_3CH_2—O—CH_2CH_3$.

On examinera dans ce chapitre les propriétés physiques et chimiques des éthers. Excellents solvants, ils sont utilisés dans la préparation des réactifs de Grignard (paragraphe 6.13). On s'arrêtera quelque peu sur les **époxydes,** éthers cycliques, de cycle triatomique, dont l'intérêt industriel est particulier. Enfin, on verra brièvement la chimie des **thioéthers** ou sulfures organiques, dont la structure est analogue à celle des éthers, un soufre remplaçant l'oxygène.

8.2 Nomenclature des éthers

Pour nommer les éthers, on cite d'habitude le nom de chaque groupe alkyle ou aryle dans l'ordre alphabétique que l'on fait suivre du mot *éther.* En langage courant, on parle aussi d'oxydes, dont on précise ensuite les deux groupes alkyles ou aryles. Exemples:

$$CH_3—O—CH_2CH_3$$
éthylméthyléther
(ou oxyde d'éthyle et de méthyle)

$$CH_3CH_2—O—CH_2CH_3$$
diéthyléther (on omet parfois
le préfixe *di*) (ou oxyde diéthylique)

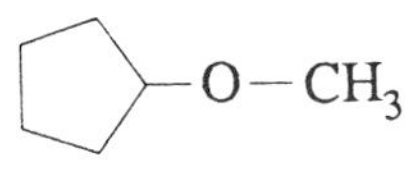

cyclopentylméthyléther
(ou oxyde de cyclopentyle et de méthyle)

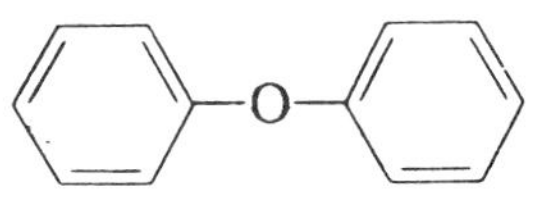

diphényléther
(ou oxyde diphénylique)

Avec les éthers de structure plus complexe, il peut être nécessaire de considérer le groupe —**OR** comme un **groupe alcoxy.** Ainsi, dans le système IUPAC, on peut nommer les éthers en les considérant comme des dérivés alcoxylés des hydrocarbures:

$CH_3CHCH_2CH_2CH_3$
|
OCH_3

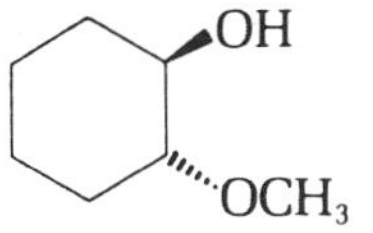

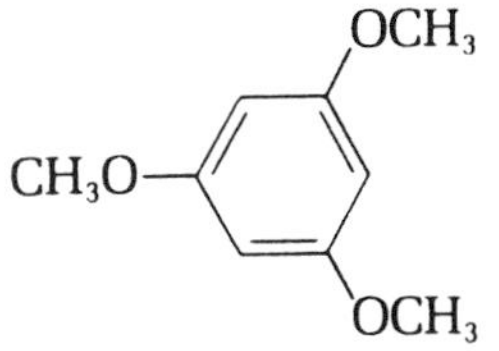

CH_3O—

2-méthoxypentane   *trans*–2–méthoxycyclohexanol   1,3,5–triméthoxybenzène

Problème 8.1 **Donner un nom correct à:**
a. $(CH_3)_2CH—O—CH_3$ **b.** $C_6H_5—O—CH_2CH_2CH_3$
c. $CH_3CH(OCH_3)CH(CH_3)_2$

Problème 8.2 **Ecrire la formule développée du dicyclopropyléther et du 2-éthoxyoctane.**

8.3 Propriétés physiques des éthers

Les éthers sont des composés incolores d'odeur caractéristique, assez agréable. Leur point d'ébullition est plus bas que celui des alcools ayant le même nombre d'atomes de carbone, mais très voisin de celui de l'hydrocarbure correspondant dans lequel un groupe —CH_2— remplace l'oxygène de l'éther. Exemple:

		Eb	Masse mol.
1-butanol	$CH_3CH_2CH_2CH_2OH$	118°C	74
diéthyléther	$CH_3CH_2—O—CH_2CH_3$	35°C	74
pentane	$CH_3CH_2—CH_2—CH_2CH_3$	36°C	72

A cause de leur structure, il ne peut y avoir de liaisons hydrogène entre molécules d'éthers, d'où leurs points d'ébullition beaucoup plus bas que celui des alcools isomères.

Mais les éthers peuvent former des liaisons hydrogène avec les composés hydroxylés:

R—O·····H—O
| |
R   R

C'est pourquoi, ordinairement, les alcools et les éthers sont solubles les uns dans les autres. Et même, les éthers de faible masse moléculaire, tels que le diméthyléther par exemple, sont très solubles dans l'eau, la solubilité du diéthyléther étant de 7 g dans 100 ml. Evidemment, cette solubilité dans l'eau diminue quand augmente le nombre de carbones de l'éther. Les éthers sont moins denses que l'eau.

Problème 8.3 **Donner la formule développée des isomères suivants et les classer en fonction de leurs points d'ébullition: 3-méthoxy-1-propanol, 1,2-diméthoxyéthane, 1,4-butanediol.**

8.4 Les éthers sont d'excellents solvants

Ordinairement, les éthers ne réagissent ni avec les acides dilués, ni avec les bases diluées, ni avec les agents habituels d'oxydation et de réduction. Contrairement aux alcools, ils ne réagissent pas non plus avec le sodium métal. Bref, en général, ils restent sans réaction face aux autres catégories de composés organiques.

Cette inertie des éthers, jointe au fait que la plupart des composés organiques y sont solubles, en fait d'excellents solvants réactionnels.

On les utilise aussi pour extraire les composés organiques de leurs sources naturelles. C'est notamment le cas de l'éther diéthylique, son bas point d'ébullition permettant de le séparer aisément, par distillation, du produit d'extraction et de le récupérer. Cependant, il est particulièrement inflammable et il ne peut être manipulé en laboratoire qu'en l'absence de toute flamme. De plus, les éthers qui sont restés longtemps exposés à l'air contiennent des peroxydes dus à l'oxydation qui sont de puissants explosifs. Il est alors nécessaire de détruire ces derniers avant usage, ce que l'on obtient en les réduisant par agitation avec une solution aqueuse de sulfate ferreux.

Enfin, on a déjà vu (paragraphe 6.13) l'intérêt de l'éther diéthylique comme solvant dans la préparation des organomagnésiens où il joue un rôle important par son pouvoir solvatant et par les paires d'électrons libres de son oxygène qui stabilisent ces réactifs de Grignard par coordination.

8.5 Préparation des éthers

Le plus important des éthers est l'éther diéthylique, que l'on prépare par action de l'acide sulfurique sur l'éthanol.

$$2 \underset{\text{éthanol}}{CH_3CH_2OH} \xrightarrow[140^{\circ}C]{H_2SO_4} \underset{\text{diéthyléther}}{CH_3CH_2OCH_2CH_3} + H_2O \qquad (8.1)$$

Remarquons que la déshydratation de l'éthanol par l'acide sulfurique peut donner soit de l'éthylène (équation 7.14), soit du diéthyléther (équation 8.1). Bien sûr, les conditions réactionnelles sont différentes dans chaque cas. Ces réactions montrent l'importance du contrôle des conditions réactionnelles et de leur spécification dans les équations.

Bien qu'elle puisse être adaptée à la synthèse d'autres éthers, la méthode qui met en jeu la déshydratation des alcools par l'acide sulfurique n'est pratiquement utilisée que pour préparer les éthers symétriques à partir des alcools primaires.

Problème 8.4   **Ecrire une équation sur la synthèse du dipropyléther.**

Une autre voie d'accès aux éthers, qu'on a entrevue au paragraphe 6.4, est la synthèse de Williamson. Elle comporte deux étapes, dont on a toutes deux discuté. Dans la première, on transforme un alcool en son alcoolate par traitement par un métal comme le sodium ou le potassium (équation 7.10). Dans la seconde, on réalise une substitution S_N2 entre l'alcoolate et un halogénure d'alkyle (table 6.2, ex. 2).

$$2 ROH + 2 Na \rightarrow 2 RO^- Na^+ + H_2 \qquad (8.2)$$

$$RO^- Na^+ + R' \!-\! X \to ROR' + Na^+ X^- \tag{8.3}$$

Puisque la seconde étape est une réaction $S_N 2$, elle marche bien si R' est un groupe alkyle primaire, et mal si R' est tertiaire.

Exemple de problème 8.1　Ecrire la réaction de la préparation de $CH_3OCH_2CH_2CH_3$ par la méthode de Williamson.

Solution　　**Il y a deux possibilités selon l'alcool et l'halogénure d'alkyle utilisés.**

$$2\,CH_3OH + 2\,Na \longrightarrow 2CH_3O^-Na^+ + H_2$$
$$CH_3O^-Na^+ + CH_3CH_2CH_2X \longrightarrow CH_3O\,CH_2CH_2CH_3 + Na^+X^-$$

ou bien

$$2\,CH_3CH_2CH_2OH + 2\,Na \longrightarrow 2\,CH_3CH_2CH_2O^-Na^+ + H_2$$
$$CH_3CH_2CH_2O^-Na^+ + CH_3X \longrightarrow CH_3CH_2CH_2O\,CH_3 + Na^+X^-$$

Problème 8.5　　Ecrire les réactions de la préparation des éthers suivants par la méthode de Williamson:
a. $C_6H_5CH_2OCH_3$　　　　b. $(CH_3)_3COCH_3$

A PROPOS DE L'ETHER ET DE L'ANESTHESIE

Avant 1840, on soulageait la douleur en chirurgie de diverses façons: par asphyxie, par compression des nerfs, par administration de narcotiques ou d'alcool. Mais, néanmoins, la torture d'une opération chirurgicale était telle que, tout bien considéré, il valait mieux l'éviter et subir la maladie en question. L'anesthésie moderne en chirurgie, due aux travaux de plusieurs médecins au milieu du XIXe siècle, a changé tout cela. On fit les premiers essais avec le protoxyde d'azote, l'éther ou le chloroforme, le plus connu de ces essais étant vraisemblablement celui de W. Morton, dentiste à Boston, qui, en 1846, enleva une tumeur de la mâchoire d'un patient.

Il y a deux types principaux d'anesthésiques, les anesthésiques généraux et les anesthésiques locaux. On vise ordinairement trois objectifs avec les anesthésiques généraux: provoquer l'insensibilité à la douleur (c'est l'analgésie), la perte de conscience et la relaxation des muscles. Les gaz comme le protoxyde d'azote et le cyclopropane et les liquides volatils comme l'éther sont administrés par inhalation, mais d'autres comme les barbituriques sont injectés par voie intraveineuse.

On ne connaît pas bien le mécanisme de l'effet des anesthésiques sur le système nerveux central. L'inconscience peut résulter de plusieurs facteurs tels que des changements dans les propriétés des membranes des cellules nerveuses, la suppression de certaines réactions enzymatiques et la solubilité de l'anesthésique dans des membranes lipidiques.

Un bon anesthésique par inhalation doit pouvoir être facilement vaporisé et avoir la solubilité requise dans le sang et les tissus. Il doit aussi être stable, inerte, ininflammable, puissant et peu toxique. Enfin, il doit être d'odeur acceptable et n'avoir que des effets secondaires minimes tels que nausées et vomissements. Jusqu'ici, on n'a pu obtenir aucun anesthésique possédant toutes ces spécificités. L'éther diéthylique, bien que vraisemblablement le plus connu des anesthésiques généraux, ne les possède pas toutes. Ainsi, il est inflammable, il a des effets secondaires et son action est relativement lente. Par contre, il est très puissant et il provoque une bonne anesthésie et une nette relaxation musculaire. Quoi qu'il en soit, son utilisation est actuellement assez limitée à cause de ses effets secondaires. C'est l'halothane $CF_3CHBrCl$ qui semble maintenant le plus proche de l'anesthésique idéal par inhalation. Des éthers halogénés tels que l'enflurane $CHF_2–O–CF_2CHClF$ sont également utilisés.

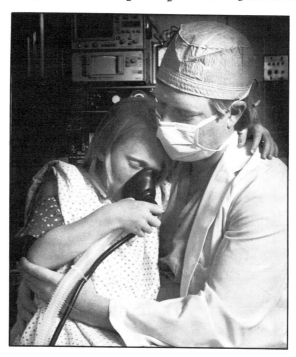

Les anesthésiques locaux sont, soit appliqués à la surface de la région du corps à insensibiliser, soit injectés près des nerfs concernés. Le plus connu est la procaïne (Novocaïne), un amino-ester aromatique (p. 389).

C'est la découverte des anesthésiques qui a permis le développement de la chirurgie fine, donc une grande partie des progrès de la médecine moderne.

8.6   La coupure des éthers

A cause de leurs paires d'électrons libres sur l'atome d'oxygène, les éthers sont des bases de Lewis faibles. Ils réagissent avec les acides protoniques forts et avec les acides de Lewis comme les halogénures de bore.

$$(8.4)$$

Quand l'ion négatif de ces acides est un nucléophile fort (un ion bromure, par exemple), les éthers peuvent alors être coupés.

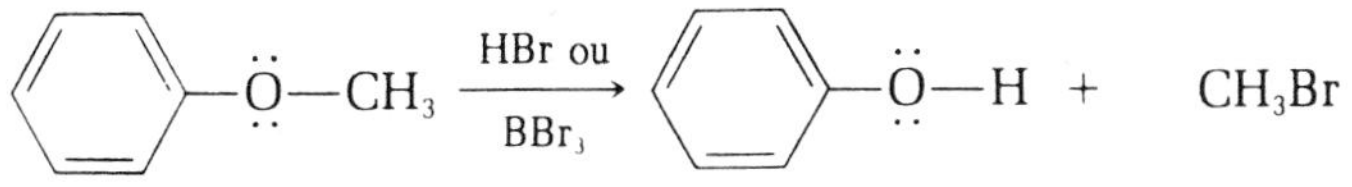

$$\text{méthylphényléther (anisole)} \xrightarrow[\text{BBr}_3]{\text{HBr ou}} \text{phénol} + \text{CH}_3\text{Br} \quad \text{(8.5)}$$

méthylphényléther (anisole)   phénol   bromure de méthyle

Cette coupure des éthers est une réaction intéressante quand on doit déterminer la structure d'un éther naturel complexe, car elle permet de rompre une grosse molécule en deux fragments plus petits, plus faciles à étudier. Le mécanisme réactionnel est analogue à celui des réactions du même type subies par les alcools (paragraphe 7.10).

Problème 8.6   **Ecrire les étapes du mécanisme de l'équation 8.5.**

8.7 Epoxydes (ou oxirannes)

Les époxydes sont des éthers cycliques dont le cycle comporte trois atomes, dont un atome d'oxygène.

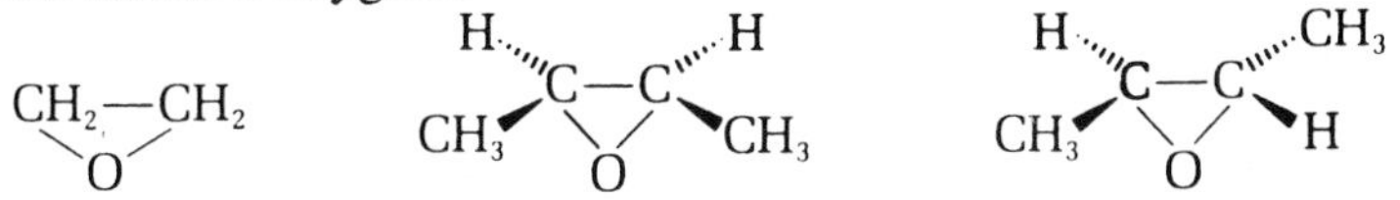

oxyde d'éthylène   oxyde de *cis*-2-butène   oxyde de *trans*-2-butène
(oxiranne)   (*cis*-2,3-diméthyloxiranne)   (*trans*-2,3-diméthyloxiranne)
Eb 13,5°C   Eb 60°C   Eb 54°C

L'époxyde industriellement le plus important est l'oxyde d'éthylène, qui est préparé par oxydation de l'éthylène avec l'oxygène de l'air, catalysée par l'argent.

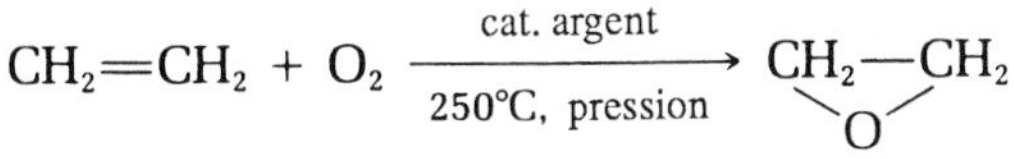

$$\text{CH}_2\!=\!\text{CH}_2 + \text{O}_2 \xrightarrow[\text{250°C, pression}]{\text{cat. argent}} \text{CH}_2\!-\!\text{CH}_2 \quad \text{(8.6)}$$

oxyde d'éthylène
Eb 13,5°C

La production américaine annuelle d'oxyde d'éthylène dépasse les deux millions de tonnes, dont une petite partie seulement est utilisée comme telle (par exemple comme fumigant dans la conservation des semences), mais dont l'essentiel sert comme matière première dans la préparation d'autres produits, notamment celle de l'éthylèneglycol.

Au laboratoire, on prépare ordinairement les époxydes par action d'un peracide organique sur un alcène. Exemple:

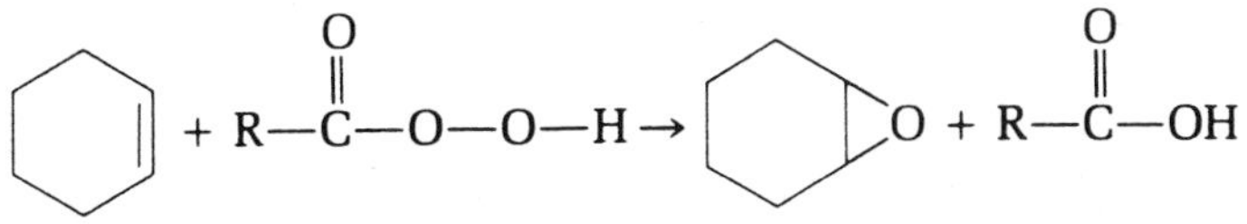

$$\text{cyclohexène} + \text{R}\!-\!\overset{\text{O}}{\underset{\|}{\text{C}}}\!-\!\text{O}\!-\!\text{O}\!-\!\text{H} \rightarrow \text{oxyde de cyclohexène} + \text{R}\!-\!\overset{\text{O}}{\underset{\|}{\text{C}}}\!-\!\text{OH} \quad \text{(8.7)}$$

cyclohexène   peracide organique   oxyde de cyclohexène   acide organique

Problème 8.7   Ecrire les équations de la préparation, à partir d'acide peracétique (équation 8.7, $R = CH_3$), des époxydes dérivés de:
a. *cis* -2-butène et b. *trans* -2-butène.

A PROPOS DE L'EPOXYDE DU BOMBYX DISPARATE

On s'est rendu compte assez vite que le principal mode de communication entre insectes était l'émission et la détection de substances chimiques spécifiques, qu'on a appelées *phéromones* (du grec Φερειν, apporter et Ηορμον, exciter). Bien qu'émises et détectées en quantités extrêmement faibles, elles ont des effets biologiques intenses. Certes, le plus important de ces effets est l'attraction et la stimulation sexuelles, mais il en existe d'autres, des phéromones pouvant intervenir sur les membres d'une même espèce, soit en déclenchant l'alarme en cas de danger, soit en rassemblant les individus des deux sexes, soit en les guidant vers des sources de nourriture.

Les phéromones sont souvent des composés relativement simples: alcools, esters, aldéhydes, cétones, éthers, époxydes et même hydrocarbures. Leur masse moléculaire est assez faible, d'où leur volatilité idéale, ni trop basse, ni trop élevée. Elles ont une structure moléculaire distinctive, d'où leur action spécifique sur une certaine espèce d'insectes, la perpétuation ou la survie d'une telle espèce ne pouvant être favorisée par l'attraction d'une autre espèce. Souvent, cette spécificité est le résultat d'une stéréoisomérie précise de doubles liaisons ou de centres chiraux ou bien le résultat de proportions déterminées de deux ou plus de deux substances chimiques.

Considérons le *Disparlure*, une phéromone spécifique, attracteur sexuel du bombyx disparate (*Lymantria dispar*). Ce dernier est un sérieux destructeur des arbres et des feuillus des forêts et des arbres fruitiers des vergers. Les larves, qui éclosent au printemps, sont particulièrement voraces et capables de dépouiller un arbre de toutes ses feuilles en quelques semaines.

L'extrémité de l'abdomen de la femelle vierge contient l'attractif sexuel. L'extraction de 70.000 abdomens a permis l'isolement de ce dernier, à savoir le *cis*-époxyde suivant:

$$(CH_3)_2CH(CH_2)_4 \cdots \overset{7}{\underset{H}{\diagdown}} \underset{O}{\diagup} \overset{8}{\underset{H}{\diagdown}} \cdots (CH_2)_9CH_3$$

(7R,8S)-(+)-7,8-époxy-2-méthyloctadécane
(disparlure)

L'isomère actif a la configuration R en C7 et la configuration S en C8. Cet isomère est détecté par le bombyx disparate mâle à une concentration aussi faible que 10^{-10} g/ml; par contre, l'énantiomère est inactif, même en solution 10^6 fois plus concentrée.

On a fait la synthèse du Disparlure en laboratoire. On peut utiliser cette substance synthétique pour attirer et piéger les mâles et ainsi contrôler la population de l'insecte. Cette forme de contrôle est parfois plus avantageuse que la vaporisation classique de produits chimiques.

8.8 Réactions des époxydes

A cause de la tension du cycle triatomique, les époxydes sont plus réactifs que les éthers ordinaires et, dans les produits auxquels ils conduisent, le cycle a été ouvert. Ils subissent, par exemple, l'ouverture de cycle par action acido-catalysée de l'eau en donnant des glycols.

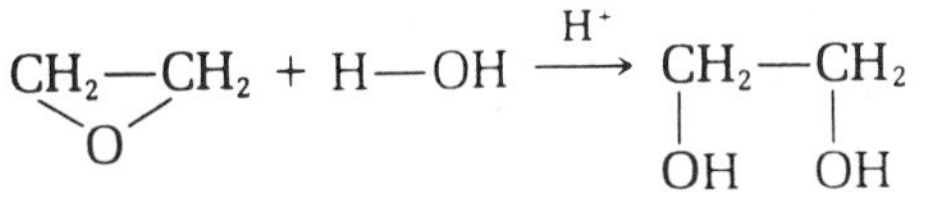

$$CH_2\text{—}CH_2 + H\text{—}OH \xrightarrow{H^+} \underset{\underset{OH}{|}}{CH_2}\text{—}\underset{\underset{OH}{|}}{CH_2} \tag{8.8}$$

C'est ainsi qu'aux Etats-Unis on produit annuellement 1,5 million de tonnes d'éthylèneglycol, la moitié environ servant comme antigel pour les radiateurs d'automobiles et le reste pour la préparation de polyesters comme le Térylène.

Exemple de problème 8.2   **Proposer un mécanisme de l'ouverture acido-catalysée de l'oxyde d'éthylène (éq. 8.8).**

Solution   **La première étape est la protonation réversible de l'oxygène de l'époxyde.**

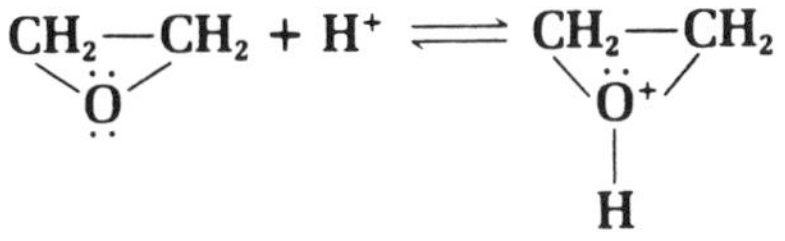

$$CH_2\text{—}CH_2 + H^+ \rightleftharpoons CH_2\text{—}CH_2$$

La seconde est une substitution nucléophile S_N2 par attaque du carbone primaire par le nucléophile qu'est l'eau, suivie par la perte du proton.

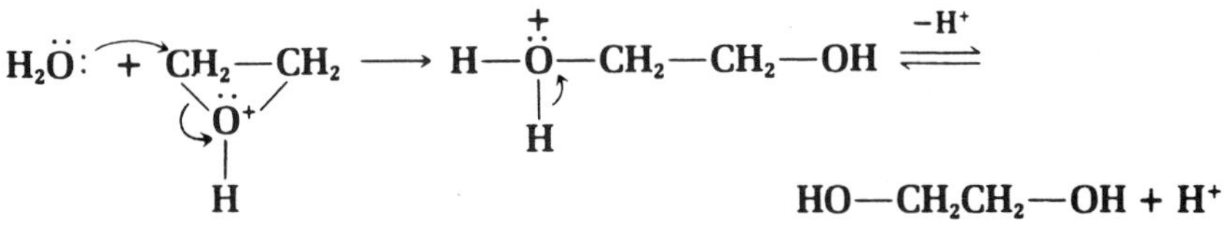

$$H_2\ddot{O}: + CH_2\text{—}CH_2 \longrightarrow H\text{—}\overset{+}{\underset{\underset{H}{|}}{O}}\text{—}CH_2\text{—}CH_2\text{—}OH \xrightarrow{-H^+}$$

$$HO\text{—}CH_2CH_2\text{—}OH + H^+$$

Problème 8.8   **Ecrire la réaction acido-catalysée de l'oxyde de cyclohexène avec l'eau. Quelle doit être la stéréochimie du produit?**

Des nucléophiles autres que l'eau s'additionnent aux époxydes de la même manière. Exemples:

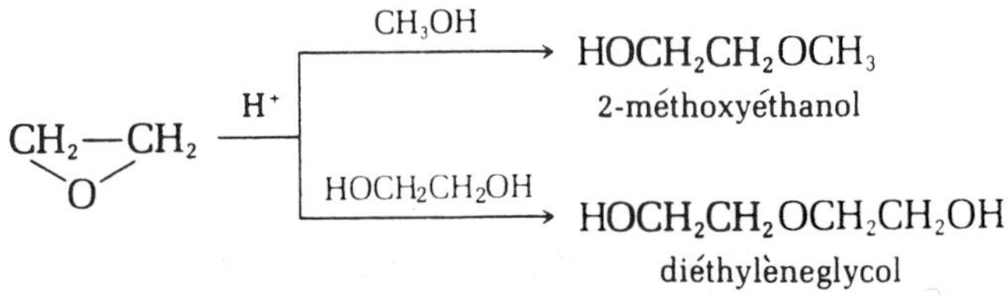

$$CH_2\text{—}CH_2 \xrightarrow{H^+} \begin{cases} \xrightarrow{CH_3OH} HOCH_2CH_2OCH_3 \quad \text{2-méthoxyéthanol} \\ \xrightarrow{HOCH_2CH_2OH} HOCH_2CH_2OCH_2CH_2OH \quad \text{diéthylèneglycol} \end{cases} \tag{8.9}$$

Le 2-méthoxyéthanol est utilisé comme additif aux carburants pour jet, son rôle étant d'empêcher l'eau de geler dans les canalisations. Etant à la fois alcool et éther, il est soluble aussi bien dans l'eau que dans les solvants organiques. On utilise le diéthylèneglycol comme plastifiant du liège.

Contrairement aux éthers ordinaires, les époxydes peuvent être coupés en solution neutre ou alcaline par attaque nucléophile sur l'époxyde lui-même. Ces réactions procèdent selon un mécanisme S_N2. Par exemple, l'ammoniac réagit sur l'oxyde d'éthylène de la manière suivante:

$$H_3N\colon \,+\, \underset{O}{CH_2-CH_2} \xrightarrow{S_N2} \left[\begin{array}{cc} CH_2-CH_2 \\ | \quad\quad | \\ H_3N^+ \quad O^- \end{array} \right] \longrightarrow \underset{\underset{\text{éthanolamine}}{NH_2 \quad OH}}{CH_2-CH_2} \tag{8.10}$$

Le produit, l'**éthanolamine**, est une base organique soluble dans l'eau, utilisée pour absorber et concentrer le gaz carbonique dans la fabrication de la glace carbonique.

Problème 8.9   **Ecrire la réaction de l'éthanolate de sodium avec l'oxyde d'éthylène dans l'éthanol.**

L'attaque du carbone le moins encombré dans l'ouverture du cycle de l'oxyde de propylène par le méthanolate de sodium, la formation de l'alcool secondaire méthoxylé et une cinétique du second ordre confirment le mécanisme S_N2 de la réaction.

$$\underset{O}{CH_3-CH-CH_2} \xrightarrow[CH_3OH]{Na^+\bar{O}CH_3} \underset{Na^+\!-O \quad\quad OCH_3}{CH_3-CH-CH_2} \xrightarrow{CH_3OH} \underset{\underset{\text{1-méthoxy-2-propanol}}{HO \quad\quad OCH_3}}{CH_3-CH-CH_2} \tag{8.11}$$

Par contre, l'ouverture acide d'un tel époxyde (S_N1), mettant en jeu la formation intermédiaire du carbocation secondaire, le plus stable, conduit à l'alcool primaire méthoxylé.

$$\underset{O}{CH_3-CH-CH_2} \xrightarrow[CH_3OH]{H^+} CH_3-\underset{\underset{H}{O^+}}{CH}-CH_2 \longrightarrow CH_3-\overset{+}{CH}-CH_2 \longrightarrow \tag{8.12}$$
$$\underset{CH_3-\ddot{O}H \quad OH}{}$$

$$\longrightarrow \underset{\underset{+}{CH_3\overset{}{O}H} \quad OH}{CH_3-CH-CH_2} \xrightarrow{-H^+} \underset{\underset{\text{2-méthoxy-1-propanol}}{CH_3O \quad OH}}{CH_3-CH-CH_2}$$

La réaction des organomagnésiens avec l'oxyde d'éthylène est du même type. Le produit, après hydrolyse, est un alcool primaire ayant deux atomes de carbone de plus que le réactif de Grignard original.

$$\overset{\delta-\quad\delta+}{R-MgX} + \underset{O}{CH_2-CH_2} \rightarrow RCH_2CH_2OMgX \xrightarrow{H-OH} RCH_2CH_2OH + Mg^{2+}OH^-X^- \tag{8.13}$$

Problème 8.10   **Ecrire la réaction permettant de préparer le 1-pentanol à partir d'un organomagnésien et d'oxyde d'éthylène.**

A PROPOS DES RESINES EPOXY

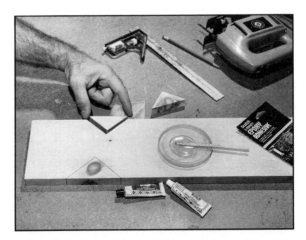

A bien des gens, le mot *époxy* rappelle les résines époxy utilisées, à cause de leur inertie, de leur dureté et de leur souplesse exceptionnelles, comme adhésifs pour la soudure des métaux, des verres et des céramiques et aussi dans les revêtements des surfaces tels que les peintures.

Les deux matières premières de la fabrication des résines époxy sont l'*épichlorhydrine* et le *bisphénol-A*,

$$Cl-CH_2-CH-CH_2$$
$$O$$

épichlorhydrine

bisphénol-A

La réaction d'un mélange de ces deux composés avec une base donne une résine époxy linéaire dont la structure est montrée figure 8.1.

Les résines industrielles de ce type peuvent être liquides (si n est petit) ou visqueuses, ou solides, et alors utilisables pour les revêtements de surface (si $n > 25$).

On peut profiter de la présence, dans un tel polymère linéaire, des cycles époxydiques terminaux et des groupes $-OH$ pour créer des liaisons pontées entre les chaînes, accroissant ainsi notablement la masse moléculaire du polymère. Cela est surtout important pour les revêtements de surfaces.

On peut faire des résines époxy de structures diverses en faisant varier n et les liaisons pontées. On peut remplacer tout ou partie du bisphénol-A par d'autres composés di- ou polyhydroxylés et l'épichlorhydrine par d'autres composés époxydiques. La production annuelle mondiale de ces différents types de résines avoisine le demi-million de tonnes.

Figure 8.1   Une résine époxy "linéaire"

8.9 Ethers cycliques

On connaît beaucoup d'éthers cycliques dont le cycle est plus grand que celui des époxydes, les plus courants étant penta- ou hexa-atomiques et ayant des noms communs.

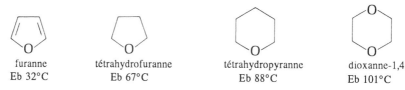

| furanne | tétrahydrofuranne | tétrahydropyranne | dioxanne-1,4 |
| Eb 32°C | Eb 67°C | Eb 88°C | Eb 101°C |

Le furanne est un composé aromatique (paragraphe 4.16). Son hydrogénation donne le **tétrahydrofuranne** (THF), un solvant particulièrement intéressant, non seulement parce qu'il dissout beaucoup de composés organiques, mais aussi parce qu'il est miscible à l'eau. C'est un excellent solvant – souvent supérieur à l'éther diéthylique – pour la préparation des réactifs de Grignard. Il a même nombre d'atomes de carbone que l'éther diéthylique, mais, contrairement à ce dernier, il a un atome d'oxygène moins encombré, car il se présente "comme s'il avait les mains liées derrière le dos". Il s'ensuit qu'il est plus basique et que sa coordination au magnésium des réactifs de Grignard est meilleure. Le **tétrahydropyranne** et le **1,4-dioxanne** sont également solubles dans l'eau et dans les solvants organiques. (Pour les distinguer des alcanes, on préfère utiliser la terminaison *-anne*, plutôt que *-ane,* dans l'appellation de ces éthers cycliques.)

Les éthers cycliques les plus courants sont les hydrates de carbone. Ce sont, soit des pyrannoses (cycles hexa-atomiques), soit des furannoses (cycles penta-atomiques). Etant donné leur importance particulière, on leur consacrera un chapitre entier (chapitre 13).

Depuis quelques années, on accorde un grand intérêt aux polyéthers macrocycliques. Exemples:

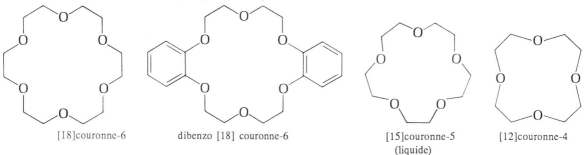

| [18]couronne-6 | dibenzo [18] couronne-6 | [15]couronne-5 (liquide) | [12]couronne-4 |

On appelle ces composés des **éthers-couronnes** à cause de leur forme particulière. Leur appellation courante comporte deux nombres: le premier, entre crochets, donne la taille du cycle et le second indique le nombre d'oxygènes (deux oxygènes limitant ordinairement chaque paire de carbones).

Les éthers-couronnes ont la particularité de former des complexes avec les cations (Na^+, K^+, etc). Cette formation de complexe est sélective et dépend de la taille du cation et de celle du macrocycle qu'il a en face de lui. Par exemple, le [18]couronne-6 capte K^+ plus étroitement que Na^+ (trop petit et mal ajusté dans la cavité) ou que Cs^+ (trop volumineux pour pouvoir entrer dans la cavité). Par contre, le [15]couronne-5 capte Na^+ et le [12]couronne-4 capte Li^+.

Diamètre de la cavité   2,6–3,2 Å
Diamètre des ions Na^+ 1,90 Å
                     K^+ 2,66 Å
                     Cs^+ 3,34 Å

seul cet ion est à son aise
dans la cage

M+ capté par le [18]couronne-6

Cette aptitude à la complexation est si forte qu'on peut dissoudre des composés ioniques dans des solvants organiques qui contiennent un peu d'éther-couronne. Le permanganate de potassium ($KMnO_4$), par exemple, est soluble dans l'eau, mais insoluble dans le benzène. Cependant, avec du benzène dans lequel on a dissous du dicyclohexyl[18]couronne-6, il est possible d'extraire le permanganate de potassium d'une solution aqueuse de ce sel. Le "benzène pourpre" ainsi obtenu contient des ions permanganate libres, non solvatés et c'est un puissant agent d'oxydation.

Il semble que la capture sélective d'ions métalliques soit un phénomène important dans la nature, plusieurs antibiotiques, tels que la **nonactine** par exemple, ayant un grand cycle comportant des atomes d'oxygène régulièrement espacés. La nonactine (qui comprend quatre cycles tétrahydrofuranne rassemblés par des groupes esters) capte sélectivement K^+ en milieu aqueux et elle peut permettre le transport sélectif de ce cation (et non pas Na^+) à travers les membranes cellulaires.

nonactine

Le prix Nobel de Chimie a été décerné en 1987 à trois chimistes organiciens qui ont été des pionniers dans ce domaine des molécules creuses ou molécules-cages: les Américains C. J. Pedersen (Du Pont de Nemours) et D. J. Cram, Professeur à l'Université de Californie à Los Angeles (UCLA), et le Français J. M. Lehn, Professeur à l'Université de Strasbourg et au Collège de France.

C. J. Pedersen a découvert les premiers éthers-couronnes capables de capter les cations métal tels que Na^+, K^+, Ca^+. D. J. Cram a notamment préparé des éthers-couronnes (dites molécules hôtes) capables de piéger aussi des molécules (dites invitées) et il a même pu ainsi dédoubler des acides aminés, la molécule hôte étant capable de reconnaître et de capter exclusivement l'un des deux énantiomères. J. M. Lehn a obtenu de telles molécules creuses dont les cavités sont de tailles ajustables avec précision (il les a appelées *cryptants* – du grec κρυπτος, caché) et qui permettent la capture très sélective ou bien de cations ou bien de petites molécules. Les applications de telles captures apparaissent devoir être intéressantes; par exemple, celle des cations dans le controle des taux de Li, Na ou K dans l'organisme et celle des molécules en chimie enzymatique.

8.10 Thioéthers

La structure des **thioéthers** ou sulfures organiques est analogue à celle des éthers, un soufre prenant la place de l'oxygène. Leur nomenclature est aussi analogue à celle des éthers.

$$CH_3\!-\!S\!-\!CH_3 \qquad CH_3CH_2\!-\!S\!-\!CH_3 \qquad \underset{\underset{\textstyle S-CH_3}{|}}{CH_3CHCH_2CH_3}$$

sulfure diméthylique   sulfure d'éthyle et de méthyle   2-(méthylthio)butane

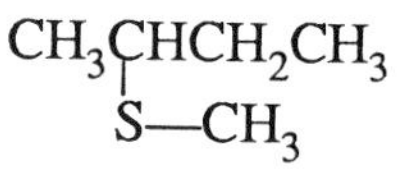

On peut préparer les thioéthers à partir des thiols et des halogénures d'alkyle avec une base (voir table 6.1, réaction 12). Exemple:

$$CH_3SH + CH_3Br \xrightarrow[S_N2]{NaOH\ dil.} CH_3SCH_3 + Na^+Br^- + H_2O \qquad (8.14)$$

Problème 8.11   **Quel est le rôle de la base dans l'équation 8.14? (En réalité, cette réaction a lieu en deux étapes. Lesquelles?)**

Il existe des sulfures naturels. D'autres ont des propriétés physiologiques nettes. C'est le cas du **sulfure diallylique** qui est un constituant de l'ail et de l'oignon, et celui de l'**ypérite** ou gaz moutarde, vésicant sévère qui a été utilisé comme gaz de combat.

$$CH_2\!=\!CHCH_2\!-\!S\!-\!CH_2CH\!=\!CH_2 \qquad ClCH2CH2\!-\!S\!-\!CH2CH2Cl$$

sulfure diallylique   sulfure di-2-chloréthylique
Eb 139°C   (gaz moutarde)
                       F 13°C, Eb 217°C

Les sulfures sont facilement oxydés en sulfoxydes et en sulfones.

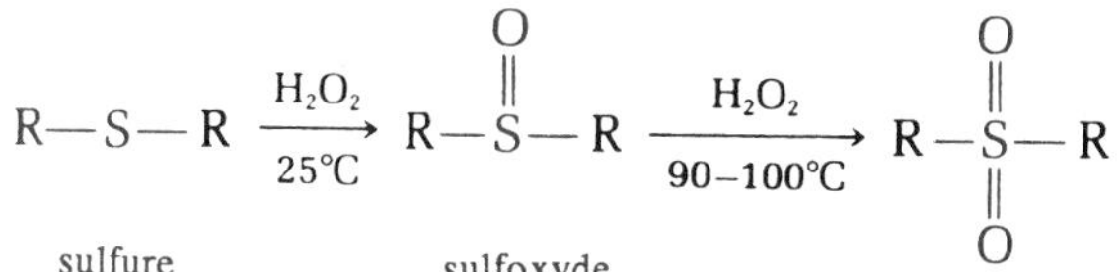

$$R\!-\!S\!-\!R \xrightarrow[25°C]{H_2O_2} R\!-\!\overset{\overset{\textstyle O}{\|}}{S}\!-\!R \xrightarrow[90-100°C]{H_2O_2} R\!-\!\underset{\underset{\textstyle O}{\|}}{\overset{\overset{\textstyle O}{\|}}{S}}\!-\!R \qquad (8.15)$$

sulfure   sulfoxyde   sulfone

Le **diméthylsulfoxyde** (DMSO) est un liquide incolore, Eb 189°C, miscible à l'eau; c'est néanmoins un bon solvant des composés organiques. Il diffuse rapidement à travers la peau et l'on a constaté que c'est un agent anti-inflammatoire; il est utilisé contre l'arthrite.

Les sulfures réagissent avec les halogénures d'alkyle en donnant des sels de sulfonium.

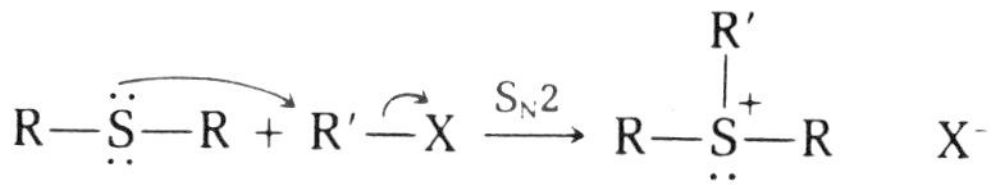

$$R\!-\!\ddot{S}\!-\!R + R'\!-\!X \xrightarrow{S_N2} R\!-\!\overset{\overset{\textstyle R'}{|}}{\underset{\underset{\textstyle ..}{}}{S}}\!-\!R \quad X^- \qquad (8.16)$$

sel de trialkylsulfonium

Ces sels de sulfonium jouent un rôle dans certains processus biologiques (voir "A Propos de réactions S_N2 dans la cellule", page 203).

Résumé du chapitre

Les éthers ont deux groupes alkyles ou aryles liés à un même atome d'oxygène (R—O—R). En nomenclature courante, on nomme les deux groupes qu'on fait suivre du mot *éther*, comme dans *éthylméthyléther* ou éthyl méthyl éther, $CH_3CH_2OCH_3$. Dans le système IUPAC, on nomme le plus petit groupe alcoxy qu'on considère comme un substituant de la chaîne carbonée la plus longue; dans cet exemple, le nom IUPAC est méthoxyéthane.

Les éthers ont des points d'ébullition plus bas que leurs isomères alcools parce qu'ils ne peuvent former des liaisons hydrogènes entre eux. Cependant, en tant que bases de Lewis, ils forment des liaisons hydrogènes avec des composés porteurs du groupe –OH, comme les alcools et l'eau.

Les éthers sont d'excellents solvants des composés organiques et aussi des réactions organiques à cause de leur inertie chimique.

Les halogénures d'alkyle et les halogénures d'aryle réagissent avec le magnésium dans l'éther diéthylique ou dans le tétrahydrofuranne (THF) pour donner les réactifs de Grignard RMgX. Les éthers stabilisent ces réactifs par coordination du magnésium.

L'éther diéthylique est préparé dans l'industrie par déshydratation intermoléculaire de l'éthanol par l'acide sulfurique. La synthèse de Williamson, autre voie d'accès aux éthers, met en jeu la préparation d'un alcoolate à partir d'un alcool, suivie d'une substitution S_N2 entre l'alcoolate et un halogénure d'alkyle.

On peut couper la liaison C—O des éthers avec un acide protonique (HBr) ou un acide de Lewis fort; les produits sont des alcools et (ou) des halogénures d'alkyle.

Les époxydes (oxirannes) sont des éthers cycliques triatomiques. Le premier terme et le plus important industriellement est l'oxyde d'éthylène, qui est fabriqué à partir d'éthylène, d'air et du catalyseur argent. Au laboratoire, on prépare surtout les époxydes à partir des alcènes et de peracides organiques.

Par réaction avec des nucléophiles, les époxydes donnent des produits d'ouverture du cycle. Par exemple, l'hydratation acido-catalysée de l'oxyde d'éthylène conduit au diéthylèneglycol. D'autres nucléophiles, comme les alcools, l'ammoniac et les réactifs de Grignard, donnent des réactions analogues. La dernière est très utile, car elle permet l'allongement des chaînes carbonées de deux carbones à la fois.

Les résines époxy sont des polymères préparés par des réactions analogues d'ouverture de cycles époxydiques, avec comme matières premières l'épichlorhydrine (l'époxyde) et le bisphénol–A (le nucléophile).

Les éthers à plus grands cycles que les époxydes comprennent notamment le furanne, le tétrahydrofuranne (THF) et le dioxanne. Les polyéthers macrocycliques, appelés éthers-couronnes, sont capables de capter sélectivement, selon la taille du cycle, des cations métal.

Les thioéthers (ou sulfures) sont les analogues soufrés des éthers. Ils sont oxydables en sulfoxydes et en sulfones. Ils réagissent aussi avec les halogénures d'alkyle pour donner des sels de sulfonium, dont certains sont des agents d'alkylation biologiques.

PROBLEMES SUPPLEMENTAIRES

8.12 Ecrire la formule développée des composés suivants:

a. dipropyléther

b. *t*-butylméthyléther

c. 3-méthoxyhexane

d. diallyléther

e. *p*-bromophényléthyléther

f. *cis*-2-éthoxycyclopentanol

g. diméthyléther de l'éthylène-glycol

h. sulfure diéthylique

i. oxyde de propylène

j. éthyloxiranne

8.13 Nommer chacun des composés suivants:

a. $(CH_3)_2CHOCH(CH_3)_2$

b. $(CH_3)_2CHCH_2OCH_3$

c. $CH_3CH\!-\!CH_2$
         $\diagdown O \diagup$

d. $Br\!-\!\langle\!\bigcirc\!\rangle\!-\!OCH_3$

e. $\langle\bigcirc\rangle\!-\!O\!-\!CH_3$

f. $\langle\!\bigcirc\!\rangle\!-\!OC(CH_3)_3$

g. $CH_3CH(OCH_2CH_3)CH_2CH_2CH_3$

h. $CH_3OCH_2CH_2OH$

i. $CH_2\!-\!CH\!-\!CH_2CH_3$
        $\diagdown O \diagup$

j. $CH_3SCH_2CH_2CH_3$

8.14 Les éthers et les alcools peuvent être des isomères. Donner la formule et le nom de tous les isomères possibles en $C_4H_{10}O$.

8.15   On considère quatre composés de masses moléculaires très voisines: 1,2-diméthoxyéthane, éthylpropyléther, hexane et 1-pentanol. Comparer leurs solubilités dans l'eau et leurs points d'ébullition.

8.16 Ecrire la réaction de chacun des composés suivants, d'abord avec Mg dans l'éther, puis avec D_2O:

a. $CH_3CH_2CH_2CH_2Br$ **b.** $CH_3OCH_2CH_2CH_2Br$

8.17 Ecrire les équations des meilleures méthodes de préparation des éthers suivants:

a. $(CH_3CH_2CH_2CH_2)_2O$ **b.** $C_6H_5OCH_2CH_3$

8.18 On peut préparer le *t*–butylméthyléther $(CH_3)_3COCH_3$ en traitant une solution d'alcool *t*–butylique dans un grand excès de méthanol par un peu d'acide sulfurique. Ecrire le mécanisme de la réaction et expliquer pourquoi elle marche bien.

8.19   Pourquoi la synthèse de Williamson ne peut-elle permettre la préparation du diphényléther?

8.20 Contrairement aux alcanes, les éthers sont solubles à froid dans l'acide sulfurique concentré et l'on peut utiliser cette différence comme réaction-test permettant de distinguer ces deux catégories de composés. Donner (avec une équation) une explication chimique de cette différence.

8.21   Ecrire les équations des réactions suivantes (le dire, s'il n'y a pas réaction):

a. dibutyléther + soude aqueuse bouillante $\rightarrow$

b. méthylpropyléther + HBr en excès et chaud $\rightarrow$

c. dipropyléther + Na $\rightarrow$

d. diéthyléther + H_2SO_4 concentré et froid $\rightarrow$

e. éthylphényléther + BBr_3 $\rightarrow$

8.22 Quand il est chauffé avec HBr en excès, un éther cyclique donne le 1,4-dibromobutane comme seul produit organique. Donner la formule de cet éther et écrire la réaction.

8.23 Par l'époxydation d'un alcène avec un peracide et l'ouverture de cycle de l'époxyde ainsi obtenu, imaginer une synthèse en deux étapes du 1,2–butanediol à partir du 1–butène.

8.24 Ecrire les réactions de l'oxyde d'éthylène avec:
a. 1 mole de HBr   **b.** HBr en excès   **c.** du phénol + H$^+$

8.25 $CH_3CH_2OCH_2CH_2OH$ (éthyl-cellosolve) et $CH_3CH_2OCH_2CH_2OCH_2CH_2OH$ (éthyl-carbitol) sont des solvants qu'on utilise dans l'obtention des laques. On les prépare industriellement à partir de l'oxyde d'éthylène et d'autres réactifs. Ecrire les réactions en question.

8.26 Le 2–phényléthanol, dont l'odeur rappelle celle de l'essence de rose, est utilisé en parfumerie. Ecrire les réactions montrant comment on peut le synthétiser à partir de bromobenzène et d'oxyde d'éthylène en utilisant un réactif de Grignard.

8.27 Le 1,1–diméthyloxiranne dissous dans un excès de méthanol et traité par un peu d'acide donne le 2–méthoxy–2–méthyl-1–propanol (et non pas le 1–méthoxy–2–méthyl–2–propanol). Quel mécanisme réactionnel explique un tel résultat?

8.28 On a d'abord préparé industriellement l'oxyde d'éthylène par traitement de l'éthylène avec l'acide hypochloreux (HO—Cl), puis par une base. Ecrire les réactions et préciser les étapes du mécanisme.

8.29 Ecrire les réactions montrant comment l'épichlorhydrine, le bisphénol-A et une base donnent la résine époxy linéaire de la figure 8.1.

8.30 Ecrire les étapes des mécanismes des réactions de l'équation 8.9.

8.31 Quels tests chimiques permettraient de distinguer les composés de chacune des paires suivantes? Préciser ce qui est remarquable à l'œil.
a. dipropyléther et hexane
b. éthylphényléther et allylphényléther
c. 2-butanol et méthylpropyléther
d. phénol et méthylphényléther

8.32 Un composé organique de formule moléculaire $C_4H_{10}O_3$ a les propriétés d'un alcool et celles d'un éther. Traité par de l'acide bromhydrique, il donne un seul produit organique, le 1,2-dibromoéthane. Quelle est la formule du composé organique originel?

8.33 On peut synthétiser le 1,4-dioxane en distillant lentement un mélange d'éthylèneglycol et d'acide sulfurique dilué. Ecrire le mécanisme de cette réaction.

8.34 Le furanne est insoluble dans l'eau, alors que le tétrahydrofuranne est miscible à l'eau en toutes proportions. Suggérer une explication possible.

8.35 Donner la formule de Lewis (avec les électrons de valence) du sulfure diméthylique et du diméthylsulfoxyde et montrer toutes les charges formelles possibles. Expliquer la grande différence entre le point d'ébullition du sulfure diméthylique (Eb 38°C) et celui du diméthylsulfoxyde (Eb 189°C).

8.36 Imaginer une synthèse:
a. de $C_6H_5CH_2SCH_2CH_3$ à partir d'alcool benzylique et des réactifs nécessaires
b. du sulfure diallylique, un constituant de l'ail, à partir du bromure d'allyle.

CHAPITRE 9

ALDÉHYDES ET CÉTONES

9.1 Introduction

Nous en arrivons maintenant à la structure et aux réactions du groupe fonctionnel vraisemblablement le plus important de la chimie organique, le **groupe carbonyle** $\diagdown C = O$. Ce groupe est présent dans les molécules des aldéhydes, cétones, acides carboxyliques, esters, amides et autres types de composés, tous jouant un rôle notoire dans beaucoup de processus biologiques et souvent importants par eux-mêmes du point de vue industriel. Dans le présent chapitre, on examinera les aldéhydes et les cétones et, dans le suivant, les acides carboxyliques et les composés apparentés.

Les **aldéhydes** ont au moins un atome d'hydrogène lié au carbone du carbonyle, l'autre groupe étant un autre atome d'hydrogène ou un groupe alkyle ou aryle.

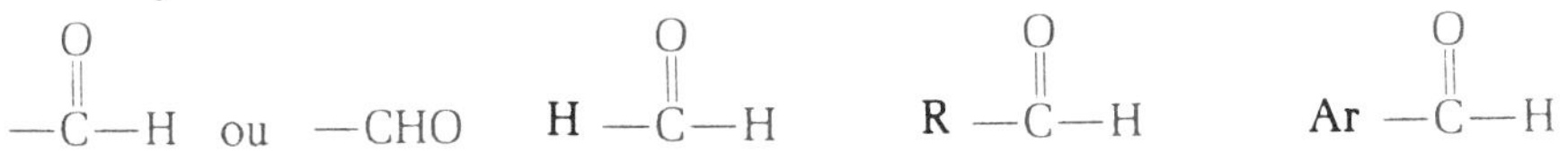

$-\overset{\overset{O}{\|}}{C}-H$ ou $-CHO$	$H-\overset{\overset{O}{\|}}{C}-H$	$R-\overset{\overset{O}{\|}}{C}-H$	$Ar-\overset{\overset{O}{\|}}{C}-H$
groupe aldéhyde	formaldéhyde	aldéhyde aliphatique	aldéhyde aromatique

Dans les **cétones**, l'atome de carbone du carbonyle est lié à deux autres atomes de carbone.

$R-\overset{\overset{O}{\|}}{C}-R$	$R-\overset{\overset{O}{\|}}{C}-Ar$	$Ar-\overset{\overset{O}{\|}}{C}-Ar$	$C=O$
cétone aliphatique	alkyl aryl cétone	cétone aromatique	cyclanone

9.2 Nomenclature des aldéhydes et des cétones

Dans le système IUPAC la terminaison caractéristique des aldéhydes est *-al* (la première syllabe du mot aldéhyde). Exemples:

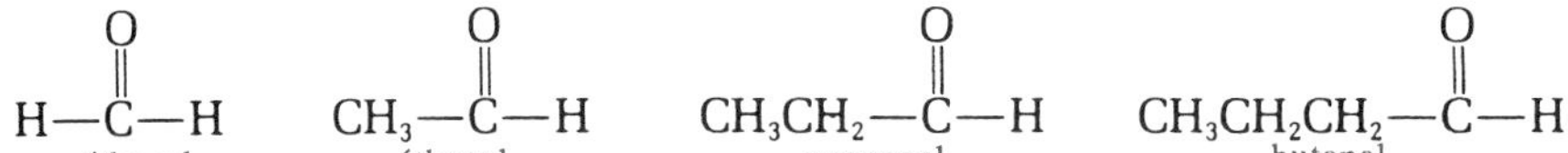

$H-\overset{\overset{O}{\|}}{C}-H$	$CH_3-\overset{\overset{O}{\|}}{C}-H$	$CH_3CH_2-\overset{\overset{O}{\|}}{C}-H$	$CH_3CH_2CH_2-\overset{\overset{O}{\|}}{C}-H$
méthanal	éthanal	propanal	butanal
formaldéhyde (aldéhyde formique)	acétaldéhyde (aldéhyde acétique)	propionaldéhyde (aldéhyde propionique)	butyraldéhyde (aldéhyde butyrique)

Entre parenthèses sont donnés les noms courants de ces quatre premiers
membres de la série des aldéhydes; de tels noms ne sont pas rares, car les
aldéhydes sont connus depuis longtemps; il faut les retenir, car ils sont encore
souvent employés.

Pour nommer les aldéhydes substitués, il faut numéroter les carbones de la
chaîne principale en donnant le numéro 1 au carbone aldéhydique. Exemples:

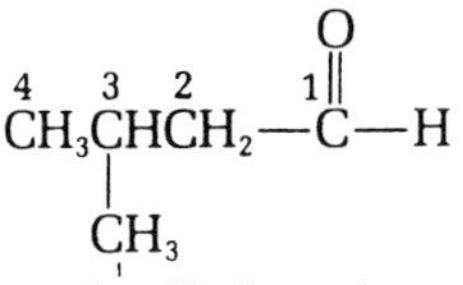

$$\underset{\text{3–méthylbutanal}}{\overset{4\quad3\quad2\quad1}{CH_3CHCH_2-C-H}}\qquad \underset{\text{3–buténal}}{\overset{4\quad\quad3\quad\quad2\quad1}{CH_2=CH-CH_2-C-H}}\qquad \underset{\substack{\text{2,3–dihydroxypropanal}\\ \text{(glycéraldéhyde)}}}{\overset{3\quad2\quad1}{CH_2-CH-C-H}}$$

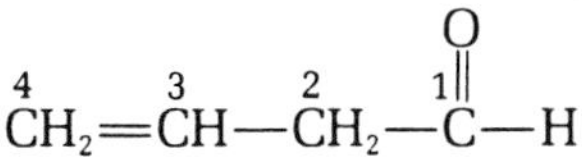

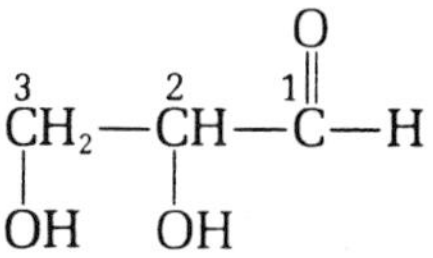

Avec les aldéhydes cycliques, il est plus facile d'utiliser le suffixe –*carbaldéhyde*
(ou–*carboxaldéhyde*). Les aldéhydes aromatiques ont souvent des noms
communs:

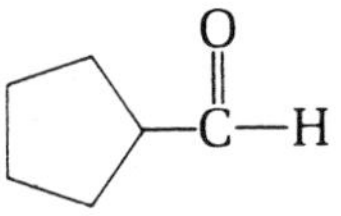

cyclopentanecarbaldéhyde   benzaldéhyde   salicylaldéhyde
(formylcyclopentane)   (benzènecarbaldéhyde)   (2–hydroxybenzènecarbaldéhyde)

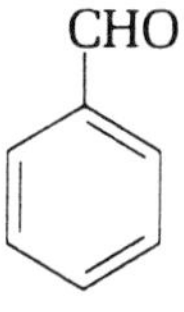

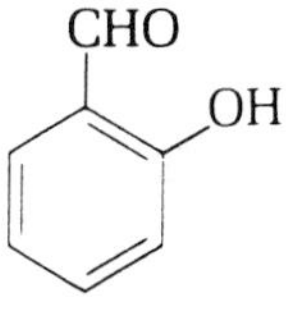

Dans le système IUPAC, la terminaison caractéristique des cétones est -*one*
(la dernière syllabe du mot cétone) et on numérote la chaîne carbonée principale
comportant le carbonyle en donnant au carbone de ce dernier le plus petit
numéro possible. En appellation courante, on nomme les cétones en ajoutant le
mot "cétone" après les noms des groupes alkyles ou aryles liés au carbone du
carbonyle. Dans certains cas, on utilise aussi des noms communs plus
caractéristiques (voir figure 9.1). Exemples:

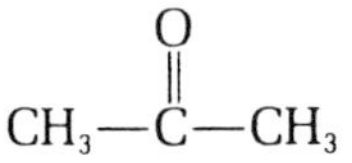

propanone   2-butanone   3-pentanone
(acétone)   (éthyl méthyl cétone)   (diéthylcétone)

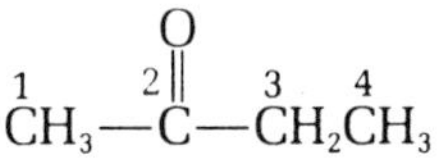

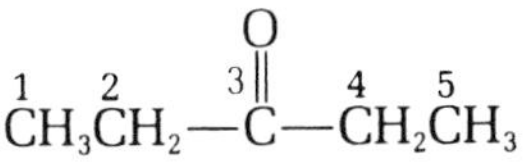

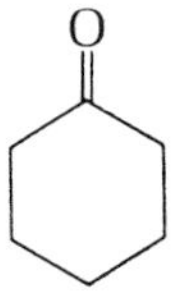

cyclohexanone 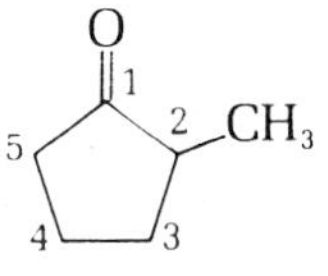   2-méthylcyclopentanone 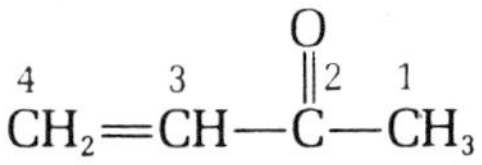   3-butène-2-one
                                            (méthyl vinyl cétone)

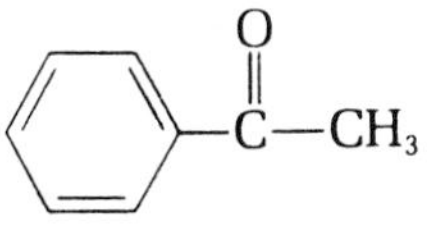

acétophénone   benzophénone   dicyclopropylcétone
(méthyl phényl cétone) (diphénylcétone)

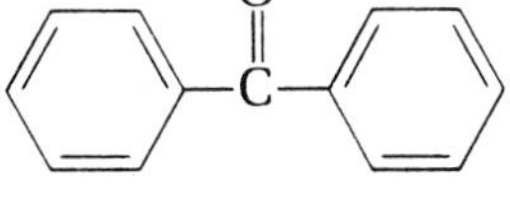

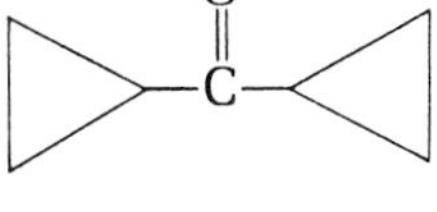

Problème 9.1   **Ecrire la formule développée des composés suivants:**
 a. pentanal   **b.** *p*-**bromobenzaldéhyde**
 c. 2-pentanone   **d.** *t*-**butyl méthyl cétone**

Problème 9.2   **Donner un nom correct aux composés suivants:**
 a. $(CH_3)_2CHCH_2CH=O$ **b. $CH_3CH=CHCH=O$**

 c.   **d. $(CH_3)_2CHCH_2COCH_3$**

9.3 Quelques aldéhydes et cétones courants

Le **formaldéhyde**, le plus simple des aldéhydes, est fabriqué en grandes quantités par oxydation catalytique incomplète du méthanol (paragraphe 7.13).

$$CH_3OH \xrightarrow[600-700°C]{\text{catalyseur Ag}} CH_2=O + H_2 \qquad (9.1)$$
$$\text{formaldéhyde}$$

La production annuelle mondiale est voisine de 2 millions de tonnes. Bien qu'il soit gazeux (Eb –21°C), il ne peut être conservé à l'état libre, car il se polymérise aisément. Il est vendu ordinairement en solution aqueuse à 37 %, appelée **formol**. Sous cette forme, il est utilisé comme désinfectant et antiseptique, mais la majeure partie du formaldéhyde sert à fabriquer des matières plastiques. On le soupçonne d'être cancérigène et il faut toujours le manipuler avec précaution.

L'**acétaldéhyde** bout à une température voisine de la température ordinaire (Eb 20°C). On l'a d'abord préparé par hydratation de l'acétylène (équation 3.62), mais on l'obtient maintenant par oxydation sélective directe de l'éthylène sur un catalyseur palladium-cuivre.

$$2\, CH_2=CH_2 + O_2 \xrightarrow[100-130°C]{\text{Pd-Cu}} 2\, CH_3CH=O \qquad (9.2)$$

On prépare aussi l'acétaldéhyde par oxydation de l'éthanol. La moitié environ de la production annuelle (2 millions de tonnes) est oxydée en acide acétique. On utilise le reste pour la production de 1-butanol (paragraphe 9.23) et d'autres produits chimiques. Cependant, tout récemment, la production d'acétaldéhyde a quelque peu décliné par suite du développement de meilleures voies d'accès à l'acide acétique et au 1–butanol.

L'**acétone**, le premier terme de la série des cétones, est aussi préparée en grandes quantités (environ 2 millions de tonnes par an). Les méthodes industrielles les plus utilisées sont l'oxydation du propène (par une réaction analogue à l'équation 9.2), l'oxydation de l'alcool isopropylique (équation 7.31, R = R' = CH_3) et l'oxydation de l'isopropylbenzène (page 142). Aux Etats-Unis, on en produit aussi par fermentation de l'amidon. Pour 30 % environ, l'acétone est utilisée directement comme telle, car elle est non seulement miscible à l'eau en toutes proportions, mais elle est aussi un excellent solvant de beaucoup de substances organiques (telles que résines, peintures, colorants et vernis à ongle). Le reste sert à la préparation d'autres produits chimiques, dont le bisphénol-A pour l'obtention de résines époxy (voir "A propos des résines époxy", page 253).

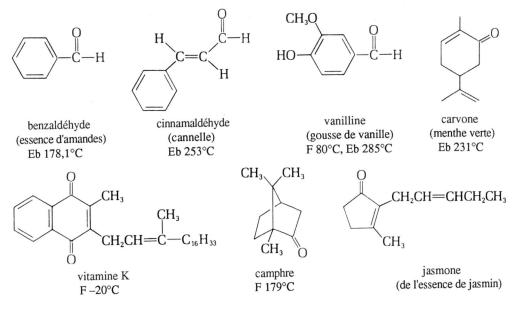

Figure 9.1   Aldéhydes et cétones naturelles.

9.4 Les aldéhydes et les cétones, produits naturels

Les produits naturels aldéhydiques ou cétoniques sont nombreux (figures 1.11 et 1.12). La figure 9.1 en donne quelques autres exemples. Beaucoup ont une odeur très agréable.

9.5 Le groupe carbonyle

Pour mieux comprendre les réactions des aldéhydes, des cétones et autres composés carbonylés, il faut d'abord connaître la structure et les propriétés du groupe carbonyle.

La double liaison carbone-oxygène est constituée d'une liaison σ et d'une liaison π (figure 9.2). L'atome de carbone est hybridé sp^2. La liaison σ résulte du recouvrement d'une orbitale sp^2 du carbone et d'une orbitale p de l'oxygène. Vu l'hybridation sp^2, les trois atomes liés au carbone du carbonyle se trouvent dans un même plan avec des angles de 120°. La liaison π est formée du recouvrement de l'orbitale p restante du carbone et d'une orbitale p de l'oxygène. Il reste deux paires d'électrons libres sur l'oxygène, dans des orbitales qui se tiennent dans le plan du carbone du carbonyle et des trois atomes auxquels il est lié. La longueur de la liaison C=O est 1,24 Å, qu'il faut comparer à celle (1,43 Å) de la liaison C—O des alcools et des éthers.

$$\left[\ \ \overset{\ldots}{C}=\overset{\curvearrowleft}{\overset{\ldots}{O}}: \longleftrightarrow \ \ \overset{\ldots}{C}-\overset{\ldots}{\overset{\ldots}{O}}: \ ^- \ \right]$$

formes limites du groupe carbonyle

$$\overset{\delta+ \ \ \delta-}{C=O} \qquad \overset{\longrightarrow}{C=O}$$

polarisation du groupe carbonyle

L'oxygène étant beaucoup plus électronégatif que le carbone, les électrons de la liaison C=O sont attirés par l'oxygène et celle-ci est très polarisée. Les électrons π, les moins fermement tenus, sont particulièrement sensibles à cet effet. On peut exprimer cela de différentes façons.

A cause de cette polarisation, de nombreuses réactions des composés carbonylés mettent en jeu l'attaque d'un nucléophile (un donneur d'électrons) sur le carbone du carbonyle.

Figure 9.2

Les liaisons dans le groupe carbonyle.

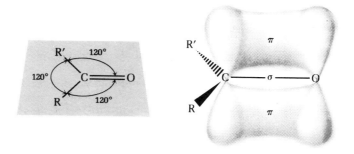

Exemple de problème 9.1

Expliquer pourquoi le point d'ébullition des composés carbonylés est plus élevé que celui des hydrocarbures et plus bas que celui des alcools de masse moléculaire comparable [par exemple, $CH_3(CH_2)_3CH_3$ Eb 36°C; $CH_3(CH_2)_2CH=O$ Eb 75°C; $CH_3(CH_2)_2CH_2OH$ Eb 118°C].

Solution A cause de leur polarité, les composés carbonylés tendent à s'associer, par suite de l'attraction de la partie positive d'une molécule et de la partie négative d'une autre molécule. Cette force attractive, pratiquement nulle chez les hydrocarbures, nécessite de l'énergie supplémentaire (de la chaleur) pour convertir la substance liquide en vapeur. Mais, n'ayant pas de liaisons O—H, les molécules des composés carbonylés, contrairement à celles des alcools, ne peuvent former de liaisons hydrogène entre elles.

Exemple de problème 9.2

Pourquoi les composés carbonylés de faible masse moléculaire sont-ils solubles dans l'eau?

Solution Bien que ne formant pas de liaisons hydrogène entre elles, les molécules des composés carbonylés en forment avec les composés qui possèdent des liaisons O—H ou N—H.

Problème 9.3

Classer le benzaldéhyde (masse moléculaire M 106), l'alcool benzylique (M 108), l'hydroquinone (M 110) et le *p*-xylène (M 106) dans l'ordre de leurs points d'ébullition et dans l'ordre de leurs solubilités dans l'eau.

9.6   Additions nucléophiles au groupe carbonyle. Considérations mécanistiques

Les nucléophiles attaquent le carbone du carbonyle de la double liaison $C=O$ parce qu'il porte une charge positive partielle, due au déplacement des électrons π de cette liaison vers l'oxygène qui, à cause de son électronégativité, peut aisément accepter une charge négative. Quand la réaction est conduite dans un solvant hydroxylé comme un alcool ou l'eau (représenté ici par SOH), elle s'achève par la fixation d'un proton sur l'oxygène négatif.

$$
\text{Nu:}^- + \ \overset{}{C}=\overset{..}{O}: \ \rightleftharpoons \ \overset{Nu}{\underset{}{\overset{|}{C}}}-\overset{..}{O}:^- \ \xrightarrow{\text{SOH}} \ \overset{Nu}{\underset{}{\overset{|}{C}}}-\overset{..}{O}H \tag{9.3}
$$

| réactant trigonal | intermédiaire tétraédrique | produit tétraédrique |

Le carbone du carbonyle, qui est trigonal et hybridé sp^2 dans l'aldéhyde ou la cétone de départ, devient tétraédrique et hybridé sp^3 dans le produit réactionnel.

Par les paires d'électrons libres de l'oxygène, les composés carbonylés sont faiblement basiques et peuvent être protonés. Les acides peuvent ainsi catalyser l'addition des nucléophiles faibles aux composés carbonylés en protonant l'oxygène, ce qui accroît la charge positive du carbone du carbonyle et sa réactivité avec ces nucléophiles.

$$
\overset{}{C}=\overset{..}{O}: \ + \ H^+ \ \rightarrow \ \left[\ \overset{}{C}\overset{+}{=}\overset{}{O}H \ \longleftrightarrow \ \overset{+}{\overset{}{C}}-\overset{..}{O}H \ \right] \ \xrightarrow{\text{Nu:}^-} \ \overset{Nu}{\underset{}{\overset{|}{C}}}-\overset{..}{O}H \tag{9.4}
$$

carbocation stabilisé
par résonance

En général, les cétones sont un peu moins réactives que les aldéhydes avec les nucléophiles. Il y a deux raisons à cela. La première est d'ordre stérique. Le carbone du carbonyle des cétones est plus encombré que celui des aldéhydes. Et comme, dans l'addition nucléophile, la fixation d'un nouveau groupe sur ce carbone hybridé sp^2 (avec des angles de 120°) le transforme en carbone hybridé sp^3 (avec des angles de 109,5°), il apparaît moins de tension dans les additions aux aldéhydes que dans les additions aux cétones. La seconde raison est d'ordre électronique. Ordinairement, les groupes alkyles simples R sont, comme on l'a déjà vu, plus donneurs d'électrons que l'hydrogène (paragraphe 3.14). Chez les cétones, ils tendent donc à neutraliser la charge positive partielle du carbone du carbonyle, diminuant ainsi sa réactivité avec les nucléophiles. Et si les groupes R sont fortement attracteurs d'électrons (des halogènes, par exemple), ils peuvent avoir l'effet contraire et accroître la réactivité du carbonyle avec les nucléophiles. C'est le cas des halogénures d'acides (paragraphe 10.16).

Dans les paragraphes suivants, on classera les additions nucléophiles aux aldéhydes et aux cétones selon les types de liaisons qui seront formées entre le nucléophile et le carbone du carbonyle. On considérera les nucléophiles oxygénés, carbonés et azotés.

9.7   Addition des alcools.
Formation des hémiacétals et des acétals

Les nucléophiles oxygénés que sont les alcools peuvent s'additionner à la double liaison C=O des aldéhydes et des cétones en attaquant le carbone du carbonyle.

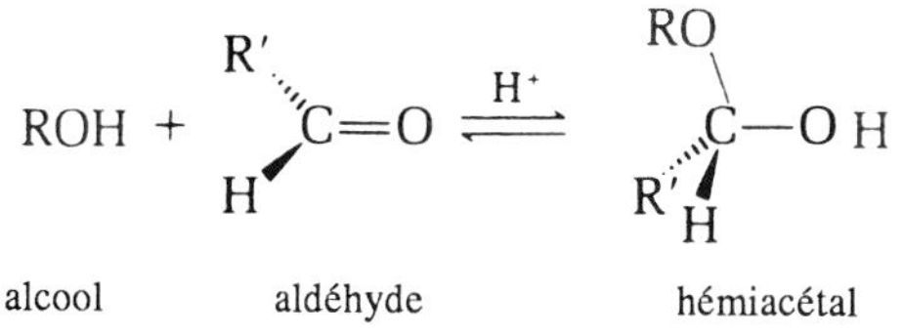

$$\text{ROH} + \underset{\underset{\text{aldéhyde}}{}}{\overset{R'}{\underset{H}{>}}C{=}O} \xrightarrow{H^+} \underset{\underset{\text{hémiacétal}}{}}{\overset{RO}{\underset{R'}{\underset{H}{>}}}C{-}OH} \tag{9.5}$$

alcool   aldéhyde   hémiacétal

Les alcools étant des nucléophiles faibles, on utilise généralement un catalyseur acide. Le produit est un **hémiacétal**, qui est un composé comportant une fonction alcool et une fonction éther liées au même carbone. Cependant, cette addition est réversible et beaucoup de tentatives d'isolement des hémiacétals n'ont conduit qu'à l'alcool et au composé carbonylé de départ.

Exemple de problème 9.3   Ecrire les étapes du mécanisme de la réaction 9.5.

Solution   **L'oxygène du carbonyle est d'abord protoné, comme dans l'équation 9.4. L'oxygène de l'alcool attaque alors le carbone du carbonyle, puis un proton est perdu par l'oxygène devenu positif. Chaque étape est réversible.**

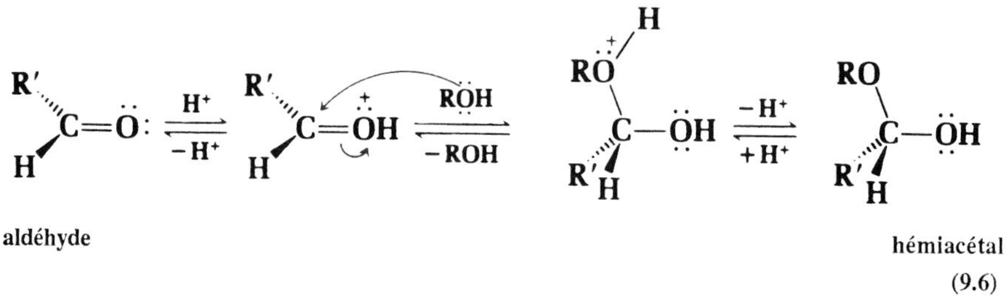

aldéhyde   hémiacétal
(9.6)

Problème 9.4   En précisant chaque étape, écrire l'équation de la formation de l'hémiacétal de l'acétaldéhyde et de l'éthanol avec H⁺.

En présence d'un excès d'alcool, les hémiacétals réagissent à leur tour en donnant des **acétals**.

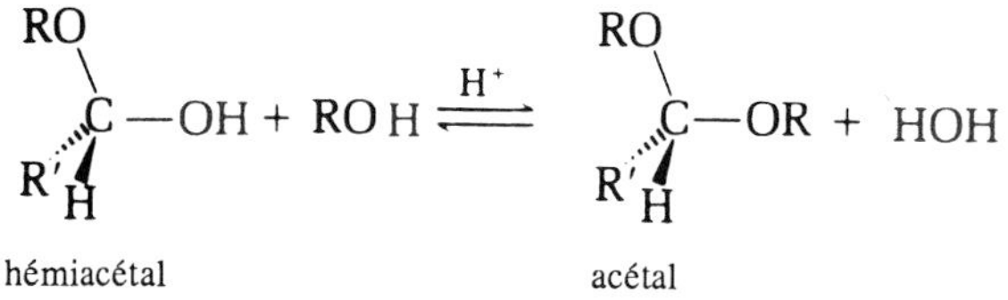

$$\underset{\underset{\text{hémiacétal}}{}}{\overset{RO}{\underset{R'}{\underset{H}{>}}}C{-}OH} + \text{ROH} \xrightarrow{H^+} \underset{\underset{\text{acétal}}{}}{\overset{RO}{\underset{R'}{\underset{H}{>}}}C{-}OR} + \text{HOH} \tag{9.7}$$

Le groupe hydroxyle de l'hémiacétal est remplacé par un groupe alcoxyle. Les acétals ont deux fonctions éthers liées au même atome de carbone.

Exemple de problème 9.4   Ecrire les étapes du mécanisme de l'équation 9.7.

Solution

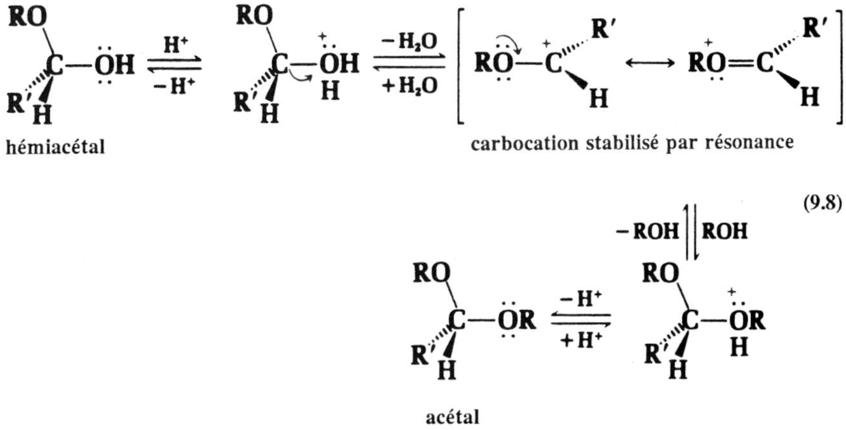

$$\text{hémiacétal} \qquad\qquad\qquad\qquad \text{carbocation stabilisé par résonance}$$

(9.8)

acétal

Il peut y avoir protonation de l'un ou l'autre oxygène de l'hémiacétal. Si c'est l'–OH qui est protoné, la perte d'eau conduit à un carbocation stabilisé par résonance. La réaction de ce dernier avec l'alcool qui, d'ordinaire, est le solvant, donc présent en grand excès, donne l'acétal après perte d'un proton. Le mécanisme est analogue à celui de la réaction S_N1. Chaque étape est réversible.

Exemple de problème 9.5   Qu'arriverait-il si c'était l'oxygène de l'–OR, et non pas celui de l'–OH, qui était protoné?

Solution

Cela est possible a priori, car les deux oxygènes ont des paires d'électrons libres et sont donc basiques. La protonation de l'oxygène de l'–OR serait la première étape de la réaction inverse de l' équation 9.6 et la perte d'alcool qui s'ensuivrait serait la continuation de l'inverse de cette réaction qui redonnerait l'aldéhyde et l'alcool. Mais comme il y a excès d'alcool, l'équilibre de l'équation 9.6 reviendrait vers l'hémiacétal. Bref, la protonation de l'oxygène d'-OR ne déboucherait sur rien.

Problème 9.5   Ecrire la réaction de l'hémiacétal $CH_3CH(OH)OCH_2CH_3$ avec un excès d'éthanol et H^+. Détailler chaque étape du mécanisme.

Les cétones réagissent comme les aldéhydes avec les alcools pour donner des **hémicétals** et des **cétals**. Si l'alcool de départ est un glycol, le produit est un dioxolanne, c'est-à-dire le cétal d'un glycol, nécessairement cyclique.

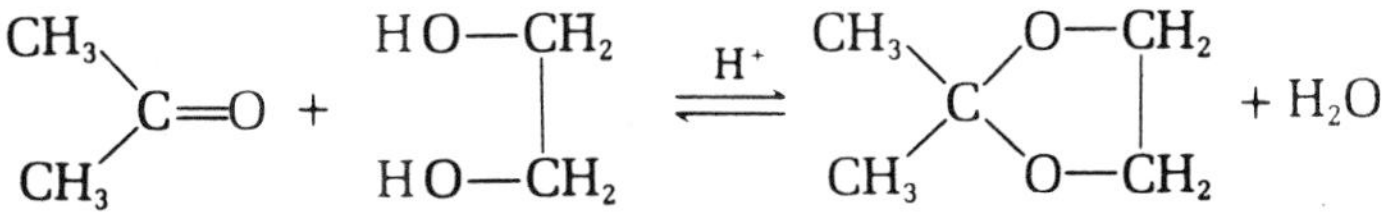

(9.9)

$$\text{acétone} \qquad \text{éthylèneglycol} \qquad\qquad \text{dioxolanne}$$
$$\text{de l'acétone}$$

Bref, les aldéhydes et les cétones réagissent avec les alcools pour donner d'abord des hémicétals (ou des hémicétals), puis, si un excès d'alcool est présent et le milieu acide, des acétals (ou des cétals).

$$R'-\overset{\overset{\displaystyle O}{\|}}{C}-H \underset{H^+}{\overset{RO-H}{\rightleftarrows}} R'-\overset{\overset{\displaystyle OH}{|}}{\underset{\underset{\displaystyle H}{|}}{C}}-OR \underset{H^+}{\overset{RO-H}{\rightleftarrows}} R'-\overset{\overset{\displaystyle OR}{|}}{\underset{\underset{\displaystyle H}{|}}{C}}-OR + HOH \qquad (9.10)$$

aldéhyde   hémiacétal   acétal

L'équilibre est déplacé vers la droite s'il y a excès d'alcool. Par contre, on peut hydrolyser un acétal en ses composants, l'aldéhyde et l'alcool, par traitement avec un excès d'eau en présence d'un acide (l'inverse de l'équation 9.10). Mais, que ce soit dans un sens ou dans l'autre, on n'a pu isoler l'hémiacétal intermédiaire, quand R et R' sont de simples groupes alkyles ou aryles.

Exemple de problème 9.6   **Ecrire la réaction du diméthylacétal du benzaldéhyde avec H_2O, H^+.**

Solution

$$\langle\!\!\!\!\!\bigcirc\!\!\!\!\!\rangle-CH\overset{OCH_3}{\underset{OCH_3}{\diagdown}} \overset{H_2O}{\underset{H^+}{\longrightarrow}} \langle\!\!\!\!\!\bigcirc\!\!\!\!\!\rangle-CH=O + 2\ CH_3OH \qquad (9.11)$$

Problème 9.6   **Ecrire les étapes du mécanisme de l'équation 9.11.**

La coupure acido-catalysée des acétals (et des cétals) est plus facile que celles des éthers simples, parce que le carbocation intermédiaire est stabilisé par résonance. Par contre, les acétals et les cétals, comme les éthers ordinaires, sont stables en milieu basique.

     Les réactions qu'on vient de voir dans ce paragraphe sont très importantes, car elles vont permettre de comprendre la chimie des hydrates de carbone qu'on examinera plus loin.

9.8   Addition d'eau. Hydratation des aldéhydes et des cétones

     Comme les alcools, l'eau, nucléophile oxygéné, s'additionne réversiblement aux aldéhydes et aux cétones. Par exemple, le formaldéhyde en solution aqueuse existe principalement sous forme hydrate.

$$\overset{H}{\underset{H}{\diagup\!\!\!\diagup}}C=O + H-OH \rightleftharpoons \overset{HO}{\underset{H}{\diagdown\!\!\!\diagup}}\overset{\diagdown}{\underset{\diagup}{C}}-OH \qquad (9.12)$$

formaldéhyde   hydrate du formaldéhyde

Cependant, on ne peut isoler les hydrates des autres aldéhydes et des cétones, parce qu'ils perdent très facilement leur eau en reformant le composé carbonylé. Le trichloroacétaldéhyde (chloral) est une exception; il forme un hydrate cristallisé stable $CCl_3CH(OH)_2$. L'**hydrate de chloral** est utilisé en médecine comme sédatif et en médecine vétérinaire comme narcotique et anesthésique.

Problème 9.7   **L'hydrolyse de $CH_3CBr_2CH_3$ par de la soude ne donne pas $CH_3C(OH)_2CH_3$ mais de l'acétone. Expliquer.**

9.9 Addition des réactifs de Grignard et des acétylures

Face aux composés carbonylés, les réactifs de Grignard (paragraphe 6.13) agissent comme nucléophiles carbonés. Le groupe R du réactif de Grignard attaque le carbone du carbonyle, formant ainsi une nouvelle liaison carbone-carbone. Le produit est un alcoolate de magnésium qui peut alors être hydrolysé en alcool.

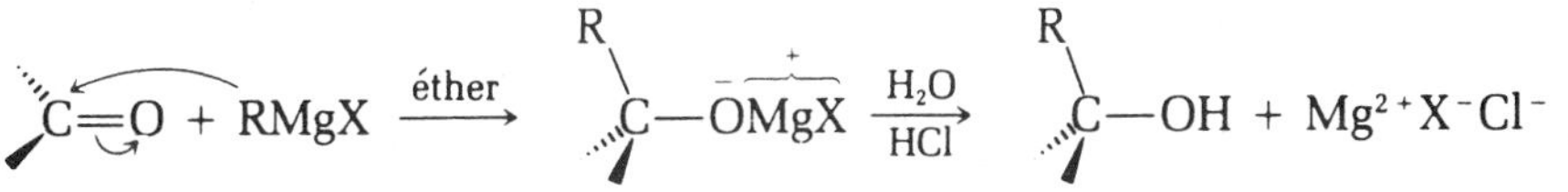

$$\diagup\kern-0.6em C=O + RMgX \xrightarrow{\text{éther}} \overset{R}{\underset{\diagup}{\diagup}}\kern-0.6em C-OMgX \xrightarrow[\text{HCl}]{H_2O} \overset{R}{\underset{\diagup}{\diagup}}\kern-0.6em C-OH + Mg^{2+}X^-Cl^- \quad (9.13)$$

produit d'addition intermédiaire   alcool
(alcoolate de magnésium)

Normalement, on opère par addition lente au réactif de Grignard d'une solution de la cétone ou de l'aldéhyde dans de l'éther anhydre. Le plus souvent, la réaction est exothermique et elle est complète à la température ambiante. Quand tout le composé carbonylé a été ajouté, l'alcoolate de magnésium formé est hydrolysé avec une solution acide aqueuse.

Cette réaction des organomagnésiens avec les composés carbonylés est d'un grand intérêt. En choisissant convenablement les réactifs, on peut ainsi faire la synthèse de beaucoup d'alcools, le choix du composé carbonylé déterminant la catégorie de l'alcool ainsi obtenu.

Le formaldéhyde donne des alcools primaires:

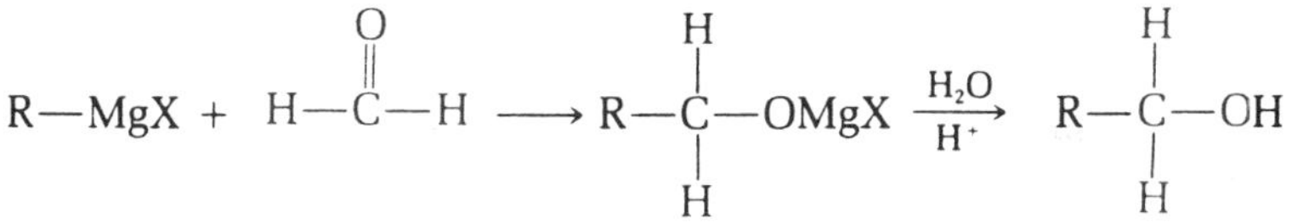

$$R-MgX + H-\overset{O}{\overset{\|}{C}}-H \longrightarrow R-\overset{H}{\underset{H}{\overset{|}{C}}}-OMgX \xrightarrow[H^+]{H_2O} R-\overset{H}{\underset{H}{\overset{|}{C}}}-OH \quad (9.14)$$

alcool primaire

Les autres aldéhydes donnent des alcools secondaires:

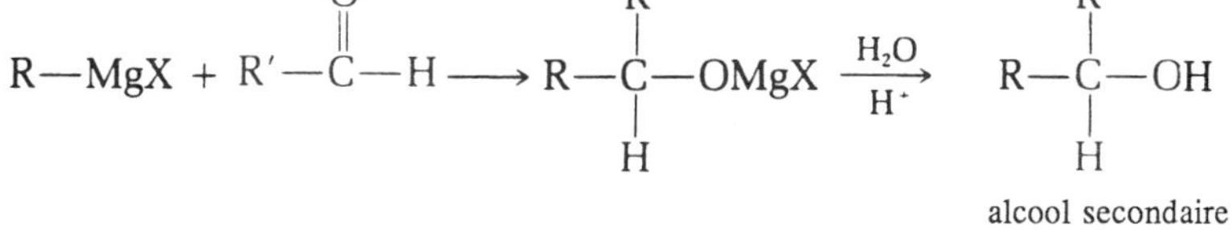

$$R-MgX + R'-\overset{O}{\overset{\|}{C}}-H \longrightarrow R-\overset{R'}{\underset{H}{\overset{|}{C}}}-OMgX \xrightarrow[H^+]{H_2O} R-\overset{R'}{\underset{H}{\overset{|}{C}}}-OH \quad (9.15)$$

alcool secondaire

Les cétones donnent des alcools tertiaires:

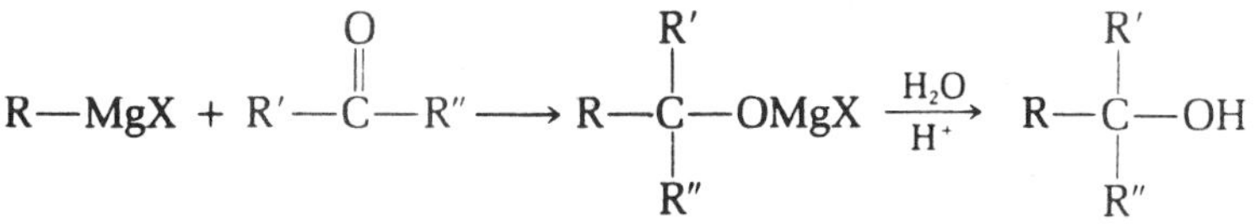

$$R-MgX + R'-\overset{O}{\overset{\|}{C}}-R'' \longrightarrow R-\overset{R'}{\underset{R''}{\overset{|}{C}}}-OMgX \xrightarrow[H^+]{H_2O} R-\overset{R'}{\underset{R''}{\overset{|}{C}}}-OH \quad (9.16)$$

alcool tertiaire

Remarquons qu'un seul groupe R (en noir), attaché au carbone porteur de l'hydroxyle de l'alcool obtenu, provient du réactif de Grignard. Le reste du squelette carboné de l'alcool provient du composé carbonylé.

Exemple de problème 9.7 Montrer comment on peut synthétiser l'alcool suivant à partir d'un réactif de Grignard et d'un composé carbonylé:

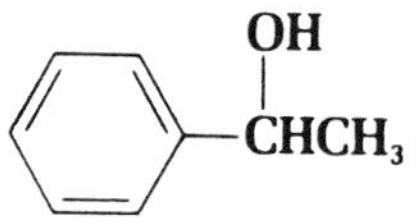

Solution Il s'agit d'un alcool secondaire; le composé carbonylé doit donc être un aldéhyde. Il y a deux possibilités:

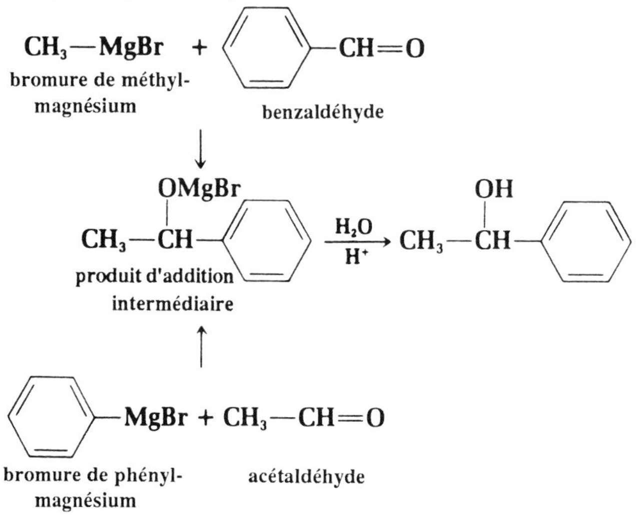

$$(9.17)$$

Le choix entre ces deux possibilités sera fonction de la disponibilité ou du coût des réactants et des avantages d'ordre chimique (par exemple, la réactivité de l'aldéhyde ou de la cétone).

Problème 9.8 Montrer comment faire la synthèse des alcools suivants à partir d'un organomagnésien et d'un composé carbonylé:
a. $C_6H_5CH_2OH$ b. $C_6H_5C(CH_3)_2OH$

Comme les organomagnésiens, d'autres composés organométalliques, tels que les organolithiens et les acétylures réagissent avec les composés carbonylés. Exemple:

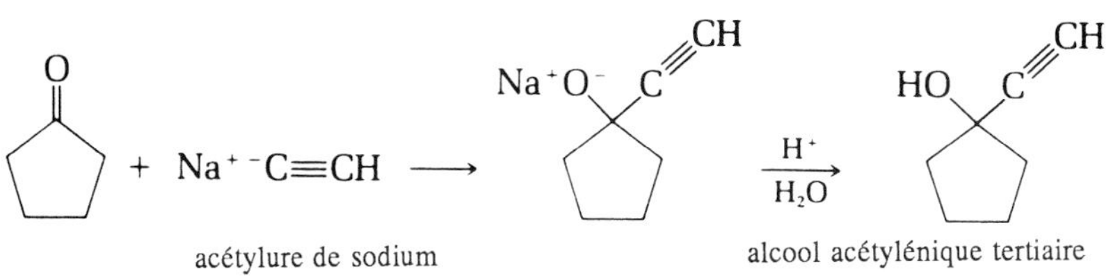

$$(9.18)$$

Ce type de réaction est utilisé industriellement dans la dernière étape de la synthèse de contraceptifs oraux.

9.10 Addition de l'acide cyanhydrique. Cyanhydrines

En présence d'un catalyseur basique, le cyanure d'hydrogène (acide cyanhydrique) s'additionne au groupe carbonyle des aldéhydes et des cétones en donnant des **cyanhydrines**.

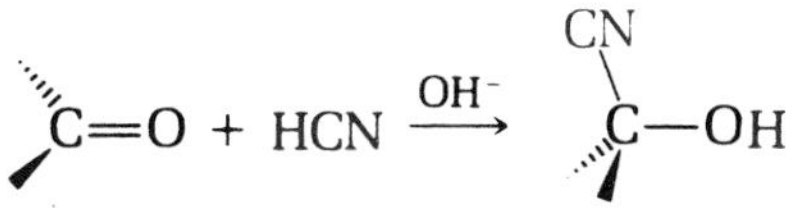

$$\text{C=O + HCN} \xrightarrow{\text{OH}^-} \overset{\displaystyle \text{CN}}{\underset{\displaystyle}{\text{C—OH}}} \qquad (9.19)$$

Avec l'acétone, on a par exemple:

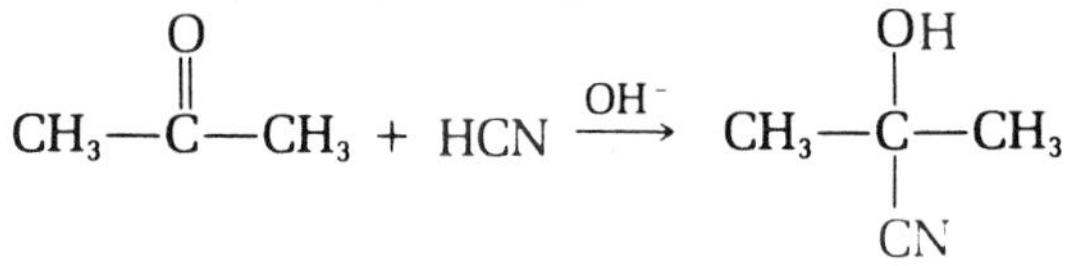

$$\underset{\text{acétone}}{CH_3—\overset{\displaystyle O}{\overset{\|}{C}}—CH_3} + HCN \xrightarrow{\text{OH}^-} \underset{\substack{\text{cyanhydrine de} \\ \text{l'acétone}}}{CH_3—\overset{\displaystyle OH}{\underset{\displaystyle CN}{C}}—CH_3} \qquad (9.20)$$

L'acide cyanhydrique n'a pas de paire d'électrons libres sur le carbone; il ne peut donc fonctionner comme un nucléophile carboné. Mais la base convertit une partie de cet acide en ion cyanure, qui se comporte alors comme un nucléophile carboné.

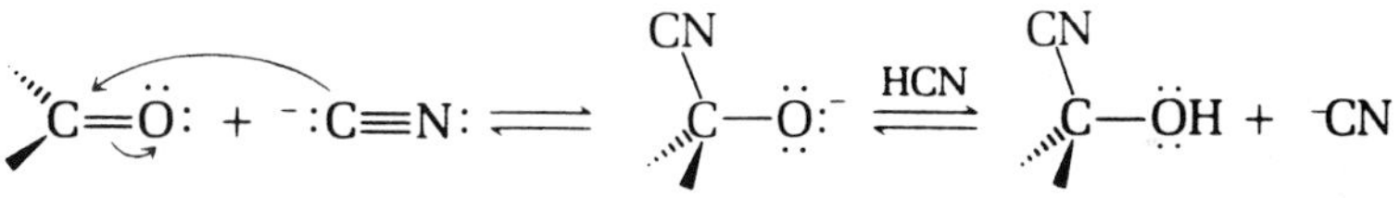

$$\text{C=O: + } {}^-\!\text{:C≡N:} \rightleftharpoons \overset{\displaystyle CN}{\underset{\displaystyle}{\text{C—O:}^-}} \overset{HCN}{\rightleftharpoons} \overset{\displaystyle CN}{\underset{\displaystyle}{\text{C—OH}}} + {}^-CN \qquad (9.21)$$

cyanhydrine

A cause de sa volatilité et de son extrême toxicité, l'acide cyanhydrique (Eb 26°C) est généralement préparé *in situ,* en ajoutant un acide fort au mélange de cyanure de sodium et du composé carbonylé.

Les cyanhydrines ont un –OH et un –CN liés au même carbone. On aura l'occasion de voir dans les chapitres suivants qu'elles sont des intermédiaires intéressants en synthèse organique.

Problème 9.9   **Ecrire les réactions d'addition de HCN :**
a. à l'acétaldéhyde   b. au benzaldéhyde

9.11 Addition des nucléophiles azotés

L'ammoniac, les amines et certains composés apparentés tels que l'hydroxylamine NH_2—OH ont une paire d'électrons libres sur l'atome d'azote et se comportent comme des nucléophiles azotés face au carbone du carbonyle des aldéhydes et des cétones. Les amines primaires, par exemple, réagissent comme suit:

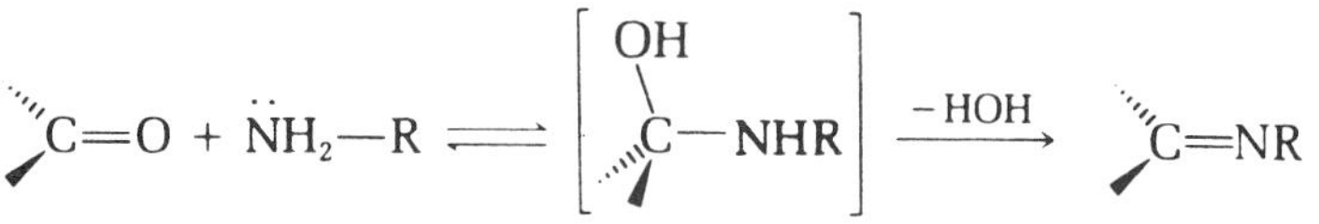

$$\text{C=O} + \overset{..}{\text{N}}\text{H}_2\text{—R} \rightleftharpoons \left[\begin{array}{c} \text{OH} \\ | \\ \text{C—NHR} \end{array} \right] \xrightarrow{\text{— HOH}} \text{C=NR} \tag{9.22}$$

amine   produit d'addition   imine

primaire   tétraédrique   (base de Schiff)

Le produit d'addition tétraédrique est semblable à un hémiacétal, un groupe —NH remplaçant un groupe —OR. Ordinairement, ces produits d'addition ne sont pas stables. Ils éliminent de l'eau en formant un produit qui comporte une double liaison carbone-azote. Lorsqu'ils sont formés à partir d'amines primaires, ces produits sont appelés des **imines** ou **bases de Schiff**. Ce sont d'importants intermédiaires de certaines réactions biologiques, notamment dans les processus de liaison entre les composés carbonylés et les groupes amino libres de la plupart des enzymes.

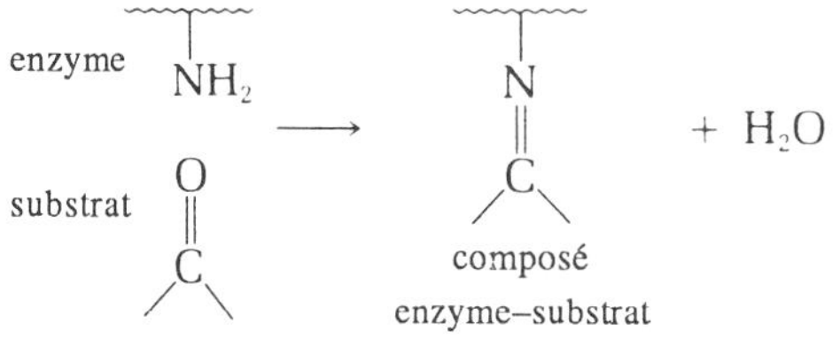

$$\begin{array}{c} \text{enzyme} \\ \text{substrat} \end{array} \quad \begin{array}{c} \text{NH}_2 \\ | \\ \text{O} \\ \| \\ \text{C} \end{array} \longrightarrow \begin{array}{c} \text{N} \\ \| \\ \text{C} \end{array} + \text{H}_2\text{O} \tag{9.23}$$

composé

enzyme–substrat

Exemple de problème 9.8   Ecrire les étapes du mécanisme de l'équation 9.22.

Solution

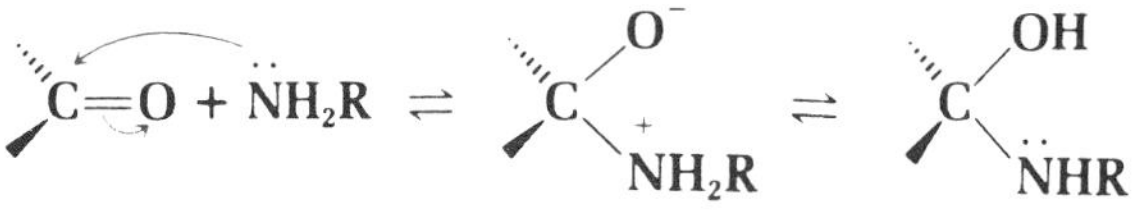

$$\text{C=O} + \overset{..}{\text{N}}\text{H}_2\text{R} \rightleftharpoons \text{C} \begin{array}{c} \text{O}^- \\ \overset{+}{\text{N}}\text{H}_2\text{R} \end{array} \rightleftharpoons \text{C} \begin{array}{c} \text{OH} \\ \overset{..}{\text{N}}\text{HR} \end{array}$$

produit d'addition

Le composé d'abord formé est un ion dipolaire. Son azote positif (du type ion ammonium) perd alors un proton, tandis que son oxygène négatif (du type ion alcoolate) en capte un. Le produit d'addition tétraédrique donne ensuite, par une élimination–1,2 d'eau, le produit observé.

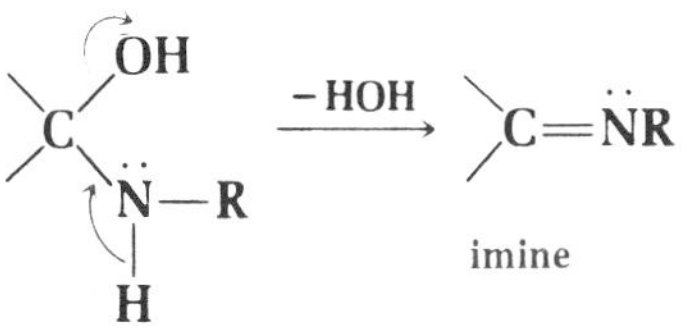

$$\text{C} \begin{array}{c} \text{OH} \\ \overset{..}{\text{N}}\text{—R} \\ | \\ \text{H} \end{array} \xrightarrow{\text{— HOH}} \text{C=}\overset{..}{\text{N}}\text{R}$$

imine

Problème 9.10   **Ecrire la réaction du benzaldéhyde avec l'aniline C_6H_5–NH_2.**

D'autres dérivés de l'ammoniac réagissent avec les composés carbonylés de manière analogue à celle des amines primaires (pour quelques exemples, voir table 9.1).

La plupart des **oximes** et des **hydrazones,** préparées respectivement à partir de l'**hydroxylamine** et des **hydrazines**, sont des solides cristallisés, dont les points de fusion caractéristiques permettent d'identifier les composés carbonylés. On donne ci-dessous dans l'équation 9.24 les points de fusion des oximes solides de trois composés carbonylés

Table 9.1

Dérivés caractéristiques des composés carbonylés

Formule de l'amine dérivé	Nom	Formule du dérivé caractéristique	Nom
RNH_2 ou $ArNH_2$	amine primaire	$C{=}NR$ ou $C{=}NAr$	imine ou base de Schiff
NH_2OH	hydroxylamine	$C{=}NOH$	oxime
NH_2NH_2	hydrazine	$C{=}NNH_2$	hydrazone
$NH_2NHC_6H_5$	phénylhydrazine	$C{=}NNHC_6H_5$	phénylhydrazone

$$\begin{array}{l} CH_3 \\ C{=}O + H_2N{-}OH \rightarrow \\ R \end{array} \begin{array}{l} CH_3 \\ C{=}N{-}OH + H_2O \\ R \end{array} \qquad (9.24)$$

R = H	Eb 20°C	F 47°C
CH_3	Eb 56°C	F 80°C
C_6H_5	Eb 202°C	F 56°C

Problème 9.11   **Ecrire les réactions :**
a. du propanal avec l'hydroxylamine
b. du benzaldéhyde avec la phénylhydrazine $C_6H_5{-}NHNH_2$

9.12 Réaction de Wittig

Il s'agit d'une réaction relativement récente, devenue rapidement très importante, qui permet de créer une double liaison $C{=}C$ exactement aux lieu et place du groupe carbonyle d'un aldéhyde ou d'une cétone. Elle est due à G. Wittig, professeur à l'Université de Heidelberg, qui reçut le prix Nobel en 1979. Elle utilise au départ un **ylure** de phosphore (un ylure est un sel interne formé par l'arrachement d'un proton lié au carbone adjacent d'un hétéroatome P ou S ordinairement). Exemple:

$$(C_6H_5)_3P{:} + CH_3{-}Br \longrightarrow CH_3{-}P^+(C_6H_5)_3 \; Br^- \qquad (9.25)$$

triphénylphosphine   bromure de méthyltriphénylphosphonium

De même que les amines tertiaires donnent, avec les halogénures d'alkyle, des sels d'ammonium quaternaires, les phosphines tertiaires (analogues phosphorés des amines) donnent des sels de phosphonium quaternaires. C'est notamment le traitement de ces derniers par une base forte qui, par arrachement d'un proton, les convertit en ylures.

$$B^- + H\text{--}CH_2\text{--}P^+(C_6H_5)_3\,Br^- \longrightarrow {}^-CH_2\text{--}P^+(C_6H_5)_3 \longleftrightarrow CH_2\text{=}P(C_6H_5)_3 \qquad (9.26)$$

base
forte

méthylènetriphénylphosphorane
(un ylure)

Un ylure de phosphore réagit avec tous les composés carbonylés en donnant un alcène et de l'oxyde de triphénylphosphine en passant par l'intermédiaire d'un cycle tétraatomique:

$$(C_6H_5)_3P\text{=}CH_2$$
$$+ \quad O\text{=}CR_1R_2 \longrightarrow \quad (C_6H_5)_3P\text{---}CH_2 \qquad (9.27)$$
$$O\text{---}CR_1R_2 \longrightarrow \quad (C_6H_5)_3P\text{=}O$$

oxyde de triphénylphosphine

$$+ \quad CH_2\text{=}CR_1R_2$$

alcène

Dans le cas présent, on passe ainsi d'un composé carbonylé $R_1R_2C\text{=}O$ à un alcène $R_1R_2C\text{=}CH_2$.

La réaction est très générale, car elle est applicable pratiquement à tous les halogénures d'alkyles qui réagissent bien en S_N2 et à tous les aldéhydes et cétones. D'autre part, les conditions réactionnelles (le milieu est basique, par exemple) sont telles que la double liaison de l'alcène formé ne risque pas d'être déplacée par catalyse acide.

9.13 Réduction des composés carbonylés

On réduit aisément et de diverses façons les aldéhydes et les cétones respectivement en alcools primaires et secondaires.

L'**hydrogénation catalytique** (qui n'est pas une addition nucléophile) nécessite un catalyseur très efficace comme le nickel de Raney ou le chromite de cuivre et des conditions sévères (température et pression élevées notamment). Il s'ensuit que la réaction est rarement sélective lorsqu'est présent un autre centre non saturé comme une double liaison $C\text{=}C$. Exemples:

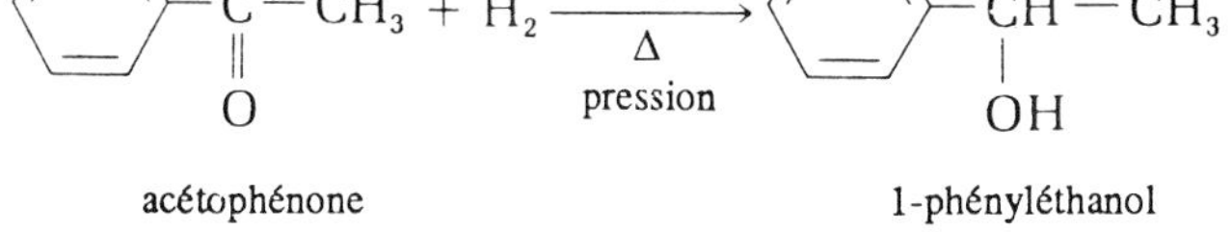

acétophénone

1-phényléthanol

$$(9.28)$$

L'hydrogénation par action d'un acide sur un métal marche bien avec les aldéhydes.

$$CH_3(CH_2)_5CHO + CH_3COOH + Zn \longrightarrow CH_3(CH_2)_5CH_2OH \qquad (9.29)$$

Les cétones sont mieux réduites en milieu basique (où elles sont moins fragiles que les aldéhydes qui y subissent facilement la réaction d'aldolisation – paragraphe 9.21), par exemple par action d'alcool sur du sodium.

$$CH_3COC(CH_3)_3 + C_2H_5OH + Na \longrightarrow CH_3CH(OH)C(CH_3)_3 \qquad (9.30)$$

Les hydrures métalliques sont des réducteurs de composés carbonylés beaucoup plus intéressants. Les plus couramment employés sont l'**alumino-hydrure de lithium** (LiAlH$_4$) et le **boro-hydrure de sodium** (NaBH$_4$). La réduction procède par attaque nucléophile du carbone du carbonyle par un ion hydrure (H$^-$) fourni par l'anion $^-$AlH$_4$ (ou $^-$BH4). On peut représenter de la manière suivante la réduction par l'alumino-hydrure de lithium:

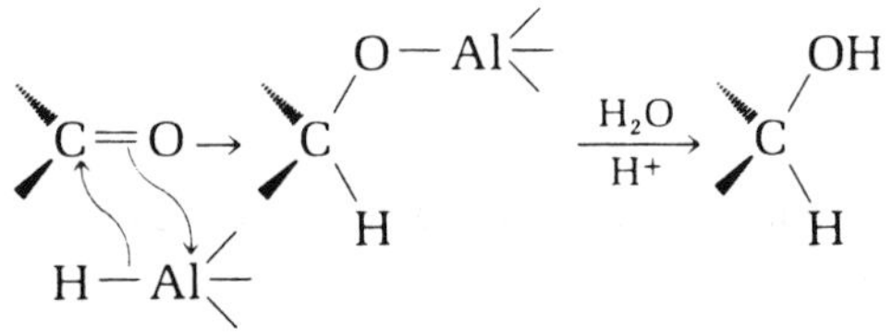

$$(9.31)$$

Le produit initial est l'alcoolate d'aluminium, chaque molécule de LiAlH$_4$ (ou de NaBH$_4$) pouvant réduire quatre groupes carbonyles. L'hydrolyse finale par l'eau ou par un acide conduit à l'alcool. Exemple:

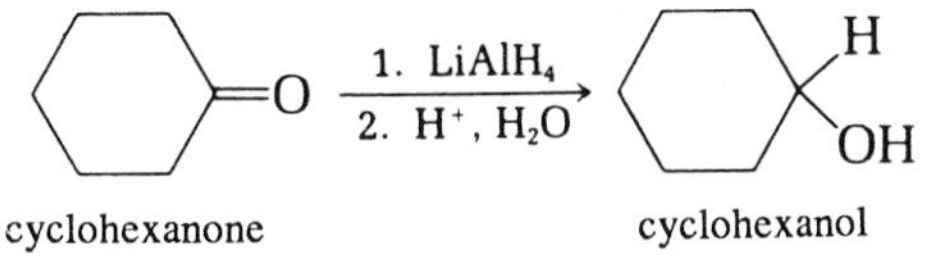

$$(9.32)$$

cyclohexanone   cyclohexanol

Le résultat est donc l'addition d'hydrogène à la double liaison C=O.

Les nucléophiles n'attaquant pas facilement les doubles liaisons C=C, on peut utiliser les hydrures métalliques pour réduire le seul carbonyle de composés carbonylés éthyléniques.

$$(9.33)$$

$$CH_3-CH=CH-\overset{\overset{O}{\|}}{CH} \xrightarrow{NaBH_4} CH_3CH=CH-CH_2OH$$

crotonaldéhyde   alcool crotylique
(2-buténal)   (2-butène-1-ol)

Problème 9.12   **Comment peut-on réduire la cétone éthylénique CH$_3$CH=CHCOCH$_3$**
a. en CH$_3$CH=CHCH(OH)CH$_3$ b. en CH$_3$CH$_2$CH$_2$CH(OH)CH$_3$

On peut réduire aussi le groupe carbonyle d'une cétone en groupe méthylène, par chauffage à reflux dans de l'acide chlorhydrique concentré, en présence de zinc amalgamé. C'est la **réduction de Clemmensen**, qui permet de convertir directement les cétones en hydrocarbures.

$$Ar-CO-R + Zn(Hg) + HCl \longrightarrow Ar-CH_2-R \tag{9.34}$$

On a examiné, dans les paragraphes 9.6 à 9.13, l'hydrogénation catalytique des aldéhydes et des cétones, mais surtout les réactions mettant en jeu une attaque nucléophile du carbone du carbonyle. Le reste de ce chapitre est consacré à d'autres types de réactions caractéristiques des composés carbonylés: l'oxydation, qui permet de distinguer facilement entre aldéhydes et cétones, et les réactions dues à la mobilité de l'hydrogène porté par le carbone adjacent au carbone du carbonyle.

9.14 Oxydation des composés carbonylés

Les aldéhydes sont oxydés beaucoup plus facilement que les cétones. Ils donnent un acide ayant même nombre d'atomes de carbone.

$$\underset{\text{aldéhyde}}{R-\overset{\overset{\textstyle O}{\|}}{C}-H} \xrightarrow[\text{d'oxydation}]{\text{agent}} \underset{\text{acide}}{R-\overset{\overset{\textstyle O}{\|}}{C}-OH} \tag{9.35}$$

Plusieurs tests de laboratoire permettent de distinguer les aldéhydes des cétones. Ils mettent à profit pour cela la différence de comportement de ces derniers face aux agents d'oxydation. L'un d'entre eux est le **test de Tollens**, dans lequel les aldéhydes réduisent le nitrate d'argent ammoniacal, plus exactement le cation Ag^+ en Ag métal, qui se dépose sur les parois du verre en un "miroir d'argent". (L'hydroxyde d'argent étant insoluble dans l'eau, il faut complexer l'ion argent pour qu'il reste en solution en milieu basique; cela s'obtient avec l'ammoniac qui donne l'ion complexe $Ag(NH_3)_2^+$). L'équation de cette réaction d'oxydation des aldéhydes peut s'écrire:

$$\underset{\substack{\text{aldéhyde}}}{R\overset{\overset{\textstyle O}{\|}}{C}H} + \underset{\substack{\text{ion complexe}\\ \text{argent (incolore)}}}{2\,Ag(NH_3)_2^+} + 3\,OH^- \rightarrow \underset{\substack{\text{anion acide}}}{RC\overset{\overset{\textstyle O}{\|}}{}-O^-} + \underset{\substack{\text{miroir}\\ \text{d'argent}}}{2\,Ag{\downarrow}} + 4\,NH_3{\uparrow} + 2\,H_2O \tag{9.36}$$

Il faut que la paroi du ballon dans lequel est fait le test soit très propre pour qu'il y ait formation du miroir d'argent. C'est une technique qui est très utilisée dans l'argenture du verre, avec le formaldéhyde, le moins cher des aldéhydes.

Problème 9.13   **Ecrire l'équation de la formation du miroir d'argent avec le réactif de Tollens et le formaldéhyde.**

La **liqueur de Fehling**, qui consiste en une solution alcaline de cations Cu^{2+} complexés par des ions tartrates (quand l'agent complexant est l'ion citrate, le réactif est appelé réactif de Bénédict), donne une réaction du même type avec les aldéhydes. On prépare la liqueur (bleue) en ajoutant de la soude à une solution de tartrate double de sodium et de potassium en excès et de sulfate de cuivre; il n'y a pas précipitation d'hydroxyde cuivrique par suite de la formation d'un complexe stable en milieu basique. L'addition d'aldéhyde donne alors un précipité d'oxyde cuivreux, rouge brique. L'équation de cette réaction d'oxydation des aldéhydes peut s'écrire:

$$\underset{\text{solution bleue}}{R-\overset{\overset{\textstyle O}{\|}}{C}-H} + 2\,Cu^{2+} + 5\,OH^- \rightarrow R-\overset{\overset{\textstyle O}{\|}}{C}-O^- + \underset{\substack{\text{précipité}\\\text{rouge brique}}}{Cu_2O} + 3\,H_2O \qquad (9.37)$$

Ces réactions (Tollens, Fehling) impliquent la conversion d'une liaison C—H "aldéhydique" en liaison C—O, donc l'oxydation de l'aldéhyde en acide ayant même nombre d'atomes de carbone. Les cétones, parce que n'ayant pas un tel hydrogène attaché au carbone du carbonyle, ne sont pas oxydées par ces réactifs.

Les aldéhydes, par contre, sont si facilement oxydés que les flacons qui en contiennent depuis un certain temps renferment toujours plus ou moins un peu de l'acide correspondant. Cela est dû à l'oxydation de l'air.

$$2\,RCHO + O_2 \rightarrow 2\,RCO_2H \qquad (9.38)$$

A la fois oxydants et réducteurs, les aldéhydes pourront donner dans une même réaction le produit d'oxydation et le produit de réduction correspondant. En effet, traités par la soude ou par la potasse, les aldéhydes n'ayant pas d'hydrogène en α du carbonyle (donc incapables de donner la réaction d'aldolisation, inévitable dans le cas contraire et dans un tel milieu — paragraphe 9.22) sont convertis en l'alcool et en l'acide correspondants (ce dernier sous forme de sel). C'est, par exemple, le cas du formaldéhyde et du benzaldéhyde. C'est la réaction d'**oxydo-réduction** des aldéhydes, dite **réaction de Cannizzaro**.

$$(9.39)$$

Le processus commence par l'attaque du carbone du carbonyle par l'ion OH^-. Il y a formation d'un anion dont le carbone central est lié à plusieurs oxygènes et qui est un véritable donneur d'ion hydrure H^-, lequel attaque alors le carbone du carbonyle d'une autre molécule. L'acide et l'alcoolate formés donnent finalement le sel et l'alcool.

L'oxydation des cétones est beaucoup plus difficile que celle des aldéhydes et nécessite des conditions plus vigoureuses, par exemple $KMnO_4$ concentré et chaud et en milieu acide. Une liaison C—CO est alors rompue, conduisant à des produits d'oxydation ayant moins d'atomes de carbone que la cétone de départ.

$$RCH_2-CO-CH_2R' \begin{cases} \longrightarrow R-COOH + R'CH_2-COOH \\ \\ \longrightarrow RCH_2-COOH + R'-COOH \end{cases}$$

Vraisemblablement, la cétone réagit sous l'une ou (et) l'autre de ses formes énols (voir le paragraphe suivant) et c'est, en fait, la coupure oxydante de doubles liaisons C=C qui a lieu. L'oxydation des cyclanones, dont le produit retient tous les atomes de carbone, est particulièrement intéressante. Par exemple, la cyclohexanone donne ainsi l'**acide adipique**, un produit industriel important utilisé dans la fabrication du nylon.

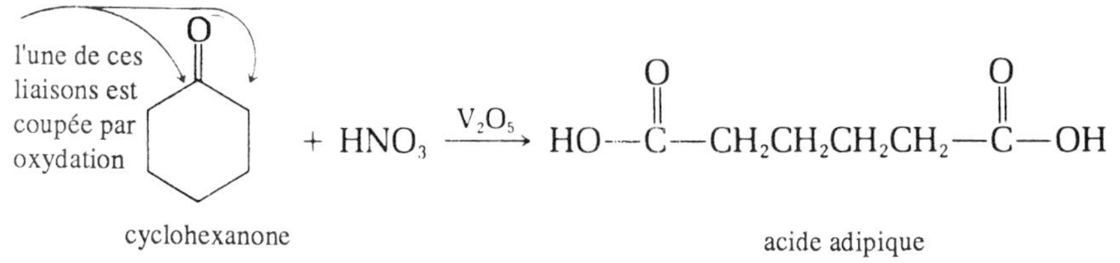

$$+ \; HNO_3 \xrightarrow{V_2O_5} \; HO-\overset{\displaystyle O}{\overset{\|}{C}}-CH_2CH_2CH_2CH_2-\overset{\displaystyle O}{\overset{\|}{C}}-OH \qquad (9.40)$$

cyclohexanone   acide adipique

9.15 Tautomérie céto-énolique

La plupart des aldéhydes et des cétones ne sont pas des espèces uniques mais un mélange de deux formes en équilibre appelées **forme cétone** et **forme énol**. Ces deux formes diffèrent dans la position d'un proton et d'une double liaison.

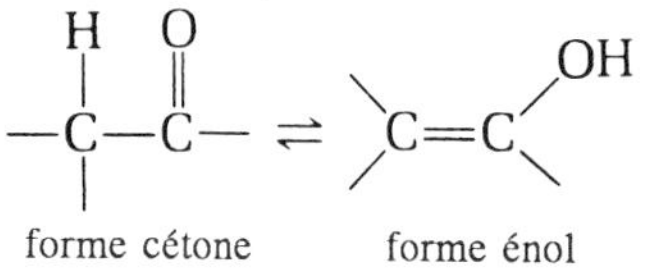

$$-\overset{\displaystyle H}{\underset{\displaystyle |}{\overset{\displaystyle |}{C}}}-\overset{\displaystyle O}{\overset{\|}{C}}- \; \rightleftharpoons \; \overset{\diagdown}{\diagup}C=C\overset{\textstyle OH}{\diagdown} \qquad (9.41)$$

forme cétone   forme énol

On appelle **tautomérie** (du grec ταυτος, le même et μερος, partie) ce type d'isomérie structurale et **tautomères** ces deux formes de l'aldéhyde ou de la cétone.

Exemple de problème 9.9   **Ecrire la formule des formes cétone et énol de l'acétone.**

Solution

$$\overset{\displaystyle O}{CH_3-\overset{\|}{C}-CH_3} \qquad\qquad\qquad CH_2=\overset{\overset{\textstyle OH}{|}}{C}-CH_3$$

cétone   énol

Exemple de problème 9.10   **Les formes cétone et énol de l'acétone sont-elles des formes limites de l'hybride de résonance?**

Solution   **Sûrement pas ! Ce sont des isomères, car elles diffèrent par la position des atomes et notamment d'un hydrogène. Bien que des tautomères soient des isomères, ils sont en équilibre. C'est pourquoi on utilise le symbole de l'équilibre ⇌ entre des tautomères et la flèche à deux têtes ↔ entre des formes limites.**

Problème 9.14   **Ecrire la formule développée de la forme énol :**
                      a. de la cyclopentanone   b. de l'acétaldéhyde.

Evidemment, l'existence de la forme énol implique la présence d'au moins un hydrogène, dit **hydrogène** α ou hydrogène en α, sur l'un des carbones, dit **carbone** α, adjacent au carbonyle.

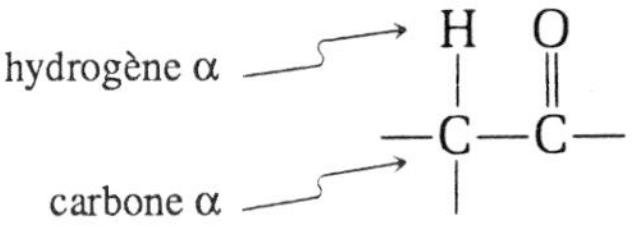

La plupart des aldéhydes et des cétones existent principalement sous la forme composée carbonyle. Ainsi 99,9997 % de l'acétone sont sous cette forme et 0,0003 % seulement sous la forme énol. La plus grande stabilité de la première est due essentiellement au fait que l'énergie des liaisons C=O et C—H est plus grande que celle des liaisons C=C et O—H.

Mais chez certaines molécules, la forme énol est plus importante et peut même prédominer. C'est le cas de la 2,4-pentanedione, où elle atteint 84 % dans l'eau.

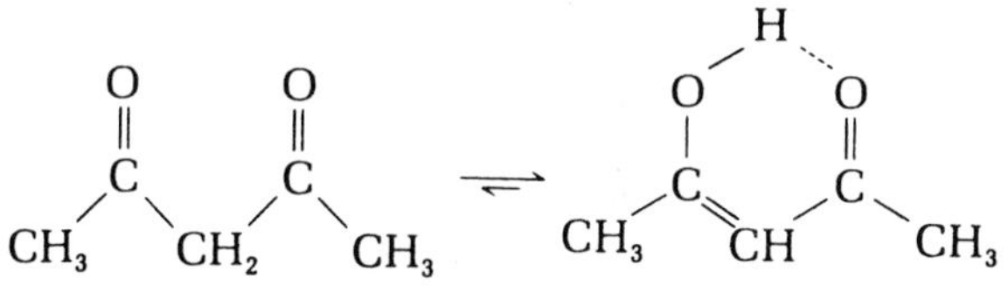

2,4–pentanedione
forme cétone (24 %)   forme énol (76 %)

(9.42)

L'énol est ici stabilisé par une liaison hydrogène intramoléculaire et par la présence d'un système conjugué de doubles liaisons.

Les phénols sont des énols particulièrement stables. Ainsi, en milieu alcalin, ils donnent des phénolates, dont le comportement est beaucoup plus proche de celui des sels que des énolates. De plus, ils subissent des réactions de substitution au niveau du cycle aromatique (paragraphe 7.16 et 7.17) qui les différencient davantage encore des énols. Leur prépondérance sous cette forme s'explique par la stabilisation due à la résonance du cycle aromatique qui est perdue dans la forme cétonique.

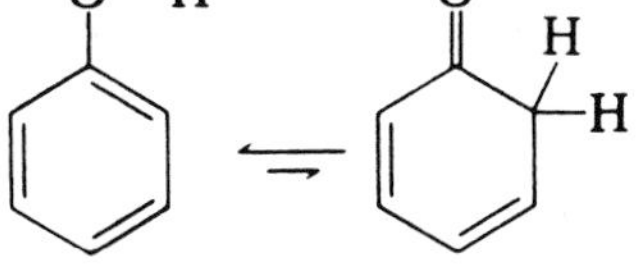

forme énol   forme cétone

(9.43)

Bien sûr, les composés carbonylés qui n'ont pas d'hydrogène en α n'existent que sous une seule forme. Exemples:

formaldéhyde   benzaldéhyde   benzophénone

A PROPOS DE TAUTOMERIE ET DE PHOTOCHROMIE

Le concept de tautomérie peut être étendu au-delà des formes cétone et énol et inclure toute paire ou tout groupe d'isomères aisément interconvertibles par le déplacement d'un atome et (ou) de liaisons. Les *imines* et les *énamines* (amines non saturées), par exemple, sont des tautomères assez analogues aux formes cétone et énol.

imine   énamine   cétone   énol

L'interconversion de tautomères peut avoir lieu photochimiquement, c'est-à-dire par absorption de lumière. Exemple:

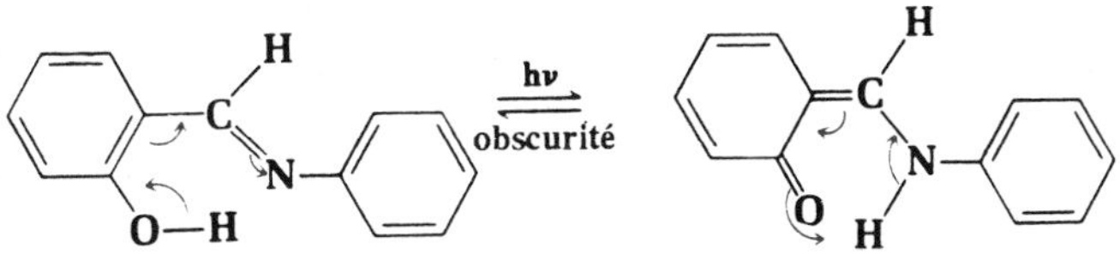

une phénol-imine   une céto-énamine
(jaune pâle)   (rouge)
(deux cycles aromatiques)   (un seul cycle aromatique)

L'irradiation de la phénol-imine jaune pâle provoque le déplacement de l'hydrogène phénolique de l'oxygène à l'azote avec le glissement correspondant des liaisons simples et doubles. Abandonnée à l'obscurité, la céto-énamine produite par la réaction photochimique redonne la phénol-imine, plus stable. Quel peut bien être l'intérêt de tels phénomènes réversibles où n'a lieu aucune réaction nette?

On notera que dans cet exemple un tautomère est jaune pâle et l'autre rouge. On appelle *photochromie* ce phénomène dans lequel un composé subit un changement de couleur d'origine photochimique, thermiquement réversible. Les substances douées de cette propriété ont de multiples applications. C'est le cas des verres qui s'obscurcissent par exposition à la lumière solaire, parce qu'ils sont imprégnés d'une substance "photochromique" *ad hoc* qui, à l'ombre, reprend sa forme incolore. On utilise aussi de telles substances pour la collecte et l'affichage de données (comme dans les montres digitales), les changements de couleur des écrans des ordinateurs, les micro-images (microfilms et microfiches), la protection contre les éclairs de lumière (explosions nucléaires), le camouflage, etc. On utilise même des colorants "photochromiques" pour les poupées qu'on rend ainsi capables de "bronzer" à la lumière.

9.16 Acidité des hydrogènes α. L'anion énolate

L'hydrogène lié au carbone en α du carbonyle est plus acide que celui des liaisons C—H ordinaires, et ce pour deux raisons. La première est la charge positive partielle du carbone du carbonyle qui attire les électrons (liants) de la liaison C—H voisine et accroît l'acidité en facilitant l'arrachement de l'hydrogène à l'état de proton, par une base.

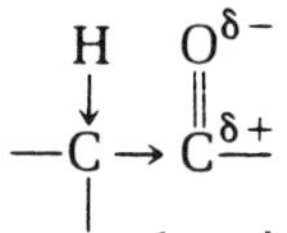

La seconde raison, plus importante, c'est que l'anion résultant du départ du proton est stabilisé par résonance.

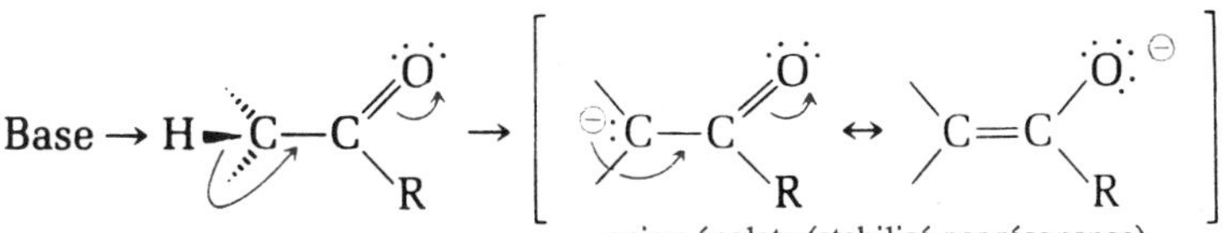

anion énolate (stabilisé par résonance)

(9.44)

On appelle cet anion l'anion énolate. C'est aussi un carbanion car sa charge négative est répartie entre l'oxygène du carbonyle et le carbone α, mais principalement sur l'oxygène, plus électronégatif.

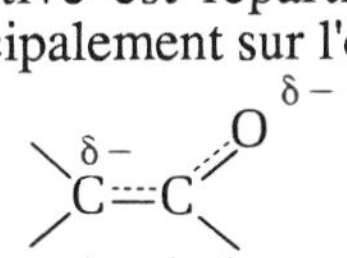

anion énolate

Exemple de Problème 9.11   **Ecrire la formule de l'anion énolate de l'acétone.**

Solution

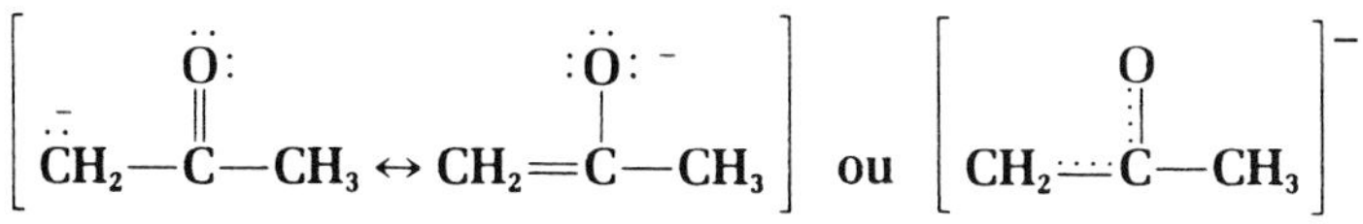

$$
\left[\ \overset{\cdot\cdot}{\underset{}{O}}:\ \ \ \ \ \overset{:\overset{\cdot\cdot}{O}:^-}{\underset{}{}}\ \right] \quad \text{ou} \quad \left[\ \overset{O}{\underset{}{}}\ \right]^-
$$

$$
\left[\ \overset{\cdot\cdot}{CH_2}-\overset{\overset{\cdot\cdot}{\underset{\|}{O}:}}{C}-CH_3 \leftrightarrow CH_2=\overset{:\overset{\cdot\cdot}{O}:^-}{C}-CH_3\ \right] \quad \text{ou} \quad \left[\ CH_2\cdots\overset{O}{\overset{\vdots}{C}}-CH_3\ \right]^-
$$

L'anion énolate est l'hybride de résonance de deux formes limites qui ne diffèrent effectivement que par leur distribution électronique.

Problème 9.15   **Ecrire les formes limites de l'ion énolate de la cyclopentanone et celles de l'ion énolate de l'acétaldéhyde.**

9.17 Equilibration des formes cétone et énol

On peut catalyser la tautomérie céto-énolique, soit par une base, soit par un acide. La base enlève le proton α et forme l'anion énolate (équation 9.44). Ce dernier peut alors être reprotoné, soit sur le carbone α et redonner le composé carbonylé originel, soit sur l'oxygène et donner l'énol.

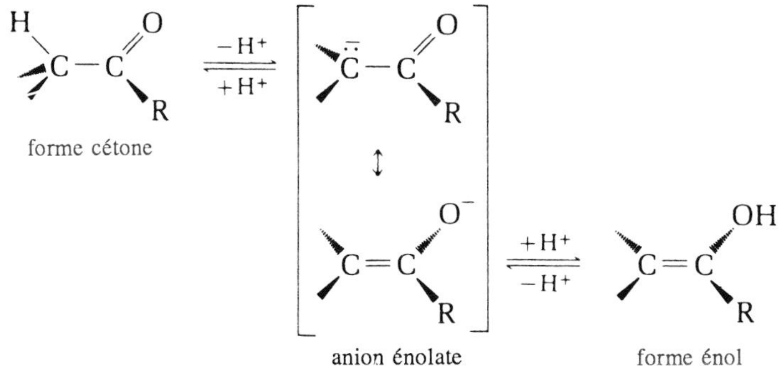

$$(9.45)$$

Les bases telles que l'ion hydroxyde ne convertissent qu'une faible fraction d'un composé carbonylé simple en son énolate.

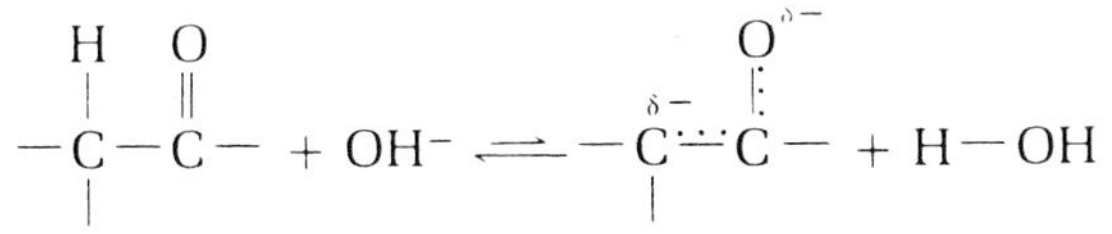

$$(9.46)$$

L'équilibre de l'équation 9.46 est très déplacé vers la gauche, parce que les composés carbonylés sont en général des acides plus faibles que l'eau.

Les acides aussi catalysent l'équilibration des tautomères cétone-énol. Ils le font par protonation de l'oxygène cétonique et la perte d'un hydrogène en α qui engendrent la forme énol.

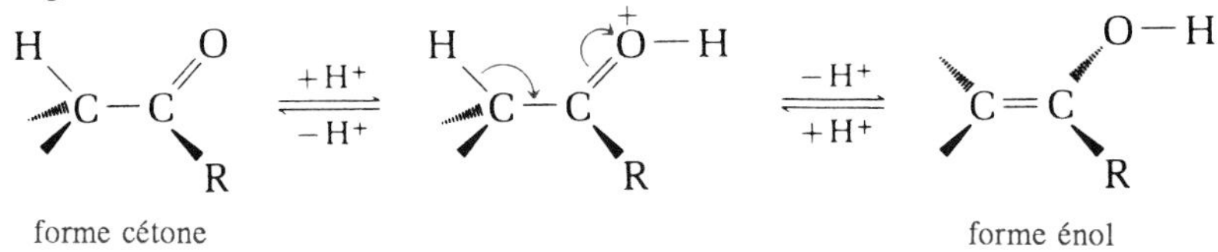

$$(9.47)$$

Problème 9.16   **Ecrire l'équation qui montre comment la cyclohexanone et son énol peuvent être équilibrés:**
a. par l'ion hydroxyde   b. par catalyse acide

9.18 L'échange hydrogène-deutérium dans les composés carbonylés

Bien que la proportion en énol soit très faible chez les aldéhydes et les cétones ordinaires, il est facile de démontrer expérimentalement sa présence. On peut, par exemple, échanger les hydrogènes en α par du deutérium en plaçant le composé carbonylé dans un solvant comportant des liaisons O—D, tels que D_2O ou CH_3OD. L'échange est alors catalysé par un acide ou par une base. Comme l'illustrent les exemples suivants, seuls sont échangés les hydrogènes en α.

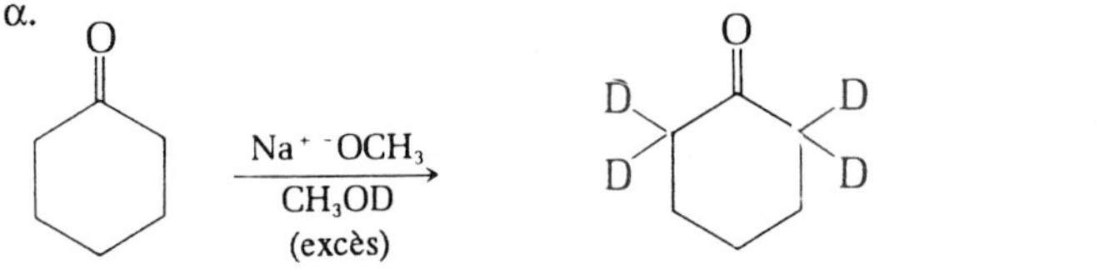

$$\text{cyclohexanone} \xrightarrow[\substack{CH_3OD \\ (excès)}]{Na^+ \ ^-OCH_3} \text{2,2,6,6-tétradeutériocyclohexanone}$$

(9.48)

$$CH_3CH_2CH_2CH=O \xrightarrow[D^+]{D_2O} CH_3CH_2CD_2CH=O$$

(9.49)

butanal   2,2-dideutériobutanal

Exemple de problème 9.12   Ecrire le mécanisme de la réaction 9.48.

Solution

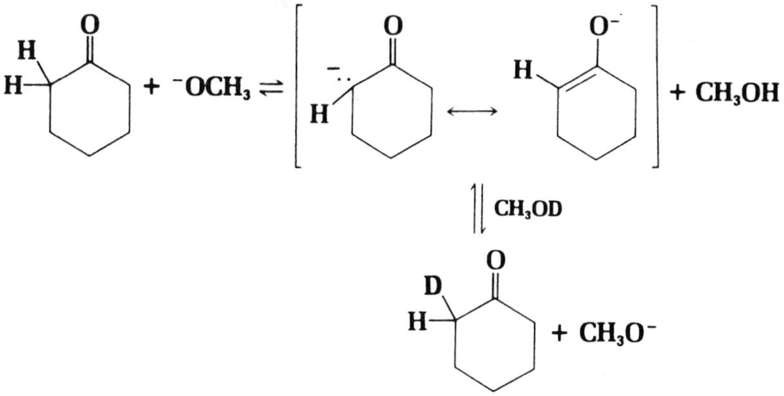

La base (l'ion méthanolate) forme l'ion énolate en arrachant un proton en α. Ce dernier, vu la présence de CH_3OD, est remplacé par du deutérium. Si l'excès de CH_3OD est suffisant, cet échange est possible pour les quatre hydrogènes en α.

Problème 9.17   Ecrire le mécanisme de l'équation 9.49.

9.19 Halogénation des composés carbonylés

En milieu acide (c'est le cas de la solution de brome dans l'eau, par exemple), les cétones réagissent avec les halogènes en donnant essentiellement un produit de monohalogénation, un hydrogène en α du carbonyle étant ainsi remplacé par un halogène. Exemple:

$$CH_3-CO-CH_3 + Br_2 \xrightarrow{H_2O} CH_3-CO-CH_2Br + HBr \qquad (9.50)$$

Les conditions acides d'une telle réaction font penser à une énolisation préalable, acido-catalysée, de la cétone (voir équation 9.46). L'énol ainsi formé (ce serait l'étape lente de la réaction) réagirait avec l'halogène électrophile en donnant l'halogénocétone protonée, laquelle céderait son proton au solvant basique qu'est l'eau.

$$(9.51)$$

Ce mécanisme a été confirmé par l'étude détaillée de la réaction et notamment par l'observation que sa vitesse est égale à celle de la réaction d'échange acido-catalysée hydrogène-deutérium (voir le paragraphe précédent).

En milieu basique, l'halogénation des cétones est très différente. Il est, cette fois, difficile de s'arrêter en route et d'éviter la polyhalogénation, qui aboutit alors à des produits de rupture: c'est la **réaction haloforme**. La réaction de l'acétone avec un excès d'iode en présence de soude conduit, par exemple, à l'acétate de sodium et à l'iodoforme CHI_3.

$$CH_3-CO-CH_3 + I_2 \text{ (excès)} + NaOH \rightarrow CHI_3 + CH_3CO_2^-Na^+ \qquad (9.52)$$

L'iodoforme est un précipité jaune, insoluble dans l'eau. Sa formation est donc très facile à déceler dans la réaction, ce qui fait de celle-ci un test analytique qualitatif des méthylcétones (ou des composés oxydables en méthylcétones dans le milieu). C'est aussi un produit très utilisé comme antiseptique.

La même réaction avec les méthylcétones est obtenue avec le chlore ou avec le brome (il y a alors formation de chloroforme $CHCl_3$ ou de bromoforme $CHBr_3$) et ce peut être une méthode de préparation d'acides carboxyliques.

$$(9.53)$$

C'est l'ion énolate qui est ici préalablement formé; il réagit par son carbone α avec l'halogène électrophile et, en perdant un proton, donne la cétone monohalogénée. Les hydrogènes restants, liés à ce carbone α, deviennent alors beaucoup plus acides, à cause de l'effet attracteur de l'halogène. Ils sont donc substitués chacun leur tour jusqu'à ce que soit formée la cétone $\alpha\alpha\alpha$-trihalogénée. Le carbone du carbonyle de celle-ci, dont le pouvoir électrophile est accru, subit alors l'attaque nucléophile d'un ion OH^-. Il y a rupture de la liaison $OC-C_\alpha$ dans ce processus, parce qu'elle donne lieu à la formation d'un anion trihalogénométhyle $^-CI_3$ particulièrement stabilisé.

9.20 Alkylation des cétones

Les anions énolates dérivés des cétones donnent avec les halogénures d'alkyle des réactions de substitution nucléophile qu'on appelle **réactions d'alkylation.** La cyclohexanone, par exemple, traitée par une base forte comme l'amidure de sodium ou comme un alcoolate tertiaire alcalin, puis par un halogénure d'alkyle comme l'iodure de méthyle, donne la 2-méthylcyclohexanone et un peu de polyméthylcyclohexanones.

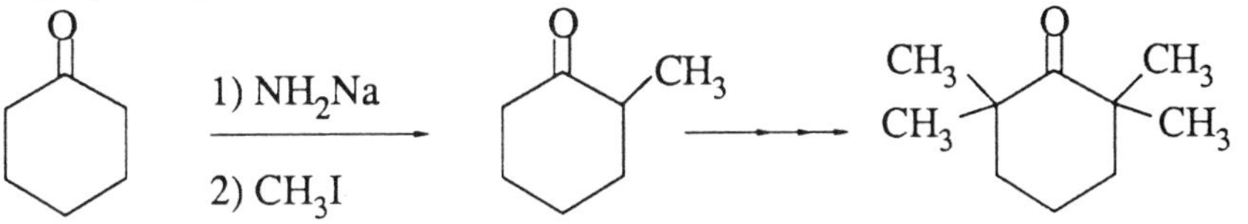

$$
\begin{array}{ccc}
\text{(cyclohexanone)} & \xrightarrow[\text{2) CH}_3\text{I}]{\text{1) NH}_2\text{Na}} & \text{(2-méthylcyclohexanone)} \longrightarrow \text{(tétraméthylcyclohexanone)}
\end{array}
\tag{9.54}
$$

Avec une quantité suffisante de base et d'iodure de méthyle et en s'y reprenant plusieurs fois, on peut substituer les quatre hydrogènes mobiles de la cyclohexanone et obtenir la 2,2,6,6-tétraméthylcyclohexanone.

L'intérêt de l'alkylation des cétones c'est qu'elle donne lieu à la formation d'une nouvelle liaison carbone-carbone. Or il faut savoir que les réactions qui conduisent à la naissance d'une telle liaison C—C ne sont pas nombreuses.

9.21 Aldolisation

Les anions énolates peuvent s'additionner sous leur forme carbanionique, c'est-à-dire comme nucléophiles carbonés, au carbonyle d'une autre molécule d'aldéhyde ou de cétone. C'est la phase essentielle de la condensation aldolique ou **aldolisation**, un autre processus, très utile, de formation de la liaison carbone–carbone.

La condensation aldolique la plus simple est la combinaison de deux molécules d'acétaldéhyde, qui a lieu quand on traite une solution de l'aldéhyde par une base aqueuse.

$$
\underset{\text{acétaldéhyde}}{CH_3\overset{O}{\overset{\|}{C}}H} + CH_3\overset{O}{\overset{\|}{C}}H \underset{}{\overset{OH^-}{\rightleftharpoons}} \underset{\text{3-hydroxybutanal (aldol)}}{CH_3\overset{OH}{\overset{|}{C}}H—CH_2\overset{O}{\overset{\|}{C}}H}
\tag{9.55}
$$

Le produit, qui est à la fois *ald*éhyde et alco*ol*, est appelé **aldol**. Le mécanisme de la condensation aldolique de l'acétaldéhyde comprend les trois étapes suivantes:

Etape 1 $\overset{\alpha}{CH_3}—\overset{O}{\overset{\|}{C}}—H + OH^- \rightleftharpoons \underset{\text{anion énolate}}{\overset{..}{C}H_2—\overset{O}{\overset{\|}{C}}—H} + HOH$ (9.56)

Etape 2 $CH_3—\overset{O}{\overset{\|}{C}}H + \underset{\text{nucléophile}}{\overset{-}{C}H_2—\overset{O}{\overset{\|}{C}}H} \rightleftharpoons \underset{\text{ion alcoolate}}{CH_3\overset{O^-}{\overset{|}{C}}H—CH_2\overset{O}{\overset{\|}{C}}H}$ (9.57)

Etape 3 $CH_3\overset{O^-}{\overset{|}{C}}H—CH_2\overset{O}{\overset{\|}{C}}H + HOH \rightleftharpoons CH_3\overset{OH}{\overset{|}{C}}H—\overset{\alpha}{C}H_2\overset{O}{\overset{\|}{C}}H + OH^-$ (9.58)

Dans l'étape 1, la base arrache un hydrogène en α et forme l'ion énolate–carbanion. Dans l'étape 2, cet anion s'additionne au carbone du carbonyle d'une autre molécule d'aldéhyde et forme une nouvelle liaison carbone-carbone. Cela est possible car les hydroxydes alcalins ne transforment en énolate qu'une petite partie du composé carbonylé; ce dernier et l'énolate sont donc tous deux présents. Dans l'étape 3, l'ion alcoolate formé dans l'étape 2 accepte un proton du solvant, régénérant ainsi l'ion hydroxyde nécessaire à l'étape 1.

Dans la réaction d'aldolisation, le carbone α d'une molécule d'aldéhyde se lie au carbone du carbonyle d'une autre molécule d'aldéhyde pour donner un aldol ou plus exactement un 3-hydroxyaldéhyde. La même réaction cétone + cétone, bien que donnant un cétol ou plus exactement une 3-hydroxycétone, est aussi appelée aldolisation. Mais le terme cétolisation convient mieux.

Problème 9.18   **Ecrire la formule développée de l'aldol obtenu quand le propanal $CH_3CH_2CH=O$ est traité par une base.**

Problème 9.19   **Donner les étapes du mécanisme de la formation du produit de la réaction précédente.**

9.22 Aldolisation mixte

On peut effectuer la condensation aldolique entre l'énolate d'un composé carbonylé et le carbone du carbonyle d'un autre. Considérons, par exemple, la réaction entre l'acétaldéhyde et le benzaldéhyde. Traité par une base, seul l'acétaldéhyde peut former l'anion énolate (le benzaldéhyde n'a pas d'hydrogène en α). Si l'énolate de l'acétaldéhyde s'additionne au carbonyle du benzaldéhyde, il doit y avoir condensation aldolique mixte.

aldol mixte   cinnamaldéhyde   (9.59)

L'aldol mixte ici formé se déshydrate par simple chauffage en donnant l'aldéhyde cinnamique (ou cinnamaldéhyde), le constituant odorant de la cannelle.

Problème 9.20   **Ecrire les étapes du mécanisme de l'équation 9.59.**

Problème 9.21   **Donner la formule développée du produit d'aldolisation mixte de:**
                    a. acétone et formaldéhyde   b. propanal et benzaldéhyde

9.23 Synthèses industrielles par aldolisation

L'intérêt des aldols en synthèse est évident. Leur déshydratation est plus facile que celle de la plupart des alcools, car la double liaison de l'aldéhyde non saturé ainsi formé est conjugué au carbonyle. Par aldolisation (alcaline), l'acétaldéhyde conduit donc à l'aldol, puis par déshydratation (acide) à l'aldéhyde crotonique. D'où le nom de crotonisation qu'on donne aussi au processus global aldolisation-déshydratation. C'est par aldolisation ou (et) crotonisation préalable de l'acétaldéhyde que sont préparés industriellement l'aldéhyde crotonique, le butanal et l'alcool *n*-butylique.

$$2\ CH_3CH \xrightarrow{\ OH^-\ } CH_3CHCH_2CH \xrightarrow[-H_2O]{H^+} CH_3CH=CHCH \xrightarrow[catalyseur]{H_2}$$

acétaldéhyde   aldol   crotonaldéhyde

(9.60)

$$CH_3CH_2CH_2CH \quad ou \quad CH_3CH_2CH_2CH_2OH$$

butanal   1-butanol

Le produit de l'hydrogénation finale dépend du catalyseur et des conditions réactionnelles.

A partir du butanal, on peut préparer en deux étapes (aldolisation et hydrogénation) le 2-éthylhexane-1,3-diol, répulsif, bien connu, du moustique.

$$2\ CH_3CH_2CH_2CH \xrightarrow{\ OH^-\ } CH_3CH_2CH_2CHCHCH \xrightarrow{H_2\ \over Ni} CH_3CH_2CH_2CHCHCH_2OH$$

$$CH_3CH_2 \qquad\qquad CH_3CH_2$$

(9.61)

butanal   3-hydroxy-2-éthylhexanal   2-éthylhexane-1,3-diol

On verra plus loin que la condensation aldolique est utilisée aussi par les êtres vivants pour édifier (ou dans la réaction inverse, pour rompre) des chaînes carbonées.

Problème 9.22   **De tous les alcools supérieurs, le plus important du point de vue économique est le 2-éthylhexanol. En effet, ses esters sont utilisés comme plastifiants et lubrifiants synthétiques. On peut le préparer à partir du butanal, en passant par son produit d'aldolisation. Suggérer comment opérer et écrire les équations des réactions nécessaires.**

9.24 Polymérisation des aldéhydes

Les aldéhydes ont la particularité de se polymériser facilement. C'est le cas notamment du formaldéhyde et de l'acétaldéhyde.

Par évaporation à froid des solutions aqueuses de formaldéhyde (on a vu que l'aldéhyde est sous la forme d'hydrate $CH_2(OH)_2$), il y a polycondensation:

$$n\ CH_2(OH)_2 \longrightarrow HOCH_2(OCH_2)_nOCH_2OH + eau$$

Par léger chauffage de formol en présence d'acide sulfurique, on obtient un trimère cyclique solide, le **trioxyméthylène** (ou trioxanne). C'est lui qu'on utilise en laboratoire pour préparer le formaldéhyde, car ce dernier est régénéré, à l'état gazeux, par simple chauffage de son trimère.

trioxyméthylène   paraldéhyde   métaldéhyde

On connaît aussi plusieurs polymères de l'acétaldéhyde, notamment un trimère, le **paraldéhyde**, et un tétramère bien connu des campeurs, le **métaldéhyde** ou méta.

Le formaldéhyde est néanmoins le plus important dans ce domaine à cause de son aptitude particulière à la **copolymérisation**, par exemple avec le phénol ou avec l'urée $O=C(NH_2)_2$. Sont ainsi obtenus des copolymères durs, infusibles, non conducteurs de l'électricité. La bakélite est un copolymère phénol-formaldéhyde.

9.25 Préparation des aldéhydes et des cétones

Les méthodes de préparation des composés carbonylés sont très nombreuses. On rappellera seulement ici les méthodes déja signalées dans ce livre ou qui le seront plus loin et qui sont essentiellement des applications de propriétés de groupes fonctionnels autres que le carbonyle. Seront citées aussi quelques méthodes découlant directement de ces propriétés.

L'oxydation des alcools est une voie d'accès très générale aux composés carbonylés, les alcools primaires conduisant aux aldéhydes et les alcools secondaires aux cétones. Sur l'oxydation chromique, voir le paragraphe 7.13; voir aussi "A propos de l'oxydation biologique des alcools", page 235.

On connaît des méthodes d'oxydation des halogénures d'alkyle, des glycols, des alcènes notamment, qui sont des voies d'accès aux composés carbonylés. On a vu, par exemple, que l'ozonolyse réductrice des alcènes les coupe en deux composés carbonylés (paragraphe 3.22). De même les alcynes, en présence d'un catalyseur acide et de l'ion mercurique, additionnent une molécule d'eau et donnent une cétone (sauf l'acétylène lui-même qui, seul, peut donner un aldéhyde, l'acétaldéhyde), produit d'isomérisation de l'énol effectivement formé (paragraphe 3.26).

A partir des acides carboxyliques et de leurs dérivés on peut préparer aussi des composés carbonylés par diverses réactions de réduction. Ces dernières conviennent à la préparation des aldéhydes. Au moyen de l'acide formique, par exemple (on fait passer les vapeurs d'acides sur de l'oxyde manganeux chauffé vers 300°C), on réduit les acides carboxyliques libres en aldéhydes. De même, l'hydrogénation catalytique des chlorures d'acides les convertit en HCl et en aldéhydes. Ces derniers sont encore facilement accessibles par action de $LiAlH_4$ sur les amides ou les nitriles.

(9.62)

$$R - COCl \xrightarrow[Pd]{H_2} \quad R - \overset{\displaystyle O}{\overset{\displaystyle ||}{C}} - H + HCl \qquad (9.63)$$

$$R - \overset{\displaystyle O}{\overset{\displaystyle ||}{\underset{\overset{\textstyle \uparrow}{H - Li^+}}{C}}} - NR_2 \xrightarrow[\text{basse } t°]{LiAlH_4} \quad R - \overset{\displaystyle O^-}{\overset{|}{\underset{\overset{\textstyle |}{H}}{C}}} - NR_2 \xrightarrow{H_3O^+} \quad R - \overset{\displaystyle O}{\overset{\displaystyle ||}{C}} - H + HNR_2 \qquad (9.64)$$

Une bonne méthode de préparation des cétones est la décomposition thermique des sels bivalents des acides carboxyliques (réaction de Piria). Etendue aux diacides, elle permet aussi la synthèse des cyclanones.

$$\begin{array}{c} R - COO^- \\ \quad\quad\quad\quad M^{2+} \\ R - COO^- \end{array} \xrightarrow{\Delta} \quad CO_3M + R - \overset{\displaystyle O}{\overset{\displaystyle ||}{C}} - R \qquad (9.65)$$

$$(CH_2)_n \overset{\displaystyle COO^-}{\underset{\displaystyle COO^-}{\Big\langle}} M^{2+} \xrightarrow{\Delta} \quad CO_3M + (CH_2)_n C = O \qquad (9.66)$$

Citons enfin la préparation des cétones aromatiques par la réaction d'acylation des composés aromatiques selon Friedel et Crafts. Dans cette réaction, on remplace l'halogénure d'alkyle de l'alkylation (paragraphes 4.9 et 4.10) de Friedel-Crafts par un halogénure d'acide.

A PROPOS DES QUINONES, DES COLORANTS ET DU TRANSFERT D'ELECTRONS

Les *quinones* constituent une catégorie particulière de composés carbonylés. Ce sont des dicétones conjuguées, cycliques. On a déjà rencontré le type le plus simple de la série, la 1,4-benzoquinone (équation 7.40).

Toutes les quinones sont colorées. Beaucoup sont des produits naturels, par exemple des pigments végétaux, et possèdent une activité biologique spécifique.

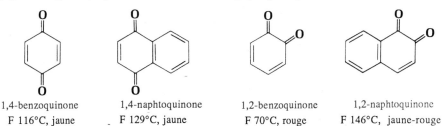

1,4-benzoquinone	1,4-naphtoquinone	1,2-benzoquinone	1,2-naphtoquinone
F 116°C, jaune	F 129°C, jaune	F 70°C, rouge	F 146°C, jaune-rouge

L'Egypte, la Perse et l'Inde anciennes connaissaient déjà le colorant quinonique qu'est *l'alizarine*. Elle était extraite d'une racine, la garance; elle était utilisée comme mordant et fixée sur les tissus par divers ions métalliques comme l'aluminium. Pendant la Révolution américaine, les uniformes rouges de l'armée britannique étaient colorés avec de l'alizarine. Au milieu du XIXe siècle, la culture de la garance, avec une production annuelle de 70.000 tonnes, était très importante en Europe. Mais, après en avoir déterminé la structure, les chimistes organiciens purent faire la synthèse industrielle de l'alizarine, ce qui en réduisit considérablement le prix. Actuellement, on utilise encore des pigments de ce type.

La *lawsone* est un pigment extrait d'un arbuste des régions tropicales, le henné, dont l'écorce et les feuilles séchées et pulvérisées fournissent une poudre colorante jaune ou rouge. Mahomet se teignait la barbe au henné. La *juglone* fut d'abord isolée de l'enveloppe extérieure de la noix où elle se trouve à l'état d'hydroquinone incolore (1,4,5-trihydroxynaphtalène), laquelle s'oxyde en quinone par action de l'oxygène de l'air. La juglone, qui est aussi présente dans la pacane, colore la peau en brun.

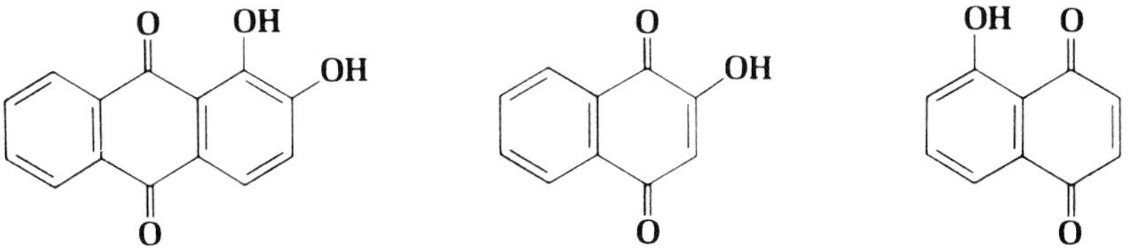

alizarine
(F 290°C, rouge-orangé)

lawsone
(F 192°C, rouge-brun)

juglone
(F 155°C, jaune)

La plus importante propriété des quinones est vraisemblablement leur réduction réversible en hydroquinones.

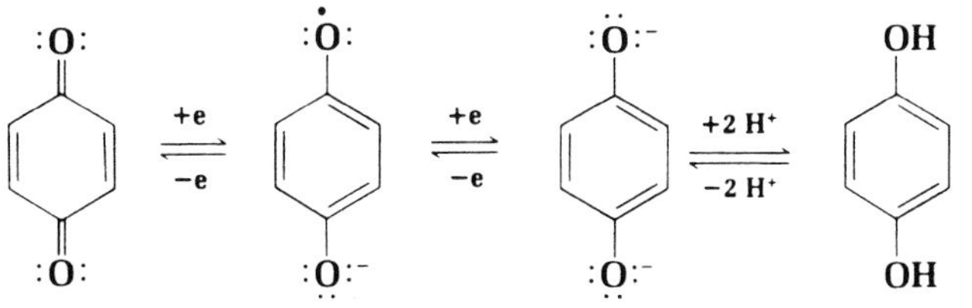

quinone   radical anion   dianion   hydroquinone

Virtuellement, toutes les quinones donnent cette réaction. La réduction a lieu par addition de deux électrons donnant l'un après l'autre un radical anion, puis un dianion. C'est cette propriété qui permet aux quinones de jouer un rôle important dans des réactions d'oxydo-réduction biochimiques réversibles (transfert d'électrons). Un groupe d'enzymes, appelés *coenzymes Q* (aussi connus sous le nom *d'ubiquinones* à cause de leur présence dans les cellules animales et végétales), participent au transfert d'électrons dans les mitochondries (granules des cellules qui interviennent dans le métabolisme des lipides, des hydrates de carbone et des protéines).

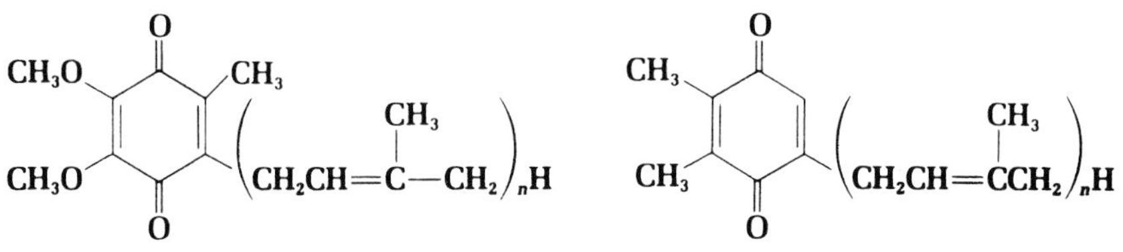

coenzymes Q
(n = 10 est courant)

plastoquinones
(n = 9 est courant)

Dans les tissus végétaux, les *plastoquinones* jouent un rôle analogue en photosynthèse.
Il est évident que la longue chaîne isoprénoïde de ces quinones est nécessaire pour assurer la solubilité de ces coenzymes dans les corps gras.

La quinone appelée vitamine K (figure 9.1) assure la coagulation normale du sang.

Résumé du chapitre

Le groupe carbonyle C=O est présent dans les aldéhydes (RCH=O) et les cétones $R_2C=O$. Pour les aldéhydes, la terminaison IUPAC est $-al$, la numérotation commençant par le carbone du carbonyle. Pour les cétones, la terminaison est *-one*, la chaîne la plus longue comportant le carbonyle étant numérotée comme d'habitude. On utilise aussi des noms courants. La nomenclature fait l'objet du paragraphe 9.2.

Le formaldéhyde, l'acétaldéhyde et l'acétone sont des produits industriels importants et leurs synthèses font appel à des méthodes particulières. Au laboratoire on prépare surtout les aldéhydes et les cétones par oxydation des alcools, par ozonolyse des alcènes et par hydratation des alcynes; mais d'autres procédés sont également utilisés. Des produits naturels sont des aldéhydes et des cétones. On connaît de nombreux polymères d'aldéhydes [trioxyméthylène $(H_2C=O)_3$, paraldéhyde $(CH_3CH=O)_3$ et le métaldéhyde $(CH_3CH=O)_4$] et de copolymères.

Le groupe carbonyle est plan et son carbone hybridé sp^2 est trigonal. La liaison C=O est polarisée, avec un carbone partiellement positif et un oxygène partiellement négatif. Beaucoup de ses réactions démarrent par une attaque nucléophile sur le carbone positif et s'achèvent par fixation d'un proton sur l'oxygène.

Par catalyse acide, les alcools s'additionnent au groupe carbonyle des aldéhydes en donnant des hémiacétals RCH(OH)OR'; avec un excès d'alcool la réaction continue jusqu'aux acétals $RCH(OR')_2$. Les cétones donnent de même des hémicétals et des cétals. Les réactions sont réversibles, les acétals et les cétals étant hydrolysés en milieu acide en leurs composants, l'alcool et le composé carbonylé.

L'eau s'additionne aussi au carbonyle d'aldéhydes (formaldéhyde, chloral) en donnant des hydrates.

Les réactifs de Grignard s'additionnent également aux composés carbonylés. Le produit, obtenu par hydrolyse, dépend du composé carbonylé. Le formaldéhyde donne des alcools primaires, les autres aldéhydes des alcools secondaires, les cétones conduisant aux alcools tertiaires.

L'acide cyanhydrique, nucléophile carboné à l'état ionique, donne, par la même addition, des cyanhydrines $R_2C(OH)CN$.

La dernière addition nucléophile ici mentionnée, souvent suivie d'élimination d'eau, est celle de composés azotés. Les aldéhydes RHC=O et les cétones $R_2C=O$ sont alors convertis respectivement en les composés RHC=NR et $R_2C=NR$. Ainsi, les amines primaires donnent des imines (ou bases de Schiff), l'hydroxylamine NH_2OH donne des oximes RHC=NOH et $R_2C=NOH$ et l'hydrazine NH_2NH_2 des hydrazones $RHC=NNH_2$ et $R_2C=NNH_2$.

Par réaction des composés carbonylés avec les ylures (réaction de Wittig), on remplace leur atome d'oxygène par un carbone trigonal et prépare ainsi les alcènes.

Les aldéhydes et les cétones sont aisément réductibles respectivement en alcools primaires et secondaires. Les réactifs utiles ici sont notamment l'alumino-hydrure de lithium $LiAlH_4$, le boro-hydrure de sodium $NaBH_4$ et l'hydrogène avec un catalyseur métal.

Les aldéhydes sont plus facilement oxydés que les cétones. Le test du miroir d'argent de Tollens et les tests de Fehling et de Bénédict sont positifs avec les aldéhydes et négatifs avec les cétones.

Les aldéhydes et les cétones comportant au moins un hydrogène en α du carbonyle se présentent comme un mélange de deux tautomères cétonique –CH–C=O et énolique C=C—OH, le premier prédominant le plus souvent. L'hydrogène en α est faiblement acide et peut être arraché par une base et donner l'anion énolate, stabilisé par résonance. Les hydrogènes en α d'un composé carbonylé peuvent être échangés contre des atomes de deutérium, ce qui prouve expérimentalement l'intervention d'un intermédiaire réactionnel énolique. L'anion énolate d'une cétone, obtenu par action d'une base forte, traité par un halogénure d'alkyle, conduit à l'alkylcétone correspondante; c'est l'alkylation des cétones.

En milieu acide, par halogénation directe, un aldéhyde ou une cétone voit le remplacement de l'un de ses hydrogènes α par un halogène. En milieu alcalin, seules les cétones sont facilement halogénées et il est difficile d'éviter la polyhalogénation sur un même carbone α; en présence d'un excès d'halogène, une méthylcétone donne, par exemple, la trihalogénométhylcétone dérivée, qui est alors coupée *in situ* en l'haloforme et en l'acide carboxylique correspondants; c'est la réaction haloforme.

Dans l'aldolisation, un anion énolate intervient comme nucléophile et s'additionne au carbonyle d'un composé carbonylé en formant une nouvelle liaison carbone-carbone. Ainsi, le carbone α d'une molécule d'aldéhyde (ou de cétone) se lie au carbone du carbonyle d'une autre molécule d'aldéhyde (ou de cétone). L'aldol est donc un 3-hydroxyaldéhyde. Dans l'aldolisation mixte, un réactant est un anion énolate et l'autre un composé carbonylé (ne portant pas, d'habitude, un H en α) auquel il s'additionne. L'aldolisation est mise à profit, tant dans l'industrie que dans la nature.

Les quinones sont des dicétones conjuguées cycliques. Elles sont colorées et sont utilisées comme colorants. Elles jouent un rôle important dans des réactions d'oxydo-réduction biologiques réversibles (transferts d'électrons).

PROBLEMES SUPPLEMENTAIRES

9.23 Nommer chacun des composés suivants:

$$\text{a. } CH_3CH_2\overset{\overset{\displaystyle O}{\|}}{C}CH_2CH_3$$

$$\text{b. } CH_3(CH_2)_4CH=O$$

$$\text{c. } (C_6H_5)_2C=O$$

$$\text{d. } Br\!-\!\!\!\bigcirc\!\!\!-\!CH=O$$

$$\text{e. } \overset{O}{\bigcirc}$$

$$\text{f. } (CH_3)_3CCH=O$$

$$\text{g. } \bigtriangleup\!-\!\overset{\overset{\displaystyle O}{\|}}{C}\!-\!\bigtriangleup$$

$$\text{h. } CH_3CH=CHCCH_3 \quad (\overset{\overset{\displaystyle O}{\|}}{C})$$

$$\text{i. } CH_2Br\overset{\overset{\displaystyle O}{\|}}{C}CH_3$$

$$\text{j. } CH_3\overset{\overset{\displaystyle O}{\|}}{C}\!-\!\overset{\overset{\displaystyle O}{\|}}{C}CH_2CH_3$$

9.24 Ecrire la formule développée de chacun des composés suivants

a. 2-octanone
b. 4-méthylpentanal
c. *m*-chlorobenzaldéhyde
d. 3-méthylcyclohexanone
e. 2-buténal
f. benzylphénylcétone
g. *p*-tolualdéhyde
h. *p*-benzoquinone
i. 2,2-dibromohexanal
j. 1-phényl-2-butanone

9.25 Donner un exemple de chacune des familles suivantes:

a. acétal
b. hémiacétal
c. cétal
d. hémicétal
e. cyanhydrine
f. imine
g. oxime
h. phénylhydrazone
i. énol
j. aldéhyde sans hydrogène en α

9.26 Donner une équation de la réaction éventuelle du *p*-bromobenzaldéhyde avec chacun des composés suivants et nommer le produit organique formé.

a. réactif de Tollens
b. hydroxylamine
c. H_2, nickel
d. bromure d'éthylmagnésium, puis H_3O^+
e. phénylhydrazine
f. $C_6H_5NH_2$ (aniline)
g. ion cyanure
h. méthanol en excès, HCl sec
i. éthylène-glycol, H^+
j. aluminohydrure de lithium

9.27 Au moyen de quel test chimique simple peut-on distinguer entre les membres des paires de composés suivantes?

a. hexanal et 2-hexanone
b. alcool benzylique et benzaldéhyde
c. cyclopentanone et 2-cyclopenténone

9.28 En utilisant les structures de la figure 9.1, compléter les réactions suivantes:

a. cinnamaldéhyde + réactif de Tollens
b. vanilline + hydroxylamine
c. carvone + borohydrure de sodium
d. camphre + bromure de méthylmagnésium, puis H_3O^+

9.29 Les points d'ébullition des composés carbonylés isomères: heptanal, 4-heptanone et 2,4-diméthyl-3-pentanone sont respectivement: 155°C, 144°C et 124°C. Suggérer une explication à l'ordre de ces points d'ébullition.

9.30 Ecrire toutes les étapes de la formation du cétal cyclique de l'acétone et de l'éthylène-glycol (équation 9.9).

9.31 Compléter les réactions suivantes:

a. butanal + éthanol en excès, $H^+ \longrightarrow$

b. $CH_3CH(OCH_3)_2$ + $H_2O, H^+ \longrightarrow$

c. 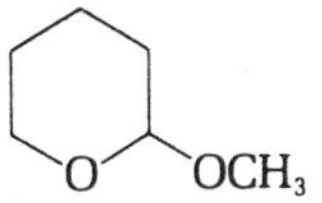 + $H_2O, H^+ \rightarrow$

d. 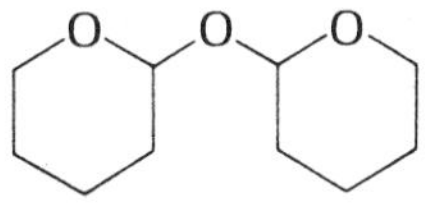 + $H_2O, H^+ \rightarrow$

e. 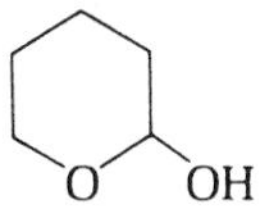 + $CH_3OH, H^+ \rightarrow$
en excès

9.32 Le formaldéhyde réagit avec le 1,3-propanedithiol $HS–CH_2CH_2CH_2–SH$ pour donner le produit $C_4H_8S_2$. Quelle est la structure de ce composé?

9.33 Ecrire la réaction de chacun des composés suivants avec le bromure de méthyl-magnésium, suivie d'hydrolyse acide:

a. acétaldéhyde   **b.** acétophénone   **c.** formaldéhyde   **d.** cyclohexanone

9.34 Avec un réactif de Grignard et le composé carbonylé approprié, montrer comment on peut préparer chacun des composés suivants:

a. 1-pentanol   **b.** 3-pentanol
c. 2-méthyl-2-butanol   **d.** 1-cyclopentylcyclopentanol
e. 1-phényl-1-propanol   **f.** 3-butène-2-ol

9.35 Compléter les réactions suivantes:

a. cyclohexanone + $HC\equiv C^-Na^+$ $\longrightarrow$ $\xrightarrow{H_3O^+}$

b. cyclopentanone + HCN $\longrightarrow$

c. 2-butanone + NH_2OH + H^+ $\longrightarrow$

d. p-tolualdéhyde + benzylamine $\longrightarrow$

e. propanal + phénylhydrazine $\longrightarrow$

9.36 Ecrire les étapes du mécanisme des réactions suivantes:

a. $C_6H_5–CH{=}O + C_6H_5–NH_2 \longrightarrow C_6H_5–CH{=}N–C_6H_5 + H_2O$

b. $(CH_3)_2C{=}O + NH_2OH \longrightarrow (CH_3)_2C{=}NOH + H_2O$

9.37 Ecrire la formule des produits des réactions suivantes:

a.

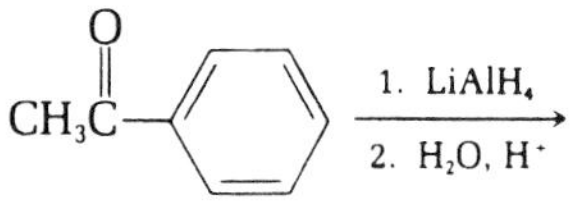

b.

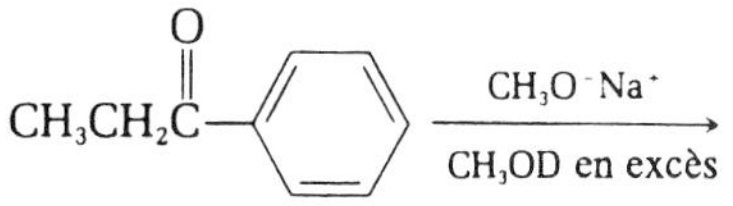

c.

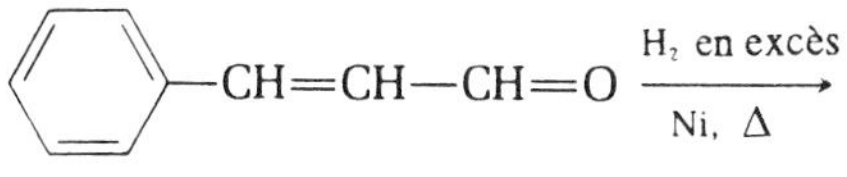

d.

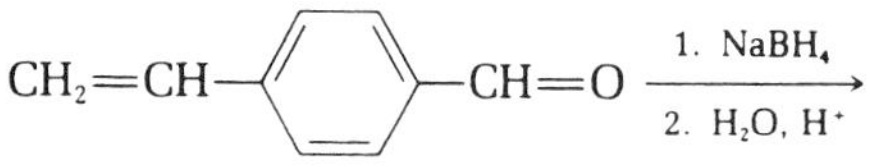

9.38 Ecrire la formule de tous les énols possibles de:

 a. la 2-butanone   **b.** le phénylacétaldéhyde   **c.** la 2,4-pentanedione

9.39 Combien d'hydrogènes sont-ils remplaçables par un deutérium quand chacun des composés suivants est traité par NaOD dans D_2O:

a. 3-méthylcyclopentanone   **b.** 2-méthylbutanal

9.40 En traitant la dicétone non saturée

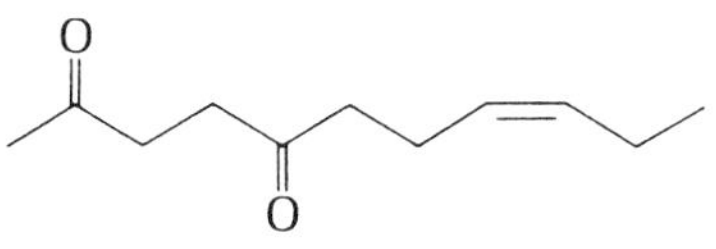

par de la soude dans l'éthanol, on obtient la jasmone, le principe odorant de la fleur du jasmin, utilisé en parfumerie.

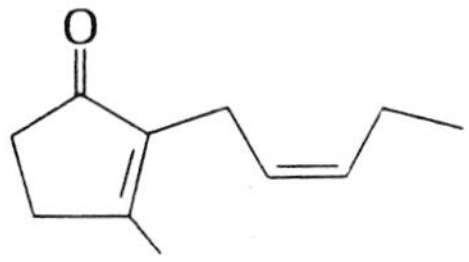

jasmone

Expliquer.

9.41 Un excès de benzaldéhyde réagit avec l'acétone en milieu basique en donnant un produit cristallisé jaune $C_{17}H_{14}O$. Quelle est sa structure et comment se forme-t-il?

9.42 Voici les étapes finales de la synthèse de deux contraceptifs oraux, l'Enidrol et le Norlutène. Quel est l'agent manquant de chaque étape et de quel type de réaction s'agit-il?

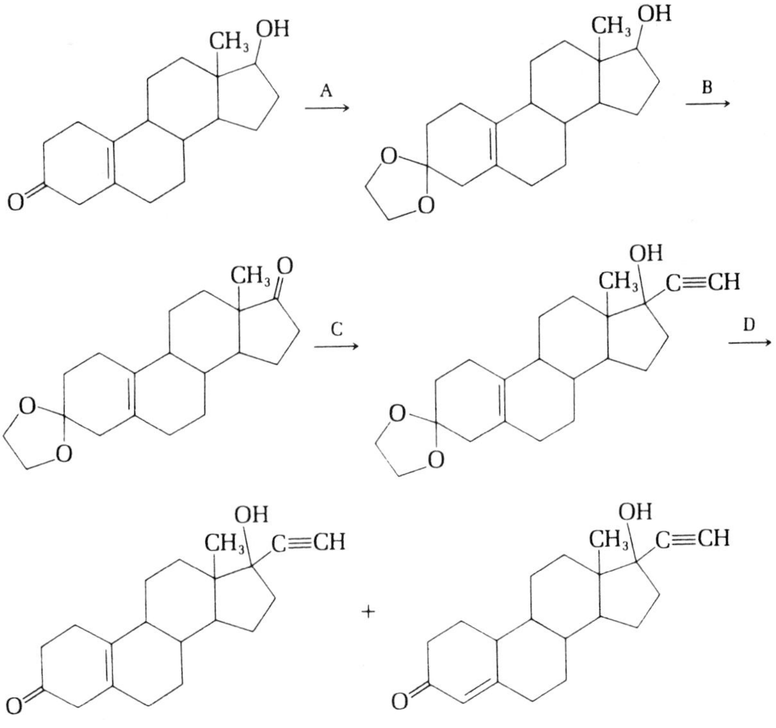

Enidrol   Norlutène

Pourquoi, en préalable à la synthèse, le carbonyle du stéroïde de départ est-il converti en groupe cétal (réaction A) si l'on veut retrouver ce carbonyle dans le produit final? Expliquer comment la double liaison C=C de l'Enidrol devient conjuguée au carbonyle dans le Norlutène.

CHAPITRE 10

ACIDES CARBOXYLIQUES ET DERIVES

10.1 Introduction

Les acides organiques les plus importants sont les **acides carboxyliques**. Leur groupe fonctionnel est le **groupe carboxyle** (contraction de carbonyle et hydroxyle). La formule générale de l'acide carboxylique peut s'écrire sous la forme développée ou les formes abrégées

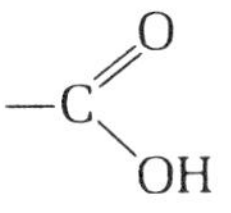

groupe carboxyle   trois façons d'écrire un acide carboxylique

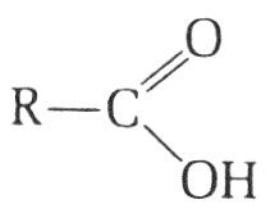

On examinera dans ce chapitre la structure, l'acidité, la préparation et les réactions des acides et on discutera de certains de leurs dérivés, ceux dont un autre groupe (OR, halogène, NR_2, etc.) remplace leur groupe –OH, c'est-à-dire les esters, les halogénures d'acides, les amides, etc.

10.2 Nomenclature des acides

A cause de leur abondance dans la nature, les acides carboxyliques ont été parmi les premiers composés étudiés par les chimistes organiciens. Il n'est donc pas surprenant que beaucoup d'entre eux aient des noms triviaux. La plupart de ces noms dérivent du nom grec ou latin qui indique la source de l'acide. La table 10.1 donne la liste des dix premiers acides carboxyliques non ramifiés avec leur source, leur nom commun et leur nom IUPAC. Beaucoup d'entre eux ont été isolés à partir de graisses, d'où l'appellation générale d'**acides gras** qu'on leur donne souvent (on verra en détail dans le chapitre suivant la structure des corps gras). Pour obtenir le nom IUPAC d'un acide carboxylique, on remplace l'*e* final de l'alcane correspondant par le suffixe *-oïque* et on ajoute le mot *acide*. On nomme les acides substitués de deux manières. Dans le système IUPAC, on numérote la chaîne en commençant par le carbone du carboxyle et on indique la position des substituants de la manière habituelle. Quand on utilise le nom commun de l'acide, on précise la position des substituants avec les lettres grecques en commençant par le carbone α.

Nombre de carbones	Formule	Source	Nom courant	Nom IUPAC
1	HCOOH	fourmis (latin formica)	acide formique	acide méthanoïque
2	CH_3COOH	vinaigre (latin acetum)	acide acétique	acide éthanoïque
3	CH_3CH_2COOH	lait (grec protos)	acide propionique	acide propanoïque
4	$CH_3(CH_2)_2COOH$	beurre (latin butyrum)	acide butyrique	acide butanoïque
5	$CH_3(CH_2)_3COOH$	racine de valériane (latin valere)	acide valérique	acide pentanoïque
6	$CH_3(CH_2)_4COOH$	chèvre (latin caper)	acide caproïque	acide hexanoïque
7	$CH_3(CH_2)_5COOH$	fleur de vigne (latin oenanthe)	acide oenanthylique	acide heptanoïque
8	$CH_3(CH_2)_6COOH$	chèvre (latin caper)	acide caprylique	acide octanoïque
9	$CH_3(CH_2)_7COOH$	pélargonium (grec pelargos)	acide pélargonique	acide nonanoïque
10	$CH_3(CH_2)_8COOH$	chèvres (latin caper)	acide caprique	acide décanoïque

Table 10.1 Acides carboxyliques aliphatiques

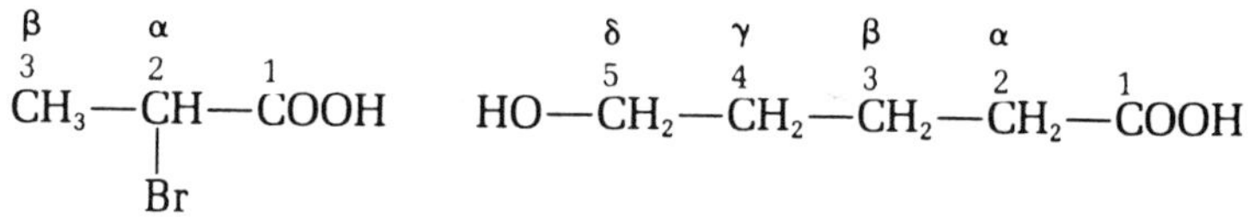

$$\overset{\beta}{\underset{3}{}} \quad \overset{\alpha}{\underset{2}{}} \quad \underset{1}{}$$
$$CH_3 - \underset{|}{CH} - COOH \qquad HO - \overset{\delta}{\underset{5}{C}}H_2 - \overset{\gamma}{\underset{4}{C}}H_2 - \overset{\beta}{\underset{3}{C}}H_2 - \overset{\alpha}{\underset{2}{C}}H_2 - \underset{1}{C}OOH$$
$$Br$$

nom IUPAC   acide 2-bromopropanoïque   acide 5-hydroxypentanoïque

nom commun   acide α-bromopropionique   acide δ-hydroxyvalérique

Problème 10.1   **Ecrire la formule:**
            a. de l'acide 3-chlorobutanoïque   b. de l'acide γ-hydroxybutyrique.

Problème 10.2   **Donner le nom IUPAC et le nom commun de:**
            a. $C_6H_5CH_2CH_2COOH$ b. CCl_3COOH

Quand le groupe carboxyle est lié à un cycle, on ajoute la terminaison *-carboxylique* au nom du cyclane correspondant.

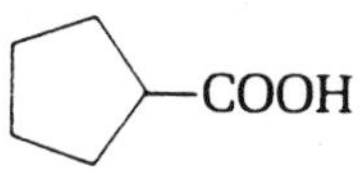

acide cyclopentanecarboxylique 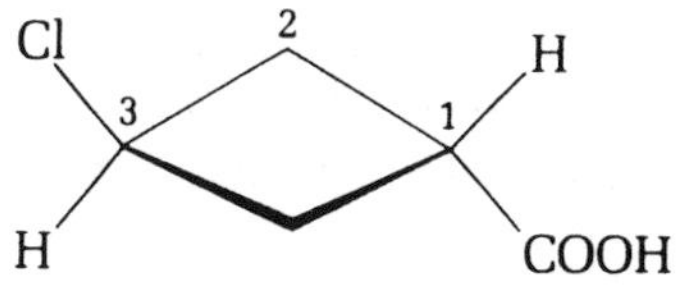   acide *trans*-3-chlorocyclobutanecarboxylique

On nomme les acides aromatiques en ajoutant le suffixe *-oïque* (ou *-ique*) au préfixe approprié dérivé de l'hydrocarbure aromatique. Exemples:

acide benzoïque
(acide benzène-
carboxylique)

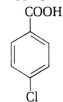

acide *p*-chlorobenzoïque
(acide 4-chlorobenzène-
carboxylique)

acide *o*-toluique
(acide 2-méthylbenzène-
carboxylique)

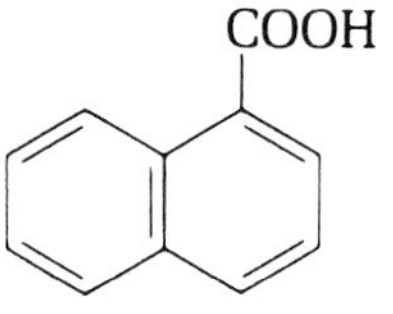

acide 1-naphtoïque
(acide 1-naphtalène-
carboxylique)

Problème 10.3   **Ecrire la formule:**
a. de l'acide 4,4-diméthylcyclohexanecarboxylique
b. de l'acide *m*-nitrobenzoïque.

Problème 10.4   **Donner un nom correct aux composés suivants:**

a. 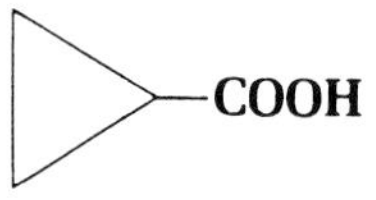 —**COOH**   b. 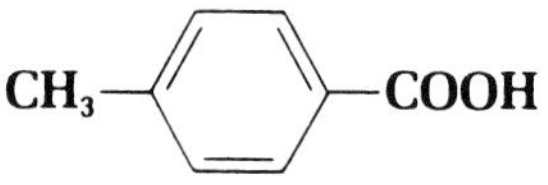 **CH₃**—**COOH**

c. 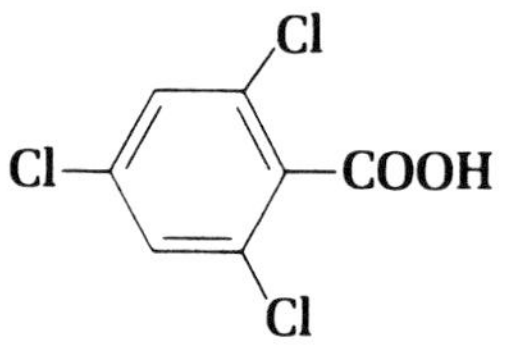 **Cl**—**COOH**

Enfin, il est utile d'avoir un nom pour tout **groupe acyle** R—C-. On les nomme en changeant la terminaison *-ique* de l'acide correspondant en *-yle*.

$$R-\overset{\overset{O}{\|}}{C}- \qquad H-\overset{\overset{O}{\|}}{C}- \qquad CH_3-\overset{\overset{O}{\|}}{C}-$$

groupe acyle   groupe formyle   groupe acétyle   groupe benzoyle

Problème 10.5   **Ecrire la formule de:**
a. l'acide 4-acétylbenzoïque   **b. le bromure de benzoyle**
c. le chlorure de butanoyle   **d. le fluorure d'hexanoyle**

10.3 Propriétés physiques des acides

Les premiers membres de la série des acides carboxyliques sont des liquides incolores, d'odeur piquante ou désagréable. L'acide acétique, qui constitue 4 à 5 % du vinaigre, est responsable de son odeur et de son goût caractéristiques. L'acide butyrique donne au beurre rance son odeur désagréable et les acides caproïque, caprylique et caprique ont l'odeur de la chèvre. La table 10.2 rassemble quelques propriétés physiques d'acides carboxyliques.

Table 10.2	Nom	Eb °C	F °C	Solubilité g/100 g H_2O à 25°C
Propriétés physiques de quelques acides carboxyliques	formique	101	8 ⎫	
	acétique	118	17 ⎪	miscible en toutes proportions
	propanoïque	141	−22 ⎬	
	butanoïque	164	−8 ⎭	
	caproïque	205	−1,5	1,0
	caprylique	240	17	0,06
	caprique	270	31	0,01
	benzoïque	249	122	0,4

Les acides carboxyliques sont polaires. Comme celles des alcools, leurs molécules sont liées entre elles par des liaisons hydrogènes, d'où leur point d'ébullition élevé, plus élevé même que celui des alcools de masse moléculaire voisine. Ainsi, l'acide acétique et l'alcool propylique, qui ont même masse moléculaire (60), bouillent respectivement à 118°C et 97°C. D'ailleurs, la détermination des masses moléculaires révèle que l'acide formique et l'acide acétique en solution dans un solvant non polaire, ou même à l'état de vapeur, se trouvent à l'état de dimères, deux molécules étant fermement tenues ensemble par deux liaisons hydrogènes.

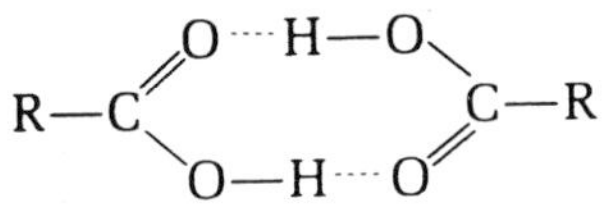

Ce type de liaisons permet aussi d'expliquer la solubilité dans l'eau des acides carboxyliques de faible masse moléculaire.

10.4 Acidité et constantes d'acidité

Dans l'eau, un acide carboxylique est dissocié en un ion hydronium et un **anion carboxylate**.

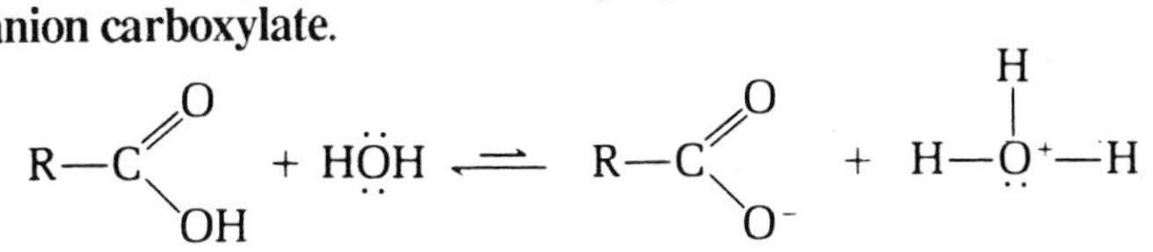

$$\text{(10.1)}$$

La **constante d'acidité** ou **constante d'ionisation** K_a est une mesure quantitative de l'acidité. (Avant de poursuivre plus avant, l'étudiant aura intérêt à revoir les paragraphes 7.6 et 7.7.) K_a est donnée par l'expression:

$$K_a = \frac{[RCO_2^-][H_3O^+]}{[RCO_2H]} \qquad \text{(10.2)}$$

Table 10.3	Nom	Formule	K_a	pK_a
Constantes d'ionisation de quelques acides	formique	HCOOH	$2,1 \times 10^{-4}$	3,68
	acétique	CH_3COOH	$1,8 \times 10^{-5}$	4,74
	propanoïque	CH_3CH_2COOH	$1,4 \times 10^{-5}$	4,85
	butanoïque	$CH_3CH_2CH_2COOH$	$1,6 \times 10^{-5}$	4,80
	chloracétique	$ClCH_2COOH$	$1,5 \times 10^{-3}$	2,82
	dichloracétique	$Cl_2CHCOOH$	$5,0 \times 10^{-2}$	1,30
	trichloracétique	CCl_3COOH	$2,0 \times 10^{-1}$	0,70
	2-chlorobutanoïque	$CH_3CH_2CHClCOOH$	$1,4 \times 10^{-3}$	2,85
	3-chlorobutanoïque	$CH_3CHClCH_2COOH$	$8,9 \times 10^{-5}$	4,05
	benzoïque	C_6H_5COOH	$6,6 \times 10^{-5}$	4,18
	o-chlorobenzoïque	$o\text{-}Cl\text{-}C_6H_4COOH$	$12,5 \times 10^{-4}$	2,90
	m-chlorobenzoïque	$m\text{-}Cl\text{-}C_6H_4COOH$	$1,6 \times 10^{-4}$	3,80
	p-chlorobenzoïque	$p\text{-}Cl\text{-}C_6H_4COOH$	$1,0 \times 10^{-4}$	4,00
	p-nitrobenzoïque	$p\text{-}NO_2\text{-}C_6H_4COOH$	$4,0 \times 10^{-4}$	3,40
	phénol	C_6H_5OH	$1,0 \times 10^{-10}$	10,0
	éthanol	CH_3CH_2OH	$1,0 \times 10^{-16}$	16,0
	eau	HOH	$1,8 \times 10^{-16}$	15,74

La table 10.3 donne la liste des constantes d'acidité d'acides carboxyliques et d'autres acides. Se rappeler que plus grande est la valeur de K_a, plus faible est celle de pK_a et plus fort est l'acide.

Exemple de Problème 10.1   De l'acide formique et de l'acide acétique, dire quel est le plus fort et de combien?

Solution   Ayant le K_a le plus élevé, l'acide formique est le plus fort. Le rapport des acidités est:

$$\frac{2,1 \times 10^{-4}}{1,8 \times 10^{-5}} = 1,16 \times 10^{1} = 11,6$$

Problème 10.6   A l'aide de la table 10.3, dire quel est le plus fort de l'acide acétique ou de l'acide chloracétique et de combien.

Pour pouvoir expliquer les différences d'acidité de la table 10.3, il nous faut préalablement examiner les origines d'ordre structural de l'acidité des acides.

10.5 La résonance dans l'ion carboxylate

Pourquoi les acides carboxyliques sont-ils beaucoup plus acides que les alcools et les phénols, alors que tous les trois sont ionisés par la perte d'un proton d '–OH ? Essentiellement parce que les possibilités de délocalisation de charge par résonance dans les anions résultants sont très différentes. (On a déjà comparé les alcools et les phénols de ce point de vue au paragraphe 7.7.) Prenons un exemple spécifique.

La table 10.3 montre que l'acide acétique est approximativement 10^{11} fois plus fort que l'éthanol.

$$CH_3CH_2OH \rightleftharpoons \underset{\text{ion éthanolate}}{CH_3CH_2O^-} + H^+ \qquad K_\alpha = 10^{-16} \qquad \text{(10.3)}$$

$$\underset{}{CH_3\overset{O}{\overset{\|}{C}}-OH} \rightleftharpoons \underset{\text{ion acétate}}{CH_3\overset{O}{\overset{\|}{C}}-O^-} + H^+ \qquad K_\alpha = 10^{-5} \qquad \text{(10.4)}$$

Dans l'ion éthanolate, la charge négative est localisée sur un unique atome d'oxygène. Mais, dans l'ion acétate, elle est délocalisée par résonance; elle est

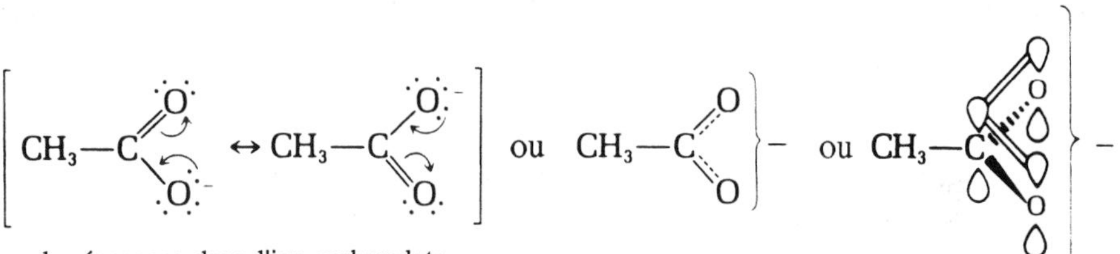

la résonance dans l'ion carboxylate

dispersée également sur les deux oxygènes, chacun d'eux portant donc, dans l'ion carboxylate, la moitié de cette charge. L'ion acétate, par exemple, est donc stabilisé par résonance en comparaison de l'ion éthanolate. Il s'ensuit que l'équilibre de l'équation 10.4 est déplacé vers la droite beaucoup plus que celui de l'équation 10.3. Il y a donc plus d'ions H^+ formés à partir de l'acide acétique qu'à partir de l'éthanol, c'est–à–dire que l'acide acétique est un acide plus fort que l'éthanol.

Exemple de Problème 10.2 **Les ions phénolates sont stabilisés par résonance comme les ions carboxylates. Pourquoi les phénols ne sont-ils pas des acides aussi forts que les acides carboxyliques?**

Solution **La délocalisation de la charge n'est pas aussi prononcée dans l'ion phénolate, car certaines formes limites de l'hybride de résonance portent leur charge négative sur un atome de carbone et non sur l'oxygène, détruisant ainsi l'aromaticité. Dans l'ion carboxylate, les deux formes limites sont identiques et ont leur charge négative sur l'oxygène, plus électronégatif que le carbone.**

La physique confirme l'importance de la résonance dans l'ion carboxylate. Par exemple, les deux liaisons carbone-oxygène de la molécule d'acide formique sont de longueurs différentes, alors que celles du formiate de sodium sont identiques, leur longueur étant intermédiaire entre la liaison double C=O et la liaison simple C—O.

acide formique   formiate de sodium

10.6 Structure et acidité. L'effet inductif

Les données de la table 10.3 montrent que l'acidité, même celle des acides carboxyliques (dont le groupe fonctionnel ionisant est le même), peut varier avec la présence ou l'absence d'autres groupes fonctionnels ou hétéroatomes au voisinage de la fonction carboxyle. Comparant, par exemple, le pK_a de l'acide acétique et ceux des acides mono-, di- et trichloro-acétiques, on constate un facteur de 10.000 dans les acidités.

Ce qui affecte ici surtout l'acidité, c'est l'**effet inductif** des atomes ou des groupes d'atomes proches du carboxyle, les attracteurs d'électrons exaltant l'acidité, tandis que les donneurs la réduisent.

Examinons les ions carboxylates formés par l'ionisation de l'acide acétique et de ses dérivés chlorés:

acétate   chloracétate   dichloracétate   trichloracétate

L'électronégativité du chlore étant plus forte que celle du carbone, la liaison C—Cl est polarisée, le chlore portant une charge négative partielle et le carbone une charge positive partielle. Les électrons des mono- et polychloracétates sont donc entraînés vers le (ou les) chlore(s). Cela disperse la charge négative sur davantage d'atomes que chez l'ion acétate lui-même et stabilise l'ion. Et plus il y a de chlores, plus grand est l'effet et plus élevée est la force de l'acide.

Exemple de Problème 10.3 **Interpréter l'ordre de stabilité des acides butanoïque et 2- et 3-chloro- butanoïques de la table 10.3?**

Solution **Par son effet inductif, la présence d'un chlore en C2 de l'acide butanoïque exalte nettement l'acidité. En fait, l'effet est pratiquement le même que celui du chlore de l'acide chloroacétique. Par contre, la présence d'un chlore en C3, donc plus éloigné du groupe carboxyle, provoque un même effet, mais beaucoup plus faible. Les effets inductifs s'amenuisent rapidement avec la distance.**

Problème 10.7 **Expliquer les acidités relatives de l'acide benzoïque et de ses dérivés *o*-, *m*- et *p*-chlorés (table 10.3).**

On a vu dans l'exemple de problème 10.1 que l'acide formique est 11,6 fois plus fort que l'acide acétique. Cela suggère que CH_3 est meilleur donneur d'électrons que H. Cette observation cadre avec ce qu'on a déjà signalé concernant la stabilité des carbocations, à savoir que les méthyles stabilisent le carbone positif.

10.7 Préparations des acides

Parmi les nombreuses méthodes de préparation des acides, on en décrira ici quatre, à savoir l'oxydation des alcools primaires ou des aldéhydes, l'oxydation des chaînes latérales des cycles aromatiques, la réaction du dioxyde de carbone avec les organomagnésiens et l'hydrolyse des nitriles.

10.7a Oxydation des alcools primaires et des aldéhydes On a déjà mentionné l'oxydation des alcools primaires (équations 7.30 et 7.33) et des aldéhydes (paragraphe 9.14) en acides carboxyliques.

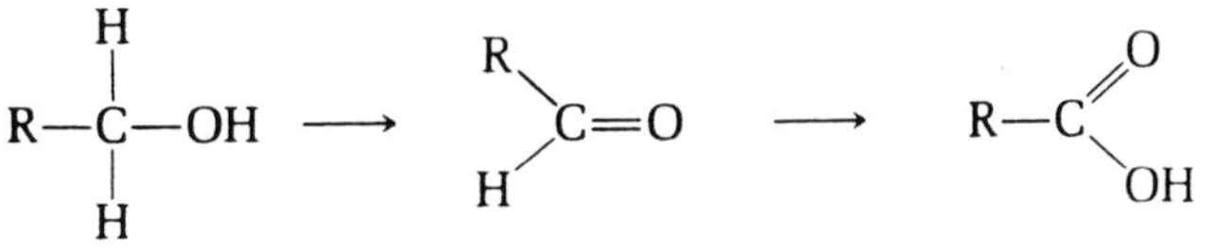

$$ \begin{array}{ccccc} \underset{\substack{| \\ H}}{\overset{\substack{H \\ |}}{R-C-OH}} & \longrightarrow & \underset{H}{\overset{R}{>}}C=O & \longrightarrow & R-C\overset{O}{\underset{OH}{<}} \end{array} \tag{10.5} $$

alcool   aldéhyde   acide
(une liaison C—O) (deux "liaisons" C—O) (trois "liaisons" C—O)

Les agents oxydants les plus utilisés pour cela sont le permanganate de potassium ($KMnO_4$), l'acide chromique (CrO_3), l'acide nitrique et, seulement avec les aldéhydes, l'oxyde d'argent (Ag_2O).

10.7b Oxydation des chaînes latérales des aromatiques C'est, en effet, un mode de préparation des acides aromatiques.

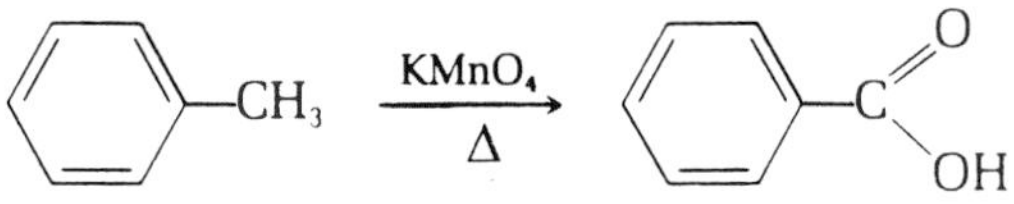

$$ \text{toluène} \xrightarrow[\Delta]{KMnO_4} \text{acide benzoïque} \tag{10.6} $$

Cette réaction montre une fois de plus la stabilité frappante du cycle aromatique, car ce n'est pas lui, mais le méthyle, donc le carbone d'alcane, qui est oxydé. Elle est importante industriellement. C'est ainsi qu'on produit l'acide téréphtalique, l'une des deux matières de base de la fabrication du Dacron (ou Térylène), au moyen de l'oxygène de l'air avec un catalyseur au cobalt.

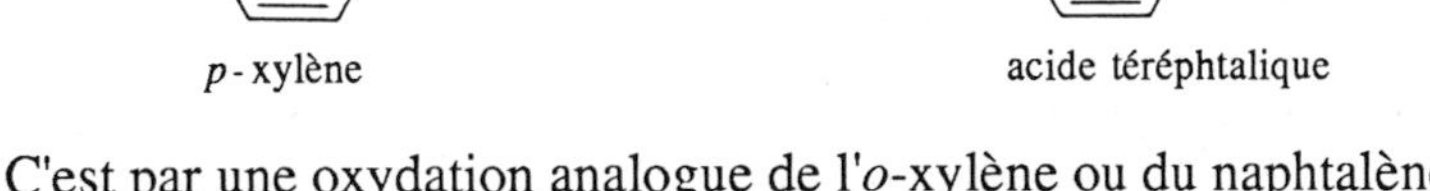

$$ p\text{-xylène} \xrightarrow[CH_3CO_2H]{O_2,\ Co(III)} \text{acide téréphtalique} \tag{10.7} $$

C'est par une oxydation analogue de l'o-xylène ou du naphtalène qu'on prépare l'acide phtalique utilisé pour faire des plastifiants, des résines et des matières colorantes.

$$\text{o-xylène} \xrightarrow[\text{CH}_3\text{CO}_2\text{H}]{\text{O}_2,\ \text{Co(III)}} \text{acide phtalique} \xleftarrow[400°]{\text{O}_2,\ \text{V}_2\text{O}_5} \text{naphtalène} \quad \textbf{(10.8)}$$

10.7c Carbonatation des réactifs de Grignard On a vu précédemment que les organomagnésiens s'additionnent au carbonyle des cétones et des aldéhydes pour donner des alcools. Ils s'additionnent de même au groupe carbonyle du dioxyde de carbone pour donner des acides.

$$R\text{—MgX} + O\text{=}C\text{=}O \rightarrow R\text{—}\overset{\overset{\displaystyle O}{\|}}{C}\text{—OMgX} \xrightarrow{HX} R\text{—}\overset{\overset{\displaystyle O}{\|}}{C}\text{—OH} + Mg^{2+}X_2^- \quad \textbf{(10.9)}$$

Les rendements sont très bons et c'est une excellente méthode de synthèse en laboratoire des acides aliphatiques et aromatiques. L'acide ainsi obtenu a un carbone de plus que l'halogénure d'alkyle ou d'aryle qui a servi à préparer le réactif de Grignard.

Problème 10.8   **Ecrire la réaction de préparation de l'acide benzoïque à partir du bromobenzène passant par l'intermédiaire d'un réactif de Grignard.**

10.7d Hydrolyse des nitriles La triple liaison carbone-azote des nitriles (ou cyanures d'alkyle) peut être hydrolysée pour donner un acide carboxylique. La réaction globale, qui nécessite un milieu acide ou basique, pourrait s'écrire

$$\underset{\text{nitrile}}{R\text{—C}\equiv N} + 2\ H_2O \xrightarrow[\text{OH}^-]{\text{H}^+\ \text{ou}} \underset{\text{acide}}{R\text{—}C\overset{\displaystyle O}{\underset{\displaystyle OH}{\big\langle}}} + NH_3 \quad \textbf{(10.10)}$$

En réalité, il y a d'abord addition d'une molécule d'eau sur la triple liaison carbone-azote avec formation d'un imino-alcool (analogue à un énol) qui s'isomérise en amide. Ce dernier, en milieu acide, conduit alors à l'acide carboxylique, et, en milieu basique, à l'anion carboxylate, l'atome d'azote du nitrile étant perdu à l'état de sel d'ammonium ou d'ammoniac respectivement.

$$R\text{—}C\equiv N \xrightarrow{H_2O} \underset{\text{imino-alcool}}{R\text{—}\overset{\overset{\displaystyle OH}{|}}{C}\text{=}NH} \longrightarrow R\text{—}\overset{\overset{\displaystyle O}{\|}}{C}\text{—}NH_2 \begin{array}{l} \overset{\displaystyle H_2SO_4}{\nearrow} R\text{–COOH} + HSO_4NH_4 \\[6pt] \underset{\displaystyle NaOH}{\searrow} R\text{–COONa} + NH_3 \end{array} \quad \textbf{(10.11)}$$

On prépare généralement le nitrile à partir de l'halogénure d'alkyle correspondant (le plus souvent primaire) et de cyanure de sodium par une réaction S_N2. Exemple:

$$\underset{\text{bromure de propyle}}{CH_3CH_2CH_2\,Br} \xrightarrow{NaCN} \underset{\substack{\text{butyronitrile}\\ \text{(butanenitrile)}}}{CH_3CH_2CH_2\,CN} \xrightarrow[\text{H}^+]{H_2O} \underset{\substack{\text{acide butyrique}\\ \text{(acide butanoïque)}}}{CH_3CH_2CH_2\,CO_2H} + NH_4^+ \quad \textbf{(10.12)}$$

Le nom qu'on donne d'habitude au nitrile dérive de celui de l'acide correspondant, dont on change le suffixe -*oïque* en -*onitrile* (exemple: le butyronitrile de l'équation 10.12). Dans le système IUPAC, on nomme le nitrile en ajoutant le suffixe -*nitrile* au nom de l'alcane qui a même nombre d'atomes de carbone (exemple: le butanenitrile de l'équation 10.12). Pour nommer les nitriles, on les considère aussi parfois comme des cyanures d'alkyle.

Exemple de Problème 10.4   Donner trois façons de nommer CH_3CN.

Solution   **Acétonitrile (il donne de l'acide acétique par hydrolyse), éthanenitrile (IUPAC) et cyanure de méthyle. Le premier de ces noms est le plus utilisé.**

Remarquons que l'acide obtenu, tant dans l'hydrolyse des nitriles que dans la carbonatation des réactifs de Grignard, a un atome de carbone de plus que l'halogénure d'alkyle de départ, les deux méthodes permettant d'allonger une chaîne carbonée.

Problème 10.9   Ecrire deux réactions permettant de faire la synthèse d'acide phénylacétique à partir du bromure de benzyle.

10.8 Dérivés des acides carboxyliques

Les dérivés des acides carboxyliques ici examinés sont ceux dont l' –OH du groupe carboxyle est remplacé par un autre groupe (ou un autre atome).

On traitera préalablement des **sels**, qui sont formés quand on neutralise ces acides par des bases. Exemple:

$$R-C\overset{\displaystyle O}{\underset{\displaystyle OH}{\big<}} \quad Na^+OH^- \; \rightleftharpoons \; R-C\overset{\displaystyle O}{\underset{\displaystyle O^-Na^+}{\big<}} \quad + \; H_2O \tag{10.13}$$

On peut isoler ces sels en évaporant l'eau. On les nomme en changeant la terminaison -*ique* de l'acide en -*ate*. Exemples:

$CH_3COO^-Na^+$ $C_6H_5COO^-K^+$ $(CH_3CH_2COO^-)_2Ca^{2+}$

acétate de sodium   benzoate de potassium   propanoate de calcium

Exemple de Problème 10.5   Nommer le sel $CH_3CH_2CH_2COO^-NH_4^+$.

Solution   **Butanoate d'ammonium (IUPAC) ou butyrate d'ammonium (nom courant).**

Problème 10.10   **Ecrire la réaction, analogue à l'équation 10.13, de la préparation du 3-bromopropanoate de potassium à partir de l'acide correspondant.**

La suite du présent chapitre est consacrée à la préparation et aux réactions des plus importants des dérivés des acides: les esters et les amides, très répandus dans la nature, les anhydrides d'acides, très rares, et les halogénures d'acyle, qui ne sont que des produits de laboratoire.

$$\underset{\text{ester}}{R-\overset{\overset{\displaystyle O}{\|}}{C}-OR'} \qquad \underset{\text{halogénure d'acyle}}{R-\overset{\overset{\displaystyle O}{\|}}{C}-X} \quad \underset{\text{X = Cl ou Br}}{\text{(Ordinairement}} \qquad \underset{\text{anhydride d'acide}}{R-\overset{\overset{\displaystyle O}{\|}}{C}-O-\overset{\overset{\displaystyle O}{\|}}{C}-R} \qquad \underset{\text{amide primaire}}{R-\overset{\overset{\displaystyle O}{\|}}{C}-NH_2}$$

10.9 Esters

Les esters dérivent des acides par le remplacement de leur groupe OH par un groupe OR. Leur nomenclature est analogue à celle des sels.

$$\underset{\substack{\text{acétate de méthyle}\\ \text{Eb 57°C}}}{CH_3\overset{\overset{\displaystyle O}{\|}}{C}-OCH_3} \qquad \underset{\substack{\text{acétate d'éthyle}\\ \text{Eb 77°C}}}{CH_3\overset{\overset{\displaystyle O}{\|}}{C}-OCH_2CH_3} \qquad \underset{\substack{\text{butanoate de méthyle}\\ \text{Eb 102,3°}}}{CH_3CH_2CH_2\overset{\overset{\displaystyle O}{\|}}{C}-OCH_3}$$

$$\underset{\substack{\text{acétate de phényle}\\ \text{Eb 195,7°C}}}{CH_3\overset{\overset{\displaystyle O}{\|}}{C}-O-\bigcirc} \qquad \underset{\substack{\text{benzoate de méthyle}\\ \text{Eb 196,6°C}}}{\bigcirc-\overset{\overset{\displaystyle O}{\|}}{C}-OCH_3}$$

Problème 10.11   Nommer les composés suivants:
                      a. $HCOOCH_3$ b. $CH_3CH_2COOCH_2CH_2CH_3$

Problème 10.12   Ecrire la formule:
                      a. de l'acétate de n-pentyle   b. du 2-méthylpropanoate d'éthyle

Beaucoup d'esters sont des composés d'odeur agréable, responsables du parfum et de la saveur des fruits et des fleurs. Parmi les plus courants, citons l'acétate de pentyle (bananes), l'acétate d'octyle (oranges), le butyrate d'éthyle (ananas) et le butyrate de pentyle (abricots). Les arômes naturels peuvent être extrêmement complexes. Par exemple, on a identifié pas moins de 53 esters parmi les substituants volatils de la poire Bartlett. On utilise aussi des mélanges d'esters pour faire des parfums artificiels.

10.10 Préparation des esters. L'estérification de Fischer

Quand on chauffe le mélange d'un acide carboxylique et d'un alcool en présence d'un catalyseur acide (HCl ou H_2SO_4 par exemple), il s'établit un équilibre avec le mélange eau + ester.

$$\underset{\text{acide}}{R-\overset{\overset{\displaystyle O}{\|}}{C}-OH} + \underset{\text{alcool}}{HO-R'} \overset{H^+}{\rightleftharpoons} \underset{\text{ester}}{R-\overset{\overset{\displaystyle O}{\|}}{C}-OR'} + H_2O \qquad\qquad \textbf{(10.14)}$$

C'est la réaction dite **estérification de Fischer** (E. Fischer, chimiste organicien du XIXe siècle). Bien qu'il s'agisse d'un équilibre, en le déplaçant sur la droite, on peut ainsi préparer des esters avec des rendements élevés. Cela peut être obtenu de différentes manières: ou bien, si l'alcool ou l'acide est bon marché, on en utilise un gros excès; ou bien, lorsque c'est possible, on élimine l'ester ou (et) l'eau par distillation au fur et à mesure de sa formation.

Problème 10.13 **Ecrire l'équation, analogue à l'équation 10.14, de la préparation de l'acétate de *n*-butyle à partir de l'acide et de l'alcool nécessaires.**

10.11 Mécanisme de l'estérification acido-catalysée

Considérant l'équation 10.14, on peut s'interroger sur l'origine de la molécule d'eau: est-elle formée à partir de l'H de l'acide et de l'OH de l'alcool ou bien l'inverse ? Autrement dit, l'O de la molécule d'eau provient-il de l'acide ou de l'alcool? Question banale a priori; mais, connaissant la réponse, on comprend beaucoup mieux la chimie des acides, des esters et de leurs dérivés.

On a eu cette réponse en faisant appel au marquage isotopique. On a réalisé l'estérification acido-catalysée de l'acide benzoïque avec du méthanol enrichi en l'isotope ^{18}O de l'oxygène. On a obtenu du benzoate de méthyle marqué.

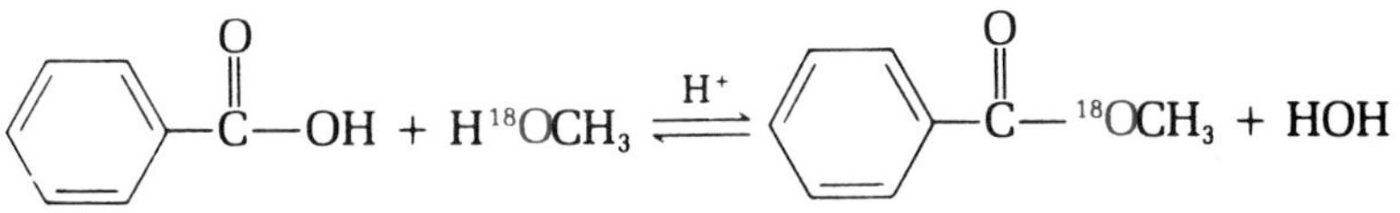

benzoate de méthyle

(10.15)

Il n'y a pas de ^{18}O dans l'eau. Celle-ci est donc formée à partir de l'OH de l'acide et de l'H de l'alcool. Autrement dit, dans l'estérification de Fischer, le groupe –OR de l'alcool remplace le groupe –OH de l'acide.

Le mécanisme suivant (par commodité, l'oxygène marqué est coloré) permet d'interpréter ce fait expérimental.

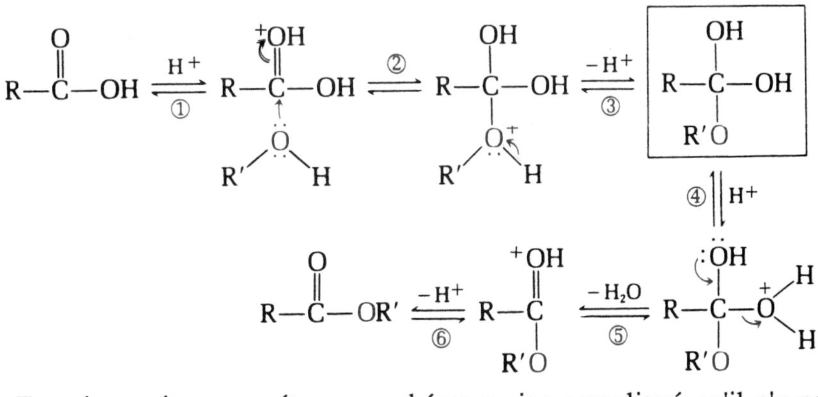

(10.16)

Examinons étape par étape ce schéma moins compliqué qu'il n'y paraît en réalité.

L'étape 1 est la catalyse acide. Il y a protonation réversible du groupe carbonyle de l'acide, laquelle – comme on l'a vu avec les aldéhydes et les cétones (équation 9.4) – accroît la charge positive du carbone et exalte sa disponibilité aux attaques nucléophiles.

L'étape 2 est cruciale. C'est l'addition nucléophile de l'alcool à l'acide protoné, à savoir la formation de la nouvelle liaison carbone-oxygène (la liaison ester).

Les étapes 3 et 4 sont des équilibres dans lesquels un proton passe d'un oxygène à l'autre, équilibres réversibles, extrêmement rapides, invariablement subis par tout composé oxygéné en solution acide. Peu importe l'OH protoné dans l'étape 4, puisque tous deux sont équivalents.

L'étape 5 est la rupture d'une liaison carbone-oxygène et la perte d'eau. C'est l'inverse de l'étape 2. Elle n'a lieu que parce que l'OH est protoné et voit ainsi accrue son aptitude de groupe partant.

Finalement, dans **l'étape 6**, l'ester protoné se stabilise en perdant son proton; c'est l'inverse de l'étape 1.

L'équation 10.16 nous apprend autre chose. On part d'un acide, c'est-à-dire d'un carbone trigonal et hybridé sp^2, celui du carboxyle. On termine avec un ester, c'est-à-dire ici aussi avec un carbone trigonal et hybridé sp^2. Mais on passe par l'intermédiaire d'une espèce neutre (qui est encadrée pour plus de commodité) dont le carbone porte quatre groupes, qui est donc hybridé sp^3 et tétraédrique. En omettant toutes les étapes de l'équation 10.16 qui impliquent un transfert de proton, la réaction est essentiellement :

$$R\overset{\overset{\textstyle O}{\|}}{-}C-OH + R'OH \rightleftharpoons R\overset{\overset{\textstyle OH}{|}}{\underset{\underset{\textstyle R'O}{|}}{-}}C-OH \rightleftharpoons R\overset{\overset{\textstyle O}{\|}}{-}C-OR' + HOH \qquad (10.17)$$

$$sp^2 \qquad\qquad\qquad sp^3 \qquad\qquad sp^2$$

Le résultat de ce processus est donc le suivant: le groupe OR' de l'alcool est substitué au groupe OH de l'acide. Mais la réaction n'est pas une substitution directe. Elle a lieu, au contraire, en deux étapes: addition nucléophile, puis élimination. On verra, d'ailleurs, dans les paragraphes suivants du présent chapitre, que c'est le cas de toutes les substitutions nucléophiles au niveau du carbone du carbonyle des dérivés des acides.

Problème 10.14   **A l'aide de l'équation 10.16, écrire les étapes du mécanisme de la préparation acido-catalysée de l'acétate d'éthyle à partir d'acide acétique et d'éthanol. Aux USA, cette méthode est utilisée industriellement pour produire annuellement plus de 50.000 tonnes d'acétate d'éthyle, employé notamment comme solvant dans l'industrie des peintures. C'est lui aussi qu'on utilise comme solvant du vernis à ongle et de diverses colles.**

Toutes les étapes de l'équation 10.16 étant réversibles, il est possible d'hydrolyser un ester en l'acide et l'alcool correspondants en le traitant par un catalyseur acide avec un gros excès d'eau. Cependant, on verra ci-après qu'on hydrolyse les esters plus facilement au moyen d'une base.

10.12 Saponification des esters

On appelle **saponification** (du latin *sapo*, savon) l'hydrolyse alcaline des esters. C'est, en effet, ce type de réaction qu'on utilise pour faire des savons à partir des corps gras (chapitre 11). La réaction générale est:

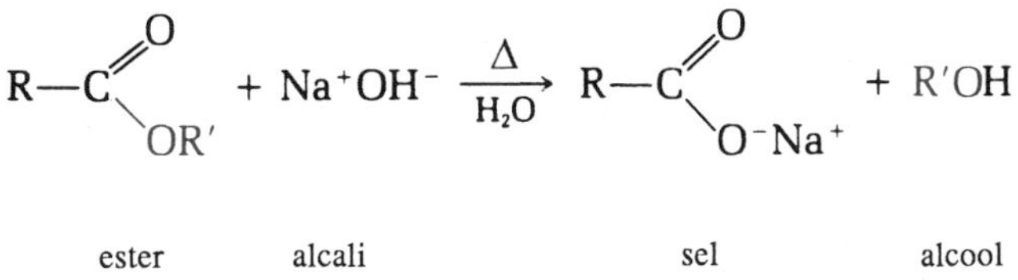

$$R-C{\overset{O}{\underset{OR'}{}}} + Na^+OH^- \xrightarrow[H_2O]{\Delta} R-C{\overset{O}{\underset{O^-Na^+}{}}} + R'OH \tag{10.18}$$

ester   alcali   sel   alcool

Le mécanisme met en jeu l'attaque nucléophile du carbone du carbonyle de l'ester par un ion hydroxyde:

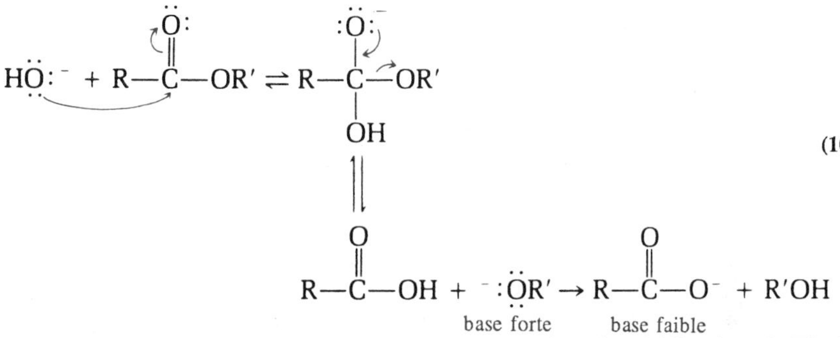

$$HÖ:^- + R-\overset{\overset{\displaystyle \ddot{O}:}{\|}}{C}-OR' \rightleftharpoons R-\overset{\overset{\displaystyle :\ddot{O}:^-}{|}}{\underset{\overset{\displaystyle |}{OH}}{C}}-OR' \tag{10.19}$$

$$R-\overset{O}{\overset{\|}{C}}-OH + {}^-:\ddot{O}R' \rightarrow R-\overset{O}{\overset{\|}{C}}-O^- + R'OH$$

base forte   base faible

On notera la similitude de ce mécanisme et de celui de l'estérification de Fischer. Encore une fois, l'étape clé est une addition nucléophile sur le groupe carbonyle. Ici aussi, il y a formation d'un intermédiaire à carbone tétraédrique, alors que le réactant et le produit sont à carbone trigonal. La saponification n'est pas réversible parce que, dans l'étape finale, l'ion alcoolate fortement basique enlève un proton à l'acide, formant un ion carboxylate et une molécule d'alcool.

Problème 10.15   **Ecrire les différentes étapes de la saponification du benzoate de méthyle.**

Un intérêt de la saponification c'est qu'elle permet de déterminer la structure d'esters naturels en les décomposant en leurs deux parties acide et alcool.

L'ammoniolyse convertit les esters en amides.

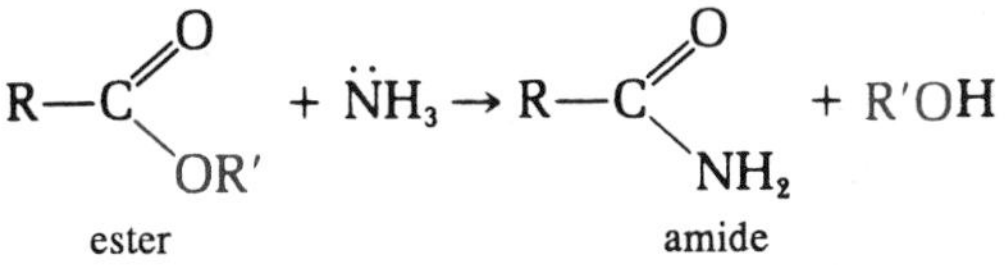

$$R-C{\overset{O}{\underset{OR'}{}}} + \overset{..}{N}H_3 \rightarrow R-C{\overset{O}{\underset{NH_2}{}}} + R'OH \tag{10.20}$$

ester   amide

Le mécanisme est très voisin de celui de la saponification, l'attaque nucléophile du carbonyle de l'ester étant celle de la paire d'électrons libres portés par l'azote de l'ammoniac.

Problème 10.16   **Donner la réaction de l'acétate d'éthyle avec l'ammoniac.**

10.13 Réaction des esters avec les réactifs de Grignard

Un ester réagit avec deux équivalents d'un organomagnésien pour donner un alcool tertiaire. La réaction procède d'abord par une attaque nucléophile du carbonyle de l'ester. Il y a formation d'une cétone, qui réagit alors (voir l'équation 9.16) avec l'organomagnésien et, par hydrolyse acide, on obtient un alcool tertiaire.

La méthode est particulièrement intéressante pour la préparation des alcools tertiaires dont deux au moins des groupes alkyles sont les mêmes.

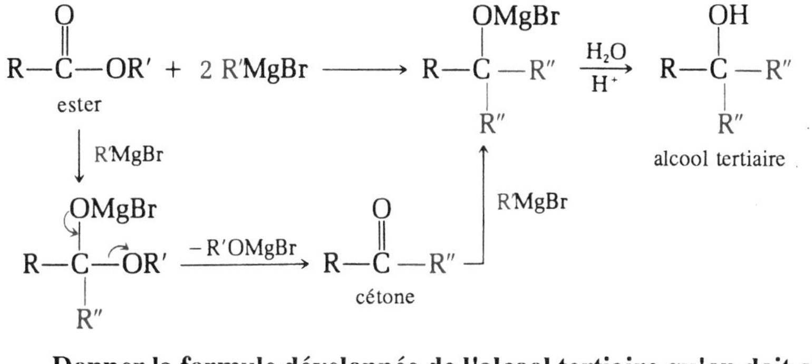

$$
\underset{\text{ester}}{R-\overset{\overset{\displaystyle O}{\|}}{C}-OR'} + 2\ R'MgBr \longrightarrow \underset{\underset{\displaystyle R''}{|}}{R-\overset{\overset{\displaystyle OMgBr}{|}}{C}-R''} \xrightarrow[H^+]{H_2O} \underset{\underset{\displaystyle R''}{|}}{R-\overset{\overset{\displaystyle OH}{|}}{C}-R''}
$$

alcool tertiaire

$$
\downarrow R'MgBr \qquad\qquad\qquad \uparrow R'MgBr
$$

(10.21)

$$
\underset{\underset{\displaystyle R''}{|}}{R-\overset{\overset{\displaystyle OMgBr}{|}}{C}-OR'} \xrightarrow{-R'OMgBr} \underset{\text{cétone}}{R-\overset{\overset{\displaystyle O}{\|}}{C}-R''}
$$

Problème 10.17 **Donner la formule développée de l'alcool tertiaire qu'on doit obtenir à partir du cyclopropanecarboxylate de méthyle et d'un excès de bromure de phénylmagnésium.**

10.14 Réduction des esters

L'alumino-hydrure de lithium permet de réduire les esters en alcools.

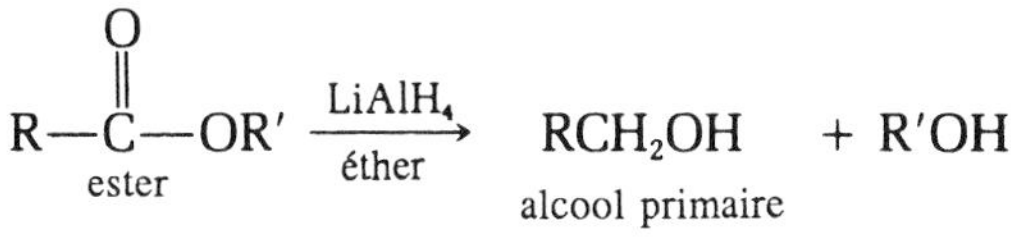

$$
\underset{\text{ester}}{R-\overset{\overset{\displaystyle O}{\|}}{C}-OR'} \xrightarrow[\text{éther}]{LiAlH_4} \underset{\text{alcool primaire}}{RCH_2OH} + R'OH
$$

(10.22)

Le mécanisme est analogue à celui de la réduction des autres composés carbonylés par les hydrures (équation 9.32).

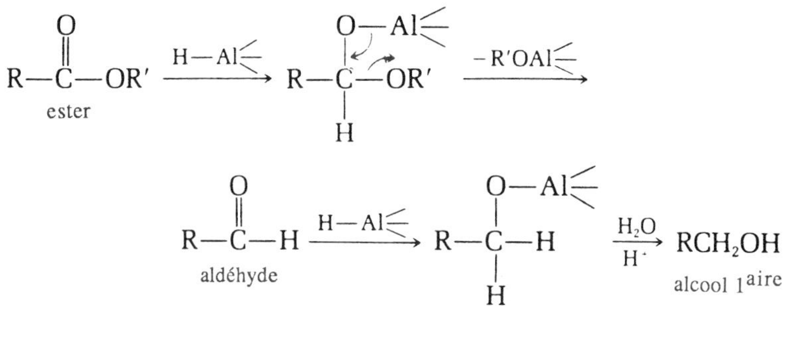

$$
\underset{\text{ester}}{R-\overset{\overset{\displaystyle O}{\|}}{C}-OR'} \xrightarrow{H-Al\lessgtr} \underset{\underset{\displaystyle H}{|}}{R-\overset{\overset{\displaystyle O-Al\lessgtr}{|}}{C}-OR'} \xrightarrow{-R'OAl\lessgtr}
$$

$$
\underset{\text{aldéhyde}}{R-\overset{\overset{\displaystyle O}{\|}}{C}-H} \xrightarrow{H-Al\lessgtr} \underset{\underset{\displaystyle H}{|}}{R-\overset{\overset{\displaystyle O-Al\lessgtr}{|}}{C}-H} \xrightarrow[H^+]{H_2O} \underset{\text{alcool 1}^{\text{aire}}}{RCH_2OH}
$$

(10.23)

10.15 Activation des groupes acyles

Beaucoup de réactions des acides carboxyliques, des esters et des composés apparentés mettent en jeu une attaque nucléophile sur le carbone du carbonyle. On a vu, par exemple, l'estérification de Fischer, la saponification et l'ammoniolyse des esters, leur réaction (le premier stade) avec les réactifs de Grignard ou avec l'alumino-hydrure de lithium. On peut généraliser ces réactions par l'équation suivante:

$$
\underset{\substack{sp^2}}{\underset{L}{\overset{R}{\diagdown}} C \!\!=\!\! \ddot{O}:} + :Nu \overset{\textcircled{1}}{\rightleftharpoons} \underset{\substack{\text{intermédiaire}\\\text{tétraédrique}}}{\underset{\substack{L}}{\overset{:\overset{..}{\overset{..}{O}}:^-}{\underset{R''''}{\overset{|}{C}}\diagdown Nu}}} \overset{\textcircled{2}}{\rightleftharpoons} \underset{\substack{Nu \\ sp^2}}{\overset{R}{\diagdown} C \!=\! \ddot{O}:} + :L \tag{10.24}
$$

Le carbone du carbonyle, initialement trigonal, est d'abord attaqué par le nucléophile Nu: et donne un **intermédiaire tétraédrique** (étape 1). La perte du groupe partant : L (étape 2) régénère alors le carbonyle avec son atome de carbone trigonal. On a donc remplacé L par **Nu**.

Les biochimistes considèrent différemment l'équation 10.24. La réaction globale est pour eux un **transfert d'acyle**: le groupe acyle est transféré de L à **Nu**.

Quoi qu'il en soit, un élément important qui peut affecter la vitesse de l'une et l'autre étape est la nature du groupe partant **L**. La vitesse des deux étapes est accrue quand est augmenté le pouvoir électro-attracteur de **L**, l'étape 1, parce que le carbone du carbonyle est alors plus positif donc plus sensible à l'attaque nucléophile, l'étape 2, parce que **L** sera un groupe partant d'autant meilleur qu'il sera électronégatif.

En général, les esters sont moins réactifs avec les nucléophiles que les aldéhydes et les cétones. C'est parce que, dans les esters, la charge positive du carbone du carbonyle est délocalisée sur l'oxygène de la liaison simple C—O voisine.

$$
\left[\ \underset{R'}{\overset{R}{\diagdown}} C \!\!=\!\! \ddot{O}: \leftrightarrow \underset{R'}{\overset{R}{\diagdown}} C^+ \!\!-\! \ddot{O}:^- \ \right] \qquad \left[\ \underset{R'\ddot{O}:}{\overset{R}{\diagdown}} C \!\!=\!\! \ddot{O}: \leftrightarrow \underset{R'\ddot{O}:}{\overset{R}{\diagdown}} C^+ \!\!-\! \ddot{O}:^- \leftrightarrow \underset{R'\overset{+}{O}}{\overset{R}{\diagdown}} C \!-\! \ddot{O}:^- \ \right]
$$

la résonance dans les aldéhydes   la résonance dans les esters
et les cétones

Il s'ensuit que le carbone du carbonyle est moins positif dans les esters que dans les aldéhydes ou les cétones, donc moins susceptible d'attaque nucléophile.

Examinons maintenant comment exalter la réactivité du groupe carbonyle vis-à-vis des nucléophiles.

10.16 Halogénures d'acides

Les **halogénures d'acides** (ou d'acyle) sont parmi les plus réactifs des dérivés des acides carboxyliques. Les plus courants et les moins chers sont les chlorures d'acides. On les prépare d'ordinaire en traitant les acides par le chlorure de thionyle ou le pentachlorure de phosphore (comparer avec le paragraphe 7.11).

$$
\underset{\substack{\text{chlorure}\\\text{de thionyle}}}{R\!-\!\overset{\displaystyle O}{\overset{\|}{C}}\diagdown_{OH} \ + \ SOCl_2} \ \rightarrow \ R\!-\!\overset{\displaystyle O}{\overset{\|}{C}}\diagdown_{Cl} \ + \ HCl\uparrow \ + \ SO_2\uparrow \tag{10.25}
$$

$$R-\overset{\overset{\displaystyle O}{\|}}{C}-OH \ + \ PCl_5 \ \rightarrow \ R-\overset{\overset{\displaystyle O}{\|}}{C}-Cl \ + \ HCl \ + \ POCl_3 \qquad (10.26)$$

pentachlorure   oxychlorure
de phosphore   de phosphore

Problème 10.18   **A l'aide de l'équation 10.25, écrire la réaction de préparation du chlorure de benzoyle.**

Les halogénures d'acides ont une odeur irritante. Certains, tel le chlorure de benzoyle, sont des lacrymogènes.

Les halogénures d'acides réagissent rapidement avec la plupart des nucléophiles. Puisqu'ils réagissent avec l'eau, ils fument à l'air.

$$CH_3-\overset{\overset{\displaystyle O}{\|}}{C}-Cl \ + \ HOH \ \xrightarrow{\text{rapide}} \ CH_3-\overset{\overset{\displaystyle O}{\|}}{C}-OH \ + \ HCl \qquad (10.27)$$

chlorure d'acétyle   acide acétique   (fumées)

Problème 10.19   **Pourquoi les halogénures d'acides irritent-ils le nez?**

Les halogénures d'acides réagissent rapidement avec les alcools pour former des esters.

$$\text{(C}_6\text{H}_5)-\overset{\overset{\displaystyle O}{\|}}{C}-Cl \ + \ CH_3OH \ \xrightarrow[\text{ambiante}]{\text{température}} \ \text{(C}_6\text{H}_5)-\overset{\overset{\displaystyle O}{\|}}{C}-OCH_3 \ + \ HCl \qquad (10.28)$$

chlorure de benzoyle   benzoate de méthyle

En effet, la manière la plus commode de préparer un ester en laboratoire est de convertir l'acide carboxylique en son chlorure d'acide et de mettre ce dernier en réaction avec un alcool. Bien que deux étapes soient ici nécessaires (on a vu que la méthode d'estérification de Fischer ne comporte qu'une étape), ce procédé peut être préférable, notamment si l'acide ou l'alcool est cher. (On a vu aussi que l'estérification de Fischer est une réaction équilibrée et qu'elle nécessite souvent un gros excès de l'un des réactants.)

Les halogénures d'acides réagissent rapidement avec l'ammoniac pour former des amides.

$$CH_3\overset{\overset{\displaystyle O}{\|}}{C}-Cl \ + \ 2\,NH_3 \rightarrow CH_3\overset{\overset{\displaystyle O}{\|}}{C}-NH_2 \ + \ NH_4^+Cl^- \qquad (10.29)$$

chlorure d'acétyle   acétamide

La réaction est beaucoup plus rapide que l'ammoniolyse des esters. Il faut cependant deux équivalents d'ammoniac, un pour former l'amide et un autre pour neutraliser l'acide chlorhydrique.

Exemple de Problème 10.6   **Pourquoi les chlorures d'acides sont-ils plus réactifs que les esters vis-à-vis des nucléophiles?**

Solution   **L'ordre des électronégativités est   Cl > OR. Le carbone du carbonyle est donc plus positif dans les halogénures d'acides que dans les esters et plus réactif vis-à-vis des nucléophiles. De plus, Cl⁻ est un meilleur groupe partant que RO⁻.**

10.17 Anhydrides d'acides

On passe de l'acide à l'anhydride d'acide en enlevant une molécule d'eau à deux molécules d'acide.

$$\underset{\text{deux molécules d'acide}}{\underset{O}{\overset{O}{R-C-OH}} \quad \underset{O}{\overset{O}{HO-C-R}}} \qquad \underset{\text{anhydride d'acide}}{\underset{O}{\overset{O}{R-C-O-C-R}}}$$

L'anhydride aliphatique le plus important industriellement est l'**anhydride acétique.** La production annuelle est voisine du million de tonnes, son utilisation essentielle étant sa réaction avec les alcools pour donner des acétates, notamment l'acétate de cellulose et l'aspirine.

Vis-à-vis des nucléophiles, les anhydrides d'acides sont plus réactifs que les esters, mais moins que les halogénures d'acides. Voici quelques réactions typiques de l'anhydride acétique:

$$\underset{\text{anhydride acétique}}{CH_3-\overset{O}{\overset{\|}{C}}-O-\overset{O}{\overset{\|}{C}}-CH_3}
\begin{array}{l}
\overset{HO-H}{\longrightarrow} \underset{\text{acide}}{CH_3\overset{O}{\overset{\|}{C}}-OH + CH_3\overset{O}{\overset{\|}{C}}-OH} \\[2ex]
\overset{RO-H}{\longrightarrow} \underset{\text{ester}}{CH_3\overset{O}{\overset{\|}{C}}-OR + CH_3\overset{O}{\overset{\|}{C}}-OH} \\[2ex]
\overset{NH_2-H}{\longrightarrow} \underset{\text{amide}}{CH_3\overset{O}{\overset{\|}{C}}-NH_2 + CH_3\overset{O}{\overset{\|}{C}}-OH}
\end{array}
\qquad (10.30)$$

Par action de l'eau sur les anhydrides d'acides, on retourne à l'acide, tandis que les alcools donnent des esters et l'ammoniac des amides. Dans tous les cas est également formé un équivalent de l'acide.

Problème 10.20   **Ecrire la réaction de l'anhydride acétique avec le 1-butanol.**

A PROPOS DES TRANSPORTEURS DE GROUPES ACYLES ACTIVÉS DANS LA NATURE

Le tranfert d'acyle joue un rôle important dans de nombreux processus biochimiques. Mais les halogénures et les anhydrides d'acyle (ou d'acide) sont trop corrosifs pour être des constituants de la cellule; ils sont très rapidement hydrolysés par l'eau et donc incompatibles avec le liquide cellulaire. Par contre, beaucoup d'esters ordinaires réagissent trop lentement avec les nucléophiles pour donner lieu facilement au transfert d'acyle aux températures du corps humain. Mais, dans la cellule, les groupes acyles sont activés par d'autres groupes. Le plus important est un thiol complexe, le *coenzyme A* (A pour acétylation, l'une des fonctions de cet enzyme) ou CoA–SH (voir figure 10.1). Ce coenzyme est constitué de trois parties: adénosine diphosphate (ADP), acide pantothénique (une vitamine) et 2-amino-éthanethiol; mais c'est ce groupe thiol qui en est le site réactif. Le coenzyme A forme des *thioesters*, qui sont alors des agents de transfert d'acyle activé. Parmi ces thioesters, le plus important est celui dont le groupe acyle est l'unité acétyle. C'est l'*acétyl-coenzyme A* (CH$_3$CO–S–CoA). Sa réaction avec beaucoup de nucléophiles donne lieu au transfert du groupe acétyle.

$$CH_3CO\text{–}S\text{–}CoA \quad + \quad Nu\text{:} \quad \xrightarrow[\text{enzyme}]{H_2O} \quad CH_3CO\text{–}Nu \quad + \quad CoA\text{–}SH$$

Le plus souvent un enzyme intermédiaire intervient dans ces réactions, qui ont lieu alors rapidement à la température ordinaire de la cellule.

Une question se pose: à quoi attribuer la supériorité des thioesters sur les esters ordinaires comme agents de transfert d'acyle? Une réponse possible est la différence d'acidité entre les alcools et les thiols (paragraphe 7.18). Les thiols étant des acides environ 10^6 fois plus forts que les alcools, leurs bases conjuguées RS$^-$ sont des bases 10^6 fois plus faibles que les bases RO$^-$. Il s'ensuit que, dans les substitutions nucléophiles, le groupe –SR des thioesters est un meilleur groupe partant que le groupe –OR des esters ordinaires. La réactivité des thioesters n'est pas telle qu'ils s'hydrolysent dans le liquide cellulaire, mais ils sont nettement plus réactifs que les esters simples. La nature met à profit cette particularité.

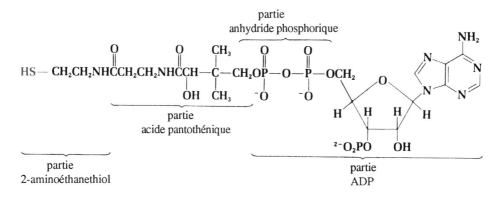

Figure 10.1 Coenzyme A.

10.18 Amides

Les amides sont les moins réactifs des dérivés courants des acides carboxyliques. Il n'est donc pas étonnant qu'ils soient très répandus dans la nature. Les plus importants sont les protéines. On consacrera un chapitre particulier (chapitre 14) à ces dernières. On se limitera ici à l'étude de quelques propriétés des amides simples.

Les amides simples, de formule générale RCONH$_2$, peuvent être préparés par action d'ammoniac sur les esters (équation 10.20), sur les halogénures d'acides (équation 10.29) ou sur les anhydrides d'acides (équation 10.30). On peut aussi les obtenir par chauffage des sels d'ammonium des acides carboxyliques.

$$R-\overset{\overset{\displaystyle O}{\|}}{C}-OH + NH_3 \rightarrow R-\overset{\overset{\displaystyle O}{\|}}{C}-O^-NH_4^+ \xrightarrow{\Delta} R-\overset{\overset{\displaystyle O}{\|}}{C}-NH_2 + H_2O \quad (10.31)$$

sel d'ammonium   amide

D'ordinaire, on nomme les amides en remplaçant la terminaison *–ique* ou *-oïque* des acides par la terminaison *-amide*. Exemples (les noms IUPAC sont donnés entre parenthèses):

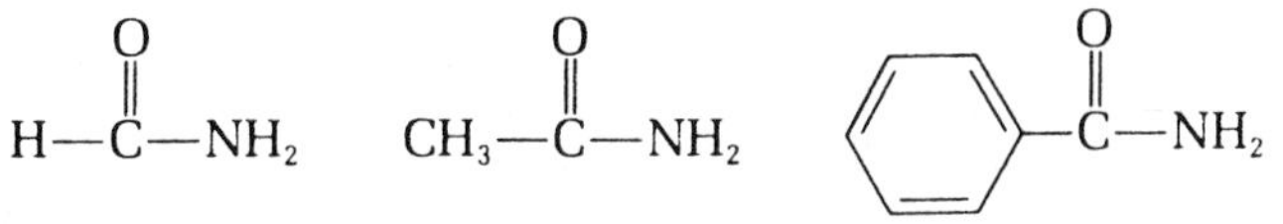

$$H-\overset{\overset{\displaystyle O}{\|}}{C}-NH_2 \qquad CH_3-\overset{\overset{\displaystyle O}{\|}}{C}-NH_2 \qquad \underset{}{\bigcirc}-\overset{\overset{\displaystyle O}{\|}}{C}-NH_2$$

formamide   acétamide   benzamide

(méthanamide)   (éthanamide)   (benzènecarboxamide)

On connaît aussi des amides mono- et disubstitués par un groupe organique sur l'azote.

Le groupe amide est de géométrie plane. Certes, la liaison carbone-azote est une liaison simple (c'est ainsi qu'on l'écrit normalement); mais il faut savoir que la rotation autour de cette liaison est très limitée. C'est parce que la résonance est très importante dans les amides.

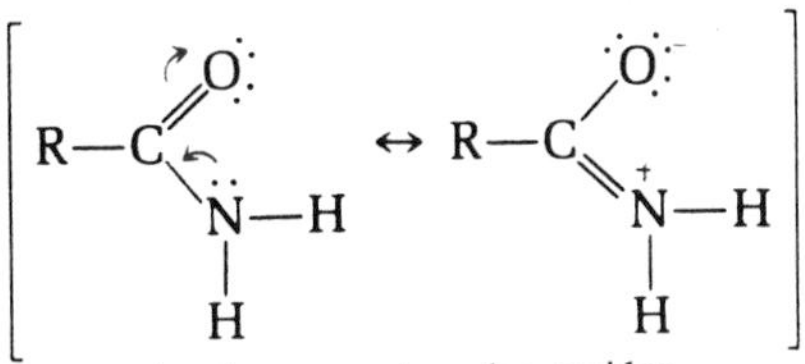

la résonance dans les amides

La forme limite dipolaire est si importante que la liaison carbone-azote se comporte surtout comme une liaison double, d'où la planéité du groupe amide et la rotation limitée autour de cette liaison. D'ailleurs, la physique montre que la longueur de la liaison carbone-azote des amides n'est que de 1,32 Å, c'est-à-dire nettement plus courte que celle de la liaison simple habituelle (1,47 Å).

Comme le suggère l'importance de la forme limite dipolaire, les amides sont très polaires et se lient par liaisons hydrogène.

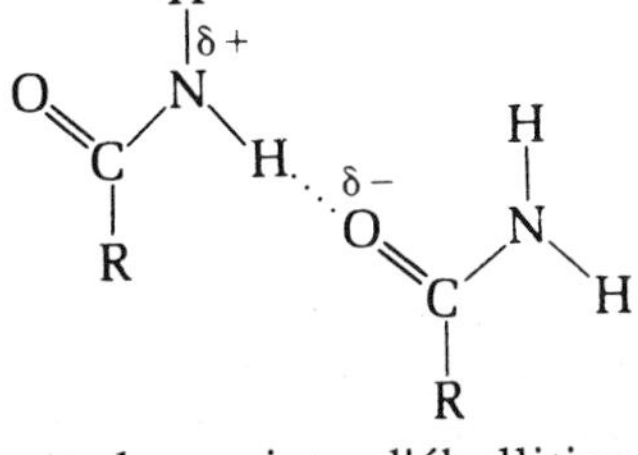

Ils ont des points d'ébullition élevés pour leurs masses moléculaires. Le remplacement par des groupes alkyles des hydrogènes liés à l'azote diminue leurs possibilités d'association par liaisons hydrogène et abaisse les points d'ébullition et les points de fusion.

$$H-\overset{\overset{\displaystyle O}{\|}}{C}-NH_2 \qquad H-\overset{\overset{\displaystyle O}{\|}}{C}-N(CH_3)_2 \qquad CH_3\overset{\overset{\displaystyle O}{\|}}{C}-NH_2 \qquad CH_3\overset{\overset{\displaystyle O}{\|}}{C}-N(CH_3)_2$$

	formamide	N,N-diméthylformamide	acétamide	N,N-diméthylacétamide
Eb	210°C	153°C	222°C	165°C
F	2,5°C	–60,5°C	81°C	–20°C

Comme les autres dérivés des acides, les amides réagissent avec les nucléophiles. On peut les hydrolyser par l'eau, par exemple, mais il est souvent nécessaire de faire appel à un chauffage prolongé et à la catalyse acide ou basique

$$R-\overset{\overset{\displaystyle O}{\|}}{C}-NH_2 + H-OH \xrightarrow[OH^-]{H^+ \text{ ou}} R-\overset{\overset{\displaystyle O}{\|}}{C}-OH + NH_3 \qquad (10.31)$$

$$\text{amide} \qquad\qquad\qquad\qquad\qquad \text{acide}$$

Problème 10.21   **Ecrire la réaction d'hydrolyse de l'acétamide.**

La réduction des amides par l'alumino-hydrure de lithium donne les amines.

$$R-\overset{\overset{\displaystyle O}{\|}}{C}-NH_2 \xrightarrow[\text{éther}]{LiAlH_4} RCH_2NH_2 \qquad (10.32)$$

$$\text{amide} \qquad\qquad\qquad \text{amine}$$

On peut aussi déshydrater les amides en les nitriles correspondants.

$$R-\overset{\overset{\displaystyle O}{\|}}{C}-NH_2 \xrightarrow[\Delta]{P_2O_5} R-C\equiv N + H_2O \qquad (10.33)$$

$$\text{nitrile}$$

A PROPOS DE L'URÉE

L'urée est un amide assez particulier, le diamide de l'acide carbonique.

$$HO-\overset{\overset{\displaystyle O}{\|}}{C}-OH \qquad\qquad H_2N-\overset{\overset{\displaystyle O}{\|}}{C}-NH_2$$

$$\text{acide carbonique} \qquad\qquad \text{urée} \\ \text{F 133°C}$$

Solide cristallisé, incolore, soluble dans l'eau, l'urée est le terme normal du métabolisme des protéines. Dans son urine, l'homme adulte excrète en moyenne 30 g d'urée par jour.

On la prépare industriellement surtout à cause de son usage comme engrais (elle comporte 40 % de son poids en azote). On en fabrique annuellement plus d'un million de tonnes à partir d'ammoniac et de dioxyde de carbone.

$$CO_2 + 2\,NH_3 \xrightarrow[\text{pression}]{150-200°C} H_2N-\overset{\overset{\displaystyle O}{\|}}{C}-NH_2 + H_2O$$

Elle intervient aussi comme matière première dans la préparation de certains produits pharmaceutiques et de plastiques.

10.19 Réactivités comparées des quatre principaux dérivés des acides

On a vu dans ce chapitre un assez grand nombre de réactions des dérivés des acides. On peut cependant les résumer facilement dans la table 10.4, qui rassemble les réactions, de haut en bas, dans l'ordre des réactivités décroissantes, des quatre principaux types: chlorure d'acide, anhydride d'acide, ester et amide, avec, de gauche à droite, les trois types de nucléophiles que sont l'eau, les alcools et l'ammoniac.

Remarquons que le principal produit organique est le même, quel que soit le type de dérivé dont on part. Par exemple, l'hydrolyse donne l'acide organique correspondant, que l'on parte du chlorure d'acide, de l'anhydride, de l'ester ou de l'amide. De même, l'alcoolyse donne un ester et l'ammoniolyse un amide. Remarquons aussi que le sous-produit est le même dans l'hydrolyse, l'alcoolyse et l'ammoniolyse d'un type donné de dérivé d'acide. Ainsi, en partant d'un ester RCO_2R'', est formé dans les trois cas l'alcool $R''OH$.

Toutes les réactions de la table 10.4 mettent en jeu l'attaque, par le nucléophile, du carbone du carbonyle du dérivé d'acide (voir éq 10.24). C'est, en effet, le mécanisme de la plupart des réactions de ce paragraphe et cela permet de prévoir le résultat de nouvelles réactions de ce type.

Exemple de problème 10.7

La réaction des esters avec les réactifs de Grignard (paragraphe 10.13) implique l'attaque nucléophile du groupe carbonyle de l'ester par le réactif de

Dérivé d'acide	Nucléophile		
	HOH (hydrolyse)	R'OH (alcoolyse)	NH$_3$ (ammoniolyse)
$R-\overset{O}{\overset{\|}{C}}-Cl$ halogénure d'acyle	$R-\overset{O}{\overset{\|}{C}}-OH$ + HCl	$R-\overset{O}{\overset{\|}{C}}-OR'$ + HCl	$R-\overset{O}{\overset{\|}{C}}-NH_2$ + NH$_4^+$Cl$^-$
$R-\overset{O}{\overset{\|}{C}}-O-\overset{O}{\overset{\|}{C}}-R$ anhydride d'acide	$2\ R-\overset{O}{\overset{\|}{C}}-OH$	$R-\overset{O}{\overset{\|}{C}}-OR'$ + RCO$_2$H	$R-\overset{O}{\overset{\|}{C}}-NH_2$ + RCO$_2$H
$R-\overset{O}{\overset{\|}{C}}-O-R''$ ester	$R-\overset{O}{\overset{\|}{C}}-OH$ + R''OH	$R-\overset{O}{\overset{\|}{C}}-OR'$ + R''OH transestérification	$R-\overset{O}{\overset{\|}{C}}-NH_2$ + R''OH
$R-\overset{O}{\overset{\|}{C}}-NH_2$ amide	$R-\overset{O}{\overset{\|}{C}}-OH$ + NH$_3$	$R-\overset{O}{\overset{\|}{C}}-OR'$ + NH$_3$	pas de réaction
Principal produit organique	acide	ester	amide

réactivité décroissante ↓

Table 10.4 Réaction des dérivés des acides avec quelques nucléophiles

Grignard. Connaissant la généralité de ces réactions, quelle sera celle d'un chlorure d'acide avec un réactif de Grignard?

Solution   **La première étape est:**

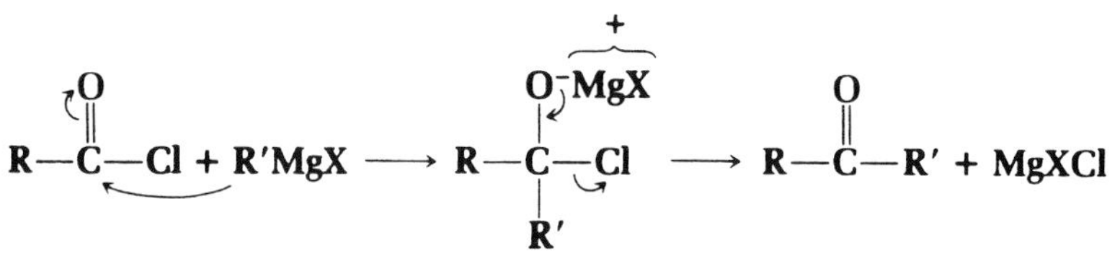

$$R-\overset{O}{\overset{\|}{C}}-Cl + R'MgX \longrightarrow R-\overset{\overset{+}{O^-MgX}}{\underset{R'}{\overset{\|}{C}}}-Cl \longrightarrow R-\overset{O}{\overset{\|}{C}}-R' + MgXCl$$

Mais on n'isole pas la cétone car elle réagit avec une seconde molécule du réactif de Grignard en donnant un alcool tertiaire:

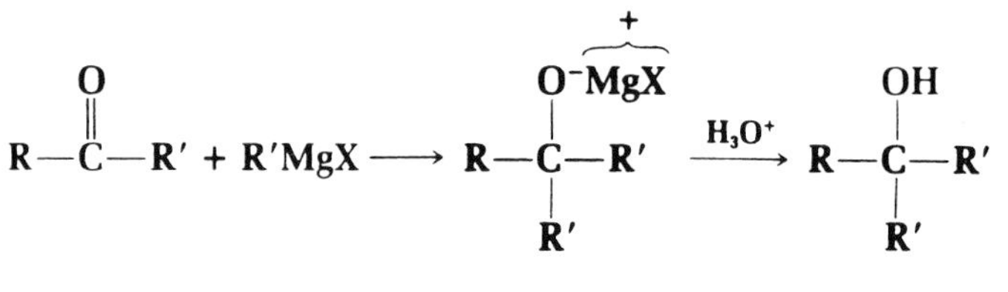

$$R-\overset{O}{\overset{\|}{C}}-R' + R'MgX \longrightarrow R-\underset{R'}{\overset{\overset{+}{O^-MgX}}{C}}-R' \xrightarrow{H_3O^+} R-\underset{R'}{\overset{OH}{C}}-R'$$

**La réaction est analogue à celle des esters avec les réactifs de Grignard
(éq 10.21).**

**Problème 10.22 Connaissant le mécanisme de la réaction générale des dérivés des acides avec
les nucléophiles, prévoir la réaction d'un chlorure d'acide avec
l'alumino-hydrure de lithium (voir le paragraphe 10.14).**

Résumé du chapitre

Le groupe fonctionnel des acides carboxyliques est le groupe carboxyle. La
terminaison IUPAC de ces acides est *-oïque*, mais on utilise aussi beaucoup de
noms courants, tels que acide formique et acide acétique. On nomme les groupes
acyles R–CO– en changeant la terminaison *-ique* de l'acide en *-yle*.

Le groupe carboxyle est polaire et il forme facilement des liaisons
hydrogènes.

Les acides carboxyliques se dissocient dans l'eau en un anion carboxylate et
un proton. Dans l'ion carboxylate, la charge négative est délocalisée également
sur les deux oxygènes. Les pK_a des acides carboxyliques simples sont voisins
de 4–5; mais l'acidité est accrue par la présence de substituants attracteurs
d'électrons comme Cl près de la fonction acide.

La neutralisation des acides carboxyliques (par une base) donne des sels. On
nomme ces sels en changeant la terminaison *-ique* des acides en *-ate* (l'acide
acétique, par exemple, donne des acétates).

On donne quatre méthodes de préparation importantes des acides
carboxyliques: oxydation des alcools primaires et des aldéhydes, oxydation de la
chaîne latérale des aromatiques, carbonatation des réactifs de Grignard,
hydrolyse des nitriles $RC{\equiv}N$.

Les dérivés des acides carboxyliques sont ici des composés dont un autre
groupe (ou atome) remplace l'–OH du carboxyle. Ce sont les esters, les
halogénures d'acyle, les anhydrides d'acides et les amides.

Les esters RCO_2R' sont nommés comme les sels, la terminaison *-ate*
remplaçant la terminaison *-ique* de l'acide. Exemple: $CH_3CO_2CH_2CH_3$ est
l'acétate d'éthyle. On peut les préparer à partir d'un acide, d'un alcool et d'un
catalyseur acide minéral (estérification de Fischer). Le mécanisme implique,
comme étape clé, l'attaque nucléophile du carbone du carbonyle de l'acide dont
l'oxygène a été protoné. Beaucoup d'esters sont utilisés en parfumerie et comme
arômes dans l'alimentation.

La saponification est l'hydrolyse baso-catalysée d'un ester en sel de son
composant acide et en alcool. L'ammoniolyse d'un ester donne un amide. Les
esters réagissent avec les réactifs de Grignard en donnant des alcools tertiaires.
Par contre, avec l'alumino-hydrure de lithium, ils sont réduits en alcools
primaires.

Un même mécanisme préside à la substitution nucléophile des dérivés des
acides. Le nucléophile se fixe sur le carbone (trigonal) du carbonyle et forme un
intermédiaire tétraédrique qui, en perdant le groupe partant, donne le produit
(trigonal). On peut considérer la réaction comme un transfert d'acyle d'un
nucléophile à un autre. Vis-à-vis des nucléophiles, la réactivité des dérivés des
acides diminue dans l'ordre: halogénures d'acyle > anhydrides > esters >
amides.

On prépare les chlorures d'acyle à partir des acides et de $SOCl_2$ ou PCl_5. Ils réagissent rapidement avec l'eau en donnant l'acide correspondant, avec les alcools en donnant des esters, avec l'ammoniac en donnant des amides. Les anhydrides d'acide subissent les mêmes types de réactions, mais moins rapidement. Les thioesters sont des agents acylants en biochimie; ils réagissent avec les nucléophiles moins vite que les anhydrides, mais plus vite que les esters.

On peut préparer les amides à partir de l'ammoniac et d'autres dérivés des acides, ou par chauffage des sels d'ammonium. On les nomme en remplaçant la terminaison *-ique* ou *-oïque* de l'acide par *-amide*. A cause de la résonance, la liaison C—N des amides a un caractère prononcé de liaison C=N. La rotation autour de cette liaison n'est donc pas libre et le groupe amide est plan. Les amides sont polaires, forment des liaisons hydrogènes et ont des points d'ébullition élevés. Ils réagissent lentement avec les nucléophiles (eau, alcools). Ils sont réduits en amines par $LiAlH_4$ et ils peuvent être déshydratés en nitriles.

L'urée, fabriquée à partir de CO_2 et NH_3, est un engrais important.

PROBLEMES SUPPLEMENTAIRES

10.23   Ecrire la formule développée des acides suivants:
a. acide 3-méthylpentanoïque
b. acide 2,2-dichlorobutanoïque
c. acide γ-hydroxyvalérique
d. acide *p*-toluique
e. acide cyclobutanecarboxylique
f. acide 2-propanoylbenzoïque
g. acide phénylacétique
h. acide 2-naphtoïque

10.24   Nommer les acides suivants:

a. $(CH_3)_2CHCH_2CH_2COOH$

b. $CH_3CHBrCH(CH_3)COOH$

c.

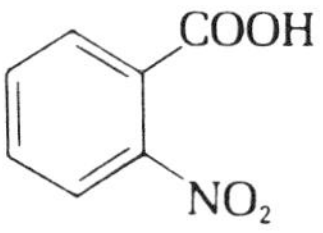

d. $CH_3CH(C_6H_5)COOH$

e. $CH_2{=}CHCOOH$

f.

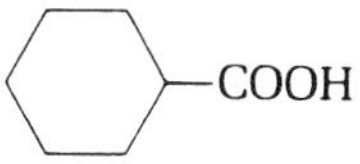

g. CH_3CF_2COOH

h.

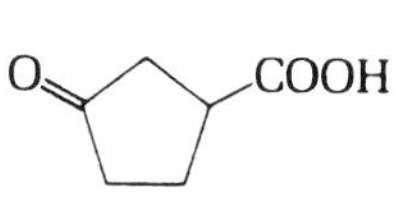

i.

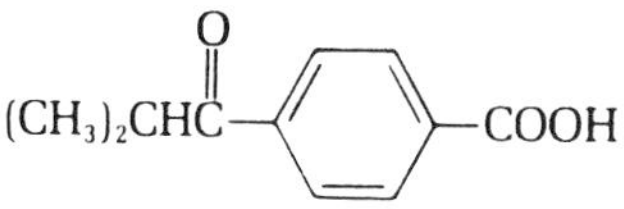

j. $CH_3C{\equiv}CCOOH$

10.25   Considérant les paires de composés suivants, quel doit être le constituant dont le point d'ébullition est le plus élevé?
a. CH_3CH_2COOH ou $CH_3CH_2CH_2CH_2CH_2OH$?
b. $CH_3CH_2CH_2CH_2COOH$ ou $(CH_3)_3CCOOH$?

10.26   Quel doit être le plus acide de chacune des paires d'acides suivants et pourquoi?
a. CH_2ClCO_2H et CH_2BrCO_2H

b. o–$BrC_6H_4CO_2H$　et　m–$BrC_6H_4CO_2H$

c. CCl_3CO_2H　et　CF_3CO_2H

d. $C_6H_5CO_2H$　et　p–$CH_3OC_6H_4CO_2H$

e. $ClCH_2CH_2CO_2H$　et　$CH_3CHClCO_2H$

10.27　Ecrire l'équation équilibrée de la neutralisation de:

a. l'acide chloracétique par la potasse

b. l'acide décanoïque par la chaux

10.28　Donner les équations des synthèses de:

a. $CH_3CH_2CH_2CO_2H$　à partir de　$CH_3CH_2CH_2CH_2OH$

b. $CH_3CH_2CH_2CO_2H$　à partir de　$CH_3CH_2CH_2OH$ (deux voies d'accès)

c. p-$ClC_6H_4CO_2H$　à partir de　p–$ClC_6H_4CH_3$

d. ⬠—CO_2H　à partir de ⬠

e. $CH_3OCH_2CO_2H$　à partir de　CH_2—CH_2 (deux étapes)
　　　　　　　　　　　　　　　　　　　　　　＼O／

f. $C_6H_5CO_2H$　à partir de　C_6H_5Br

10.29　L'hydrolyse acido-catalysée d'un nitrile (équation 10.11) met en jeu, dans la première étape, l'attaque nucléophile, par l'eau, du nitrile protoné. Ecrire les étapes du mécanisme réactionnel.

10.30　La synthèse magnésienne de $(CH_3)_3CCOOH$ à partir de $(CH_3)_3CBr$ est de loin supérieure à celle qui part du nitrile. Pourquoi?

10.31　Ecrire la formule des composés suivants:

a. 2-chloropropanoate de sodium　　　　　**b.** acétate de calcium

c. acétate d'isopropyle　　　　　　　　　　**d.** formiate d'éthyle

e. benzoate de phényle　　　　　　　　　　**f.** benzonitrile

g. anhydride propionique　　　　　　　　　**h.** m-toluamide

i. chlorure de 4-chlorobutanoyle　　　　　　**j.** fluorure de formyle

10.32　Nommer les composés suivants:

a. Cl-$C_6H_4COO^-NH_4^+$　　　　　　　　**b.** $[CH_3(CH_2)_2CO_2^-]_2Ca^{2+}$

c. $(CH_3)_2CHCOOC_6H_5$　　　　　　　　**d.** $CF_3CO_2CH_3$

e. CH_3COSH　　　　　　　　　　　　　　**f.** CH_3COSCH_3

g. $HCONH_2$　　　　　　　　　　　　　　**h.** ▷$\overset{\overset{O}{\|}}{C}$—O—$\overset{\overset{O}{\|}}{C}$◁

10.33　Ecrire les étapes de l'estérification de Fischer de l'acide benzoïque par le méthanol.

10.34　Ecrire les réactions du benzoate d'éthyle avec:

a. la soude aqueuse à chaud

b. l'ammoniac à chaud

c. le bromure de n-propylmagnésium (deux équivalents), puis H_3O^+

d. l'alumino-hydrure de lithium (deux équivalents), puis H_3O^+

10.35　Ecrire les étapes du mécanisme de:

a. la saponification de $CH_3CH_2COOCH_3$

b. l'ammoniolyse de $CH_3CH_2COOCH_3$

10.36　Expliquer les différences ci-après des réactivités vis-à-vis des nucléophiles:

a. Les esters sont moins réactifs que les cétones.

b. Un chlorure d'acide donné est plus réactif que l'anhydride du même acide.

c. Le chlorure de benzoyle est moins réactif que le chlorure de cyclohexanecarbonyle.

10.37 A partir de quel réactif de Grignard et de quel ester peut-on préparer:

a. $CH_3CH_2CH_2C(C_6H_5)(OH)CH_2CH_2CH_3$ b. $CH_3CH_2CH_2C(C_6H_5)_2OH$

10.38 Ecrire les réactions

a. d'hydrolyse du chlorure d'acétyle

b. du chlorure de benzoyle avec le méthanol

c. d'estérification du 1-pentanol avec l'anhydride acétique

d. d'ammoniolyse du bromure de 4-bromobutanoyle

e. d'estérification de Fischer de l'acide valérique avec l'éthanol

10.39 Compléter les réactions suivantes:

a. $CH_3CH_2CH_2CO_2H + PCl_5 \rightarrow$

b. $CH_3(CH_2)_8CO_2H + SOCl_2 \rightarrow$

c. o-xylène + $KMnO_4 \rightarrow$

d. $C_6H_5CO_2^-NH_4^+$ + chaleur $\rightarrow$

e. $CH_3(CH_2)_5CONH_2 + LiAlH_4 \rightarrow$

f. 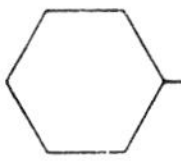 —$CO_2CH_2CH_3 + LiAlH_4 \rightarrow$

10.40 Ecrire les formes limites importantes de l'hybride de résonance du propanamide et préciser les atomes qui se trouvent dans un même plan.

10.41 Etendre à la moindre réactivité des thioesters par rapport aux anhydrides et aux chlorures d'acides l'explication donnée (voir "A propos des transporteurs de groupes acyles activés dans la nature") à la réactivité plus grande des thioesters par rapport aux esters ordinaires.

10.42 Considérant les réactivités relatives des cétones et des esters avec les nucléophiles, obtiendra-t-on de la 5-hydroxy-2-pentanone ou du γ-hydroxypentanoate de méthyle par action du boro-hydrure de sodium sur le céto-ester $CH_3COCH_2CH_2COOCH_3$?

10.43 On peut isoler l'acide mandélique $C_6H_5CH(OH)COOH$ de l'essence d'amandes amères. On l'utilise en pharmacie pour le traitement des infections urinaires. Suggérer une synthèse en deux étapes à partir du benzaldéhyde passant par l'intermédiaire de sa cyanhydrine.

CHAPITRE 11

ACIDES CARBOXYLIQUES DIFONCTIONNELS. CORPS GRAS ET DETERGENTS

11.1 Introduction

A quelques exceptions près, on n'a abordé jusqu'ici que la chimie des composés monofonctionnels. Mais la molécule de beaucoup de composés organiques comporte plusieurs groupes fonctionnels. A première vue, on pourrait penser que la chimie de telles molécules devrait être en quelque sorte la somme de celles des deux groupes fonctionnels. En première approximation, cela est vrai. C'est notamment le cas des molécules dont les groupes fonctionnels sont éloignés l'un de l'autre sur le squelette carboné, comme si chacun des deux "ignorait" la présence de l'autre.

Mais, quand deux groupes fonctionnels d'une même molécule sont proches l'un de l'autre, chacun d'eux est sensible à la présence de l'autre et en subit l'influence. Dans le présent chapitre, on examinera quelques molécules difonctionnelles (et certaines polyfonctionnelles). On commencera par les acides dicarboxyliques, composés dont les deux groupes fonctionnels sont identiques. Puis on passera aux composés ayant deux fonctions différentes, tels que les hydroxy-acides et les céto-acides. (On laissera de côté ici les amino-acides, qu'on examinera, à cause de leur importance, dans un autre chapitre, le chapitre 14.) Dans tous les cas, on verra comment la proximité des groupes influence leur comportement mutuel.

11.2 Diacides carboxyliques

Beaucoup de **diacides carboxyliques** sont des produits naturels et leur nom courant est tiré de leur source. L'**acide oxalique**, par exemple, dont la molécule est constituée simplement de deux groupes carboxyles liés l'un à l'autre HOOC—COOH, est présent dans beaucoup de végétaux de la famille de l'*oxalis*, tels que l'oseille. Son nom IUPAC est *acide éthanedioïque* (le suffixe *di* indiquant la présence de deux groupes carboxyles). La table 11.1 rassemble les cinq premiers membres de la série des diacides carboxyliques aliphatiques. La mesure de leurs constantes d'acidité montre clairement l'influence que peut avoir, dans une molécule, un groupe fonctionnel voisin sur le comportement chimique d'un autre. Ces diacides ont deux constantes d'ionisation:

Formule	Nom courant	Nom IUPAC	Constantes d'acidité	
			K_1	K_2
HOOC — COOH	ac. oxalique	ac. éthanedioïque	$5,4 \times 10^{-2}$	$5,4 \times 10^{-5}$
HOOC — CH$_2$ — COOH	ac. malonique	ac. propanedioïque	$1,4 \times 10^{-3}$	$0,2 \times 10^{-5}$
HOOC — (CH$_2$)$_2$ — COOH	ac. succinique	ac. butanedioïque	$6,2 \times 10^{-5}$	$0,2 \times 10^{-5}$
HOOC — (CH$_2$)$_3$ — COOH	ac. glutarique	ac. pentanedioïque	$4,6 \times 10^{-5}$	$0,4 \times 10^{-5}$
HOOC — (CH$_2$)$_4$ — COOH	ac. adipique	ac. hexanedioïque	$3,7 \times 10^{-5}$	$0,4 \times 10^{-5}$

Table 11.1 Diacides carboxyliques aliphatiques

$$HOOC(CH_2)_nCOOH \underset{}{\overset{K_1}{\rightleftharpoons}} {}^-OOC(CH_2)_nCOOH \underset{}{\overset{K_2}{\rightleftharpoons}} {}^-OOC(CH_2)_nCOO^- \qquad (11.1)$$

Le K_1 des diacides carboxyliques de la table 11.1 est supérieur au K_a de l'acide acétique ($1,8 \times 10^{-5}$). C'est parce que le groupe carboxyle est attracteur d'électrons et qu'il stabilise la charge négative de l'ion monocarboxylate:

$$HOOC \overset{\longleftarrow\quad+}{\sim\!\sim\!\sim\!\sim\!\sim} CO_2$$

Plus proches l'un de l'autre sont les groupes carboxyles et plus fort est l'effet. Ainsi, l'acide oxalique a le K_1 le plus élevé. Puis la valeur de K_1 décroît au fur et à mesure qu'augmente le nombre de groupes CH$_2$ entre les carboxyles et approche celle de l'acide acétique. Puisque, après l'acide oxalique, K_2 reste approximativement constant, la différence entre K_1 et K_2 décroît quand le nombre n de groupes CH$_2$ s'accroît.

L'**acide oxalique** est présent dans le suc cellulaire de nombreux végétaux tels que la rhubarbe et les épinards. Il est toxique, mais comme il se décompose par chauffage, la cuisson le rend inoffensif. L'**acide succinique** fut d'abord isolé du distillat de l'ambre (en latin: *succinum*) et l'on a trouvé l'**acide glutarique** et l'**acide adipique** dans la betterave à sucre. Le plus important des diacides aliphatiques est l'acide adipique que l'industrie fabrique en grandes quantités pour faire le nylon.

Les trois diacides carboxyliques dérivés du benzène sont surtout connus sous leur nom courant:

	acide phtalique	acide isophtalique	acide téréphtalique
$K_1 =$	$1,3 \times 10^{-3}$	$2,9 \times 10^{-4}$	$3,1 \times 10^{-4}$
$K_2 =$	$3,9 \times 10^{-6}$	$2,5 \times 10^{-5}$	$1,5 \times 10^{-5}$

Tous les trois sont préparés sur une grande échelle par oxydation des xylènes correspondants (voir équation 10.8).

Problème 11.1 **Pourquoi le rapport K_1/K_2 de l'acide phtalique est-il grand, comparé aux rapports correspondants des acides isophtalique et téréphtalique? Pour l'acide benzoïque, on a $K_a = 6,6 \times 10^{-5}$.**

11.3 Le comportement des diacides carboxyliques par chauffage

L'effet de la chaleur sur les divers diacides carboxyliques dépend de leur structure et notamment de la distance qui sépare les carboxyles. L'acide oxalique se décompose en CO_2 et acide formique qui se décompose à son tour en CO et eau.

$$HOOC-COOH \xrightarrow{200°C} CO_2 + HCOOH \longrightarrow CO + H_2O \qquad (11.2)$$
$$\text{acide oxalique} \qquad\qquad \text{acide formique}$$

L'acide malonique perd CO_2 même plus facilement.

$$HOOC-CH_2-COOH \xrightarrow{135°C} CO_2 + CH_3COOH \qquad (11.3)$$
$$\text{acide malonique} \qquad\qquad \text{acide acétique}$$

Très vraisemblablement, la réaction, qu'on appelle décarboxylation, passe par un état de transition cyclique (il s'agit d'un transfert d'hydrogène 1,5, réaction thermique très générale) qui conduit ici à l'énol de l'acide acétique, qui s'isomérise.

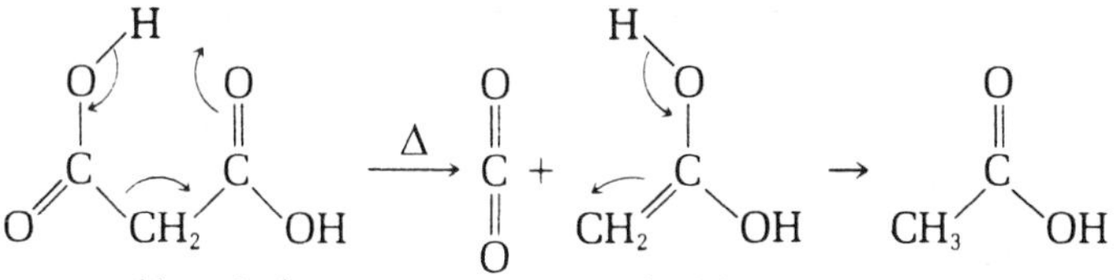

(11.4)

acide malonique   énol de   acide acétique
                                   l'acide acétique

Pratiquement, la même réaction a lieu par chauffage de tous les diacides carboxyliques dont les deux groupes carboxyles sont liés au même carbone.

Exemple de Problème 11.1 **Quel produit obtient-on par chauffage du diacide $CH_3CH_2CH(COOH)_2$?**

Solution $CH_3CH_2CH_2COOH$, par un mécanisme analogue à l'équation 11.4.

Problème 11.2 **Quel produit obtiendra-t-on par chauffage de:**

a. $C_6H_5-CH(COOH)_2$ b.

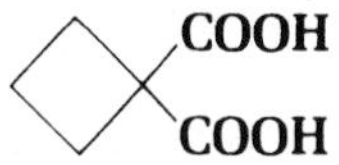

Les diacides carboxyliques dont deux ou trois carbones séparent les deux carboxyles perdent de l'eau par chauffage et donnent des anhydrides cycliques à cinq ou six chaînons.

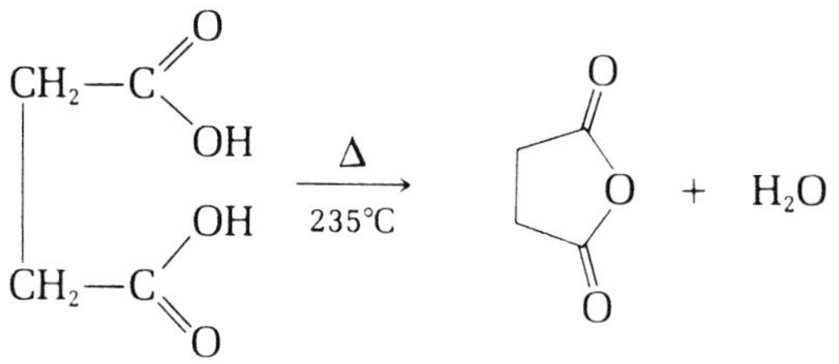

acide succinique   anhydride succinique
F 188°C   F 119,6°C

$$(11.5)$$

Problème 11.3 **Quel sera le produit du chauffage de l'acide phtalique?**

11.4 Esters des diacides carboxyliques

On peut convertir les diacides carboxyliques en esters et certains de ces esters sont importants du point de vue synthétique, voire du point de vue industriel.

C'est le cas d'abord du malonate d'éthyle, diester éthylique de l'acide malonique. Ce composé a, en effet, un groupe CH_2 nettement acide parce qu'"activé" par le voisinage de deux groupes attracteurs d'électrons; ses deux hydrogènes sont donc facilement arrachés par une base. On met à profit cette particularité et la décarboxylation facile des diacides du type malonique (équation 11.3) dans la **synthèse malonique**. Il s'agit d'une très courte séquence qui permet de passer d'un halogénure d'alkyle R—X à l'acide carboxylique ayant deux atomes de carbone de plus R—CH_2COOH. On réalise d'abord l'alkylation du malonate d'éthyle:

$$H_5C_2OOCCH_2COOC_2H_5 \xrightarrow[\text{2) R—X}]{\text{1) } C_2H_5ONa} H_5C_2OOCCH(R)COOC_2H_5 \qquad (11.6)$$

On hydrolyse ensuite les deux groupes esters et on chauffe légèrement le diacide formé qui perd ainsi facilement CO_2.

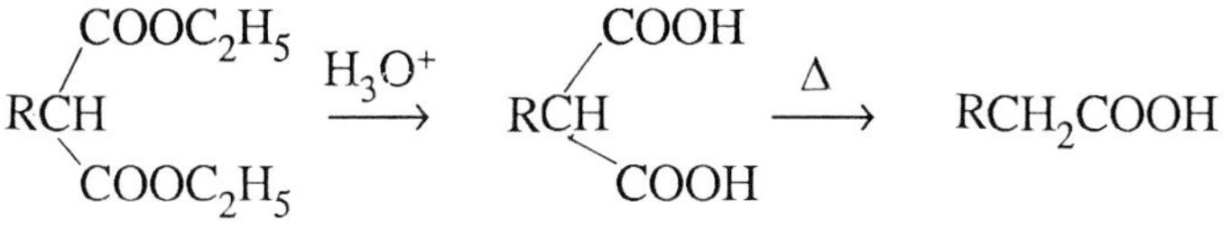

$$(11.7)$$

Figure 11.1

Le *Gossamer Albatross*, ses ailes et sa carlingue faites de Mylar.

D'autre part, à partir de l'anhydride phtalique, on a préparé divers phtalates d'alkyle.

$$\text{anhydride phtalique} + 2\ ROH \xrightarrow{\Delta} \text{phtalate dialkylique} + H_2O \qquad (11.8)$$

anhydride phtalique   phtalate dialkylique

Les phtalates dont R = butyle ou 2-éthylhexyle, par exemple, sont utilisés comme plastifiants. Ajoutés à des polymères variés tels que le chlorure de polyvinyle, ils accroissent leur flexibilité et diminuent leur fragilité.

Les diacides carboxyliques réagissent avec les dialcools en formant des polyesters. Le plus connu de ces diesters est le Dacron ou Térylène ou Tergal, polyester de l'acide téréphtalique et de l'éthylène-glycol.

le polyester Dacron
(polytéréphtalate d'éthylène)

La valeur de n est voisine de 100. On peut filer le polyester brut et les fibres ainsi obtenues sont utilisées dans l'industrie textile. Ces fibres sont extrêmement résistantes aux plissements. On fabrique aussi à partir de ce polyester un film très solide appelé **Mylar**. Ce dernier est clair et sa solidité est telle qu'on l'a utilisé dans la construction du *Gossamer Albatross,* un aéroplane mu par la seule force humaine, qui traversa le Pas de Calais le 12 juin 1979. Le film en polyester, qui recouvrait les ailes (leur envergure était de 30 mètres environ) et constituait la carlingue, ne pesait que 0,9 kg (figure 11.1). Aux Etats-Unis, la production annuelle de fibres de polyester est supérieure à 2 millions de tonnes. On utilise aussi le film de polyester Mylar pour la protection à long terme des oeuvres d'art et des documents historiques, à cause de sa transparence, de sa solidité et de son inertie. A cause de leur extraordinaire résistance à la déchirure, on utilise des polyesters pour faire les bandes magnétiques de l'industrie de l'enregistrement.

Exemple de problème 11.2 **Ecrire les étapes de la préparation du polyester Tergal à partir de l'acide téréphtalique et de l'éthylène-glycol.**

Solution

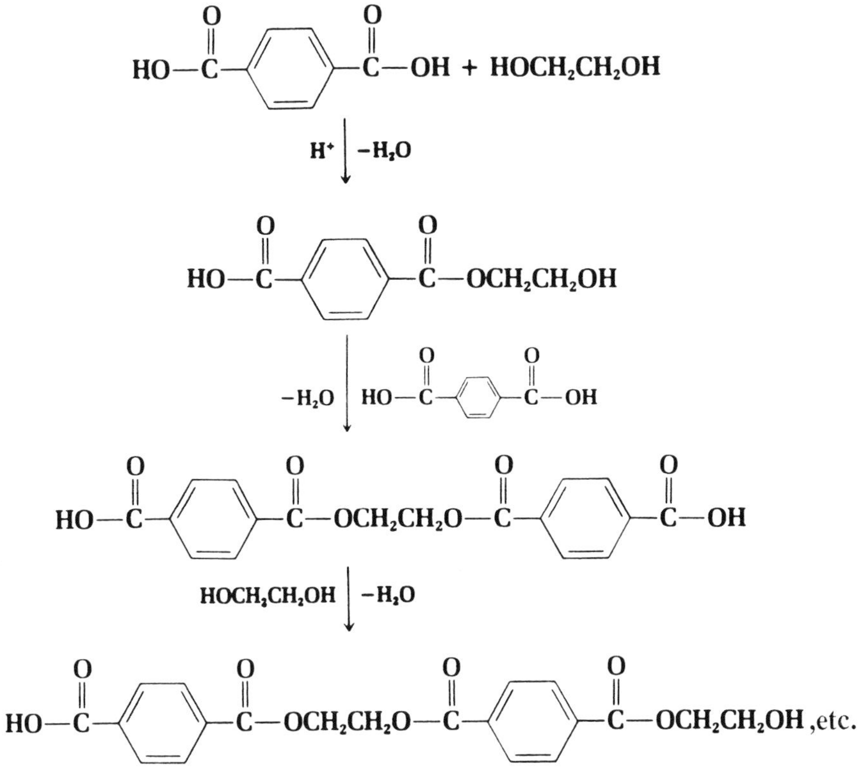

Problème 11.4 **Le *Kodel* est un polyester de formule:**

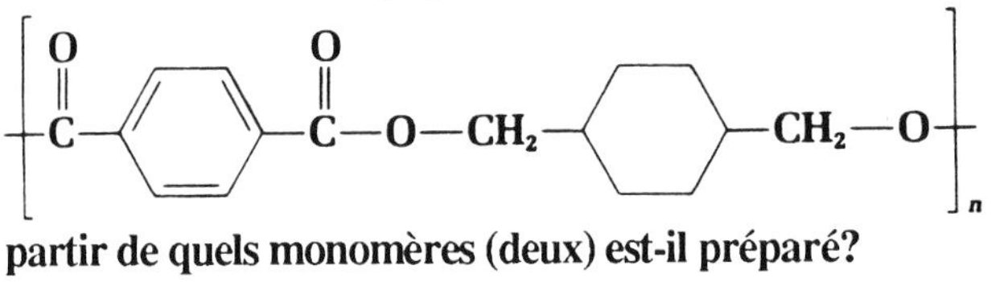

A partir de quels monomères (deux) est-il préparé?

11.5 Acides non saturés

Le plus simple des acides non saturés est l'acide propénoïque, couramment appelé **acide acrylique.** Plusieurs de ses dérivés sont des produits industriels, surtout employés à la fabrication des polymères, notamment l'**acrylonitrile**, utilisé pour la fabrication de l'Orlon ou Acrilan, et le **méthacrylate de méthyle** qui, par polymérisation, conduit au Plexiglass.

$$CH_2=CHCO_2H \qquad CH_2=CHCN \qquad CH_2=C(CH_3)COOCH_3$$

acide acrylique acrylonitrile méthacrylate de méthyle
(acide propénoïque)

La polymérisation radicalaire de l'acrylonitrile donne un polymère qui peut être filé et donne ainsi des fibres acryliques.

$$\underset{\text{acrylonitrile}}{CH_2=\underset{CN}{CH}} \xrightarrow{\text{catalyseur}} \underset{\text{Orlon, Acrilan}}{\left(CH_2\underset{CN}{CH}\right)_n} \tag{11.9}$$

La copolymérisation de l'acrylonitrile et du butadiène donne un caoutchouc synthétique. La production annuelle mondiale de l'acrylonitrile dépasse les 2 millions de tonnes.

On prépare le méthacrylate de méthyle à partir de la cyanhydrine de l'acétone. On procède à la méthanolyse et à la déshydratation.

$$\underset{\text{cyanhydrine de l'acétone}}{\underset{CH_3}{\overset{CH_3}{>}}C\underset{CN}{\overset{OH}{<}}} + CH_3OH + H_2SO_4 \rightarrow \underset{\text{méthacrylate de méthyle}}{\underset{CH_3}{\overset{CH_2}{>}}C-\overset{\overset{O}{\|}}{C}OCH_3} + NH_4^+\ {}^-HSO_4 \tag{11.10}$$

Par polymérisation du méthacrylate de méthyle, on obtient le Plexiglass, un plastique transparent comme le cristal, dur et difficile à briser. Cet ester est également utilisé dans les peintures acryliques.

Problème 11.5 Ecrire la formule du Plexiglass.

Beaucoup d'acides carboxyliques non saturés à longue chaîne sont présents dans les huiles et les graisses. On en discutera plus loin dans le présent chapitre.

Deux diacides non saturés ont joué un rôle important dans notre étude de l'isomérie *cis-trans* ou isomérie géométrique. Tous deux sont des acides butènedioïques, mais ils ont des noms courants; ce sont l'**acide maléique** et l'**acide fumarique.**

$$\underset{\underset{\text{F 130°C}}{\text{acide maléique}}}{\underset{H}{\overset{H}{>}}C=\underset{\underset{COOH}{}}{\overset{COOH}{C}}} \qquad \underset{\underset{\text{F 287°C}}{\text{acide fumarique}}}{\underset{HOOC}{\overset{H}{>}}C=\underset{H}{\overset{COOH}{C}}}$$

L'effet de leur géométrie sur leur comportement chimique est frappant. Par chauffage, par exemple, juste au-dessus de son point de fusion (en opérant sous vide pour enlever l'eau formée), l'acide maléique perd de l'eau et donne l'anhydride.

$$H-C(=O)(C-OH)\ \xrightarrow[\text{vide}]{135°C}\ \text{anhydride maléique} + H_2O \qquad (11.11)$$

acide maléique   anhydride maléique

Par contre, l'acide fumarique ne peut donner un anhydride cyclique analogue, car ses deux groupes carboxyles sont trop éloignés l'un de l'autre.

L'acide fumarique est l'intermédiaire de processus métaboliques, alors que l'acide maléique est assez toxique, nouvel exemple de l'importance de la stéréochimie sur les propriétés chimiques.

11.6 Hydroxy-acides

On connaît beaucoup d'hydroxy-acides parmi les produits naturels; leur importance biologique est grande et ils ont des appellations communes. En voici quelques exemples:

$$\underset{\text{acide glycolique}}{\overset{\displaystyle CH_2COOH}{\underset{\displaystyle OH}{|}}} \qquad \underset{\text{acide lactique}}{\overset{\displaystyle CH_3CHCOOH}{\underset{\displaystyle OH}{|}}} \qquad \underset{\text{acide malique}}{\overset{\displaystyle HOOCCH_2CHCOOH}{\underset{\displaystyle OH}{|}}}$$

$$\underset{\text{acide tartrique}}{\overset{\displaystyle HOOCCH-CHCOOH}{\underset{\displaystyle OH\quad OH}{|\quad\ |}}} \qquad \underset{\text{acide citrique}}{\overset{\displaystyle OH}{\overset{|}{\underset{\displaystyle COOH}{\underset{|}{HOOCCH_2CCH_2COOH}}}}}$$

On trouve l'**acide glycolique** dans le jus de canne à sucre, mais on le prépare par action de la soude sur l'acide chloracétique. C'est un acide bon marché et, comme tel, il a beaucoup d'usages. On trouve l'**acide lactique** dans le lait qui a suri (par suite de la fermentation du lactose). Il s'en forme aussi dans l'activité musculaire. On a d'abord isolé l'**acide malique** (du latin *malum,* pomme) de la pomme verte et il est présent dans beaucoup de jus de fruits. L'**acide tartrique** est obtenu à partir du jus de raisin fermenté; il est utilisé dans les boissons carbonatées et dans les tablettes effervescentes. On emploie le sel monopotassique en pharmacie comme laxatif. L'**acide citrique** est aussi présent dans beaucoup de fruits; il constitue environ 6 % du jus de citron. Beaucoup de boissons douces et beaucoup de bonbons contiennent de l'acide citrique, qu'on y a ajouté à cause de son goût particulier. C'est aussi un intermédiaire important dans le métabolisme des hydrates de carbone et c'est un constituant normal du sang et de l'urine.

On remarquera que ces cinq hydroxy-acides courants ont leurs groupes carboxyle et hydroxyle attachés au même atome de carbone. Autrement dit, ce sont tous des α-hydroxy-acides. Il n'en est pas de même pour tous les hydroxy-acides naturels. Par exemple, l'acide 3-hydroxybutanoïque $CH_3CH(OH)CH_2COOH$ est un intermédiaire important dans le métabolisme des graisses et c'est un constituant normal du plasma sanguin de l'homme.

Considérons maintenant quelques réactions simples des hydroxy-acides. Etant à la fois alcool et acide carboxylique, ils devraient donner lieu à la réaction d'estérification et l'on peut se demander comment les deux groupes peuvent coexister dans la même molécule. En fait, cela dépend de leurs positions relatives. Chez les hydroxy-acides dont les deux fonctions sont séparées par trois ou quatre atomes de carbone, il y a réaction intramoléculaire et formation d'un ester cyclique appelé **lactone**. Exemple:

$$\underset{\text{OH}}{\overset{\gamma}{\underset{|}{\text{CH}_2}}}\underset{}{\overset{\beta}{\text{CH}_2}}\overset{\alpha}{\text{CH}_2}\overset{\text{O}}{\overset{||}{\text{C}}}\text{OH} \xrightarrow{\text{H}^+ \text{ ou } \Delta} \text{(γ-butyrolactone)} + \text{H}_2\text{O} \qquad (11.12)$$

acide 4-hydroxybutanoïque

(acide γ-hydroxybutyrique)

γ-butyrolactone

Dans ces hydroxy-acides, la longueur de la chaîne carbonée est telle que le groupe hydroxy peut réagir comme nucléophile sur le carbone du carbonyle.

Souvent les lactones se forment spontanément, notamment à partir des γ-hydroxy-acides. Les plus courantes ont des cycles à cinq ou six chaînons, mais on connaît aussi des cycles plus petits ou plus grands. Deux types importants de lactones à six chaînons existant dans la nature sont la **coumarine,** principe odorant, agréable, du foin fraîchement coupé, et la **népétalactone**, constituant de l "'herbe à chats". Récemment, on a isolé à partir de certaines bactéries un nouveau type d'antibiotiques appelés **macrolides**, comportant un grand cycle lactonique. C'est le cas de la magnamycine, qui a un cycle à seize atomes. Le grand nombre de fonctions de ces substances est vraiment étonnant.

coumarine   népétalactone   magnamycine

(R est un amino-sucre)

Quand moins de trois carbones séparent les groupes hydroxyle et carboxyle de l'hydroxy-acide, la lactone se forme plus difficilement car le cycle ainsi fermé est alors à trois ou quatre chaînons, donc tendu. Il s'ensuit que les β-hydroxy-acides sont difficilement lactonisés; au contraire, par chauffage, ils perdent facilement de l'eau en donnant des acides non saturés.

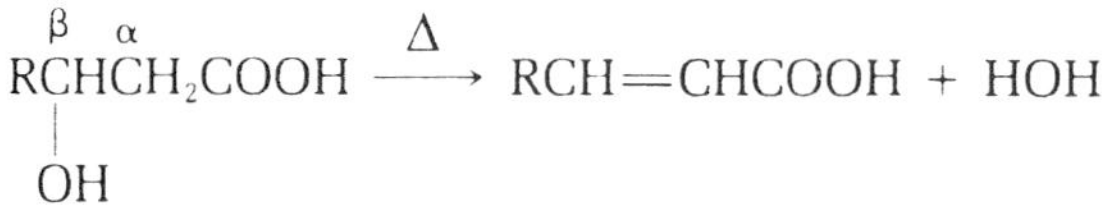

$$\overset{\beta}{R}\overset{\alpha}{C}HCH_2COOH \overset{\Delta}{\longrightarrow} RCH=CHCOOH + HOH$$
$$\underset{OH}{|}$$

(11.13)

β-hydroxy-acide

Quant aux α-hydroxy-acides, ils subissent une double déshydratation intramoléculaire en donnant des diesters cycliques appelés **lactides**.

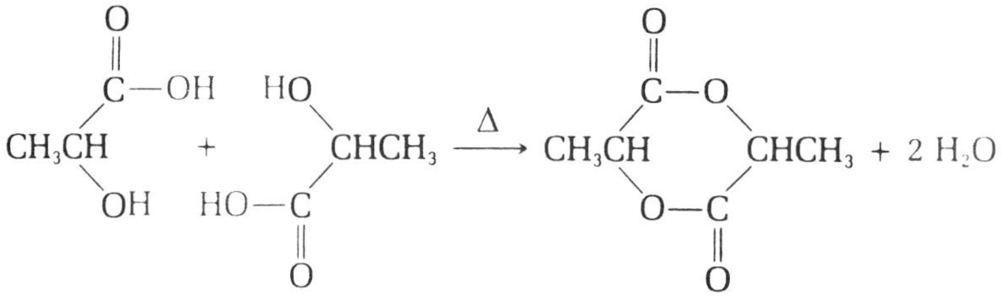

(11.14)

lactide

On voit combien la chimie des hydroxy-acides dépend surtout des positions relatives des deux fonctions.

Problème 11.6   **Quel sera l'effet de la chaleur ou de H⁺ sur chacun des hydroxy-acides suivants:**
  a. $CH_2(OH)CH_2CH_2CH_2COOH$ b. $CH_3CH(OH)CH_2CH_2COOH$
  c. $CH_3CH_2CH(OH)CH_2COOH$ d. $CH_3CH_2CH_2CH(OH)COOH$

11.7 Acides phénoliques. L' aspirine

Le plus important des acides phénoliques est l'**acide salicylique** (l'acide *o*-hydroxybenzoïque) qu'on prépare en chauffant du phénolate de sodium en présence de dioxyde de carbone sous pression.

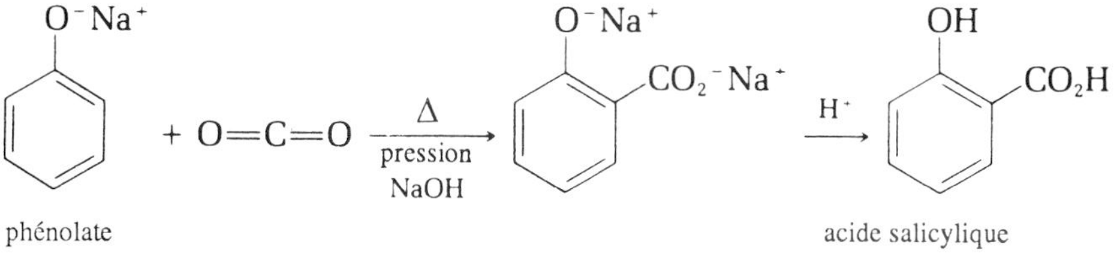

(11.15)

phénolate
de sodium

acide salicylique
F 159°C

L'ester méthylique, le **salicylate de méthyle**, est le constituant principal de l'essence de wintergreen (écorce de bouleau). On l'utilise dans le traitement des douleurs musculaires et, à cause de son arôme, dans la préparation des bonbons.

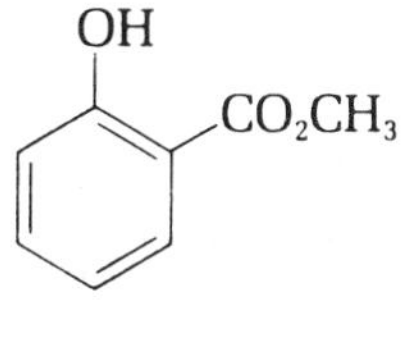

OH

.CO$_2$CH$_3$

salicylate de méthyle
Eb 223°C

Problème 11.7   **Donner une équation de la préparation de salicylate de méthyle à partir de méthanol et d'acide salicylique.**

L'acide salicylique sert essentiellement à préparer l'aspirine. Par réaction avec l'anhydride acétique, l'acide salicylique voit son OH (phénolique) transformé en groupe acétate. Cet ester est l'aspirine.

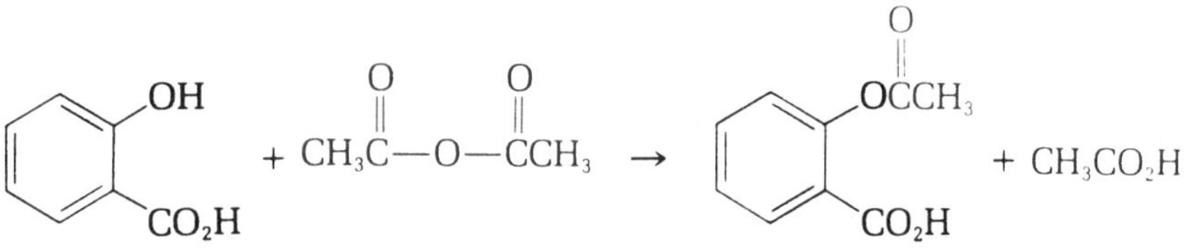

$$
\underset{\text{acide salicylique}}{\text{OH}\atop\text{CO}_2\text{H}} + \underset{\text{anhydride acétique}}{\text{CH}_3\overset{O}{\overset{\|}{C}}-O-\overset{O}{\overset{\|}{C}}\text{CH}_3} \rightarrow \underset{\substack{\text{acide acétylsalicylique}\\\text{(aspirine)}}}{\text{OCCH}_3\atop\text{CO}_2\text{H}} + CH_3CO_2H \qquad \textbf{(11.16)}
$$

La production annuelle d'aspirine aux Etats-Unis dépasse les 25.000 tonnes. Elle est largement utilisée, soit pure, soit mélangée à d'autres médicaments, comme analgésique et antipyrétique. Elle n'est cependant pas sans danger, son absorption répétée pouvant provoquer des hémorragies gastro-intestinales et des doses élevées (10-20 g) pouvant provoquer la mort.

11.8 Céto-acides

Les céto-acides, notamment ceux dont le groupe carbonyle est en α ou en β du groupe carboxyle, sont des intermédiaires importants des réactions d'oxydation et de réduction biologiques.

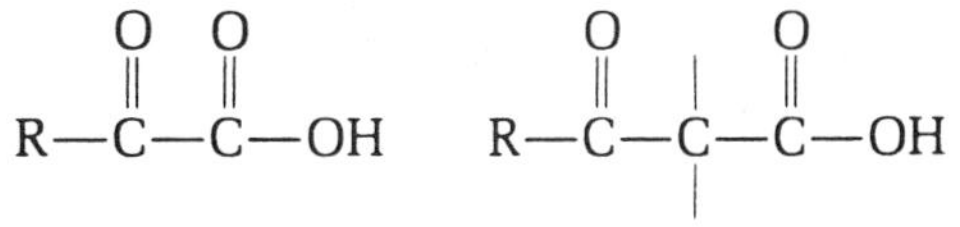

$$
\underset{\alpha\text{-céto-acide}}{R-\overset{O}{\overset{\|}{C}}-\overset{O}{\overset{\|}{C}}-OH} \qquad \underset{\beta\text{-céto-acide}}{R-\overset{O}{\overset{\|}{C}}-\overset{}{\overset{}{C}}-\overset{O}{\overset{\|}{C}}-OH}
$$

Le plus connu des acides α-cétoniques est l'**acide pyruvique,** dont le rôle est important dans le métabolisme des hydrates de carbone. C'est une source de groupes acétyles pour l'acétyl-coenzyme A (voir page 313). Dans le muscle, l'acide pyruvique est transformé en acide lactique par réduction enzymatique. Il est aussi un intermédiaire clé dans la fermentation du glucose en éthanol, sa conversion en cet alcool étant due à une décarboxylation et à une réduction enzymatiques (équation 11.17).

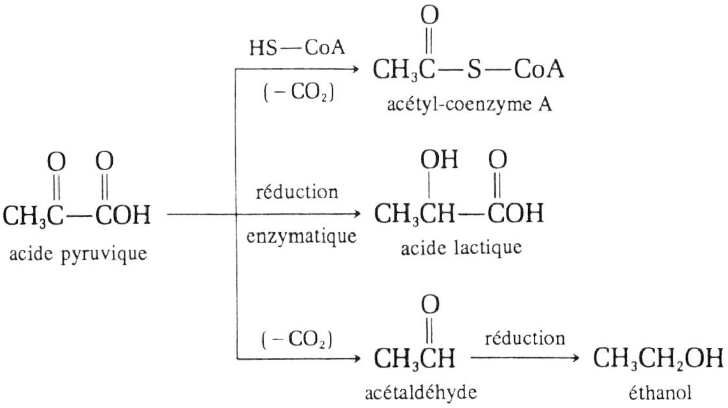

$$
\text{CH}_3\text{C}-\text{COH} \xrightarrow[\substack{\text{HS}-\text{CoA} \\ (-\text{CO}_2)}]{}
\begin{array}{l} \underset{\text{acétyl-coenzyme A}}{\overset{\displaystyle \text{O} \atop \|}{\text{CH}_3\text{C}-\text{S}-\text{CoA}}}
\end{array}
$$

$$
\underset{\text{acide pyruvique}}{\text{CH}_3\text{C}-\text{COH}} \xrightarrow[\text{enzymatique}]{\text{réduction}} \underset{\text{acide lactique}}{\text{CH}_3\text{CH}-\text{COH}} \qquad \textbf{(11.17)}
$$

$$
\xrightarrow[(-\text{CO}_2)]{} \underset{\text{acétaldéhyde}}{\text{CH}_3\text{CH}} \xrightarrow{\text{réduction}} \underset{\text{éthanol}}{\text{CH}_3\text{CH}_2\text{OH}}
$$

Les β-céto-acides sont des intermédiaires importants dans le métabolisme des graisses. La réaction clé est leur facile décarboxylation. Par exemple, l'acide acétylacétique perd aisément CO_2 par chauffage.

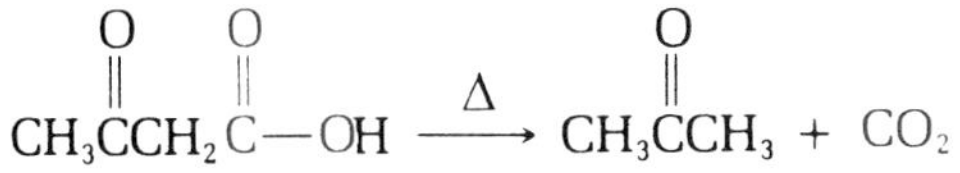

$$
\underset{}{\text{CH}_3\text{CCH}_2\text{C}-\text{OH}} \xrightarrow{\Delta} \text{CH}_3\text{CCH}_3 + \text{CO}_2 \qquad \textbf{(11.18)}
$$

La réaction est un transfert d'hydrogène 1,5 analogue à celui qui est mis en jeu dans la décarboxylation de l'acide malonique (équation 11.4).

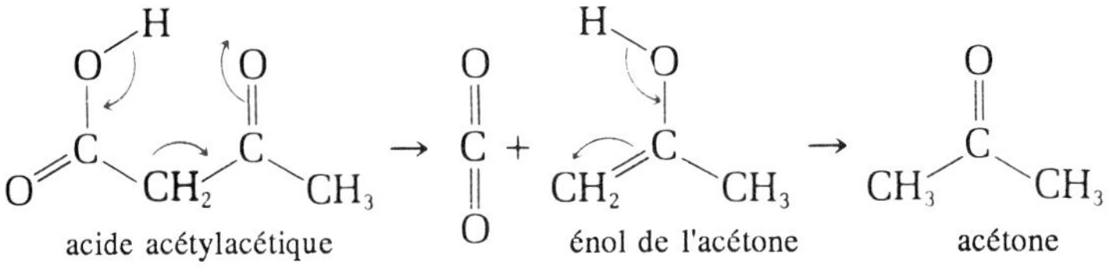

$$
\underset{\text{acide acétylacétique}}{} \rightarrow \underset{\text{énol de l'acétone}}{} \rightarrow \underset{\text{acétone}}{} \qquad \textbf{(11.19)}
$$

Exemple de problème 11.3   Ecrire l'équation de la décarboxylation de l'acide 2-acétylpropanoïque.

Solution   La structure de l'acide est $\text{CH}_3\text{COCH(CH}_3)\text{COOH}$. D'après l'équation 11.19, les produits sont $\text{CH}_3\text{COCH}_2\text{CH}_3$ et CO_2.

Problème 11.8 Ecrire l'équation de la réaction attendue du chauffage du céto-acide

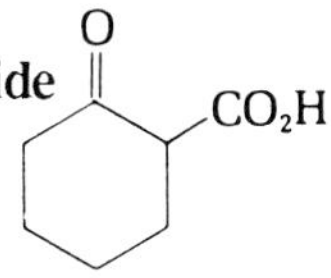

Etant donné l'importance des acides β-cétoniques, on a mis au point différentes méthodes de synthèse. La plus utile est exposée dans le paragraphe suivant.

11.9 Condensation de Claisen. Synthèse des β-céto-esters

Parce qu'adjacents à un groupe carbonyle, les hydrogènes en α d'un groupe ester peuvent être arrachés par une base forte et donner un énolate d'ester.

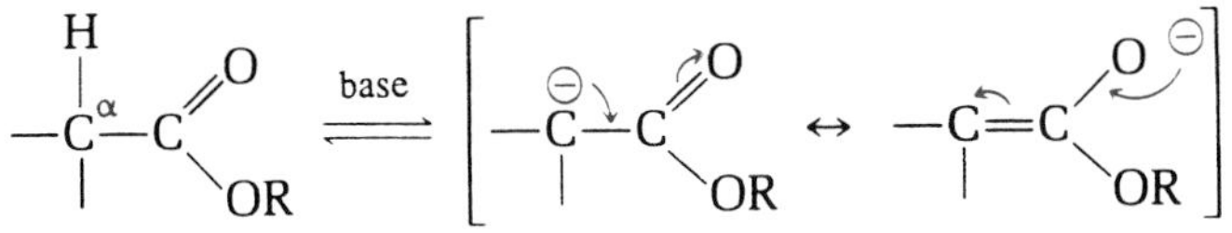

$$
\begin{array}{c}
\underset{|}{\overset{|}{-\underset{|}{C}}}\overset{H}{\underset{\alpha}{\overset{|}{C}}}-\overset{O}{\underset{OR}{\overset{\nearrow}{C}}} \xrightarrow{\text{base}} \left[-\overset{|}{\underset{|}{C}}{}^{\ominus}-\overset{O}{\underset{OR}{\overset{\nearrow}{C}}} \leftrightarrow -\overset{|}{C}=\overset{O^{\ominus}}{\underset{OR}{C}} \right]
\end{array} \tag{11.20}
$$

formes limites d'un énolate d'ester

Les bases couramment utilisées pour cela sont l'hydrure ou les alcoolates de sodium. L'énolate d'ester peut alors réagir comme un nucléophile carboné et s'additionner au groupe carbonyle d'une autre molécule d'ester. Cette réaction, très semblable à la condensation aldolique, est appelée **condensation de Claisen.** C'est un mode de synthèse des β-**céto-esters**. Examinons-la dans le cas de l'acétate d'éthyle.

Le traitement de l'acétate d'éthyle par l'éthanolate de sodium dans l'éthanol donne le β-céto-ester, **l'acétylacétate d'éthyle**. La réaction détaillée est la suivante:

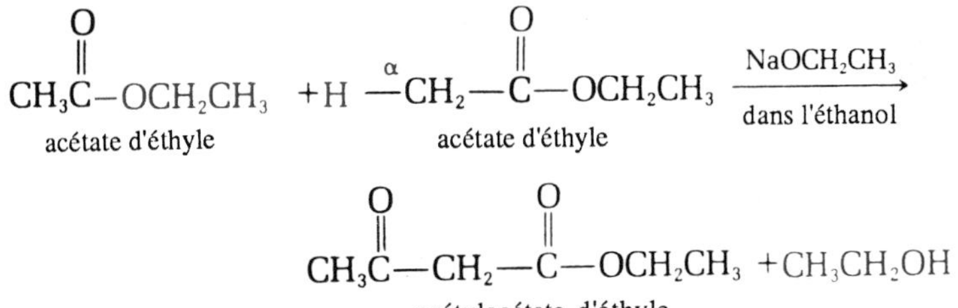

$$
\underset{\text{acétate d'éthyle}}{CH_3\overset{O}{\overset{\|}{C}}-OCH_2CH_3} + H\overset{\alpha}{-}\underset{\text{acétate d'éthyle}}{CH_2-\overset{O}{\overset{\|}{C}}-OCH_2CH_3} \xrightarrow[\text{dans l'éthanol}]{NaOCH_2CH_3} \tag{11.21}
$$

$$
\underset{\text{acétylacétate d'éthyle}}{CH_3\overset{O}{\overset{\|}{C}}-CH_2-\overset{O}{\overset{\|}{C}}-OCH_2CH_3} + CH_3CH_2OH
$$

Elle comporte trois étapes:

1ère étape $\quad CH_3\overset{O}{\overset{\|}{C}}-OCH_2CH_3 + \underset{\text{éthanolate de sodium}}{Na^+\ {}^-OCH_2CH_3} \rightleftharpoons \underset{\text{énolate d'ester}}{Na^+\ {}^-CH_2\overset{O}{\overset{\|}{C}}OCH_2CH_3} + CH_3CH_2OH$ (11.22)

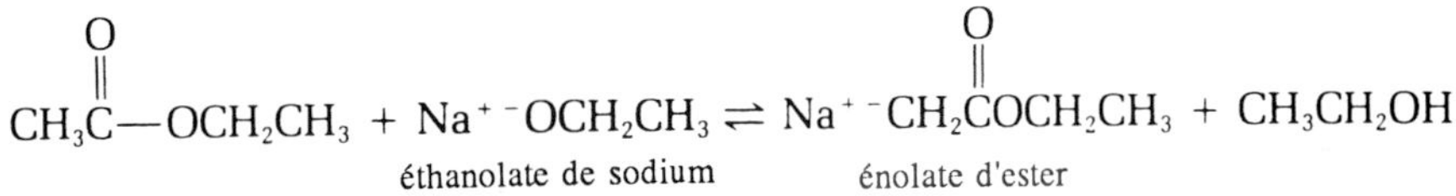

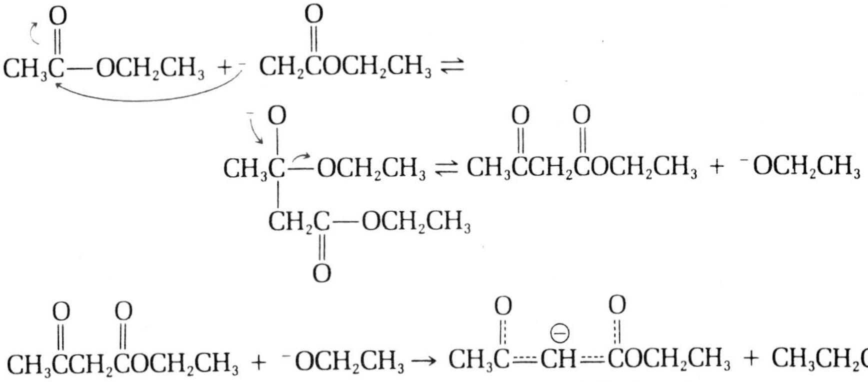

2e étape $\quad CH_3\overset{O}{\overset{\|}{C}}-OCH_2CH_3 + {}^-CH_2\overset{O}{\overset{\|}{C}}OCH_2CH_3 \rightleftharpoons$

$$
\underset{\underset{O}{\overset{\|}{CH_2C-OCH_2CH_3}}}{CH_3\overset{|}{C}-OCH_2CH_3} \rightleftharpoons CH_3\overset{O}{\overset{\|}{C}}CH_2\overset{O}{\overset{\|}{C}}OCH_2CH_3 + {}^-OCH_2CH_3 \tag{11.23}
$$

3e étape $\quad CH_3\overset{O}{\overset{\|}{C}}CH_2\overset{O}{\overset{\|}{C}}OCH_2CH_3 + {}^-OCH_2CH_3 \rightarrow CH_3\overset{O}{\overset{\|}{C}} {=\!=\!=} \overset{\ominus}{CH} {=\!=\!=} \overset{O}{\overset{\|}{C}}OCH_2CH_3 + CH_3CH_2OH$ (11.24)

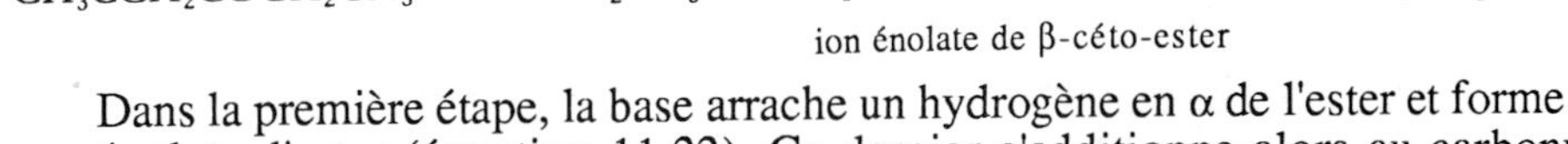

ion énolate de β-céto-ester

Dans la première étape, la base arrache un hydrogène en α de l'ester et forme un énolate d'ester (équation 11.22). Ce dernier s'additionne alors au carbonyle d'une seconde molécule en déplaçant un ion éthanolate (équation 11.23). Ces deux premières étapes sont réversibles. Dans la troisième, qui déplace l'équilibre, le β-céto-ester est converti en son anion énolate, car les hydrogènes du CH_2 de l'acétylacétate d'éthyle sont en α de *deux* carbonyles et sont beaucoup plus acides que les hydrogènes en α d'un ester ordinaire. Ils sont donc aisément arrachés par la base en formant un ion énolate particulièrement stabilisé par résonance.

$$
\left[
\begin{array}{c}
\underset{CH_3}{\overset{O^-}{\underset{|}{C}}} \quad \underset{CH}{\overset{O}{\underset{||}{C}}} \quad OCH_2CH_3
\end{array}
\right.
\leftrightarrow
\begin{array}{c}
\underset{CH_3}{\overset{O}{\underset{||}{C}}} \quad \underset{CH}{\overset{O}{\underset{||}{C}}} \quad OCH_2CH_3
\end{array}
\leftrightarrow
\left.
\begin{array}{c}
\underset{CH_3}{\overset{O}{\underset{||}{C}}} \quad \underset{CH}{\overset{O^-}{\underset{|}{C}}} \quad OCH_2CH_3
\end{array}
\right]
$$

formes limites de l'anion énolate de l'acétylacétate d'éthyle

On termine cette condensation de Claisen en acidifiant la solution pour régénérer le β-céto-ester à partir de son anion énolate.

Exemple de Problème 11.4   Quel est le produit formé dans la condensation de Claisen du propanoate d'éthyle $CH_3CH_2COOCH_2CH_3$?

Solution   Le produit est

$$
CH_3CH_2\overset{O}{\underset{\overset{|}{CH_3}}{\underset{||}{C}}}\overset{\alpha}{-}\underset{}{CH}-\overset{O}{\underset{||}{C}}OCH_2CH_3
$$

On notera que c'est le carbone α d'une molécule qui, en déplaçant le groupe –OR, se lie au carbone du carbonyle d'une autre. Le produit est toujours un β-céto-ester.

Problème 11.9   A l'aide des équations 11.22-11.24, écrire les étapes du mécanisme de la condensation de Claisen du propanoate d'éthyle.

La condensation de Claisen est une bonne méthode de formation de nouvelles liaisons carbone-carbone au laboratoire. Elle joue aussi un rôle dans le métabolisme des graisses. La suite du présent chapitre est consacrée aux huiles et graisses et aux savons et détergents dérivés.

11.10 Huiles et graisses. Triesters du glycérol

Les huiles et les graisses (ou corps gras) font partie de notre vie quotidienne. Exemples de graisses: le beurre, le lard, le suif. Exemples d'huiles (principalement d'origine végétale): huiles de coton, d'olive, de soja, d'arachide, etc. Bien que les graisses soient plus ou moins solides et que les huiles soient liquides, elles ont la même structure organique de base. Les huiles et les graisses sont des triesters du glycérol; on les appelle des **triglycérides**. Quand on chauffe un corps gras avec un alcali et qu'on acidifie le mélange réactionnel, on obtient du glycérol et un mélange d'**acides gras.** C'est la saponification (paragraphe 10.12).

	Nom courant	Nombre de carbones	Formule développée	F °C
Saturés	laurique	12	$CH_3(CH_2)_{10}COOH$	44
	myristique	14	$CH_3(CH_2)_{12}COOH$	58
	palmitique	16	$CH_3(CH_2)_{14}COOH$	63
	stéarique	18	$CH_3(CH_2)_{16}COOH$	70
	arachidique	20	$CH_3(CH_2)_{18}COOH$	77
Insaturés	oléique	18	$CH_3(CH_2)_7CH=CH(CH_2)_7COOH$	13
	linoléique	18	$CH_3(CH_2)_4CH=CHCH_2CH=CH(CH_2)_7COOH$	–5
	linolénique	18	$CH_3CH_2CH=CHCH_2CH=CHCH_2CH=CH(CH_2)_7COOH$	–11

Table 11.2 Acides courants obtenus à partir des corps gras

triglycéride glycérol acides gras (trois équivalents)

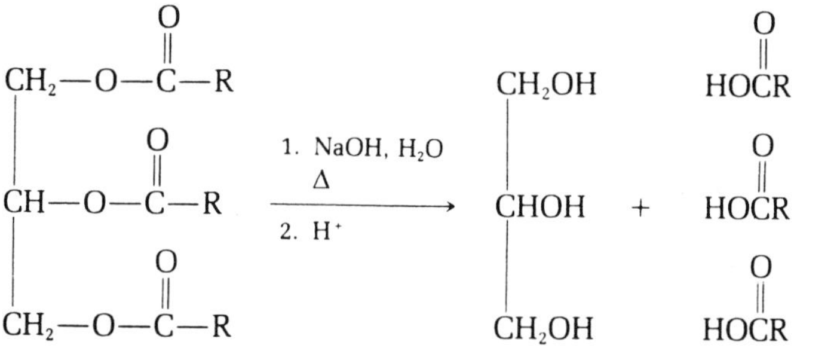

(11.25)

La table 11.2 rassemble les acides gras saturés et non saturés les plus courants. Mis à part quelques exceptions, les acides gras ont des chaînes non ramifiées et un nombre pair d'atomes de carbones. Quand des doubles liaisons sont présentes, leur configuration est généralement *cis* (ou Z) et elles ne sont pas conjuguées.

Exemple de problème 11.5 **Ecrire la formule développée de l'acide linoléique montrant la géométrie des doubles liaisons.**

Solution **La conformation préférée est la conformation en zigzag avec des arrangements décalés des liaisons simples.**

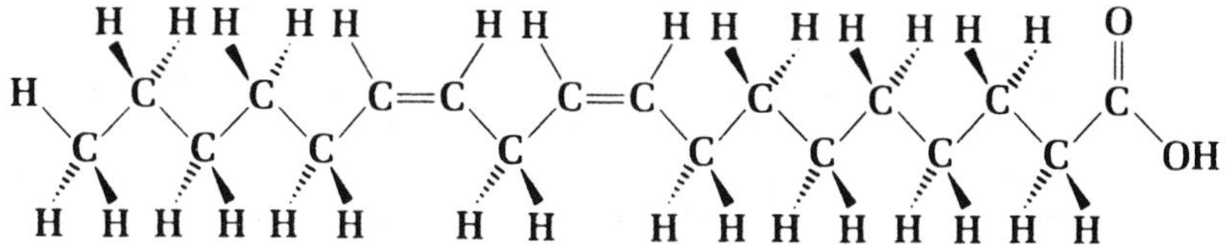

Problème **11.10** **Ecrire la formule développée de l'acide linolénique.**

Il existe deux types de triglycérides, les **simples**, dont les trois parties acides gras sont identiques, et les **mixtes**, dont ces parties sont différentes.

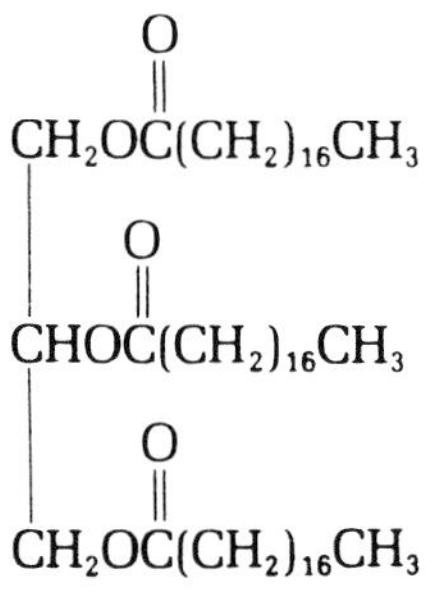

$$
\begin{array}{ll}
\underset{\text{O}}{\text{CH}_2\text{OC}(\text{CH}_2)_{16}\text{CH}_3} & \underset{\text{O}}{\text{CH}_2\!-\!\text{OC}(\text{CH}_2)_{14}\text{CH}_3} \longleftarrow \text{ester d'acide palmitique}\\[4pt]
\underset{\text{O}}{\text{CHOC}(\text{CH}_2)_{16}\text{CH}_3} & \underset{\text{O}}{\text{CH}\!-\!\text{OC}(\text{CH}_2)_{16}\text{CH}_3} \longleftarrow \text{ester d'acide stéarique}\\[4pt]
\underset{\text{O}}{\text{CH}_2\text{OC}(\text{CH}_2)_{16}\text{CH}_3} & \underset{\text{O}}{\text{CH}_2\!-\!\text{OC}(\text{CH}_2)_7\text{CH}\!=\!\text{CH}(\text{CH}_2)_7\text{CH}_3} \longleftarrow \text{ester d'acide oléique}
\end{array}
$$

triglycéride simple   triglycéride mixte

(tristéarine ou tristéarate de glycéryle)   (palmitostéarooléate de glycéryle)

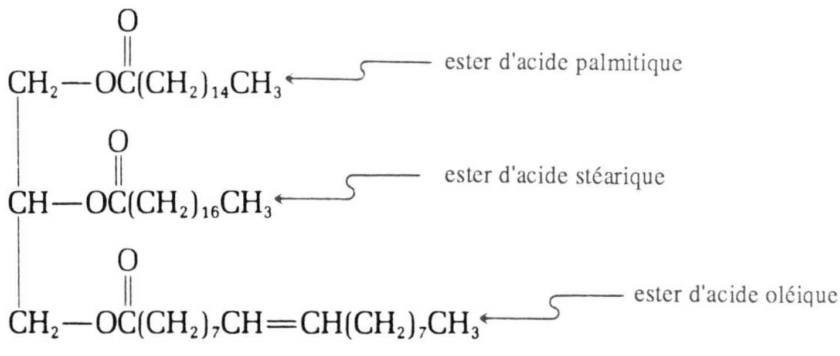

Exemple de problème 11.6   Ecrire la formule développée du stéaropalmitooléate de glycéryle, un isomère du triglycéride mixte ci-dessus.

Solution

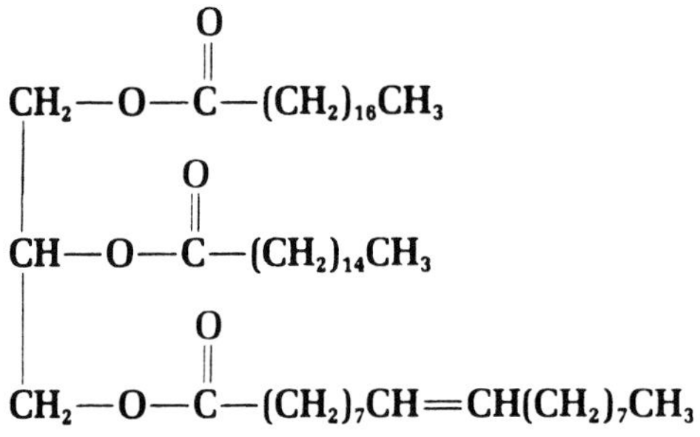

$$
\begin{array}{l}
\underset{}{\text{CH}_2\!-\!\text{O}\!-\!\overset{\text{O}}{\overset{\|}{\text{C}}}\!-\!(\text{CH}_2)_{16}\text{CH}_3}\\[8pt]
\underset{}{\text{CH}\!-\!\text{O}\!-\!\overset{\text{O}}{\overset{\|}{\text{C}}}\!-\!(\text{CH}_2)_{14}\text{CH}_3}\\[8pt]
\underset{}{\text{CH}_2\!-\!\text{O}\!-\!\overset{\text{O}}{\overset{\|}{\text{C}}}\!-\!(\text{CH}_2)_7\text{CH}\!=\!\text{CH}(\text{CH}_2)_7\text{CH}_3}
\end{array}
$$

On notera que ces deux triglycérides mixtes donneraient les mêmes produits de saponification.

Problème 11.11   Ecrire la formule développée de:
a. la tripalmitine   b. le palmitooléostéarate de glycéryle
Quels seraient les produits de saponification de ces deux triglycérides?

La plupart des corps gras ne sont pas constitués d'un triglycéride simple mais de mélanges complexes de triglycérides. C'est pourquoi on exprime généralement la composition d'une huile ou d'une graisse en pourcentages des divers acides gras obtenus par saponification. Certains corps gras donnent principalement un ou deux acides et de faibles quantités d'autres acides. Ainsi, l'huile d'olive donne 83 % d'acide oléique, l'huile de palme 43 % d'acide palmitique, 43 % d'acide oléique et un peu des acides stéarique et linoléique. Par contre, le beurre donne au moins 14 acides différents, dont 9 % d'entre eux (ce qui est exceptionnel) ont moins de 10 atomes de carbone.

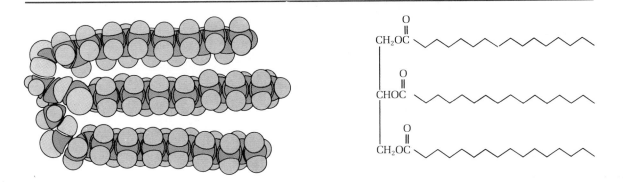

Figure 11.2   Modèles compact et schématique de la tripalmitine.

11.11   Hydrogénation des huiles végétales

Quelle est l'origine, assurément structurale, de l'état solide de certains triglycérides (les graisses) et de l'état liquide d'autres glycérides (les huiles)? Cela est clairement dû à leur composition. Les huiles, plus que les graisses, ont un pourcentage élevé en acides gras non saturés. Ainsi, beaucoup d'huiles végétales, telles que les huiles de soja ou de maïs, donnent par hydrolyse 80 % d'acides gras non saturés. Par contre, une graisse telle que le suif de boeuf n'en donne pas plus de 50 %. On peut remarquer aussi dans la table 11.2 que le point de fusion des acides gras non saturés est, en général, plus bas que celui des acides saturés. C'est le cas, par exemple, des acides stéarique et oléique qui ne diffèrent que d'une double liaison. On constate la même différence chez les triglycérides; plus il y a de doubles liaisons dans la partie acide des triesters, plus est bas le point de fusion.

L'examen des modèles moléculaires compacts permet de comprendre l'effet de la saturation, de l'insaturation et du degré d'insaturation sur le point de fusion. La figure 11.2 montre le modèle d'un triglycéride totalement saturé, la tripalmitine. On remarque que les trois longues chaînes ont des conformations parfaitement allongées et décalées. Ainsi disposées, ces chaînes, donc les molécules, peuvent s'assembler régulièrement, comme dans un cristal. Il s'ensuit que de tels triglycérides sont des solides à la température ordinaire.

La figure 11.3 montre l'effet d'une double liaison *cis* dans une chaîne. Il apparaît clairement qu'une telle chaîne dans une molécule simple (il en va de même pour la molécule elle-même) ne peut s'aligner correctement dans un ordre cristallin et la substance reste liquide. Plus il y a de doubles liaisons, plus la structure est désordonnée et plus est bas le point de fusion.

On peut transformer des huiles végétales, très insaturées, en graisses telles que la margarine au tournesol, par hydrogénation catalytique totale ou partielle des doubles liaisons. Ce durcissement est illustré ci-dessous par l'hydrogénation de la trioléine en tristéarine (équation 11.26).

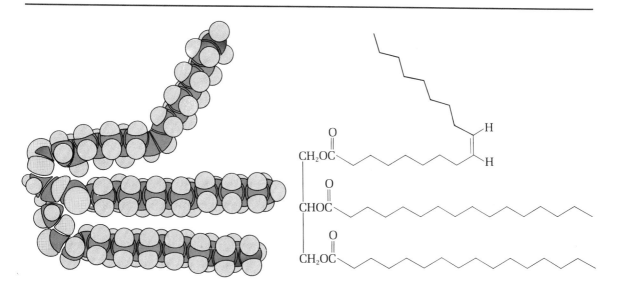

Figure 11.3 Modèles compact et schématique du dipalmitooléate de glycéryle.

La margarine végétale est faite par hydrogénation d'huiles de coton, soja, maïs ou arachide jusqu'à ce que soit obtenue une consistance analogue à celle du beurre. On peut alors battre le produit avec du lait et l'additionner d'un colorant donnant l'apparence et le goût du beurre.

$$
\begin{array}{ccc}
& & \\
\underset{\displaystyle \text{trioléine, F } -17°C}{
\begin{array}{l}
\text{CH}_2\text{O}\overset{\text{O}}{\overset{\|}{\text{C}}}(\text{CH}_2)_7\text{CH}=\text{CH}(\text{CH}_2)_7\text{CH}_3 \\
\text{CHO}\overset{\text{O}}{\overset{\|}{\text{C}}}(\text{CH}_2)_7\text{CH}=\text{CH}(\text{CH}_2)_7\text{CH}_3 \\
\text{CH}_2\text{O}\overset{\text{O}}{\overset{\|}{\text{C}}}(\text{CH}_2)_7\text{CH}=\text{CH}(\text{CH}_2)_7\text{CH}_3
\end{array}}
& \xrightarrow[\substack{\text{catalyseur Ni} \\ \Delta}]{3\ \text{H}_2} &
\underset{\displaystyle \text{tristéarine, F } 55°C}{
\begin{array}{l}
\text{CH}_2\text{O}\overset{\text{O}}{\overset{\|}{\text{C}}}(\text{CH}_2)_{16}\text{CH}_3 \\
\text{CHO}\overset{\text{O}}{\overset{\|}{\text{C}}}(\text{CH}_2)_{16}\text{CH}_3 \\
\text{CH}_2\text{O}\overset{\text{O}}{\overset{\|}{\text{C}}}(\text{CH}_2)_{16}\text{CH}_3
\end{array}}
\end{array}
\qquad (11.26)
$$

11.12 Saponification des huiles et des graisses

Quand on chauffe un corps gras avec un alcali, il y a rupture des liaisons d'ester qui conduisent à du glycérol et à des sels d'acides gras. La saponification de la tripalmitine ci-après illustre cette réaction.

$$
\begin{array}{l}
\underset{\displaystyle \overset{O}{\|}}{CH_2OC(CH_2)_{14}CH_3} \\[4pt]
\underset{\displaystyle \overset{O}{\|}}{CHOC(CH_2)_{14}CH_3} + 3\,Na^+OH^- \xrightarrow{\ \Delta\ } \underset{\displaystyle}{CHOH} + 3\,CH_3(CH_2)_{14}CO_2^-\,Na^+ \\[4pt]
\underset{\displaystyle \overset{O}{\|}}{CH_2OC(CH_2)_{14}CH_3}
\end{array}
$$

$$
\begin{array}{l}
CH_2OH \\
CHOH \\
CH_2OH
\end{array}
$$

(11.27)

tripalmitine   glycérol   palmitate de sodium
(de l'huile de palme)   (un savon)

Ces sels (de sodium le plus souvent) d'acides gras à longue chaîne sont les **savons**.

A PROPOS DES SAVONS ET DE LEUR MODE D'ACTION

Le chauffage des graisses animales telles que le suif de chèvre, avec de la cendre de bois (qui est alcaline), les transforme en savon. C'est vraisemblablement l'une des plus anciennes réactions chimiques, car on préparait déjà du savon il y a quelque 2.300 ans et il était connu des Celtes et des Romains. Cependant, cela ne dura pas et, encore récemment, par exemple aux XVIe et XVIIe siècles, c'était une substance assez rare en Europe, qu'on utilisait surtout en médecine. Ainsi, en 1672, l'admirateur d'une femme de l'aristocratie germanique, lui faisant don de savon italien, prenait soin d'y ajouter des instructions pour son usage. Mais au XIXe siècle, le savon était assez répandu et le chimiste organicien allemand Justus von Liebig faisait remarquer que la quantité utilisée par une nation était une mesure précise de son état sanitaire et de sa civilisation. A l'heure actuelle, la production annuelle mondiale de savons ordinaires (non compris les détergents synthétiques) est supérieure à 6 millions de tonnes.

On fabrique le savon, soit dans des opérations distinctes, soit en continu. Dans le premier cas, on chauffe dans un chaudron, à l'air libre, la graisse ou l'huile en présence de soude en léger excès. Quand la saponification est complète, on ajoute du sel pour précipiter le savon en épais grumeaux (c'est le relargage), on soutire la couche aqueuse, qui contient du sel, du glycérol et l'excès de soude, et on sépare le glycérol par concentration. Plusieurs fois, on débarrasse les grumeaux de savon brut de leurs impuretés (sel, soude et glycérol) par ébullition dans l'eau et reprécipitation par addition de sel. Finalement, on ajoute assez d'eau bouillante aux grumeaux pour obtenir un mélange homogène qui, au repos, donne une couche supérieure homogène de savon. Ce dernier est utilisé tel quel comme savon industriel bon marché. On peut aussi adjoindre du sable ou de la pierre ponce et faire ainsi des savons de décapage, ou, par des traitements appropriés, le transformer en savons de toilette, en paillettes ou en poudre, en savons médicamenteux ou parfumés, en savons de lessive solides ou liquides ou en savons alvéolaires.

Dans la technique en continu, plus courante aujourd'hui, on hydrolyse l'huile ou la graisse par de l'eau sous pression et à haute température en présence d'un catalyseur, souvent un savon de zinc. Aux extrémités opposées d'un grand réacteur, on introduit en continu la graisse ou l'huile et l'eau, tandis que les acides gras et le glycérol sont enlevés par distillation au fur et à mesure de leur formation. On neutralise alors soigneusement les acides par la quantité calculée de soude pour obtenir ainsi le savon.

Figure 11.4   Le stéarate de sodium, un savon ordinaire.

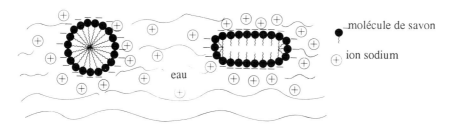

Figure 11.5 Par "dissolution" dans l'eau, les molécules de savon forment des micelles.

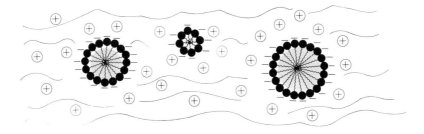

Figure 11.6 Gouttelettes d'huile émulsifiées par des molécules de savon.

Quel est maintenant le mode d'action du savon? Les salissures, en général, adhèrent aux vêtements ou à la peau par un mince film huileux et on les élimine en enlevant ce film. Le savon est constitué de sels d'acides gras, c'est-à-dire de cations alcalins et d'anions R–COO⁻ formés de longues chaînes carbonées comme celles des hydrocarbures, comportant à une extrémité un groupe ionique, très polaire (figure 11.4). La chaîne carbonée est *lipophile* (elle est attirée ou soluble dans les huiles et les graisses), mais l'extrémité polaire est *hydrophile* (elle est attirée ou soluble dans l'eau). Qu'arrive-t-il alors quand on ajoute du savon à de l'eau?

Par agitation du mélange, on obtient une dispersion colloïdale et non pas une solution vraie. Des agrégats de molécules de savon appelés *micelles* sont formés. Les chaînes carbonées non polaires, lipophiles, de ces molécules sont orientées vers le centre de la micelle, tandis que leurs extrémités polaires, hydrophiles, en constituent la "surface" en contact avec l'eau (figure 11.5). La partie externe des micelles est donc chargée négativement, tandis que les ions sodium, positifs, s'assemblent autour d'elle. Les molécules de savon entourent alors et émulsionnent les gouttelettes d'huile ou de graisse qui protègent les salissures, leurs extrémités lipophiles s'y dissolvant, tandis que leurs extrémités hydrophiles sont orientées vers l'eau. Ces gouttelettes sont ainsi stabilisées en solution aqueuse, car la charge négative de leur surface empêche leur coalescence, c'est-à-dire leur agglutination (figure 11.6).

Une autre propriété remarquable des solutions savonneuses est leur tension superficielle particulièrement faible, d'où leur pouvoir mouillant plus accentué que celui de l'eau pure. C'est la combinaison du pouvoir mouillant et du pouvoir émulsifiant des solutions de savon qui leur permet de détacher les salissures de la surface à nettoyer, de les émulsionner et de les éliminer par rinçage.

11.13 Détergents synthétiques

Depuis quelques années, la production mondiale de détergents synthétiques a dépassé celle des savons ordinaires et cette tendance semble devoir persister. Le besoin de détergents est dû à deux problèmes que pose l'utilisation des savons ordinaires non améliorés.

D'abord ces savons, étant des sels d'acides faibles et de base forte, sont hydrolysés (partiellement), d'où l'alcalinité de leurs solutions, qui est gênante dans certains cas.

$$R\text{—COO}^-\text{Na}^+ \; + \; \text{H—OH} \; \rightleftharpoons \; R\text{—COOH} \; + \; \text{Na}^+\text{OH}^- \qquad \textbf{(11.28)}$$

savon

D'autre part, les savons ordinaires sont inefficaces à pH faible, c'est-à-dire en milieu acide, parce que l'acide gras à longue chaîne précipite. Le stéarate de sodium, par exemple, est converti en acide stéarique par acidification

$$C_{17}H_{35}C\underset{O^-Na^+}{\overset{O}{\big<}} \; + \; H^+Cl^- \rightarrow C_{17}H_{35}C\underset{OH}{\overset{O}{\big<}} \downarrow \; + \; Na^+Cl^- \qquad \textbf{(11.29)}$$

stéarate de sodium   acide stéarique

Le second problème posé par les savons ordinaires, c'est qu'ils forment des sels insolubles avec les ions calcium et magnésium ou les ions ferriques présents dans l'eau "dure".

$$2 \ C_{17}H_{35}C\!\!\begin{array}{c}\nearrow O\\[-2pt]\searrow O^-Na^+\end{array} + Ca^{2+} \rightarrow (C_{17}H_{35}COO^-)_2Ca^{2+} \downarrow \ + \ 2 \ Na^+ \qquad \textbf{(11.30)}$$

stéarate de sodium   stéarate de calcium
(soluble)   (insoluble)

Ces sels insolubles sont responsables des dépôts de toutes sortes, notamment ceux des installations sanitaires.

On peut résoudre ces problèmes, au moins partiellement, de diverses façons. Par exemple, on peut "adoucir" l'eau, soit à l'échelon municipal, soit à l'échelon familial, avec les résines échangeuses d'ions qui permettent de remplacer ses ions calcium et magnésium, gênants, par des ions sodium. Mais une telle eau, utilisée pour la cuisine ou la boisson, peut être déconseillée, notamment aux personnes âgées qui doivent limiter leur absorption en ions sodium.

Aux savons (et aux détergents), on peut ajouter des phosphates, lesquels forment des complexes solubles avec les ions métal et les empêchent de former des sels insolubles avec ces savons. Mais l'emploi exagéré de phosphates dans le passé, notamment avec les détergents, a créé des problèmes inattendus. Des quantités énormes de ces phosphates ont trouvé leur chemin vers les cours d'eau, les fleuves et les lacs et, étant des fertilisants, ont tellement stimulé la croissance des plantes qu'elles ont épuisé l'oxygène de l'eau et provoqué la mort des poissons. L'utilisation des phosphates dans les détergents n'a pas disparu, mais elle est limitée par la loi à des niveaux raisonnables.

Une autre manière de résoudre les problèmes posés par les savons ordinaires a été d'imaginer et de synthétiser des détergents bon marché et néanmoins plus efficaces. Comme ces savons, les détergents devaient être constitués d'une longue chaîne lipophile et d'une extrémité polaire ou ionique, hydrophile. De plus, cette extrémité ne devait pas former de sels insolubles avec les cations présents dans l'eau dure, ni changer l'acidité de l'eau. Bref, il fallait remplacer le groupe carboxylate du savon ordinaire.

Les premiers détergents synthétiques étaient les sels de sodium de sulfates acides d'alkyle. On préparait, pour cela, des alcools à longue chaîne par hydrogénolyse des huiles et des graisses:

$$
\begin{array}{l}
CH_3(CH_2)_{10}\overset{\displaystyle O}{\overset{\|}{C}}\!\!-\!\!OCH_2\\[6pt]
CH_3(CH_2)_{10}\overset{\displaystyle O}{\overset{\|}{C}}\!\!-\!\!OCH + 6\ H_2 \ \xrightarrow[\Delta\ ,\ \text{pression}]{\text{chromite de cuivre}} \ 3\ CH_3(CH_2)_{10}CH_2OH + \begin{array}{l}HOCH_2\\ |\\ HOCH\\ |\\ HOCH_2\end{array}\\[6pt]
CH_3(CH_2)_{10}\overset{\displaystyle O}{\overset{\|}{C}}\!\!-\!\!OCH_2
\end{array}
\qquad \textbf{(11.31)}
$$

trilaurate de
glycéryle   1-dodécanol
                                         (alcool laurylique)

et l'on traitait ces alcools par l'acide sulfurique pour en faire des sulfates acides d'alkyle, qu'on neutralisait ensuite avec de la soude.

$$CH_3(CH_2)_{10}CH_2OH + HOSO_2OH \rightarrow CH_3(CH_2)_{10}CH_2OSO_2OH + H_2O$$

alcool laurylique   acide sulfurique   sulfate acide de lauryle

$$\downarrow NaOH$$

(11.32)

chaîne lipophile

$$CH_3CH_2CH_2CH_2CH_2CH_2CH_2CH_2CH_2CH_2CH_2CH_2 - O - \overset{\displaystyle O}{\underset{\displaystyle O}{\overset{\|}{\underset{\|}{S}}}} - O^- Na^+ + H_2O$$

extrémité hydrophile, polaire

sulfate de sodium et de lauryle

On a ainsi préparé le sulfate de sodium et de lauryle, par exemple. C'est un excellent détergent. En effet, sel d'acide fort et de base forte, ses solutions sont pratiquement neutres; ses sels de calcium et de magnésium ne précipitent pas et il est utilisable, aussi bien dans l'eau dure que dans l'eau douce. Par contre, il n'est pas accessible en quantités illimitées, d'où la nécessité de synthétiser d'autres détergents.

Actuellement, les détergents les plus largement utilisés sont les alkylbenzène-sulfonates à longue chaîne. On les prépare en trois étapes. On traite d'abord les alcènes à longue chaîne (10-14 carbones) par du benzène avec un catalyseur de Friedel-Crafts (AlCl$_3$ ou HF) pour former l'alkylbenzène. On opère ensuite une sulfonation, puis la neutralisation par une base.

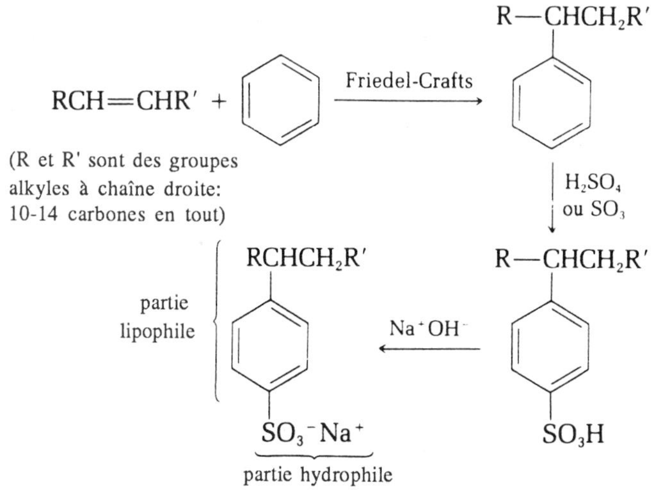

$$RCH = CHR' + \underset{\text{benzène}}{\bigcirc} \xrightarrow{\text{Friedel-Crafts}} R-CHCH_2R'$$

(R et R' sont des groupes alkyles à chaîne droite: 10-14 carbones en tout)

$$\downarrow \begin{array}{c} H_2SO_4 \\ \text{ou } SO_3 \end{array}$$

(11.33)

partie lipophile — RCHCH$_2$R' ... SO$_3^-$Na$^+$ $\xleftarrow{Na^+ OH^-}$ R-CHCH$_2$R' ... SO$_3$H

partie hydrophile

(un alkylbenzènesulfonate de sodium)

La chaîne alkyle ne doit pas être ramifiée. Les premiers alkylbenzènesulfonates avaient, en effet, des chaînes ramifiées et n'étaient pas biodégradables. Ils ont donc posé de sérieux problèmes de pollution dans les années 1950, notamment par les énormes volumes de mousse dans les égouts des usines productrices et sur les rivières et les lacs. Aussi, depuis 1965 environ, on n'utilise plus que des alkylbenzènesulfonates à chaîne non ramifiée qui sont alors totalement biodégradables par les micro-organismes et qui ne s'accumulent plus dans l'environnement.

Problème 11.12　　　Le tétramère du propylène a la formule:

$$
\begin{array}{ccc}
\overset{\displaystyle CH_3}{|} & \overset{\displaystyle CH_3}{|} & \overset{\displaystyle CH_3}{|} \\
\end{array}
$$
$$CH_3CHCH_2CHCH_2CHCH=CHCH_3$$

Montrer comment on peut le transformer en alkylbenzènesulfonate à longue chaîne ramifiée par une séquence analogue à celle de l'équation 11.33.

A PROPOS DU METABOLISME DES GRAISSES

On vient de voir que certains détergents, ceux dont la chaîne n'est pas ramifiée, sont biodégradables. Autrement dit, ils sont "digérés" par les micro-organismes et dégradés en chaînes carbonées de plus en plus petites. Ils ne survivent donc pas en tant que tels et perdent leur nocivité pour l'environnement. Pour comprendre pourquoi les chaînes ramifiées ne sont pas biodégradables alors que les chaînes droites le sont, il faut connaître le métabolisme des acides gras à chaîne droite.

Quand un corps gras est ingéré, il est hydrolysé par des enzymes appelés *lipases* en acides gras et glycérol. Cette hydrolyse a lieu principalement dans l'intestin grêle, où les acides gras sont absorbés et transportés vers d'autres organes où ils sont soumis à d'autres métabolismes. Finalement, ils sont oxydés en dioxyde de carbone et en eau en fournissant de l'énergie.

Voyons comment s'opère cette oxydation de la longue chaîne carbonée. Il y a d'abord, par réaction avec le coenzyme A, activation du groupe carboxyle de l'acide gras par sa conversion en thioester.

$$
\underset{\text{acide gras}}{RCH_2CH_2COOH} + CoA\text{—}SH \underset{ATP}{\overset{enzyme}{\rightleftharpoons}} \underset{\text{acyl-CoA}}{RCH_2CH_2\overset{\overset{\displaystyle O}{\|}}{C}\text{—}SCoA} + H\text{—}OH \qquad (11.34)
$$

L'activation nécessite la présence d'un enzyme et d'adénosine triphosphate (ATP). La chaîne alkyle perd alors deux carbones à la fois selon un processus à quatre étapes, tel qu'il est résumé figure 11.7. Celle-ci montre comment le stéaroyl-CoA, porteur d'une chaîne à 18 carbones, est dégradé en palmitoyl-CoA (16 carbones) et en acétyl-CoA (2 carbones). Le processus se répète avec le palmitoyl-CoA qui est ainsi converti en myristoyl-CoA, et ainsi de suite jusqu'à ce que toute la molécule soit découpée, par tranches de deux carbones, en acétyl-CoA.

Voici brièvement chacune des étapes de ces découpages. A la première, un enzyme et le flavine adénine dinucléotide (FAD) déshydrogènent le thioester en donnant un ester non saturé dont la double liaison se trouve entre les carbones 2 et 3 de la chaîne. Dans l'étape suivante, la double liaison est hydratée en donnant un thioester hydroxylé en 3. La troisième étape voit la fonction alcool oxydée en cétone par action du nicotinamide adénine dinucléotide (NAD$^+$). Et finalement, le β-cétothioester est coupé par le coenzyme A; c'est l'étape clé du processus, l'inverse de la condensation de Claisen Ce mécanisme est décrit figure 11.8.

Dans la biodégradation des détergents comme les benzènesulfonates d'alkyle, c'est le cycle benzénique qui est oxydé le premier et l'on est conduit à un acide gras à longue chaîne qui est alors dégradé comme ci-dessus. Si la chaîne est ramifiée, il doit y avoir à un certain stade (qui dépend de la position de la ramification) formation d'un hydroxy-ester à –OH tertiaire et non plus secondaire. Cela doit bloquer le stade d'oxydation ultérieur et la dégradation de la chaîne carbonée. D'où l'impossibilité de la biodégradation totale des benzènesulfonates d'alkyles ramifiés.

On sait tous que le corps non seulement métabolise les graisses pour produire de l'énergie, mais aussi qu'il en fait la synthèse et les met en réserve. Bien qu'il y ait des différences de détail, le processus de cette biosynthèse est l'inverse des quatre étapes de la figure 11.7. Puisqu'elle commence avec un fragment de deux carbones (acétate) et qu'elle continue avec deux carbones à la fois, on comprend pourquoi la plupart des acides gras naturels ont un nombre pair d'atomes de carbone.

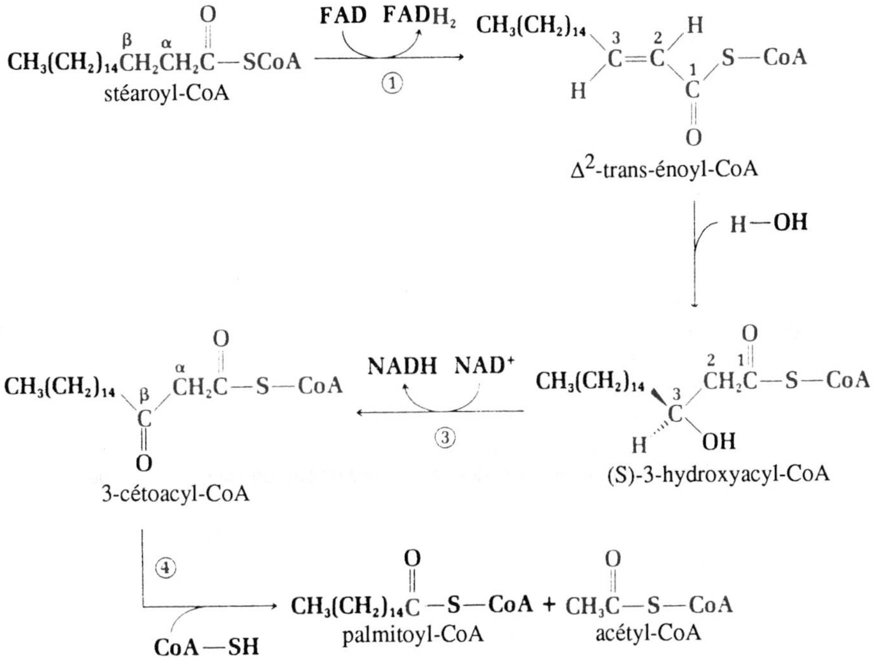

Figure 11.7   Les quatre étapes de l'oxydation des acides gras saturés.
1) Déshydrogénation   2) Hydratation   3) Oxydation   4) Coupure en β

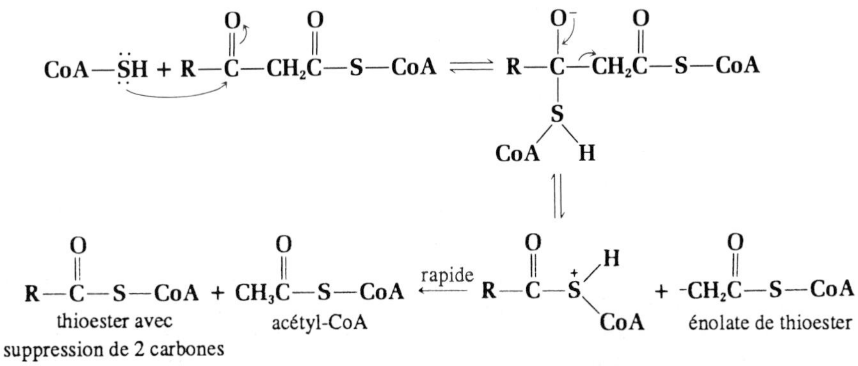

Figure 11.8   La coupure des β-cétothioesters par le coenzyme A. Détails de la 4e étape de l'oxydation des acides gras saturés.

11.14 Autres lipides

Les corps gras ne représentent qu'un seul type d'une catégorie plus générale et très hétérogène de substances appelées **lipides** (du grec λιπος, gras). Les lipides sont des constituants des animaux et des végétaux, qui se distinguent par une propriété essentielle, la solubilité. Les lipides sont solubles dans l'éther et dans d'autres solvants non polaires et ils sont insolubles dans l'eau. Cette solubilité (et cette insolubilité) distingue les lipides de plusieurs autres catégories de produits naturels tels que protéines, hydrates de carbone et acides nucléiques qui, en général, sont insolubles dans les solvants organiques non polaires. Dans les derniers paragraphes de ce chapitre, on examinera brièvement quelques autres types de lipides.

11.15 Phospholipides

Les **phospholipides** ou phosphatides constituent environ 40 % des membranes cellulaires, les 60 % restants étant constitués de protéines. Ce sont des triglycérides dont l'un des trois groupes esters est remplacé par un groupe formé par l'estérification du troisième OH par de l'acide phosphorique, le composé résultant appelé phosphatidate ayant son groupe phosphate estérifié simultanément par l'hydroxyle d'un aminoalcool ou du sel d'ammonium correspondant.

$$
\begin{array}{l}
\overset{\displaystyle O}{\overset{\|}{R-C}}-OCH_2 \\[2ex]
\overset{\displaystyle O}{\overset{\|}{R'-C}}-OCH \\[2ex]
\overset{\displaystyle O}{\overset{\|}{R''O-P}}-O-CH_2 \\[1ex]
\quad\;\; \underset{O^-}{|}
\end{array}
$$

phospholipide

R et R ' sont souvent des chaînes palmityl-, stéaryl- ou oléyl-

R" est $-CH_2CH_2NH_2$ dans les céphalines
et $-CH_2CH_2N^+(CH_3)_2$ dans les lécithines

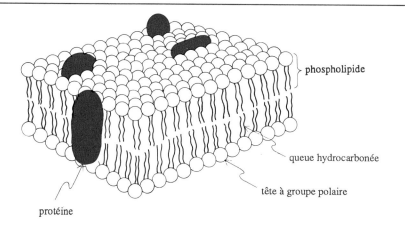

Figure 11.9
Schéma d'une membrane cellulaire.

phospholipide

queue hydrocarbonée

tête à groupe polaire

protéine

Dans les membranes, les phospholipides sont disposés en doubles couches, les "queues" hydrocarbonées dirigées vers l'intérieur et les extrémités phosphatidyl-amines, polaires, constituant la surface des membranes (voir figure 11.9). Les membranes jouent un rôle clé en biologie en contrôlant la diffusion des substances à l'intérieur et à l'extérieur des cellules.

Les phospholipides forment aussi des vésicules (voir figure 11.10), qui sont des structures fermées à deux couches, différant des micelles (figure 11.5) par le fait que les surfaces interne et externe sont toutes deux polaires. Ces liposomes, qu'on peut préparer en soumettant des suspensions phospholipide–eau à des oscillations sonores, ont été très étudiés comme modèles de membranes naturelles.

Figure 11.10
Section droite d'une vésicule.

11.16 Cires

Les **cires** sont des lipides qui ne diffèrent des huiles et des graisses que parce qu'ils sont de simples monoesters, les parties acide et alcool ayant de longues chaînes saturées d'atomes de carbone. Un exemple typique est le palmitate de myricyle, le constituant principal de la cire d'abeilles.

$$\underset{\text{palmitate de myricyle}}{CH_3(CH_2)_{13}CH_2\overset{\displaystyle O}{\overset{\displaystyle \|}{C}}-O-(CH_2)_{29}CH_3}$$

Certaines cires sont de simples hydrocarbures saturés à longue chaîne (paragraphe 2.8).

Les cires sont plus brillantes, plus consistantes et souvent plus dures que les corps gras. On les utilise pour faire des encaustiques, des cosmétiques, des pommades et autres préparations pharmaceutiques, mais aussi des chandelles et certains disques pour phonos. Dans la nature, des cires recouvrent les feuilles et les tiges des végétaux des pays arides, car elles retiennent l'évaporation. De même les insectes, dont la surface est grande comparée à leur volume, sont souvent protégés par une carapace de cire.

11.17   Stéroïdes

Les **stéroïdes** constituent une autre catégorie importante de lipides. Leur caractéristique structurale est un système de quatre cycles accolés, trois cycles à six carbones (A, B et C) et un (D) à cinq carbones.

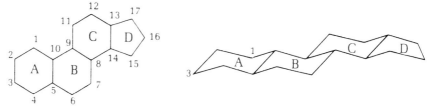

système tétracyclique des   forme des stéroïdes avec les cyclohexanes chaises
stéroïdes avec sa numérotation

Dans la plupart des stéroïdes, les cycles ne sont pas aromatiques. Presque tous comportent des méthyles, appelés méthyles angulaires, en C10 et en C13 et une chaîne latérale en C17.

Le **cholestérol** est un stéroïde présent dans tous les tissus animaux, mais il est surtout concentré dans le cerveau et dans la moelle épinière. C'est le précurseur dans la biosynthèse de beaucoup d'autres stéroïdes, y compris les acides biliaires et les hormones stéroïdes.

L'**acide cholique** est présent dans la vésicule biliaire où il se trouve essentiellement sous la forme de sels-amides. Ces sels ont une partie polaire, hydrophile, et une autre partie hydrocarbonée, lipophile, et fonctionnent comme agents émulsifiants favorisant l'absorption des graisses par la paroi intestinale.

Z = OH   acide cholique

Z = NHCH₂CH₂S—O⁻Na⁺   sel biliaire

Les **hormones sexuelles** sont des produits des glandes sexuelles, testicules et ovaires, qui contrôlent la physiologie de la reproduction et les caractéristiques sexuelles secondaires.

Les hormones sexuelles féminines sont de deux types, les œstrogènes et la progestérone. Les **œstrogènes**, dont le plus connu est l'**œstradiol**, interviennent dans les changements apparaissant pendant le cycle menstruel et dans le développement des caractéristiques sexuelles secondaires féminines. La **progestérone**, qui prépare l'utérus à la nidation de l'œuf fécondé, assure la grossesse et empêche une autre ovulation pendant cette grossesse. On l'utilise pour empêcher la fausse couche dans certains cas de grossesses difficiles. Du point de vue structural, elle diffère des oestrogènes comme l'oestradiol par son cycle A qui n'est pas aromatique. Des contraceptifs oraux (la "pilule") tels que le **Norlutène** ont une structure analogue à la progestérone.

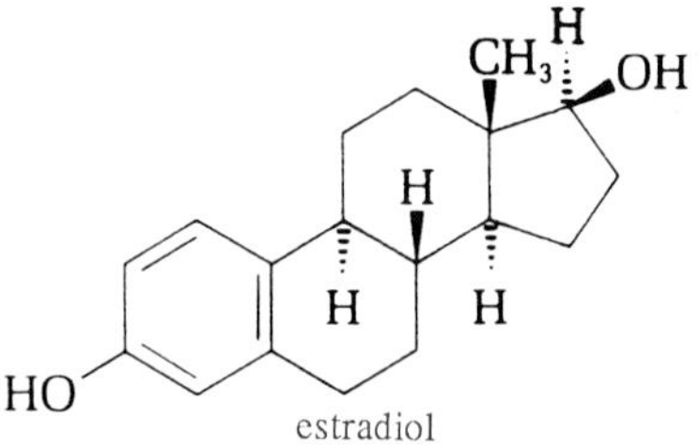

| estradiol | 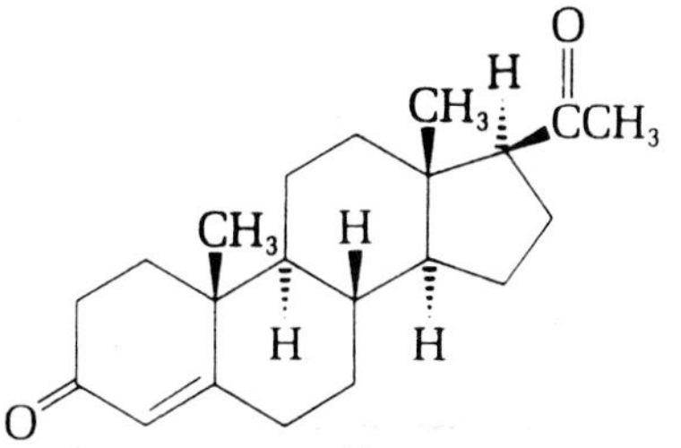 progestérone | 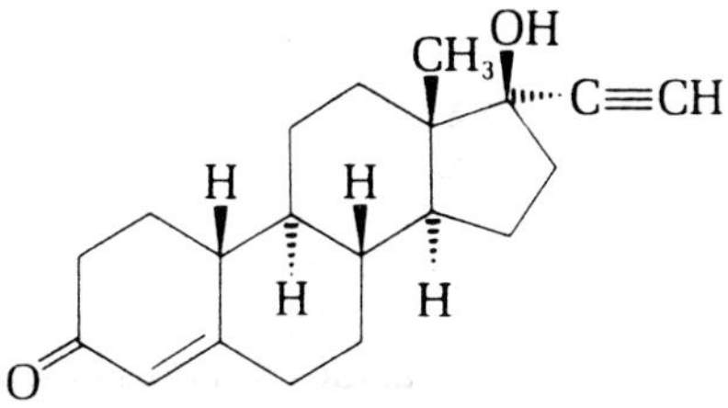 Norlutène |

Les hormones sexuelles mâles sont les **androgènes**. Elles régulent le développement des organes mâles de la reproduction et des caractéristiques sexuelles secondaires telles que les poils de la face et du corps, la voix grave et la musculature de l'homme. Deux androgènes sont particulièrement importants: la **testostérone** et l'**androstérone.**

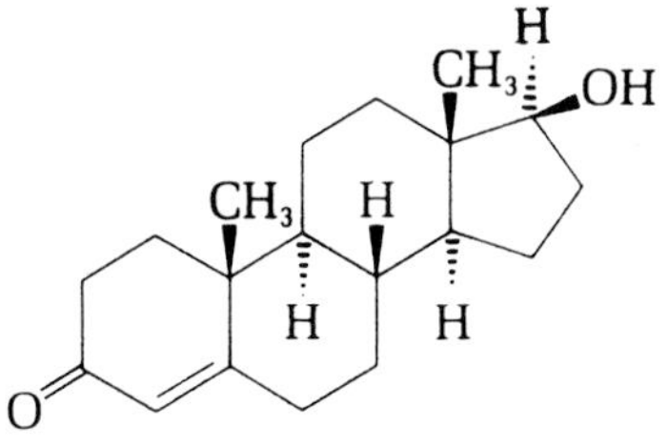

| testostérone | 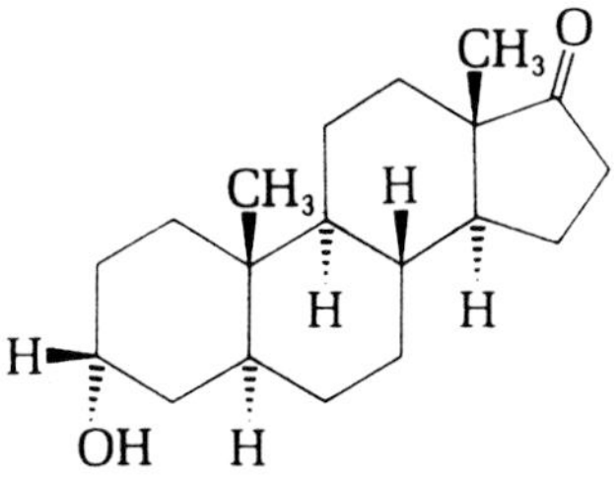 androstérone |

La testostérone est un stéroïde anabolisant, c'est-à-dire un reconstituant des muscles. Son utilisation en pharmacie est préconisée pour prévenir leur flétrissement, suite aux opérations chirurgicales, à la famine ou à tout autre traumatisme. Elle sert aussi illégalement aux athlètes en parfaite santé et aux chevaux de course pour accroître leur masse musculaire et leur endurance. Pris à fortes doses, de tels produits pharmaceutiques peuvent avoir de sérieux effets secondaires, tels que des perturbations sexuelles et des tumeurs du foie.

On remarquera que la seule différence de structure entre la testostérone, hormone mâle, et la progestérone, hormone femelle, est le remplacement d'un hydroxyle par un acétyle en C17 dans le cycle D. Les grands changements dans l'activité biologique, dus à des modifications apparemment mineures des structures, illustrent l'extrême spécificité des réactions biochimiques en général.

A PROPOS DES PROSTAGLANDINES

Les prostaglandines constituent, des points de vue structural et biosynthétique, un groupe de composés apparentés aux acides gras non saturés. Ils ont été découverts dans les années 1930, quand on s'aperçut que le sperme de l'homme contenait des substances pouvant stimuler la contraction de tissus musculaires lisses, tels que le muscle utérin. Croyant que la prostate était la glande à l'origine de ces substances, on les appela des *prostaglandines*. On sait maintenant que ces composés sont présents dans presque tous les tissus humains, qu'ils sont actifs biologiquement à des concentrations infimes et qu'ils ont des effets variés sur le métabolisme des graisses, sur la vitesse des battements du cœur et sur la tension artérielle. A cause de leur présence à des concentrations infimes, il fallut attendre les années 1960 pour que des quantités suffisantes puissent être isolées et que leur structure puisse être déterminée. A l'heure actuelle, on a identifié plus d'une douzaine de prostaglandines naturelles.

Les prostaglandines ont 20 atomes de carbone. Des expériences menées avec des traceurs radioactifs ont montré qu'elles sont synthétisées dans l'organisme par oxydation et cyclisation d'acides gras non saturés en C_{20} tels que l'acide arachidonique. Il y a formation d'un cycle cyclopentanique à partir des carbones 8 à 12 de la chaîne et d'une fonction oxygénée (un carbonyle ou un hydroxyle) sur le carbone 9. Peuvent être également présents une (ou des) double(s) liaison(s) et des groupes hydroxyles.

acide arachidonique   prostaglandine E_2 (PGE$_2$)

Depuis 1968, les chimistes organiciens ont réalisé la synthèse de beaucoup de prostaglandines en laboratoire. Certaines ont un intérêt préparatif suffisant et ont été industrialisées. Les biologistes et les médecins ont maintenant assez de substances pour en explorer l'intérêt clinique. Les prostaglandines seront vraisemblablement utilisées notamment dans le traitement des maladies inflammatoires telles que l'asthme et le rhumatisme articulaire, dans le contrôle de l'hypertension et la conduite de l'avortement thérapeutique.

Résumé du chapitre

Deux groupes fonctionnels appartenant à un même squelette carboné tendent à réagir indépendamment quand ils sont éloignés l'un de l'autre; mais quand ils sont proches l'un de l'autre, chacun d'eux influence le comportement chimique de l'autre.

Les diacides carboxyliques font partie des produits naturels; leur nomenclature est résumée dans la table 11.1. Quand deux groupes carboxyles sont voisins, la première constante d'acidité K_1 est notoirement accrue, car un carboxyle, attracteur d'électrons, accroît l'acidité de l'autre.

Les diacides carboxyliques dont les deux carboxyles sont liés à un même carbone, comme l'acide malonique, sont aisément décarboxylés par chauffage. Quand deux ou trois carbones séparent les deux carboxyles, le chauffage provoque la déshydratation en un anhydride cyclique.

Les diacides carboxyliques réagissent en formant des polyesters. Exemples: le Dacron (Tergal) et le Mylar, obtenus à partir d'acide téréphtalique et d'éthylène-glycol.

Le plus simple des acides non saturés est l'acide acrylique ou acide propénoïde. Le méthacrylate de méthyle est le monomère du Plexiglass; il est utilisé aussi dans les peintures acryliques. Les acides maléique et fumarique sont les isomères géométriques du diacide carboxylique linéaire non saturé le plus simple.

On connaît des α-hydroxy-acides naturels importants tels que les acides glycolique, lactique, malique, tartrique et citrique. Les lactones sont des esters cycliques. On forme des cycles lactoniques à cinq et six chaînons quand on chauffe des γ- ou des δ-hydroxy-acides. Par contre, les β-hydroxy-acides se déshydratent en acides éthyléniques et les α-hydroxy-acides donnent des diesters cycliques appelés lactides.

L'acide salicylique ou acide o-hydroxybenzoïque est préparé à partir de phénol, de CO_2 et d'une base. Son ester méthylique est l'essence de wintergreen et son dérivé acétylé est l'aspirine.

L'acide pyruvique est un α-céto-acide de grande importance biologique. Les β-céto-acides comme l'acide acétylacétique sont des intermédiaires intervenant dans le métabolisme des graisses. Leur décarboxylation facile par chauffage donne des cétones. Au laboratoire on peut les préparer par la condensation de Claisen, réaction analogue à la condensation aldolique, mais mettant en jeu des énolates d'esters.

Les huiles et les graisses (ou corps gras) sont des triesters du glycérol dont la partie acide est constituée de longues chaînes carbonées, saturées ou non saturées.

La plupart des acides gras naturels ont un nombre pair de carbones et les non-saturés parmi eux ont la configuration Z (la table 11.2 en donne la liste et les noms courants). Les huiles ont une proportion élevée en acides non saturés; on peut les transformer en graisses, plus solides, par hydrogénation.

La saponification des corps gras, obtenue par ébullition avec un alcali, donne du glycérol et les sels de sodium des acides gras. Ce sont des savons. Ces derniers sont constitués d'une longue chaîne carbonée, qui est lipophile, et d'un groupe polaire, qui est hydrophile. Dans l'eau, les molécules de savon se rassemblent en formant des micelles, qui permettent l'émulsion des gouttelettes d'huile ou de graisse.

Les savons ordinaires ont deux inconvénients, leur alcalinité et la formation de sels insolubles avec les ions Ca^{2+} et Mg^{2+} présents dans l'eau "dure". Les détergents synthétiques n'ont pas ces inconvénients. Les plus utilisés actuellement sont les alkylobenzènesulfonates à chaîne droite, qu'on prépare par alkylation et sulfonation du benzène. Effectivement, ces chaînes doivent être non ramifiées pour qu'elles soient biodégradables.

Le métabolisme des corps gras comporte d'abord leur hydrolyse en glycérol et en acides gras. Ceux-ci sont alors dégradés, deux carbones à la fois, et donnent de l'acétate et parfois CO_2 et eau. L'étape clé du processus est l'inverse d'une réaction de Claisen. C'est un processus inverse qui est mis en jeu dans la biosynthèse des graisses.

Les phospholipides sont des triesters de glycéryle dont un groupe ester est le dérivé d'un acide amino-phosphonique. Ce sont des parties importantes des membranes biologiques. Les cires sont des monoesters d'acides et d'alcools à longue chaîne. Les stéroïdes sont des lipides possédant une structure particulière à quatre cycles. Exemples: le cholestérol, les acides biliaires et les hormones sexuelles. Les prostaglandines sont des dérivés cyclopentaniques en C_{20} de l'acide arachidonique; même en quantités infimes, elles ont des effets biologiques profonds.

PROBLEMES SUPPLEMENTAIRES

11.13 A l'aide des noms courants de la table 11.1, écrire la formule développée de:
a. l'oxalate de méthyle   **b.** le chlorure d'adipoyle
c. l'anhydride glutarique   **d.** le diméthylmalonate diéthylique
e. l'acide hydroxysuccinique   **f.** l'acide 2,3-diméthylbutanedioïque

11.14 On voit dans la table 11.1 que le rapport K_1/K_2 pour l'acide malonique est d'environ 700, tandis que pour l'acide adipique le même rapport n'est que de 9. Pourquoi?

11.15 La table 11.1 montre que la constante K_2 des diacides carboxyliques est, pour l'acide malonique, inférieure à la constante K_a de l'acide acétique ($1,8 \times 10^{-5}$). Pourquoi?

11.16 Les acides 1,1- *cis* -1,2- et *trans* -1,2-cyclopropanedicarboxyliques se comportent différemment par chauffage. Ecrire les équations montrant ce qui arrive dans chaque cas.

11.17 Compléter les équations suivantes:

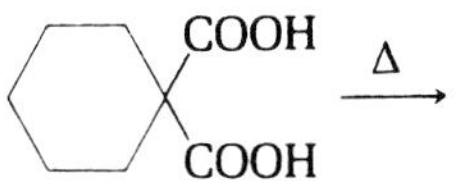

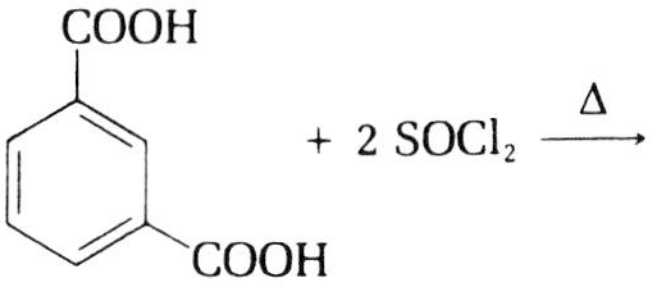

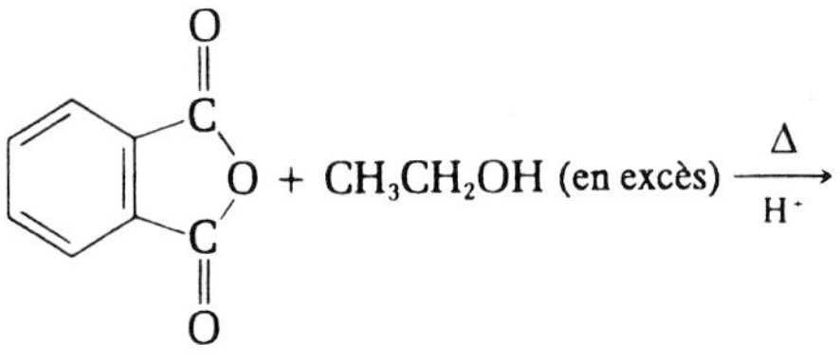

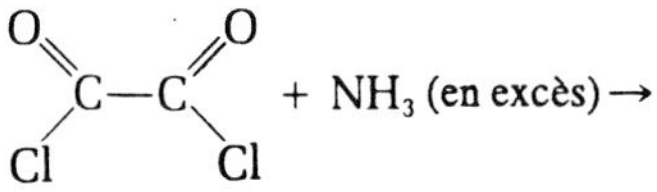

11.18 On peut faire du Tergal en chauffant du téréphtalate de méthyle avec de l'éthylène-glycol en présence d'un catalyseur acide. Ecrire les différentes étapes du processus.

11.19 Expliquer ce qui doit arriver à la forme d'une "molécule" de Tergal de 100 unités si l'acide téréphtalique utilisé pour sa préparation contient 2% d'acide isophtalique.

11.20 Ecrire le "motif de répétition" du polyester qui serait obtenu à partir de:
a. acide isophtalique et éthylène-glycol
b. acide adipique et 1,3-propanediol

11.21 Le glyptal est une résine polyester obtenue par chauffage d'anhydride phtalique et de glycérol. Ecrire sa structure partielle. En quoi diffère-t-il d'un polyester comme le Tergal?

11.22 L'acide 7-hydroxyheptanoïque, en solution très diluée et chauffé avec un acide, donne une lactone. Mais ainsi traité en solution concentrée, il donne un polyester. Ecrire la formule des produits et expliquer l'effet de la concentration sur la réaction.

11.23 Ecrire la formule développée de chacun des composés suivants:
a. tartrate diéthylique   **b.** anhydride maléique

c. tartrate acide de potassium   **d.** salicylate de phényle (*salol,* un analgésique)

e. acide 3-buténoïque   **f.** α-méthyl-γ-butyrolactone

g. acétylacétate d'éthyle   **h.** acide pyruvique

11.24 Considérant la structure de la népétalactone (paragraphe 11.6):

a. Montrer par des pointillés qu'elle est composée de deux unités isoprène,

b. Encercler les centres chiraux et déterminer leur configuration (**R** ou **S**).

11.25 Un acide phénolique $C_9H_8O_3$(A) existe sous deux formes isomères. Il décolore rapidement le permanganate de potassium et il donne aussi, par oxydation modérée, de l'acide salicylique et de l'acide oxalique comme seuls produits organiques. Par chauffage l'un des deux constituants isomères de A perd facilement de l'eau pour donner $C_9H_6O_2$. Par contre, dans les mêmes conditions, l'autre constituant isomère de A ne se déshydrate pas. Donner les formules de ces deux isomères.

11.26 Quand on chauffe à reflux de l'acide maléique avec un peu d'acide chlorhydrique concentré, on le transforme peu à peu en acide fumarique. Comment a lieu cette isomérisation?

11.27 La conversion de la cyanhydrine de l'acétone en méthacrylate de méthyle (équation 11.10) nécessite deux réactions différentes. Lesquelles? Comment ont-elles lieu?

11.28 On prépare l'acide glycolique à partir d'acide chloracétique et de soude. Ecrire la réaction. Quel est son mécanisme?

11.29 Quel est le mécanisme de la première étape de la synthèse de l'acide salicylique (équation 11.15)? Ecrire toutes les étapes (on considèrera le phénolate comme un anion énolate).

11.30 Ecrire la structure du produit de la condensation de Claisen obtenu à partir du phénylacétate d'éthyle et montrer les étapes de sa formation.

11.31 Chauffé avec de l'éthanolate de sodium dans l'éthanol, l'adipate diéthylique subit une condensation de Claisen intramoléculaire. Quelle est la structure du produit et comment est-il formé?

11.32 Traité par l'éthanolate de sodium dans l'éthanol, un mélange de benzoate d'éthyle et d'acétate d'éthyle donne un produit mixte de condensation de Claisen. Quelle est sa structure et comment est-il formé?

11.33 A l'aide de la table 11.2, écrire la formule développée de:

a. palmitate de potassium   **b.** oléate de magnésium

c. trilaurine   **d.** butyropalmitooléate de glycéryle

e. linoléate de myristyle   **f.** arachidate d'éthyle

11.34 Ecrire les équations de (a) saponification, (b) hydrogénation et (c) hydrogénolyse du trilinolénate de glycéryle.

11.35 Compléter les réactions suivantes:

a. $C_{15}H_{31}COO^-Na^+$ + HCl →

b. $C_{15}H_{31}COO^-Na^+$ + Mg^{2+} →

11.36 A l'aide de l'équation 11.33, écrire les équations de la préparation d'un alkylbenzène-sulfonate détergent synthétique, à partir de 1-décène et de benzène.

11.37 Un détergent synthétique largement utilisé avec les lave-vaisselle a la formule $CH_3(CH_2)_{11}(OCH_2CH_2)_3OSO_3^-Na^+$. Ecrire les réactions de synthèse de ce détergent à partir de $CH_3(CH_2)_{10}CH_2OH$ et d'oxyde d'éthylène.

11.38 En 1904, le biochimiste allemand F. Knoop donna à manger à des lapins une série d'acides de formule générale

$$C_6H_5-(CH_2)_n-CH_2COOH$$

Il observa qu'avec les acides où n = 2, 4, 6,..... le lapin excrétait dans ses urines de l'acide phénylacétique, mais avec les acides où n = 3, 5, 7,........il excrétait de l'acide benzoïque. Quelles conclusions peut-on tirer de ces résultats quant à l'oxydation des acides gras? Sont-ils en accord avec la théorie actuelle?

11.39   A l'aide de la figure 11.7, écrire les étapes de l'oxydation biochimique de l'acide butanoïque en acide acétique.

11.40   Le carbone central de l'unité glycérol d'un phospholipide est chiral et il a la configuration R. Ecrire la structure d'une lécithine montrant cet arrangement.

11.41   Ecrire l'équation de la saponification de la cire d'abeille, le palmitate de myricyle.

11.42   Quels seront les produits des réactions suivantes? (On peut consulter le texte pour avoir la structure des composés de départ.)
a. oestradiol + anhydride acétique
b. progestérone + LiAlH$_4$
c. testostérone + acide peracétique
d. androstérone + acide chromique

11.43 La formule de la cortisone, qui est utilisée dans le traitement du rhumatisme, est la suivante:

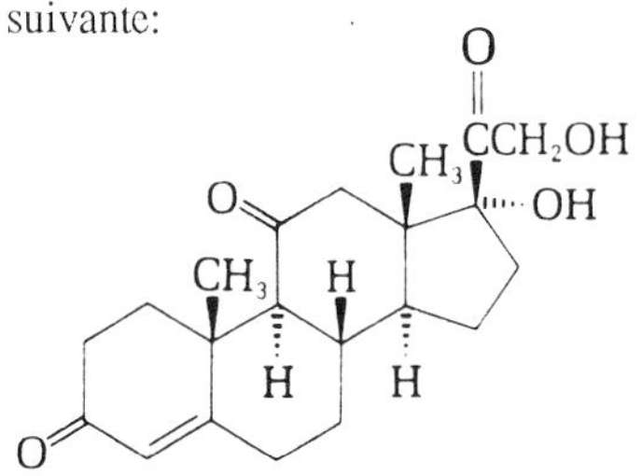

cortisone

Numéroter tous les atomes de carbone. Combien y a t-il de centres chiraux et quelle est la configuration (R ou S) de chacun d'eux?

CHAPITRE 12

AMINES ET DERIVES AZOTES

12.1 Introduction

Les amines sont les dérivés organiques de l'ammoniac, résultant du remplacement d'un ou plusieurs de ses hydrogènes par un ou plusieurs groupes alkyles. Comme l'ammoniac, les amines sont des bases; en fait, il s'agit du type le plus important de base organique rencontré dans la nature. On décrira d'abord, dans le présent chapitre, la structure, la préparation, les propriétés chimiques et l'utilisation industrielle de quelques amines simples. On discutera ensuite de quelques amines naturelles et de quelques amines synthétiques, de leur activité biochimique et d'applications diverses.

12.2 Classification et structure des amines

La relation entre l'ammoniac et les amines est illustrée par les formules suivantes:

H—N̈—H	R—N̈—H	R—N̈—R	R—N̈—R
$\vert$	$\vert$	$\vert$	$\vert$
H	H	H	R
ammoniac	amine primaire	amine secondaire	amine tertiaire

On classe les **amines** en **primaires**, **secondaires** ou **tertiaires** selon qu'un, deux ou trois groupes organiques sont liés à l'atome d'azote. Dans ces structures, les groupes R peuvent être des alkyles ou des aryles, identiques ou différents et, dans certaines amines secondaires ou tertiaires, l'azote peut faire partie d'un cycle.

Problème 12.1   Classer les amines suivantes en primaires, secondaires ou tertiaires.

a. $(CH_3)_3CNH_2$

b. 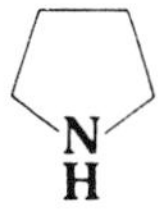 (cycle pyrrolidine N—H)

c. 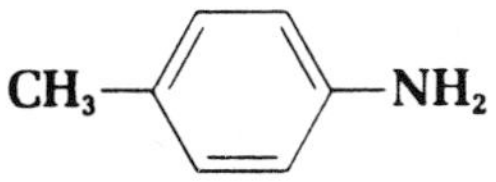 CH_3—⟨ ⟩—NH_2

d. 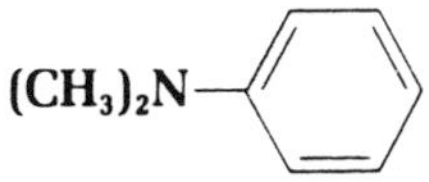 $(CH_3)_2N$—⟨ ⟩

Figure 12.1
Modèle orbitalaire et modèle compact de la triméthylamine. Ces modèles montrent la structure pyramidale des amines. Le modèle compact (b) est vu du dessus, la demi-sphère du centre représentant l'orbitale occupée par la paire d'électrons libres.

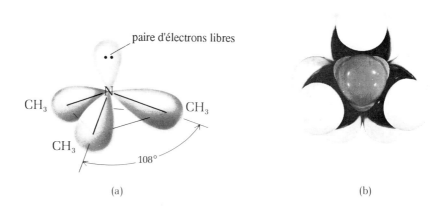

(a)   (b)

L'atome d'azote d'une amine est trivalent. Il porte aussi une paire d'électrons libres. C'est pourquoi les orbitales de l'azote sont hybridées sp^3 et sa géométrie est pyramidale, presque tétraédrique, comme le montre le modèle orbitalaire de la triméthylamine de la figure 12.1. Etant donné cette géométrie, une amine tertiaire, ayant trois groupes alkyles différents, devrait être chirale et dédoublable en ses deux énantiomères. Cela est vrai théoriquement, mais pratiquement, à la température ordinaire (et souvent même aux températures très basses), il y a interconversion rapide des deux énantiomères, rappelant le retournement du parapluie.

$$ \underset{R_2}{\overset{R_1}{N}}{\cdots}R_3 \rightleftharpoons \left[R_1{-}\underset{R_2}{N}{\cdots}R_3 \right] \rightleftharpoons \underset{}{\overset{R_3}{N}}\underset{R_1}{\overset{}{}}R_2 $$

état de transition plan

$$(12.1)$$

12.3   Nomenclature des amines

On nomme les amines simples en indiquant les groupes alkyles liés à l'azote et en ajoutant le suffixe -*amine*.

$$CH_3CH_2NH_2 \qquad\qquad CH_3N{-}CH\big\langle {}^{CH_3}_{CH_3} \qquad\qquad (CH_3)_3N$$

$$\underset{H}{|}$$

éthylamine   méthylisopropylamine   triméthylamine

(primaire)   (secondaire)   (tertiaire)

On peut aussi dans certains cas considérer le groupe $-NH_2$ ou *amino* comme un substituant. Exemples:

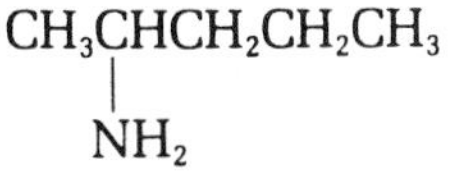

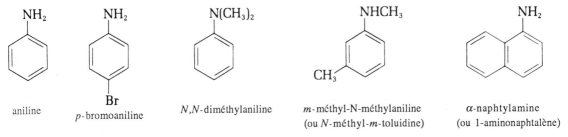

2-aminopentane	*cis*-1,3-diaminocyclobutane	2-méthylaminoéthanol

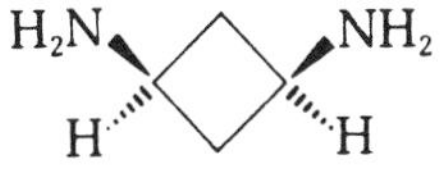

Les composés dont le groupe amino est lié à un cycle aromatique sont nommés comme des dérivés de l'aniline ou du système cyclique aromatique.

aniline

p-bromoaniline

N,N-diméthylaniline

m-méthyl-N-méthylaniline
(ou *N*-méthyl-*m*-toluidine)

α-naphtylamine
(ou 1-aminonaphtalène)

Exemple de Problème 12.1　Nommer les composés suivants:

　　a. $(CH_3)_2CHCH_2NH_2$　　　b. $(CH_3CH_2)_2NH$

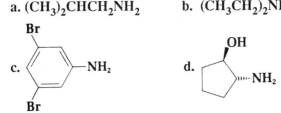

c.　　　　　　　　　　　d.

Solutions　　a. On nomme le groupe alkyle et l'on ajoute le suffixe *-amine* : isobutylamine. Autre possibilité: 1-amino-2-méthylpropane.
b. On utilise le préfixe *di-* pour indiquer qu'il y a deux groupes alkyles: diéthylamine.
c. On numérote les carbones du cycle en commençant par celui qui porte le groupe amino: 3,5-dibromoaniline.
d. Le groupe amino est considéré comme un substituant: *trans*-2-amino-cyclopentanol.

Problème 12.2　　Nommer les composés suivants:
　　a. $(CH_3)_3CNH_2$　　b. $H_2NCH_2CH_2OH$　　c. $p-O_2N-C_6H_4-NH_2$

Problème 12.3　　Ecrire la formule de: la di-*n*-propylamine, le 3-aminohexane, la pentaméthylaniline, le 2-aminonaphtalène.

12.4　Propriétés physiques des amines

La table 12.1 donne la liste des points d'ébullition de quelques amines. On peut remarquer que les mono-, di- et triméthylamines et l'éthylamine sont des gaz à la température ordinaire. Bien que nettement plus élevés que ceux des alcanes de masse moléculaire voisine, ces points d'ébullition sont bien inférieurs à ceux des alcools comparables comme le méthanol et l'éthanol (voir table 12.2). Ces chiffres montrent que, si les liaisons hydrogène intermoléculaires N—H····N sont réelles et sont responsables du point d'ébullition élevé des amines primaires et secondaires comparé à celui des alcanes correspondants, elles sont moins fortes que les liaisons intermoléculaires O—H····O des alcools. C'est parce que l'azote est moins électronégatif que l'oxygène.

Problème 12.4   **Donner la raison de la différence des points d'ébullition des amines isomères $(CH_3)_3N$ et $CH_3CH_2CH_2NH_2$.**

Les trois types d'amines (1^{aire}, 2^{aire} et 3^{aire}) peuvent former des liaisons H avec le groupe −OH de l'eau (c'est-à-dire O—H····N). Il s'ensuit que les amines simples, qui n'ont pas plus de cinq à six carbones, sont complètement ou notablement solubles dans l'eau.

On reviendra à la basicité des amines et aux valeurs des Kb de la table 12.1. Mais on examinera d'abord quelques-unes de leurs méthodes de préparation.

Nom	Formule	Eb °C	Constante de dissociation K_b	pK_b
ammoniac	NH_3	−33,4	$2,0 \times 10^{-5}$	−4,70
méthylamine	CH_3NH_2	−6,3	44×10^{-5}	−3,36
diméthylamine	$(CH_3)_2NH$	7,4	51×10^{-5}	−3,29
triméthylamine	$(CH_3)_3N$	2,9	$5,9 \times 10^{-5}$	−4,23
éthylamine	$CH_3CH_2NH_2$	16,6	47×10^{-5}	−3,33
n-propylamine	$CH_3CH_2CH_2NH_2$	48,7	38×10^{-5}	−3,42
n-butylamine	$CH_3CH_2CH_2CH_2NH_2$	77,8	40×10^{-5}	−3,40
aniline	$C_6H_5NH_2$	184,0	$4,2 \times 10^{-10}$	−9,38
N-méthylaniline	$C_6H_5NHCH_3$	195,7	$7,1 \times 10^{-10}$	−9,15
N,N-diméthylaniline	$C_6H_5N(CH_3)_2$	193,5	11×10^{-10}	−8,96
éthylénédiamine	$H_2NCH_2CH_2NH_2$	116,5	$8,5 \times 10^{-5}$	−4,07
hexaméthylénédiamine	$H_2NCH_2CH_2CH_2CH_2CH_2NH_2$	204,5	85×10^{-5}	−3,07
pyridine	C_5H_5N	115,3	23×10^{-10}	−8,64

Table 12.1 Propriétés physiques de quelques amines courantes

Table 12.2	alcanes	CH_3CH_3 (30) Eb − 88,6°C	$CH_3CH_2CH_3$ (44) Eb − 42,1°C
Points d'ébullition comparés d'alcanes, d'amines et d'alcools de masses moléculaires voisines	amines	CH_3NH_2 (31) Eb − 6,3°C	$CH_3CH_2NH_2$ (45) Eb + 16,6°C
	alcools	CH_3OH (32) Eb + 65,0°C	CH_3CH_2OH (46) Eb + 78,5°C

Entre parenthèses: les masses moléculaires

12.5 Préparation des amines. Alkylation de l'ammoniac et des amines

On a déjà rencontré cette réaction (voir paragraphe 6.5). L'ammoniac réagit avec les halogénures d'alkyle selon un processus à deux étapes. La première est une substitution nucléophile.

$$H_3N{:} + R{-}X \rightarrow R{-}\overset{+}{N}H_3 + X^- \tag{12.2}$$
$$\text{halogénure d'alkylammonium}$$

On utilise un excès d'ammoniac et, dans la seconde étape, il agit comme base et arrache un proton de l'ion alkylammonium en donnant l'amine.

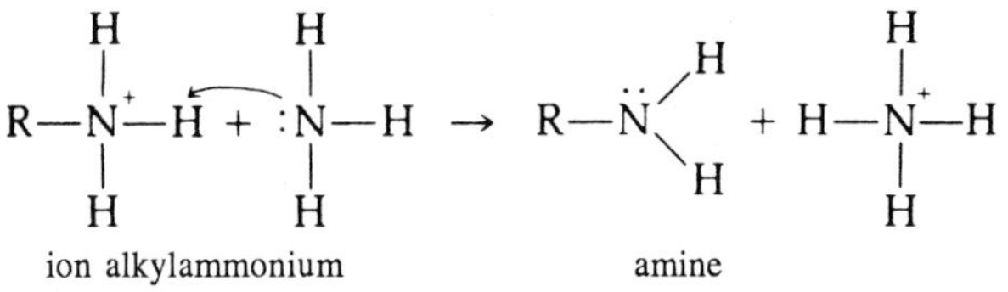

$$\tag{12.3}$$

ion alkylammonium   amine

En combinant les deux équations, on peut exprimer la réaction globale:

$$2\,\ddot{N}H_3 + R{-}X \rightarrow R\ddot{N}H_2 + NH_4{}^+X^- \tag{12.4}$$
$$\text{ammoniac}\quad\text{halogénure}\quad\text{amine}$$
$$\text{d'alkyle}\quad\text{primaire}$$

Puisque la première étape est une substitution S_N2 (table 6.1), cette synthèse marche le mieux quand R est un groupe alkyle primaire ou secondaire.

L'amine primaire formée dans cette première alkylation (équation 12.4) est, comme l'ammoniac, un nucléophile azoté. Elle peut réagir de nouveau avec l'halogénure d'alkyle et fixer un autre groupe alkyle, donnant ainsi une amine secondaire

$$2\,R\ddot{N}H_2 + R{-}X \rightarrow R_2\ddot{N}H + RNH_3{}^+X^- \tag{12.5}$$
$$\text{amine}\qquad\qquad\text{amine}$$
$$\text{primaire}\qquad\qquad\text{secondaire}$$

Cette séquence peut se répéter deux fois et donner une amine tertiaire, puis un sel d'ammonium quaternaire:

$$2\,R_2\ddot{N}H + R{-}X \rightarrow R_3\ddot{N} + R_2NH_2{}^+X^- \tag{12.6}$$
$$\text{amine}\qquad\qquad\text{amine}$$
$$\text{secondaire}\qquad\text{tertiaire}$$

$$R_3\ddot{N} + R{-}X \rightarrow R_4N^+X^- \tag{12.7}$$
$$\text{amine}\qquad\text{sel d'ammonium}$$
$$\text{tertiaire}\qquad\text{quaternaire}$$

La formation d'un mélange limite quelque peu l'intérêt de cette alkylation comme méthode de synthèse. Cependant en jouant sur le rapport des réactants, on peut obtenir de bons rendements en l'amine désirée. Par exemple, avec un gros excès d'ammoniac, l'amine primaire est le principal produit.

On peut souvent alkyler sélectivement les amines aromatiques.

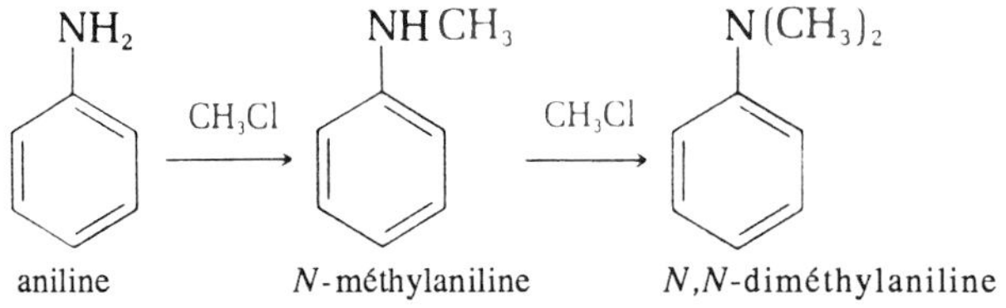

(12.8)

aniline N-méthylaniline N,N-diméthylaniline

L'alkylation peut être intramoléculaire, comme dans la dernière étape ci-dessous d'une synthèse de la nicotine en laboratoire.

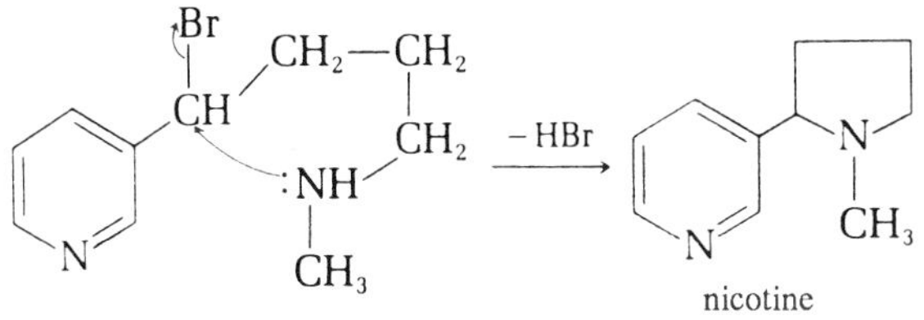

(12.9)

nicotine

Exemple de problème 12.2   Ecrire l'équation d'une synthèse de benzylamine $C_6H_5–CH_2NH_2$.

Solution $C_6H_5–CH_2X + 2 NH_3 \longrightarrow C_6H_5–CH_2NH_2 + NH_4^+X^-$
(X = Cl, Br, ou I)

L'emploi d'un excès d'ammoniac permet d'éviter la polysubstitution.

Problème 12.5   Compléter les réactions suivantes:

a. $CH_3CH_2CH_2Br + 2 NH_3 \longrightarrow$

b. $CH_3CH_2I + 2 (CH_3CH_2)_2NH \longrightarrow$

c. $(CH_3)_3N + CH_3I \longrightarrow$

d. $CH_3CH_2CH_2NH_2 + C_6H_5–CH_2Br \longrightarrow$

Problème 12.6   Donner une synthèse de:
a. $C_6H_5–NHCH_2CH_3$ à partir d'aniline
b. $CH_3CH_2CH_2CH_2NH_2$ à partir d'ammoniac

12.6 Préparation des amines. Réduction des composés azotés

Beaucoup de composés azotés peuvent être réduits en amines. Les amines aromatiques sont souvent préparées par réduction du composé nitré correspondant, ce dernier étant souvent accessible par nitration électrophile aromatique. En effet, la réduction du groupe nitro est très facile et elle peut être obtenue, soit catalytiquement, soit au moyen d'agents réducteurs comme les métaux (fer, étain, zinc) avec un acide ou d'alumino-hydrure de lithium.

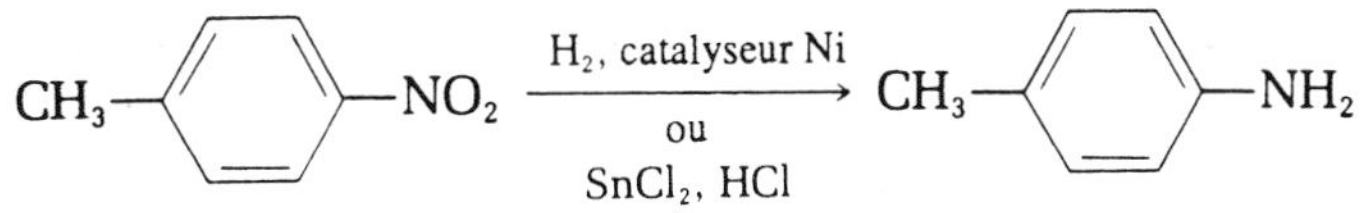

$$CH_3\!-\!\!\left\langle \bigcirc \right\rangle\!\!-\!NO_2 \xrightarrow[\substack{ou \\ SnCl_2,\ HCl}]{H_2,\ catalyseur\ Ni} CH_3\!-\!\!\left\langle \bigcirc \right\rangle\!\!-\!NH_2 \qquad (12.10)$$

p-nitrotoluène   p-toluidine

Les amides aussi, comme on l'a vu (équation 10.32), peuvent être réduits en amines avec $LiAlH_4$.

$$R\!-\!\overset{\overset{\textstyle O}{\|}}{C}\!-\!N\!\!\left\langle \substack{R' \\ R''} \right. \xrightarrow{LiAlH_4} RCH_2N\!\!\left\langle \substack{R' \\ R''} \right. \qquad [R'\ et\ (ou)\ R'' = H\ ou\ alkyle] \qquad (12.11)$$

Selon la nature de R' et R'', on obtient ainsi une amine primaire, secondaire ou tertiaire.

La réduction des nitriles donne des amines primaires.

$$R\!-\!C\!\equiv\!N \xrightarrow[\substack{ou \\ H_2,\ Ni}]{LiAlH_4} RCH_2NH_2 \qquad (12.12)$$

Exemple de problème 12.3   **Quelle est la structure du principal produit organique de chacune des réactions suivantes?**

a. 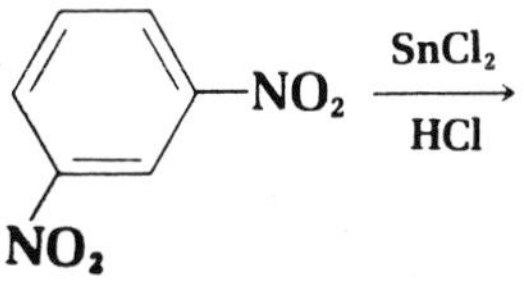 $\left\langle \bigcirc \right\rangle\!\!-\!NO_2$ (avec NO_2) $\xrightarrow[HCl]{SnCl_2}$

b. $CH_3CONHCH_2CH_3 \xrightarrow{LiAlH_4}$

c. $NCCH_2CH_2CH_2CH_2CN \xrightarrow{Ni\ +\ H_2\ en\ excès}$

Solution   **a. Les deux groupes nitro sont réduits:** $\left\langle \bigcirc \right\rangle\!\!-\!NH_2$ (avec NH_2)

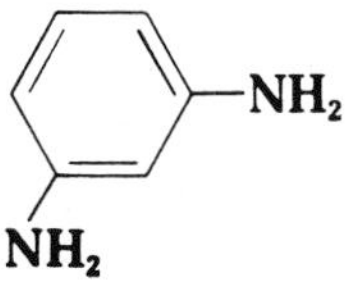

b. Le C=O est réduit en CH_2: $CH_3CH_2NHCH_2CH_3$.

c. Les deux CN sont réduits: $H_2N(CH_2)_4NH_2$. **Le produit est la matière de base de la préparation du nylon.**

Exemple de problème 12.4   **Imaginer une synthèse de la** *p*-**chloraniline,** *p*-$Cl\!-\!C_6H_4\!-\!NH_2$ **à partir du chlorobenzène**

Solution   **On nitre d'abord le chlorobenzène; comme Cl– oriente en ortho-para, le produit principal est le** *p*-**chloronitrobenzène, qu'on soumet ensuite à la réduction.**

Problème 12.7   **Donner une synthèse de chacune des amines suivantes:**

a. H_2N—⟨benzène⟩—CH_3 **à partir du toluène**

   (avec NH_2 sur le cycle)

b. $CH_3CH_2N(CH_3)_2$ **à partir d'un amide**
c. C_6H_5–$CH_2CH_2NH_2$ **à partir de** C_6H_5–CH_2Br

Remarque: une autre voie d'accès aux amines à partir des amides est la réaction appelée dégradation de Hofmann ou rétrogradation des amides. En effet, traités par le brome en présence de soude aqueuse, les amides sont convertis en amines. La réaction est en réalité complexe, mais son bilan réactionnel est le suivant:

$$R\text{–}CO\text{–}NH_2 + Br_2 + 3\,NaOH \rightarrow R\text{–}NH_2 + NaHCO_3 + 2\,BrNa \qquad (12.13)$$

12.7 Basicité des amines

Les amines, comme l'ammoniac, forment avec l'eau des solutions basiques. Avec les amines primaires, par exemple, la réaction équilibrée qui fournit des ions hydroxydes est:

$$R—\ddot{N}H_2 \;+\; H—OH \rightleftharpoons \; R—\overset{+}{N}H_3 \;+\; OH^- \qquad (12.14)$$

amine primaire   ion   ion
                                 alkylammonium   hydroxyde

On appelle *constante de basicité*, K_b, la constante d'équilibre de cette réaction:

$$K_b = \frac{[R\overset{+}{N}H_3][OH^-]}{[RNH_2]} \qquad pK_b = -\log K_b \qquad (12.15)$$

La table 12.1 donne la liste des K_b et des pK_b de l'ammoniac et de quelques amines. Plus grand est K_b ou plus faible est pK_b et plus forte est la base.

Problème 12.8   **Ecrire les équations analogues à l'équation 12.14 avec une amine secondaire et une amine tertiaire. Préciser dans chaque cas l'expression de K_b.**

Les alkylamines sont un peu plus basiques que l'ammoniac. Ainsi, la méthylamine l'est 22 fois plus ($K_b = 44 \times 10^{-5}$ et 2×10^{-5} respectivement). Ces deux composés ne diffèrent que d'un méthyle; mais ce dernier, comparé à l'hydrogène, étant un donneur d'électrons, stabilise la charge positive de l'ion alkylammonium (équation 12.14) et déplace l'équilibre vers la droite. En général, les groupes donneurs d'électrons accroissent la basicité des amines, tandis que les groupes attracteurs la diminuent.

Les halogénures d'ammonium quaternaires, par exemple le bromure de tétraméthylammonium $(CH_3)N^+\,Br^-$, ne sont pas des réactifs basiques, car ce sont déjà des sels et, leur atome d'azote ne portant pas de doublet libre, ils ne peuvent capter de proton. Mais les hydroxydes d'ammonium quaternaires, tels que $(CH_3CH_2)_4N^+ OH^-$, sont des bases fortes, comme la soude ou la potasse, car, tant à l'état solide qu'en solution, ils sont constitués entièrement de cations R_4N^+ et d'ions OH^-. On verra plus loin leur intérêt en synthèse.

Problème 12.9 $ClCH_2CH_2NH_2$ **doit-elle être une base plus forte ou moins forte que** $CH_3CH_3NH_2$? **Pourquoi?**

Les amines aromatiques sont des bases beaucoup plus faibles que les amines aliphatiques. Ainsi, l'aniline est un million de fois moins basique que la cyclohexylamine.

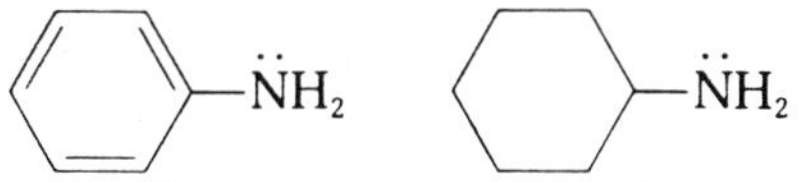

aniline cyclohexylamine
$K_b = 4{,}2 \times 10^{-10}$ $K_b = 5{,}5 \times 10^{-4}$

La raison de cette énorme différence est la délocalisation, par résonance, de la paire d'électrons libres de l'azote, qui est possible dans l'aniline, mais ne l'est pas dans la cyclohexylamine.

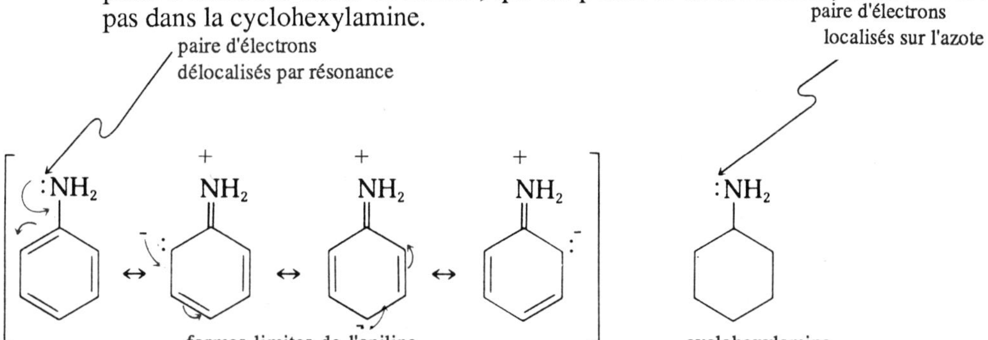

La résonance stabilise donc la forme non protonée de l'aniline (comparée à la cyclohexylamine) et déplace l'équilibre de l'équation 12.14 vers la gauche. Une autre manière de présenter les choses est de dire que la paire d'électrons libres de l'aniline est délocalisée et qu'elle est donc moins apte que celle de la cyclohexylamine à capter un proton.

Problème 12.10 **Placer les amines suivantes dans l'ordre des basicités croissantes: aniline,** p-**nitroaniline,** p-**toluidine.**

12.8 Comparaison des amines et des amides

Amines et amides ont, les unes et les autres, un azote porteur d'une paire d'électrons. Cependant la différence dans leurs basicités est énorme, les solutions aqueuses d'amines étant basiques, tandis que les mêmes solutions d'amides sont pratiquement neutres. A quoi tient une telle différence?

La réponse est dans leurs structures, comme le montre la comparaison suivante d'une amine et d'un amide primaires

doublet localisé,
disponible à la protonation

doublet délocalisé,
peu disponible à la protonation

$$R—\overset{..}{N}H_2 \qquad \left[R—\overset{\overset{O}{\|}}{C}—\overset{..}{N}H_2 \longleftrightarrow R—C=\overset{+}{N}H_2 \right]$$

amine   amide

Dans l'amine, la paire d'électrons est principalement localisée sur l'azote, mais, à cause de la résonance, dans l'amide elle est délocalisée sur l'oxygène du carbonyle. La valeur très basse du pK_b des amides traduit cette délocalisation.

$$CH_3CH_2NH_2 \qquad\qquad CH_3\overset{\overset{O}{\|}}{C}NH_2$$

$K_b = 4,7 \times 10^{-4}$ $\qquad\qquad K_b = 3,1 \times 10^{-15}$

Les amines et les amides pouvant avoir, les unes et les autres, des liaisons N—H, on pourrait penser que, comme les composés comportant des liaisons O—H, elles devraient se conduire dans certaines conditions comme des acides, c'est-à-dire des donneurs de protons.

$$R—\overset{..}{N}H_2 \rightleftharpoons R—\overset{..}{N}H^- + H^+ \qquad (K_a \cong 10^{-40}) \tag{12.16}$$

Les amines sont effectivement des acides, mais très faibles, beaucoup plus faibles que les alcools. Leur pK_a est voisin de 40, très différent de celui (voisin de 16) des alcools. C'est surtout parce que l'azote est moins électronégatif que l'oxygène et qu'il ne peut stabiliser aussi bien une charge négative.

Par contre, les amides sont des acides beaucoup plus forts que les amines; en réalité, leur pK_a est comparable à celui des alcools.

$$R—\overset{\overset{O}{\|}}{C}—\overset{..}{N}H_2 \rightleftharpoons \left[R—\overset{\overset{..}{O}:}{C}—\overset{..}{N}H \longleftrightarrow R—C=\overset{..}{N}H \right] + H^+ \qquad (K_a \cong 10^{-15}) \tag{12.17}$$

anion amidate

Une première raison c'est que la charge négative dans l'anion amidate est délocalisée par résonance. Une autre raison c'est que l'azote dans un amide porte une charge positive partielle, ce qui augmente son aptitude à perdre le proton qui lui est attaché.

Il faut connaître ces différences entre amines et amides, non seulement parce qu'il s'agit de principes chimiques importants, mais aussi parce qu'ils permettent de comprendre la chimie des produits naturels comme les peptides et les protéines.

Problème 12.11 **Classer les composés suivants dans l'ordre des basicités croissantes: acétanilide (pour sa structure, voir l'équation 12.22), aniline, cyclohexylamine. Les classer maintenant dans l'ordre des acidités croissantes.**

12.9   Réaction des amines avec les acides forts. Sels d'amines

Les bases que sont les amines réagissent avec les acides forts en donnant des **sels d'alkylammonium**. Par exemple, la réaction d'une amine primaire avec HCl est:

$$R-\overset{..}{N}H_2 \quad + \quad HCl \rightarrow \quad R\overset{+}{N}H_3 \quad Cl^- \tag{12.18}$$

amine primaire   chlorure d'alkylammonium

Exemple de Problème 12.5   **Compléter les réactions acide-base suivantes et nommer les produits formés.**
   a. $CH_3CH_2NH_2$ + HBr   b. $(CH_3)_3N$ + HCl

Solution   a. $CH_3CH_2\overset{..}{N}H_2$ + HBr $\rightarrow$ $CH_3CH_2\overset{\overset{\displaystyle H}{|}}{\underset{\underset{\displaystyle H}{|}}{\overset{+}{N}}}{-}H$ Br^-

       éthylamine   **bromure d'éthylammonium**

   b. $CH_3-\overset{\overset{\displaystyle}{|}}{\underset{\underset{\displaystyle CH_3}{|}}{\overset{..}{N}}}{-}CH_3$ + HCl $\rightarrow$ $CH_3-\overset{\overset{\displaystyle H}{|}}{\underset{\underset{\displaystyle CH_3}{|}}{\overset{+}{N}}}{-}CH_3$ Cl^-

       triméthylamine   **chlorure de triméthylammonium**

Problème 12.12   **Compléter l'équation suivante et nommer le produit:**
        $C_6H_5-NH_2$ + HCl $\longrightarrow$

Cette réaction est particulièrement intéressante pour séparer ou extraire des amines de substances insolubles dans l'eau, neutres ou acides. Considérons, par exemple, un mélange de *p*-toluidine et de *p*-nitrotoluène, obtenu dans une réduction de ce dernier (équation 12.10) qui, pour une raison quelconque, n'aurait pas été complète, et dont on veut séparer l'amine. On dissout dans un solvant inerte, à bas point d'ébullition comme l'éther, ce mélange dont aucun des constituants n'est soluble dans l'eau et on secoue cette solution éthérée avec de l'acide chlorhydrique aqueux. L'amine réagit et forme un sel qui, parce que ionique, passe dans la couche aqueuse, tandis que le composé nitré, qui ne réagit pas avec HCl, reste dans la couche éthérée. On sépare donc les deux couches. A partir de la couche éthérée, on isole le composé nitré, par simple évaporation de l'éther. Et, à partir de la couche aqueuse qu'on saponifie avec une base forte, on isole l'amine ainsi libérée, par une nouvelle extraction à l'éther, séparation de la couche éthérée et évaporation du solvant. Le schéma suivant résume ce procédé.

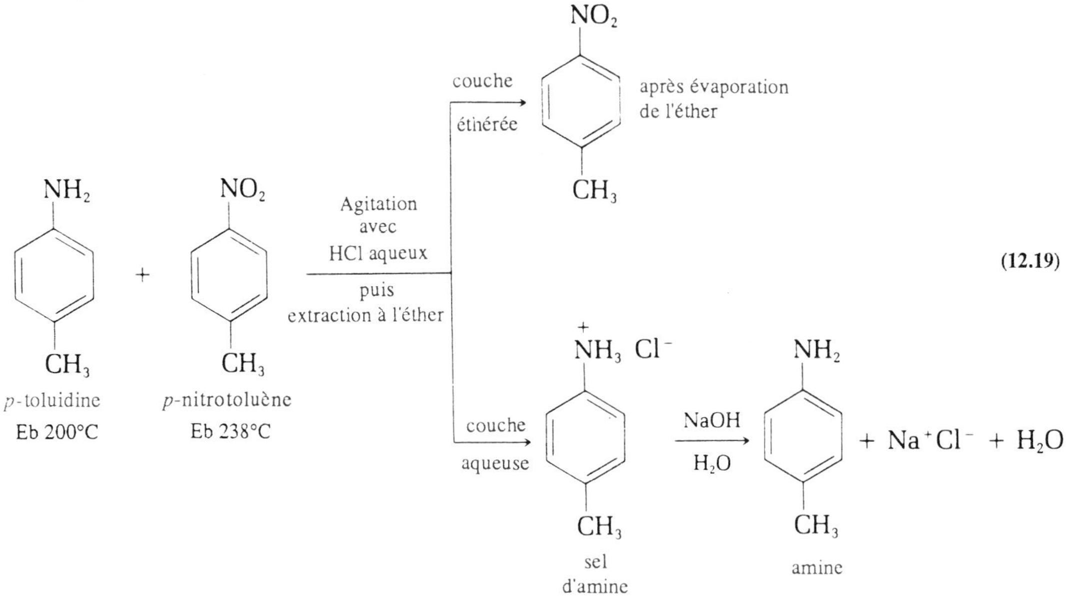
NO2
couche
éthérée
après évaporation
de l'éther
CH3
NH2
NO2
Agitation
avec
HCl aqueux
puis
extraction à l'éther
CH3
CH3
p-toluidine
p-nitrotoluène
Eb 200°C
Eb 238°C
NH3 Cl-
NH2
couche
aqueuse
NaOH
H2O
+ Na+Cl- + H2O
CH3
CH3
sel
d'amine
amine

(12.19)

C'est un procédé analogue qu'on utilise pour extraire les amines naturelles douées d'activité biologique, telles que la quinine, la strychnine et la morphine, des végétaux qui les produisent.

Problème 12.13 **La morphine est une amine tertiaire dont la structure est:**

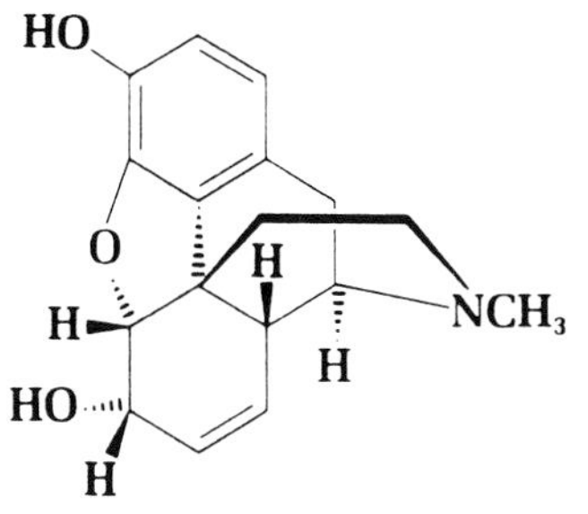
HO
O
H
H
NCH3
H
HO
H

morphine

Sa solubilité dans l'eau n'est que de 0,2 g/L, mais celle de son chlorhydrate est de 57 g/L. Ecrire les équations montrant comment on peut isoler la morphine à partir de l'opium.

Les amines donnent aussi des sels avec les acides organiques. On utilise la réaction pour séparer les énantiomères d'un racémique. Par exemple, on peut dédoubler les acides (R)- et (S)-lactiques par réaction avec une amine chirale comme la (S)-1-phényléthylamine.

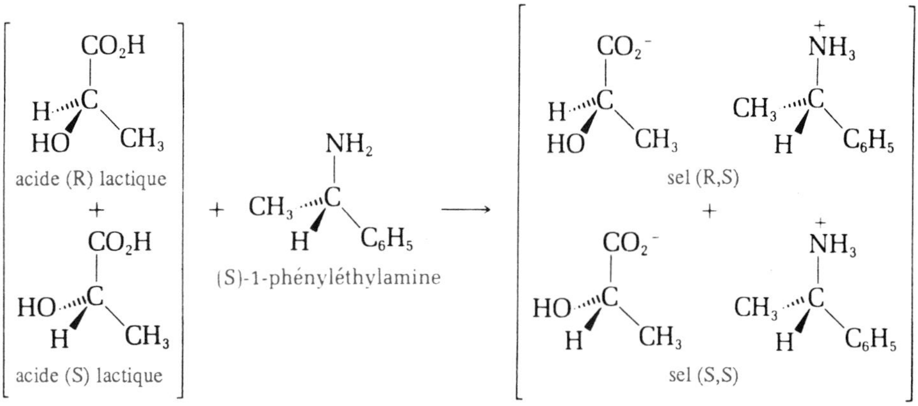

$$
\begin{bmatrix}
\underset{\text{acide (R) lactique}}{\overset{\displaystyle CO_2H}{\underset{HO}{\overset{H}{\underset{}{C}}}CH_3}} \\
+ \\
\underset{\text{acide (S) lactique}}{\overset{\displaystyle CO_2H}{\underset{H}{\overset{HO}{\underset{}{C}}}CH_3}}
\end{bmatrix}
+ \underset{\text{(S)-1-phényléthylamine}}{\overset{\displaystyle NH_2}{\underset{H}{\overset{CH_3}{\underset{}{C}}}C_6H_5}}
\longrightarrow
\begin{bmatrix}
\text{sel (R,S)} \\
+ \\
\text{sel (S,S)}
\end{bmatrix}
\tag{12.20}
$$

Les sels sont des diastéréoisomères et non plus des énantiomères et ils sont alors séparables par les méthodes habituelles, telles que la cristallisation fractionnée. En traitant par un acide fort comme HCl chaque sel une fois séparé, on libère l'énantiomère correspondant de l'acide lactique. Exemple:

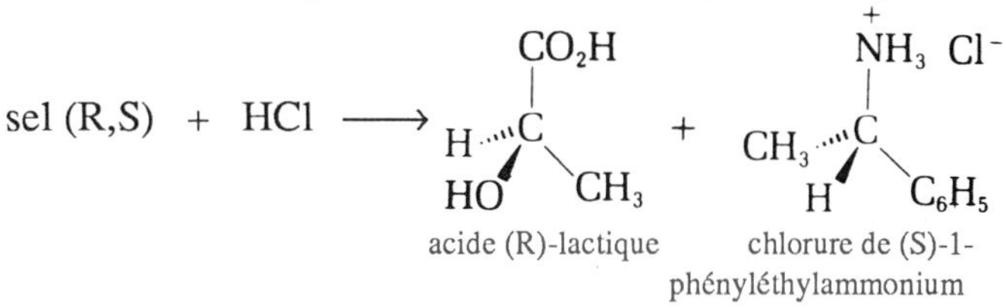

$$
\text{sel (R,S)} + \text{HCl} \longrightarrow
\underset{\text{acide (R)-lactique}}{\overset{\displaystyle CO_2H}{\underset{HO}{\overset{H}{\underset{}{C}}}CH_3}}
+
\underset{\substack{\text{chlorure de (S)-1-}\\\text{phényléthylammonium}}}{\overset{\displaystyle \overset{+}{N}H_3\;Cl^-}{\underset{H}{\overset{CH_3}{\underset{}{C}}}C_6H_5}}
\tag{12.21}
$$

On peut récupérer l'amine chirale en traitant ce chlorure d'ammonium par de la soude.

On dispose de nombreuses amines chirales naturelles (par exemple la quinine, p. 385) permettant de dédoubler les acides. De même, on dispose de quelques acides chiraux permettant de dédoubler les amines.

12.10 Passage des amines aux amides au moyen des dérivés des acides

On a déjà vu que les esters, les chlorures d'acides et les anhydrides d'acides réagissent avec l'ammoniac en donnant des amides simples, c'est-à-dire non substitués sur l'azote. On obtient des **acylations** du même type avec les amines primaires et secondaires. Exemples:

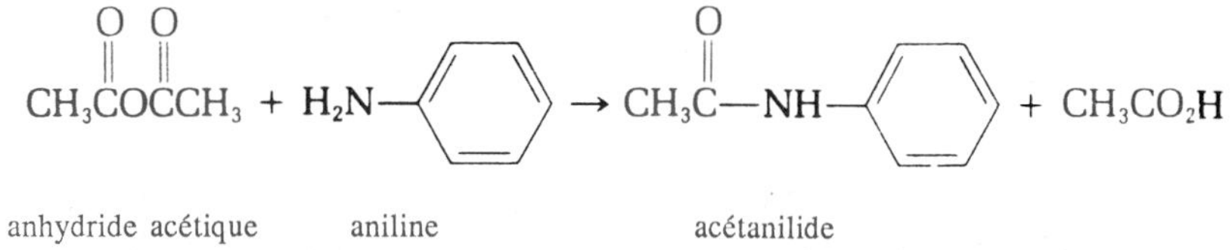

$$
\underset{\text{anhydride acétique}}{CH_3\overset{\displaystyle O}{\overset{\|}{C}}O\overset{\displaystyle O}{\overset{\|}{C}}CH_3} + \underset{\text{aniline}}{H_2N{-}\!\!\bigcirc} \rightarrow \underset{\text{acétanilide}}{CH_3\overset{\displaystyle O}{\overset{\|}{C}}{-}NH{-}\!\!\bigcirc} + CH_3CO_2H
\tag{12.22}
$$

On prépare l'**acétanilide**, un fébrifuge, à partir d'aniline et d'anhydride acétique (équation 12.22). Le répulsif d'insectes appelé "Off" est l'amide de l'équation 12.23.

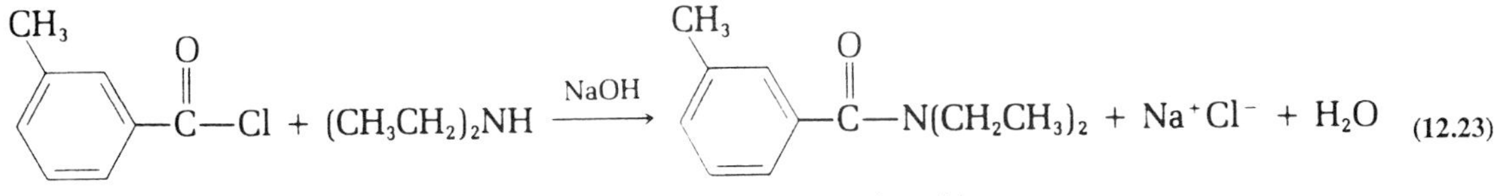

$$CH_3 \text{—} \overset{\displaystyle O}{\overset{\|}{C}}\text{—Cl} + (CH_3CH_2)_2NH \xrightarrow{\text{NaOH}} CH_3 \text{—} \overset{\displaystyle O}{\overset{\|}{C}}\text{—N(CH_2CH_3)_2} + Na^+Cl^- + H_2O \quad \text{(12.23)}$$

chlorure   diéthylamine N,N-diéthyl-m-toluamide
de m-toluyle   (le répulsif d'insectes "Off")

Les amines sont des nucléophiles azotés. Le mécanisme de l'acylation d'amines met en jeu, dans la première étape, l'attaque nucléophile, par l'amine, du carbone du groupe C = O du dérivé d'acide.

Exemple de problème 12.6 **Ecrire les étapes du mécanisme de la préparation d'acétanilide à partir d'aniline et d'anhydride acétique (équation 12.20).**

Solution

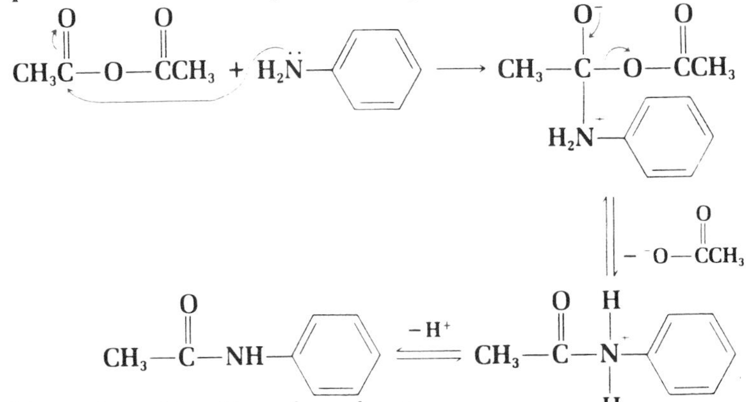

Problème 12.14 **Compléter l'équation suivante:**

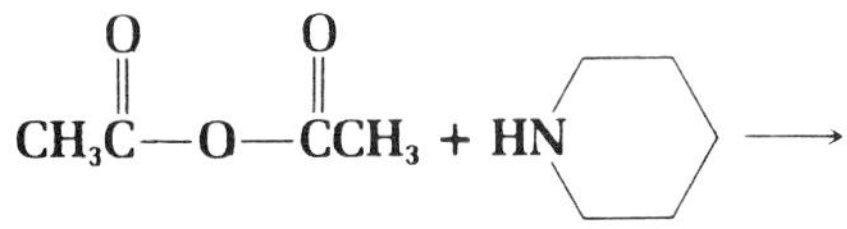

Problème 12.15 **Ecrire les étapes du mécanisme de la synthèse du répulsif "Off" (équation 12.23).**

A PROPOS DE L'ISOCYANATE DE METHYLE ET DE BHOPAL

Le 2 décembre 1984, à Bhopal dans le centre de l'Inde, un réservoir d'isocyanate de méthyle (MIC) d'une usine de pesticides s'échauffa dangereusement et fut ainsi soumis à une pression excessive. Peu après minuit, plusieurs tonnes de ce composé très volatil et extrêmement toxique s'échappaient. La zone était très populeuse et l'effet fut immédiat. Il y eut plusieurs milliers de morts et des milliers de personnes touchées dangereusement. C'était la pire des catastrophes connues à ce jour de l'industrie chimique.

Qu'est-ce-que l'isocyanate de méthyle? Pourquoi et comment est-il préparé? Auxquelles de ses propriétés doit-on les difficultés de sa manutension? Pourquoi est-il si toxique?

L'isocyanate de méthyle est le premier membre d'une catégorie de composés extrêmement réactifs, les isocyanates organiques.

$$R \text{—} \ddot{N} \text{=} C \text{=} \ddot{O}: \qquad CH_3 \text{—} \ddot{N} \text{=} C \text{=} \ddot{O}:$$

isocyanates organiques isocyanate de méthyle
          (MIC)

A Bhopal et dans l'usine-mère américaine, le MIC était fabriqué à partir de méthylamine et de phosgène (lui-même extrêmement toxique et utilisé comme gaz asphyxiant dans la Première Guerre mondiale). Le phosgène est un chlorure d'acide et son groupe carbonyle est facilement attaqué par les nucléophiles.

$$CH_3NH_2 + Cl-\overset{\overset{\displaystyle O}{\|}}{C}-Cl \longrightarrow CH_3-N=C=O + 2\ HCl$$

méthylamine   phosgène

$$CH_3\ddot{N}H_2 + Cl-\overset{\overset{\displaystyle O}{\|}}{C}-Cl \longrightarrow$$

$$\left[\begin{array}{c} \overset{\displaystyle H}{\underset{\displaystyle H}{CH_3-\overset{+}{N}-\overset{O^-}{\underset{Cl}{C}}-Cl}} \end{array}\right] \xrightarrow{-HCl} \left[\begin{array}{c} \overset{\displaystyle O}{\underset{\displaystyle H}{CH_3-N-\overset{\|}{C}-Cl}} \end{array}\right] \xrightarrow{-HCl} CH_3N=C=O$$

MIC

Dans les conditions réactionnelles, les intermédiaires entre crochets perdent facilement HCl pour donner le MIC.

On utilise aussi d'autres méthodes de préparation industrielle du MIC. En Allemagne de l'Ouest et en Belgique on le fait à partir de la diméthylurée et de carbonate de phényle.

$$CH_3NH-\overset{\overset{\displaystyle O}{\|}}{C}-NHCH_3 + C_6H_5O-\overset{\overset{\displaystyle O}{\|}}{C}-OC_6H_5 \xrightarrow[\text{élevée}]{\text{temp.}} 2\ CH_3N=C=O + 2\ C_6H_5OH$$

diméthylurée   carbonate de phényle   MIC

Et récemment Du Pont a mis au point une voie d'accès qui part du méthylformamide:

$$H-\overset{\overset{\displaystyle O}{\|}}{C}-NH-CH_3 + \tfrac{1}{2}O_2 \xrightarrow[\Delta]{\text{catalyseur}} CH_3N=C=O + H_2O$$

On utilise principalement l'isocyanate de méthyle pour faire des carbamates pesticides. Les isocyanates possèdent un système à doubles liaisons cumulées et sont extrêmement réactifs, leur groupe carbonyle subissant aisément l'attaque des nucléophiles. Ainsi, avec les alcools et les phénols, ils donnent des carbamates, qui sont des dérivés de l'acide carbonique à la fois amides et esters.

$$R-N=C=O + R'\ddot{O}H \longrightarrow RNH-\overset{\overset{\displaystyle O}{\|}}{C}-OR'$$

isocyanate   alcool   carbamate

$$\left[\begin{array}{c} R-\underset{\displaystyle H}{N}=\overset{O^-}{\underset{}{C}}-\overset{+}{O}R' \longleftrightarrow R-\overset{..}{\underset{\displaystyle H}{N}}-\overset{\overset{\displaystyle O}{\|}}{C}-\overset{+}{O}R' \end{array}\right] \quad \begin{array}{c}\text{transfert}\\\text{de proton}\end{array}$$

A Bhopal, le MIC servait à préparer le Sevin, un insecticide biodégradable très efficace, par réaction avec le 1-naphtol.

$$CH_3\!-\!N\!=\!C\!=\!O \; + \quad\quad\quad\quad \longrightarrow$$

MIC   1-naphtol

$$O\!-\!\overset{\overset{\textstyle O}{\|}}{C}\!-\!NHCH_3$$

N-méthylcarbamate d'α-naphtyle
(Sevin)

L'usine de MIC de Bhopal produisait annuellement environ 2.500 tonnes, la production mondiale étant au moins dix fois plus importante.

L'isocyanate de méthyle est une substance difficile à manipuler. Il bout à 39°C et la densité de sa vapeur est double de celle de l'air, si bien que, s'il s'échappe, il reste sur le sol (où sont les hommes) au lieu de diffuser dans l'atmosphère. Avec l'eau il donne une réaction vive et *exothermique* (y compris avec la vapeur d'eau de l'air) et il doit donc être conservé sous azote et à une température inférieure à la normale, dans des réservoirs en acier inoxydable ou doublés de verre.

$$2 \; CH_3\!-\!N\!=\!C\!=\!O \; + \; H\!-\!OH \; \longrightarrow \; CH_3NHCONHCH_3 \; + \; CO_2$$
N,N-diméthylurée

En présence de catalyseurs métalliques, le MIC subit une trimérisation également *exothermique*.

A l'heure actuelle, on ne sait pas exactement ce qui s'est passé à Bhopal. Vraisemblablement, une rentrée d'eau ou l'introduction d'un catalyseur métallique (à partir de rouille?) dans un réservoir souterrain de MIC aurait déclenché l'une de ces réactions, qui aurait chauffé ce composé au-dessus de son point d'ébullition, accru la pression interne du réservoir et provoqué l'échappement dramatique. Naturellement la compagnie connaissait ces risques et disposait de beaucoup d'appareils de sécurité et de détection pour se prémunir contre ces dangers. Mais, pour une certaine raison, ces dispositifs de protection n'ont pas fonctionné.

A l'heure actuelle, on a encore peu de données sur la toxicité de l'isocyanate de méthyle, notamment à cause des difficultés de sa manipulation. Par suite de sa vive réaction avec l'eau (composant essentiel du liquide cellulaire) et avec tous les groupes –OH et –NH$_2$ (présents dans les hydrates de carbone, les protéines, les enzymes) et autres nucléophiles, il est incontestablement dangereux. La peau, exposée au MIC, est immédiatement attaquée et sa respiration provoque de graves dommages aux tissus des poumons. Au moment de la catastrophe, la limite OSHA (Occupational Safety and Health Administration) était de 0,02 parties par million dans l'air, pour des hommes exposés au MIC pendant une journée de 8 heures. Cette limite était basée sur un test des années 1960 réalisé sur quatre personnes, lesquelles ne sentirent ni irritation ni odeur à 0,4 ppm, mais connurent une irritation du nez et de la gorge et la survenue de larmes à 2 ppm. Par comparaison, la limite OSHA est de 0,1 ppm pour le phosgène.

En réalité, le MIC est un produit industriel d'importance mineure comparée à celle de deux autres isocyanates. Ce sont le toluène diisocyanate (TDI) et le 4,4'-diphénylméthane diisocyanate (MDI), qui sont produits annuellement par milliers de tonnes. Ces composés servent, dans l'industrie du polyuréthane, à faire des mousses, des revêtements, du matériel isolant, etc.

toluène 2,4-diisocyanate   4,4'-diphénylméthane diisocyanate

Il est certes nécessaire de manipuler les isocyanates avec précaution, mais ils sont beaucoup moins volatils que le MIC et alors beaucoup moins dangereux.

En dépit des gros efforts de l'industrie chimique consacrés depuis longtemps à l'élimination des risques des manipulations, la catastrophe de Bhopal a attiré l'attention sur la nécessité d'assurer encore davantage de sécurité.

12.11 Sels d'ammonium quaternaires. Elimination de Hofmann

Les amines tertiaires réagissent avec les halogénures d'alkyles primaires et secondaires selon un mécanisme S_N2 en donnant des sels d'ammonium quaternaires, c'est-à-dire des sels d'ammonium (NH_4^+) dont les quatre hydrogènes sont remplacés par quatre groupes alkyles. Exemple:

$$(CH_3)_3N\text{:} + CH_3(CH_2)_{14}CH_2Cl \rightarrow (CH_3)_3N^+CH_2(CH_2)_{14}CH_3 \ Cl^- \qquad \textbf{(12.24)}$$

triméthylamine   chlorure de cétyle   chlorure de cétyltriméthylammonium

Les composés de ce type, tels que le produit de l'équation 12.24, qui ont une longue chaîne carbonée avec un groupe polaire à l'extrémité, sont des détergents. Mais ils diffèrent des savons ordinaires et des détergents qu'on a étudiés jusqu'ici, par la partie polaire de la molécule, qui est cette fois positive. On les utilise, par exemple, dans l'assouplissement des tissus et comme bactéricides.

Les ions ammonium quaternaires sont assez différents chimiquement des amines, car leur atome d'azote ne porte plus de doublet libre; il est au contraire chargé positivement. Par chauffage, les hydroxydes d'ammonium quaternaires (qu'on prépare aisément en traitant l'halogénure correspondant par l'oxyde d'argent en milieu aqueux; équation 12.25), qui comportent au moins un hydrogène lié au carbone en β par rapport à l'azote, subissent ce qu'on appelle l'**élimination de Hofmann**, et donnent un alcène et une amine tertiaire (équation 12.26). Exemple:

$$2 \ (CH_3)_3\overset{+}{N}CH_2 \ CH_3 \ I^- + \ Ag_2O \ + \ H_2O \ \rightarrow \ 2 \ AgI + 2 \ (CH_3)_3\overset{+}{N}CH_2CH_3 \ OH^- \qquad \text{(12.25)}$$

hydroxyde d'éthyltriméthylammonium

$$(CH_3)_3\overset{+}{N}CH_2{-}CH_2{-}H \ OH^- \ \rightarrow \ (\ CH_3)_3N \ + \ CH_2{=}CH_2 + \ H_2O \qquad \text{(12.26)}$$

amine tertiaire   alcène

Tout comme l'élimination E2 de HX à partir des halogénures d'alkyle par action d'une base, il s'agit d'une réaction concertée (elle procède en une seule étape). Mais une différence assez grande avec cette méthode de synthèse des alcènes, c'est que l'élimination de Hofmann donne principalement (quand elle a le choix) l'alcène dont la double liaison est la moins substituée, alors que la déshydrohalogénation des halogénures d'alkyle conduit à l'alcène dont la double liaison est la plus substituée, autrement dit suit la règle de Saytzev (équation 6.27). Exemple:

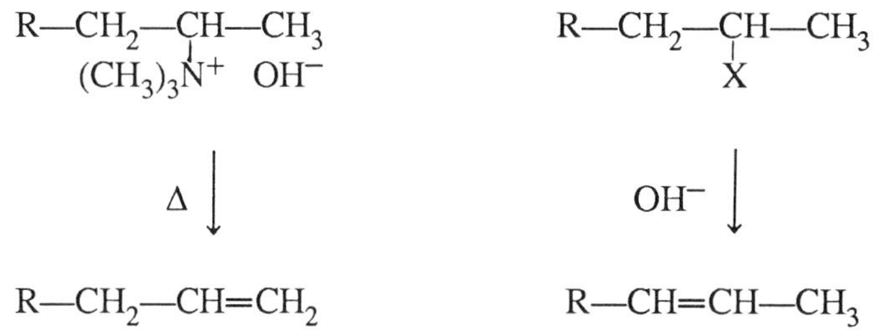

R—CH₂—CH—CH₃
(CH₃)₃N⁺ OH⁻

Δ ↓

R—CH₂—CH=CH₂

(règle de Hofmann)

(12.27)

R—CH₂—CH—CH₃
X

OH⁻ ↓

R—CH=CH—CH₃

(règle de Saytzev)

(12.28)

En identifiant les alcènes ainsi formés, il a été possible de déterminer au moyen de cette réaction la structure de nombreux alcaloïdes (ce sont des composés naturels basiques, en réalité des amines souvent polycycliques d'origine végétale, telles que la strychnine, la quinine, etc). On procède d'abord à la méthylation exhaustive de l'amine, à la transformation en hydroxyde du sel d'ammonium quaternaire ainsi obtenu, puis au chauffage de cet hydroxyde.

Les sels d'ammonium quaternaires ont un rôle important dans certains processus biologiques. C'est notamment le cas de la **choline** qui, comme on l'a déjà vu, est présente dans les phospholipides.

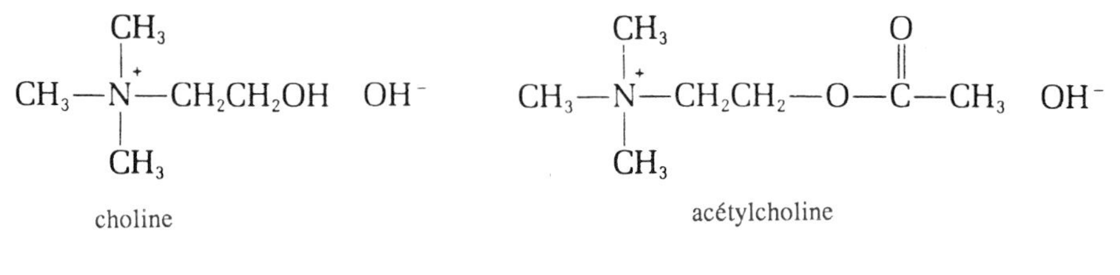

choline

acétylcholine

Non seulement la choline intervient dans divers processus biologiques, mais elle est aussi le précurseur de l'**acétylcholine**, essentielle dans la transmission de l'influx nerveux.

12.12 Réaction des amines avec l'acide nitreux

Chacune des trois catégories d'amines réagit différemment avec l'acide nitreux. On verra que la réaction est particulièrement utile du point de vue synthétique avec les amines primaires aromatiques. On prépare l'**acide nitreux** *in situ* en traitant par un acide fort une solution aqueuse de nitrite de sodium. Maintenue à une température voisine de 0°, la solution d'acide nitreux est assez stable.

$$Na^+NO_2^- \; + \; H^+Cl^- \; \xrightarrow{\;0-5°C\;} \; H-O-\overset{..}{N}=\overset{..}{O}: \; + \; Na^+Cl^- \qquad \textbf{(12.29)}$$

Dans les réactions de l'acide nitreux, l'espèce réactive est l'**ion nitrosonium** NO^+ qui est formé comme suit:

$$H\overset{..}{\underset{..}{O}}-\overset{..}{N}=\overset{..}{O}: \; + \; H^+ \; \rightleftharpoons \; H\overset{\oplus}{\underset{\underset{H}{|}}{O}}-\overset{..}{N}=\overset{..}{O}: \; \rightleftharpoons \; H_2O \; + \; :\overset{\oplus}{N}=\overset{..}{O}: \qquad \textbf{(12.30)}$$

ion nitrosonium

Avec les amines *tertiaires*, la réaction de l'acide nitreux n'est intéressante que si l'amine est aromatique. Il y a alors substitution aromatique électrophile qui donne un **composé nitrosé aromatique**.

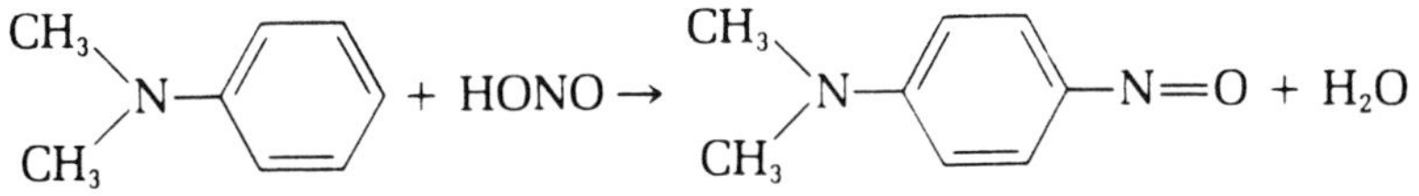

$$\qquad \qquad \qquad \qquad \qquad \qquad \qquad \qquad \qquad \qquad \qquad \qquad \qquad \textbf{(12.31)}$$

N,N-diméthylaniline   *p*-nitroso-*N,N*-diméthylaniline
(amine tertiaire)

Avec les amines *secondaires*, la nitrosation a lieu sur l'azote et donne une **nitrosamine**.

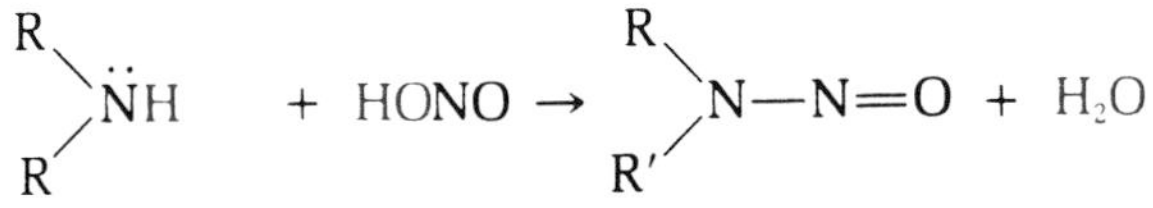

$$\qquad \qquad \qquad \qquad \qquad \qquad \qquad \qquad \qquad \qquad \qquad \qquad \qquad \textbf{(12.32)}$$

amine   nitrosamine
secondaire

On sait maintenant que les nitrosamines sont de dangereux cancérigènes. Ainsi, inhalée ou ingérée par un rat, la diméthylnitrosamine cause rapidement un cancer du foie. Dans notre environnement, les nitrosamines peuvent être formées par la réaction des amines avec les oxydes d'azote ou à partir du nitrite de sodium utilisé comme agent de conservation de la viande. On étudie actuellement de près les rapports possibles entre les nitrosamines et le cancer chez l'homme.

Exemple de Problème 12.7   Ecrire un mécanisme pour l'équation 12.32.

Solution

$$\underset{R'}{\overset{R}{>}}\!\!\ddot{N}H + {}^{+}\!\ddot{N}\!=\!\ddot{O}: \;\to\; \left[\underset{R'}{\overset{R}{>}}\!\!\overset{+}{\underset{N=\ddot{O}:}{N}}\!\!\overset{H}{\curvearrowleft} \right] \;\overset{-H^{+}}{\longrightarrow}\; \underset{R'}{\overset{R}{>}}\!\!\ddot{N}\!-\!\ddot{N}\!=\!\ddot{O}:$$

Face à l'ion nitrosonium, l'amine agit comme nucléophile, la simple perte d'un proton terminant la réaction.

Exemple de Problème 12.8   Pourquoi les amines tertiaires ne penvent-elles réagir de la même manière?

Solution   **Elles n'ont pas d'hydrogène lié à l'azote susceptible d'être perdu dans la deuxième étape.**

Les amines *primaires* réagissent avec l'acide nitreux pour donner des **ions diazonium**.

$$RNH_2 + HONO + H^+ \overset{0\,°C}{\longrightarrow} [R\!-\!{}^{+}N\!\equiv\!N:] \overset{-N_2}{\longrightarrow} R^+ \longrightarrow \text{produits} \quad \textbf{(12.33)}$$

$$\underset{\text{ion diazonium}}{\qquad\qquad\qquad} \underset{\text{carbocation}}{\qquad\qquad}$$

Les ions alkyldiazonium sont très instables, même à 0°C. Ils perdent de l'azote en formant un carbocation, qui réagit alors avec tout nucléophile présent ou perd un proton en donnant un alcène. Par exemple, la réaction de l'isopropylamine avec l'acide nitreux est:

$$\underset{\text{isopropylamine}}{CH_3CH(NH_2)CH_3} + HONO \overset{0\,°C}{\longrightarrow} \underset{\text{isopropanol}}{CH_3CH(OH)CH_3} + \underset{\text{propène}}{CH_2\!=\!CHCH_3} + N_2 + H_2O \quad \textbf{(12.34)}$$

Les produits dérivent du carbocation isopropyle qui, soit réagit avec l'eau en donnant l'alcool, soit perd un proton en donnant l'alcène. Bref, la réaction d'une amine primaire aliphatique avec l'acide nitreux forme, au niveau du carbone qui porte le groupe amino, un carbocation, qui donne alors les produits typiques des réactions par carbocations. On appelle parfois cette réaction la **désamination nitreuse.**

Exemple de Problème 12.9   Ecrire un mécanisme expliquant la formation de l'ion diazonium dans l'équation 12.33.

Solution   **Les premières étapes sont exactement les mêmes qu'à partir d'une amine secondaire et elles conduisent à une nitrosamine primaire. Celle-ci se réarrange alors comme suit:**

$$\underset{H}{\overset{R}{>}}\!\!\ddot{N}\!-\!\ddot{N}\!=\!\ddot{O}: \;\rightleftharpoons\; R\!-\!\ddot{N}\!=\!N\!-\!\ddot{O}H \;\overset{H^+}{\longrightarrow}\; R\!-\!\ddot{N}\!=\!N\!-\!\overset{+}{\underset{H}{\ddot{O}}}\!-\!H$$

$$\underset{\text{nitrosamine}}{\qquad\qquad}$$

$$\overset{-H_2O}{\longrightarrow}\; R\!-\!\overset{+}{N}\!\equiv\!N:$$

La première étape de la transposition est analogue à la tautomérie céto-énolique, avec une liaison N=O au lieu de C=O.

Problème 12.16 **Quels produits peut-on attendre de la réaction de la cyclopentylamine avec l'acide nitreux?**

Les ions diazonium formés à partir des amines aromatiques sont beaucoup plus stables; on les examine ci-après.

12.13 Sels de diazonium aromatiques

Les amines primaires aromatiques réagissent avec l'acide nitreux à O°C pour donner des **ions aryldiazonium.** On appelle ce processus la **diazotation.**

$$C_6H_5-NH_2 + HONO + H^+Cl^- \rightarrow C_6H_5-N_2^+Cl^- + 2\,H_2O \qquad \textbf{(12.35)}$$

aniline   chlorure de
                                       benzènediazonium

Les solutions d'ions aryldiazonium sont assez stables et peuvent être conservées à O°C pendant plusieurs heures. Cependant, elles perdent de l'azote par chauffage en donnant des phénols. La réaction est une excellente méthode de synthèse de ces derniers.

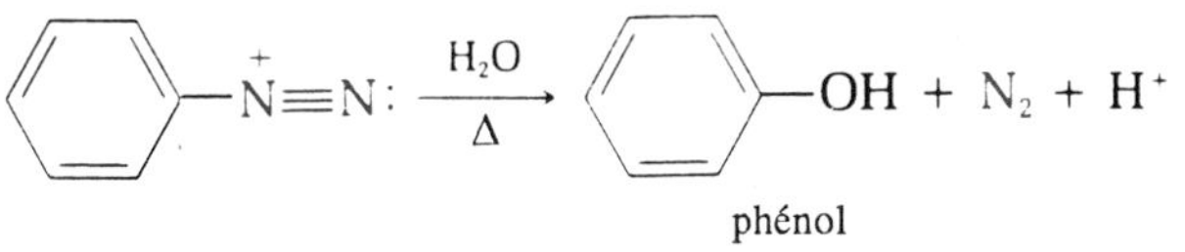

$$\qquad\qquad\qquad\qquad\qquad\qquad\qquad\qquad\qquad\qquad\qquad\qquad\qquad\textbf{(12.36)}$$

phénol

L'azote des ions diazonium peut être remplacé par d'autres nucléophiles:

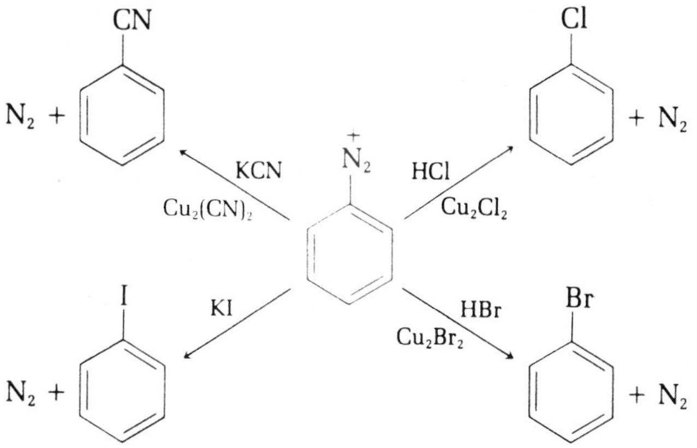

$$\textbf{(12.37)}$$

Ces réactions permettent d'introduire des substituants tels que –I et –CN, ce qui n'est pas facile par substitution électrophile aromatique directe. L'exemple suivant montre qu'elles permettent aussi d'introduire un substituant dans une position difficilement accessible par substitution électrophile.

Exemple de Problème 12.10   Montrer comment on peut préparer le *m*-dibromobenzène à

partir du nitrobenzène.

Solution

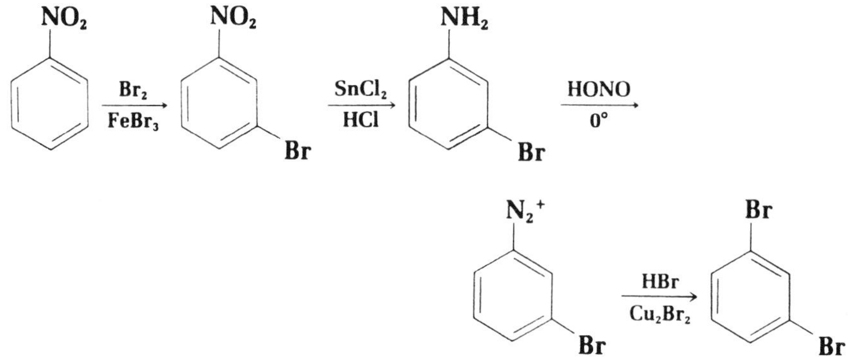

La première étape utilise l'effet directeur du groupe nitro en *méta*. La bromation simple du bromobenzène donnerait un mélange d'*o*- et de *p*- dibromobenzène, mais non pas l'isomère *méta*.

Problème 12.17 Montrer comment on peut préparer l'acide *o*-toluique (acide *o*-méthylbenzoïque) à partir de la *p*-toluidine (*o*-méthylaniline) en utilisant un ion diazonium intermédiaire.

12.14 Couplage des diazoïques. Colorants azoïques

Les ions aryldiazonium sont des électrophiles faibles. Ils réagissent avec les cycles aromatiques fortement activés, ceux des phénols et des amines aromatiques par exemple, en donnant des **composés azoïques.** Exemple:

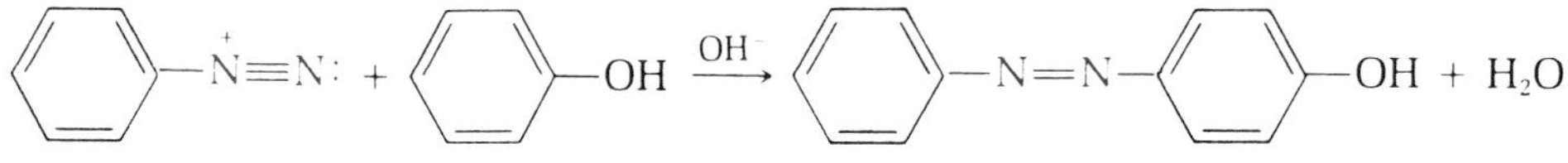

$$(12.38)$$

ion benzènediazonium   phénol   *p*-hydroxyazobenzène
(feuillets jaunes, F 155–157°C)

Remarquons que les atomes d'azote sont retenus dans le produit. On appelle parfois cette réaction la "copulation" des diazoïques, parce que dans le produit deux cycles aromatiques sont "accouplés" par un groupe azo –N=N–. La copulation en *para* du phénol est favorisée, mais elle se fait en *ortho* si la position en *para* est déjà bloquée par un substituant. Tous les azoïques sont colorés et beaucoup de colorants azoïques sont fabriqués industriellement et sont utilisés pour la coloration des tissus et la photographie en couleur. Ils ont été à la base du développement de la grande industrie des colorants à partir de la seconde moitié du XIXe siècle, notamment en Allemagne, et dans lequel l'aniline a joué le rôle d'une matière première fondamentale.

Exemple de Problème 12.11   Ecrire les formes limites de l'ion benzènediazonium montrant comment l'azote le plus éloigné du cycle benzénique peut devenir électrophile.

Solution

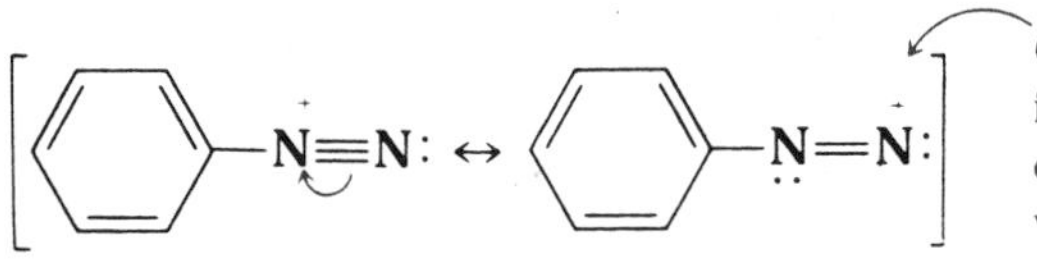

Cet azote n'a que six électrons; il peut donc se conduire comme un électrophile vis-à-vis d'un cycle aromatique.

Exemple de problème 12.12   Ecrire les étapes du mécanisme de l'équation 12.38.

Solution   **La réaction est une substitution aromatique électrophile (paragraphe 4.10).**

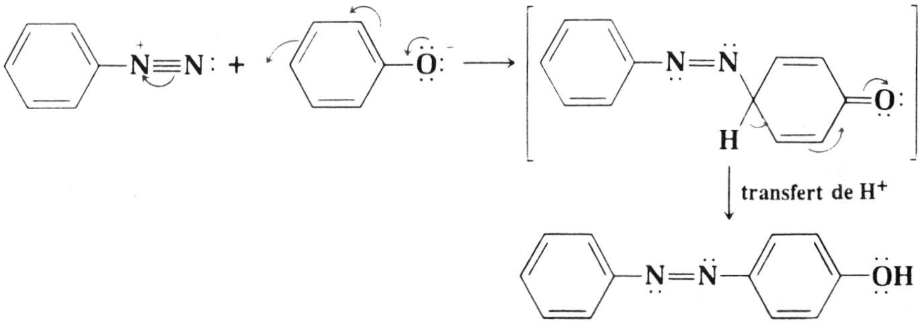

transfert de H$^+$

Problème 12.18   Le méthyl orange est un colorant azoïque utilisé comme indicateur dans les titrages acide-base (il est jaune-orange aux pH supérieurs à 4,5 et rouge aux pH inférieurs à 3). Montrer comment on peut le synthétiser à partir d'acide *p*-aminobenzènesulfonique (acide sulfanilique) et de *N,N*-diméthylaniline.

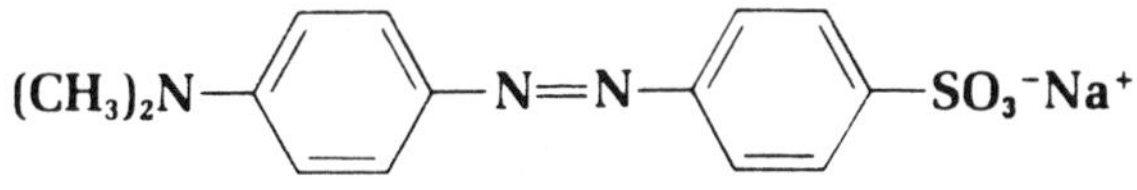

$(CH_3)_2N$—⟨⟩—$N=N$—⟨⟩—$SO_3^-Na^+$

méthyl orange

12.15 Diamines et polyamides. Le nylon

Deux diamines rencontrées dans la nature ont un nom haut en couleur. Ce sont la **putrescine** et la **cadavérine**. Elles sont formées par la putréfaction de la chair animale et ont une odeur au moins aussi désagréable que celle qu'on attend de leur nom.

$H_2NCH_2CH_2CH_2CH_2NH_2$ $H_2NCH_2CH_2CH_2CH_2CH_2NH_2$

putrescine   cadavérine

(1,4-diaminobutane)   (1,5-diaminopentane)

L'homologue supérieur, l'**hexaméthylènediamine** ou 1,6-diaminohexane, est la diamine, dont l'importance industrielle est la plus grande: la production annuelle mondiale dépasse, en effet, le million de tonnes. C'est l'une des deux matières premières de la fabrication du **nylon**.

Le nylon est un **polyamide** obtenu à partir d'hexaméthylènediamine et d'acide adipique. Lorsqu'on les mélange, ces composés forment un polysel qui, par chauffage, perd de l'eau (équation 12.39) et donne un polyamide.

$$H_2N(CH_2)_6NH_2 + HO\overset{\overset{O}{\|}}{C}(CH_2)_4\overset{\overset{O}{\|}}{C}OH \xrightarrow[-nH_2O]{200-300°C} \left[NH(CH_2)_6NH\overset{\overset{O}{\|}}{C}(CH_2)_4\overset{\overset{O}{\|}}{C}\right]_n \qquad (12.39)$$

hexaméthylènediamine   acide adipique   nylon

Ce polymère fut préparé pour la première fois par W. H. Carothers en 1933, puis fabriqué industriellement par la Du Pont de Nemours quelques années plus tard. On l'appelle **nylon-6,6** parce que les deux monomères (diamine et diacide) ont six carbones. On connaît d'autres nylons, mais celui-là est le plus important.

Le second en importance est le **nylon-6**, préparé à partir du **caprolactame.**

$$\xrightarrow{250-270°C} \left[NHCH_2CH_2CH_2CH_2CH_2\overset{\overset{O}{\|}}{C}\right]_n \qquad (12.40)$$

caprolactame   nylon-6

Les **lactames** sont des amides cycliques (comme les lactones sont des esters cycliques, paragraphe 11.6). Par chauffage, le cycle à sept chaînons s'ouvre et le groupe amino d'une molécule réagit avec le groupe $C=O$ de la voisine et ainsi de suite, si bien qu'est formé un polymère linéaire, un polyamide.

Les nylons sont des polymères à usages multiples, à partir desquels on peut obtenir de la matière assez délicate pour faire des tissus véritables, assez résistante pour faire des tapis, assez dure pour faire des carrosseries d'automobile (voir figure 12.2).

Figure 12.2

De plus en plus, les guitares sont équipées de cordes de nylon. Contrairement aux cordes classiques, les cordes de nylon sont insensibles aux changements de température et d'humidité et n'ont pas besoin d'être sans cesse réaccordées.

A PROPOS DES ARAMIDES, LES PLUS RECENTS DES POLYAMIDES

L'industrie prépare maintenant de plus en plus de polyamides aromatiques (qu'on appelle aramides) à cause de leurs propriétés particulières. Ils sont, en effet, résistants à la chaleur et au feu. Le plus connu est le *Kevlar* (voir figure 12.3), plus rigide que les nylons à cause de ses cycles aromatiques. Il remplace l'acier pour faire les bandages des pneus à carcasse radiale, pour faire des gilets pare-balles, etc. Il a servi à faire l'hélice du *Gossamer-Albatros*, le premier aérostat sans moteur, qui put franchir le détroit du Pas de Calais le 12 juin 1979 (voir p. 327). L'intérêt du Kevlar est essentiellement son faible allongement à la traction, sa grande solidité et sa légèreté.

La structure du *Nomex* est analogue à celle du Kevlar, ses deux monomères étant non plus *para*-, mais *méta*- orientés. On l'utilise pour faire des vêtements résistant à l'épreuve du feu, car ses fibres charbonnent mais ne fondent pas. Ses applications sont nombreuses, telles que la fabrication des tenues de pompiers et des vêtements de pilotes de course automobile.

Enfin, à cause de leur solidité liée à leur légèreté, le Nomex et le Kevlar sont aussi deux matériaux très utilisés dans la construction des coques de bateaux.

$$H_2N-\!\!\langle\ \rangle\!\!-NH_2 + Cl-\overset{O}{\underset{}{C}}-\!\!\langle\ \rangle\!\!-\overset{O}{\underset{}{C}}-Cl \xrightarrow{\text{base}} \left(HN-\!\!\langle\ \rangle\!\!-NH-\overset{O}{\underset{}{C}}-\!\!\langle\ \rangle\!\!-\overset{O}{\underset{}{C}}\right)_n$$

p-phénylènediamine   dichlorure de   Kevlar
l'acide téréphtalique

Figure 12.3 Préparation et structure du Kevlar.

12.16   Les amines hétérocycliques, produits naturels

Beaucoup de produits naturels comportent une partie hétérocyclique azotée. Ils possèdent souvent d'importantes propriétés physiologiques ou jouent un rôle clé dans certains processus biologiques. Le sujet est très vaste, mais on se limitera ici à examiner quelques systèmes cycliques prédominants et à illustrer chacun d'eux par quelques exemples.

12.17 Cycles monoazotés pentaatomiques

Les trois composés typiques sont le **pyrrole**, la **pyrrolidine** et l'**indole**.

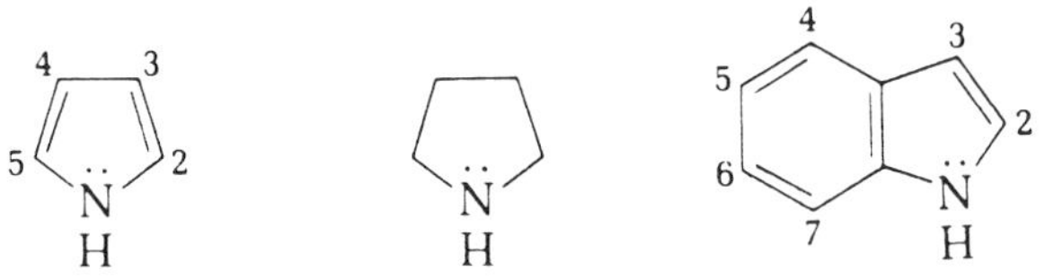

pyrrole
Eb 131°C

pyrrolidine
Eb 89°C

indole
Eb 253°C, F 52°C

On a déjà discuté de l'aromaticité du pyrrole (paragraphe 4.16). La différence dans les basicités du pyrrole et de la pyrrolidine est vraiment frappante. La pyrrolidine est une amine secondaire ordinaire, de $K_b = 1,3 \times 10^{-3}$. Par contre, le pyrrole est à peine basique: $K_b = 4 \times 10^{-19}$; c'est parce que la paire d'électrons libres de son azote, faisant partie du système aromatique à six électrons π, est délocalisée, tandis que dans la pyrrolidine la paire d'électrons libres localisée sur l'azote est parfaitement disponible à la protonation.

Le pyrrole et les hétérocycles pentaatomiques analogues, comme le furanne et le thiophène, subissent plus facilement que le benzène la substitution électrophile, laquelle a lieu surtout en position 2.

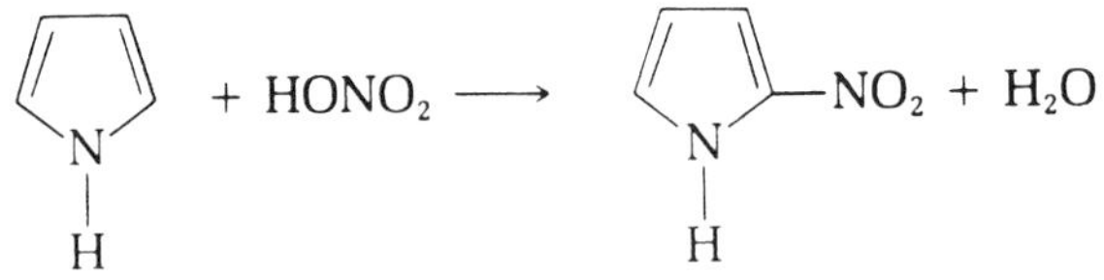

pyrrole

2-nitropyrrole

$$+ HONO_2 \longrightarrow \quad -NO_2 + H_2O \tag{12.41}$$

Problème 12.19 En écrivant les formes limites de l'intermédiaire cationique de la nitration du pyrrole en C2 et en C3, expliquer pourquoi celle-ci a lieu de préférence en C2.

Des cycles pyrroliques sont les "pierres" des édifices importants du point de vue biologique que sont certains pigments. Les **porphyrines** comportent quatre cycles pyrroliques liés par des ponts d'un carbone. Les molécules sont planes et ont un système conjugué de 18 électrons π (qu'on a coloré dans la molécule type), la **porphine**. Les porphyrines sont d'une exceptionnelle stabilité et sont très colorées. Elles forment des complexes avec des ions métal. Dans ces complexes, les deux hydrogènes des liaisons N—H sont absents et chacun des quatre azotes apporte une paire d'électrons au métal qui se trouve placé au centre du système.

La porphine elle-même n'existe pas dans la nature, mais plusieurs métalloporphyrines jouent un rôle essentiel dans les processus de la vie. Les plus connues sont l'**hème**, un complexe du fer présent dans l'hémoglobine, le pigment rouge du sang, et la **chlorophylle**, le pigment vert des plantes, essentiel à la photosynthèse.

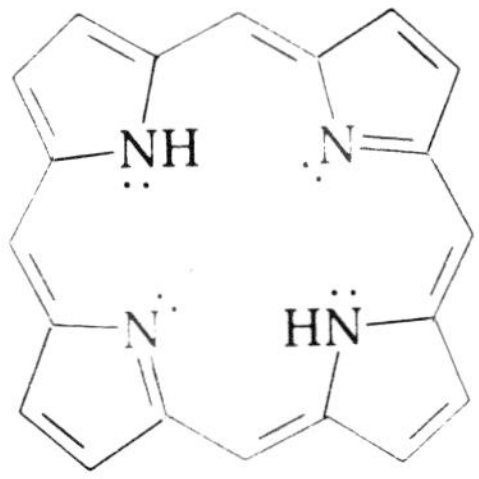

porphine
(cristaux rouges, noircissant
sans fondre à 360°C)

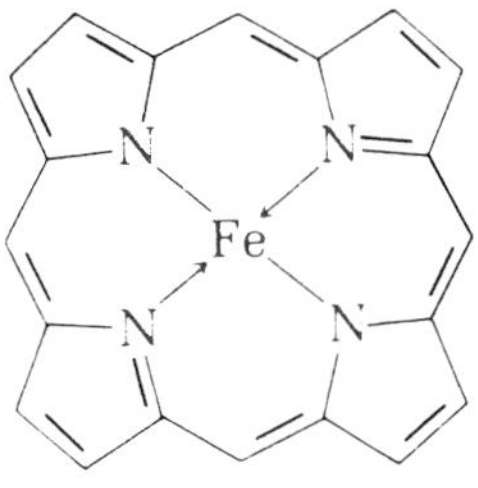

complexe Fe^{2+} porphine
(cristaux cubiques bruns)

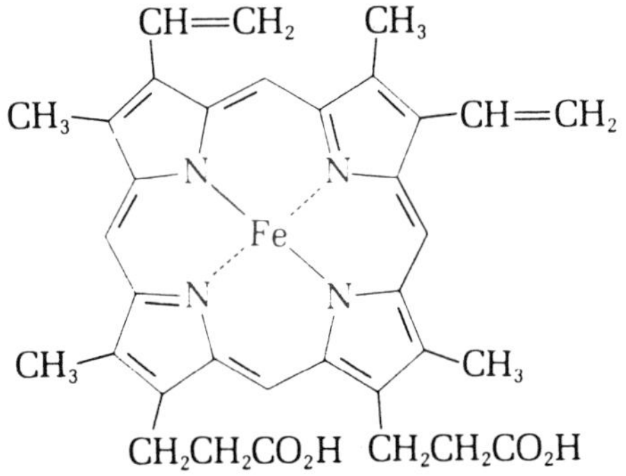

hème
(aiguilles brunes à reflets violets)

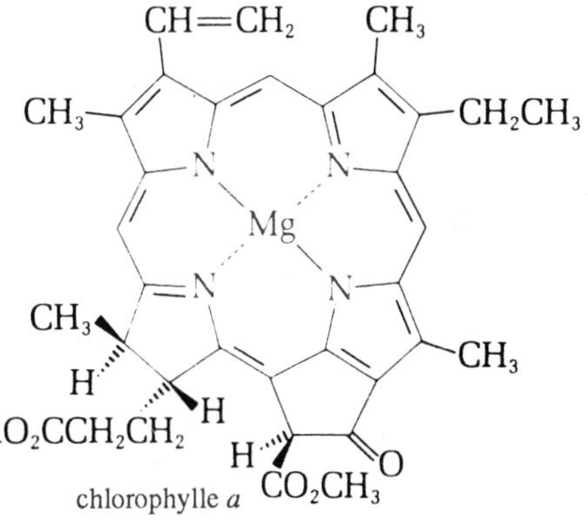

chlorophylle *a*
(cristaux bleu-noir, F 117-120°C)

$$\left(R = \quad\quad\quad\quad\quad\quad\quad\quad\quad\quad \right)$$

Le système bicyclique indolique est présent dans beaucoup de produits naturels, la biosynthèse de la plupart ayant lieu à partir d'un amino-acide, le **tryptophane**, l'une des "pierres" des édifices que sont les protéines. L'**indole** lui-même et le **scatole**, son dérivé méthylé en 3, sont formés dans la décomposition des protéines. Tous deux contribuent à l'odeur des matières fécales.

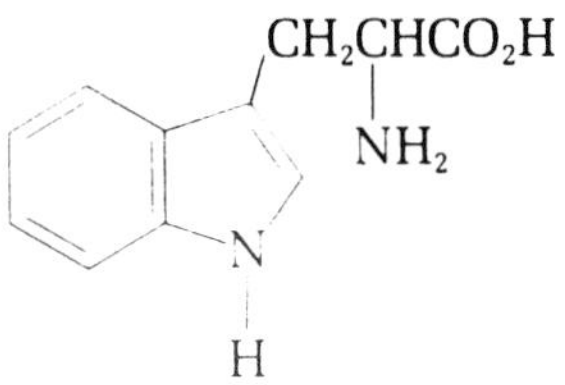

tryptophane

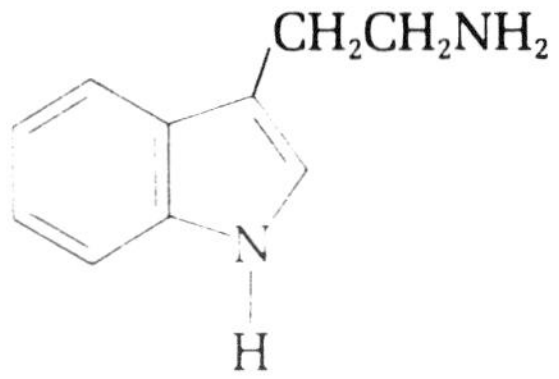

tryptamine

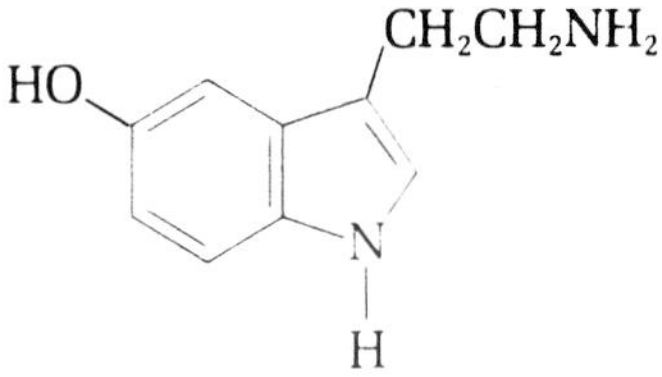

sérotonine

La décarboxylation du tryptophane donne la **tryptamine**. Beaucoup de composés ayant le squelette de cette amine exercent un effet profond sur le cerveau et le système nerveux. C'est le cas de la **sérotonine** (la 5-hydroxytryptamine), un neurotransmetteur et un vasoconstricteur actif sur le système nerveux central. On peut distinguer aussi le squelette de la tryptamine (montré en couleur) dans beaucoup de molécules complexes telles que la **réserpine** et l'**acide lysergique**. La réserpine, présente dans la serpentaire indienne *(Rauwolfia serpintina)*, une plante des contreforts de l'Himalaya, est utilisée en pharmacie depuis des siècles. Actuellement on l'emploie pour calmer les schizophrènes et accroître leur réceptivité au traitement psychiatrique. L'acide lysergique est présent dans l'ergot de seigle et autres graminées. Le diéthylamide est le LSD, un très puissant hallucinogène.

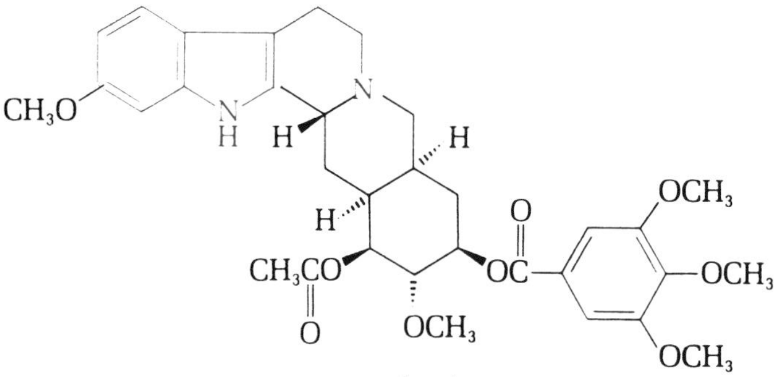

réserpine 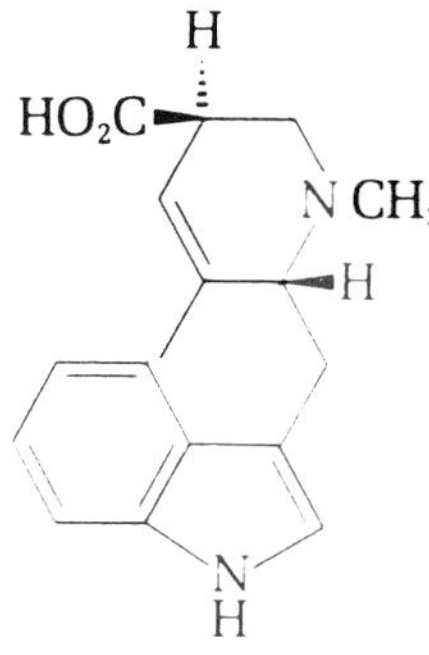   acide lysergique

12.18   Cycles monoazotés hexaatomiques

Les quatre composés typiques sont la pyridine, la pipéridine, la quinoléine et l'isoquinoléine.

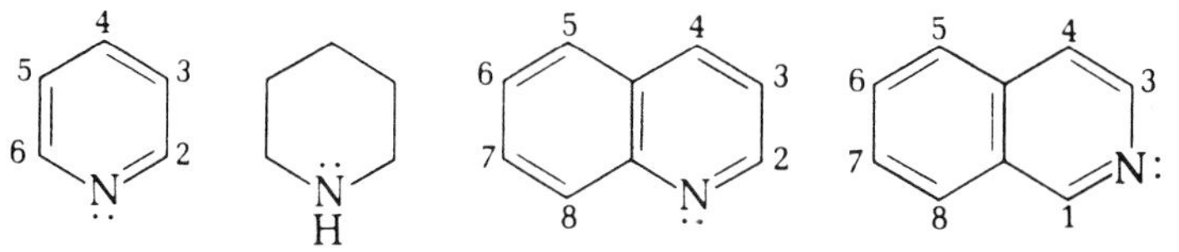

pyridine   pipéridine   quinoléine   isoquinoléine
Eb 115°C   Eb 106°C   Eb 237°C   Eb 243°C, F 26,5°C

On a déjà discuté (paragraphe 4.16) de l'aromaticité de la pyridine. Elle est basique (équation 4.30), mais beaucoup moins que les amines aliphatiques typiques. Son K_b n'atteint que $2,3 \times 10^{-9}$; il est très différent de celui $(1,6 \times 10^{-3})$ de la pipéridine. La très faible basicité de la pyridine est due à l'hybridation sp^2 de l'azote (l'hybridation est sp^3 pour l'azote de la pipéridine et des autres amines), qui implique que sa paire d'électrons libres est plus proche du noyau de l'atome et moins disponible à l'attaque d'un proton.

La pyridine subit la substitution aromatique électrophile beaucoup moins facilement que le benzène. Il faut, en effet, pour cela des conditions très dures, notamment à cause du caractère attracteur d'électrons de l'atome d'azote, mais aussi parce qu'il peut agir comme base avec les catalyseurs acides nécessaires à la réaction. Le plus souvent la substitution a lieu en position 3.

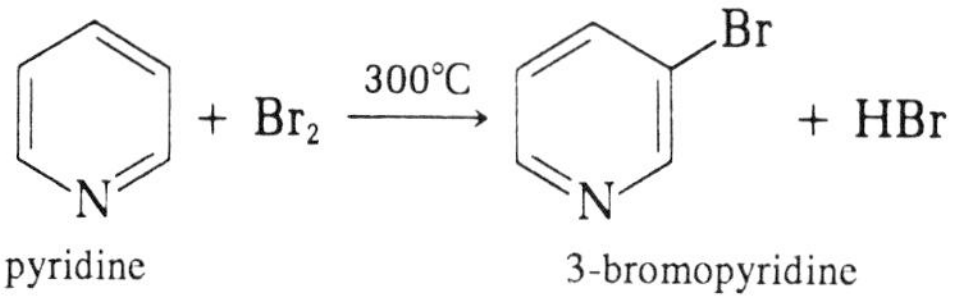

pyridine   3-bromopyridine   **(12.42)**

Avec les nucléophiles forts, la pyridine subit la substitution nucléophile. Exemple:

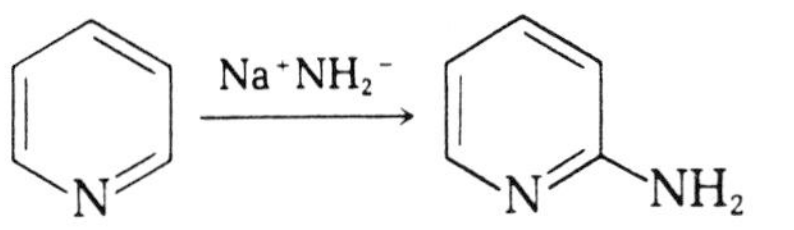

$$\text{(12.43)}$$

2-aminopyridine

Cette réaction rappelle l'addition nucléophile au groupe $C=O$.

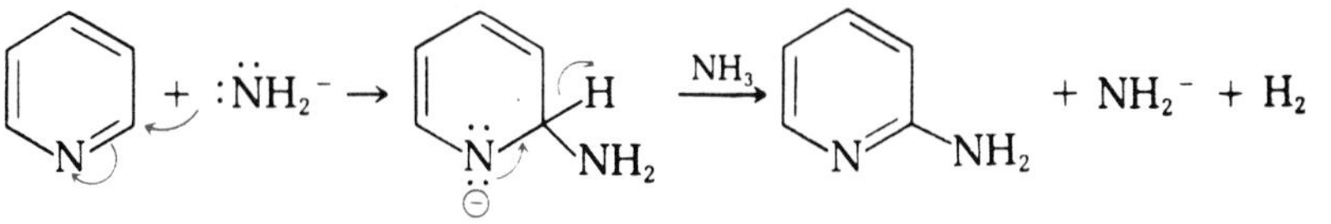

$$+ \ NH_2^- + H_2 \quad \text{(12.44)}$$

L'ion hydrure se combine avec un proton et donne de l'hydrogène, second produit réactionnel.

Problème 12.20 **Ecrire les structures qui montrent comment l'anion intermédiaire de l'équation 12.44 est stabilisé par résonance.**

Exemples de produits naturels comportant les cycles de la pyridine, de la quinoléine et de l'isoquinoléine:

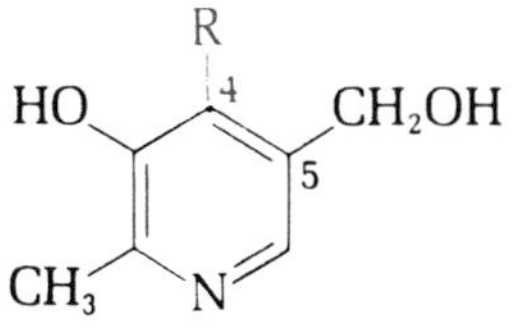

vitamine B_6
R = CH_2OH (pyridoxine)
    $CH=O$ (pyridoxal)
    CH_2NH_2 (pyridoxamine)

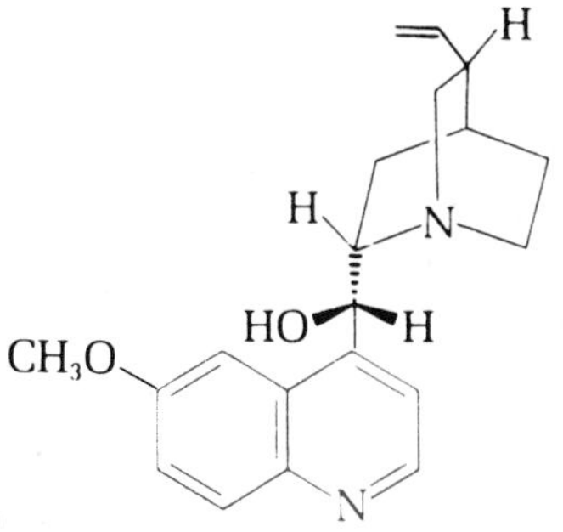

quinine 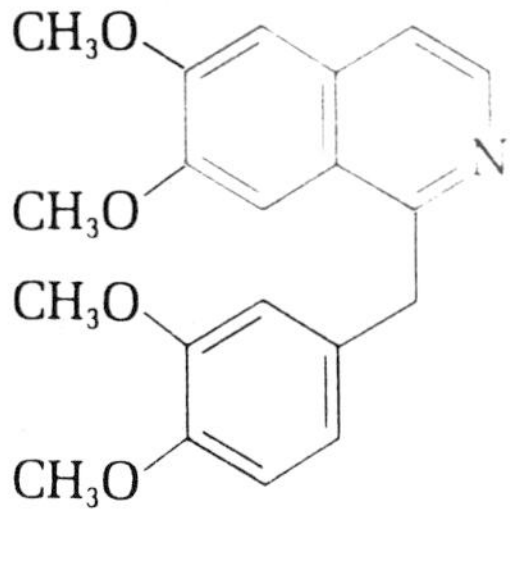   papavérine

La **vitamine B_6** est un dérivé pyridinique relativement simple, son groupe R en C4 pouvant être celui d'un alcool, d'un aldéhyde ou d'une amine. Elle fonctionne comme un coenzyme dans l'interconversion des céto-acides et des amino-acides. La **quinine**, qui est présente dans l'écorce du quinquina et est utilisée dans le traitement de la malaria, comporte le système cyclique de la quinoléine. La **papavérine**, qui est présente dans l'opium et est utilisée comme antispasmodique, comporte le système cyclique de l'isoquinoléine.

12.19   Cycles polyazotés

Trois systèmes hétérocycliques comportant plus d'un atome d'azote sont notamment importants; ce sont l'imidazole, la pyrimidine et la purine:

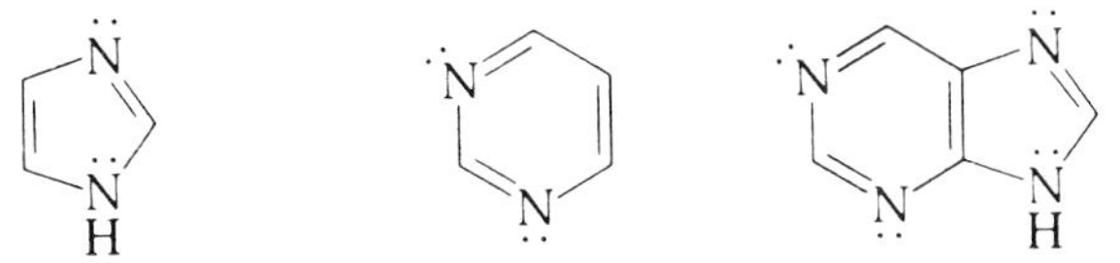

imidazole   pyrimidine   purine
Eb 263°C, F 91°C   Eb 124°C, F 22°C   F 217°C

L'imidazole rappelle le pyrrole, car la paire d'électrons libres de l'atome d'azote de la liaison N—H est délocalisée et fait partie d'un système aromatique à 6 électrons π. Mais la paire libre de l'autre azote est disponible et peut accepter un proton. Le K_b de l'imidazole atteint, en effet, $1,2 \times 10^{-7}$. La charge positive de l'imidazole protoné est délocalisée, par résonance, sur les deux azotes.

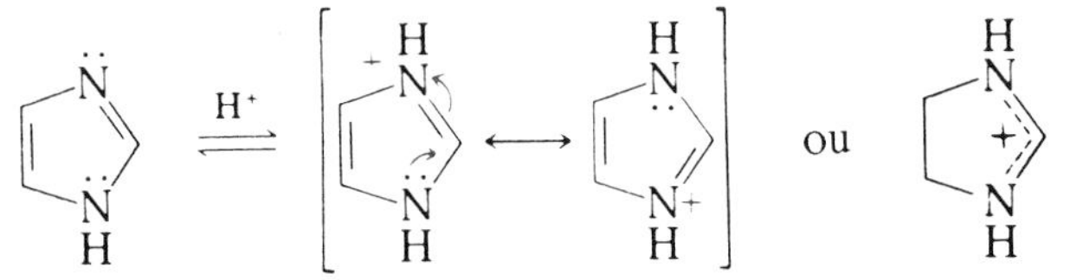

(12.45)

la résonance dans l'ion
imidazolium

On trouve le squelette de l'imidazole dans un amino-acide, l'**histidine**; celle-ci joue un rôle important dans les réactions de nombreux enzymes. Sa décarboxylation donne l'**histamine**, une substance toxique présente, à l'état combiné avec des protéines, dans les tissus du corps humain où elle est libérée dans les cas de réaction allergique ou d'inflammation (par exemple, dans le rhume des foins). On a préparé beaucoup d'**antihistaminiques** (composés qui combattent les effets de l'histamine), dont le plus connu est le **bénadryl** (diphénylhydramine) utilisé surtout sous forme de chlorhydrate.

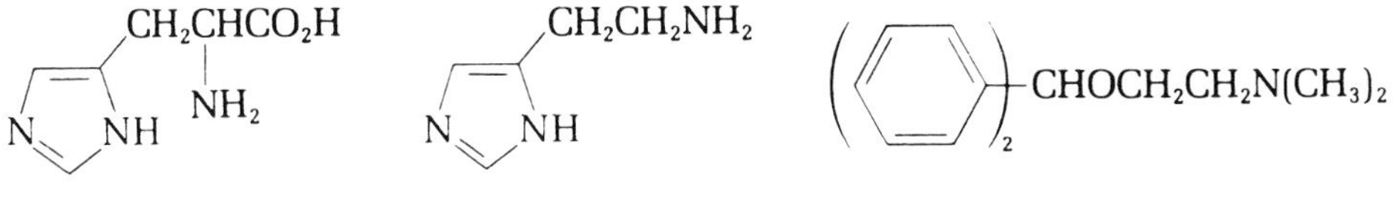

histidine   histamine   bénadryl

Le système cyclique de la pyrimidine et celui de la purine sont présents dans les bases de l'ADN et de l'ARN. On en discutera plus loin en détail (chapitre 15); mais on verra ici quelques exemples. Les **barbituriques**, bien connus, qui vont des sédatifs doux aux hypnotiques et aux anesthésiques, sont des dérivés pyrimidiniques. On les prépare simplement à partir des esters maloniques substitués et de l'urée.

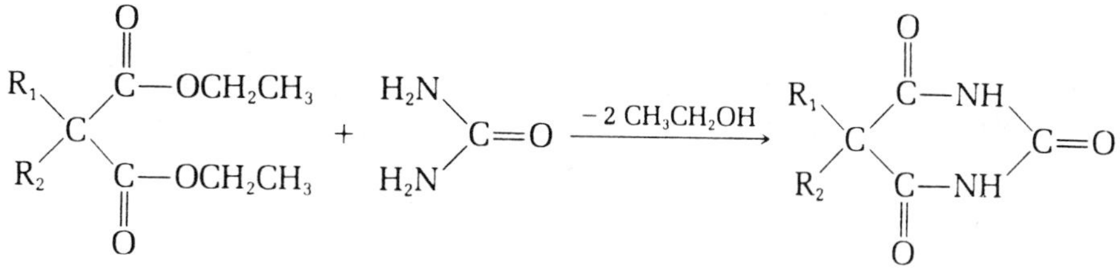

ester malonique   urée   barbiturique   (12.46)

Ce sont, par exemple, le phénobarbital (R_1= éthyl et R_2= phényl), le nembutal (R_1= éthyl et R_2= 2-pentyl) et le séconal (R_1= allyl et R_2= 2-pentyl). On utilise le dérivé sodé d'un thiobarbiturique, le penthotal ((R_1= éthyl et R_2= 2-pentyl, l'un des oxygènes étant remplacé par un soufre), en injections intraveineuses comme anesthésique général. Une pyrimidine, dont le type d'activité est très différent, est la **thiamine** ou vitamine B_1, un coenzyme nécessaire à certains processus métaboliques et essentiel à la vie.

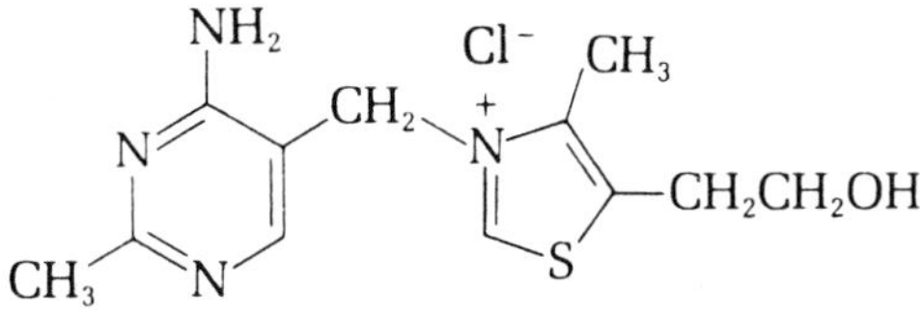

thiamine
(vitamine B_1)

D'autres purines bien connues sont l'**acide urique**, le produit principal du métabolisme de l'azote chez les oiseaux et les reptiles et le constituant majeur du guano, la **caféine**, présente dans le café, le thé et les boissons de cola et la **théobromine**, qu'on trouve dans le cacao.

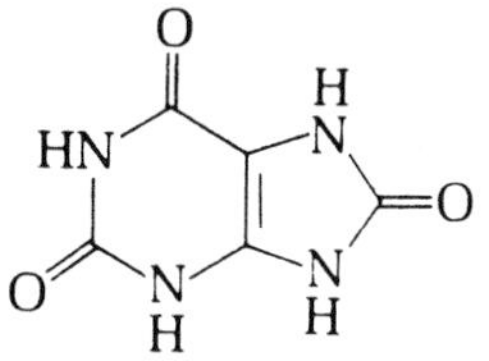

acide urique 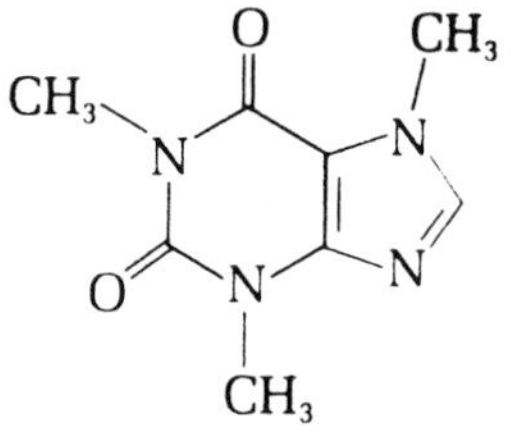   caféine 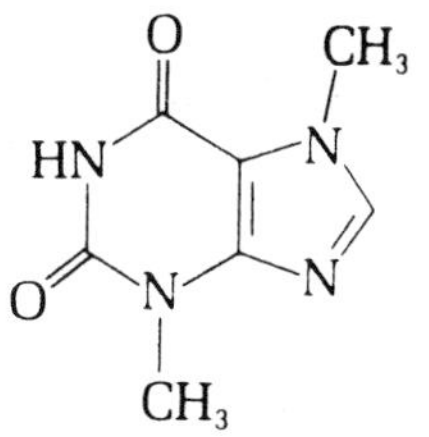   théobromine

Remarquons que ces purines comportent les systèmes cycliques accolés (ayant un côté commun) de l'imidazole et de la pyrimidine.

A PROPOS DE LA MORPHINE, D'AUTRES MEDICAMENTS AZOTÉS ET DES ALCALOÏDES EN GENERAL

La morphine (de Morphée, le dieu grec du sommeil) est le principal alcaloïde de l'opium. (Un alcaloïde est un composé azoté, basique, d'origine végétale, de structure souvent complexe et possédant des propriétés physiologiques importantes. On a déjà rencontré dans le présent chapitre des alcaloïdes tels que la quinine, la papavérine et la caféine.) L'opium est le suc des capsules d'un pavot (*Papaver somniferum*) qui, obtenu par incision avant maturité, a des propriétés physiologiques connues depuis longtemps. Cependant, la morphine n'a été isolée à l'état pur qu'en 1805, sa structure exacte n'est connue que depuis 1925 et sa synthèse en laboratoire n'a été réalisée pour la première fois qu'en 1952.

La lutte contre la douleur est un des difficiles problèmes de la médecine. La morphine est un *analgésique*, c'est-à-dire une substance qui supprime la douleur sans pour cela conduire à l'inconscience. On l'a utilisée sur bien des champs de bataille depuis plus d'un siècle, surtout depuis qu'on connaît la seringue hypodermique. Mais la morphine a de sérieux effets secondaires, notamment la morphinomanie. Elle peut aussi provoquer des nausées et une chute de la tension artérielle et du rythme respiratoire qui peut être fatale aux jeunes et aux grands malades.

morphine (R = R ' = H)

héroïne (R = R ' = $COCH_3$)

codéine (R = CH_3 et R ' = H)

Les premières recherches d'une meilleure morphine, c'est-à-dire d'une substance ayant ses avantages sans avoir ses inconvénients, ont mis en jeu de faibles modifications de sa structure. Ainsi, son acétylation par l'anhydride acétique donne son dérivé diacétylé, *l'héroïne*. Celle-ci est un bon analgésique, qui n'a pas pour cela d'effet facheux sur le rythme respiratoire; mais l'héroïnomanie, sévère, à laquelle elle conduit pose de difficiles problèmes. La méthylation partielle de la morphine donne la *codéine*, utilisée contre la toux; c'est malheureusement un analgésique dix fois plus faible que la morphine.

On a fait la synthèse et testé les propriétés analgésiques de beaucoup d'autres composés analogues à la morphine. En voici quelques exemples où sont figurées en bleu les parties de la molécule qui rappellent la morphine.

morphine　　　　　　　　　démérol　　　　　　　　　méthadone

Le *démérol* a une structure plus simple que la morphine; c'est néanmoins un analgésique. Pendant la Seconde Guerre mondiale, à cause du manque de morphine, les Allemands ont synthétisé et utilisé comme analgésique la *méthadone*. Plus tard, on l'a employée en "thérapeutique de substitution" dans les cas d'héroïnomanie. Mais elle conduit aussi à l'addiction*. Bref, la recherche d'un analgésique parfait n'est pas terminée.

* L'addiction est l'asservissement d'un sujet à l'usage d'une drogue dont il a contracté l'habitude par un emploi plus ou moins répété.

Quant aux anesthésiques locaux, ce sont aussi, pour la plupart, des produits pharmaceutiques azotés. L'un des premiers a été la *cocaïne*, un alcaloïde de l'*Erytroxylum coca*. Elle présente aussi l'avantage d'être un vasoconstricteur et de permettre des opérations chirurgicales "propres". Mais elle conduit aussi à la cocaïnomanie et elle a d'autres propriétés indésirables. Son utilisation en médecine (bien sûr, trop nombreux sont ceux qui l'utilisent aussi dans des buts extramédicaux) est maintenant largement supplantée par celle du *chlorhydrate de procaïne* (Novocaïne).

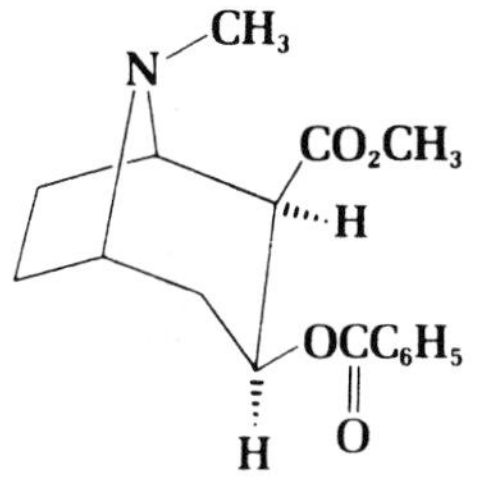

cocaïne
(F 98°C)

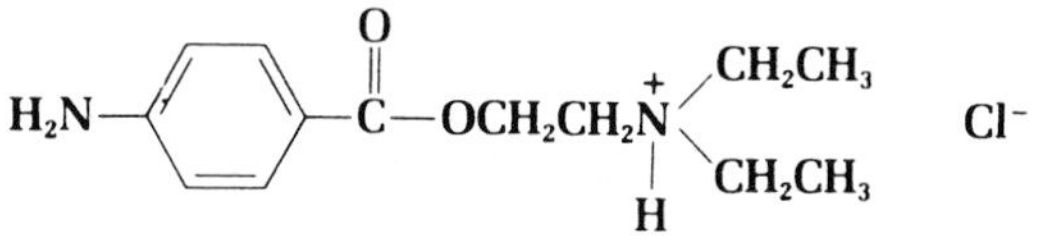

chlorhydrate de procaïne
(F 153-156°C)

La procaïne est moins toxique, plus facile à synthétiser et à stériliser que la cocaïne, et son effet est avantageusement plus bref. On l'administre habituellement par injection au niveau d'un nerf pour anesthésier une petite région du corps. Elle agit en empêchant la transmission, par l'acétylcholine, de l'influx nerveux. Le chlorhydrate de procaïne est un produit pharmaceutique très utilisé; il est vendu aux médecins, aux dentistes et aux vétérinaires sous au moins 27 appellations commerciales différentes.

Le chlorhydrate de lidocaïne, dont la structure rappelle un peu celle de la procaïne, est intéressant non seulement comme anesthésique, mais aussi dans le traitement, par injections intraveineuses, du rythme cardiaque anormal. La *benzocaïne* (*p*-aminobenzoate d'éthyle), de structure très simple, est utilisée comme anesthésique local doux dans les pommades pour les brûlures et les plaies ouvertes. On remarquera que procaïne et benzocaïne sont des esters d'un même acide, l'acide *p*-aminobenzoïque.

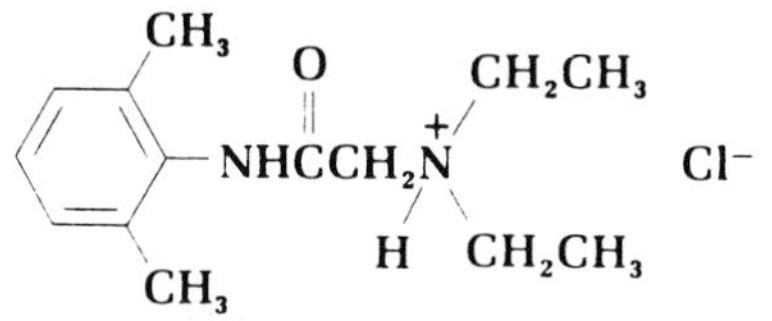

chlorhydrate de lidocaïne
F 127-129°C

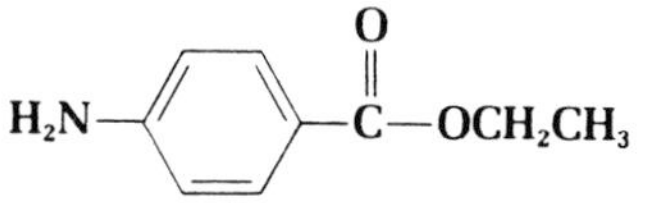

benzocaïne
F 88-90°C

Il existe, bien sûr, de nombreux types de douleurs. Parfois, dans le monde agité et tendu qui est le nôtre, on a besoin d'un tranquillisant doux. Deux des plus communément prescrits comportent un hétérocycle à sept chaînons et sont les médicaments typiques, bien connus, de la psychiatrie moderne, le *librium* et le *valium*.

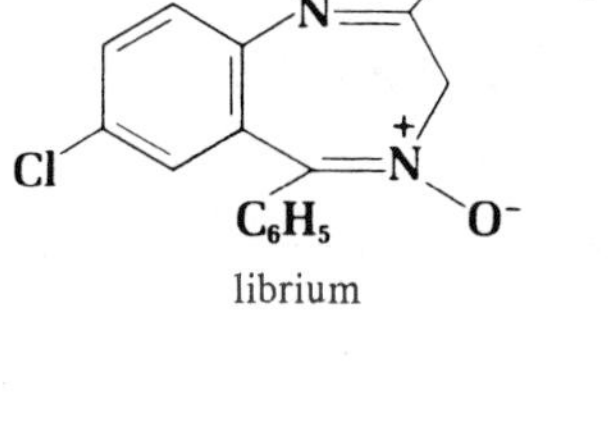

librium

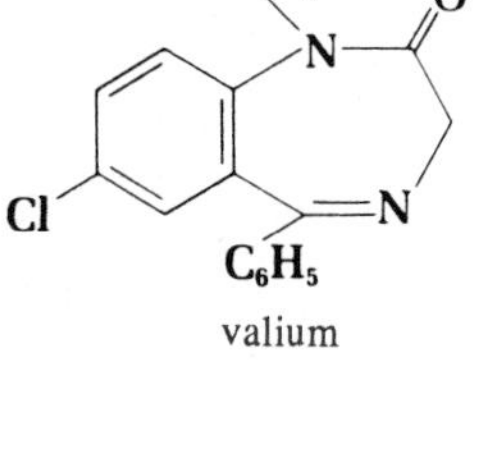

valium

Résumé du chapitre

Les amines sont des dérivés organiques de l'ammoniac. Elles sont premières, secondaires ou tertiaires selon que l'azote porte un, deux ou trois groupes organiques. L'azote est hybridé sp^3 et pyramidal, presque tétraédrique.

On nomme les amines en ajoutant le suffixe-*amine* au nom des groupes alkyles liés à l'azote. Le groupe amino est $-NH_2$. Pour nommer les amines aromatiques, on les considère comme des dérivés de l'aniline ou du système cyclique aromatique.

Les amines forment des liaisons intermoléculaires $N-H\cdots N$. Leur point d'ébullition est supérieur à celui des alcanes correspondants, mais inférieur à celui des alcools. Les premiers membres de la série sont solubles dans l'eau à cause de liaisons $N\cdots H-O$.

On peut préparer les amines par alkylation de l'ammoniac ou des amines non tertiaires, une réaction $S_N 2$. Les amines aromatiques sont obtenues par réduction des composés nitrés correspondants. On réduit aussi en amines les amides et les nitriles.

Les amines sont des bases faibles. Les alkylamines ont un K_b comparable à celui (10^{-5}) de l'ammoniac, mais les amines aromatiques sont des bases beaucoup plus faibles ($K_b = 10^{-10}$) par suite de la délocalisation, sur les carbones en *ortho* et en *para*, de la paire d'électrons libres de l'azote.

Les amides sont des bases beaucoup plus faibles que les amines à cause de la délocalisation, sur l'oxygène du carbonyle adjacent, de la paire d'électrons libres de l'azote. Les amides sont des acides de Brönsted plus forts que les amines, à cause de la charge positive partielle de l'azote et de la résonance dans l'anion amidate.

Les amines réagissent avec les acides forts en donnant des sels d'amines. On peut profiter de la solubilité dans l'eau de la plupart de ces derniers pour séparer les amines de leurs impuretés neutres ou acides. On utilise les amines chirales pour dédoubler les acides racémiques.

Les amines primaires et secondaires réagissent avec les dérivés des acides en donnant des amides. Parmi les amides préparés dans l'industrie, citons l'acétanilide et le N,N-diéthyl-*m*-toluamide (le répulsif d'insectes "Off"). L'isocyanate de méthyle (MIC), qu'on utilise pour préparer les carbamates pesticides, est préparé par une réaction analogue.

Les amines tertiaires réagissent avec les halogénures d'alkyle en donnant des sels d'ammonium quaternaires. Exemple: la choline (ion 2-hydroxyéthyl-triméthylammonium), qui a d'importantes propriétés biologiques.

La réaction des amines avec l'*acide nitreux* est fonction de leur catégorie. Les amines aromatiques tertiaires donnent des composés nitrosés aromatiques, les amines secondaires des nitrosamines et les amines primaires des ions diazonium $RN_2{}^+$. Si R est un alkyle, ces ions perdent de l'azote et donnent des carbocations et des produits dérivés.

Les amines primaires aromatiques donnent des ions aryldiazonium $ArN_2{}^+$. Ces derniers sont des intermédiaires utiles en synthèse. Ils sont formés par diazotation. L'azote est aisément remplaçable par divers nucléophiles (OH, Cl, Br, I, CN). Il y a couplage facile des ions diazonium avec des composés aromatiques comme les amines et les phénols et formation de composés azoïques. Ces derniers sont des colorants. Leur formation est une substitution aromatique électrophile.

Le Nylon est un polyamide préparé à partir de 1,6-diaminohexane et d'acide adipique. D'autres polyamides industriels sont le nylon-6 (obtenu à partir du caprolactame – les lactames étant des amides cycliques) et le Kevlar (obtenu à partir de *p* -phénylènediamine et de chlorure de téréphtaloyle).

Parmi les amines hétérocycliques pentaatomiques, citons le pyrrole, la pyrrolidine et l'indole. Le pyrrole est la "brique" des porphyrines telles que l'hème (de l'hémoglobine) et la chlorophylle. Les dérivés de l'indole que sont la tryptamine et la sérotonine ont un rôle important dans la chimie du cerveau.

Parmi les amines hétérocycliques hexaatomiques, citons la pyridine, la pipéridine, la quinoléine et l'isoquinoléine. On rencontre ces systèmes cycliques dans la formule de beaucoup de produits naturels.

L'imidazole, la pyrimidine et la purine sont trois amines hétérocycliques polyazotées. Les barbituriques sont des dérivés pyrimidiniques obtenus à partir de l'urée et des acides maloniques. La caféine est un dérivé de la purine. La morphine est le type de nombreux médicaments hétérocycliques azotés.

PROBLEMES SUPPLEMENTAIRES

12.21 Donner un exemple de chacune des catégories suivantes:

a. une amine primaire
b. une amine secondaire cyclique
c. une amine tertiaire aromatique
d. un sel d'ammonium quaternaire
e. un sel d'aryldiazonium
f. une amine hétérocyclique
g. un azoïque
h. une nitrosamine
i. un amide primaire
j. un lactame

12.22   Ecrire la formule développée de chacun des composés suivants:

a. *m*-chloroaniline
b. *s*-butylamine
c. 2-aminohexane
d. diméthylpropylamine
e. benzylamine
f. 1,2-diaminopropane
g. N,N-diméthylaminocyclohexane
h. bromure de tétraéthylammonium
i. triphénylamine
j. *o*-toluidine

12.23   Donner un nom correct à chacun des composés suivants:

a. 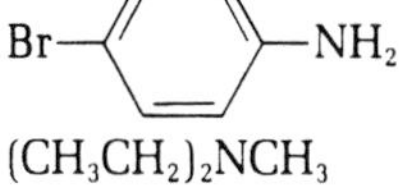 Br—⟨benzène⟩—NH_2
b. $CH_3NHCH_2CH_2CH_3$

c. $(CH_3CH_2)_2NCH_3$
d. $(CH_3)_4N^+Cl^-$

e. $CH_3CH(OH)CH_2CH_2NH_2$
f. 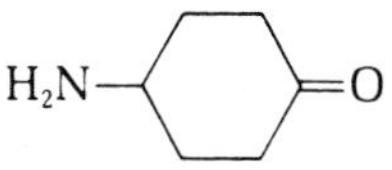 H_2N—⟨cyclohexane⟩=O

g. 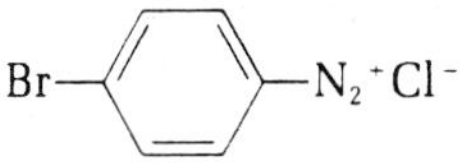 Br—⟨benzène⟩—$N_2^+Cl^-$
h. CH_3—⟨benzène⟩—$NHCH_3$

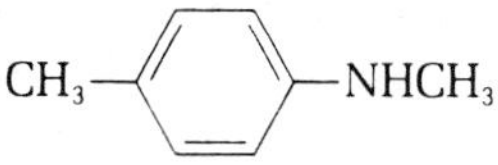

i. 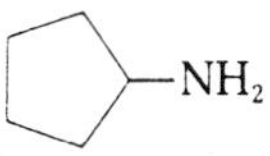 ⟨cyclopentane⟩—NH_2
j. $H_2N(CH_2)_6NH_2$

12.24   Ecrire la formule, nommer et classer (en 1^{aires}, 2^{aires} et 3^{aires}) les huit amines isomères en $C_4H_{11}N$.

12.25   Pourquoi la différence entre les points d'ébullition de l'isobutane (Eb – 10,2°C) et de la triéthylamine (Eb + 2,9°C) est-elle plus faible que la différence entre les points d'ébullition du n-butane (Eb – O,5°C) et de la n–propylamine (Eb 48,7°C), les quatre composés ayant des masses moléculaires presque identiques?

12.26   La masse moléculaire de la propylamine et celle de l'éthylènediamine sont presque identiques; cependant leurs points d'ébullition sont séparés par plus de 60°C (table 12.1). Expliquer.

12.27   Classer les substances suivantes, dont les masses moléculaires sont très voisines, dans l'ordre des points d'ébullition: 1-aminobutane, 1-butanol, méthylpropyléther, pentane.

12.28   Ecrire les équations des préparations des amines suivantes à partir des précurseurs indiqués:

a. *N,N*-diéthylaniline à partir de l'aniline

b. *m*-chloroaniline à partir du benzène

c. *p*-chloroaniline à partir du benzène

d. 1-aminopentane à partir du 1-bromobutane

12.29   Compléter les équations suivantes:

a. $\bigcirc\!-\!NH_2 + CH_2\!=\!CHCH_2Br \xrightarrow{\Delta}$

b. $CH_3\overset{O}{\overset{\|}{C}}Cl + H_2NCH_2CH(CH_3)_2 \rightarrow A \xrightarrow{LiAlH_4} B$

c. $CH_3\overset{O}{\overset{\|}{O}}C\!-\!\bigcirc \xrightarrow[H^-]{HONO_2} C \xrightarrow[\text{en excès}]{LiAlH_4} D$

d. $\bigcirc\!-\!CH_2Br \xrightarrow{NaCN} E \xrightarrow{LiAlH_4} F \xrightarrow{\left(CH_3\overset{O}{\overset{\|}{C}}\right)_2 O} G$

12.30   Ecrire la réaction de la nicotine (équation 12.3) avec un équivalent de HCl.

12.31   Quelle est la base la plus forte des paires suivantes? Pourquoi?

a. aniline ou *p*-nitroaniline **b.** aniline ou diphénylamine

12.32   Ecrire un schéma analogue à l'équation 12.11 montrant comment on peut séparer les constituants du mélange suivant: *p*-toluidine, *p*-crésol et *p*-xylène.

$$CH_3\!-\!\bigcirc\!-\!NH_2 \qquad CH_3\!-\!\bigcirc\!-\!OH \qquad CH_3\!-\!\bigcirc\!-\!CH_3$$

$$\text{\textit{p}-toluidine} \qquad\qquad \text{\textit{p}-crésol} \qquad\qquad \text{\textit{p}-xylène}$$

12.33   Ecrire les formes limites importantes de l'hybride de résonance de la *p*-nitroaniline.

12.34   Quand un amide est dissous dans de l'acide sulfurique concentré, il est protoné sur l'oxygène et non pas sur l'azote. Considérant les formes limites des produits possibles, expliquer cette observation.

12.35   Ecrire les réactions suivantes:

a. aniline + acide chlorhydrique

b. triéthylamine + acide sulfurique

c. chlorure de diéthylammonium + soude

d. *N,N*-diméthylaniline + iodure de méthyle

e. cyclohexylamine + anhydride acétique

12.36   Ecrire les étapes du mécanisme de la réaction suivante:

$$CH_3CH_2NH_2 + (CH_3CO)_2O \rightarrow CH_3CH_2NHCOCH_3 + CH_3COOH$$

Pourquoi un seul des hydrogènes de l'amine est-il remplacé par un groupe acétyle, même en utilisant un gros excès d'anhydride acétique?

12.37   Ecrire les étapes du mécanisme de la synthèse du répulsif d'insectes "Off" (équation 12.23).

12.38   Ecrire les étapes du mécanisme de la synthèse du pesticide "Sevin" (p. 372).

12.39   On peut préparer la choline (paragraphe 12.11) par action de la triméthylamine sur l'oxyde d'éthylène. Ecrire l'équation et montrer le mécanisme de la réaction.

12.40   L'isopropylamine, la méthyléthylamine et la triméthylamine sont des isomères. En écrivant les équations, montrer comment on peut les distinguer par leurs réactions avec l'acide nitreux.

12.41   Pourquoi les ions diazonium aromatiques sont-ils plus stables et perdent-ils moins facilement de l'azote que les ions diazonium aliphatiques?

12.42   Ecrire les réactions de p-CH$_3$–C$_6$H$_4$–N$_2^+$ HSO$_4^-$ avec:

a. le cyanure cuivreux   **b.** l'eau, à chaud
c. le chlorure cuivreux   **d.** l'iodure de potassium
e. le p-crésol et OH$^-$ **f.** la N,N-diméthylaniline et une base

12.43   Montrer comment on peut utiliser les ions diazonium pour synthétiser:
a. l'acide p-bromobenzoïque à partir de p-bromoaniline
b. le m-iodobromobenzène à partir du benzène.

12.44   On utilise le rouge Congo comme colorant direct du coton. Ecrire les équations montrant comment on peut le synthétiser à partir de la benzidine et de l'acide 1-aminonaphtalène-4-sulfonique.

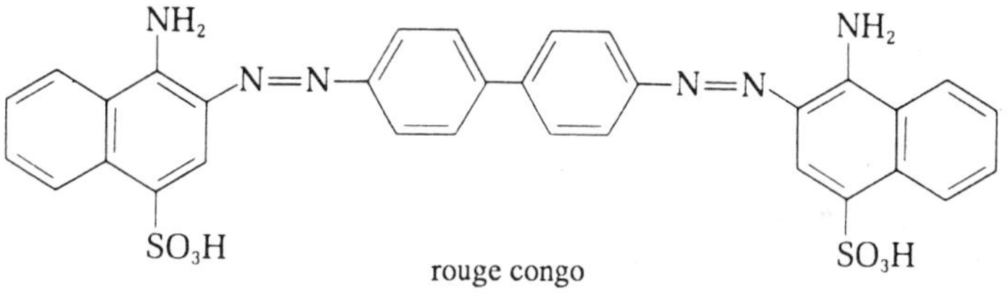

rouge congo

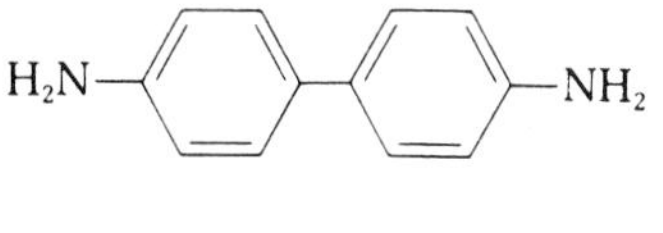

benzidine

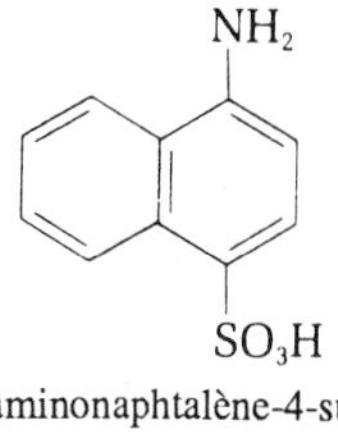

acide 1-aminonaphtalène-4-sulfonique

12.45   Un procédé industriel de préparation de l'hexaméthylènediamine (pour la production de nylon-6,6) commence par une addition 1,4 de chlore au 1,3-butadiène. Suggérer une possibilité pour les étapes suivantes.

12.46   Un procédé industriel de préparation de l'hexaméthylènediamine (pour la production de nylon-6,6) commence par le sel d'ammonium, puis le diamide de l'acide adipique. Suggérer une possibilité pour les étapes suivantes.

12.47   Ecrire la structure d'un polyamide qui serait obtenu par réaction de 1,5-pentanediamine et de chlorure de décanedioyle.

12.48   A l'aide des formules des composés de base données aux paragraphes 12.16–12.19, écrire celles: du 2,5-diméthylpyrrole, de la 2-propylpipéridine (c'est la conine, l'alcaloïde de la ciguë, avec laquelle Socrate mit fin à ses jours), du 5-hydroxindole, de la N-méthyl-pyrrolidine, de l'acide 3-pyridinecarboxylique (ou acide nicotinique, la vitamine antipellagreuse), de la 2-hydroxyquinoléine, de la 2,4,6-triméthylpyridine, du 2-méthylimidazole, du scatole (3-méthylindole), du LSD (le diéthylamide de l'acide lysergique).

12.49   Compléter les réactions suivantes:

a. pyrrolidine + HCl   **b.** quinoléine + CH$_3$I

c. pipéridine + anhydride acétique   **d.** pipéridine + acide nitreux

e. pyrimidine + HBr   **f.** tryptamine + HCl

12.50   La formule générale des pénicillines, les plus importants des antibiotiques, est

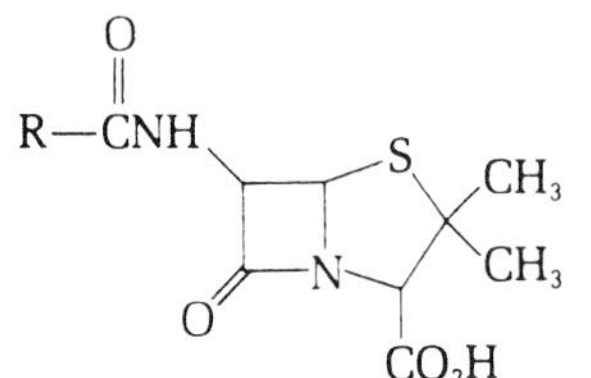

pénicillines

De quels types de groupes fonctionnels les azotes font-ils partie?

CHAPITRE 13

HYDRATES DE CARBONE

13.1 Introduction

Les hydrates de carbone ou glucides sont des produits naturels dont les fonctions sont vitales tant chez les végétaux que chez les animaux.

Par photosynthèse, les végétaux transforment le dioxyde de carbone en hydrates de carbone dont les plus courants sont la cellulose, l'amidon et les divers sucres. La cellulose est le constituant principal des plantes; elle permet l'édification de parois cellulaires rigides, de fibres et de tissus ligneux. C'est sous la forme amidon que sont stockés les hydrates de carbone qui seront utilisés plus tard comme sources de nourriture ou d'énergie. Enfin, certains végétaux, la canne et les betteraves à sucre notamment, produisent de grandes quantités de saccharose, le sucre principal d'extraction industrielle.

Chez les animaux supérieurs, le sucre qu'on appelle glucose est un constituant essentiel du sang. Deux autres, le D-ribose et le 2-désoxyribose, sont des composants importants du matériel génétique, l'ARN et l'ADN respectivement. D'autres hydrates de carbone sont les constituants de coenzymes, d'antibiotiques, de cartilages, de la carapace des crustacés et des parois cellulaires bactériennes.

Dans le présent chapitre, on examinera la structure et quelques réactions des hydrates de carbone les plus importants.

13.2 Définition et classification

L'origine de l'appellation **hydrates de carbone** c'est la constatation qu'on peut écrire la formule de beaucoup de composés de ce type comme s'ils étaient des hydrates *du* carbone $C_n(H_2O)_m$. La formule du glucose, par exemple, $C_6H_{12}O_6$, peut aussi s'écrire $C_6(H_2O)_6$. Cette formulation n'est plus utilisée dans l'étude de la chimie des hydrates de carbone, mais le nom est resté.

On définit maintenant les hydrates de carbone comme des polyhydroxyaldéhydes, des polyhydroxycétones ou des substances qui donnent de tels composés par hydrolyse. La chimie de la plupart des hydrates de carbone est donc essentiellement la chimie de deux groupes fonctionnels associés, le groupe hydroxyle et le groupe carbonyle.

On classe ordinairement ces composés selon leur structure en **monosaccharides**, **oligosaccharides** et **polysaccharides** (le mot *saccharide* venant du latin *saccharum*, sucre et mentionnant le goût sucré de beaucoup d'hydrates de carbone simples). L'interrelation de ces trois catégories d'hydrates de carbone est leur hydrolyse:

$$\text{polysaccharides} \xrightarrow[\text{H}^+]{\text{H}_2\text{O}} \text{oligosaccharides} \xrightarrow[\text{H}^+]{\text{H}_2\text{O}} \text{monosaccharides} \qquad (13.1)$$

Un exemple typique est l'hydrolyse de l'amidon, un polysaccharide, en maltose, puis finalement en glucose :

$$[\text{C}_{12}\text{H}_{20}\text{O}_{10}]_n \xrightarrow[\text{H}^+]{n\,\text{H}_2\text{O}} n\,\text{C}_{12}\text{H}_{22}\text{O}_{11} \xrightarrow[\text{H}^+]{n\,\text{H}_2\text{O}} 2n\,\text{C}_6\text{H}_{12}\text{O}_6 \qquad (13.2)$$

$$\underset{\text{(un polysaccharide)}}{\text{amidon}} \qquad\qquad \underset{\text{(un disaccharide)}}{\text{maltose}} \qquad\qquad \underset{\text{(un monosaccharide)}}{\text{glucose}}$$

Les monosaccharides, ou oses, ou "sucres simples" comme on les appelle quelquefois, sont des hydrates de carbone qui ne peuvent être hydrolysés en composés plus simples. Les polysaccharides, par contre, comportent beaucoup d'unités monosaccharides, des centaines ou même des milliers. Le plus souvent, mais pas toujours, ces unités sont identiques. Deux des plus importants polysaccharides, l'amidon et la cellulose par exemple, comportent des unités glucose. Les oligosaccharides (du grec ολιγοs, peu) comportent au moins deux et généralement pas plus de 8 ou 10 unités monosaccharides. On peut les appeler disaccharides, trisaccharides, etc., selon leur nombre d'unités monosaccharides. Ces unités qui sont liées les unes aux autres peuvent être identiques ou différentes. Le maltose, par exemple, est un disaccharide fait de deux unités glucose, mais le sucrose, ou saccharose (le sucre ordinaire) est un disaccharide fait de deux unités différentes, glucose et fructose.

On examinera dans le paragraphe suivant la structure de monosaccharides et l'on verra plus loin comment ces unités sont liées les unes aux autres en oligosaccharides et polysaccharides.

13.3 Monosaccharides (ou oses)

On divise les monosaccharides, ou oses, en aldoses et en cétoses, selon qu'ils comportent un groupe aldéhyde ou un groupe cétone (qui est alors subterminal) et on les classe selon leur nombre d'atomes de carbone: aldo-trioses, -tétroses, -pentoses, -hexoses et -heptoses et en céto-trioses, -tétroses, etc.

Il n'y a que deux trioses, le **glycéraldéhyde** et la **dihydroxyacétone**, chacun d'eux ayant deux groupes hydroxyles sur deux carbones différents et un groupe carbonyle.

$$
\begin{array}{ccc}
\overset{1}{\text{C}}\text{H}{=}\text{O} & \text{CH}_2\text{OH} & \text{CH}_2\text{OH} \\
| & | & | \\
\overset{2}{\text{C}}\text{HOH} & \text{C}{=}\text{O} & \text{CHOH} \\
| & | & | \\
\text{CH}_2\text{OH} & \text{CH}_2\text{OH} & \text{CH}_2\text{OH} \\
\end{array}
$$

$$
\underset{\text{(un aldose)}}{\text{glycéraldéhyde}} \qquad \underset{\text{(un cétose)}}{\text{dihydroxyacétone}} \qquad \text{glycérol}
$$

Le glycéraldéhyde est le plus simple des aldoses et la dihydroxyacétone le plus simple des cétoses. Tous deux sont reliés au glycérol par oxydation d'une fonction alcool respectivement primaire et secondaire en fonction carbonyle.

On peut considérer les autres aldoses ou cétoses comme des dérivés du glycéraldéhyde ou de la dihydroxyacétone, obtenus en ajoutant d'autres carbones, chacun d'eux étant porteur d'un hydroxyle. On numérote normalement la chaîne des aldoses en commençant par le carbone aldéhydique. Dans la plupart des cétoses le carbonyle est situé en C2.

$$
\begin{array}{cccccc}
^1CH{=}O & ^1CH{=}O & ^1CH{=}O & ^1CH_2OH & ^1CH_2OH & ^1CH_2OH \\
| & | & | & | & | & | \\
CHOH & ^2CHOH & ^2CHOH & ^2C{=}O & ^2C{=}O & ^2C{=}O \\
| & | & | & | & | & | \\
^3CHOH & ^3CHOH & ^3CHOH & ^3CHOH & ^3CHOH & ^3CHOH \\
| & | & | & | & | & | \\
^4CH_2OH & ^4CHOH & ^4CHOH & ^4CH_2OH & ^4CHOH & ^4CHOH \\
 & | & | & & | & | \\
 & ^5CH_2OH & ^5CHOH & & ^5CH_2OH & ^5CHOH \\
 & & | & & & | \\
 & & ^6CH_2OH & & & ^6CH_2OH \\
\end{array}
$$

| tétrose | pentose | hexose | | tétrose | pentose | hexose |

               aldoses   cétoses

13.4 La chiralité dans les monosaccharides. Projections de Fischer

Remarquons que le glycéraldéhyde a un carbone chiral (C2) et qu'il peut exister sous deux formes énantiomères :

CH=O
|
C
HOCH₂ — OH
H

R-(+)-glycéraldéhyde
$[\alpha]_D^{25}$ +8.7 (c = 2, H$_2$O)

CH=O
|
C
HOCH₂ — H
OH

S-(−)-glycéraldéhyde
$[\alpha]_D^{25}$ −8.7 (c = 2, H$_2$O)

La forme dextrogyre a la configuration absolue *R*.

Avant l'adoption de la convention *R/S*, on utilisait (et on utilise encore) un système déjà ancien pour préciser la chiralité des hydrates de carbone. C'est Emil Fischer, un chimiste allemand du XIXe siècle, dont les travaux sur la structure des hydrates de carbones sont célèbres, qui proposa ce système, d'où son appellation de **Convention de Fischer** ou **Projections de Fischer**. On écrit verticalement la chaîne carbonée, avec au sommet le carbone le plus oxydé (dans le cas du glycéraldéhyde, c'est le carbone de CH=O) et en bas le carbone le plus réduit (c'est ici le carbone de CH$_2$OH). Les liaisons horizontales sont les projections des atomes ou des groupes d'atomes situés au-dessus du plan de la feuille, donc proches du lecteur, tandis que les liaisons verticales sont les projections des atomes ou groupes d'atomes situés au-dessous du plan de la feuille, donc éloignés du lecteur.

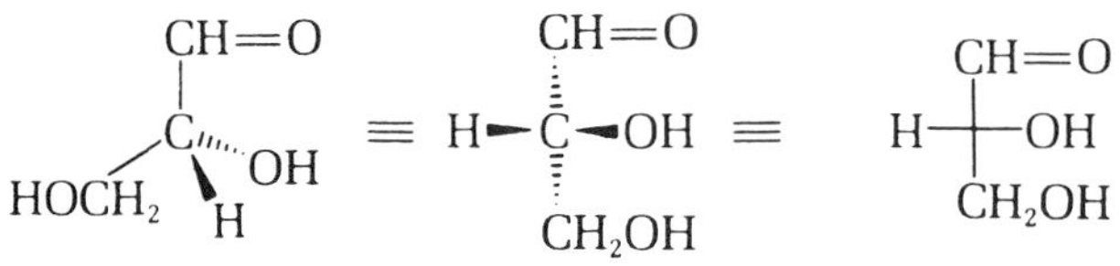

$$CH{=}O \qquad CH{=}O \qquad CH{=}O$$

R-(+)-glycéraldéhyde

Projection de Fischer du
D-(+)-glycéraldéhyde

Remarquons que dans les projections de Fischer, on ne symbolise pas le carbone chiral. C'est cette omission qui indique qu'il s'agit d'une projection de Fischer et non pas d'une formule ordinaire.

On désigne alors la configuration du glycéraldéhyde par la lettre D, si l'hydroxyle du carbone chiral est à droite dans la projection de Fischer, et par la lettre L s'il est à gauche.

Exemple de problème 13.1 **Ecrire la projection de Fischer du L-glycéraldéhyde et la convertir ensuite en formule spatiale.**

Solution   **La projection de Fischer a l'–OH à gauche:**

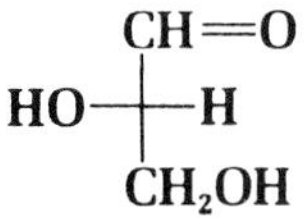

$$CH{=}O$$
$$HO{-}H$$
$$CH_2OH$$

L-glycéraldéhyde

Sachant que les groupes ou atomes horizontaux sont dirigés vers le lecteur et que les groupes verticaux s'éloignent de lui, cette formule projetée est équivalente aux formules spatiales suivantes:

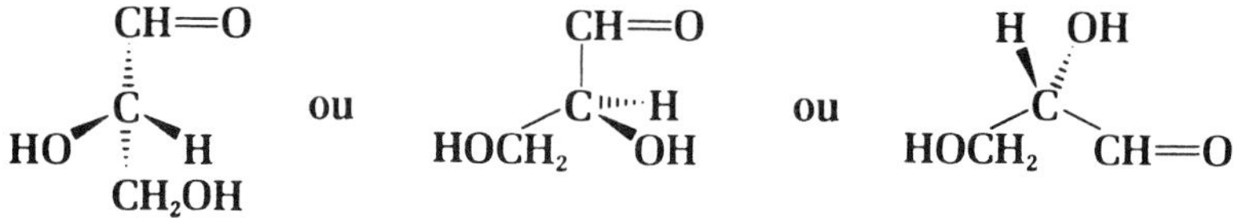

$$CH{=}O \qquad\text{ou}\qquad CH{=}O \qquad\text{ou}\qquad H\ \ OH$$

On a étendu le système de Fischer aux autres monosaccharides de la manière suivante. Si le carbone chiral le plus éloigné du carbonyle aldéhydique ou cétonique a la même configuration que le D-glycéraldéhyde (l'hydroxyle à droite), on dit que le composé est un D-monosaccharide. Si la configuration du même carbone est celle du L-glycéraldéhyde (l'hydroxyle à gauche), on dit que le composé est un L-monosaccharide.

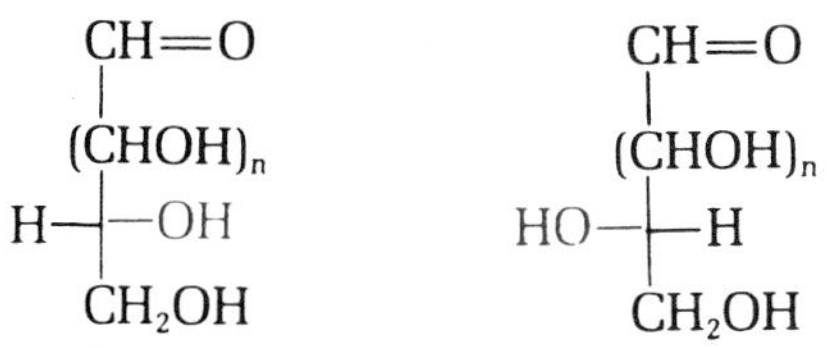

$$CH{=}O \qquad\qquad CH{=}O$$
$$(CHOH)_n \qquad\qquad (CHOH)_n$$
$$H{-}OH \qquad\qquad HO{-}H$$
$$CH_2OH \qquad\qquad CH_2OH$$

un D-aldose   un L-aldose

La table 13.1 rassemble les projections de Fischer de tous les D-aldoses, du triose aux hexoses. Partant du D-glycéraldéhyde, on insère successivement un groupe CHOH dans la chaîne. On a marqué en noir ce nouveau centre chiral, qui peut avoir son hydroxyle à droite ou à gauche dans la projection de Fischer (c'est-à-dire la configuration absolue R ou S).

Exemple de Problème 13.2 **A l'aide de la table 13.1, écrire la projection de Fischer du L-érythrose.**

Solution   **Le L-érythrose est l'énantiomère du D-érythrose. Puisque les deux –OH sont à droite dans le D-érythrose, ils sont tous deux à gauche dans son image dans un miroir. Sa projection de Fischer est donc :**

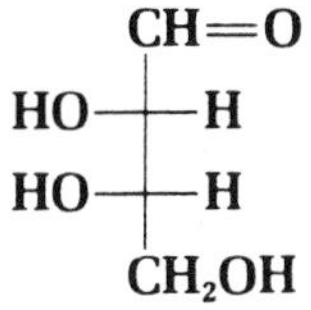

$$
\begin{array}{c}
\text{CH}=\text{O} \\
\text{HO}\!-\!\!-\!\!-\text{H} \\
\text{HO}\!-\!\!-\!\!-\text{H} \\
\text{CH}_2\text{OH}
\end{array}
$$

Exemple de Problème 13.3 **Représenter la projection de Fischer du D-érythrose par une formule développée dans l'espace.**

Solution   **Sachant que, dans la projection de Fischer, les liaisons horizontales sont orientées vers le lecteur et les liaisons verticales s'éloignent de lui, on peut écrire:**

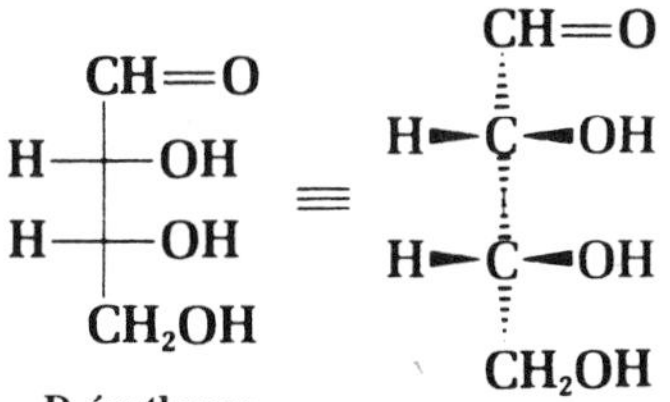

$$
\begin{array}{c}
\text{CH}=\text{O} \\
\text{H}\!-\!\!-\text{OH} \\
\text{H}\!-\!\!-\text{OH} \\
\text{CH}_2\text{OH}
\end{array}
\;\equiv\;
\begin{array}{c}
\text{CH}=\text{O} \\
\text{H}\!-\!\text{C}\!-\!\text{OH} \\
\text{H}\!-\!\text{C}\!-\!\text{OH} \\
\text{CH}_2\text{OH}
\end{array}
$$

D-érythrose

d'où la formule développée spatiale :

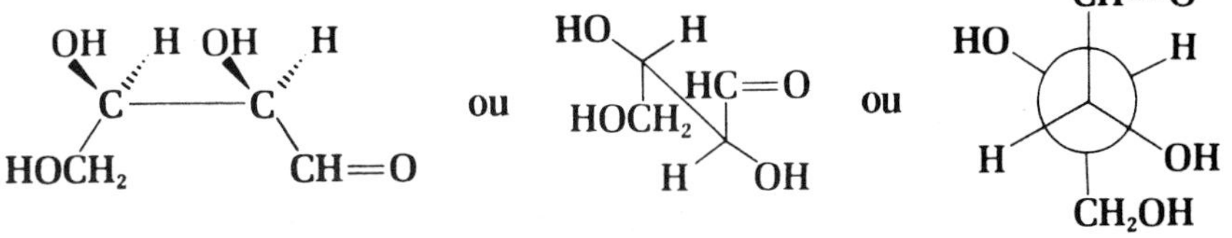

Les modèles moléculaires aideront à suivre ces interconversions.

Problème 13.1   **A l'aide de la table 13.1, écrire les projections de Fischer du L-thréose et du L-glucose.**

Problème 13.2   **Représenter la projection de Fischer du D-thréose par une formule développée dans l'espace.**

Problème 13.3   **Combien y a-t-il de D-aldoheptoses possibles?**

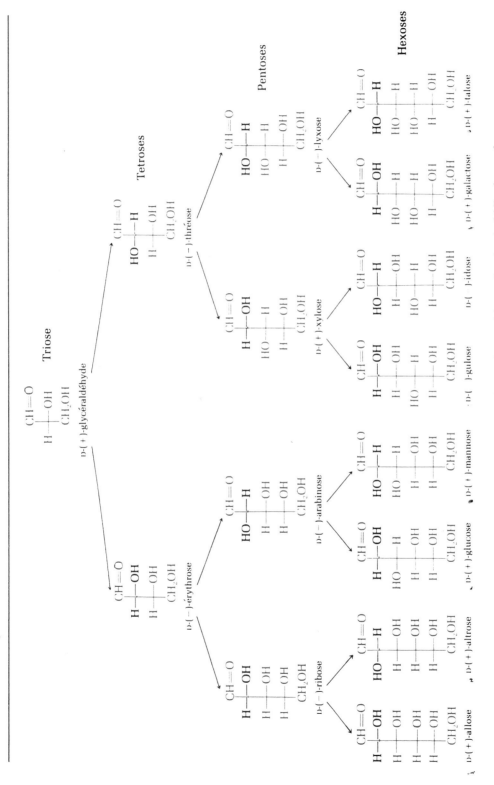

Table 13.1 Projections de Fischer et "arbre généalogique" des D-aldoses du glycéraldéhyde aux hexoses.

On utilise le terme **épimères** pour désigner une paire de stéréoisomères qui ne diffèrent que par la configuration d'un centre chiral. Par exemple, le D-glucose et le D-mannose sont des épimères (en C2) et le D-glucose et le D-galactose sont des épimères (en C4). Deux épimères ont la même configuration de tous leurs centres chiraux sauf un.

Problème 13.4   **Chez les D-pentoses, quelles sont les paires d'épimères en C3?**

Problème 13.5   **Pourquoi dit-on que le D-talose est un D-monosaccharide, alors que trois des quatre hydroxyles des carbones chiraux sont à gauche dans la projection de Fischer?**

On notera finalement que les symboles D et L ne concernent que la configuration du carbone chiral de numéro le plus élevé et non pas celle des autres centres chiraux. Ces symboles ne concernent pas, non plus, le signe du pouvoir rotatoire. Par exemple, bien que tous les sucres de la table 13.1 soient des D-sucres, certains sont dextrogyres et d'autres lévogyres.

13.5 Structure cyclique des monosaccharides. Anomères

Si la structure des monosaccharides qu'on a vue jusqu'ici est en accord avec ce qu'on sait de leur chimie, elle n'en est pas moins très simplifiée. Il est temps d'examiner la structure vraie de ces composés. On a vu précédemment (paragraphe 9.7) que les alcools réagissent avec les aldéhydes en formant des hémiacétals. Les monosaccharides comportant les deux groupes fonctionnels d'une telle réaction, l'interaction de ces deux groupes n'est pas étonnante. En effet, l'examen d'hydroxyaldéhydes simples, dont l'hydroxyle est lié au quatrième ou au cinquième carbone de la chaîne, montre que ces composés existent surtout sous la forme hémiacétal, cyclique.

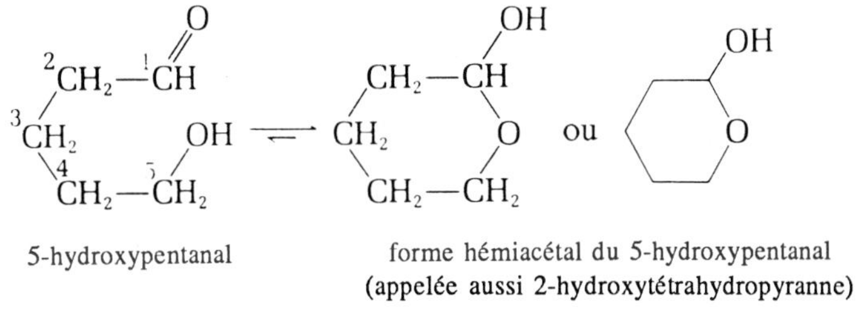

(13.3)

5-hydroxypentanal   forme hémiacétal du 5-hydroxypentanal
                            (appelée aussi 2-hydroxytétrahydropyranne)

La position favorable du groupe –OH implique son comportement nucléophile face au carbone du carbonyle:

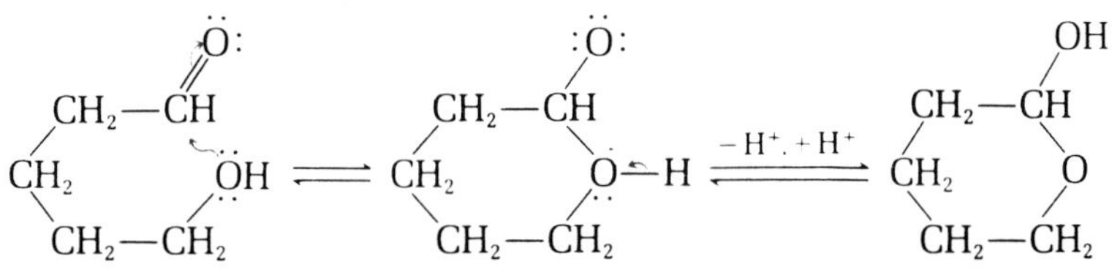

(13.4)

Il en va de même pour les monosaccharides. L'équation suivante montre comment la chaîne du D-glucose peut adopter une géométrie telle que son hydroxyle en C5 s'approche du carbone aldéhydique (C1) permettant leur interaction.

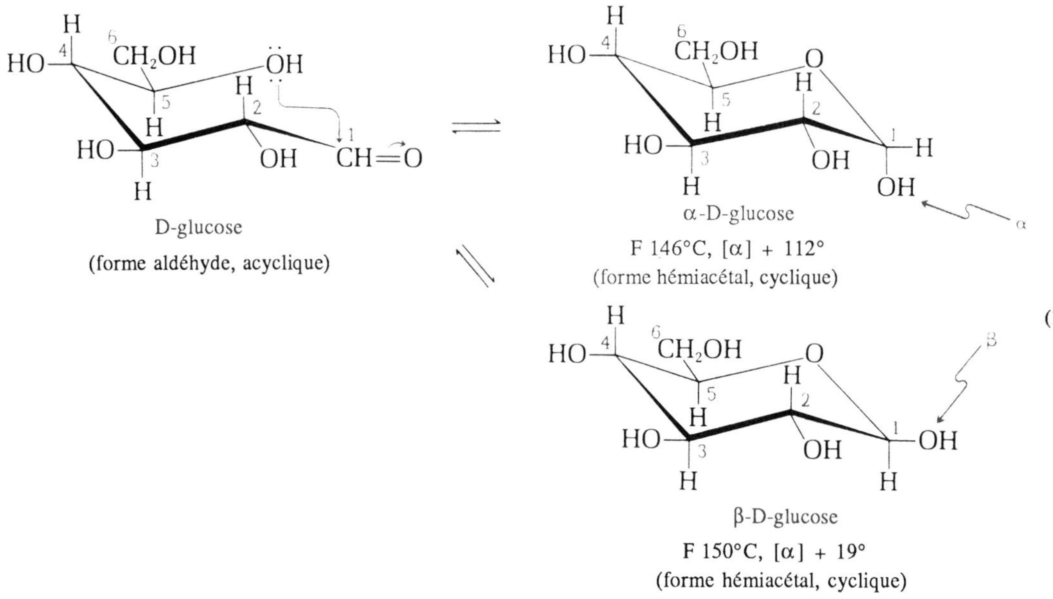

D-glucose

(forme aldéhyde, acyclique)

α-D-glucose

F 146°C, [α] + 112°
(forme hémiacétal, cyclique)

(13.5)

β-D-glucose

F 150°C, [α] + 19°
(forme hémiacétal, cyclique)

Il y a naissance des formes cycliques, hémiacétals, à six chaînons. Le carbone C1 du cycle, lié à un groupe –OH et à un groupe –OR, est bien un carbone d'hémiacétal.

Dans la forme aldéhyde, acyclique, du glucose, C1 est achiral, mais il est chiral dans la forme cyclique. Il y a donc deux structures hémiacétals possibles, selon la configuration du nouveau centre chiral. On appelle **carbone anomère** le carbone d'hémiacétal qui devient le nouveau centre chiral et **anomères** (un type d'épimères particulier) deux monosaccharides qui ne diffèrent que par leur centre anomère. Des anomères sont dits α ou β, selon la position de leur hydroxyle. Les monosaccharides de la série D ont leur OH en bas dans l'isomère α et en haut dans l'isomère β (équation 13.5).

On notera que dans les formes cycliques du D-glucose, l'–OH du carbone anomère est axial dans l'anomère α et équatorial dans l'anomère β. Sur les autres carbones le groupe le plus volumineux est équatorial.

13.6 Mutarotation

Comment savons-nous que les monosaccharides existent principalement sous la forme cyclique hémiacétal? On a d'abord des preuves physiques. Leurs spectres infrarouges, par exemple, ne sont pas ceux d'aldéhydes ou de cétones. De plus, le D-glucose cristallisé dans le méthanol est sous la forme α pure et l'analyse aux rayons X montre qu'il a bien la structure montrée en haut à droite de l'équation 13.5. Par contre, cristallisé dans l'acide acétique, le D-glucose est sous la forme β, dont les cristaux sont différents. Ces deux formes ne diffèrent que par leur configuration en C1; ce sont des diastéréoisomères et, en tant que tels, ils ont des propriétés physiques différentes, comme il est indiqué sous les structures de l'équation 13.5.

En solution aqueuse, il y a interconversion des formes α et β du D-glucose. Si l'on dissout, par exemple, de l'α-D-glucose dans de l'eau, son pouvoir rotatoire spécifique descend graduellement de sa valeur initiale $+112°$ à une valeur d'équilibre $+52°$. Et si l'on part de la forme β cristallisée, pure, son pouvoir rotatoire spécifique, qui est initialement de $+19°$, atteint graduellement la même valeur d'équilibre $+52°$. On appelle **mutarotation** ces changements du pouvoir rotatoire. On explique ce phénomène par l'équilibre de l'équation 13.5. A partir de l'une ou l'autre forme hémiacétal pure, il y a ouverture du cycle en l'aldéhyde acyclique qui peut alors se recycliser en donnant soit l'une, soit l'autre forme, α ou β et, le cas échéant, conduire à un mélange à l'équilibre.

A l'équilibre, la solution aqueuse de D-glucose contient 36,4 % de forme α et 53,6 % de forme β et il n'y a que 0,003 % de l'aldéhyde d'ouverture. Remarquons aussi que, dans l'isomère prédominant, le β-D-glucose, tous les substituants sont équatoriaux.

Tous les monosaccharides existant sous des formes α et β donnent lieu à la mutarotation.

Exemple de Problème 13.4   **Montrer qu'on peut calculer le pourcentage des α- et β-D-glucose à l'équilibre à partir du pouvoir rotatoire spécifique des formes α et β pures et celui de la solution à l'équilibre.**

Solution   **Le pouvoir rotatoire spécifique à l'équilibre est de $+52°$ et celui des formes α et β pures est de $+112°$ et de $+19°$ respectivement. Supposant qu'aucune autre forme n'est présente à l'équilibre, on peut exprimer graphiquement ces valeurs comme suit :**

```
  +112°                    +52°           +19°
  I───────────────────────I──────────────I
100 % d'α                équilibre     100 % de β
```

Le pourcentage en forme β à l'équilibre est donc :

$$\frac{112 - 52}{112 - 19} \times 100 = \frac{60}{93} \times 100 = 64{,}5 \%$$

Problème 13.6   **Les pouvoirs rotatoires spécifiques de l'α-D-galactose et du β-D-galactose sont respectivement de $+151°$ et $-53°$. Chaque anomère pur subit la mutarotation et donne, à l'équilibre, un pouvoir rotatoire de $+84°$. Supposant qu'aucune autre forme n'est présente, calculer le pourcentage de chaque anomère à l'équilibre.**

13.7 Conventions d'écriture des structures cycliques des monosaccharides

Les formules spatiales, conventionnelles, des structures cycliques telles qu'elles apparaissent dans l'équation 13.5, donnent une représentation très proche de la réalité de la géométrie et de la forme des molécules, mais elles ne sont pas faciles à écrire. Aussi représente-t-on ordinairement ces structures au moyen de trois types de formules

On a d'abord adapté les **projections de Fischer**, telles que les montre l'équation 13.6. Il s'agit des mêmes structures que celles de l'équation 13.4. Au centre se trouve la forme aldéhydique, ouverte, du D-glucose, telle qu'on l'a écrite dans la table 13.1. A droite et à gauche, on montre que l'hydroxyle en C5 réagit avec le carbonyle en C1, qui devient le carbone anomère de l'hémiacétal. L'OH en C1 est à droite dans la forme α et à gauche dans la forme β des D-monosaccharides. Bien que la convention de Fischer soit d'une utilisation facile avec ces structures cycliques, elle implique l'écriture, entre C1 et C5, d'un atome d'oxygène et de liaisons longues, distordues et peu réalistes.

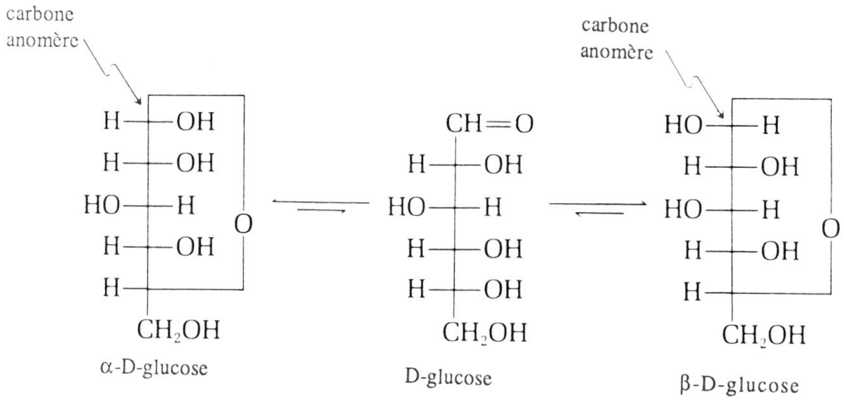

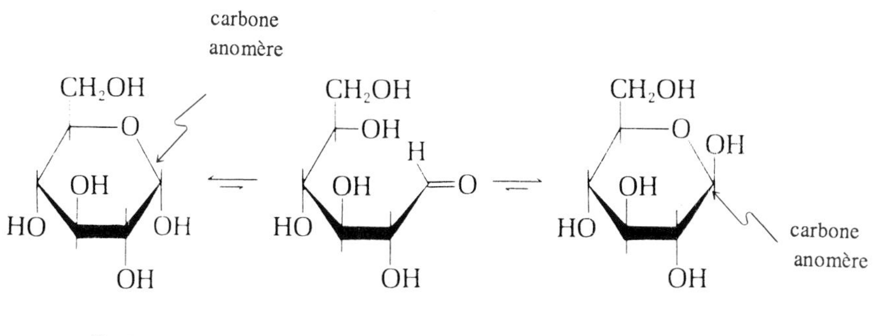

carbone anomère

carbone anomère

$$\qquad \qquad \qquad \qquad \qquad \text{(13.6)}$$

α-D-glucose   D-glucose   β-D-glucose

Les **formules de Haworth** (proposées dans les années 1920 par W.N. Haworth de l'Université de Birmingham, spécialiste des hydrates de carbone, lauréat du prix Nobel en 1937) utilisent des hexagones plans pour représenter les structures cycliques :

carbone anomère

$$\qquad \qquad \qquad \qquad \qquad \text{(13.7)}$$

carbone anomère

α-D-glucose   D-glucose   β-D-glucose

Les hydrogènes liés aux carbones du cycle ou même les liaisons C—H correspondantes sont souvent omis. Ces formules montrent clairement la configuration de chaque centre chiral, mais non pas les conformations. Elles sont une sorte de compromis entre les formules conventionnelles et celles de Fischer.

Exemple de Problème 13.5 **Ecrire les formules de Fischer et celles de Haworth de la structure cyclique à six chaînons du β-D-mannose.**

Solution **Remarquons dans la table 14.1 que le D-mannose ne diffère du D-glucose que dans la configuration en C2. On peut donc utiliser les formules du β-D-glucose en changeant sa configuration en C2.**

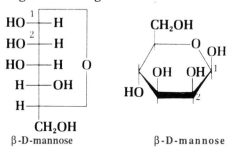

β-D-mannose   β-D-mannose

Problème 13.7 **Ecrire les formules de Fischer et de Haworth de la structure cyclique à six chaînons de l'α-D-galactose.**

13.8 Structures "pyrannoses" et "furannoses"

La structure préférée de la plupart des monosaccharides est la forme cyclique à six chaînons. On appelle ces structures les formes **"pyrannoses"**, du nom de l'hétérocycle oxygéné à six chaînons, le **pyranne**.

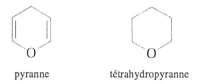

pyranne   tétrahydropyranne

Les pyrannoses sont formés par réaction de l'–OH en C5 avec le carbonyle en Ci. Mais, dans certains cas, la réaction a lieu avec l'–OH en C4. L'hémiacétal cyclique a alors un cycle à cinq chaînons, qu'on appelle **furannose**, du nom de l'hétérocycle oxygéné à cinq chaînons, le **furanne**.

furanne   tétrahydrofuranne

Le cétose qu'est le **D-fructose**, par exemple, se présente, en solution, principalement sous les formes "furannoses". L'équation 13.8 montre ces formes "furannoses" dans la convention de Haworth.

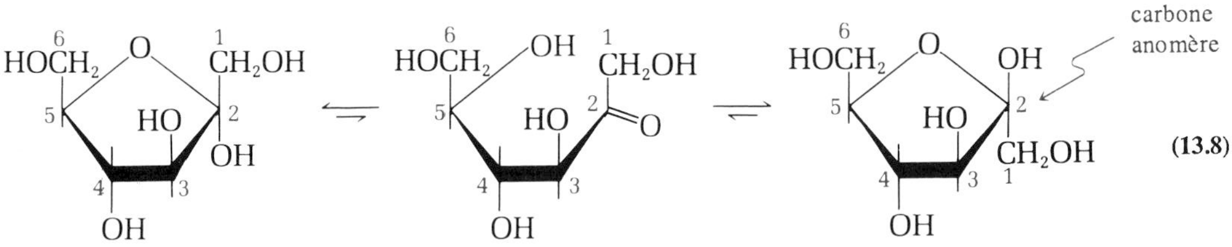

$$\text{α-D-fructofurannose} \rightleftharpoons \text{D-fructose} \rightleftharpoons \text{β-D-fructofurannose} \tag{13.8}$$

carbone anomère

α-D-fructofurannose
(l'–OH en C2 est "en bas")

D-fructose
(forme cétone acyclique)

β-D-fructofurannose
(l'–OH en C2 est "en haut")

Maintenant qu'on a décrit leurs structures, on va examiner quelques réactions importantes des monosaccharides.

13.9 Oxydation des monosaccharides

Chez les aldoses la forme cyclique, hémiacétal, prépondérante est en équilibre avec une quantité faible mais réelle de l'aldéhyde d'ouverture. Il est donc facile d'oxyder ce groupe aldéhyde en groupe acide. On appelle les produits des **acides aldoniques**. Ainsi, on oxyde aisément le D-glucose en acide D-gluconique, lequel, sous une forme phosphorylée, est un intermédiaire important dans le métabolisme des hydrates de carbone.

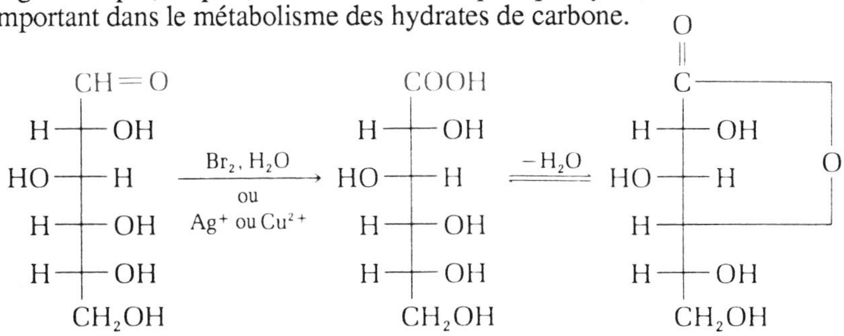

$$\text{D-glucose} \xrightarrow[\text{Ag}^+ \text{ ou Cu}^{2+}]{\text{Br}_2, \text{H}_2\text{O ou}} \text{acide D-gluconique} \underset{-\text{H}_2\text{O}}{\rightleftharpoons} \text{D-gluconolactone} \tag{13.9}$$

D-glucose

acide D-gluconique

D-gluconolactone

Les acides aldoniques, étant des γ-hydroxyacides, sont ordinairement en équilibre avec leurs esters cycliques ou lactones.

L'oxydation des aldoses en acides aldoniques est si facile que des agents oxydants aussi doux que Ag^+ et Cu^{++} marchent bien. C'est pourquoi les aldoses comme le glucose donnent des tests positifs avec les réactifs de Tollens, de Fehling et de Bénédict.

Problème 13.8   Eventuellement à l'aide de l'équation **9.37**, écrire la réaction du D-mannose (table 13.1) avec le réactif de Fehling (Cu^{++}) conduisant à l'acide D-mannonique.

Les agents oxydants forts comme l'acide nitrique transforment les groupes aldéhyde et alcool primaire en groupes carboxyles. Sont ainsi formés les **acides aldariques**. Le D-glucose, par exemple, donne l'acide D-glucarique.

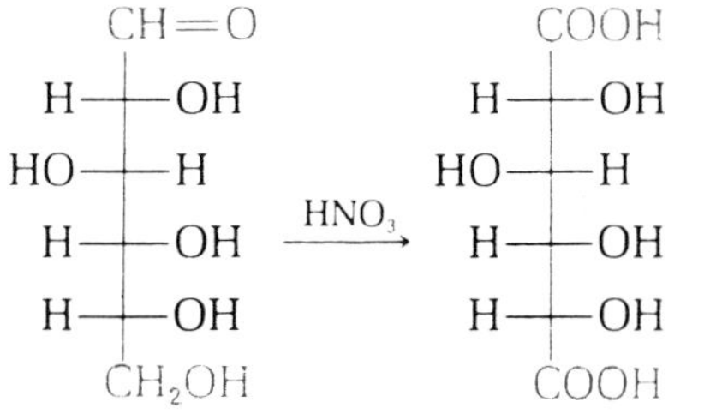

$$
\begin{array}{ccc}
\text{CH}{=}\text{O} & & \text{COOH} \\
\text{H}{-}\text{OH} & & \text{H}{-}\text{OH} \\
\text{HO}{-}\text{H} & \xrightarrow{\ \text{HNO}_3\ } & \text{HO}{-}\text{H} \\
\text{H}{-}\text{OH} & & \text{H}{-}\text{OH} \\
\text{H}{-}\text{OH} & & \text{H}{-}\text{OH} \\
\text{CH}_2\text{OH} & & \text{COOH}
\end{array}
\qquad \textbf{(13.10)}
$$

D-glucose   acide D-glucarique

Problème 13.9   **Ecrire la structure de l'acide D-mannarique.**

13.10 Réduction des monosaccharides

Avec des réactifs variés, on peut réduire le groupe carbonyle des aldoses et des cétoses. Les produits sont des polyols, appelés en général **alditols**. Par exemple, l'hydrogénation catalytique ou la réduction par le boro-hydrure de sodium (NaBH$_4$) convertit le D-glucose en D-glucitol, appelé aussi sorbitol, qui est utilisé comme agent édulcorant pour les diabétiques.

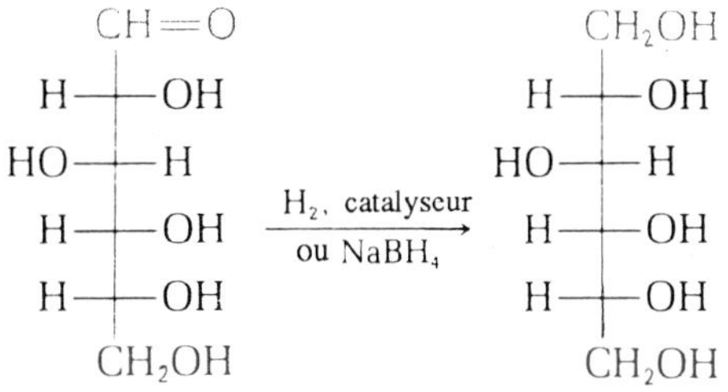

$$
\begin{array}{ccc}
\text{CH}{=}\text{O} & & \text{CH}_2\text{OH} \\
\text{H}{-}\text{OH} & & \text{H}{-}\text{OH} \\
\text{HO}{-}\text{H} & \xrightarrow[\text{ou NaBH}_4]{\text{H}_2,\ \text{catalyseur}} & \text{HO}{-}\text{H} \\
\text{H}{-}\text{OH} & & \text{H}{-}\text{OH} \\
\text{H}{-}\text{OH} & & \text{H}{-}\text{OH} \\
\text{CH}_2\text{OH} & & \text{CH}_2\text{OH}
\end{array}
\qquad \textbf{(13.11)}
$$

D-glucose   D-glucitol
                         (sorbitol)

Problème 13.10   **On trouve le D-mannitol dans les olives, les oignons et les champignons. On peut aussi le faire par réduction du D-mannose avec NaBH$_4$ (table 13.1). Quelle est sa structure?**

13.11 Esters et éthers des monosaccharides

Les monosaccharides, comportant des groupes hydroxyles, subissent les réactions typiques des alcools. Avec les dérivés d'acides carboxyliques, par exemple, ils peuvent être transformés en esters. La conversion du β-D-glucose par action de l'anhydride acétique en son pentaacétate est typique.

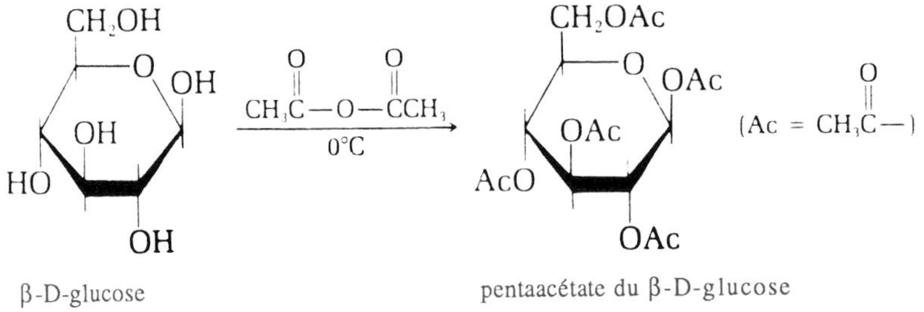

$$\text{β-D-glucose} \xrightarrow[\text{0°C}]{CH_3C-O-CCH_3} \text{pentaacétate du β-D-glucose} \qquad (Ac = CH_3C-) \qquad (13.12)$$

β-D-glucose   pentaacétate du β-D-glucose

L'hydroxyle du groupe acétal en C1 et tous les autres hydroxyles sont estérifiés. C'est le même type de réaction qu'on utilisera plus loin pour transformer la cellulose en acétate de cellulose dans la fabrication de la rayonne.

On peut aussi convertir les groupes –OH en groupes éthers par la réaction de Williamson.

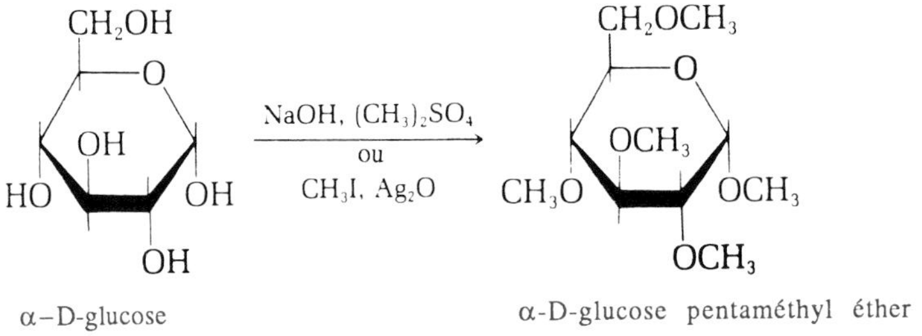

$$\text{α–D-glucose} \xrightarrow[\substack{ou \\ CH_3I, Ag_2O}]{NaOH, (CH_3)_2SO_4} \text{α-D-glucose pentaméthyl éther} \qquad (13.13)$$

α–D-glucose   α-D-glucose pentaméthyl éther

Ces éthers ont joué un rôle clé dans la détermination de la taille de cycle, pyrannose ou furannose, de nombreux hydrates de carbone.

13.12 Formation des glucosides à partir des monosaccharides

Existant surtout sous la forme cyclique, hémiacétal, les monosaccharides réagissent, en milieu acide, avec un équivalent d'alcool, pour donner des acétals

Exemple: réaction du β-D-glucose avec le méthanol :

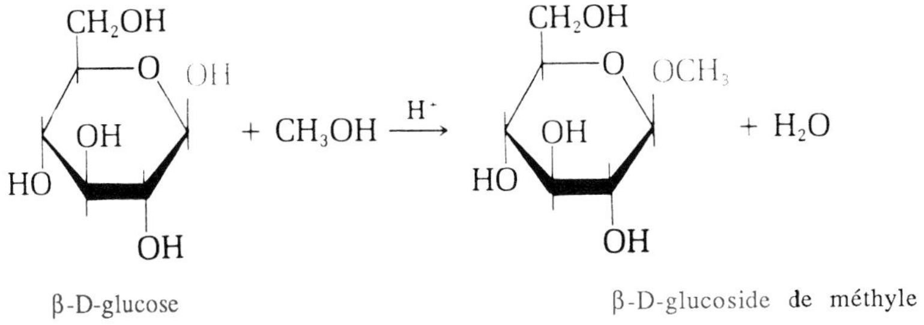

$$\text{β-D-glucose} + CH_3OH \xrightarrow{H^+} \text{β-D-glucoside de méthyle} + H_2O \qquad (13.14)$$

β-D-glucose   β-D-glucoside de méthyle

Remarquons que seul l '–OH du carbone anomère est remplacé par un groupe –OCH$_3$. On appelle ces acétals des **glucosides** (ou glycosides) et la liaison entre le carbone anomère et le groupe –OR une **liaison glucosidique** (ou glycosidique). Pour nommer ces glucosides on change l'-*e* final du monosaccharide correspondant en -*ide*. Ainsi, le glucose donne des glucosides, le mannose donne des mannosides, etc.

Exemple de Problème 13.6   Ecrire la formule de Haworth de l'α-D-mannoside d'éthyle.

Solution

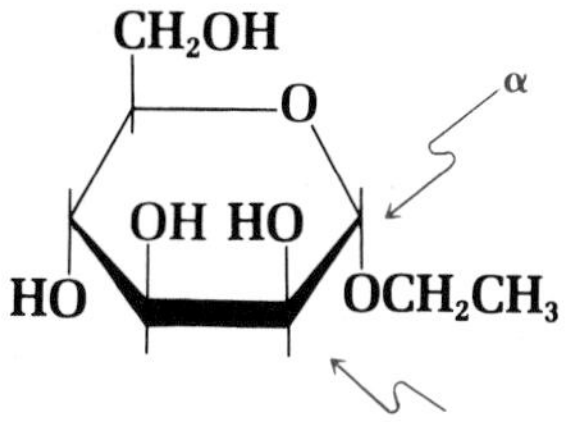

le mannose diffère du glucose par sa configuration en C2

Problème 13.11   Ecrire la réaction acido-catalysée du β-D-galactose (table 13.1) avec le méthanol.

Exemple de problème 13.7   Ecrire un mécanisme expliquant pourquoi seul l'–OH en C1 est remplacé par un –OCH$_3$.

Solution   **Bien sûr, le catalyseur acide peut protoner l'un quelconque des six atomes d'oxygène, puisque tous ont des paires d'électrons libres et sont basiques. Mais seule la protonation de l'hydroxyle en C1 conduit, après perte d'eau, à un carbocation stabilisé par résonance.**

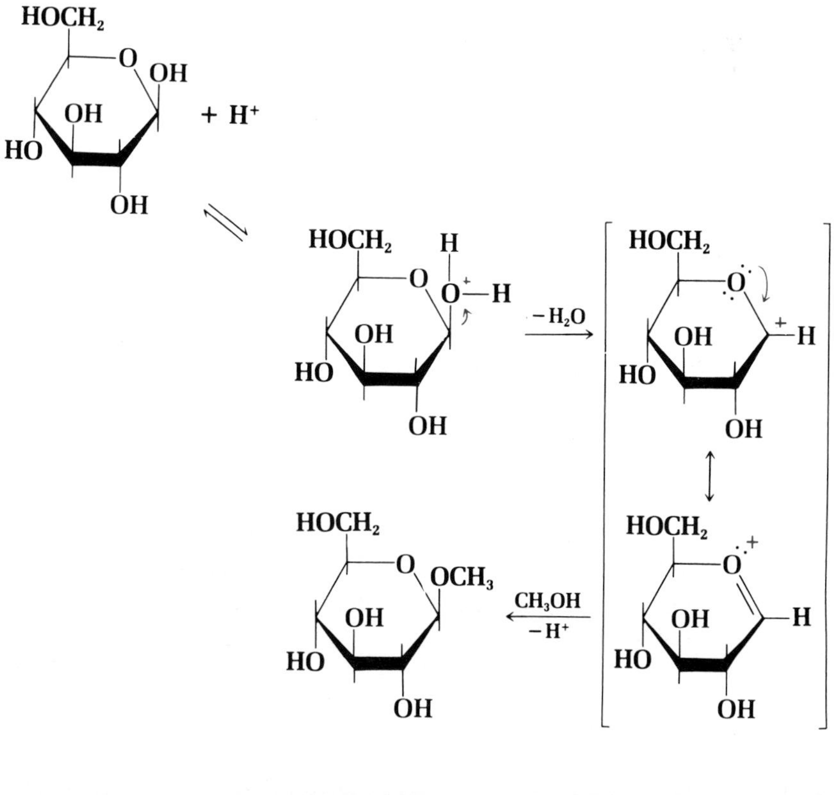

Le mécanisme réactionnel est exactement le même que celui décrit paragraphe 9.7, exemple de problème 9.4. L'hydroxyle d'un hémiacétal est beaucoup plus facilement éthérifié (un acétal est alors formé) que l'hydroxyle d'un alcool.

Dans l'étape finale, le méthanol peut attaquer l'une ou l'autre face du cycle hexa-atomique, pour donner non seulement le β-glucoside (le plus stable des deux) mais aussi l'α-glucoside.

Problème 13.12   Protoner l'un des autres groupes –OH du β-D-glucose (en C2, C3, C4 ou C6) et montrer que le carbocation formé par perte d'eau n'est pas stabilisé par résonance et qu'il n'est qu'un carbocation secondaire ou un carbocation primaire.

Il existe dans les cellules des alcools ou des phénols combinés avec un sucre, le glucose le plus souvent, comme chez les glucosides. En effet, les nombreux hydroxyles de la partie sucre du glucoside expliquent la solubilité de certains composés qui, sans cela, seraient incompatibles avec le protoplasme cellulaire. C'est le cas de la **salicine,** un glucoside au goût acide, fébrifuge bien connu des Anciens, présent dans l'écorce de saule.

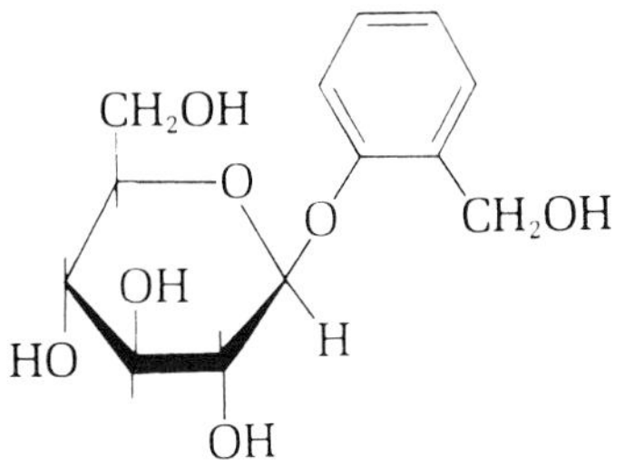

salicine
(le β-D-glucoside de l'alcool salicylique)

Exemple de Problème 13.8   Quels produits peut-on attendre de l'hydrolyse de la salicine?

Solution   **Il y a hydrolyse du groupe acétal en C1 et formation de D-glucose et d'alcool salicylique :**

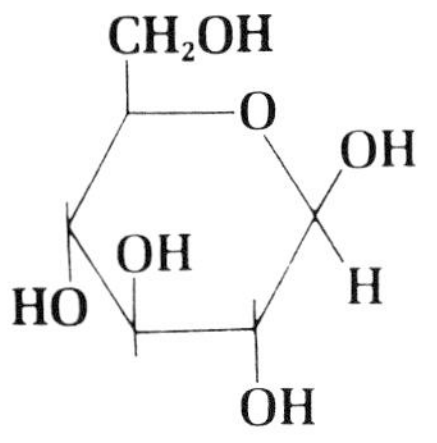

D-glucose   et   alcool salicylique
(2-hydroxyméthyl-phénol)

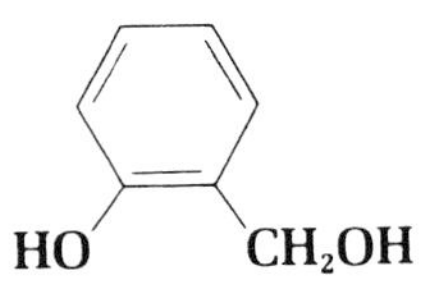

On remarquera l'étroite parenté structurale entre l'alcool salicylique et l'aspirine (paragraphe 11.7).

On va maintenant constater que la liaison glucosidique est la clé de notre compréhension de la structure des oligosaccharides et des polysaccharides.

13.13 Disaccharides

Les plus courants des oligosaccharides sont les disaccharides (ou diholosides). Dans un disaccharide, deux monosaccharides sont liés l'un à l'autre par une liaison glucosidique entre le carbone anomère de l'un et un hydroxyle de l'autre. On examinera dans ce paragraphe la structure et les propriétés de quatre disaccharides importants.

13.13a Maltose Le maltose est un disaccharide qu'on peut obtenir par hydrolyse partielle de l'amidon. Une nouvelle hydrolyse du maltose ne donne alors que du D-glucose. Le maltose doit donc être constitué de deux unités glucose. Comme dans un groupe acétal, le carbone anomère de l'unité de gauche est lié à l'hydroxyle en C4 de l'unité de droite. Sous la forme cristalline, cette seconde unité a la configuration α. Les deux unités sont des pyrannoses.

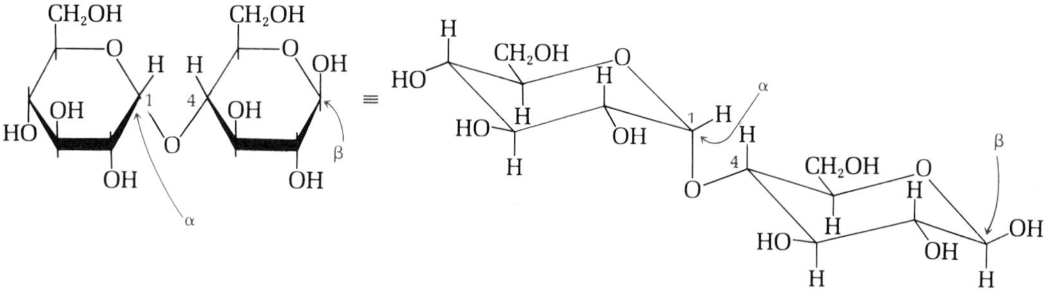

maltose

[4-O-(α-D-glucopyrannosyl)-β-D-glucopyrannose]

Le nom systématique du maltose précise parfaitement sa structure. Il comprend: le nom de chaque unité (D-glucose), les tailles de cycle (pyrannose), la configuration de chaque carbone anomère (α ou β) et la position de l'hydroxyle impliqué dans la liaison glucosidique (4-0).

Remarquons que le carbone anomère de la seconde unité glucose du maltose est celui d'un groupe hémiacétal. Naturellement ce groupe est en équilibre avec le groupe carbonyle de l'aldéhyde d'ouverture. Il s'ensuit que le maltose donne un test de Tollens positif et d'autres réactions analogues à celles du carbone anomère du glucose.

Problème 13.13   **Quand on dissout dans de l'eau du maltose cristallisé, le pouvoir rotatoire spécifique initial change et atteint peu à peu une valeur d'équilibre. Expliquer.**

13.13b Cellobiose Le cellobiose est un disaccharide qu'on obtient par hydrolyse partielle de la cellulose. Une nouvelle hydrolyse du cellobiose ne donne que du D-glucose. Le cellobiose doit donc être un isomère du maltose.

En fait, il ne diffère du maltose que par sa configuration β en C1 de la première unité glucose, tout le reste étant identique, y compris la liaison entre le C1 de la première unité glucose et l'OH en C4 de la seconde unité.

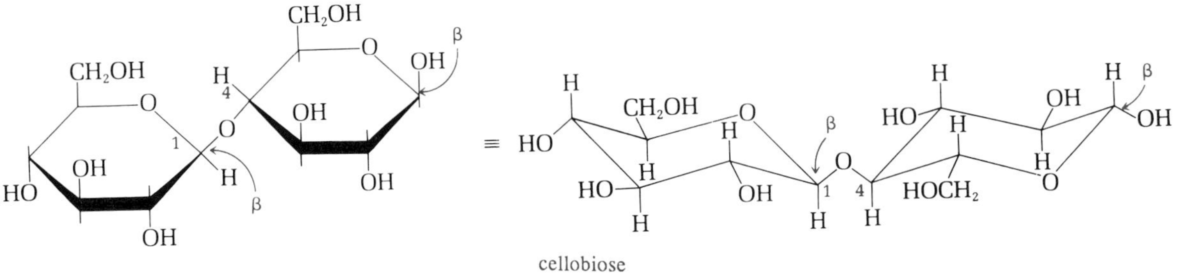

CH₂OH

cellobiose

[4-O-(β-D-glucopyrannosyl)-β-D-glucopyrannose]

On remarquera que dans la structure conformationnelle du cellobiose, on a écrit l'oxygène d'un cycle en arrière et l'oxygène de l'autre en avant de la molécule. C'est ainsi que sont disposés les cycles dans la chaîne de la cellulose.

13.13c Lactose   Le lactose est le principal sucre (4 à 8 %) du lait de femme ou de vache. Son hydrolyse donne des quantités équimoléculaires de D-galactose et de D-glucose. Le carbone anomère de l'unité galactose a la configuration β en C1 et il est lié à l'–OH en C4 de l'unité glucose. On montre ci-après l'anomère cristallisé α (au niveau de l'unité glucose), préparé industriellement à partir du "fromage blanc".

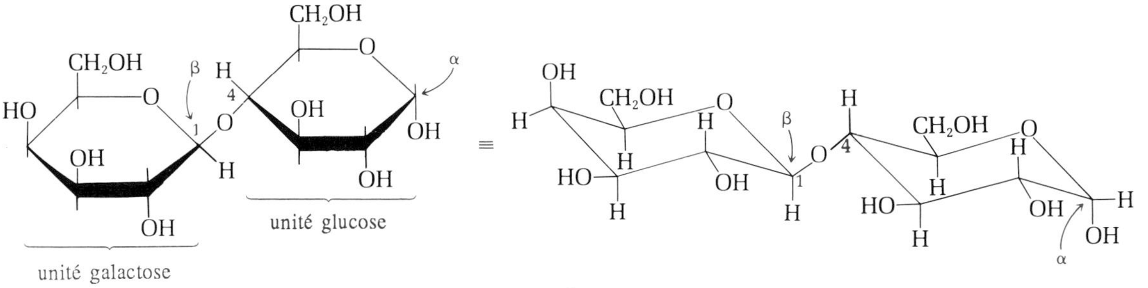

lactose

[4-O-(β-D-galactopyrannosyl)-α-D-glucopyrannose]

Problème 13.14   Le lactose doit-il donner un test de Fehling positif? Doit-il subir la mutarotation?

On appelle *galactosémie* la maladie congénitale de certains enfants qui, manquant d'un enzyme qui isomérise le galactose en glucose, sont incapables de digérer le lait. En excluant ce dernier de leur alimentation, on peut leur éviter la maladie causée par l'accumulation de galactose dans les tissus.

13.13d Saccharose   Le plus important des disaccharides est vraisemblablement le saccharose, ou sucrose, ou sucre de table. Il est présent dans beaucoup de végétaux où il joue le rôle de substance de réserve. On l'obtient industriellement à partir de la canne à sucre et de la betterave à sucre où il constitue 14-20 % du jus de la plante.

    L'hydrolyse du saccharose donne des quantités équimoléculaires de D-glucose et de D-fructose. Il diffère des disaccharides examinés ci-dessus en ce que les carbones anomères des deux unités interviennent dans la liaison glucosidique. Autrement dit, le C1 de l'unité glucose est lié, par l'oxygène, au C2 de l'unité fructose. Une autre différence, c'est que l'unité fructose est sous la forme furannose.

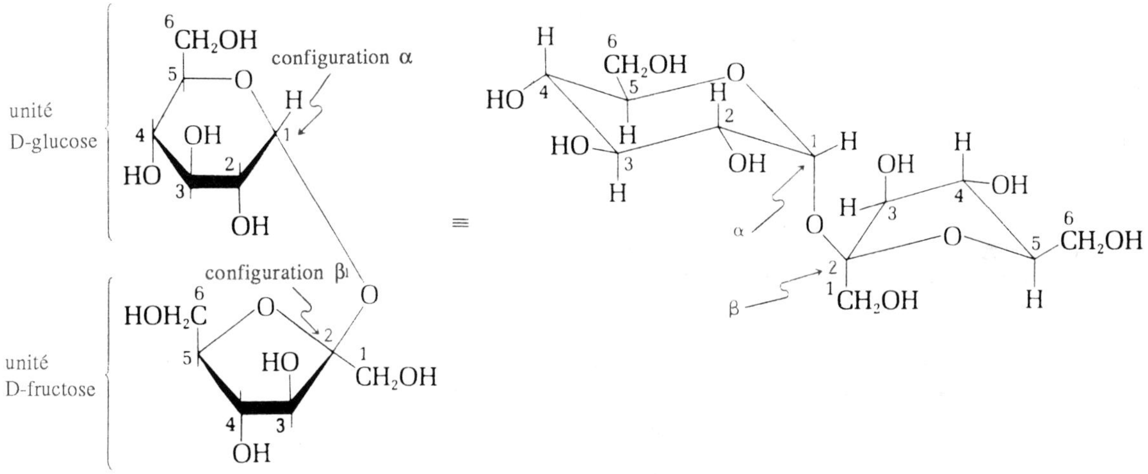

saccharose
[α-D-glucopyrannosyl-β-D-fructofurannoside]
[ou β-D-fructofurannosyl-α-D-glucopyrannoside]

    Les deux carbones anomères sont réunis par une liaison glucosidique, si bien qu'il ne reste aucun groupe hémiacétal dans l'une ou l'autre des unités monosaccharides. Aucune de ces unités n'est donc en équilibre avec une forme acyclique et le saccharose ne peut subir la mutarotation. De plus, n'ayant pas de groupe aldéhyde libre ou susceptible de le devenir, il ne peut réduire les réactifs de Tollens, Fehling ou Bénédict. Il fait donc partie des sucres non réducteurs, contrairement à tous ceux qu'on a examinés jusqu'ici.

    Le pouvoir rotatoire spécifique du saccharose est $[\alpha] = +66°$. Quand on l'hydrolyse en un mélange équimoléculaire de D-glucose et de D-fructose, son pouvoir rotatoire change de signe et devient $[\alpha] = -20°$. C'est parce que le mélange des anomères (α et β) du D-glucose a un pouvoir rotatoire de $+52°$ tandis que celui du mélange des anomères du D-fructose est fortement négatif: $[\alpha] = -92°$. Dans les débuts de la chimie des hydrates de carbone, on appelait le glucose: **dextrose** (parce qu'il était dextrogyre) et le fructose: **lévulose** (parce qu'il était lévogyre). D'autre part, l'hydrolyse du saccharose inversant le signe du pouvoir rotatoire, on appelait **invertases** les enzymes qui provoquaient cette hydrolyse. Beaucoup d'insectes, les abeilles notamment, portent des invertases; il s'ensuit que le miel est surtout un mélange de D-glucose, de D-fructose et de saccharose non hydrolysé; il contient aussi des parfums venant du nectar des fleurs butinées par les abeilles.

A PROPOS DE POUVOIR SUCRANT ET D'EDULCORANTS

Le pouvoir sucrant est une affaire de goût. Bien que les différences soient grandes entre les perceptions sensorielles des individus, il est possible de faire ici des comparaisons quantitatives. Par exemple, on peut prendre une certaine solution sucrée standard (disons une solution aqueuse à 10 % de saccharose) et comparer son pouvoir sucrant à celui de solutions d'autres sucres ou d'autres édulcorants. Si le pouvoir sucrant d'une solution à 1 % d'un composé X est comparable à celui d'une solution à 10 % de saccharose, on dit que le composé X est 10 fois plus sucré que le saccharose.

Parmi les sucres simples, le D-fructose a le pouvoir sucrant le plus élevé, presque deux fois celui du saccharose, lequel est voisin de celui du D-glucose. Par contre, beaucoup de composés appelés sucres, comme le lactose et le galactose, ont un pouvoir sucrant 100 fois plus faible que celui du saccharose.

On connaît beaucoup d'édulcorants synthétiques, dont le plus connu, la saccharine, a été découvert en 1879 dans le laboratoire de I. Remsen de l'Université Johns Hopkins. Sa structure ne rappelle en rien celle des saccharides et pourtant elle est 300 fois plus sucrée que le saccharose, 0,03 g étant équivalent à 10 g de ce dernier. On prépare industriellement la saccharine à partir du toluène (voir figure 13.1). Bien que très sucrée, elle a un pouvoir calorifique quasiment nul. Elle présente l'avantage, pour les diabétiques et ceux qui doivent restreindre leur consommation en sucre, de remplacer ce dernier. Mais des expériences menées avec des souris ont montré indéniablement, qu'à très haute dose, elle est un cancérigène. Elle est néanmoins toujours utilisée.

Parmi les autres édulcorants synthétiques, citons le cyclamate de calcium (sucaryl), la Dulcine (sucrol) et l'aspartame. Les cyclamates ont été découverts en 1937 à l'Université d'Illinois et ils sont environ 30 fois plus sucrés que le sucre de canne. Ils ont l'avantage de ne pas avoir l'arrière-goût, désagréable, de la saccharine. Malheureusement, ils sont aussi cancérigènes et leur utilisation est interdite aux Etats-Unis depuis 1970. La Dulcine est environ 100 fois plus sucrée que le saccharose, mais elle est trop toxique pour être utilisée dans les aliments. En 1981, l'aspartame fut le premier éducorant nouveau toléré aux Etats-Unis depuis 25 ans. C'est l'ester méthylique d'un dipeptide constitué de deux amino-acides présents dans les protéines, l'acide aspartique et la phénylalanine (table 15.1), d'où son innocuité à dose raisonnable.

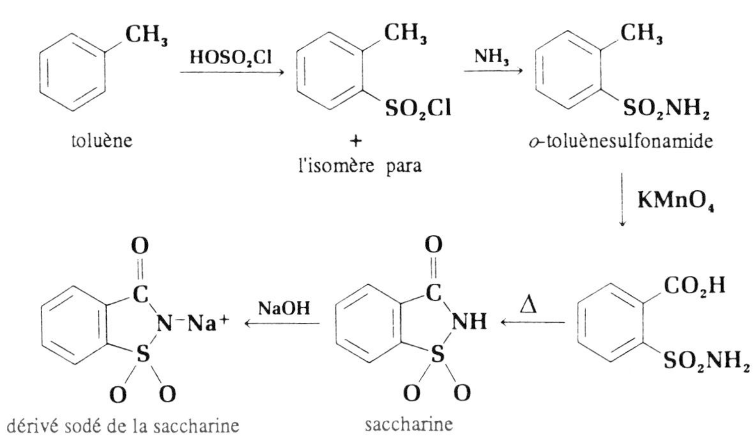

Figure 13.1 Préparation industrielle de la saccharine

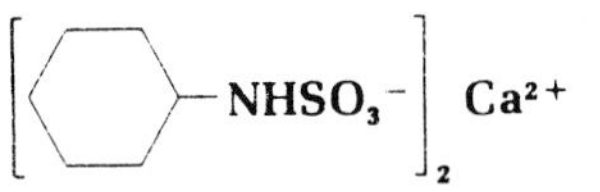

cyclohexylsulfamate
de calcium
(cyclamate de calcium)

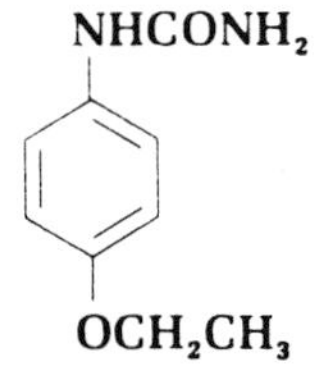

4-éthoxyphénylurée
(dulcine)

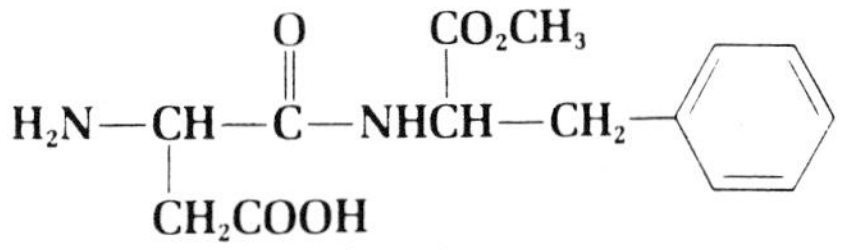

ester méthylique de
la *N-L-α-aspartyl-L*-phénylalanine
(aspartame)

On connaît beaucoup d'autres substances édulcorantes, naturelles ou synthétiques. En 1985, on en a signalé une nouvelle. Une monographie intitulée *Natural History of New Spain*, écrite entre 1570 et 1576 par le médecin espagnol Francisco Hernandez, attira l'attention sur une plante sucrée connue des Aztèques sous le nom de *Tzonpelic xihuitl* ("herbe sucrée"). Le composant intéressant de la plante *(Lippia dulcis)* fut isolé de ses feuilles et de ses fleurs. On le nomma l'*hernandulcine* (en l'honneur de Hernandez).

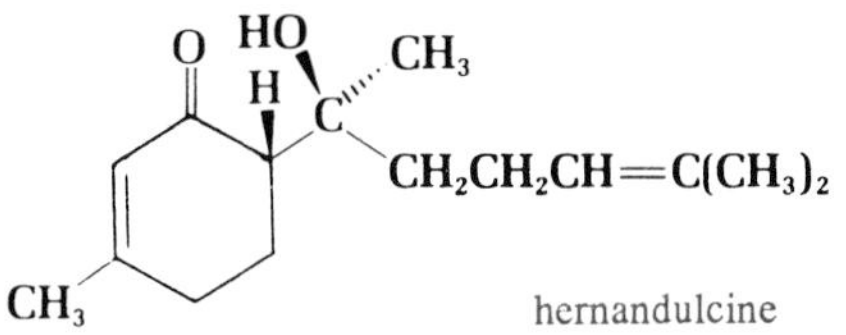

hernandulcine

Les tests ont montré qu'il est plus de 1000 fois plus sucré que le saccharose et non toxique, mais il est amer et laisse un arrière-goût. Peut-être que la synthèse de composés très voisins donnera un nouvel édulcorant utile.

Grande est la différence de structure entre sucres et édulcorants synthétiques et peu satisfaisantes sont actuellement les théories raisonnables sur la structure et le pouvoir sucrant.

13.14 Polysaccharides

Les polysaccharides ont des longueurs de chaîne et des masses moléculaires variées. Les unités monosaccharides qui les constituent peuvent être liées de manière linéaire ou ramifiée. La plupart des polysaccharides donnent un seul monosaccharide par hydrolyse complète. On examinera dans ce paragraphe quelques-uns des plus importants d'entre eux.

13.14a Amidon et glycogène L'amidon est l'hydrate de carbone qui est la réserve énergétique des végétaux. Il constitue une partie importante des flocons d'avoine, des pommes de terre, du blé et du riz. C'est la forme sous laquelle est mis en réserve le glucose dans les plantes.

L'amidon est constitué d'unités glucose liées ensemble par des liaisons 1,4--α-glycosidiques, certaines chaînes pouvant néanmoins être ramifiées à cause de liaisons 1,6-α-glycosidiques. Son hydrolyse partielle donne du maltose et son hydrolyse complète donne uniquement du D-glucose.

Au moyen de techniques variées de solubilisation et de précipitation, on peut diviser l'amidon en deux fractions, la fraction amylose (20 %) et la fraction amylopectine (80 %).

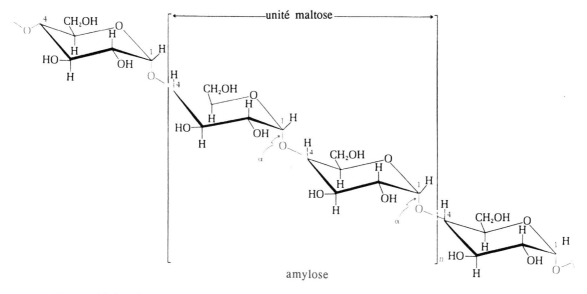

Figure 13.2   Structure de la fraction amylose de l'amidon.

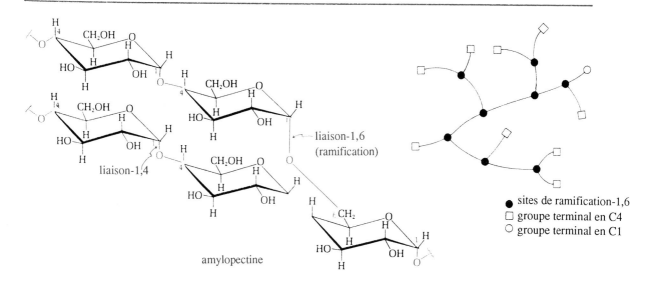

Figure 13.3   Structure de la fraction amylopectine de l'amidon.

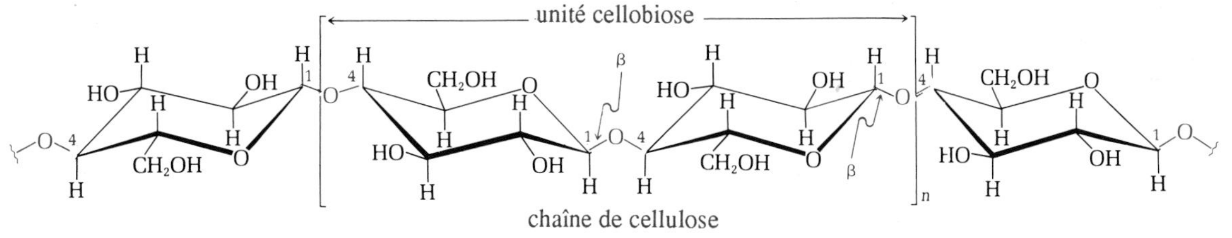

Figure 13.4   Structure partielle de la cellulose montrant l'enchaînement β des unités glucose.

Dans l'**amylose**, les unités glucose (50-300) constituent une chaîne continue où elles sont liées "en 1,4" (figure 13.2). En solution, la chaîne adopte une forme hélicoïdale par suite de la configuration α de chaque liaison glycosidique. La forme tubulaire, avec six unités glucose par tour d'hélice, permet à l'amylose de donner des complexes avec diverses petites molécules qui s'insèrent dans un tel enroulement. La couleur bleu foncé que donne l'amidon avec l'iode est due à un complexe de ce type.

L'**amylopectine** (figure 13.3) est très ramifiée. Bien que chaque molécule puisse comporter jusqu'à 300-5.000 unités glucose, les chaînes faites de liaisons "en 1,4" n'ont pas plus de 25-30 unités en moyenne. Ces chaînes sont connectées aux autres par des liaisons "en 1,6". C'est à cause de sa structure très ramifiée que les grains d'amidon gonflent et même forment des solutions colloïdales dans l'eau.

Le **glycogène**, substance de réserve des animaux, est, comme l'amidon, constitué d'unités glucose liées "en 1-4" et "en 1-6". Sa masse moléculaire est très élevée, voisine de 100.000 unités glucose. Sa structure est même plus ramifiée que celle de l'amylopectine, avec une ramification environ toutes les 10 unités glucose. La formation du glycogène a lieu à partir du glucose des intestins, qui passe dans le sang, est transporté dans le foie, les muscles et ailleurs et qui est alors polymérisé par action d'un enzyme. Son rôle est de maintenir le taux de glucose du sang, d'une part en enlevant et en mettant en réserve l'excès apporté par les aliments et d'autre part en en fournissant au sang quand les cellules du corps en ont besoin pour dépenser de l'énergie.

13.14b   Cellulose   La cellulose est un polymère linéaire du glucose dont les unités sont attachées les unes aux autres par des liaisons 1,4-β-glycosidiques. Son examen aux rayons X montre qu'elle est constituée de chaînes linéaires d'unités cellobiose, dans lesquelles les oxygènes des cycles occupent alternativement des positions en avant et en arrière (figure 13.4). Ces molécules linéaires, dont le nombre d'unités glucose est en moyenne de 5.000, se rassemblent pour donner des fibrilles liées ensemble par des liaisons hydrogène entre hydroxyles de chaînes voisines. Des fibres de cellulose d'une grande solidité, enroulées en spirale dans des directions opposées autour d'un axe central, sont alors construites à partir de ces fibrilles. Le bois, le coton, le lin, le chanvre, la paille et les épis sont constitués principalement de cellulose.

Les hommes et d'autres animaux sont capables de digérer l'amidon et le glycogène, mais pas la cellulose. Cela est un exemple frappant de la spécificité des réactions biochimiques, car la seule différence entre l'amidon et la cellulose est la stéréochimie de la liaison glycosidique, plus exactement la stéréochimie en C1 de chaque unité glucose. Notre appareil digestif comporte des enzymes qui catalysent l'hydrolyse des liaisons α-glycosidiques, mais n'a pas les enzymes (β-glycosidases) nécessaires pour hydrolyser les liaisons β-glycosidiques. Cependant, beaucoup de bactéries apportent des β-glycosidases et peuvent hydrolyser la cellulose. Les termites ont de telles bactéries dans leurs intestins et le bois (cellulose) est leur nourriture principale. Les ruminants comme la vache ne sont capables de digérer l'herbe et d'autres formes de cellulose que parce qu'ils ont dans leur panse les microorganismes nécessaires.

La cellulose est la matière première de plusieurs dérivés importants du point de vue industriel. L'examen de sa structure montre que chaque unité glucose comporte trois groupes hydroxyles. Ces derniers réagissent avec les réactifs usuels des alcools. Par exemple, la cellulose réagit avec l'anhydride acétique pour donner l'**acétate de cellulose** :

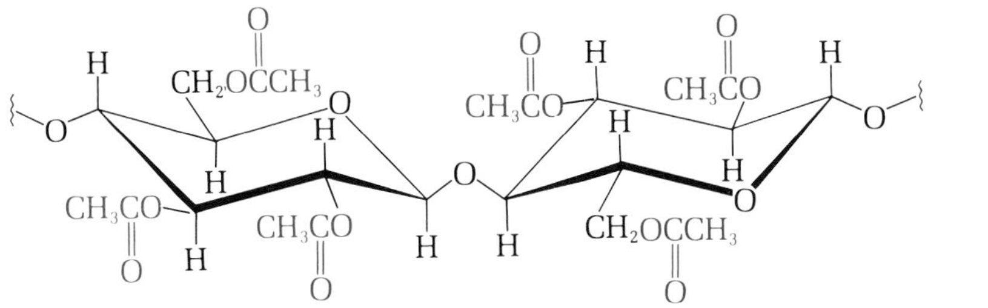

segment de molécule d'acétate de cellulose

La cellulose, dont 97 % des hydroxyles sont acétylés, est utilisée pour faire de la rayonne.

Le **nitrate de cellulose** ou nitrocellulose est un autre dérivé important. En effet, celle-ci, comme le glycérol, peut être convertie en ester nitrique par action d'acide nitrique et c'est le nombre d'hydroxyles nitrés par unité glucose qui détermine les propriétés du produit. Le fulmicoton, une cellulose très nitrée, est un explosif efficace utilisé dans les poudres sans fumée.

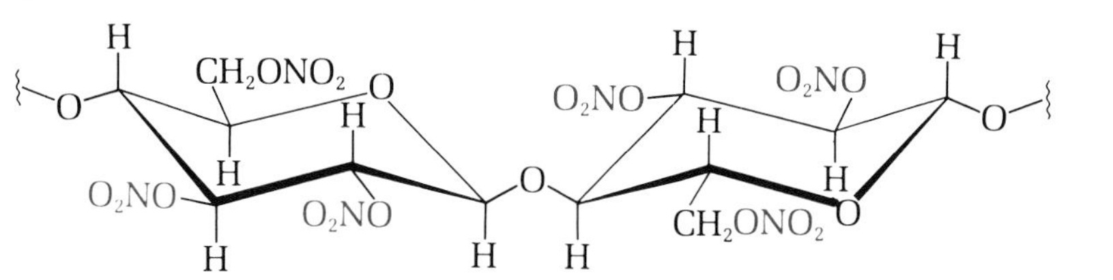

segment de molécule de nitrate de cellulose

13.14c Autres polysaccharides La **chitine** est un polysaccharide azoté qui est le constituant principal de la carapace des crustacés et des insectes. C'est de la cellulose, dont l'OH en C2 de chaque unité glucose est remplacé par le groupe acétylamino CH_3CONH-. Les **pectines,** qu'on extrait des fruits et des baies, sont des polysaccharides utilisés dans la préparation des confitures. Ce sont des polymères linéaires d'acide D-galacturonique dont les unités sont attachées par des liaisons 1,4-α-glycosidiques, l'acide D-galacturonique étant le D-galactose, dont le groupe –CH$_2$OH est oxydé en –COOH.

On connaît beaucoup d'autres polysaccharides tels que la gomme arabique et autres gommes et mucilages, le sulfate de chondroitine des cartilages, l'héparine, coagulant du sang, qu'on trouve dans le foie et le cœur, et les dextrans utilisés pour remplacer le plasma sanguin.

La structure de certains saccharides diffère quelque peu des systèmes polyhydroxyaldéhyde et polyhydroxycétone. On examinera dans les derniers paragraphes quelques composés naturels importants apparentés aux saccharides.

13.15 Phosphates de sucres

Dans toutes les cellules, on trouve des esters phosphoriques de mono-saccharides où ils interviennent comme intermédiaires dans le métabolisme des hydrates de carbone. Les plus connus de ces phosphates de sucres sont :

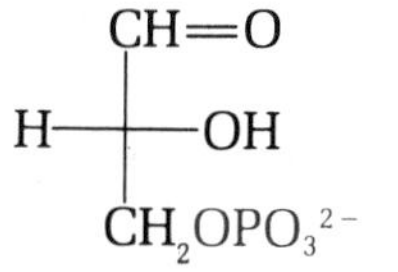

3-phosphate du D-glycéraldéhyde 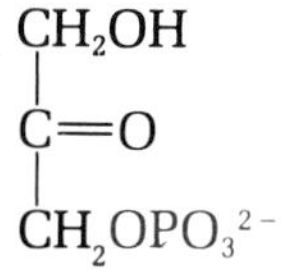   phosphate de la dihydroxyacétone

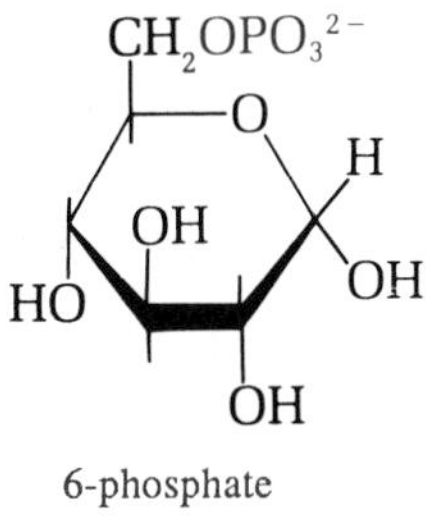

6-phosphate de l'α-D-glucose 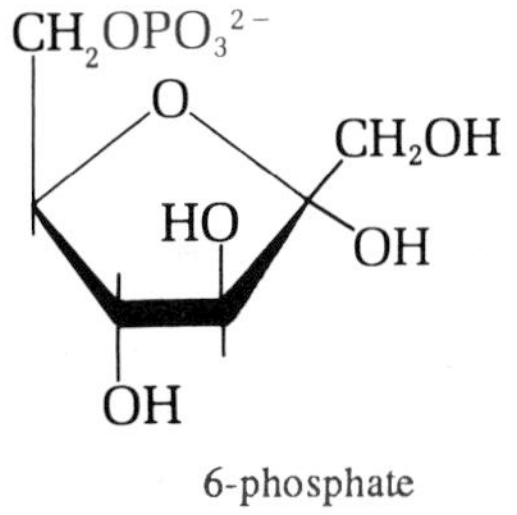   6-phosphate de l'α-D-fructose 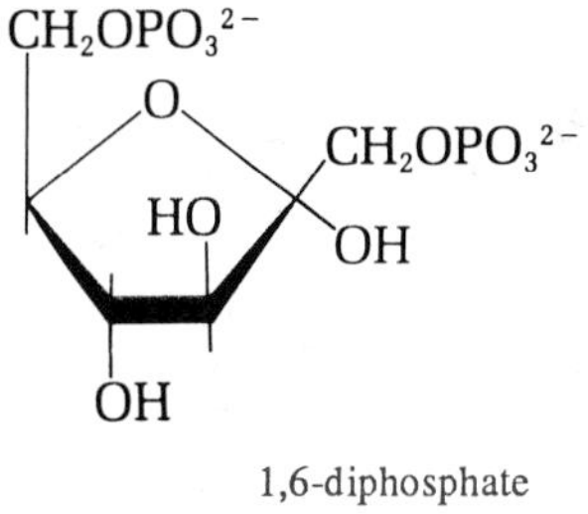   1,6-diphosphate de l'α-D-fructose

Ces groupes phosphates interviennent aussi dans la structure de l'ADN et de l'ARN.

La nature utilise souvent le groupe phosphate pour activer les carbones aux substitutions nucléophiles, l'ion phosphate étant un bien meilleur groupe partant que l'ion hydroxyde.

13.16 Désoxy-sucres

Dans les désoxy-sucres, un ou plusieurs hydroxyles sont remplacés par un hydrogène. Le plus important est le **2-désoxyribose**, le composant sucre de l'ADN, qui s'y trouve sous la forme furannose et n'a pas d '–OH en C2.

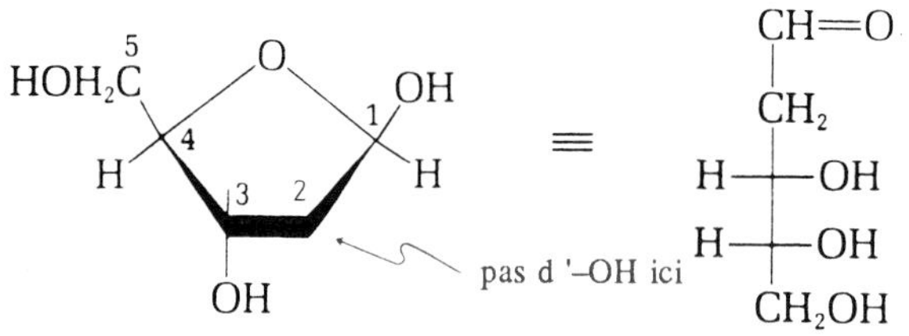

$$HOH_2C \quad \overset{5}{} \quad O \quad OH$$

pas d '–OH ici

$$CH=O$$
$$CH_2$$
$$H—OH$$
$$H—OH$$
$$CH_2OH$$

β-D-désoxyribofurannose
(le sucre de l'ADN)

13.17 Amino-sucres

Dans les amino-sucres, un –OH est remplacé par un groupe amino. Dans beaucoup d'amino-sucres naturels, le groupe –NH$_2$ est acétylé. Exemple:la D-glucosamine.

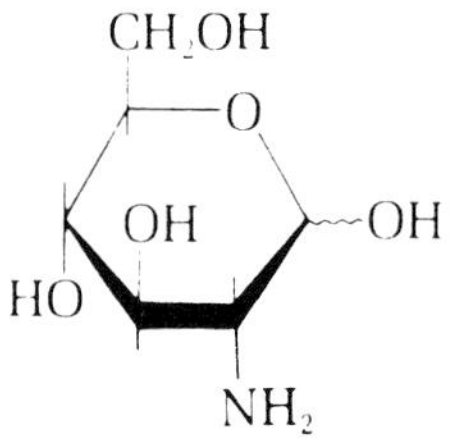

D-glucosamine
α F 88°C – β F 110°C

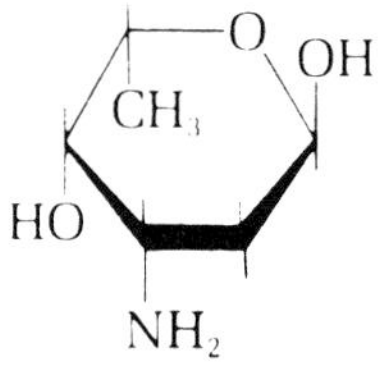

daunosamine

Sous sa forme *N*-acétylée, la D-glucosamine est l'unité monosaccharide de la chitine, principal constituant de la carapace des crustacés. Des amino-sucres font aussi partie de la structure d'antibiotiques. La daunosamine, par exemple, est la partie sucre de la doxorubicine, antibiotique et anticancéreux (p. 514). C'est un 2,6-didésoxy-3-amino-sucre.

13.18 Acide ascorbique (vitamine C)

Bien qu'assez particulière, la structure de l'acide L-ascorbique (vitamine C) rappelle celle d'un monosaccharide. Le composé a un cycle lactonique non saturé à cinq chaînons avec deux –OH sur la double liaison. Une telle structure **ènediol** est relativement rare.

(13.15)

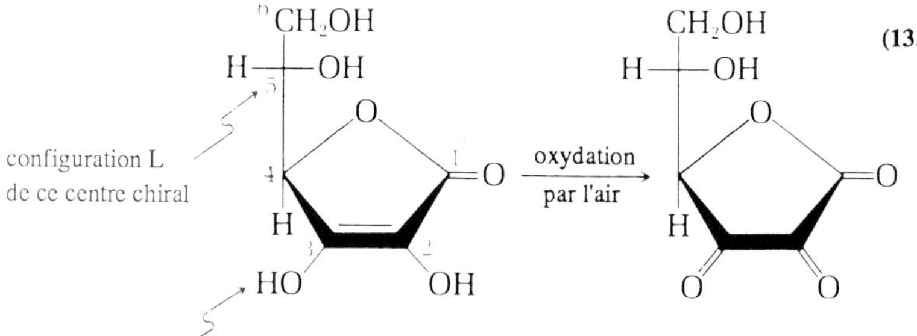

configuration L
de ce centre chiral

oxydation
par l'air

hydrogène acide

acide L-ascorbique
(vitamine C)
F 192°C - goût agréable et acide

acide déhydroascorbique

Etant donné la présence de ce groupe, l'acide ascorbique est facilement oxydé (équation 13.15) en acide déhydroascorbique. Ces deux acides sont biologiquement actifs.

Il n'y a pas de groupe carboxyle dans l'acide ascorbique, mais il s'agit bien d'un acide (son pK_a est de 4,7), l'hydrogène de l'hydroxyle en C3 étant très mobile, car son départ à l'état de proton donne lieu à la formation d'un anion stabilisé par résonance, analogue à un anion carboxylate.

Contrairement à beaucoup d'autres animaux, les hommes, les singes, les cobayes et quelques autres vertébrés manquent de l'enzyme essentiel à la biosynthèse de l'acide ascorbique à partir du glucose et doivent trouver cet acide dans leur alimentation. Ce dernier est abondant dans les citrons et les tomates. Le manque d'acide ascorbique conduit au scorbut, qui provoque la fragilisation des vaisseaux sanguins, causant des hémorragies, la chute des dents, la non-cicatrisation des blessures et éventuellement la mort. L'acide ascorbique est sans doute également essentiel à la biosynthèse du collagène, la protéine de base de la peau, des tissus conjonctifs, des tendons, du cartilage et des os.

Résumé du chapitre

Les hydrates de carbone sont des polyhydroxyaldéhydes ou des polyhydroxycétones ou des substances qui donnent de tels composés par hydrolyse. On les classe en poly-, oligo- et monosaccharides.

On classe les monosaccharides, aussi appelés oses ou sucres simples, selon leur nombre d'atomes de carbone (triose, tétrose, pentose, etc.) et la nature de leur groupe carbonyle (aldose ou cétose).

Le R-(+)glycéraldéhyde est un aldotriose qui, en projection de Fischer, est

$$
\begin{array}{c}
CH = O \\
H \!-\!\!\!\!-\!\!\!\!-\! OH \\
CH_2OH
\end{array}
$$

les groupes ou atomes horizontaux se trouvant en avant du plan de la feuille et les groupes verticaux en arrière. On désigne par la lettre D cette configuration, tandis que l'énantiomère, dont les positions de H et OH sont inversées, est désigné par la lettre L. Avec les monosaccharides supérieurs, ces symboles désignent la configuration du centre chiral dont le numéro est le plus élevé, c'est-à-dire le carbone le plus éloigné du carbonyle. La table 13.1 donne la liste des D-aldoses jusqu'aux hexoses.

Les épimères sont des stéréoisomères qui diffèrent par la configuration d'un seul centre chiral.

Les monosaccharides qui ont plus de quatre carbones existent le plus souvent sous la forme hémiacétal, cyclique, dans laquelle un hydroxyle en C4 ou en C5 réagit avec le carbonyle (en C1 dans les aldoses) en formant un hémiacétal. Ainsi le carbone C1 devient chiral et on l'appelle carbone anomère. Les anomères ne diffèrent en configuration que par ce centre chiral et sont désignés par les symboles α et β. Les tailles de cycle des hémiacétals cycliques sont hexaatomiques (on les appelle des pyrannoses) ou pentaatomiques (on les appelle des furannoses).

Ordinairement les anomères s'interconvertissent en solution, ce qui se traduit par un changement progressif du pouvoir rotatoire jusqu'à une valeur d'équilibre. Ce changement de la rotation optique est appelé mutarotation.

Les formules de Haworth sont un mode d'écriture commode des formes cycliques des monosaccharides. Les cycles sont représentés plats et les hydroxyles et autres substituants au-dessus et au-dessous du plan des cycles.

Par oxydation des monosaccharides au niveau du carbone aldéhydique, il y a formation d'acides carboxyliques appelés acides aldoniques, l'oxydation aux deux extrémités de la chaîne donnant les acides aldariques. La réduction du carbonyle en groupe $-CH_2OH$ conduit à des polyols appelés alditols. On peut estérifier ou éthérifier les groupes $-OH$ des sucres.

Par catalyse acide, les monosaccharides réagissent avec les alcools en donnant des glycosides qui sont des acétals, l'$-OH$ du carbone anomère étant remplacé par un groupe $-OR$. Dans les produits naturels, on trouve souvent les alcools et les phénols sous la forme de glycosides; ils sont ainsi rendus solubles dans l'eau.

Les disaccharides sont constitués de deux monosaccharides réunis par une liaison glycosidique entre le carbone anomère de l'un et un hydroxyle (souvent en C4) de l'autre. Exemple: le maltose et le cellobiose (formés de deux unités glucose liées 1,4 et ne différant que par la configuration de leur carbone anomère, α et β respectivement), le lactose (formé d'une unité galactose et d'une unité glucose liées 1,4 et β) et le saccharose ou sucre de canne ou de betterave (formé d'une unité fructose et d'une unité glucose liées 1,2, c'est-à-dire par le carbone anomère de l'une et l'autre).

Le fructose, le glucose et le saccharose ont le goût sucré, mais d'autres comme le lactose et le galactose ne l'ont pas. Certains composés, qui ne sont pas des hydrates de carbone, comme la saccharine, ont aussi le goût sucré.

Les polysaccharides sont constitués de nombreuses unités monosaccharides réunies par des liaisons glycosidiques. L'amidon et le glycogène sont des polymères du D-glucose, dont les unités sont surtout liées 1,4 ou 1,6 et α. La cellulose est formée d'unités D-glucose liées 1,4 et β.

Des monosaccharides différant quelque peu du système polyhydroxyaldéhyde ou polyhydroxycétone ont une certaine importance biologique. C'est le cas des phosphates de sucres, des désoxy-sucres, des amino-sucres et de l'acide ascorbique (vitamine C).

PROBLEMES SUPPLEMENTAIRES

13.15 Définir les types de composés suivants et donner la formule développée d'un exemple de chacun d'eux :

a. aldohexose   **b.** cétopentose   **c.** monosaccharide   **d.** disaccharide
e. polysaccharide   **f.** furannose   **g.** pyrannose   **h.** glycoside
i. carbone anomère   **j.** sucre réducteur

13.16 Expliquer avec des formules la différence entre un D-sucre et un L-sucre.

13.17 Quelle est la configuration absolue (R ou S) des centres chiraux C2 et C3 du D-érythrose? (On pourra s'aider de la table 13.1).

13.18 Quelle est la configuration absolue (R ou S) de chaque centre chiral de la forme acyclique du D-glucose? du nouveau centre chiral du β-D-glucose?

13.19 Quelle est la relation stéréochimique entre le D-gulose et le D-ilose?(Voir table 13.1.)

13.20 Construire une table, analogue à la table 13.1, des D-cétoses jusqu'aux D-cétohexoses. Au début de la table, la dihydroxyacétone doit remplacer le glycéraldéhyde.

13.21 Dans une projection de Fischer, l'interversion de deux groupes quelconques change la configuration. Ainsi, les formules A et B représentent respectivement le D- et le L-glycéraldéhyde. Montrer, avec les formules spatiales, que la formule C, formée par l'interversion des groupes -OH et -CH$_2$OH de A, représente aussi le L-glycéraldéhyde.

```
      CHO              CHO              CHO
  H —|— OH        HO —|— H        H —|— CH₂OH
     CH₂OH            CH₂OH            OH
      A                B                C
```

13.22 En utilisant éventuellement la table 13.1, écrire les projections de Fischer et de Haworth de:

a. méthyl α-D-glucopyrannoside

b. α-D-gulopyrannose

c. β-D-arabinofurannose

d. méthyl α-L-glucopyrannoside

13.23 Ecrire les projections de Fischer: **a.** du L-mannose   **b.** du L-(+)-fructose

13.24 En solution aqueuse et à l'équilibre, le D-ribose est un mélange de 20% d 'α-pyrannose, 56 % de β-pyrannose, 6 % d 'α-furannose et 18 % de β-furannose. Ecrire les projections de Haworth de chacune de ces formes.

13.25 Ecrire les projections de Fischer et de Haworth et les structures conformationnelles du β-D-allose.

13.26 Les solubilités dans l'eau à 25°C de l 'α-D-glucose et du β-D-glucose sont de 82 et 178 g/100 mL. Pourquoi leurs solubilités ne sont-elles pas identiques?

13.27 Les pouvoirs rotatoires spécifiques des α- et β-D-fructofurannoses purs sont respectivement de +21° et –133°. Des solutions de l'un et l'autre subissent la mutarotation et ont, à l'équilibre, un pouvoir rotatoire spécifique de –92°. En supposant qu'aucune autre forme n'est présente, calculer les concentrations des deux formes à l'équilibre.

13.28 Ecrire les projections de Fischer et de Newman du L-érythrose.

13.29 Partant de β-D-glucose et d'un catalyseur acide (H$^+$), écrire toutes les étapes du mécanisme de la mutarotation. Utiliser les projections de Haworth pour les structures cycliques.

13.30 L'oxydation du D-érythrose ou du D-thréose par l'acide nitrique donne de l'acide tartrique. Dans un cas, l'acide tartrique est optiquement actif et, dans l'autre cas, optiquement inactif. Comment peut-on en déduire la stéréochimie de l'érythrose et du thréose?

13.31 Ecrire la structure de l'acide D-galactonique et de l'acide D-galactarique.

13.32 Avec les formules développées, écrire les réactions du D-mannose avec :

a. l'eau de brome

b. l'acide nitrique

c. le borohydrure de sodium

d. l'anhydride acétique

13.33 Par départ d'eau, on peut convertir l'acide D-glucarique en deux lactones différentes et une dilactone. En écrire les formules.

13.34 La réduction du D-fructose donne un mélange de D-glucitol et de D-mannitol. Que conclure quant aux configurations des D-fructose, D-mannose et D-glucose?

13.35 Si le D-glucose avait la structure aldéhyde d'ouverture, on devrait obtenir, par traitement avec un excès de méthanol et H$^+$, un produit C$_8$H$_{18}$O$_7$. Quelle serait sa structure?

En fait, on obtient deux produits en $C_7H_{14}O_6$. Quels sont-ils et qu'est-ce que leur formation suggère quant à la structure du D-glucose?

13.36 Bien que comportant cinq centres chiraux, le D-galactose donne, par oxydation avec l'acide nitrique, un diacide carboxylique optiquement inactif, appelé acide galactarique ou mucique. Quelle est la structure de cet acide et pourquoi est-il optiquement inactif?

13.37 Ecrire les équations montrant clairement le mécanisme de l'hydrolyse acido-catalysée :
a. du maltose en glucose
b. du lactose en galactose et en glucose
c. du saccharose en fructose et en glucose

13.38 Ecrire les équations des réactions du maltose avec :
a. le méthanol et H^+ **b.** le réactif de Tollens
c. l'eau de brome   **d.** l'anhydride acétique

13.39 Le tréhalose est un disaccharide qui est le principal composant hydrate de carbone du sang des insectes. Sa structure est :

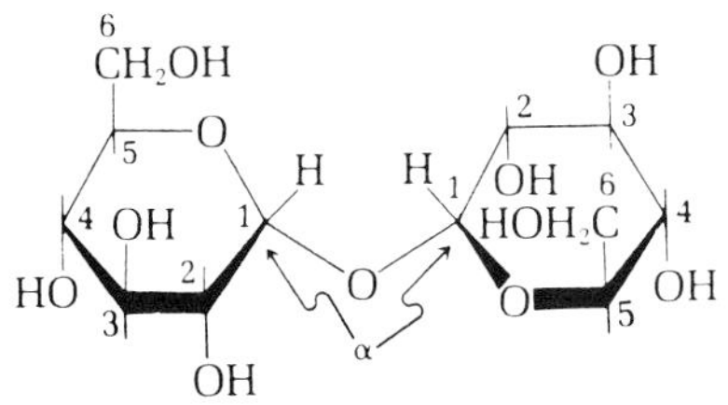

a. Quels sont ses produits d'hydrolyse?
b. Donne-t-il un test positif ou un test négatif avec le réactif de Fehling? Pourquoi?

13.40 Le lactose existe sous les formes α et β, dont les pouvoirs rotatoires spécifiques sont respectivement +92,6° et +34°.
a. Ecrire leurs structures.
b. Des solutions de chacun des isomères subissent la mutarotation jusqu'à la valeur à l'équilibre de +52°. Quelle est alors la concentration de l'un et l'autre?

13.41 Ecrire les réactions du D(+)-glucose (on prendra, selon les cas, la forme acyclique ou cyclique la plus appropriée) avec chacun des réactifs suivants :
a. l'anhydride acétique en excès   **b.** l'eau de brome
c. l'hydrogène et un catalyseur   **d.** l'hydroxylamine (pour faire l'oxime)
e. le méthanol et H^+ **f.** l'acide cyanhydrique (pour faire la cyanhydrine)
g. le réactif de Fehling

13.42 Pourquoi, contrairement au maltose, le saccharose est-il un sucre non réducteur?

13.43 La saccharine est un amide cyclique. La dernière étape de la figure 13.1 montre que la saccharine est acide et donne facilement un sel de sodium. Ecrire l'équation de la réaction.

13.44 L'hernandulcine (p. 415) est un aldol et elle a été préparée par une aldolisation mixte. Ecrire la réaction.

13.45 A l'aide des descriptions du paragraphe 13.14c, écrire la formule de la chitine et de la pectine.

13.46 Le L-fucose est un composant de parois cellulaires bactériennes. On l'appelle aussi 6-désoxy-L-galactose. Ecrire sa projection de Fischer.

13.47 Ecrire les formes limites principales de l'anion hybride né de la perte d'un proton (de l'OH en C3) par l'acide ascorbique.

13.48 Les hémicelluloses sont des matières non cellulosiques produites par des végétaux et qu'on trouve dans la paille, le bois et autres tissus fibreux. Parmi elles, les xylanes, les plus abondants, sont constitués de D-xylopyrannose lié "en 1-4-β ". En écrire l'unité.

13.49 Les inositols sont des hexahydroxycyclohexanes, un hydroxyle étant lié à chacun des carbones du cycle. Bien que n'étant pas strictement des hydrates de carbone, ils sont semblables aux sucres pyrannoses et existent dans la nature. Ils sont neuf isomères possibles. En utilisant les projections de Haworth, les écrire tous (tous sont connus) et dire lesquels sont chiraux.

CHAPITRE 14

AMINO-ACIDES, PEPTIDES, PROTEINES

14.1 Introduction

Le mot *protéine* vient du mot grec πρωτος, premier ou de prime importance. En effet, l'importance des protéines est énorme dans la structure, la fonction et la régénération de la matière vivante.

Les protéines sont des macromolécules biologiques résultant de la polycondensation d'unités amino-acides en polyamides par la formation de liaisons peptidiques entre elles. Dans le présent chapitre, nous étudierons la structure et les propriétés des amino-acides. Nous examinerons ensuite les propriétés des peptides, qui sont constitués de quelques amino-acides seulement, puis des protéines, qui en comportent beaucoup plus.

14.2 Amino-acides naturels

Les amino-acides obtenus par hydrolyse des protéines sont des α-amino-acides. Autrement dit, le groupe amino est lié au carbone voisin (ou en α) du groupe carboxyle:

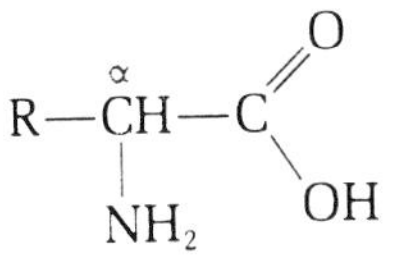

$$R-\overset{\alpha}{C}H-C\overset{\displaystyle O}{\underset{\displaystyle OH}{\big\langle}}$$

$$\underset{\displaystyle NH_2}{\big|}$$

α-amino-acide

Mis à part la glycine, dont R = H, le carbone α est un centre chiral. Il s'ensuit que, sauf la glycine, les amino-acides dérivés des protéines sont optiquement actifs. Ils ont la même configuration L que le L-glycéraldéhyde (voir figure 14.1). On notera qu'on peut leur appliquer les projections de Fischer utilisées avec les hydrates de carbone. La table 14.1 donne la liste des vingt acides α-aminés les plus courants des protéines.

On a donné des noms communs aux amino-acides et, quand on écrit les formules des peptides et des protéines, on utilise les abréviations (de trois lettres) de ces noms. Dans la table 14.1, on les a groupés de manière à souligner leurs similitudes de structure. L'organisme humain peut synthétiser, à partir des aliments, douze de ces vingt amino-acides. Par contre, parmi eux, huit (ceux dont les abréviations sont écrites en couleur) ne peuvent être synthétisés par l'organisme de l'homme adulte et doivent être apportés, sous la forme de protéines, par les aliments; c'est la raison pour laquelle on les appelle amino-acides essentiels. Bien sûr, les vingt sont nécessaires à la croissance et au maintien du corps en bonne santé.

A PROPOS DE LA DATATION DES AMINO-ACIDES

Le problème de l'âge est l'un des premiers qui se posent à l'archéologue qui, dans ses fouilles, découvre un squelette ou un objet. La connaissance de l'âge apporte une réponse à beaucoup d'autres questions, par exemple sur le mode de vie des populations, sur leur commerce et leurs contacts avec d'autres populations, sur leurs prédécesseurs et leurs successeurs, etc.

Les chimistes ont aidé les archéologues à résoudre ce problème. L'une des méthodes de datation les plus connues est celle du carbone-14, c'est-à-dire du carbone radioactif, proposée par W. F. Libby en 1947 (prix Nobel 1960). La demi-vie de ^{14}C est de 5.730 ans, assez longue pour que sa concentration à l'équilibre soit établie dans la biosphère. Tant qu'ils sont vivants, les animaux et les végétaux ont une fraction constante de leur carbone (environ $1,2 \times 10^{-10}$ %) en ^{14}C. Mais après la mort, cette concentration décroît, puisque le renouvellement en ^{14}C depuis l'environnement (nourriture, CO_2, etc.) s'arrête. En comparant le pourcentage en ^{14}C du carbone d'un fossile organique et celui du carbone de la matière actuelle, connaissant la vitesse de la disparition du ^{14}C, on peut calculer l'âge dudit fossile. Pratiquement, la limite de la méthode est d'environ dix demi-durées de vie de ^{14}C, c'est-à-dire 50.000 ans.

D'autre part, on peut trouver des amino-acides dans les os, les carapaces et les dents des animaux fossiles. Les amino-acides des êtres vivants ont la configuration L et sont optiquement purs. Mais, après la mort, les réactions biochimiques qui empêchent l'équilibration des formes L et D s'arrêtent et l'équilibration thermique progressive des deux formes commence. On peut mettre à profit cette réaction pour déterminer l'âge des fossiles, car l'importance de la racémisation est fonction de l'âge de la substance examinée.

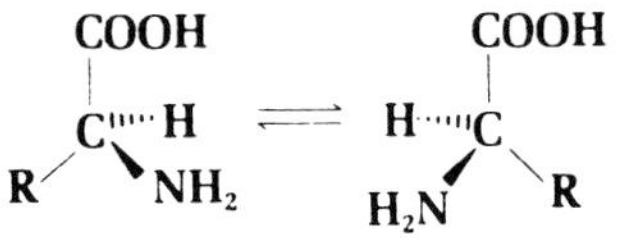

forme L   forme D

Les vitesses de racémisation des amino-acides diffèrent les unes des autres. Par exemple, à 25°C et à pH 7, la demi-vie de l'acide aspartique est d'environ 3.000 ans et celle de l'alanine d'environ 12.000 ans. Mais la vitesse de racémisation dépend aussi de la température. Ainsi, la demi-vie de l'acide aspartique à 0°C atteint 430.000 ans. Il faut donc connaître la température à laquelle a été maintenue la substance examinée, pour qu'on puisse obtenir une datation précise. Heureusement, le plus souvent, la température sous terre à une profondeur et sous un climat donnés reste constante pendant de longues périodes et peut être estimée facilement avec précision. Une publication récente estimait à 45-55 ans l'âge de la mort d'un Japonais d'une sépulture du VIIe siècle, déterminé par l'examen du rapport D/L de l'acide aspartique de ses dents.

On peut améliorer la précision en combinant plusieurs méthodes de datation ou en étalonnant une méthode avec une autre. Un avantage de la datation des amino-acides, c'est que l'importance de l'échantillon nécessaire est bien inférieure à la quantité nécessitée par la datation du ^{14}C. D'autre part, en utilisant des amino-acides différents, on peut couvrir une série de courts espaces de temps. Chacune de ces méthodes a ses avantages et ses points faibles; aussi poursuit-on la recherche de meilleures méthodes de datation.

14.3 Propriétés acide-base des amino-acides

On a examiné jusqu'ici séparément l'acidité des acides carboxyliques (chapitre 10) et la basicité des amines (chapitre 12). Dans les amino-acides, les deux fonctions sont présentes simultanément et il faut bien se poser la question: sont-elles compatibles l'une avec l'autre? Si la table 14.1 rassemble les formules des amino-acides avec leurs groupes amino et carboxyle, il faut savoir qu'il s'agit d'une grande simplification.

Figure 14.1
α-amino-acides naturels de configuration L.

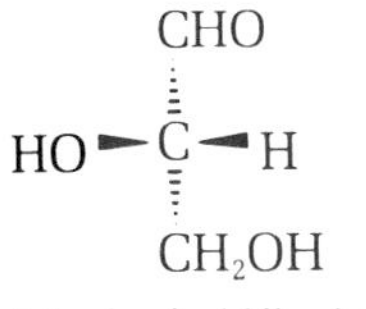

L-(−)-glycéraldéhyde 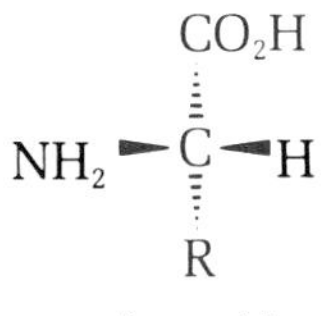   un L-amino-acide naturel

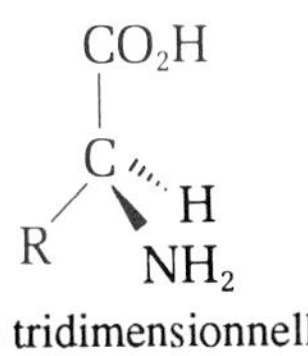

formule tridimensionnelle d'un L-amino-acide 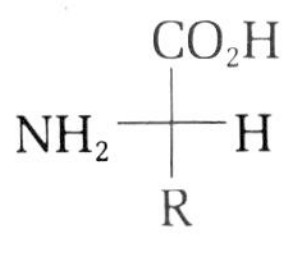   projection de Fischer d'un L-amino-acide

Table 14.1 Noms et formules des amino-acides courants

Nom	Abréviation	Formule	R
A. **Un groupe amino et un groupe carboxyle**			
1. glycine	Gly	$H-CH-CO_2H$ $\quad\quad\mid$ $\quad\quad NH_2$	
2. alanine	Ala	$CH_3-CH-CO_2H$ $\quad\quad\quad\mid$ $\quad\quad\quad NH_2$	
3. valine	Val	$CH_3CH-CH-CO_2H$ $\quad\quad\mid\quad\mid$ $\quad\quad CH_3\;\; NH_2$	R = H ou alkyle
4. leucine	Leu	$CH_3CHCH_2-CH-CO_2H$ $\quad\quad\mid\quad\quad\quad\mid$ $\quad\quad CH_3\quad\quad NH_2$	
5. isoleucine	Ile	$CH_3CH_2CH-CH-CO_2H$ $\quad\quad\quad\mid\quad\mid$ $\quad\quad\quad CH_3\; NH_2$	
6. sérine	Ser	$CH_2-CH-CO_2H$ $\mid\quad\quad\mid$ $OH\quad NH_2$	R comporte une fonction alcool
7. thréonine	Thr	$CH_3CH-CH-CO_2H$ $\quad\quad\mid\quad\quad\mid$ $\quad\quad OH\quad NH_2$	
8. cystéine	Cys	$CH_2-CH-CO_2H$ $\mid\quad\quad\mid$ $SH\quad NH_2$	Deux amino-acides soufrés
9. méthionine	Met	$CH_3S-CH_2CH_2-CH-CO_2H$ $\quad\quad\quad\quad\quad\quad\mid$ $\quad\quad\quad\quad\quad\quad NH_2$	
10. proline	Pro	$CH_2-CH-CO_2H$ $\mid\quad\quad\mid$ $CH_2\quad NH$ $\quad\searchar CH_2$	Le groupe amino est secondaire et intracyclique

Nom	Abréviation	Formule	R
11. phénylalanine	Phe	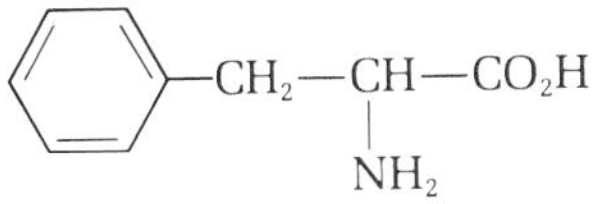	
12. tyrosine	Tyr	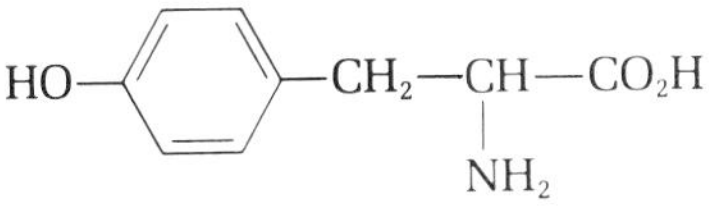	Un hydrogène de l'alanine est remplacé par un cycle aromatique ou hétéroaromatique (indole)
13. tryptophane	Trp	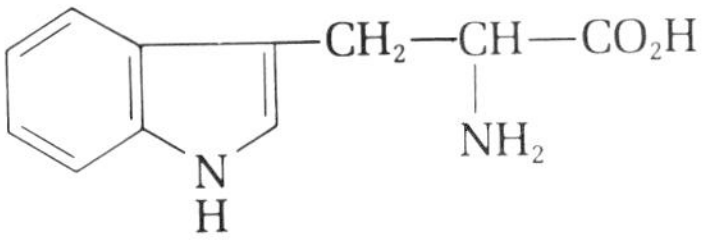	

B. Un groupe amino et deux groupes carboxyles

14. acide aspartique	Asp	$HOOC-CH_2-CH-CO_2H$ $\qquad\qquad\quad \underset{NH_2}{\vert}$	
15. acide glutamique	Glu	$HOOC-CH_2CH_2-CH-CO_2H$ $\qquad\qquad\qquad\quad \underset{NH_2}{\vert}$	
16. asparagine	Asn		amides de l'acide aspartique et de l'acide glutamique
17. glutamine	Gln		

C. Un groupe carboxyle et deux groupes basiques

18. lysine	Lys		
19. arginine	Arg		
20. histidine	His	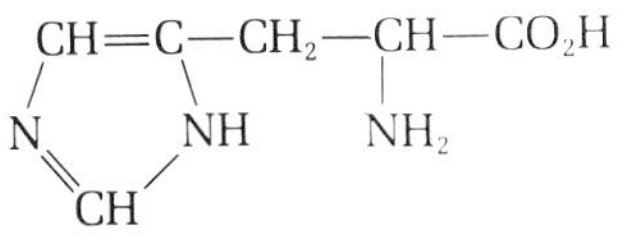	

Les amino-acides sont mieux représentés par une **structure ion dipolaire** (parfois appelée *zwitterion*, du mot allemand signifiant "ion hybride").

$$R-\underset{\underset{^+NH_3}{|}}{CH}-C\underset{O}{\overset{O}{\diagdown}}\Bigg\}^-$$

Autrement dit, le groupe amino se trouve à l'état de cation ammonium et le groupe carboxyle à l'état d'anion carboxylate. Cette structure d'ion dipolaire est confirmée par: les points de fusion assez élevés des amino-acides (le plus simple, la glycine, fond à 233°C), leur solubilité relativement faible dans les solvants organiques et leurs propriétés électriques à différents pH.

Les amino-acides sont **amphotères**: ils se comportent comme des acides, cédant un proton aux bases fortes, et comme des bases, acceptant un proton des acides forts. On exprime cela par les équilibres suivants:

$$\underset{\underset{^+NH_3}{|}}{RCHCO_2H} \underset{H^+}{\overset{OH^-}{\rightleftharpoons}} \underset{\underset{^+NH_3}{|}}{RCHCO_2^-} \underset{H^+}{\overset{OH^-}{\rightleftharpoons}} \underset{\underset{NH_2}{|}}{RCHCO_2^-} \qquad (14.1)$$

amino-acide   forme ion dipolaire   amino-acide
à pH faible (acide)   (neutre)   à pH élevé (base)

La figure 14.2 donne la courbe de titration de l'alanine, un amino-acide typique. Aux pH faibles (solutions acides), elle est sous la forme cation ammonium substitué et aux pH élevés (solutions basiques), sous la forme anion carboxylate substitué. Aux pH intermédiaires (pour l'alanine, à pH 6,02), l'amino-acide est sous la forme d'ion dipolaire.

Exemple de Problème 14.1   **Partant du chlorhydrate d'alanine, écrire les équations de ses réactions avec un équivalent de soude et avec deux équivalents de soude.**

Solution

$$\underset{\underset{^+NH_3\ Cl^-}{|}}{CH_3CHCO_2H} + Na^+OH^- \rightarrow \underset{\underset{^+NH_3}{|}}{CH_3CHCO_2^-} + Na^+Cl^- + H_2O \qquad (14.2)$$

sel d'ammonium   ion dipolaire

$$\underset{\underset{^+NH_3}{|}}{CH_3CHCO_2^-} + Na^+OH^- \rightarrow \underset{\underset{NH_2}{|}}{CH_3CHCO_2^-Na^+} + H_2O \qquad (14.3)$$

ion dipolaire   sel carboxylate

Le premier équivalent de base enlève le proton du carboxyle et donne l'ion dipolaire, et le second équivalent enlève le proton de l'ion ammonium et donne le carboxylate de sodium.

Problème 14.1   **Partant du carboxylate de sodium de l'alanine, écrire les équations de sa réaction avec un équivalent et avec deux équivalents d'acide chlorhydrique et expliquer ce que fait chaque équivalent.**

Problème 14.2   **Dans la forme sel d'ammonium de l'alanine, quel est le site le plus acide, le groupe $^+NH_3$ ou le groupe $-CO_2H$?**

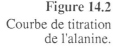

Figure 14.2
Courbe de titration
de l'alanine.

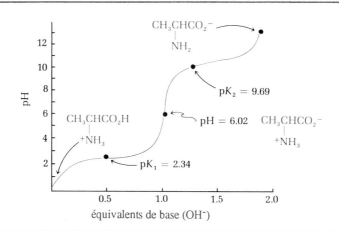

équivalents de base (OH⁻)

Problème 14.3   Dans la forme sel carboxylate de l'alanine, quel est le site le plus basique, le groupe $-NH_2$ ou le groupe $-CO_2^-$?

Problème 14.4   Classer les groupes $^+NH_3$, $-NH_2$, $-CO_2H$, $-CO_2^-$ dans l'ordre des acidités décroissantes.

Remarquons que le signe de la charge d'un amino-acide comme l'alanine change avec le pH. Il est positif aux pH bas, négatif aux pH élevés et, près de la neutralité, l'ion est dipolaire. Placé dans un champ électrique, l'amino-acide migrera vers la cathode (électrode négative) aux pH bas et vers l'anode (électrode positive) aux pH élevés (figure 14.3). A un certain pH intermédiaire, appelé **point isoélectrique**, il sera dipolaire, donc de charge nulle, et il pourra aller vers l'une ou l'autre électrode. Le point isoélectrique de l'alanine est: pH 6,02.

Exemple de Problème 14.2   Ecrire la structure de la valine:
a. au point isoélectrique   b. à pH élevé   c. à pH bas

Solution

a. $(CH_3)CHCHCO_2^-$ b. $(CH_3)_2CHCHCO_2^-$ c. $(CH_3)_2CHCHCO_2H$
        | | |
     $^+NH_3$ NH_2 $^+NH_3$

   (dipolaire)   (négative)   (positive)

Problème 14.5   Ecrire la structure de la forme prédominante des amino-acides suivants au pH indiqué. Placé dans un champ électrique, vers quelle électrode l'amino-acide concerné devrait-il migrer?
a. la phénylalanine à son point isoélectrique
b. la méthionine à pH faible
c. la sérine à pH élevé

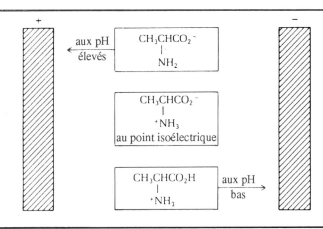

Figure 14.3
Migration d'un amino-acide dans un champ électrique. Cette migration, celle de l'alanine par exemple, dépend du pH.

Une méthode de séparation importante des amino-acides (et des protéines) est l'**électrophorèse**. Elle est basée sur leurs vitesses et leurs directions différentes de migration dans un champ électrique à pH contrôlé.

En général, les amino-acides comme l'alanine, qui n'ont qu'un seul groupe amino et un seul groupe carboxyle, ont deux valeurs de pK_a, l'une entre 2 et 3 (il s'agit du proton du carboxyle) et l'autre entre 9 et 10 (il s'agit du proton de l'ion ammonium), avec un point isoélectrique près de 6. On verra plus loin que la situation est plus complexe avec les amino-acides comportant deux groupes acides ou deux groupes basiques.

14.4 Propriétés acide-base des amino-acides comportant plus d'un groupe acide ou basique

Les acides aspartique et glutamique (les n°s 14 et 15 de la table 14.1) ont deux groupes carboxyles et un groupe amino. En milieu acide fort (pH bas), ces trois groupes sont sous leur forme acide. Si l'on élève le pH et que le milieu devient plus basique, chaque groupe abandonne successivement un proton. Dans le cas de l'acide aspartique, les équilibres et les trois valeurs de pK_a sont :

$$HO_2CCH_2CHCO_2H \overset{2.09}{\rightleftharpoons} HO_2CCH_2CHCO_2^- \overset{3.86}{\rightleftharpoons} {}^-O_2CCH_2CHCO_2^- \overset{9.82}{\rightleftharpoons} {}^-O_2CCH_2CHCO_2^- \quad \textbf{(14.4)}$$
$$\underset{{}^+NH_3}{|} \qquad\qquad \underset{{}^+NH_3}{|} \qquad\qquad \underset{{}^+NH_3}{|} \qquad\qquad \underset{NH_2}{|}$$

pH bas ————————————————————————————————→ pH élevés

Exemple de Problème 14.3   **Quel est le groupe le plus acide de l'acide aspartique?**

Solution   **Comme le montre l'équation 14.4, le premier proton cédé par la forme la plus acide de l'acide aspartique (la formule à l'extrême-gauche de l'équation) est celui du carboxyle le plus proche du substituant $^+NH_3$. En effet, ce dernier, à cause**

de sa charge positive, est attracteur d'électron, donc exalte l'acidité. Mais un tel effet disparaît vite avec la distance et l'ion dipolaire résultant du départ du proton a donc ses charges opposées les plus proches l'une de l'autre.

Problème 14.6 **Quel est le groupe le moins acide de l'acide aspartique? Pourquoi?**

Les premier et troisième pK_a de l'acide aspartique ne sont pas très différents de ceux de l'alanine; mais entre eux il y a un second pK_a (3,86) dû au carboxyle éloigné. C'est pourquoi le pH auquel la forme dipolaire prédomine est plus bas que pour les acides monocarboxyliques monoaminés. Les points isoélectriques des acides aspartique et glutamique sont voisins de pH 3.

Problème 14.7 **Pourquoi les premier et troisième pK_a de l'acide aspartique sont-ils semblables respectivement aux premier et deuxième pK_a de l'alanine?**

La situation des amino-acides ayant deux groupes basiques et un seul groupe acide est différente (nos 18, 19 et 20 de la table 14.1). Avec la lysine, par exemple, les équilibres sont:

$$
\underset{\overset{|}{+NH_3} \quad \overset{|}{+NH_3}}{CH_2(CH_2)_3CHCO_2H} \overset{2.18}{\rightleftharpoons} \underset{\overset{|}{+NH_3} \quad \overset{|}{+NH_3}}{CH_2(CH_2)_3CHCO_2^-} \overset{8.95}{\rightleftharpoons}
$$

$$
\underset{\overset{|}{+NH_3} \quad \overset{|}{NH_2}}{CH_2(CH_2)_3CHCO_2^-} \overset{10.53}{\rightleftharpoons} \underset{\overset{|}{NH_2} \quad \overset{|}{NH_2}}{CH_2(CH_2)_3CHCO_2^-} \tag{14.5}
$$

pH bas ──→ pH élevés

Le point isoélectrique atteint une valeur relativement élevée: pH 9,74.

Problème 14.8 **Comment a-t-on calculé le point isoélectrique de la lysine?**

Exemple de Problème 14.4 **Comparer les charges des espèces prédominantes de l'alanine, de l'acide aspartique et de la lysine à pH 6.**

Solution

$$
\underset{\overset{|}{+NH_3}}{CH_3CHCO_2^-} \qquad \underset{\overset{|}{+NH_3}}{^-O_2CCH_2CHCO_2^-} \qquad \underset{\overset{|}{+NH_3} \quad \overset{|}{+NH_3}}{CH_2(CH_2)_3CHCO_2^-}
$$

alanine   acide aspartique   lysine
(neutre)   (nette charge négative)   (nette charge positive)

Pour décider de la forme prédominante, on peut utiliser les chiffres de la figure 14.2 et les équations 14.4 et 14.5.

Problème 14.9 **Quel serait l'effet d'un champ électrique sur un mélange d'alanine, d'acide aspartique et de lysine à pH 6? à pH 2? à pH 10?**

Le second groupe basique de l'arginine et de l'histidine n'est pas un simple groupe amino, car il s'agit respectivement d'un groupe **guanidine** et d'un cycle **imidazole** dont les formes les plus protonées sont:

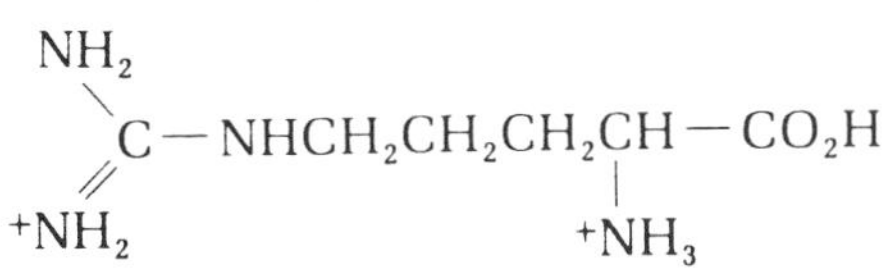

$$\underset{\substack{+NH_2}}{\overset{\substack{NH_2}}{\underset{\|}{C}}} - NHCH_2CH_2CH_2\underset{+NH_3}{CH} - CO_2H$$

arginine à pH 1

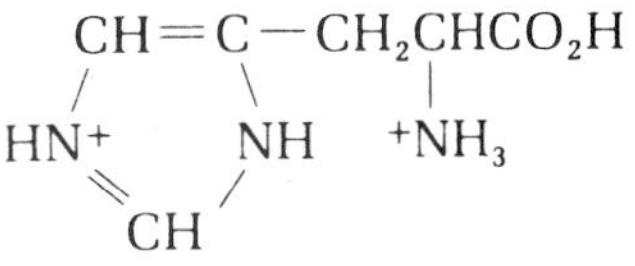

$$\underset{CH}{\overset{CH=C-CH_2\overset{+NH_3}{CH}CO_2H}{HN^+ \quad NH}}$$

histidine à pH 1

Exemple de Problème 14.5   **Le groupe le plus acide de l'arginine est le groupe guanidinium. Expliquer pourquoi ce groupe est stabilisé par résonance.**

Solution   **La charge + est délocalisée sur les trois azotes comme suit:**

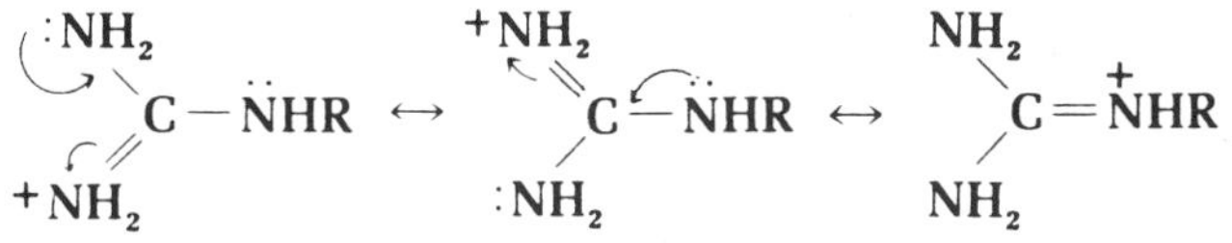

$$\underset{+NH_2}{\overset{:NH_2}{C}}-\ddot{N}HR \leftrightarrow \underset{:NH_2}{\overset{+NH_2}{C}}-\ddot{N}HR \leftrightarrow \underset{NH_2}{\overset{NH_2}{C}}=\overset{+}{N}HR$$

C'est pourquoi ce groupe est beaucoup moins acide que le groupe $^+NH_3$ où la charge est localisée sur un seul azote.

Problème 14.10   **Expliquer la délocalisation de la charge positive du cycle imidazole protoné de l'histidine. Ce dernier doit-il être plus acide ou moins acide que l'ion guanidinium de l'arginine? Pourquoi?**

Problème 14.11   **L'arginine a trois pK_a: à 1,82 (le COOH), à 8,99 (le $^+NH_3$) et à 13,20. Ecrire les équilibres de sa dissociation (analogues à l'équation 14.5). A quel pH approximativement devrait-on trouver le point isoélectrique? Quelle devrait être la structure de l'ion dipolaire?**

14.5 Réactions des amino-acides

Outre leurs propriétés acides et basiques, les amino-acides donnent les réactions typiques des fonctions acide carboxylique et amine. Ainsi, on peut estérifier le groupe carboxyle:

$$R-\underset{+NH_3}{\overset{}{CH}}-CO_2^- + R'OH + H^+ \overset{\Delta}{\longrightarrow} R-\underset{+NH_3}{\overset{}{CH}}-CO_2R' + H_2O \qquad \text{(14.6)}$$

On peut acyler le groupe amino et obtenir l'amide correspondant:

$$R-\underset{+NH_3}{\overset{}{CH}}-CO_2^- + R'-\overset{\overset{O}{\|}}{C}-Cl \overset{OH^-}{\longrightarrow} R-\underset{\underset{\overset{\|}{O}}{HNC-R'}}{\overset{}{CH}}-CO_2^- + H_2O + Cl^- \qquad \text{(14.7)}$$

L'intérêt de telles réactions est surtout de pouvoir modifier ou protéger provisoirement l'un ou l'autre des groupes fonctionnels, notamment dans la synthèse des peptides ou des protéines, par l'enchaînement contrôlé des amino- acides.

Problème 14.12   Comme on l'a fait avec les équations 14.6 et 14.7, écrire les équations des réactions suivantes:

a. phénylalanine $+$ CH_3OH $+$ HCl $\rightarrow$

b. valine $+$ chlorure de benzoyle $+$ OH^- $\rightarrow$

c. glycine $+$ anhydride acétique $\rightarrow$

14.6 Réaction avec la ninhydrine

La **ninhydrine** est un réactif intéressant permettant de détecter les amino-acides et de déterminer la concentration de leurs solutions. C'est l'hydrate d'une tricétone cyclique, qui réagit avec les amino-acides en donnant une coloration violette. Le bilan de la réaction, complexe, est le suivant:

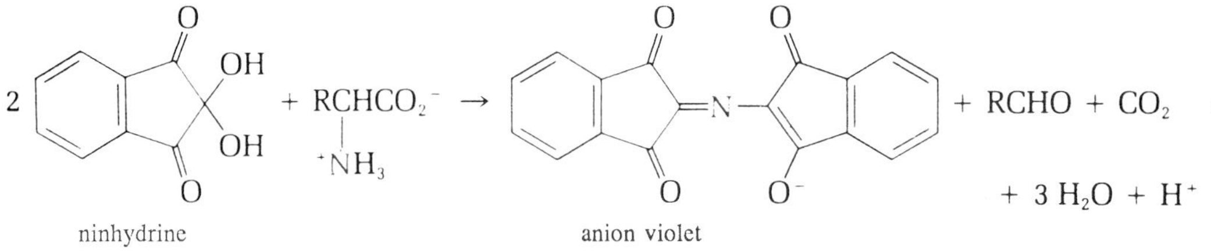

ninhydrine   anion violet

L'amino-acide ne contribue que par son atome d'azote à la formation du colorant violet, le reste étant converti en dioxyde de carbone et en un aldéhyde. Le même colorant violet est donc produit par tous les α-amino-acides ayant un groupe primaire NH_2 et l'intensité de la couleur est directement proportionnelle à la concentration de l'amino-acide présent. Seule la proline, qui n'a qu'un groupe secondaire $-NH$ (voir la table 14.1), ne donne pas de coloration violette. Elle réagit différemment en donnant un colorant jaune, qu'on peut utiliser pour son analyse.

Problème 14.13   Ecrire la réaction de l'alanine avec la ninhydrine.

14.7 Peptides

L'enchaînement des amino-acides (aa) dans les peptides et les protéines met en jeu la formation d'un amide entre le groupe carboxyle d'un amino-acide (aa_1) et le groupe α-amino d'un autre amino-acide (aa_2). On appelle, avec Fischer, **liaison peptidique**, la liaison amide $OC-NH$ ainsi créée, et **dipeptide**, la molécule comportant une telle liaison entre deux amino-acides.

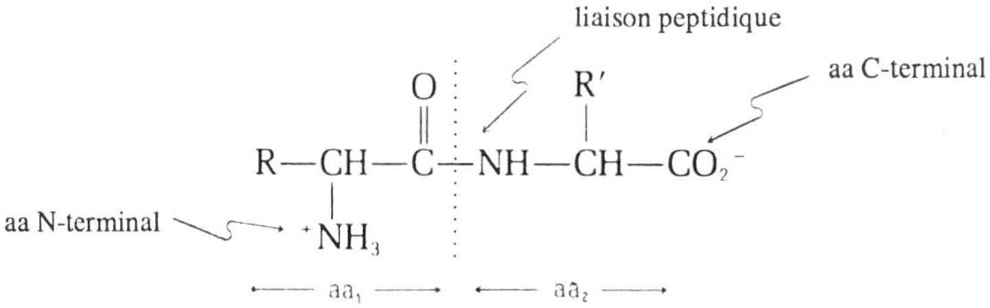

Par convention, on écrit la liaison peptidique comme ci-dessus, c'est-à-dire en plaçant à gauche l'amino-acide porteur du groupe libre $^+NH_3$ et à droite l'amino-acide porteur du groupe libre CO_2^-. On appelle le premier, l'**amino-acide** (ou le résidu ou l'abréviation aa$_1$) **N-terminal** et le second, l'**amino-acide** (ou le résidu ou l'abréviation aa$_2$) **C-terminal**.

Exemple de Problème 14.6   **Ecrire les structures possibles du dipeptide fait de la jonction d'alanine et de glycine par une liaison peptidique.**

Solution   **Il y a deux possibilités:**

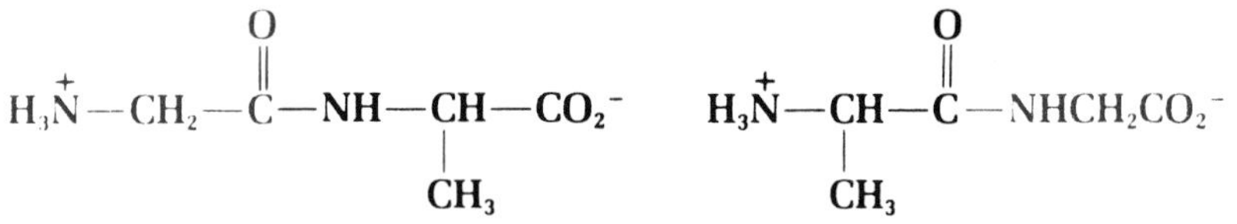

$$H_3\overset{+}{N}-CH_2-\overset{\overset{\displaystyle O}{\|}}{C}-NH-CH-CO_2^- \qquad\qquad H_3\overset{+}{N}-CH-\overset{\overset{\displaystyle O}{\|}}{C}-NHCH_2CO_2^-$$
$$\qquad\qquad\qquad\qquad\quad |\qquad\qquad\qquad\qquad\qquad |$$
$$\qquad\qquad\qquad\qquad\quad CH_3\qquad\qquad\qquad\qquad\quad CH_3$$

           glycylalanine   alanylglycine

La glycine est l'amino-acide N-terminal et l'alanine l'amino-acide C-terminal de la glycylalanine, tandis que les rôles sont inversés dans l'alanylglycine. Les deux dipeptides sont des isomères de constitution.

Problème 14.14   **Ecrire les formules développées de la valylalanine et de l'alanylvaline.**

Pour écrire la formule des peptides, on utilise surtout l'abréviation des trois premières lettres de chaque amino-acide en partant de l'extrémité N-terminale de gauche. La glycylalanine, par exemple, s'écrit Gly-Ala et l'alanyl-glycine Ala-Gly.

Exemple de Problème 14.7   **Considérons le tripeptide de formule abrégée Gly-Ala-Ser. Quel est l'amino-acide N-terminal et l'amino-acide C-terminal?**

Solution   **L'amino-acide N-terminal est évidemment la glycine et l'amino-acide C-terminal est la sérine. Tous deux sont liés à l'amino-acide central par des liaisons peptidiques.**

Problème 14.15   **Ecrire la formule développée complète de Gly-Ala-Ser.**

Problème 14.16   **Ecrire les formules abrégées de tous les tripeptides isomères possibles de Gly-Ala-Ser.**

La complexité possible des structures peptidiques et protéiques est vraiment fantastique. Le problème 14.16 a montré que, pour un tripeptide fait de 3 amino-acides différents, il y a 6 arrangements possibles. Ce chiffre est de 24 pour un tétrapeptide, etc., etc. et de 40.320 pour un octapeptide. Et ce calcul néglige les complications qui viendraient de la considération de la chiralité du carbone α et d'autres carbones.

Avant de considérer la struture de peptides et de protéines particuliers, il nous faut maintenant examiner une autre petite complication.

14.8 Liaison disulfure

Entre amino-acides des peptides et des protéines, un type de liaison covalente autre que la liaison peptidique est la **liaison disulfure**. Elle assemble deux unités **cystéine**. On a déjà vu que les thiols s'oxydent aisément en disulfures (équation 7.44) et lorsque deux unités cystéine sont proches l'une de l'autre dans l'espace, elles peuvent se lier par une liaison disulfure.

$$\text{(14.9)}$$

Si ces deux unités se trouvent dans différentes parties d'une même chaîne peptidique, la liaison disulfure entre elles formera une "boucle" ou grand cycle. Si elles appartiennent à deux chaînes différentes, la liaison disulfure les attachera l'une à l'autre. On verra plus loin quelques exemples de tels arrangements. Enfin, il faut aussi se souvenir que ces liaisons S—S sont facilement rompues par les agents réducteurs doux (voir aussi page 239).

A PROPOS DE PEPTIDES NATURELS

On a isolé de la matière vivante de nombreux peptides comportant un assez petit nombre d'amino-acides par molécule et ils jouent souvent un rôle biologique important. En voici quelques-uns. La *bradykinine* est un nonapeptide présent dans le plasma sanguin, qui intervient dans la régulation de la pression du sang. On a trouvé aussi dans le cerveau plusieurs peptides qui doivent intervenir dans la transmission de l'influx nerveux. L'un d'eux est la *substance P,* un décapeptide qu'on suppose jouer un rôle dans la transmission de la douleur.

Arg—Pro—Pro—Gly —Phe—Ser —Pro—Phe—Arg
bradykinine

Arg—Pro—Lys—Pro—Gln—Phe—Phe—Gly—Leu—Met
substance P

L'oxytocine (figure 14.4) et la *vasopressine* sont deux hormones nonapeptides cycliques produites par la glande pituitaire postérieure. L'oxytocine régule les contractions utérines et la lactation et on peut l'administrer à la parturiente pour faciliter l'accouchement. Remarquons d'abord que sa structure comporte deux unités cystéine liées par une liaison disulfure et que l'amino-acide C-terminal, la glycine, est présent sous la forme amide.

La vasopressine ne diffère de l'oxytocine que par le remplacement de Ile par Phe et de Leu par Arg. Elle régule l'excrétion de l'eau par les reins et intervient sur la pression du sang. Le "diabète insipide", dans lequel l'excrétion d'urine est trop abondante, est la conséquence d'une déficience en vasopressine et il peut être traité par cette hormone.

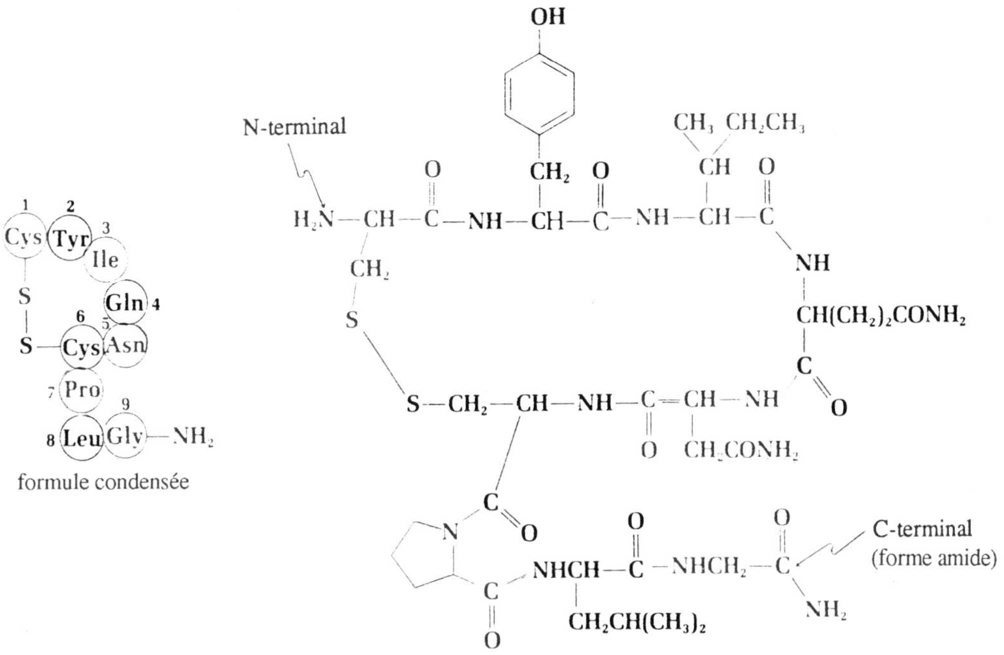

formule détaillée

oxytocine

poudre blanche, $[\alpha]_D^{22}$ – 26,2°C (eau)

Figure 14.4 Un nonapeptide, l'hormone oxytocine.

Le reste du présent chapitre sera consacré à l'architecture des peptides et des protéines. Dans cette étude, il est commode de se référer à plusieurs niveaux de structure et de déterminer: les amino-acides (ou résidus) présents et le nombre de chacun d'eux par molécule peptidique ou protéique, leur séquence (ou ordre) dans la chaîne, leur forme hélicoïdale, sphérique ou en feuillets, et leur agrégation.

On considère quatre niveaux dans cette optique, qu'on appelle les structures primaire, secondaire, tertiaire et quaternaire.

14.9 Structure primaire des peptides et des protéines

Les premières choses qu'il faut savoir pour pouvoir écrire la structure d'un peptide ou d'une protéine, ce sont: (1) quels sont les amino-acides présents et combien y en a-t-il de chaque type, et (2) quelle est leur séquence dans la chaîne. Dans ce paragraphe, on exposera brièvement les modes d'obtention de ces informations et déterminera ainsi ce qu'on appelle d'habitude la structure primaire du peptide ou de la protéine.

Figure 14.5
Séparation des divers amino-acides de l'hydrolysat d'un peptide sur une résine échangeuse d'ions. Pour éluer les différents amino-acides fixés sur la colonne, on utilise des solvants-tampons de différents pH (mentionnés en haut de la figure). On identifie chaque amino-acide par comparaison avec les trois profils d'élution standards obtenus avec des mélanges d'amino-acides connus. La quantité de chacun des amino-acides est proportionnelle à l'aire de chacun des pics.

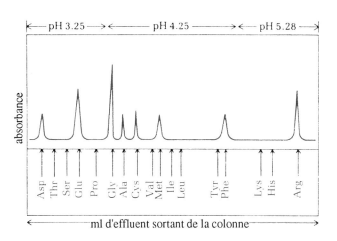

14.9a Détermination de la composition en amino-acides

L'hydrolyse complète d'un peptide ou d'une protéine conduit à un mélange d'amino-acides. Pratiquement cela se fait par chauffage avec HCl, 6N à 110°C pendant 24 heures. L'analyse de cet hydrolysat utilise un mode de séparation de ces amino-acides permettant d'identifier chacun d'eux et d'en déterminer les proportions.

A l'heure actuelle, un appareil, appelé **analyseur d'amino-acides**, fait tout cela automatiquement de la manière suivante. La composition du mélange d'amino-acides obtenu par hydrolyse complète de quelques milligrammes du peptide ou de la protéine en question est déterminée par chromatographie par échange d'ions. Cet hydrolysat est placé au sommet d'une colonne remplie d'une résine insoluble qui, par ses groupes fortement acides qui protonent les amino-acides, les absorbe sélectivement. Puis, on fait passer sur la colonne des solutions tampons à pH croissants, qui entraînent sélectivement les amino-acides selon leur structure et leur basicité, permettant ainsi leur séparation.

Les amino-acides séparés, présents dans les collecteurs de fractions de chromatographie, sont détectés par la couleur qu'ils donnent par chauffage avec la ninhydrine, les fractions devenant alors alternativement violettes ou restant incolores selon qu'elles comportent ou non un amino-acide. L'intensité de la couleur est automatiquement enregistrée en fonction du volume de l'éluant. Chaque amino-acide est identifié par comparaison du profil chromatographique de l'hydrolysat avec celui d'un mélange standard d'amino-acides. En outre, l'intensité de chaque pic du chromatogramme donne une mesure quantitative de la quantité de chacun d'eux. La figure 14.5 donne un tel chromatogramme obtenu avec un analyseur automatique.

14.9b   Détermination de la séquence d'amino-acides

En 1953, l'Anglais F. Sanger (Université de Cambridge) publia ses travaux sur la séquence (ou ordre) des amino-acides de l'insuline, une hormone protéique constituée de 51 unités amino-acides. Il s'agissait incontestablement d'un événement marquant de l'histoire de la biochimie, car il était montré pour la première fois qu'une protéine a une séquence d'amino-acides parfaitement définie et l'auteur reçut, en 1958, le premier de ses (deux) prix Nobel.

Considérons une chaîne polypeptidique. L'amino-acide N-terminal diffère de tous les autres de la séquence par son groupe NH_2 libre. En mettant en réaction le polypeptide en question avec un certain réactif avant l'hydrolyse, on marque l'amino-acide N-terminal qu'on doit pouvoir ainsi, après l'hydrolyse, identifier.

$$aa_1 - aa_2 - aa_3 - aa_4 - aa_5$$

$$\downarrow \text{réactif X (réagit avec les groupes amino)}$$

$$X - aa_1 - aa_2 - aa_3 - aa_4 - aa_5$$

$$\downarrow \text{hydrolyse complète}$$

$$X - aa_1 + aa_2 + aa_3 + aa_4 + aa_5$$

Le réactif de Sanger est le 2,4-dinitrofluorobenzène qui réagit avec le groupe NH_2 des amino-acides et des peptides en donnant des dérivés 2,4-dinitro-phényliques, jaunes.

$$O_2N - \underset{\text{2,4-dinitrofluorobenzène}}{\bigcirc}^{NO_2} - F + \underset{\text{amino-acide}}{H_2N - \overset{R}{\underset{|}{CH}} - CO_2H} \xrightarrow{\text{base faible}} O_2N - \underset{\text{DNP-amino-acide}}{\bigcirc}^{NO_2} - NH - \overset{R}{\underset{|}{CH}} - CO_2H + F^- \quad \textbf{(14.10)}$$

Exemple de problème 14.8   Comment pourrait-on distinguer l'alanylglycine de la glycylaianine?

Solution   **Par hydrolyse, les deux dipeptides donneront un équivalent d'alanine et de glycine. On ne pourra faire la distinction entre les deux par une simple hydrolyse. On va d'abord traiter le dipeptide par du 2,4-dinitrofluorobenzène et hydrolyser ensuite. Si le dipeptide est l'alanylglycine, on obtiendra glycine + DNP-alanine; mais si le dipeptide est la glycylalanine, on aura alanine + DNP-glycine.**

Problème 14.17   A l'aide de l'équation 14.10, écrire les réactions de l'exemple de problème 14.8.

Bien sûr, la méthode de Sanger ne permet d'identifier qu'un seul amino-acide de la séquence, l'amino-acide N-terminal. Ce biochimiste put néamoins utiliser la technique avec succès, par exemple en hydrolysant partiellement l'insuline, en séparant les peptides de plus petite taille ainsi formés et en identifiant les amino-acides N-terminaux de ces derniers. Mais on peut imaginer une meilleure méthode: ne détacher qu'un amino-acide à la fois d'une chaîne peptidique, en commençant par l'extrémité N-terminale, et l'identifier systématiquement.

Une telle méthode fut proposée en 1950 par le biochimiste suédois P. Edman (Université de Lund). Le réactif d'Edman est l'isothiocyanate de phényle C_6H_5—N=C=S. Les étapes du marquage et de la disjonction sélectifs de l'amino-acide N-terminal font l'objet de la figure 14.6.

Dans la première étape, l'amino-acide N-terminal agit comme nucléophile sur la liaison C=S du réactif en formant un dérivé de la thiourée. Dans la seconde, l'amino-acide N-terminal est enlevé sous la forme d'un composé hétérocyclique, une phénylthiohydantoïne, identifiable par comparaison avec des composés de référence préparés à partir d'amino-acides connus. A l'heure actuelle, avec les appareils automatiques que sont les "séquenceurs", il est facile de déterminer en un jour la séquence des vingt premiers amino-acides d'un polypeptide en partant de l'extrémité N-terminale.

14.9c Coupure sélective des liaisons peptidiques.

Même la méthode d'Edman n'est pas indéfiniment utilisable à cause de l'accumulation d'impuretés à chaque étape. Il s'ensuit que lorsqu'une protéine comporte plusieurs centaines d'unités amino-acides, il est préférable d'hydrolyser partiellement la chaîne en fragments plus petits qu'on peut alors séparer et soumettre au séquenceur. On utilise certains réactifs et certains enzymes pour ce type d'hydrolyse, dont la table 14.2 donne quelques exemples.

Figure 14.6

Dégradation des peptides par la méthode d'Edman.

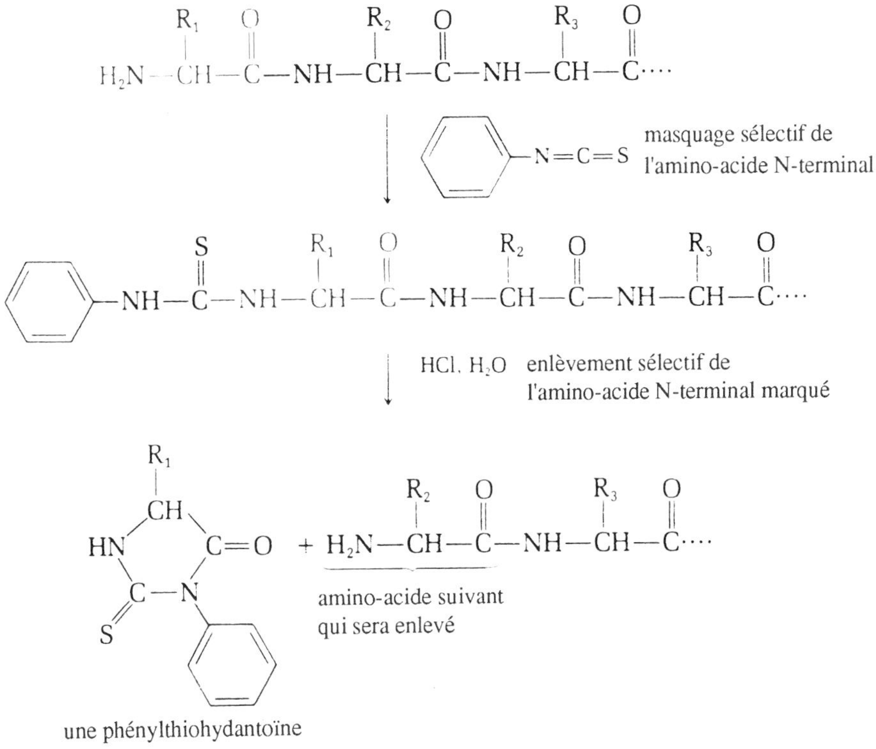

Table 14.2	Réactifs	Point de coupure
Exemples de réactifs utilisés pour la coupure spécifique de polypeptides	trypsine	côté carboxylique de la lysine et arginine
	chymotrypsine	côté carboxylique de la phénylatanine, tyrosine, tryptophane
	bromure de cyanogène	côté carboxylique de la méthionine
	carboxypeptidase	un amino-acide C-terminal

Exemple de problème 14.9   Soit le peptide suivant:

Ala – Gly – Tyr– Trp – Ser – Lys – Gly – Leu – Met – Gly

Déterminer les fragments qui seront obtenus par hydrolyse avec:
a. la trypsine   b. la chymotrypsine   c. le bromure de cyanogène.

Solution   **a.** L'enzyme trypsine coupera le peptide sur le côté carboxyle de la lysine et donnera:

Ala – Gly – Tyr – Trp – Ser – Lys   et   Gly – Leu – Met – Gly.

b. L'enzyme chymotrypsine coupera le peptide sur les côtés carboxyle de la tyrosine et du tryptophane et donnera:

Ala – Gly – Tyr,   Trp   et   Ser – Lys – Gly – Leu – Met – Gly

c. Le bromure de cyanogène coupera le peptide sur le côté carboxyle de la méthionine, enlèvera la glycine, l'amino-acide C-terminal, et laissera le reste intact. La carboxypeptidase donnerait la même chose, confirmant que la glycine est bien l'amino-acide C-terminal.

Problème 14.18   Quels fragments obtiendrait-on en hydrolysant la bradykinine (voir page 438) avec les enzymes suivants:
a. la trypsine   b. la chymotrypsine?

Pendant ces quinze dernières années, on a amélioré et étendu les méthodes décrites ci-dessus, en utilisant notamment de nouvelles techniques chromatographiques, de nouvelles méthodes de détection et une autre instrumentation telle que la spectrométrie de masse; on peut maintenant séparer et analyser des peptides et des protéines rares sur des quantités aussi infimes que 10^{-11} mole.

14.10 Détermination raisonnée des séquences d'amino-acides

Illustrons par un exemple le raisonnement qui permet de déterminer pleinement la séquence des amino-acides d'un peptide donné comportant 30 unités amino-acides. On fait d'abord l'hydrolyse complète du peptide et l'on soumet l'hydrolysat à l'analyse des amino-acides. On trouve que sa formule est:

$$Ala_2ArgAsnCys_2GlnGlu_2Gly_3His_2Leu_4LysPhe_3ProSerThrTyr_2Val_3$$

La méthode de Sanger nous apprend ensuite que l'amino-acide N-terminal est Phe. Supposons maintenant que la chaîne est trop longue pour pouvoir être complètement dégradée par la méthode d'Edman. Pour simplifier le problème, on décide donc de soumettre le peptide à la coupure par la chymotrypsine. (On choisit cet enzyme, parce qu'on a remarqué que le peptide intact comporte trois unités Phe et deux Tyr qui devraient être coupées par elle). On constate que le peptide est ainsi coupé en trois fragments peptidiques + 2 équivalents de Phe + 1 équivalent de Tyr. On soumet les trois fragments peptidiques à la dégradation d'Edman et on en déduit leurs structures:

A. Leu – Val – Cys – Gly – Glu – Arg – Gly – Phe

B. Val – Asn – Gln – His – Leu – Cys – Gly – Ser – His – Leu – Val – Glu – Ala – Leu – Tyr

$$\quad\ \ 27 \quad\ 28 \quad\ 29 \quad\ 30$$
C. Thr – Pro – Lys – Ala

On ne peut encore écrire une structure unique pour le peptide originel, mais on peut dire que l'amino-acide C-terminal doit être Ala et que les quatre derniers amino-acides constituent la séquence du fragment **C**. On peut affirmer cela parce qu'on sait que Ala n'est pas coupé à son extrémité carboxyle par la chymotrypsine. (Remarquons que les amino-acides C-terminaux des fragments **A** et **B** sont Phe et Tyr, tous deux coupés à leur extrémité carboxyle par la chymotrypsine.) On confirme, en utilisant la carboxypeptidase, que l'amino-acide C-terminal est bien Ala. Bref les amino-acides du fragment **C** sont les n°s 27-30 de la chaîne.

Que faire ensuite? Le bromure de cyanogène ne peut rien apporter puisque le peptide ne comporte pas d'unité Met. Par contre ce dernier comporte les unités Lys et Arg; soumettant alors le peptide intact à l'action de la trypsine, on obtient, comme prévu, de l'Ala (l'amino-acide C-terminal) parce que située juste à droite de Lys. On obtient aussi deux peptides, dont l'un relativement court, examiné par la méthode d'Edman, est montré avoir la séquence:

$$\qquad\quad 23 \quad\ 24 \quad\ 25 \quad\ 26 \quad\ 27 \quad\ 28 \quad\ 29$$
D. Gly – Phe – Phe – Tyr – Thr – Pro – Lys

Constatant que les trois derniers amino-acides du fragment **D** sont les unités 27, 28 et 29, on peut numéroter le reste de la chaîne jusqu'à 23. Remarquons maintenant qu'on trouve les amino-acides 23 et 24 à l'extrémité du fragment **A**, ce qui implique la connexion originale entre **A** et **C**. La seule place restant possible pour le fragment **B** est devant **A** et celle du troisième Phe en position N-terminale est aussi confirmée. On peut maintenant écrire la sequence complète:

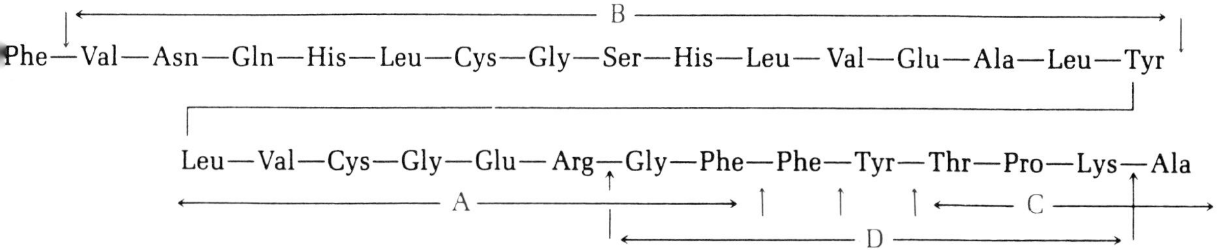

Les points de coupure par la chymotrypsine sont montrées par les flèches colorées et ceux qui sont obtenus avec la trypsine par les flèches noires.

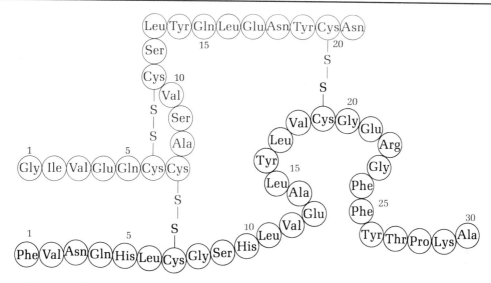

Figure 14.7   Structure primaire de l'insuline du boeuf. La chaîne A est colorée et la chaîne B, dont la détermination de la structure est exposée dans le texte, est en noir.

En fait, le peptide choisi pour cette illustration est la chaîne B d'une hormone protéique, l'**insuline**, dont la structure a été déterminée pour la première fois par Sanger et dont le schéma fait l'objet de la figure 14.7. L'insuline est constituée d'une chaîne A de 21 unités amino-acides et d'une chaîne B de 30 unités amino-acides, toutes deux étant reliées par deux liaisons disulfures et la chaîne A comportant en plus une petite "boucle" disulfure.

Problème 14.19   **Quels peptides obtiendrait-on en traitant la chaîne A de l'insuline par la chymotrypsine?**

A PROPOS DES PROTEINES ET DE L'EVOLUTION DES ESPECES

La détermination des séquences d'amino-acides dans les protéines est importante à plus d'un titre.

Il faut d'abord connaître la structure détaillée des protéines pour comprendre leur fonctionnement au niveau moléculaire. Cette séquence est le lien entre le message génétique codé dans l'ADN et la structure spatiale de la protéine qui est à la base de sa fonction biologique.

Il y a aussi des raisons médicales à notre connaissance des séquences d'amino-acides. Certaines maladies génétiques, comme l'anémie drépanocytaire, peuvent résulter du changement d'un seul résidu (ou unité) amino-acide d'une protéine (Dans ce cas, il s'agit du remplacement de l'acide glutamique par un résidu valine en position 6 dans la chaîne β de l'hémoglobine). La détermination des séquences d'amino-acides est donc une partie importante de la pathologie. Une future application de l'ingénierie génétique sera peut-être de trouver des moyens de corriger de telles erreurs dans ces séquences.

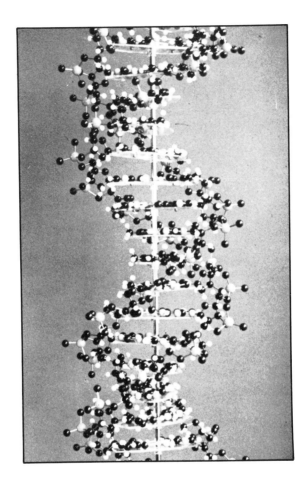

La détermination de ces séquences est aussi une approche chimique de l'histoire de l'évolution des êtres vivants, celles des protéines ayant un ancêtre évolutionnaire commun présentant des similitudes. C'est le cas du cytochrome *c*, un enzyme intervenant dans la respiration de nombreux végétaux et animaux, qui est une protéine globulaire de transport d'électrons, constituée de 104 résidus amino-acides et qui est impliquée dans des processus d'oxydo-réduction. Dans ces processus, il doit réagir avec un complexe enzymatique (la cytochrome réductase) et transférer un électron de ce dernier à un autre (la cytochrome oxydase).

Vraisemblablement, le cytochrome *c* s'est développé il y a plus de 1,5 milliard d'années, avant la divergence évolutionnaire des végétaux et des animaux et sa fonction s'est maintenue au cours des temps. On sait cela parce que le cytochrome *c* isolé à partir de tout microorganisme eucaryotique réagit in vitro avec la cytochrome oxydase de toute autre espèce. Par exemple, le cytochrome *c* du germe de blé réagit avec la cytochrome *c* oxydase humaine. De plus, la structure spatiale du cytochrome *c* isolé à partir de sources telles que le coeur de thon et celle du cytochrome *c* obtenu par photosynthèse bactérienne, sont très semblables.

La forme et les fonctions des échantillons de cytochrome *c* isolés à partir de sources différentes sont analogues, mais les séquences des résidus amino-acides varient quelque peu d'une espèce à l'autre. Ainsi la séquence du cytochrome *c* obtenu à partir de l'homme ne diffère de celle du cytochrome *c* obtenu à partir du singe que par un seul des 104 résidus amino-acides. Par contre, le cytochrome *c* du chien, une espèce plus éloignée dans l'arbre de l'évolution, diffère de celui de l'homme par onze résidus amino-acides.

14.11 Synthèse des peptides

Une fois connue la séquence d'amino-acides d'un peptide ou d'une protéine, il est possible d'en faire la synthèse à partir de ses composants amino-acides. L'intérêt d'une telle synthèse est multiple. Ce peut être de vérifier la structure d'un peptide déterminé en comparant ses propriétés à celles de substances naturelles, ou d'étudier l'effet de la substitution d'une unité amino-acide par une autre sur les propriétés biologiques d'un peptide, ou de changer un enzyme en modifiant spécifiquement sa séquence d'amino-acides.

On a mis au point plusieurs méthodes pour lier les amino-acides de manière spécifique. Elles nécessitent une stratégie prudente. Les amino-acides étant bifonctionnels, pour lier le groupe carboxyle de l'un au groupe amino d'un autre, il faut d'abord protéger le groupe amino du premier et le groupe carboxyle du second:

$$H_2N-\overset{\overset{\displaystyle R_1}{|}}{CH}-CO_2H \xrightarrow[\text{groupe amino}]{\text{protéger le}} \boxed{P_1}-NH-\overset{\overset{\displaystyle R_1}{|}}{CH}-CO_2H$$

$$aa_1$$

(14.11)

$$H_2N-\overset{\overset{\displaystyle R_2}{|}}{CH}-CO_2H \xrightarrow[\text{groupe carboxyle}]{\text{protéger le}} H_2N-\overset{\overset{\displaystyle R_2}{|}}{CH}-\overset{\overset{\displaystyle O}{\|}}{C}-\boxed{P_2}$$

$$aa_2$$

On peut ainsi contrôler la formation de la liaison entre ces deux amino-acides et avoir la combinaison du groupe carboxyle de aa_1 avec le groupe amino de aa_2:

liaison peptidique

$$\boxed{P_1}-NHCHCO_2H + H_2N-\overset{\overset{\displaystyle R_2}{|}}{CH}-\overset{\overset{\displaystyle O}{\|}}{C}-\boxed{P_2} \xrightarrow{-H_2O} \boxed{P_1}-NHCH-\boxed{\overset{\overset{\displaystyle O}{\|}}{C}-NH}-\overset{\overset{\displaystyle R_2}{|}}{CH}-\overset{\overset{\displaystyle O}{\|}}{C}-\boxed{P_2}$$

(14.12)

dipeptide doublement protégé

Exemple de Problème 14.10   **Qu'arrivera-t-il si l'on essaie de combiner aa_1 avec aa_2 sans utiliser de groupes protecteurs?**

Solution   **Puisque chaque amino-acide peut réagir comme amine et comme acide, on doit obtenir non seulement aa_1-aa_2, mais aussi aa_2-aa_1, aa_1-aa_1 et aa_2-aa_2. De plus, les dipeptides résultants ayant encore un groupe amino et un groupe carboxyle libres, peuvent conduire en plus à des trimères, tétramères, etc.**

Après formation de la liaison peptidique, il faut enlever les groupes protecteurs sans pour cela hydrolyser cette liaison peptidique et ainsi tout perdre. S'il faut ajouter à la chaîne d'autres amino-acides, on doit pouvoir enlever sélectivement l'un des deux groupes protecteurs du dipeptide protégé à chaque extrémité. Tout cela peut être très compliqué et fastidieux. Cependant, ces méthodes ont été utilisées par Vincent du Vigneaud et ses collaborateurs (Université Cornell; prix Nobel 1955) pour synthétiser l'oxytocine et la vasopressine, les premiers polypeptides naturels qu'on ait pu préparer au laboratoire.

En 1965, R.B. Merrifield (Université Rockefeller) (prix Nobel 1984) mit au point la **technique en phase solide** de préparation des peptides, qui évite les côtés fastidieux des méthodes précédentes et qui est actuellement universellement utilisée. Le principe est de construire, amino-acide par amino-acide, la chaîne peptidique dont une extrémité est attachée chimiquement à un solide inerte, insoluble. On peut ainsi, à chaque étape, se débarrasser aisément des réactifs en excès et des sous-produits par simples lavages et filtrations du solide, et il n'est pas nécessaire de purifier chaque fois la chaîne peptidique en construction. Quand celle-ci est terminée, on la détache chimiquement du solide.

La phase solide est un polymère à chaînes pontées dont une certaine proportion des cycles aromatiques (1 à 2 %) comporte un groupe chloro-méthyle $ClCH_2-$.

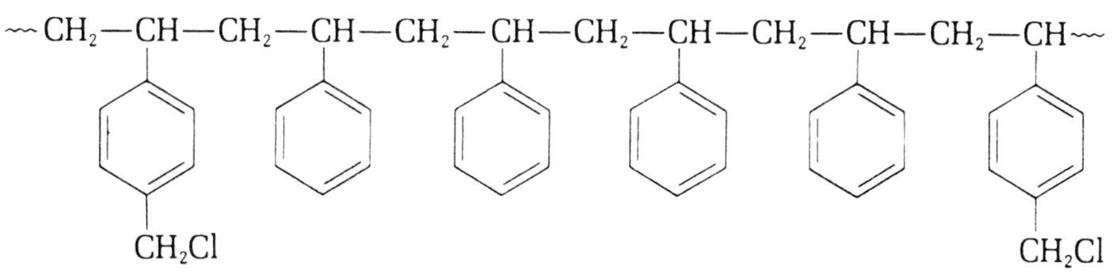

Ce polymère se conduit chimiquement comme le chlorure de benzyle, un halogénure d'alkyle très réactif dans les réactions de substitution nucléophile.

On traite ce polymère par un amino-acide N-protégé. L'ion carboxylate de ce dernier réagit comme un nucléophile oxygéné et déplace l'ion chlorure, formant ainsi une liaison d'ester. Le premier amino-acide ainsi installé sur le polymère deviendra éventuellement l'amino-acide C-terminal du peptide synthétique.

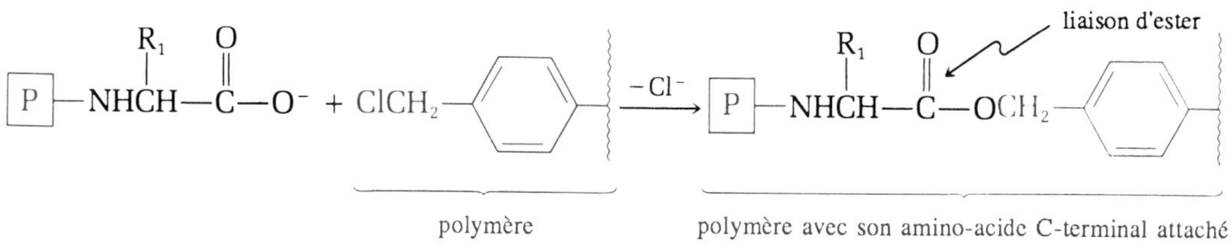

$$(14.13)$$

polymère   polymère avec son amino-acide C-terminal attaché

On enlève alors le groupe protecteur et on ajoute à la chaîne l'amino-acide N-protégé suivant.

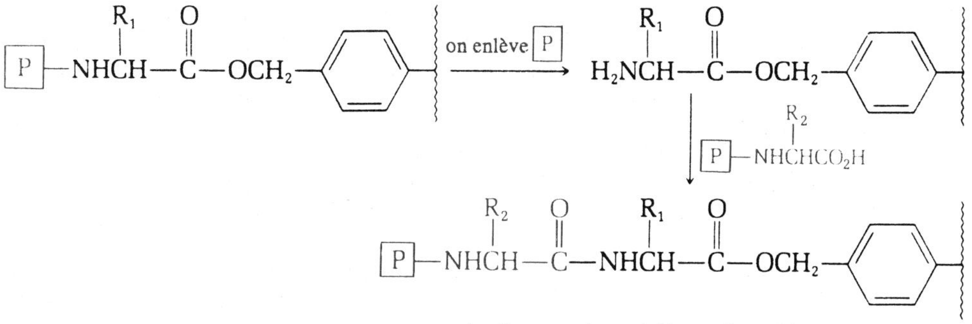

$$(14.14)$$

polymère avec deux résidus amino-acides attachés

En répétant ces opérations, on ajoute un troisième, puis un quatrième, etc., amino-acide. Finalement, après connexion, dans l'ordre désiré, du nombre correct d'amino-acides et libération du groupe amino N-terminal, on détache du polymère la chaîne polypeptidique. Pour cela, on traite par HF ou HBr anhydre dans l'acide trifluoracétique qui coupe l'ester benzylique sans hydrolyser les groupes amides du polypeptide:

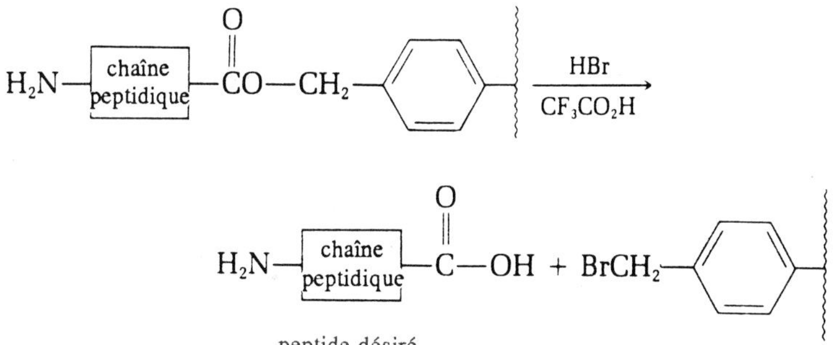

$$(14.15)$$

peptide désiré

polymère polystyrène
porteur de groupes $BrCH_2$

On connaît beaucoup de groupes N-protecteurs, mais le plus utilisé dans la synthèse des amino-acides en phase solide est le groupe *t*-**butoxycarbonyle** (**Boc**).

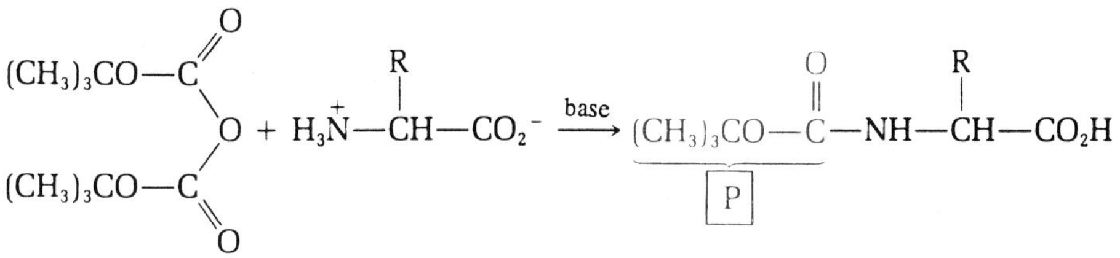

$$(14.16)$$

dicarbonate di-*t*-butylique

Le produit est un carbamate et le groupe protecteur présente l'avantage de pouvoir être enlevé par action d'un acide dans des conditions très douces, qui n'affectent ni les liaisons peptidiques ni la liaison ester qui attache le peptide au polymère:

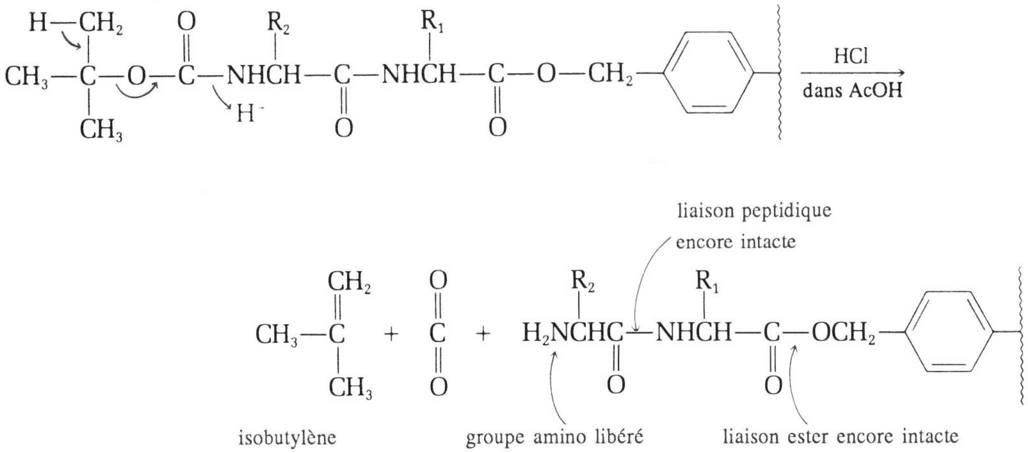

$$\tag{14.17}$$

isobutylène   groupe amino libéré   liaison ester encore intacte

Les produits formés par la régénération du groupe amino sont gazeux (isobutylène et dioxyde de carbone) et aisément séparables du mélange réactionnel.

La fixation de chaque unité amino-acide après celle de la première (deuxième étape de l'équation 14.14) est effectuée à l'aide de dicyclohexylcarbodiimide (DCC), qui est capable de lier les groupes amino et carboxyle de la liaison peptidique; dans le processus, la DCC est transformée en dicyclohexylurée.

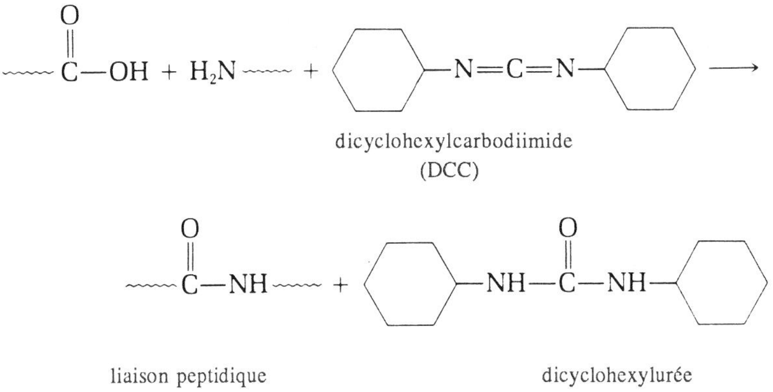

dicyclohexylcarbodiimide
(DCC)

$$\tag{14.18}$$

liaison peptidique   dicyclohexylurée

Les opérations dans la synthèse des peptides en phase solide ont été automatisées. Toutes les réactions sont conduites dans le même récipient, les réactifs et les solvants de lavage introduits automatiquement à partir de réservoirs munis de pompes mécaniques. On peut ainsi incorporer au moins huit amino-acides à une chaîne peptidique en un jour. Avec cette technique, Merrifield put synthétiser la bradykinine en 27 heures. Et, en 1969, il utilisa le "synthétiseur" automatique pour préparer la ribonucléase, un enzyme constitué de 124 unités amino-acides, le premier jamais obtenu à partir de ses constituants. La synthèse, qui nécessita 369 réactions chimiques et 11.391 étapes, fut réalisé en six semaines seulement. La synthèse automatique des peptides est maintenant devenue une affaire de routine.

Connaissant désormais la structure primaire des peptides et des protéines et leurs modes de synthèse en laboratoire, nous sommes en mesure d'examiner plus en détail la structure protéique.

14.12 Structure secondaire des protéines

Les protéines consistant en longues chaînes d'amino-acides ficelées ensemble, on pourrait penser qu'elles doivent être de forme amorphe, flasque et mal définie. Cela est inexact. On a isolé beaucoup de protéines à l'état cristallisé, dans lequel le polymère a une forme bien définie. En effet, même en solution, les formes semblent très régulières. Examinons donc quelques caractéristiques de chaînes peptidiques, responsables de telles structures.

14.12a Géométrie de la liaison peptidique

On a déjà signalé la géométrie plane des amides simples, la longueur de la liaison C—N des amides, plus courte que celle des autres liaisons simples C—N et la rotation empêchée autour de cette liaison. La planéité du groupe amide et la rotation restreinte autour de leur liaison C—N, rationalisées par la résonance, ont aussi un rôle important dans les liaisons peptidiques.

Des études aux rayons X de peptides cristallisés, réalisées par Linus Pauling et ses collaborateurs, ont donné la géométrie précise des liaisons peptidiques. La figure 14.8 donne les dimensions caractéristiques, communes à tous les peptides et protéines. Les faits importants sont les suivants:

1. Six atomes se trouvent dans un plan:

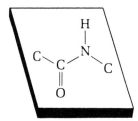

2. Les angles au niveau de l'azote sont de 120°, montrant que cet atome est hybridé sp^2, comme si la liaison entre l'azote et le carbone du carbonyle était double.

3. Cette même liaison est plus courte que toute autre liaison C—N. Cette géométrie rigide et la rotation restreinte de la liaison peptidique impose aux protéines une forme bien définie.

C   H
    N   1,47 Å
   C   C
  ‖
  O
1,32 Å

Figure 14.8

Angles et longueurs des liaisons peptidiques.

120°   1.00 Å   120°   O   1.23 Å
117°   1.47 Å   1.32 Å
110°   120°
121°   122°   1.53 Å

H_2N COOH

14.12b Liaisons hydrogènes

On a signalé précédemment chez les amides simples l'existence de liaisons hydrogène intermoléculaires du type $C=O\cdots H—N$ entre le groupe carbonyle d'une molécule et le groupe NH d'une autre. La formation de telles liaisons est aussi possible le long d'une même chaîne peptidique. Celle-ci peut s'enrouler de telle manière que le groupe $N—H$ d'une liaison peptidique peut former une liaison hydrogène avec l'oxygène du $C=O$ d'une autre liaison peptidique située plus loin dans la chaîne, apportant de la rigidité à l'enroulement. Ou bien, il peut y avoir des liaisons hydrogène entre groupes carbonyles et groupes $N—H$ de chaînes peptidiques différentes, unissant les deux chaînes. Certes, la liaison hydrogène seule est relativement faible (environ 5 kcal/mole); mais, comme on va le voir, beaucoup de liaisons de ce genre entre chaînes et le long des chaînes sont un important facteur de la structure des protéines.

14.12c L'hélice α et le feuillet plissé

Les spectres de rayons X de l'α-kératine, protéine du cheveu, de la laine, de la corne et des ongles, révèlent une structure répétitive régulière (tous les 5,4 Å). A la suite d'une étude de modèles moléculaires tenant compte de la géométrie plane de la liaison peptidique, des angles et des longueurs de liaison observés expérimentalement chez les amino-acides et les petits peptides, L. Pauling suggéra une structure en accord avec ces résultats et d'autres apportés par les spectres de rayons X. Il suggéra que la chaîne polypeptidique s'enroule sur elle-même, en spirale, formant une hélice, maintenue rigide par des liaisons hydrogène le long de cette chaîne. Cette **hélice α**, comme on l'appelle, est droite (elle "avance" dans le sens des aiguilles d'une montre) et son pas est de 5,4 Å ou 3,6 unités amino-acides (figure 14.9). En effet, la position de chaque unité amino-acide par rapport à la suivante implique une translation de 1,5 Å le long de l'axe de l'hélice et une rotation de 100°, ce qui donne 3,6 unités amino-acides par tour d'hélice.

Voici quelques autres caractéristiques de l'hélice α. Partant de l'extrémité N-terminale (le haut de la figure 14.9), on constate que chaque groupe carbonyle est orienté vers le bas, c'est-à-dire vers l'extrémité C-terminale et qu'il est lié par liaison H à la liaison $N—H$ au-dessous de lui. Les liaisons $N—H$ sont toutes orientées vers l'extrémité N-terminale et toutes les liaisons H sont grossièrement alignées sur l'axe de l'hélice. Le grand nombre de ces liaisons H (une par unité amino-acide) consolide la structure hélicoïdale. Remarquons aussi que les groupes R des unités amino-acides de l'hélice sont tous dirigés vers l'extérieur et ne gênent pas l'intérieur. L'hélice α est donc le modèle naturel qu'adoptent beaucoup de protéines. La figure 14.10 montre le Professeur Pauling assis à côté d'un modèle à l'échelle de l'hélice α.

Les spectres de rayons X de la β-kératine, obtenue à partir de la fibroïne de la soie, révèlent une structure répétitive (7 Å) différente. Pour l'expliquer, Pauling a suggéré un arrangement en **feuillets plissés** des chaînes peptidiques (figure 14.11). Dans cette structure, les chaînes sont disposées côte à côte et ainsi stabilisées par des liaisons hydrogène entre elles. Deux chaînes voisines l'une de l'autre sont orientées dans des directions opposées; elles ne sont pas étroitement enroulées comme dans l'hélice α, mais elles sont presque totalement étirées. D'autre part, dans les feuillets plissés, les groupes R de chaque unité amino-acide de toutes les chaînes sont disposés alternativement au-dessus et au-dessous du plan moyen du feuillet. S'ils sont volumineux, il doit y avoir une répulsion stérique entre groupes R de chaînes adjacentes. C'est pour cela que la structure en feuillets plissés n'existe que chez les protéines dont la proportion en unités amino-acides ayant un groupe R de petite taille est importante. C'est le cas de la β-kératine de la fibroïne de la soie qui est constituée de 36 % d'unités glycine (R = H) et de 22 % d'unités alanine (R = CH$_3$). Une telle répulsion n'existe pas dans l'hélice α, laquelle est de loin la structure la plus courante des deux.

14.13 Protéines fibreuses et protéines globulaires. Structure tertiaire

On classe généralement les protéines en deux catégories, les protéines fibreuses et les protéines globulaires. Ces catégories ont des structures primaires et secondaires analogues, mais elles diffèrent par leurs formes et par leurs fonctions.

14.13a Protéines fibreuses

Substances d'origine animale, les protéines fibreuses sont insolubles dans l'eau; on en a déjà rencontré quelques-unes. On les divise en trois types: les **kératines**, qui constituent les tissus protecteurs tels que la peau, les cheveux, les plumes, les griffes et les ongles; les **collagènes**, qui constituent les tissus conjonctifs comme le cartilage, les tendons et les vaisseaux sanguins; les **soies** telles que la fibroïne des toiles d'araignée et des cocons.

Les protéines fibreuses diffèrent par leurs formes, dues à des détails de structure. Ainsi, le motif de base de l'α-kératine du cheveu est l'hélice α, un peu flexible et extensible par suite des liaisons hydrogène le long des chaînes. Dans le cheveu, trois hélices α réunies par des liaisons "croisées" disulfures sont enroulées et forment un brin (voir page 239). Ces brins, empaquetés côte à côte, forment la fibre du cheveu. L'α-kératine des matières plus rigides comme celle des ongles et des griffes est analogue à celle du cheveu, mis à part une plus grande proportion en unités cystéine dans les chaînes, c'est-à-dire davantage de liaisons disulfures entre elles, donc une structure moins flexible.

Les collagènes aussi sont constitués d'hélices plus ou moins analogues à l'hélice α. Leur contenu particulier en amino-acides est responsable de leur grande résistance à la traction et de leur forme particulière. En gros, la proportion en unités glycine atteint ici presque un tiers dans la chaîne polypeptidique et des unités proline sont présentes en beaucoup plus grande quantité que dans la plupart des autres protéines (se rappeler que la proline est le seul amino-acide courant qui comporte un groupe amino secondaire). L'unité de base du collagène est constituée de trois hélices enroulées les unes autour des autres et elle a la forme d'un bâtonnet de 300 Å de long et de seulement 15 Å de diamètre. La séquence des unités amino-acides y est remarquablement régulière, la glycine réapparaissant toutes les trois unités. Le "groupe" R de la glycine étant petit (R = H), il permet aux trois chaînes polypeptidiques de se lier étroitement par liaisons hydrogène. Et les unités proline, avec leur cycle pentaatomique, interdisent la structure hélicoïdale serrée, mais permetent la formation d'une hélice moins étroitement enroulée.

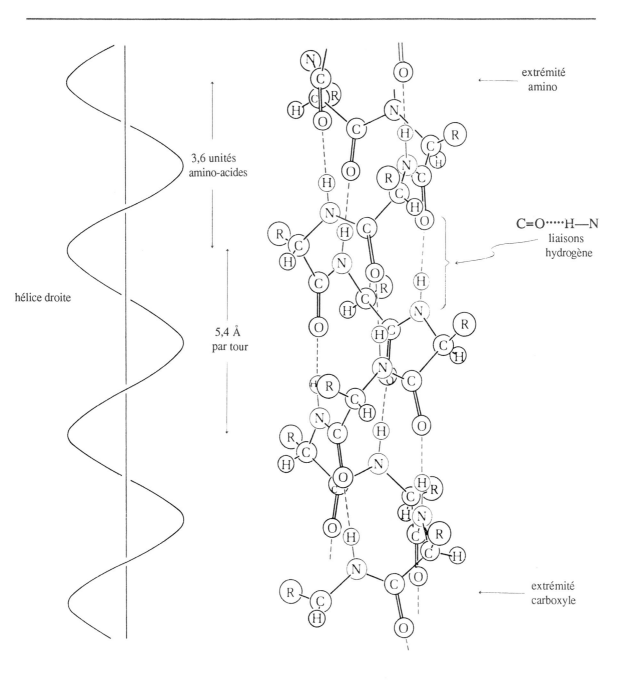

Figure 14.9   Segment d'une hélice α comportant trois tours d'hélice, avec 3,6 unités amino-acides par tour. Les liaisons H sont les pointillés colorés.

Figure 14.10 Linus Pauling (California Institute of Technology et Université de Stanford), qui contribua grandement à notre connaissance des structures organiques. Ses travaux fondamentaux se rapportent à la théorie de la résonance, aux longueurs et aux énergies des liaisons, à la structure des protéines et au mécanisme de l'action des anticorps. Il reçut le prix Nobel de chimie en 1954 et le prix Nobel de la paix en 1962.

Dans les soies, les structures à feuillets plissés sont empilées les unes sur les autres. Il s'agit alors d'une matière flexible, mais dont l'allongement est difficile, parce que dans chaque feuillet les chaînes polypeptidiques ont déjà une forme allongée.

14.13b Protéines globulaires

Très différentes des protéines fibreuses, les protéines globulaires sont solubles dans l'eau et, comme leur nom l'indique, elles sont, en gros, de forme sphérique. En général, elles remplissent l'une des quatre fonctions biologiques suivantes.

1. Les **enzymes** (telles que la trypsine, la chymotrypsine et des centaines d'autres) sont des catalyseurs biologiques. Ils catalysent, en effet, beaucoup de réactions organiques dans la cellule, qui sont alors, dans des conditions réactionnelles douces, d'une grande vitesse et d'une remarquable spécificité.
2. Les **hormones** sont des messagers chimiques qui règlent les processus biologiques. Toutes les hormones ne sont pas des protéines, mais certaines, comme l'insuline et l'oxytocine, sont des hormones.

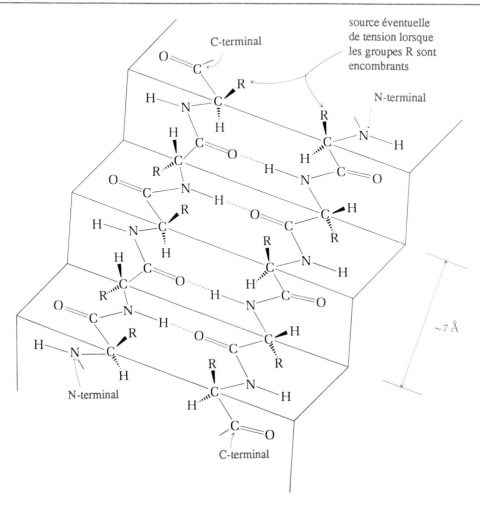

Figure 14.11 Segment d'une structure en feuillets plissés de β-kératine. Les chaînes adjacentes sont orientées dans des directions opposées et sont maintenues côte à côte par des liaisons H (colorées). Les groupes R débordent le dessus et le dessous du plan moyen du feuillet.

3. Les **protéines de transport** sont des transporteurs de petites molécules d'une partie du corps dans une autre. C'est le cas de l'hémoglobine et de la myoglobine qui tranportent l'oxygène respectivement dans le courant sanguin et dans les muscles.

4. Les **protéines de stockage,** comme la caséine du lait et l'ovalbumine du blanc d'oeuf, interviennent comme réserves de nourriture.

On peut se demander comment des matières aussi rigides que celle du sabot du cheval, aussi flexibles que les cheveux, aussi douces au toucher que la soie, aussi flasques que le blanc d'oeuf, aussi inertes que le cartilage, aussi réactives que les enzymes, peuvent être toutes constituées des mêmes "briques", à savoir d'amino-acides et de protéines. On a vu ci-dessus comment, dans les protéines fibreuses, des liaisons hydrogène et des liaisons disulfure peuvent contribuer à la formation de structures assez rigides. On va voir maintenant comment, dans les protéines globulaires, d'autres éléments vont permettre l'édification de structures plus compactes.

On s'est intéressé jusqu'ici au squelette et à la forme des protéines. Mais qu'en est-il des divers groupes R des amino-acides? Comment peuvent-ils affecter la structure de ces protéines?

Les groupes R de certains amino-acides sont des groupes alkyles ou aryles simples, donc non polaires; c'est le cas des amino-acides n°s 1-5, 10, 11 de la table 14.1. D'autres comportent des groupes très polaires, parce que porteurs de fonctions hydroxyles ou de fonctions ioniques carboxylate ou ammonium; c'est le cas des n°s 6, 7 et 14-20 de la même table. Certains, enfin, ont des cycles aromatiques rigides et plats s'intercalant de manières spécifiques, comme les n°s 11-13. Naturellement, ces groupes affecteront les propriétés de la protéine. Ainsi, une protéine globulaire soluble dans l'eau comportera, en moyenne, davantage d'unités amino-acides porteuses de chaînes latérales polaires ou ioniques, qu'une protéine fibreuse insoluble dans l'eau. De même, la structure adoptée par un enzyme ou une protéine globulaire fonctionnant principalement dans le milieu aqueux de la cellule sera telle que ses parties non polaires, hydrophobes, se trouveront à l'intérieur et ses parties polaires ou ioniques à l'extérieur, en contact avec l'eau.

Beaucoup de protéines globulaires sont hélicoïdales, mais comportent des coudes qui permettent leur forme d'ensemble globulaire. On sait que la proline, l'un des vingt amino-acides, a un groupe N—H secondaire et que, où que soit cette unité dans la structure peptidique primaire, il n'y a pas de groupe N—H disponible pour la formation d'une liaison hydrogène le long de la chaîne:

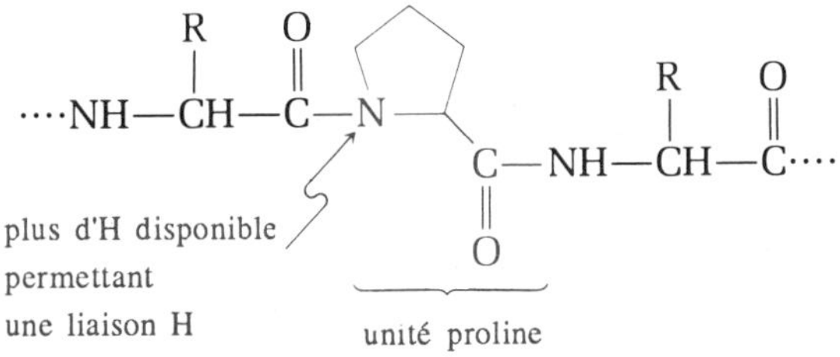

On remarque fréquemment ces unités proline aux coudes des hélices α de protéines.

14.13c Myoglobine

Une protéine globulaire typique est la **myoglobine**, qui assure le transport de l'oxygène dans le muscle. La figure 14.12 en donne le schéma tel qu'il est déduit de son spectre de rayons X. Bien que comportant 153 unités amino-acides, elle est extrêmement compacte. Ses dimensions sont approximativement 45 x 35 x 25 Å et il y a très peu d'espace libre à l'intérieur.

Environ 75 % des unités amino-acides de la myoglobine se trouvent dans huit segments principaux d'une hélice α droite, dont quatre coudes sont occupés par une unité proline (qui ne peut s'intégrer dans une hélice α, sauf à son extrémité), trois autres coudes étant dus à la présence des groupes R d'autres unités amino-acides. L'intérieur de la myoglobine ne comporte pas de groupes très polaires comme les chaînes latérales des acides glutamique et aspartique ou de la lysine, mais il est occupé presque entièrement par les groupes R non polaires d'unités telles que leucine, valine, phénylalanine et méthionine. Tous les groupes R dont une région est polaire et l'autre pas, ont la première orientée vers l'extérieur (c'est le cas des groupes hydroxyles de la thréonine et de la tyrosine) et la deuxième vers l'intérieur (c'est le cas des autres atomes de ces deux unités). Les seuls groupes polaires présents à l'intérieur sont ceux de deux unités histidine qui ont une fonction essentielle au niveau du site actif de la protéine, le site de liaison à l'oxygène par l'intermédiaire de l'hème porphyrine. La région externe de la molécule comporte beaucoup d'unités amino-acides très polaires: lysine, arginine, acide glutamique, etc.

Bref, on a vu dans ce paragraphe que le contenu en unités amino-acides d'une protéine ou d'un peptide détermine sa forme. Ces interactions sont dues notamment à des liaisons disulfures et à la polarité ou à la non-polarité des groupes R, à leur forme et à leur aptitude à donner des liaisons hydrogène. Quand on parle de **structure tertiaire** d'une protéine, on se rapporte à la contribution de tous ces facteurs à sa structure dans l'espace.

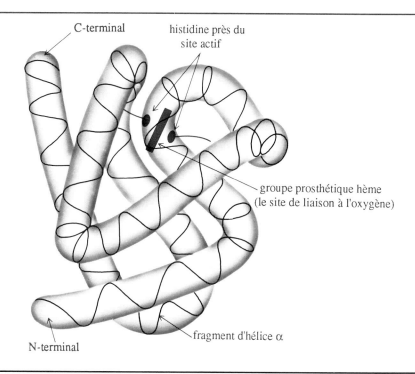

Figure 14.12
Représentation schématique de la myoglobine. Chaque section tubulaire est un fragment d'hélice α, mais la forme entière est globulaire.

C-terminal

histidine près du site actif

groupe prosthétique hème (le site de liaison à l'oxygène)

N-terminal

fragment d'hélice α

Figure 14.13
Représentation schématique de quatre sous-unités d'hémoglobine.

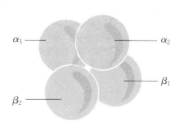

La distinction entre structure secondaire et structure tertiaire n'est pas très nette, car toutes deux se rapportent à la forme de la protéine. En général, la structure secondaire est le résultat d'interactions entre groupes voisins dans la structure primaire (par exemple les liaisons hydrogènes le long des chaînes, qui imposent l'hélice α), tandis que la structure tertiaire est le résultat d'interactions entre groupes éloignés dans cette structure primaire.

14.14 Structure quaternaire

Beaucoup de protéines de masse moléculaire élevée existent sous la forme d'agrégats. Quand on parle de **structure quaternaire** d'une protéine, on se rapporte à ces agrégats, lesquels facilitent le maintien de parties non polaires de la protéine hors de l'environnement cellulaire aqueux.

L'**hémoglobine**, la protéine transporteur d'oxygène des cellules de sang rouge, est typique d'une telle agrégation. Elle est constituée de quatre parties presque sphériques: deux polypeptides α de 141 amino-acides et deux polypeptides β de 146 amino-acides. Ces quatre parties sont assemblées sous une forme tétraédrique, comme le montre la figure 14.13.

Beaucoup d'autres protéines forment des agrégats analogues. Certaines ne sont actives que sous cette forme, alors que d'autres ne le sont que lorsque l'agrégat est dissocié en ses polypeptides. L'agrégation dans les structures quaternaires est alors un mode de contrôle supplémentaire de l'activité biologique.

Résumé du chapitre

Les protéines sont des polymères naturels constitués d'α-amino-acides réunis par des liaisons d'amide (ou peptidiques). Mis à part la glycine (l'acide aminoacétique), les amino-acides des protéines sont chiraux et ont la configuration L.

La table 14.1 donne la liste des noms, les abréviations de trois lettres et les structures des vingt amino-acides les plus courants. Huit d'entre eux, appelés essentiels, ne sont pas biosynthétisés par l'homme adulte et doivent être ingérés avec la nourriture. On peut utiliser la racémisation graduelle des amino-acides après la mort, pour établir les datations en archéologie.

Les amino-acides, ayant un groupe amino et un groupe carboxyle, existent sous la forme d'ions dipolaires ou sels internes (carboxylates d'ammonium). Ils sont amphotères; en milieu acide fort, ils sont protonés et ils deviennent chargés positivement (ils sont à la fois acide carboxylique et ion ammonium); en milieu basique, ils perdent un proton et deviennent chargés négativement (ils sont à la fois ion carboxylate et amine). Placés dans un champ électrique, ils migrent vers la cathode (–) à pH bas et vers l'anode (+) à pH élevé. Le pH intermédiaire, auquel ils ne migrent ni vers l'une ni vers l'autre électrode, est le point isoélectrique.

L'électrophorèse est une technique qui utilise cette dépendance de la charge et du pH pour séparer amino-acides et protéines. Le point isoélectrique des amino-acides mono-acides et mono-amines est voisin de pH 6. Celui des diacides mono-amines est proche de pH 3 et celui des monoacides diamines de pH 9.

Les amino-acides donnent les réactions de chacun des deux groupes fonctionnels. En plus des réactions acide-base, ils peuvent subir l'estérification de leur groupe carboxyle et l'acylation de leur groupe amino.

Les amino-acides réagissent avec la ninhydrine en donnant une coloration violette, qui permet leur détection et leur analyse quantitative.

Une liaison peptidique est une liaison d'amide réunissant le carboxyle d'un amino-acide et le groupe amino d'un autre. Elle lie les amino-acides les uns aux autres dans les peptides et les protéines. A l'extrémité d'une chaîne peptidique, l'amino-acide (aa) a un groupe amino libre (c'est l'amino-acide N-terminal) et à l'autre extrémité, l'amino-acide a un groupe carboxyle libre (c'est l'amino-acide C-terminal). Par convention, on écrit ces structures de gauche à droite en commençant par l'extrémité N-terminale.

Une autre liaison covalente dans les protéines est la liaison S—S qui est formée par couplage, obtenu par oxdation, des groupes –SH de la cystéine. L'oxytocine est un nonapeptide cyclique ayant une liaison S—S.

Par structure primaire d'un peptide ou d'une protéine, on entend sa séquence d'amino-acides. L'hydrolyse complète de ce peptide ou de cette protéine donne le contenu en amino-acides. L'amino-acide N-terminal peut être identifié par la méthode de Sanger, qui utilise le 2,4-dinitrofluorobenzène. Avec le phénylisothiocyanate, la dégradation d'Edman enlève l'amino-acide N-terminal, puis les suivants (un à la fois). On connaît d'autres réactifs qui coupent sélectivement les chaînes peptidiques. Une combinaison de ces méthodes, qui ont été automatisées, permet de déterminer le séquence des protéines.

La synthèse des polypeptides utilise de plus en plus la technique en phase solide, dite technique de Merrifield. Un amino-acide préalablement N-protégé est fixé par une liaison d'ester à un polystyrène porteur d'unités du type chlorure de benzyle. On élimine alors le groupe protecteur et on lie l'amino-acide N-protégé suivant au premier amino-acide fixé sur le polymère. On répète la double opération jusqu'à assemblage complet du polypeptide, après quoi on le détache du polymère.

Ce qui intervient surtout dans la structure secondaire des protéines (leur forme moléculaire) ce sont la géométrie plane, rigide, des liaisons peptidiques et les liaisons hydrogène du type C=O·····H—N. Les formes courantes des protéines sont l'hélice α et le feuillet plissé.

Les protéines sont fibreuses ou globulaires; la nature des groupes R des amino-acides intervient dans la solubilité et la structure tertiaire des protéines. La structure quaternaire se rapporte à l'agrégation de polypeptides voisins en protéines.

PROBLEMES SUPPLEMENTAIRES

14.20 Donner une définition et (ou) une illustration de chacun des termes suivants:

a. liaison peptidique   **b.** ion dipolaire

c. dipeptide   **d.** configuration L des amino-acides

e. amino-acide essentiel   **f.** amino-acide à groupe R non polaire

g. amino-acide à groupe R polaire   **h.** composé amphotère

i. point isoélectrique   **j.** ninhydrine

14.21 A l'aide de la figure 14.1, écrire la structure spatiale de la L-alanine. Quel est l'ordre de préséance des groupes attachés au centre chiral? La configuration de cet amino-acide est-elle R ou S?

14.22 Ecrire la formule de projection de Fischer de:

a. la L-phénylalanine et

b. la L-proline

14.23 Illustrer la nature amphotère des amino-acides en écrivant les équations des réactions de l'alanine sous sa forme d'ion dipolaire avec un équivalent de:

a. acide chlorhydrique   **b.** soude.

14.24 Ecrire la formule de chacun des amino-acides suivants sous sa forme ion dipolaire:

a. valine   **b.** sérine   **c.** proline   **d.** tyrosine

14.25 Quel est le proton le plus acide des espèces ci-après:

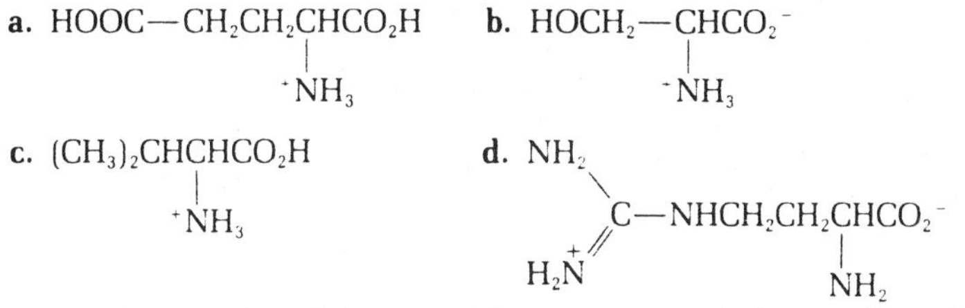

a. $HOOC-CH_2CH_2CHCO_2H$ **b.** $HOCH_2-CHCO_2^-$
$\qquad\qquad\qquad\qquad\quad | \qquad\qquad\qquad\qquad\qquad\qquad\qquad |$
$\qquad\qquad\qquad\qquad\quad {}^+NH_3 \qquad\qquad\qquad\qquad\qquad\qquad {}^+NH_3$

c. $(CH_3)_2CHCHCO_2H$ **d.** NH_2
$\qquad\qquad\qquad\quad | \qquad\qquad\qquad\qquad\qquad\qquad\qquad\quad \diagdown$
$\qquad\qquad\qquad\quad {}^+NH_3 \qquad\qquad\qquad\qquad\qquad\quad C-NHCH_2CH_2CHCO_2^-$
$\qquad\qquad\qquad\qquad\qquad\qquad\qquad\qquad\qquad\quad \diagup\diagup \qquad\qquad\qquad\qquad\quad |$
$\qquad\qquad\qquad\qquad\qquad\qquad\qquad\qquad H_2\overset{+}{N} \qquad\qquad\qquad\qquad\quad NH_2$

14.26 Quelle espèce obtient-on en ajoutant un proton à chacune des espèces suivantes?

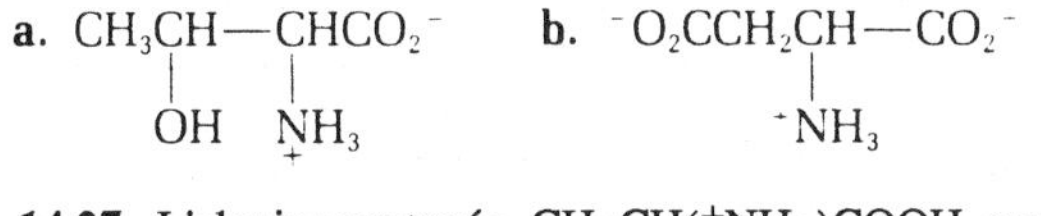

a. $CH_3CH-CHCO_2^-$ **b.** $^-O_2CCH_2CH-CO_2^-$
$\qquad\qquad | \quad\;\; | \qquad\qquad\qquad\qquad\qquad\qquad\qquad\qquad\quad |$
$\qquad\qquad OH \;\; NH_3 \qquad\qquad\qquad\qquad\qquad\qquad\quad {}^+NH_3$
$\qquad\qquad\qquad\;\; +$

14.27 L'alanine protonée $CH_3CH(^+NH_3)COOH$ a un pK_a de 2,34 et elle est plus acide que l'acide propanoïque, dont le pK_a est de 4,85. Expliquer cet accroissement de polarité quand un H en α est remplacé par un substituant $^+NH_3$.

14.28 Les pK_a de l'acide glutamique sont de 2,19 (le groupe carboxyle α), 4,25 (l'autre groupe carboxyle) et 9,67 (l'ion ammonium α). Ecrire la suite de réactions qui ont lieu quand on ajoute une base à une solution fortement acide (pH = 1) d'acide glutamique.

14.29 Les pK_a de l'arginine sont de 1,82 (le groupe carboxyle), 8,99 (l'ion ammonium) et 13,20 (l'ion guanidinium). Ecrire les réactions qui ont lieu quand on ajoute graduellement de l'acide à une solution fortement alcaline d'arginine.

14.30 Ecrire les équations des réactions de l'alanine avec:

a. $CH_3CH_2OH + HCl$ **b.** $C_6H_5COCl + base$ **c.** anhydride acétique

14.31 Ecrire les équations des réactions suivantes:

a. sérine + anhydride acétique en excès $\rightarrow$

b. tyrosine + brome $\rightarrow$

c. thréonine + chlorure de benzoyle en excès →

d. acide glutamique + méthanol en excès + HCl →

e. glutamine + soude aqueuse + chaleur →

14.32 Ecrire l'équation de la réaction de la phénylalanine avec la ninhydrine.

14.33 Ecrire la formule développée des peptides suivants:

a. alanylalanine   **b.** valyltryptophane

c. tryptophanylvaline   **d.** glycylalanylglycine

e. sérylleucylarginine   **f.** acide histidylglycylglycylglutamique

14.34 Ecrire les équations d'hydrolyse de:

a. leucylsérine   **b.** sérylleucine   **c.** valyltyrosylméthionine

14.35 Ecrire les formules montrant les changements de structure de l'alanylglycine quand le pH de la solution varie de 1 à 10.

14.36 En utilisant les formules abrégées de trois lettres, écrire tous les tétrapeptides possibles comportant une unité de chacun des amino-acides suivants: Gly, Ala, Val et Leu.

14.37 Quelle est la structure du produit attendu de la réaction de la glycylcystéine avec un agent oxydant doux comme l'eau oxygénée?

14.38 Ecrire les réactions des équations suivantes utilisant le réactif de Sanger:

a. 2,4-dinitrofluorobenzène + glycine →

b. 2,4-dinitrofluorobenzène en excès + lysine →

14.39 On a converti un pentapeptide en son dérivé DNP (paragraphe 14.9b), puis on l'a soumis à une hydrolyse totale et analysé quantitativement. Il a donné la DNP-méthionine, deux moles de méthionine, une mole de sérine et une mole de glycine. On a soumis alors ce pentapeptide à une hydrolyse partielle et converti les fragments en leurs dérivés DNP purs, lesquels ont été hydrolysés et analysés quantitativement. Deux tripeptides et deux dipeptides ainsi isolés ont donné les produits suivants:

Tripeptide A : DNP-méthionine + une mole de méthionine + une mole de glycine

Tripeptide B : DNP-méthionine + une mole de méthionine + une mole de sérine

Dipeptide C : DNP-méthionine + une mole de méthionine

Dipeptide D : DNP-sérine + une mole de méthionine

Expliquer ces résultats et en déduire la structure du pentapeptide originel.

14.40 Ecrire le mécanisme de la première étape de la dégradation d'Edman, à savoir la réaction d'un amino-acide N-terminal avec le réactif d'Edman, le phénylisothiocyanate.

14.41 Ecrire les équations de l'enlèvement d'un amino-acide du peptide alanylglycylvaline par la méthode d'Edman. Quel est le nom du dipeptide restant?

14.42 La seconde étape de la dégradation d'Edman est plus compliquée qu'il n'y paraît. Elle commence par l'attaque nucléophile, par le soufre, du carbone du carbonyle de la liaison peptidique adjacente, qui donne lieu à la formation d'une thiazolinone, laquelle se réarrange en solution acide aqueuse en N-phénylthiohydantoïne. Ecrire les équations qui exposent ce processus

une thiazolinone

14.43   On a isolé les composés suivants des produits d'hydrolyse d'un peptide: Ala-Gly, Tyr-Cys-Phe, **Phe-Leu-Trp**, Cys-Phe-Leu, Val-Tyr-Cys, Gly-Val-Tyr et Gly-Val. L'hydrolyse complète du peptide montre une unité de chaque amino-acide. Quelle est sa structure? Quels sont ses amino-acides N-terminal et C-terminal? Quel est son nom?

14.44   Des pentapeptides simples appelés *enképhalines* sont abondants dans certaines terminaisons nerveuses. Ils possèdent une activité semblable à celle des opiacés et participent vraisemblablement à l'intégration des informations sensorielles douloureuses. C'est le cas de la méthionine enképhaline **Trp-Gly-Gly-Phe-Met**. Ecrire sa structure entière y compris toutes ses chaînes latérales.

14.45   Les *endorphines* furent isolées de la glande pituitaire en 1976 par R. Guillemin, prix Nobel de Médecine. Elles sont presque aussi puissantes que la morphine pour calmer la douleur. La β-endorphine est un polypeptide comportant 32 résidus amino-acides et sa digestion par la trypsine a donné les fragments suivants:

Lys
Gly-Gln
Asn-Ala-His-Lys
Asn-Ala-Ile-Val-Lys
Tyr-Gly-Gly-Phe-Leu-Met-Thr-Ser-Glu-Lys
Ser-Gln-Thr-Pro-Leu-Val-Thr-Leu- Phe-Lys

D'après ces seuls résultats, quel est l'amino-acide C-terminal de la β-endorphine? Traitée par le bromure de cyanogène, elle a donné l'hexapeptide Tyr-Gly-Gly-Phe-Leu-Met et un fragment de 26 amino-acides. D'après ces seuls résultats, quel est l'amino-acide N-terminal de la β-endorphine? Sa digestion par la chymotrypsine a donné quelques fragments, dont l'un, de 15 unités, a été identifié à Leu-Met-Thr-Ser-Glu-Lys-Ser-Gln-Thr-Pro-Leu-Val-Thr-Leu-Phe. On doit pouvoir maintenant localiser 22 des 32 unités amino-acides. Ecrire la séquence autant que faire se peut. Quelle est l'information supplémentaire nécessaire pour pouvoir la compléter?

14.46   La fixation au polymère, dans la synthèse des peptides en phase solide (équation 14.13), de l'amino-acide C-terminal N-protégé est une réaction de substitution S_N2. Quel est le nucléophile? Quel est le groupe partant? Réécrire l'équation 14.13 de manière à montrer clairement le mécanisme de la réaction.

14.47   Le détachement de la chaîne peptidique du polymère, dans la synthèse des peptides en phase solide (équation 14.15), suit un mécanisme acido-catalysé S_N2. Réécrire l'équation pour montrer ce mécanisme.

14.48   La N-protection d'un amino-acide avec le groupe Boc (équation 14.16) implique une substitution nucléophile au niveau d'un groupe carbonyle. Ecrire le mécanisme de cette réaction. Quelle est la base nécessaire?

14.49   Ecrire toutes les étapes de la synthèse en phase solide de Merrifield de l'alanylglycylalanine.

14.50   Ecrire la structure de la glycylglycine et montrer les formes limites de la liaison peptidique. Quelle est la liaison dont la rotation est restreinte? Quels sont les atomes qui se trouvent dans un même plan?

14.51   Le *glucagon* est une hormone polypeptidique secrétée par le pancréas quand le niveau du sucre sanguin est trop bas. Il élève le niveau de ce sucre en stimulant la dégradation du glycogène dans le foie. La structure primaire du glucagon est:
His-Ser-Glu-Gly-Thr-Phe-Thr-Ser-Asp-Tyr-Ser-Lys-Tyr-Leu-Asp-Ser-Arg-Arg-Ala-Gln-Asp-Phe-Val-Gln-Trp-Leu-Met-Asn-Thr
Quels fragments peut-on attendre de la digestion du glucagon
a. par la trypsine
b. par la chymotrypsine?

14.52 Dans une protéine globulaire, lesquelles des chaînes latérales des amino-acides suivants devraient s'orienter vers l'intérieur de la structure quand la protéine est dissoute dans l'eau? Lesquelles devraient s'orienter vers l'extérieur?

a. arginine   **b.** phénylalanine   **c.** isoleucine

d. acide glutamique   **e.** asparagine   **f.** tyrosine

14.53 La datation d'un amino-acide est possible à cause de la racémisation progressive de l'énantiomère naturel L. Suggérer un mécanisme de cette racémisation très lente.

CHAPITRE 15

NUCLÉOTIDES ET ACIDES NUCLÉIQUES

15.1 Introduction

L'ADN, la double hélice et le code génétique, termes devenus familiers à l'homme de la rue par suite de la vulgarisation de la science due notamment aux médias, se rapportent à l'un des plus grands triomphes de la chimie et de la biologie depuis leur naissance. Cependant, l'hypothèse de la double hélice de Watson et Crick et de son rôle dans la transmission de l'information génétique n'a pas plus de trente ans et le code génétique ne fut déchiffré qu'une douzaine d'années plus tard.

On décrira dans le présent chapitre la structure des acides nucléiques, ADN et ARN. On verra d'abord les "briques" dont ils sont constitués, les nucléosides et les nucléotides, puis on examinera le mode d'assemblage de ces briques, qui donne des molécules géantes d'acide nucléique. On considérera plus loin les structures tridimensionnelles de ces biopolymères essentiels à la vie et comment est transmise, pour la synthèse des protéines, l'information qu'ils contiennent.

15.2 Structure générale des acides nucléiques

Les acides nucléiques sont des macromolécules linéaires (ou en chaîne) qu'on isola d'abord à partir de noyaux cellulaires. Leur hydrolyse donne des **nucléotides,** qui sont les "briques" de cet acide, comme les amino-acides sont les "briques" des protéines. Une description complète de la structure primaire d'un acide nucléique implique donc la connaissance de la séquence (l'ordre) de ses nucléotides, tout comme la description d'une protéine nécessite de connaître la séquence de ses amino-acides.

L'hydrolyse (alcaline) d'*un* nucléotide donne *une* mole d'acide phosphorique et *un* **nucléoside**. Enfin une nouvelle hydrolyse (acide) de ce nucléoside donne *un* sucre et *une* base hétérocyclique.

$$\boxed{\text{acide nucléique}} \xrightarrow[\text{enzyme}]{\text{H}_2\text{O}} \boxed{\text{nucléotides}} \xrightarrow[\text{OH}^-]{\text{H}_2\text{O}} \boxed{\text{nucléoside}} + \text{H}_3\text{PO}_4 \qquad (15.1)$$

$$\xrightarrow[\text{H}^+]{\text{H}_2\text{O}} \text{sucre} + \text{base hétérocyclique}$$

Un acide nucléique est donc une macromolécule dont le squelette est constitué de molécules de sucre, assemblées par des groupes phosphate et comportant une base attachée à chaque unité sucre.

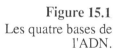

Figure 15.1
Les quatre bases de l'ADN.

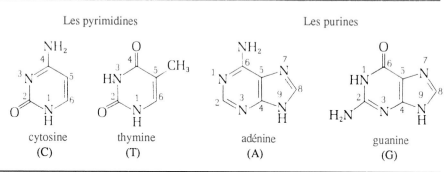

Représentation schématique d'un acide nucléique

15.3 Composants de l'acide désoxyribonucléique (ADN)

L'hydrolyse complète de l'ADN donne, avec de l'acide phosphorique, un seul sucre et quatre bases hétérocycliques. Le sucre est le **2-désoxy-D-ribose**.

2-désoxy-D-ribose

Les bases hétérocycliques sont de deux catégories, des pyrimidines (la **cytosine** et la **thymine**) et des purines (l'**adénine** et la **guanine**). Voir figure 15.1. Lorsqu'on citera ces bases plus loin, notamment dans l'examen du code génétique, on utilisera simplement leurs initiales majuscules (**C**), (**T**), (**A**) et (**G**).
Voyons maintenant comment sont liés le sucre et les bases.

15.4   Nucléosides

Un nucléoside est un N-glycoside, la base, pyrimidine ou purine, étant liée au carbone anomère (C1) du sucre, la pyrimidine par son azote N1 et la purine par son azote N9. La figure 15.2 montre la constitution et la formule de deux des quatre nucléosides de l' ADN. On conserve la numérotation de la base et du sucre concernés, mais les numéros des carbones du sucre sont alors des numéros "prime".

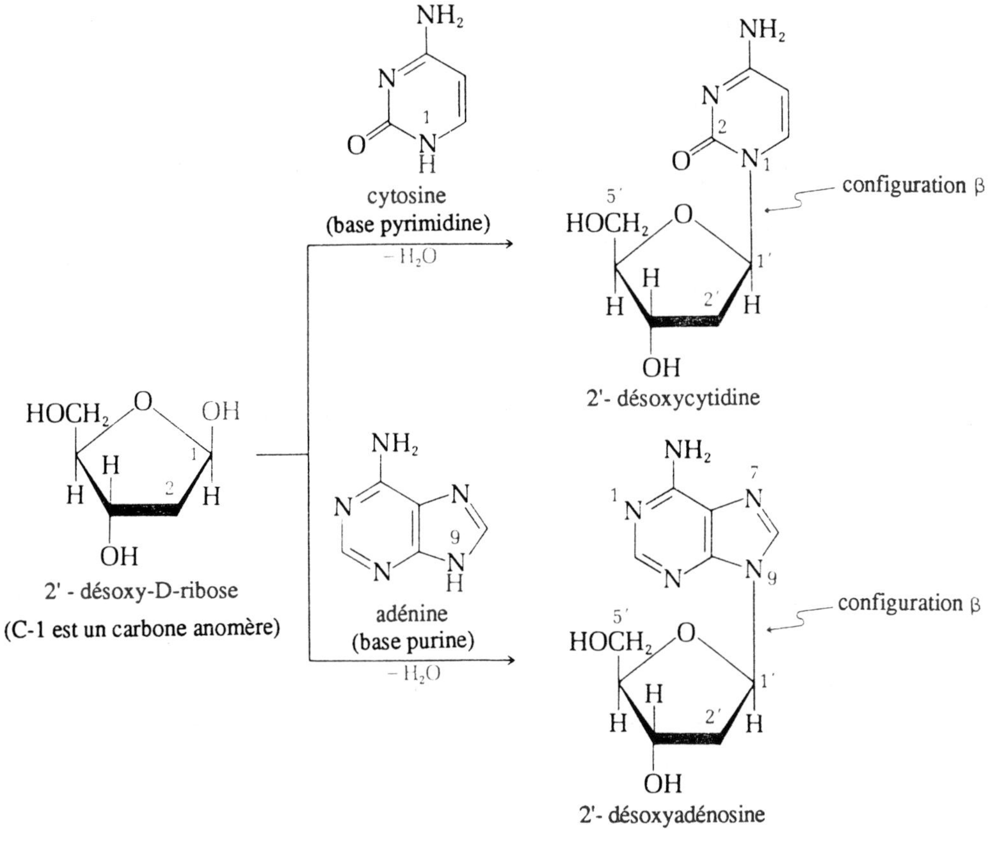

Figure 15.2   Formation schématique de nucléosides.

On notera que la structure des N-glycosides est analogue à celle des O-glycosides, déjà examinés au paragraphe 13.12. Dans les O-glycosides, l'−OH lié au carbone anomère du sucre est remplacé par un −OR, alors que dans les N-glycosides, il est remplacé par un −NR$_2$.

Exemple de Problème 15.1   **Ecrire la formule développée de:**

          a. le β -O-glycoside du 2-désoxy-D-ribose et du méthanol

          b. le β-N-glycoside du 2-désoxy-D-ribose et de la diméthylamine

Solution

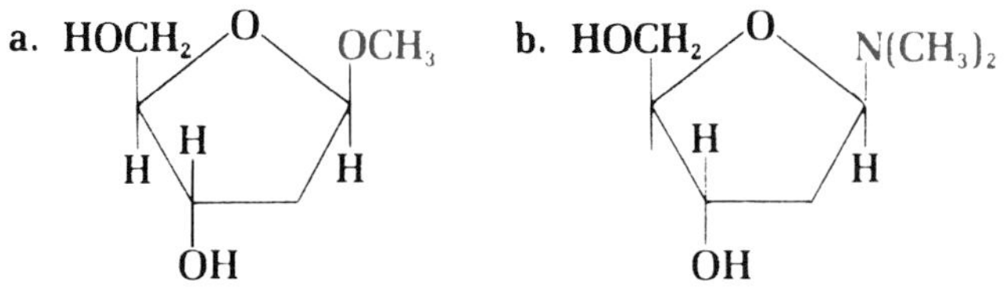

a. structure chimique

b. structure chimique

Problème 15.1   **La figure 15.2 donne la structure de deux nucléosides de l'ADN. Ecrire la formule développée des deux autres nucléosides de l'ADN: la 2'-désoxythymidine et la 2'-désoxyguanosine.**

A cause de leurs nombreux groupes polaires, les nucléosides sont très solubles dans l'eau. Comme d'autres glycosides, ils sont facilement hydrolysables en sucre et en base hétérocyclique par action d'un acide aqueux ou d'un enzyme. Exemples:

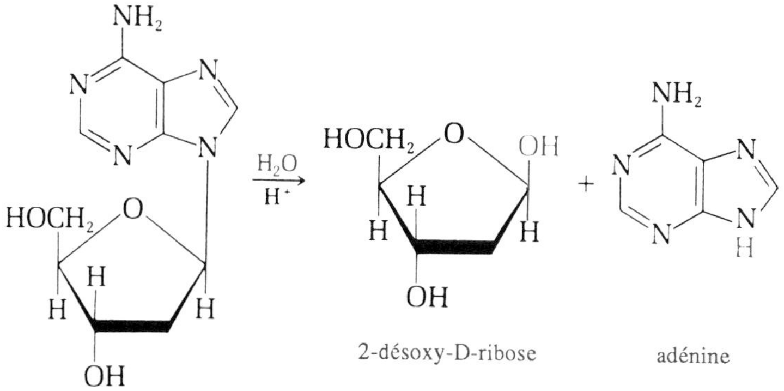

2'-désoxyadénosine   2-désoxy-D-ribose   adénine   (15.2)

Cette équation 15.2 est un exemple typique de l'étape finale de l'hydrolyse de l'ADN (équation 15.1).

Problème 15.2   **L'hydrolyse d'un O–glycoside et celle d'un N–glycoside ont des mécanismes analogues. Ecrire les étapes du mécanisme de l'équation 15.2. On commencera par la fixation d'un proton (il s'agit d'une catalyse acide) sur l'azote N9 de la partie adénine du nucléoside.**

15.5 Nucléotides

Les nucléotides sont des esters phosphoriques (ou phosphates-esters) nés de l'estérification, par l'acide phosphorique, d'un nucléoside au niveau d'un hydroxyle de sa partie sucre. Dans les nucléotides de l'ADN, c'est soit l'hydroxyle en 3', soit l'hydroxyle en 5' du 2-désoxy-D-ribose qui est estérifié.

On peut nommer les nucléotides de différentes manières; par exemple les considérer comme des 3'- ou 5'-monophosphates-esters d'un nucléotide, comme dans les formules ci-après.

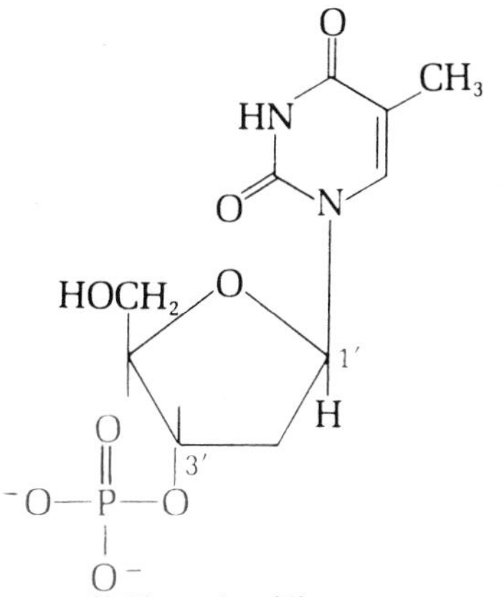

2'-désoxythymidine-
3'-monophosphate

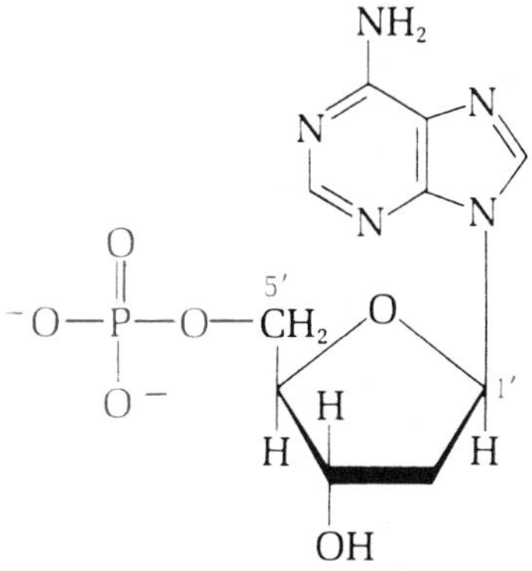

2'-désoxyadénosine-
5'-monophosphate

Mais les noms, étant alors trop longs, sont fréquemment abrégés (voir table 15.1). Dans ces abréviations, le petit d indique qu'il s'agit du 2-désoxy-D-ribose, la majuscule suivante indique la base et les deux lettres MP précisent qu'il s'agit d'un monophosphate [on verra plus loin que certains nucléotides sont des diphosphates (ou DP) ou des triphosphates (ou TP)]. Sauf indication contraire, les abréviations concernent les 5'-phosphates. On peut aussi considérer les nucléotides comme des acides, le dAMP étant aussi appelé l'acide désoxyadénylique.

Table 15.1   Structure commune des 2-désoxyribonucléotides

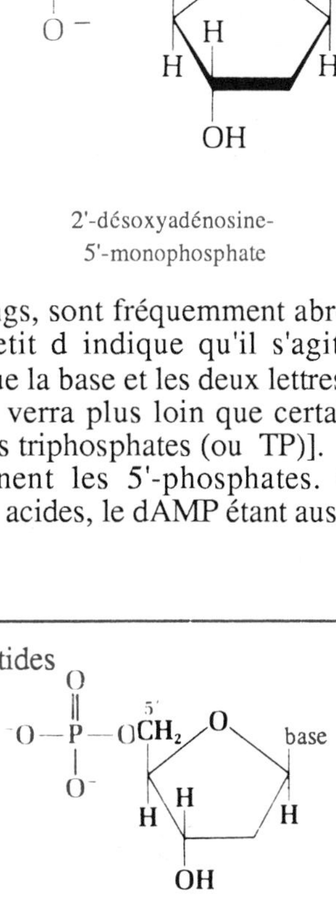

Base	Composé monophosphaté	Abréviation	Nomenclature acide
cytosine (C)	2'-désoxycytidine monophosphate	dCMP	acide 2'-désoxycytidylique
thymine (T)	2'-désoxythymidine monophosphate	dTMP	acide 2'-désoxythymidylique
adénine (A)	2'-désoxyadénosine monophosphate	dAMP	acide 2'-désoxyadénylique
guanine (G)	2'-désoxyguanosine monophosphate	dGMP	acide 2'-désoxyguanylique

Exemple de Problème 15.2   Ecrire la formule développée du dTMP.

Solution   La lettre d indique que le sucre est celui de l'ADN, le 2-désoxy-D-ribose, la lettre T que la base est la thymine et MP qu'il s'agit d'un monophosphate.La formule est celle du 2'-désoxythymidine 3'-monophosphate (ci-dessus), mis à part la position du groupe phosphate, qui se trouve en position 5'.

Problème 15.3   **Ecrire la formule de: a. dCMP   b. dGMP.**

Les groupes "acide phosphorique" des nucléotides sont très acides et, à pH 7, ils existent surtout sous la forme dianion comme l'indiquent les formules du présent paragraphe.

L' hydrolyse des nucléotides en nucléosides et acide phosphorique peut être obtenue par action d'une base aqueuse ou d'un enzyme. On abrège parfois le terme "acide phosphorique" en P_i, qui signifie "phosphate inorganique".

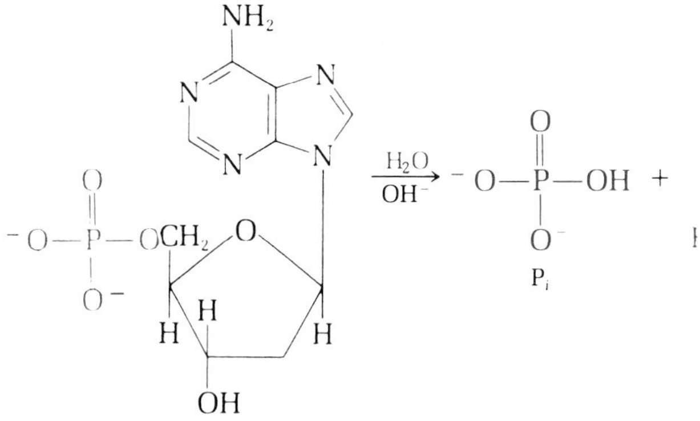

dAMP (nucléotide)   2'-désoxyadénosine (nucléoside)

(15.3)

Cette équation est typique de la réaction centrale de l'équation 15.1. Retournons maintenant à la première réaction de cette équation et voyons comment les nucléotides sont liés les uns aux autres dans l'ADN.

15.6 Structure primaire de l'ADN

La structure des acides nucléiques nous apparaît maintenant plus précise. Dans l'acide désoxyribonucléique (ADN), des unités 2-désoxy-D-ribose et phosphate alternent dans le squelette, l'hydroxyle en 3' d'une unité ribose étant lié à l'hydroxyle en 5' de l'unité ribose suivante par un groupe (ou une liaison) phospho-diester. La base hétérocyclique est connectée au carbone anomère de chaque unité désoxyribose par une liaison β-N-glycosidique. figure 15.3 donne le schéma d'un segment de chaîne de l'ADN.

On notera que, dans l'ADN, aucune unité désoxyribose n' a conservé un hydroxyle. Cependant chaque groupe phosphate a encore un proton acide, ionisé le plus souvent à pH 7, comme l'indique la figure 15.3. Si ce proton était présent, la substance serait un acide, d'où le nom d'acide nucléique.

Pour donner une description complète d'une molécule déterminée d'ADN, qui doit contenir des milliers d'unités nucléotide liées les unes aux autres, il faut inclure la séquence exacte des bases hétérocycliques (A, C, G et T) le long de la chaîne.

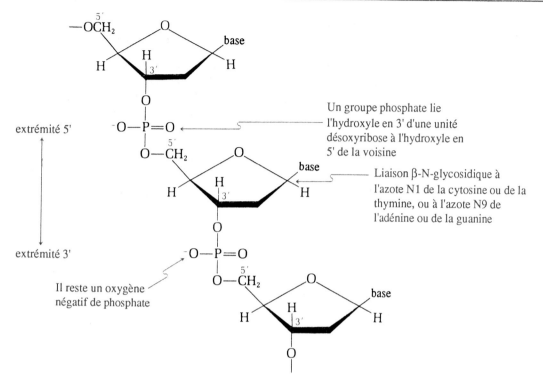

Un groupe phosphate lie l'hydroxyle en 3' d'une unité désoxyribose à l'hydroxyle en 5' de la voisine

Liaison β-N-glycosidique à l'azote N1 de la cytosine ou de la thymine, ou à l'azote N9 de l'adénine ou de la guanine

Il reste un oxygène négatif de phosphate

Figure 15.3   Segment d'une chaîne d'ADN.

15.7   Détermination de la séquence des bases des acides nucléiques

La détermination de la séquence (ordre) des bases des acides nucléiques est un problème analogue, en principe, à celui des protéines. Ce problème devrait même être plus facile a priori, puisqu'il n'y a ici que quatre bases possibles, alors qu'il y a vingt amino-acides possibles chez les protéines. En réalité, il est beaucoup plus difficile, car la molécule d'ADN la plus petite comporte au moins 5.000 unités nucléotide, certaines pouvant même en comporter un million. La détermination exacte de la séquence des bases d'une telle molécule est, en effet, un travail considérable.

Sans entrer dans les détails, en voici la stratégie. D'abord, avec des enzymes coupant la chaîne de l'ADN en des positions bien déterminées, il a été possible d'obtenir des fragments comportant les quatre bases, de 100–150 unités nucléotide. Ces fragments ont été séparés et marqués à l'extrémité 5' avec un phosphate radioactif, ^{32}P. On a ensuite dégradé plus avant ces fragments au moyen de réactifs spécifiques et contrôlé soigneusement les conditions réactionnelles qui coupent les chaînes au niveau des bases A, G, C et T. On a pu alors séparer les fragments résultants et en examiner les séquences.

Les progrès dans la détermination des séquences des acides nucléiques ont été spectaculaires. En 1978, la plus longue séquence connue d'un acide nucléique, l'ARN (dont les chaînes sont plus courtes que celles de l'ADN) était d'environ 200 unités nucléotide. Aujourd'hui (1987) on connaît des séquences atteignant 170.000 unités nucléotide. Avec les instruments dont on dispose maintenant, on peut connaître en un jour jusqu'à 150 de ces unités.

15.8 Synthèse en laboratoire de segments d'acide nucléique

Tout comme celle de segments de peptides (paragraphe 14.11), la synthèse de segments de chaînes, de séquence connue, d'acides nucléiques est importante à plus d'un titre. On a besoin de telles chaînes, courtes, pour détailler la connaissance du code génétique, et de chaînes plus longues pour amener des microorganismes, au moyen de techniques du génie génétique, à synthétiser certaines protéines comme l'insuline. Enfin, on insère des **oligonucléotides** de séquence connue dans l'ADN de microorganismes où ils peuvent intervenir comme guides dans la synthèse biologique de cet ADN.

La synthèse en laboratoire de segments d'ADN pose les mêmes types de problèmes que celle de segments de peptides. Mais ces problèmes (sauf ceux qui sont liés aux racémisations) sont encore plus ardus, notamment à cause de la plus grande complexité des nucléotides comparés aux amino-acides. Dans de telles synthèses, tout nucléotide a plusieurs groupes fonctionnels qu'il faut protéger et, plus tard, régénérer. Ainsi, la cytosine, l'adénine et la guanine ont des groupes amino libres qu'il faut protéger (figure 15.1). Il peut en être de même pour l'–OH en C3 ou en C5 et pour le groupe phosphate.

Malgré ces difficultés, on a mis au point dans divers laboratoires des méthodes de synthèse d'oligonucléotides. Ainsi, en combinant des méthodes chimiques et enzymatiques, H. B. Khorana (Massachusetts Institute of Technology, prix Nobel de médecine 1968) et ses collaborateurs purent réaliser pour la première fois la synthèse d'un gène.

Plus récemment, on a développé des synthétiseurs de gène automatisés, basés sur une technique analogue à celle sur support solide, de Merrifield. Par une liaison covalente, on attache à un polymère un nucléotide protégé et on ajoute à la chaîne, dans un ordre déterminé, d'autres nucléotides protégés. Eventuellement, on enlève les groupes protecteurs et détache du support solide l'oligonucléotide synthétique. A l'heure actuelle, on sait faire des synthèses sûres et rapides d'oligonucléotides de 10 à 20 unités.

Passons maintenant de la structure primaire de l'ADN (l'ordre dans lequel sont liées ses bases) à sa structure secondaire (la double hélice et le code génétique).

15.9 Structure secondaire de l'ADN. La double hélice

On sait depuis 1938 que les molécules d'ADN ont une forme précise, car des études aux rayons X révélèrent alors un empilement régulier et une certaine périodicité. En 1950, E. Chargaff (Université Columbia) fit une observation capitale, qui apporta une indication précieuse sur la structure de cet acide nucléique. Analysant le contenu en bases d'ADN provenant d'organismes différents, il constata que les pourcentages de A et T en moles étaient égaux et qu'il en était de même pour les pourcentages de C et G. Par exemple, l'ADN de l'homme comporte, d'une part environ 30 % de A et 30 % de T et d'autre part 20 % de C et 20 % de G.

La signification de ces équivalences resta obscure jusqu'en 1953, quand J.D. Watson (Université de Harvard) et F.H. Crick (Université de Cambridge) – ils reçurent le prix Nobel de médecine en 1960 – proposèrent le modèle de la double hélice pour l'ADN. Simultanément, par une étude aux rayons X, R. Franklin et M. Wilkins à Londres confirmaient cette structure. Les caractéristiques essentielles de leur modèle d'ADN sont les suivantes:

1. L'ADN est constitué de deux chaînes hélicoïdales de polynucléotides s'enroulant autour d'un même axe.

2. Les hélices sont droites et les chaînes antiparallèles (elles s'enroulent dans des directions opposées).

3. Les bases puriques et pyrimidiniques se trouvent à l'intérieur de l'hélice dans des plans perpendiculaires à son axe, tandis que les groupes désoxyribose et phosphate se trouvent à l'extérieur dans des plans presque perpendiculaires à ceux des bases.

4. Les deux chaînes sont assemblées par l'appariement de bases au moyen de liaisons hydrogène, l'adénine étant toujours appariée à la thymine et la guanine à la cytosine.

5. L'hélice a un diamètre de 20 Å. Les paires de bases adjacentes sont distantes les unes des autres de 3,4 Å tout au long de l'axe de l'hélice et l'on passe de l'une à l'autre par une rotation de l'hélice de 36°. Il y a donc dix paires de bases par tour d'hélice (360°) et la structure se répète sur les deux chaînes à intervalles de 34 Å.

6. N'importe quelle séquence des bases de la chaîne polynucléotidique est possible. Cette séquence précise porte l'information génétique.

La figure 15.4 donne quelques modèles schématiques de la double hélice. La caractéristique essentielle de celle-ci est la spécificité de l'appariement des bases: A – T et G – C. C'est la structure hélicoïdale et ses facteurs stériques qui imposent les paires purine-pyrimidine, de telles paires se logeant aisément à l'intérieur, tandis qu'il n'y a pas assez de place pour deux purines et qu'il y en a trop pour deux pyrimidines qui seraient alors trop éloignées l'une de l'autre pour

Figure 15.4

Modèle moléculaire et représentations schématiques de la double hélice d'ADN. Le modèle compact, à gauche, montre clairement les paires de bases à l'intérieur de l'hélice dans des plans perpendiculaires à son axe. Au centre est donnée une structure plus schématique avec des dimensions. A droite, un schéma particulier montre l'appariement des bases des deux chaînes de l'hélice.

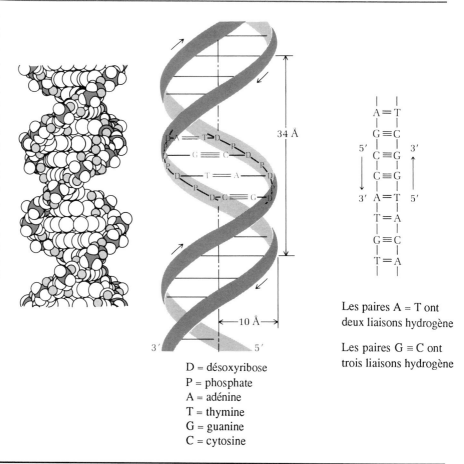

D = désoxyribose
P = phosphate
A = adénine
T = thymine
G = guanine
C = cytosine

Les paires A = T ont
deux liaisons hydrogène

Les paires G ≡ C ont
trois liaisons hydrogène

contracter des liaisons hydrogène. Quant aux paires purine-pyrimidine, les conditions optimales d'interaction par des liaisons hydrogène sont clairement favorables à A – T et G – C, l'adénine ne pouvant pas s'apparier à la cytosine, ni la guanine à la thymine. La paire A – T est jointe par deux liaisons hydrogène et la paire G – C par trois. La géométrie de ces deux paires est presque la même.

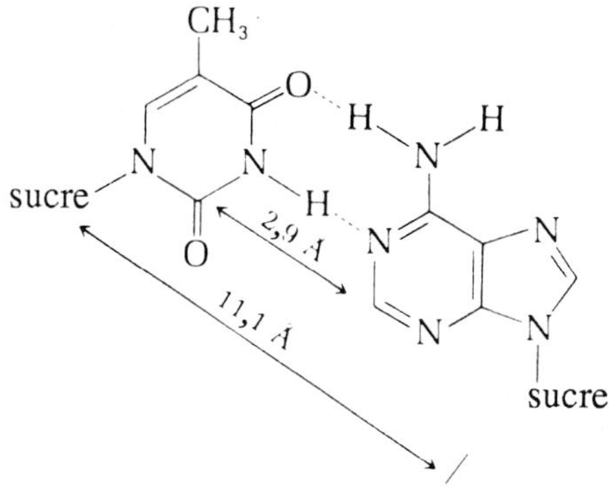

paire de bases T – A 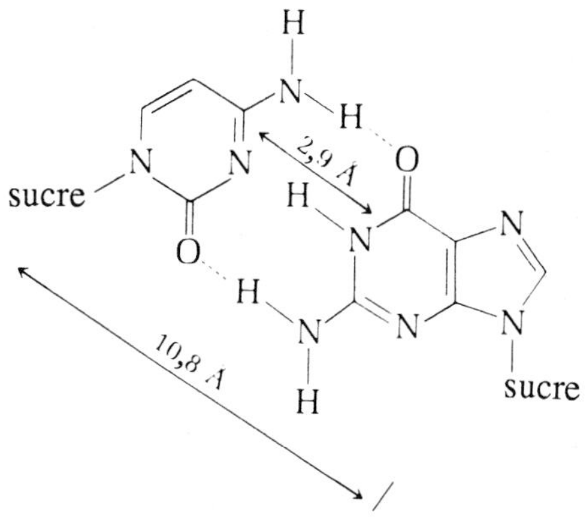   paire de bases G – C

Exemple de Problème 15.3   **Ecrire la structure de la paire de bases A – C et expliquer pourquoi elle est moins favorisée que les paires A – T et G – C.**

Solution   **Il y a deux possibilités pour une paire A – C:**

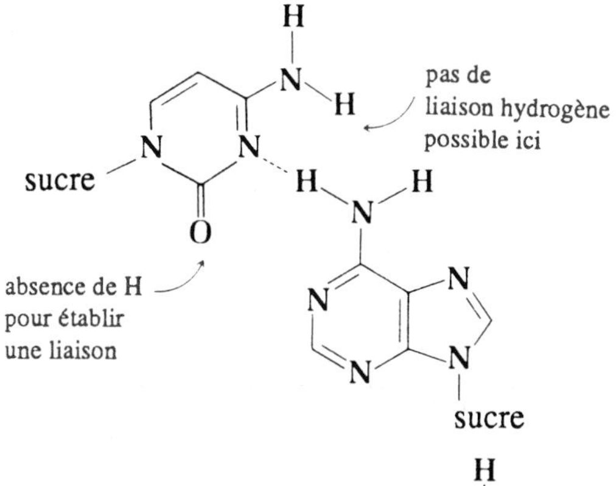

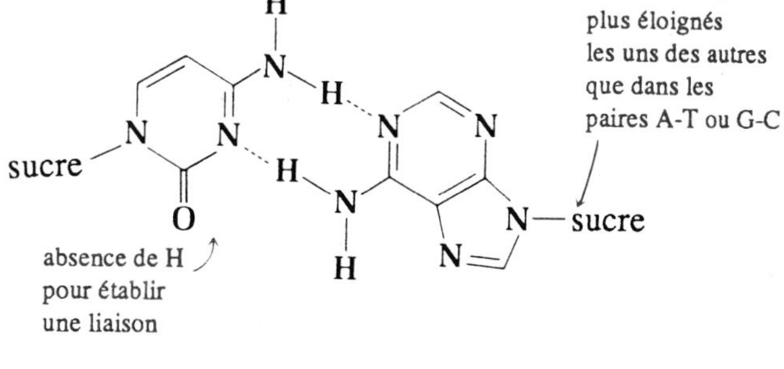

La première structure n'aurait qu'une liaison H. La seconde impliquerait une plus grande distance entre les unités sucre et une distorsion de l'hélice.

Problème 15.4   **Même question que ci-dessus pour la paire G – T.**
Problème 15.5   **Considérant l'ordre suivant des bases d'un brin d'ADN: –AGCCATGT– (écrit de 5' à 3'), quel serait l'ordre des bases de l'autre brin?**

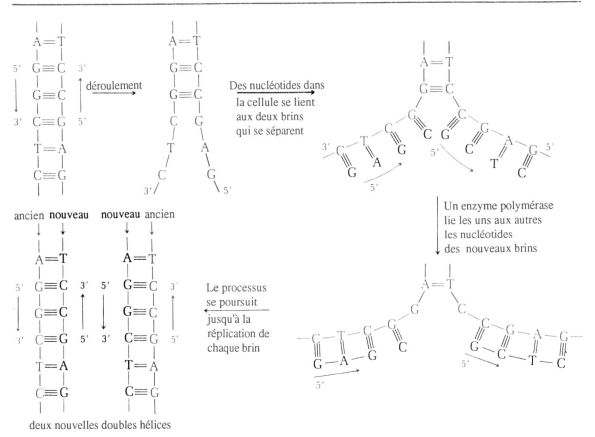

Figure 15.5   Représentation schématique de la réplication de l'ADN. Tandis que la double hélice se déroule, des nucléotides de la cellule se lient aux deux brins qui se séparent, en respectant les règles d'appariement des bases. Dans chacun des nouveaux brins, une polymérase lie les nucléotides les uns aux autres.

15.10 Réplication de l' ADN

Les gènes, réceptacles de l'information qui permet à l'organisme vivant de se construire, sont des segments d'ADN. La beauté de la double hélice de cet acide nucléique, c'est qu'elle suggère un fondement moléculaire à la transmission de cette information d'une génération à la suivante: la **réplication de l'ADN.** En 1954, Watson et Crick firent la remarque et la suggestion suivantes: si l'ordre des bases de l'un des brins était donné, on pourrait écrire, en raison des appariements spécifiques, l'ordre des bases de l'autre brin. Un brin est donc, pour ainsi dire, le complément de l'autre et cette caractéristique permet d'imaginer la manière dont l'ADN se dédouble. Il y aurait rupture des liaisons hydrogène, puis déroulement et séparation des deux brins de la double hélice. Chaque brin sert alors de matrice pour la formation contre lui-même, à partir de nucléotides de la cellule, d'un brin complémentaire. La figure 15.5 illustre cette proposition.

Quoique simple en principe, la réplication suit un processus pratiquement très complexe. En effet, les nucléotides se trouvent sous la forme de triphosphates (et non pas de monophosphates), un enzyme (ADN-polymérase) additionne les nucléotides à une chaîne primaire, d'autres enzymes connectent les fragments d'ADN (ADN-ligase), la réplication commence et s'arrête en des points déterminés, etc, etc. Chacun des deux brins est répliqué différemment. L'un (celui de gauche de la figure 15.5), dont l'extrémité 3' se trouve au point de déroulement de l'hélice, est répliqué régulièrement dans l'ordre 5' ⟶ 3'. L'autre, qui a son extrémité 5' au même point, est répliqué aussi dans le sens 5' ⟶ 3', mais il est en réalité formé par la jonction de petits fragments préalablement formés. Bref, on en connaît davantage sur ce processus depuis qu'a été proposée, il y a quelques décennies, la double hélice de l'ADN.

Avant de nous tourner vers la fonction importante de l'ADN, à savoir la synthèse des protéines, il nous faut d'abord considérer un autre type d'acide nucléique, l'ARN, qui joue un rôle capital dans ce processus.

15.11 Acides ribonucléiques. L'ARN

Les acides ribonucléiques diffèrent de l'ADN par trois caractéristiques essentielles: (1) le sucre est le **D-ribose**, (2) l'une des quatre bases hétérocycliques est l' **uracile** (au lieu de la thymine) et (3) la plupart des molécules d' ARN sont monocaténaires (elles n'ont qu'une seule chaîne) contrairement à celles de l'ADN, qui sont bicaténaires, bien qu'il puisse y avoir des régions hélicoïdales, dues alors au repli de la chaîne sur elle-même.

Le D-ribose, sucre de l'ARN, diffère du 2-désoxy-D-ribose, sucre de l'ADN, par la présence d'un hydroxyle en C2. A part cela, les nucléosides et les nucléotides de l'ARN ont les mêmes structures que ceux de l'ADN.

D-ribose   uracile   uridine-5'-monophosphate (UMP)

On notera que l'uracile ne diffère de la thymine que par l'absence d'un méthyle en C5. Comme la thymine, il forme des nucléotides en N1 et les noms de ces derniers sont analogues à ceux de la table 15.1. Dans les abréviations de ces noms, on omet le petit *d* (qu'on utilisait avec le *désoxyribose*) puisque le sucre est ici le ribose.

Problème 15.6   **Ecrire la structure entière:**
       a. de l' AMP
       b. du trinucléotide UCG de l' ARN.

Les cellules contiennent trois types d'ARN: l'ARN messager, l'ARN de transfert et l'ARN ribosomique.

L'ARN messager (*m*-ARN), formulé par F. Jacob et J. Monod (prix Nobel de médecine 1965), intervient dans la **transcription** du code génétique: il est l'intermédiaire porteur de l'information dans la synthèse protéique c'est-à-dire la matrice de cette synthèse. Il existe un *m*-ARN spécifique de la synthèse de chaque protéine. La séquence des bases du *m*-ARN est complémentaire de celle d'un brin d'ADN, les bases U s'appariant aux bases A:

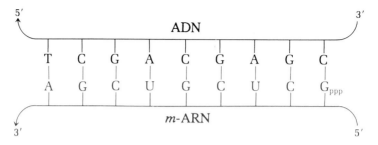

La transcription va dans le sens 3' ⟶ 5' le long de la matrice de l'ADN, c'est-à-dire que le brin du *m*-ARN croît dans le sens 5' ⟶ 3'. Son nucléotide terminal 5' se présente sous la forme triphosphate et non pas monophosphate, le plus souvent pppG ou pppA; la transcription n'a lieu que par action d'un enzyme appelé ARN polymérase et un seul brin d'ADN est transcrit. Certaines séquences de bases de ce dernier, appelées sites promoteurs, initient la transcription, tandis que d'autres, dites de terminaison, donnent le signal de son achèvement.

A l'extrémité 3' du *m*-ARN, on trouve souvent une séquence particulière d'environ 200 unités nucléotide de la même base, l'adénine. Cette séquence joue un rôle dans le transport de ce *m*-ARN du noyau cellulaire vers les ribosomes, où sont synthétisées les protéines.

L'ARN de transfert (*t*-ARN) transporte les amino-acides sous une forme activée jusqu'aux ribosomes où se forment les liaisons peptidiques, dont la séquence est déterminée par le *m*-ARN matriciel. Il y a au moins un type de *t*-ARN pour chacun des vingt amino-acides. L'ARN de transfert contient environ 75 unités nucléotide, ce qui fait de lui la plus petite molécule d'ARN. Outre les quatre bases hétérocycliques bien connues, il comporte plusieurs autres bases puriques et pyrimidiques. La figure 15.6 donne la séquence de ses bases et la forme générale d'un *t*-ARN, le *t*-ARN de l'alanine, l'espèce qui apporte l'amino-acide alanine à son site de synthèse protéique. Ce fut le premier ARN dont la séquence des bases fut déterminée et cela valut à son auteur (R.W. Holley, Université Cornell) le prix Nobel en 1968. Depuis lors, on a déterminé les séquences de nombreux ARN. Chaque *t*-ARN a une séquence de bases CCA à son extrémité 3'-hydroxyle où l'amino-acide est attaché sous forme ester et il a une **boucle anticodon** très éloignée du site d'attache de l'amino-acide. Cette boucle comporte sept nucléotides, dont les trois centraux IGC au milieu de la molécule sont complémentaires de GCC, l'un des codons pour l'alanine.

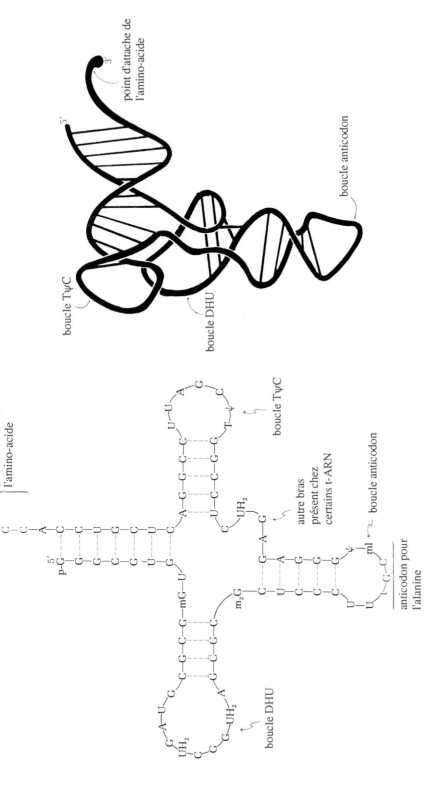

Figure 15.6 *A gauche,* séquence des bases du t-ARN de l'alanine. Il comporte 77 unités nucléotide, notamment les bases habituelles A, G, C et U liées par des liaisons hydrogène. La molécule comporte aussi une unité thymine et neuf unités de six bases plus rares. Ce sont : la 1-méthylguanosine (mG), la 2-diméthylaminoguanosine (m₂G), la 5,6-dihydrouridine (UH₂ ou DHU), l'inosine (I, il s'agit de la guanosine n'ayant pas de groupe 2-amino), la 1-méthylinosine (mI) et la pseudouridine (ψ, il s'agit de l'uridine dont le sucre est attaché en C-5 et non pas en N-1). *A droite,* représentation schématique d'un t-ARN illustrant sa forme globale en L. La boucle anticodon et le point d'attache de l'amino-acide sont éloignés l'un de l'autre de 80 Å.

Le troisième type d'ARN est l'**ARN ribosomique** (*r*-ARN). C'est le principal composant des ribosomes et il constitue 80 % de l'ARN cellulaire total, les *t*-ARN et *m*-ARN en constituant respectivement 15 % et 5 %. Sa masse moléculaire est grande, chaque molécule pouvant comporter plusieurs milliers d'unités nucléotide. Son rôle précis dans la synthèse des protéines n'est pas encore connu.

15.12 Le code génétique

On a vu ci-dessus que la séquence des amino-acides d'une protéine est déterminée par la lecture, à l'aide de molécules de *t*-ARN, d'une séquence de codons sur un *m*-ARN. Passons maintenant au mécanisme de la synthèse des protéines, le processus appelé **traduction**, parce que le langage des acides nucléiques, composé de quatre lettres pouvant s'apparier deux à deux, est converti en un langage à vingt lettres, celui des protéines. La traduction est un processus plus compliqué que la réplication ou la transcription de l'ADN. En fait, elle nécessite la coordination des effets combinés de plus d'une centaine de macromolécules différentes. Cela sort du cadre de ce livre, mais on peut présenter quelques concepts relatifs au code génétique.

Le **code génétique** est ce qui relie la séquence des bases de l'ADN, ou sa transcription ARN, et la séquence des amino-acides de la protéine synthétisée. Une séquence de trois bases appelée **codon** correspond à un amino-acide. Puisqu'il y a quatre bases dans l'ARN (A, G, C et U), il y a 4 x 4 x 4 = 64 codons possibles. Mais il n'y a que 20 amino-acides courants dans les protéines. Chaque codon ne correspond qu'à un amino-acide, mais il est *dégénéré*. Autrement dit, plusieurs codons différents peuvent correspondre à un même amino-acide. Dans un tel cas, les codons ne diffèrent ordinairement que par leur dernière lettre; ainsi, GCU, GCC, GCA et GCG sont tous les codons de l'amino-acide qu'est l'alanine. Enfin, trois des 64 codons (UAA, UAG et UGA) sont des signaux d'arrêt, indiquant que la synthèse de la protéine est complète.

Comment le code génétique fut-il déchiffré? La première expérience réussie fut celle de Marshall Nirenberg (USA, 1961; prix Nobel 1968) qui, ajoutant de la polyuridine (un ARN synthétique dont toutes les bases sont des uraciles U) à un système cellulaire de synthèse protéique, constata un accroissement formidable de l'incorporation de phénylalanine dans les polypeptides résultants. Puisque UUU est le seul codon présent dans la polyuridine, il doit donc être le codon de la phénylalanine. Le premier mot de code était déchiffré: UUU "signifie" phénylalanine. De manière analogue, de la polyadénosine conduisit à la synthèse de polylysine et de la polycytidine conduisit à de la polyproline. Donc AAA = Lys et CCC = Pro. Plus tard les compositions des codons spécifiques de nombreux amino-acides furent déterminées à l'aide de polyribonucléotides synthétiques de séquence connue.

Exemple de Problème 15.4   **Un polyribonucléotide, préparé à partir du tétranucléotide UAUC et soumis aux conditions de la synthèse peptidique, conduit au polypeptide (Tyr-Leu-Ser-Ile)$_n$. Quels sont les codons de ces quatre amino-acides?**

Solution   **Le polyribonucléotide doit avoir la séquence U A U C U A U C U A U C. En divisant la chaîne en ses codons, on obtient la séquence répétitive:**

UAU – CUA – UCU – AUC
Tyr — Leu — Ser — Ile

Ces quatre codons sont ainsi déchiffrés.

Problème 15.7   Un polynucléotide, préparé à partir du dinucléotide UA, donne un polypeptide (Tyr-Ile)$_n$. En quoi ce résultat confirme-t-il celui de l'exemple de problème 15.4? Quel est l'autre codon de l'isoleucine?

Ce code génétique est universel; autrement dit, il est le même pour tous les organismes terrestres et il n'a pas varié au cours des millions d'années de l'évolution. Cela n'est pas étonnant, car si l'on considère l'effet d'une mutation qui altérerait la lecture des m-ARN d'un organisme, elle changerait la séquence des amino-acides de la plupart, sinon de l'ensmble, des protéines synthétisées par cet organisme. La grande majorité de ces changements serait sans aucun doute nuisible et il y aurait de ce fait une très forte sélection pour éviter une telle mutation.

15.13   Biosynthèse des protéines

La synthèse des protéines met en jeu des réactions coordonnées de nombreux types de molécules telles que: m-ARN, t-ARN, ribosomes, enzymes, amino-acides, phosphates, etc.

Les amino-acides doivent être attachés, par catalyse enzymatique, à l'extrémité 3' d'un t-ARN (figure 15.6) en préparation. Il n'existe qu'un seul t-ARN par amino-acide et un seul enzyme pour réaliser son attache sur ce t-ARN. Le m-ARN agit comme la matrice de la synthèse, son code étant "lu" par les anticodons des t-ARN.

La **biosynthèse des protéines** comporte trois phases: l'initiation, l'élongation et la terminaison. L'**initiation** est l'alignement du m-ARN et du premier t-ARN en un site spécifique du ribosome. Chez les bactéries, le signal de départ sur le m-ARN est généralement AUG (le codon pour la méthionine). Le t-ARN avec son anticodon UAC vient s'attacher en ce lieu au m-ARN par l'appariement des bases au moyen de liaisons hydrogène.

Dans l'**élongation** de la chaîne peptidique, le t-ARN correspondant au codon suivant se fixe sur le m-ARN. L'amino-acide du premier t-ARN est lié, par une liaison peptidique, sous l'action d'un enzyme appelé peptidyl transférase, à l'amino-acide du t-ARN voisin. Le premier t-ARN, qui n'a plus d'amino-acide, se détache alors du m-ARN. Et ainsi de suite. Le schéma de la figure 15.7 illustre ce processus d'élongation dans lequel le code du m-ARN est lu de bas en haut, c'est-à-dire dans le sens 5' ——> 3'. A un temps donné, seulement deux t-ARN sont liés par liaisons hydrogène au m-ARN. L'un de ces t-ARN porte la chaîne peptidique en construction et l'autre l'amino-acide suivant (ici la valine) qui doit s'ajouter aux autres. En bas, le t-ARN de tyrosine s'en va, après avoir apporté son amino-acide. En haut, un t-ARN d'alanine et un t-ARN de thréonine approchent le m-ARN en préparation pour lui apporter leur amino-acide. La chaîne protéique, partant de l'amino-acide N-terminal, s'accroît vers l'amino-acide C-terminal. Dans cette figure 15.7, par exemple, la liaison peptidique est créée entre le groupe amino de la valine et le groupe carboxyle de la sérine.

Le signal de la **terminaison** de la synthèse est donné par l'un des trois codons

UAA, UGA ou UAG du *m*-ARN. Ces codons sont reconnus par des protéines spécifiques appelées facteurs de libération qui lient les codons d'arrêt et catalysent l'enlèvement de toute la chaîne polypeptidique achevée. Dans la figure 15.7, c'est la thréonine qui deviendra l'amino-acide C-terminal du polypeptide, parce que le codon suivant du *m*-ARN est un codon d'arrêt (UAA).

Figure 15.7
Représentation schématique simplifiée du processus d'élongation dans la synthèse des protéines.

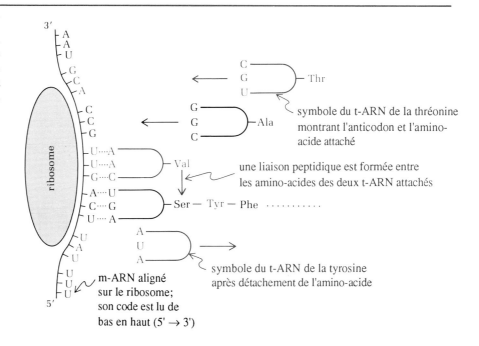

Ce schéma illustre la façon dont sont synthétisés pratiquement tous les polypeptides et toutes les protéines, y compris les enzymes, qui y participent effectivement. Certains polypeptides peuvent subir des modifications après leur synthèse, par exemple en formant des liaisons disulfures ou par fragmentation.

Bref, la synthèse des protéines à partir de l'ADN met en jeu les étapes suivantes:

1. Transcription au *m*-ARN du message des codons de l'ADN.
2. Alignement du *m*-ARN sur le ribosome.
3. Initiation par liaison du premier *t*-ARN au codon de départ du *m*-ARN.
4. Elongation, qui comporte trois étapes se répétant de nombreuses fois: (a) liaison d'un *t*-ARN porteur de son amino-acide spécifique; (b) formation d'une liaison peptidique entre le groupe carboxyle de l'amino-acide fourni par le *t*-ARN déjà en place et le groupe amino de l'amino-acide apporté par le *t*-ARN nouvellement lié; (c) enlèvement du t-ARN qui a fourni son amino-acide.
5. Terminaison, commandée par un codon d'arrêt du *m*-ARN. Un facteur de libération lie ce codon d'arrêt et catalyse l'enlèvement, à la dernière molécule de *t*-ARN, du peptide achevé. Dans cette étape, le ribosome est libéré; il peut alors se lier à une autre molécule de *m*-ARN et répéter le processus dans son entier.

15.14 Autres nucléotides d'importance biologique

Des substances autres que les acides nucléiques comportent des nucléotides. Les principales font l'objet des lignes ci-après.

L'adénosine existe sous différentes formes phosphates. Les 5'-monophosphate, diphosphate, triphosphate et le phosphate 3',5'-cyclique sont des intermédiaires clés de beaucoup de processus biologiques.

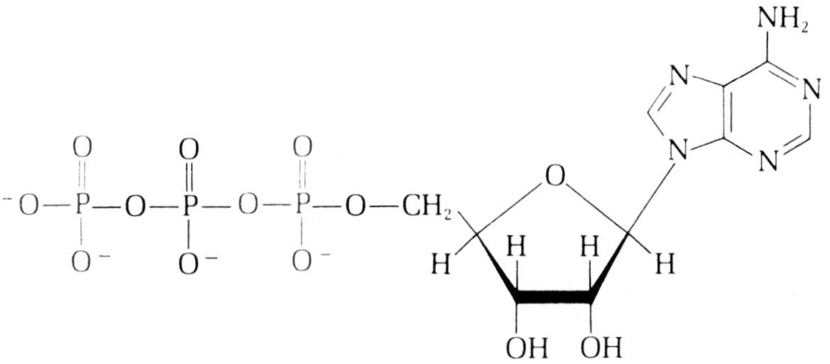

adénosine monophosphate (AMP)

adénosine diphosphate (ADP)

adénosine triphosphate (ATP)

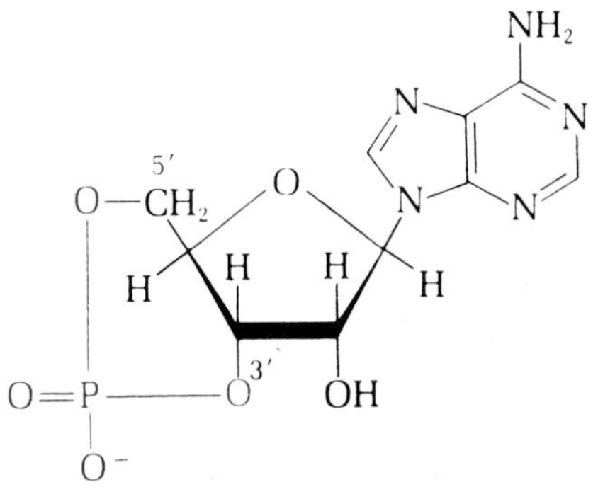

adénosine phosphate 3',5'-cyclique (cAMP)

L'ATP comporte deux groupes anhydride phosphorique et, quand il est hydrolysé en ADP, puis en AMP, il abandonne de l'énergie en quantité importante, qui est disponible pour d'autres réactions biologiques. L'AMP cyclique (cAMP) est le médiateur d'une certaine activité hormonale. Quand, à l'extérieur d'une cellule, une hormone agit sur le site récepteur de sa membrane, elle est capable de stimuler, à l'intérieur, la synthèse de cAMP qui peut alors réguler certains processus biochimiques. Il n'est donc pas nécessaire qu'une hormone pénètre à l'intérieur de la cellule pour exercer son effet.

La structure de quatre coenzymes importants comporte des nucléotides. On a déjà mentionné le **coenzyme A** (page 314) constitué partiellement d'ADP, qui est un agent de transfert d'acyle biologique et joue un rôle clé dans le métabolisme des graisses. Le **nicotinamide adénine dinucléotide (NAD)** est un coenzyme qui déshydrogène les alcools en aldéhydes et en cétones. Il est constitué de deux nucléotides liés l'un et l'autre par l'hydroxyle en 5' de leur unité ribose.

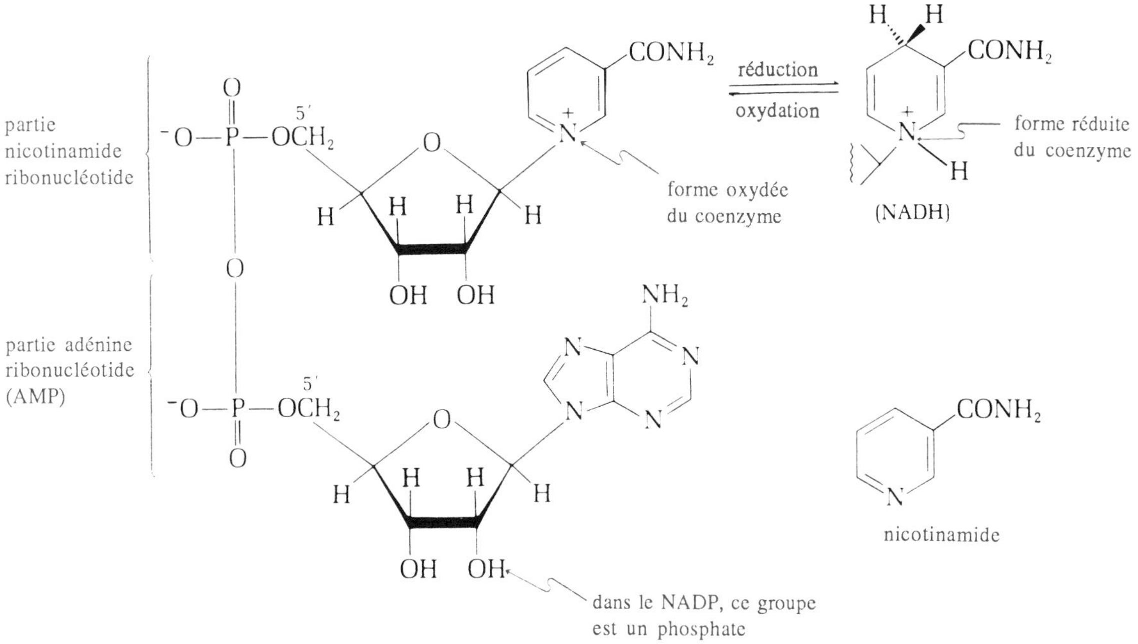

nicotinamide adénine dinucléotide (NAD)

Quand le NADP (phosphate-ester de NAD) oxyde un alcool en composé carbonylé, le cycle pyridinique de la partie nicotinamide du coenzyme est réduit en cycle dihydropyridine et il se forme du NADPH. C'est le processus inverse qui a lieu quand le NADPH réduit un composé carbonylé en alcool. L'acide nicotinique est une vitamine B nécessaire à la synthèse du coenzyme. Le manque de cette vitamine est la cause d'une maladie chronique, la pellagre.

Le **flavine adénine dinucléotide (FAD)** est un coenzyme jaune qui intervient dans de nombreuses réactions d'oxydo-réduction biologique. Il est constitué d'une partie riboflavine (vitamine B_2) liée à une autre partie ADP. La forme réduite a deux hydrogènes liés à la partie riboflavine.

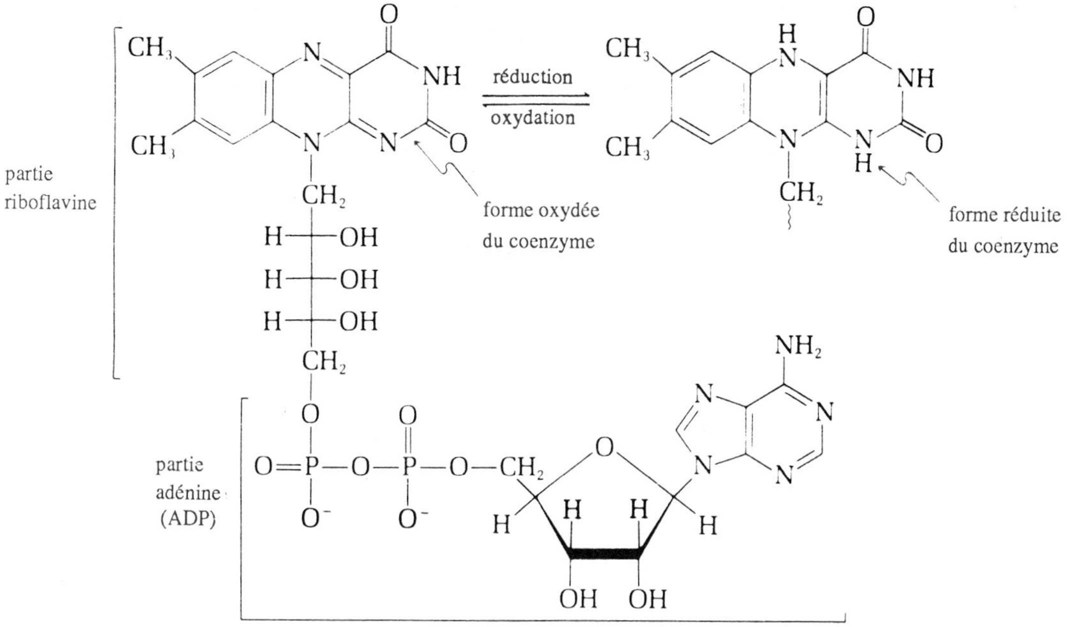

flavine adénine dinucléotide (FAD)

La **vitamine B$_{12}$** (cobalamine), essentielle au développement des cellules du sang rouge, est une molécule très complexe qui comporte une partie nucléotide. Le **coenzyme B$_{12}$** comporte une seconde unité nucléotide. Ces deux molécules ont un atome de cobalt situé au centre d'un système macrocyclique à quatre azotes, analogue à celui de la porphyrine. Mais le cobalt a deux autres ligands au-dessus et au-dessous du plan moyen des quatre azotes. L'un de ces ligands est le ribonucléotide d'une base peu courante, le **5,6-diméthylbenzimidazole**.

L'autre ligand est un groupe –C≡N dans le cas de la vitamine et le groupe 5-désoxyadénosyle dans le cas du coenzyme. Dans l'un et l'autre, il y a une liaison directe carbone-cobalt. Dans les réactions catalysées par le coenzyme B$_{12}$, il y a remplacement du groupe Co—R par un groupe Co—H.

La vitamine B$_{12}$ est produite par certains microorganismes mais n'est pas synthétisée par l'organisme humain. Elle doit donc être ingérée; des quantités infimes sont suffisantes. Une nourriture déficiente en vitamine B$_{12}$ peut être la cause d'anémie pernicieuse.

La vitamine B$_{12,}$ avec son remarquable ensemble de fonctions et de centres chiraux, est l'une des molécules les plus complexes qui ait jamais été étudiée dans un laboratoire de chimie organique. Sa synthèse fut achevée en 1973 par R.B. Woodward*, A. Eschenmoser et leurs nombreux collaborateurs.

* Robert Burns Woodward (Université de Harvard) reçut le prix Nobel de Chimie en 1965 pour ses contributions à l'"art de la synthèse organique". Il est considéré par de nombreux chimistes comme le plus grand maître dans cet art qui ait jamais vécu.

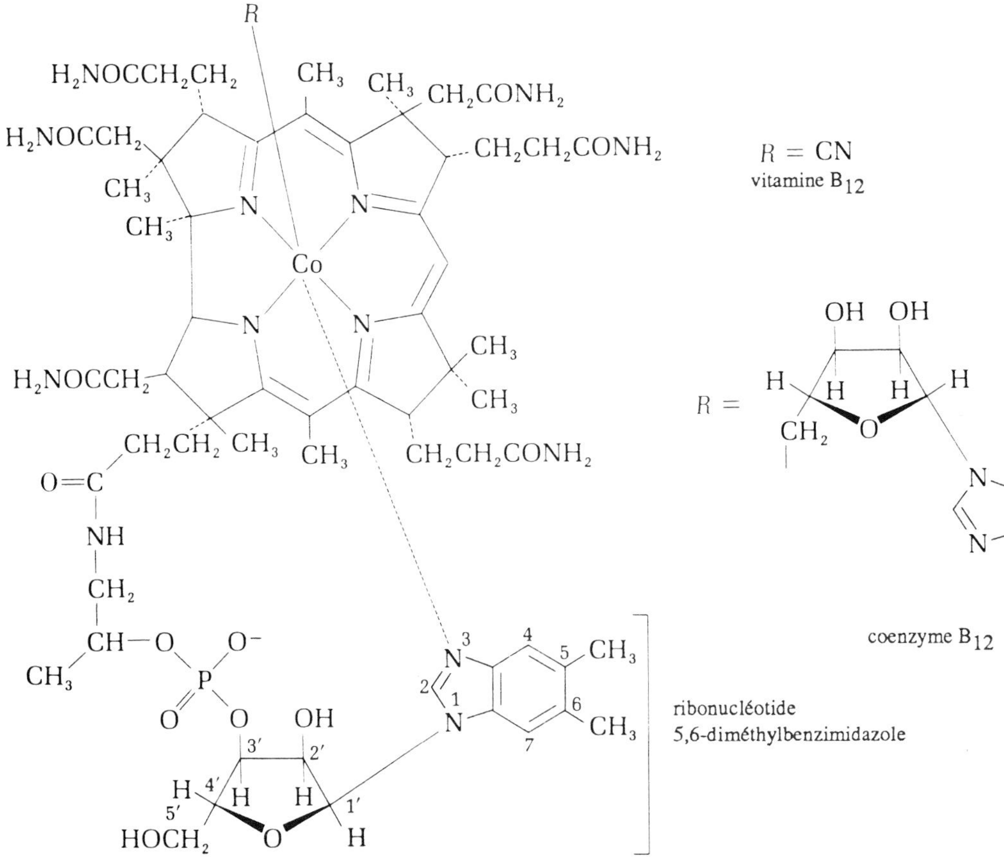

$R = CN$
vitamine B_{12}

$R =$

coenzyme B_{12}

ribonucléotide
5,6-diméthylbenzimidazole

A PROPOS DU FUTUR

Ce qu'on a appris sur la synthèse des protéines et la transmission de l'information génétique est important, mais beaucoup reste à faire dans ce domaine. On connaît les grandes lignes de ces processus, la structure globale de l'ADN et de l'ARN, leur réplication et le code génétique. On sait quelque chose des mutations qui ont lieu quand, dans une séquence, une base est ajoutée ou enlevée ou remplacée par une autre, changeant ainsi la "lecture" des "triplets" de bases. On connaît les séquences de base de nombreux t-ARN. En 1981, on a déterminé la séquence des nucléotides du gène qui codifie l'enzyme dite synthétase de l'alanyl-t-ARN et la séquence complète des amino-acides de cet enzyme. C'était la première détermination de la structure primaire d'une grande synthétase, les enzymes qui catalysent l'attache des amino-acides à leurs t-ARN.

On connaît aussi dans son entier l'ordre des bases de quelques virus de 5.000 à 170.000 unités nucléotide, dont l'intérêt scientifique est évident. Jusqu'où doit-on aller? On travaille actuellement sur la bactérie *Escherichia coli.*, dont le gène comporte près de 5 millions d'unités nucléotides! Et les 46 chromosomes de l'homme, qu'on peut maintenant aborder, en comportent chacun environ 500 millions. Travail énorme certes, mais dont la réalisation semble plus concevable qu'elle l'était il y a dix ans.

Leur connaissance sera-t-elle bénéfique? Nul ne peut le dire, mais peut-être pourrait-on ainsi corriger des imperfections génétiques et soulager les douleurs qu'elles provoquent. Déjà, on utilise dans les laboratoires des synthétiseurs automatiques d'ADN capables, à l'heure actuelle, de réaliser des assemblages connus et prédéterminés de nucléotides à la vitesse approximative d'un toutes les demi-heures, et de synthétiser couramment des oligonucléotides d'une douzaine d'unités. Les techniques, qui appliquent la fragmentation et la réunion de brins d'ADN à la formation de nouvelles molécules d'ADN, offrent beaucoup de possibilités pour la synthèse de quantités importantes de gènes ou de protéines rares. Incontestablement, il reste plus à faire que ce qu'on pouvait imaginer.

Résumé du chapitre

Les acides nucléiques, porteurs de l'information génétique, sont des macromolécules composées d'unités nucléotide liées les unes aux autres. L'hydrolyse des nucléotides donne un équivalent d'un nucléoside et un équivalent d'acide phosphorique. L'hydrolyse plus poussée d'un nucléoside donne un sucre et une base hétérocyclique.

Le sucre de l'ADN est le 2-désoxy-D-ribose. Les quatre bases sont la cytosine, la thymine, l'adénine et la guanine. Les deux premières sont des pyrimidines et les deux dernières des purines. Dans les nucléosides, les bases sont attachées au carbone anomère (C1) du sucre à l'état de β-N-glycosides. Dans les nucléotides, l'-OH en C3 ou en C5 du sucre est présent à l'état de phosphate-ester.

La structure primaire de l'ADN consiste en nucléotides liés par la liaison 5'-OH d'une unité et la liaison 3'-OH de l'unité suivante dans un groupe phospho-diester. La description complète d'une molécule d'ADN implique la connaissance de la séquence (de l'ordre) de ses bases. On a maintenant à sa disposition des méthodes rapides de détermination des séquences de bases et l'on peut déterminer des séquences de l'ordre de 150 bases par jour. En contrepartie, la synthèse d'oligonucléotides constitués de séquences de bases connues progresse rapidement.

La structure secondaire de l'ADN a trait à la double hélice, deux chaînes polynucléoïdales hélicoïdales s'enroulant autour d'un même axe. Chaque hélice est droite et l'une et l'autre s'enroulent dans des directions opposées par rapport à leurs extrémités 3' et 5'. Les bases se trouvent à l'intérieur de l'hélice dans des plans perpendiculaires à son axe. Elles sont appariées (A–T et G–C) par des liaisons hydrogène qui tiennent ensemble les deux chaînes. Les parties sucre-phosphate forment la surface extérieure de la double hélice. L'information génétique est transmise par le déroulement de la double hélice et le rôle de matrice joué par chaque brin pour enchaîner les nucléotides.

L'ARN diffère de l'ADN en trois points: le sucre est le D-ribose, l'uracile (une pyrimidine) remplace la thymine (les trois autres bases sont les mêmes) et les molécules constituent un seul brin. Il y a trois principaux types d'ARN: l'ARN messager (qui intervient dans la transcription du code génétique), l'ARN de transfert (qui transporte les amino-acides sur les sites où a lieu la synthèse des protéines) et l' ARN ribosomique.

Le code génétique est la relation entre les séquences de trois bases appelées codons et les séquences d'amino-acides spécifiques. Le code est dégénéré (c'est-à-dire qu'il y a plus d'un codon par amino-acide) et certains codons jouent le rôle de signaux d'arrêt et terminent la synthèse. La biosynthèse des protéines est le processus par lequel le message apporté par les séquences de bases est transcrit en séquences d'amino-acides.

Outre leur rôle en génétique, le rôle des nucléotides en biochimie est important. Des enzymes et des coenzymes comportent aussi des parties nucléotidiques.

PROBLEMES SUPPLEMENTAIRES

15.8 Ecrire la formule développée d'un exemple de chacun des types de composés suivants:
a. une base pyrimidique   **b.** une base purique
c. un nucléoside   **d.** un nucléotide

15.9 Les bases de l'ADN de la figure 15.1 peuvent exister sous d'autres formes tautomères. Ecrire tous les tautomères possibles de la cytosine.

15.10 Considérant les structures de l'adénine et de la guanine (figure 15.1), dire lesquelles sont planes et lesquelles sont plissées. Pourquoi?

15.11 Pensez-vous que les bases pyrimidiniques que sont la cytosine et la thymine soient planes? Pourquoi?

15.12 Ecrire la structure des nucléosides suivants:

a. cytidine (du β-D-ribose et de cytosine)

b. désoxyadénosine (du β-2-désoxy-D-ribose et d'adénine)

c. uridine (du β-D-ribose et d'uracile)

d. désoxyguanosine (du β-2-désoxy-D-ribose et de guanine)

15.13 On utilise le *5-fluorouracil-2-désoxyriboside* (FUdR) en médecine, contre les virus et les tumeurs. D'après son nom, quelle est sa structure?

15.14 La *psicofuranine* est un nucléoside utilisé en médecine comme antibiotique et contre les tumeurs. Sa structure ne diffère de l'adénosine que par un groupe –CH_2OH attaché au carbone 1' et de géométrie α. Donner sa structure.

15.15 Ecrire la réaction d'hydrolyse totale de l' adénosine 5'-monophosphate (AMP).

15.16 A l'aide de la table 15.1, écrire la structure des nucléotides suivants:
a. acide guanylique (GMP)   **b.** acide 2'-désoxythymidylique (dTMP)

15.17 Ecrire les étapes du mécanisme de l'hydrolyse baso-catalytique de l' AMP (équation 15.3).

15.18 Ecrire la structure des dinucléotides suivants dérivés de l'ADN:
a. A-T   **b.** G-T   **c.** A-C

15.19 Ecrire la structure des dinucléotides suivants dérivés de l'ARN:
a. A-U   **b.** G-U   **c.** A-C

15.20 Considérons le tétranucléotide A-A-T-C dérivé de l'ADN. Quels produits donnera son hydrolyse: **a.** par une base   **b.** par une base, puis par un acide?

15.21 Ecrire la structure des constituants suivants de l'ARN:
a. UUU   **b.** UAA   **c.** GCA

15.22 Ecrire une structure montrant la liaison hydrogène entre l'uracile et l'adénine et la comparer avec celle qui unit la thymine et l'adénine.

15.23 Un segment d' ADN comporte la séquence de bases suivantes:
5' – A – A – C – C – T – G – T – A – C – 3'
Ecrire la séquence de son complément ADN et spécifier ses extrémités 3' et 5'.

15.24 Ecrire le complément *m*-ARN du segment d'ADN du problème 15.23 et spécifier ses extrémités 3' et 5'.

15.25 Considérer la séquence suivante d'un *m*-ARN:
5' – A – G – C – U – G – C – U – C – A – 3'
Ecrire la double hélice de l'ADN dont dérive cette séquence en suivant le schéma de la droite de la figure 15.4. Spécifier les extrémités 5' et 3' de chaque brin.

15.26 Expliquer comment la structure à double hélice de l'ADN s'accorde avec les analyses de Chargaff des proportions en purines et en pyrimidines d'échantillons d'ADN de diverses sources.

15.27 Le codon CAU correspond à l'histidine. Comment apparaît-il sur le brin d'ADN à partir duquel il a été transcrit? sur le complément de ce brin? Spécifier les sens 5' et 3'.

15.28 L'anticodon de l'alanine-*t*-ARN (figure 15.7) comporte l'unité nucléoside inosine (I), qui ne diffère de la guanosine que par l'absence de groupe 2-amino. Ecrire la structure de l'inosine.

15.29 L'anticodon CGI de l'alanine-*t*-ARN (figure 15.7) peut se combiner avec les codons GCU, GCC et GCA du *m*-ARN, tous trois désignant l'alanine. C'est parce que sa troisième base, l'inosine, peut se lier par liaison hydrogène aussi bien avec la troisème base (U, C ou A) de chaque codon. Ecrire les paires de bases I _ U, I _ C et I _ A liées par liaisons hydrogène et montrer que toutes les trois sont également possibles.

15.30 Quels produits obtiendrait-on de l'hydrolyse complète de nicotine adénine dinucléotide (ADN)? Voir sa structure page 484.

15.31 En utilisant la formule

pour représenter l'ADNP, écrire sa réaction avec l'éthanol.

15.32 Le glucose-UDP est une forme activée de glucose mise en jeu dans la synthèse du glycogène. C'est un nucléotide dans lequel de l'α-D-glucose est estérifié en C1 par le phosphate terminal d'uridine diphosphate (UDP). Ecrire la structure du glucose-UDP.

15.33 La **caféine**, l'alcaloïde du café et du thé, est une purine de formule:

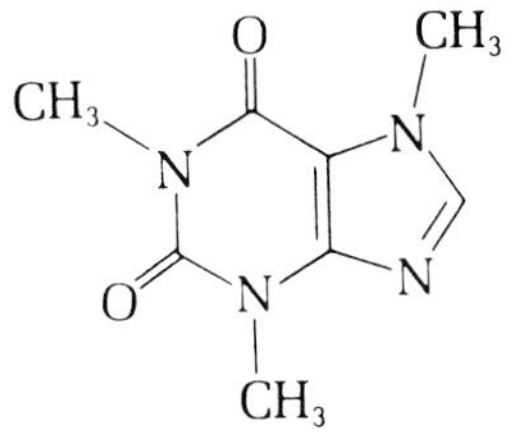

caféine

Comparer sa formule avec celles de l'adénine et de la guanine. Doit-elle former des N-glycosides avec des sucres comme le 2-désoxy-D-ribose?

CHAPITRE 16

POLYMERES, PRODUITS PHARMACEUTIQUES ET SPECTROSCOPIE

16.1 Introduction

Dans les douze premiers chapitres de ce livre, nous avons traité des principaux groupes fonctionnels de la chimie organique et de leurs réactions les plus importantes. Dans les trois suivants, nous avons décrit les structures et les propriétés de trois catégories de molécules biologiques capitales, les hydrates de carbone, les protéines et les acides nucléiques, une quatrième catégorie, les lipides, ayant déjà fait l'objet du chapitre 11. Nous avons donné çà et là quelques aperçus sur le rôle de la chimie organique dans notre vie quotidienne. Dans le présent chapitre, nous examinerons de plus près deux aspects de cette question.

Ce dernier chapitre est divisé en trois parties. La première traitera des polymères organiques, qui envahissent de plus en plus notre vie. Plus de la moitié des chimistes organiciens travaillant actuellement dans l'industrie sont concernés d'une manière ou d'une autre par la chimie des polymères. En 1984, la production totale des Etats-Unis en polymères pour les plastiques synthétiques, les fibres et le caoutchouc a atteint les 25 millions de tonnes! On verra dans ce paragraphe quelques aspects fondamentaux et les raisons de l'importance des polymères.

La deuxième partie traitera de chimie pharmaceutique et médicinale. En effet, les chimistes organiciens ont joué un rôle important dans le traitement des maladies, dans l'amélioration de la santé de l'homme et des animaux et la prolongation de la vie. Nous exposerons ici certaines des réalisations de l'industrie pharmaceutique.

Un problème que se pose parfois l'étudiant de chimie organique est: Comment savoir que telle ou telle molécule a bien la structure indiquée? Il y a beaucoup de réponses à cette question et nous n'avons fait que les aborder çà et là. Mais une méthode de détermination des structures dépasse toutes les autres, notamment à cause de sa rapidité. C'est l'application de la spectroscopie à la chimie. Nous l'examinerons dans la troisième partie de ce chapitre, avec quelques exemples spécifiques.

Figure 16.1
Assemblage des
monomères dans les
polymères.

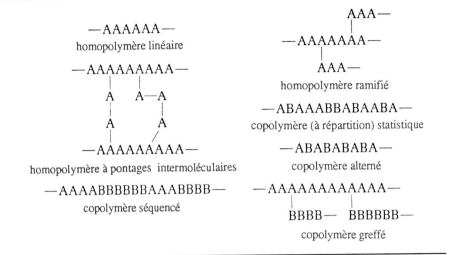

—AAAAAA—
homopolymère linéaire

homopolymère à pontages intermoléculaires

—AAAABBBBBBAAABBBB—
copolymère séquencé

homopolymère ramifié

—ABAAABBABAABA—
copolymère (à répartition) statistique

—ABABABABA—
copolymère alterné

copolymère greffé

A. POLYMERES

16.2 Définitions et classification

On appelle **polymère**, ou **macromolécule**, une grande molécule constituée d'unités plus petites appelées **monomères** (revoir les paragraphes 3.18 et 3.19) et **polymérisation** la conversion de ces derniers en polymères. Certains polymères tels que les polysaccharides, les protéines et les acides nucléiques sont des produits **naturels**. D'autres, que l'on décrira ici, sont **synthétiques**.

Quand on polymérise un monomère ou un mélange de monomères, on n'obtient pas un produit unique comme dans beaucoup d'autres réactions, mais un mélange de plusieurs produits très semblables, dont les masses moléculaires dépendent du mode de polymérisation utilisé. C'est pourquoi il est commode de parler de **masse moléculaire moyenne** d'un polymère et de son **degré de polymérisation** n, c'est-à-dire de son nombre d'unités monomères.

$$n = \frac{M}{M_0}$$

$M =$ masse moléculaire moyenne du polymère
$M_O =$ masse moléculaire de "l'unité monomère"
(ou "motif" du polymère)

Evidemment, les propriétés du polymère seront fonction du degré de polymérisation et la taille des molécules dépendra du mode de préparation du polymère.

On peut classer les polymères en **homopolymères** (formés à partir d'un unique monomère) et en **copolymères** (formés à partir de deux ou plus de deux monomères). Ils peuvent aussi être **linéaires**, **ramifiés** ou **pontés**. Dans un copolymère, les unités monomères peuvent être **alternées**, **à répartition**

statistique, séquencées ou greffées. La figure 16.1, où les lettres capitales symbolisent les unités monomères, illustre la signification de ces types d'arrangements. On connaît chacun de ces derniers et leur effet sur les propriétés du polymère correspondant. Ainsi, un polymère dont les unités monomères sont alternées et un polymère dont les mêmes unités monomères sont greffées auront des propriétés très différentes.

Le classement des polymères peut aussi être fonction de leurs propriétés à l'état solide. Certains comportent des **zones de cristallisation** dans lesquelles les chaînes sont disposées de façon régulière. D'autres sont **amorphes** ou **vitreux**, leurs chaînes étant disposées irrégulièrement. Certains polymères linéaires ou ramifiés, mais non pas pontés, sont **thermoplastiques**; par chauffage, ils fondent ou ramollissent et, par refroidissement, ils redurcissent. D'autres sont **durcissables**; par chauffage, ils subissent des modifications de structure conduisant à des pontages et deviennent durs et infusibles. Cette modification n'est pas réversible et une fois faite, le polymère ne peut plus être fondu.

Enfin, le classement des polymères peut faire appel à leurs modes de préparation. On distingue deux sortes de polymérisation différant par leurs cinétiques: 1) la **polyaddition ou croissance en chaîne**, dans laquelle le monomère se soude à lui-même un très grand nombre de fois, le polymère étant alors constitué des mêmes atomes et dans les mêmes proportions que le monomère (exemples: le polyéthylène et autres polymères vinyliques (équation 3.39); 2) la **polycondensation ou croissance par étapes,** dans laquelle le polymère est formé par réaction entre deux groupes fonctionnels avec perte d'une petite molécule comme l'eau et n'est donc pas constitué des mêmes atomes et dans les mêmes proportions que le monomère (exemples: les polyesters— paragraphe 11.4 — et les polyamides —paragraphe 12.15).

Considérons maintenant en détail ces modes de préparation des polymères.

16.3   Polymères formés par polyaddition (ou par croissance en chaîne)

Dans la polymérisation par croissance en chaîne, le catalyseur qui amorce la réaction provoque la formation d'un certain type **d'intermédiaire réactif**, lequel se fixe alors rapidement sur une molécule de monomère en donnant un nouvel intermédiaire réactif qui, à son tour, se fixe sur une autre molécule de monomère et ainsi de suite. Le monomère réagit rapidement, toujours par la même addition à la chaîne qui s'allonge. Le processus peut s'interrompre à cause d'une réaction de terminaison, mais, en principe la totalité du monomère disparaît dans la polyaddition.

La polymérisation par croissance en chaîne peut mettre en jeu plusieurs types d'intermédiaires réactifs.

16.3a Polymérisation radicalaire Le mécanisme radicalaire qu'on a déjà décrit pour la polymérisation vinylique (paragraphe 3.18) est un exemple de polyaddition. La réaction est résumée comme ci-dessous.

Le peroxyde de benzoyle est un initiateur de radicaux typique. A 80°C il se décompose en donnant des radicaux benzoyles, lesquels peuvent amorcer la réaction en chaîne, ou bien perdre CO_2 en donnant des radicaux phényles qui, eux, amorcent la réaction en chaîne.

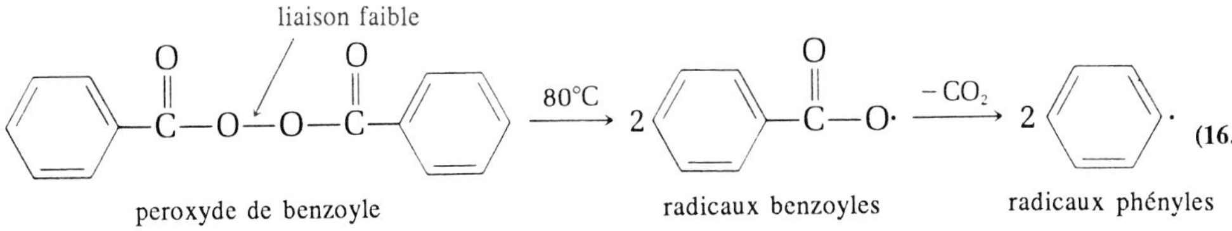

liaison faible

$$\text{peroxyde de benzoyle} \xrightarrow{80°C} 2 \text{ radicaux benzoyles} \xrightarrow{-CO_2} 2 \text{ radicaux phényles} \tag{16.1}$$

peroxyde de benzoyle   radicaux benzoyles   radicaux phényles

Une fois amorcée, la chaîne progresse par additions successives du radical à la double liaison carbone-carbone du monomère (équations 16.3 et 16.4), par attaque du carbone le moins substitué, provoquant chaque fois la formation d'un nouveau radical au niveau du carbone porteur du substituant X.

Initiation
$$I \longrightarrow 2 \text{ R·} \tag{16.2}$$
(initiateur)

$$\text{R·} + CH_2{=}\underset{X}{CH} \longrightarrow R{-}CH_2\underset{X}{CH·} \tag{16.3}$$

Propagation
$$R{-}CH_2\underset{X}{CH·} + CH_2{=}\underset{X}{CH} \longrightarrow R{-}CH_2\underset{X}{CH}CH_2\underset{X}{CH·} \tag{16.4}$$

$$R{-}CH_2\underset{X}{CH}CH_2\underset{X}{CH·} \xrightarrow{\text{n étapes}} R{\left[CH_2\underset{X}{CH}\right]_{n+1}}CH_2\underset{X}{CH·} \tag{16.5}$$

Terminaison
$$R{\left[CH_2\underset{X}{CH}\right]_n}CH_2\underset{X}{CH·} + ·\underset{X}{CH}CH_2{\left[\underset{X}{CH}CH_2\right]_{n'}}R \xrightarrow[\text{radicalaire}]{\text{couplage}} \tag{16.6}$$

arrangements tête à tête

$$R{\left[CH_2\underset{X}{CH}\right]_n}\overbrace{CH_2\underset{X}{CH}\underset{X}{CH}CH_2}{\left[\underset{X}{CH}CH_2\right]_{n'}}R$$

$$R{\left[CH_2\underset{X}{CH}\right]_n}CH_2\underset{X}{CH·} + R{\left[CH_2\underset{X}{CH}\right]_{n'}}CH_2\underset{X}{CH·} \xrightarrow[\text{radicalaire}]{\text{dismutation}} \tag{16.7}$$

$$R{\left[CH_2\underset{X}{CH}\right]_n}CH_2\underset{X}{CH_2} + R{\left[CH_2\underset{X}{CH}\right]_{n'}}CH{=}\underset{X}{CH}$$

alcane   alcène

Figure 16.2 Polymérisation radicalaire par "croissance en chaîne". On distingue les trois phases d'initiation, de propagation et de terminaison (par couplage et par dismutation de radicaux).

   C'est le mode le plus courant de telles polymérisations, parce que le carbone de CH_2 est le moins encombré et que la formation d'un site radicalaire sur le carbone adjacent est favorisée à cause de la stabilisation (par résonance, par exemple) apportée par le substituant X. C'est pourquoi le polymère résultant a **l'arrangement tête-à-queue** de ses unités monomères.

   La terminaison de chaîne peut avoir lieu par **couplage de radicaux** (équation 16.6), d'où la formation de certains arrangements tête-à-tête. Elle peut aussi être due au phénomène appelé **dismutation*** (certains francophones utilisent le terme anglo-saxon "disproportionation") dans lequel un radical enlève ici un atome d'hydrogène au carbone adjacent d'un autre radical (équation 16.7), d'où la formation d'un alcane et d'un alcène.

Exemple de problème 16.1   **Quelle particularité distingue les étapes de propagation et de terminaison de chaîne?**

Solution   **Dans les étapes de propagation, un radical disparaît mais un autre est créé. Autrement dit, le nombre de radicaux des deux membres de l'équation de propagation est toujours le même. Par contre, dans les étapes de terminaison, les radicaux disparaissent sans que d'autres apparaissent et la croissance de la chaîne est arrêtée.**

   Si les équations de la figure 16.2 résumaient toute l'histoire, tous les polymères formés selon un mécanisme radicalaire seraient linéaires. Or les mesures physiques montrent que de tels polymères ont des ramifications et que notre schéma réactionnel est incomplet.

   En fait, il peut y avoir **réaction de transfert de chaîne**, un radical pouvant arracher l'hydrogène d'une autre molécule (équation 16.8):

$$\text{---CH}_2\text{CH}\cdot \; + \; \text{---CH}_2\text{CH---} \; \longrightarrow \; \text{---CH}_2\text{CH}_2 \; + \; \text{---CH}_2\overset{\displaystyle\cdot}{\text{C}}\text{---}$$
$$\qquad | \qquad\qquad\quad | \qquad\qquad\qquad\quad | \qquad\qquad\quad |$$
$$\qquad X \qquad\qquad\quad X \qquad\qquad\qquad\quad X \qquad\qquad\quad X \qquad\qquad \textbf{(16.8)}$$

Cette étape termine une chaîne, mais en amorce une autre quelque part sur le polymère et non pas à son extrémité, d'où la naissance d'une ramification (équation 16.9). Le transfert de chaîne et la dismutation mettent en jeu l'un et l'autre un arrachement d'hydrogène.

$$\qquad\qquad\qquad\qquad\qquad\qquad\qquad\qquad\qquad CH_2CH\cdot$$
$$\qquad\qquad\qquad\qquad\qquad\qquad\qquad\qquad\qquad |$$
$$\qquad\qquad\qquad\qquad\qquad\qquad\qquad\qquad\qquad X$$
$$\text{---CH}_2\overset{\displaystyle\cdot}{\text{C}}\text{---} \; + \; CH_2{=}CH \; \longrightarrow \; \text{---CH}_2\text{C---} \qquad \text{etc.} \qquad \textbf{(16.9)}$$
$$\quad | \qquad\qquad\qquad | \qquad\qquad\qquad | \diagdown$$
$$\quad X \qquad\qquad\qquad X \qquad\qquad\qquad X \quad \text{point de ramification}$$

---

*Dans une dismutation, un réactant donne à la fois les produits oxydé et réduit correspondants. L'oxydo-réduction des aldéhydes (en l'alcool et l'acide correspondants) ou réaction de Cannizzaro (équation 9.39) est un exemple typique de dismutation.

On peut mettre à profit le transfert de chaîne pour assurer la masse moléculaire d'un polymère. En effet, on peut arracher facilement l'hydrogène de certains réactifs, comme les thiols, mais les radicaux résultants se dimérisent en disulfures au lieu de se fixer sur les doubles liaisons. En ajoutant de tels réactifs en faible quantité au mélange réactionnel d'une polymérisation, on peut ainsi limiter la longueur des chaînes, ces réactifs jouant alors le rôle d' agents de terminaison de chaîne.

$$\text{\textasciitilde\textasciitilde}CH_2CH\text{\textbullet} + RSH \longrightarrow \text{\textasciitilde\textasciitilde}CH_2CH_2 + RS\text{\textbullet} \qquad (16.10)$$
$$\begin{array}{ccc} | & & | \\ X & \text{mercaptan} & X \end{array}$$

ne se fixe pas sur C=C

La polymérisation radicalaire par croissance en chaîne est une réaction très rapide, pouvant aller jusqu'à 1.000 unités ou plus, en moins d'une seconde. Les chaînes comportent à une extrémité un groupe dérivé de l'initiateur, mais, ne constituant qu'une infime partie des molécules, il n'a qu'un effet négligeable sur les propriétés du polymère.

Problème 16.1 Calculer le pourcentage de la masse moléculaire dû à l'initiateur dans une molécule de polyéthylène de 1.000 unités amorcé par un radical benzoyle. Même question pour une même molécule de polystyrène.

16.3b Polystyrène On polymérise aisément le styrène avec le peroxyde de benzoyle, le polystyrène résultant ayant une masse moléculaire de 1 à 3 millions.

$$CH_2=CH-\langle\text{phényle}\rangle \xrightarrow{\text{peroxyde de benzoyle}} \left(CH_2-CH\langle\text{phényle}\rangle\right)_n \qquad (16.11)$$

styrène

polystyrène

Problème 16.2 La polymérisation par croissance en chaîne du styrène est exclusivement tête-à-queue parce que le radical intermédiaire est stabilisé par résonance. Ecrire ce dernier et montrer sa résonance.

Le polystyrène est un polymère amorphe, thermoplastique, à usages multiples. Il peut être moulé ou extrudé et donner des articles de ménage de toutes sortes, des jouets, des chassis de radio ou de TV, des bouteilles, des récipients, etc., etc. On fabrique le **polystyrène expansé** en ajoutant aux réactants de la polymérisation un hydrocarbure à bas point d'ébullition comme le pentane qui s'évapore lorsqu'on chauffe le polymère, formant des bulles qui le transforment en mousse. Ces mousses sont utilisées dans l'isolation, le conditionnement, la fabrication de verres en plastique pour boissons chaudes, boîtes à œufs, etc.

On peut rigidifier le polystyrène en créant des pontages par addition préalable au monomère d'un peu de p-divinylstyrène. Le polymère résultant est, en effet, plus rigide et moins soluble dans les solvants organiques que le polystyrène ordinaire. Par sulfonation, on transforme ce polymère en résine échangeuse d'ions, utilisée dans les adoucisseurs d'eau. Par percolation de l'eau dure à travers la résine, il y a échange des ions Ca^{2+} et Mg^{2+} par des ions Na^+.

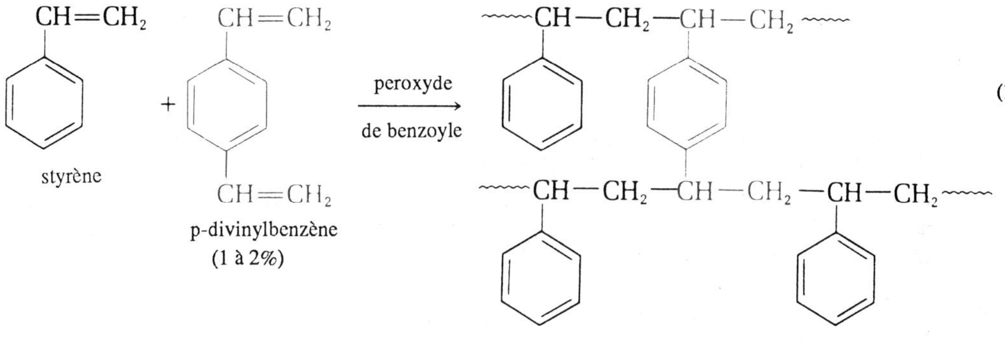

$$(16.12)$$

styrène

p-divinylbenzène
(1 à 2%)

polystyrène ponté

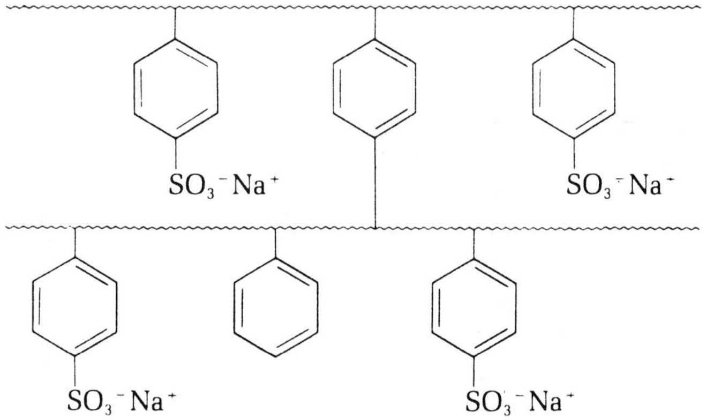

représentation schématique d'une résine échangeuse d'ions

16.3c Polymérisation cationique par croissance en chaîne On ne peut polymériser l'isobutylène selon un mécanisme radicalaire. Mais on peut le faire avec des catalyseurs de Friedel-Crafts qui mettent en jeu le carbocation tertiaire. On utilise surtout les polyisobutylènes ainsi préparés ($n = 50$) dans la fabrication d'additifs pour huiles lubrifiantes.

$$(16.13)$$

isobutylène   carbocation tertiaire

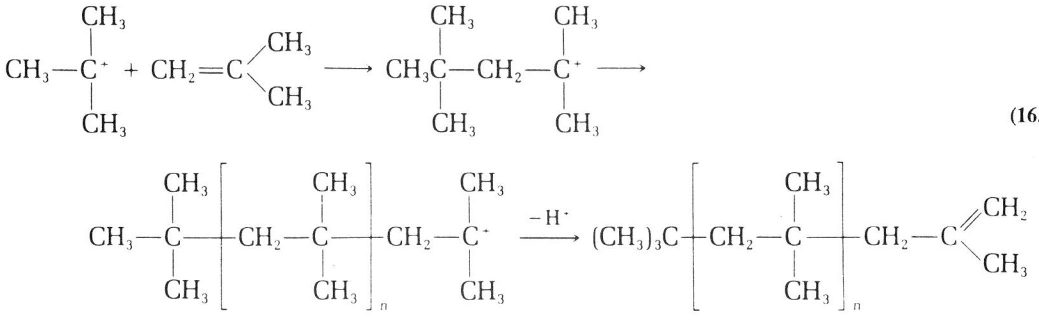

$$CH_3-\underset{\underset{CH_3}{|}}{\overset{\overset{CH_3}{|}}{C}}{}^+ + CH_2=C\overset{CH_3}{\underset{CH_3}{\diagdown}} \longrightarrow CH_3\underset{\underset{CH_3}{|}}{\overset{\overset{CH_3}{|}}{C}}-CH_2-\underset{\underset{CH_3}{|}}{\overset{\overset{CH_3}{|}}{C}}{}^+ \longrightarrow$$

(16.14)

$$CH_3-\underset{\underset{CH_3}{|}}{\overset{\overset{CH_3}{|}}{C}}\left[-CH_2-\underset{\underset{CH_3}{|}}{\overset{\overset{CH_3}{|}}{C}}\right]_n-CH_2-\underset{\underset{CH_3}{|}}{\overset{\overset{CH_3}{|}}{C}}{}^{\cdot} \xrightarrow{-H^{\cdot}} (CH_3)_3C\left[-CH_2-\underset{\underset{CH_3}{|}}{\overset{\overset{CH_3}{|}}{C}}\right]_n-CH_2-C\overset{CH_2}{\underset{CH_3}{\diagup\diagup}}$$

polyisobutylène

16.3d. Polymérisation anionique par croissance en chaîne On peut polymériser certains alcènes, ceux qui portent des substituants attracteurs d'électrons, selon un mécanisme anionique. Le catalyseur doit être un organométallique tel qu'un alkyllithium.

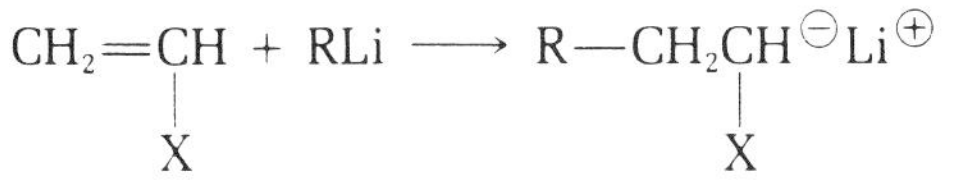

$$CH_2=\underset{\underset{X}{|}}{CH} + RLi \longrightarrow R-CH_2\underset{\underset{X}{|}}{CH}{}^{\ominus}Li^{\oplus}$$

(16.15)

$$R-CH_2\underset{\underset{X}{|}}{CH}{}^{\ominus}Li^{\oplus} + n\ CH_2=\underset{\underset{X}{|}}{CH} \longrightarrow R-CH_2\underset{\underset{X}{|}}{CH}\left(CH_2-\underset{\underset{X}{|}}{CH}\right)_n^{\ominus}Li^{\oplus}$$

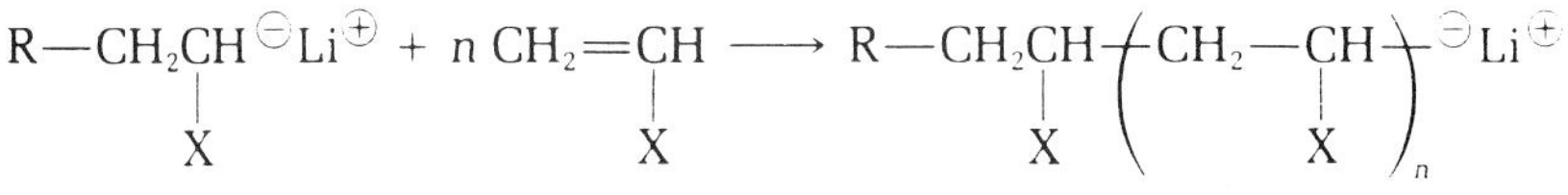

(16.16)

Les groupes X typiques de ce mécanisme sont les groupes phényle, vinyle, cyano ou alcoxycarbonyle (ester), car ils stabilisent le carbanion intermédiaire par résonance.

Exemple de problème 16.2   Ecrire le carbanion intermédiaire de la polymérisation anionique de l'acrylonitrile $CH_2=CH-C\equiv N$ et montrer sa stabilisation par résonance.

Solution

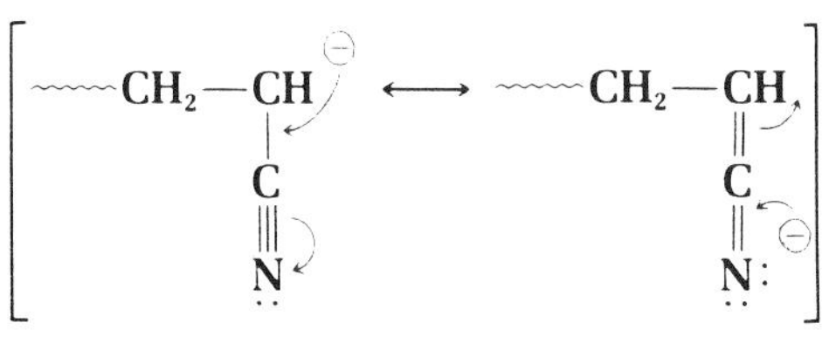

$$\left[\begin{array}{c} \sim\sim\sim CH_2-\underset{\underset{\underset{\ddot{N}\ldots}{\parallel}}{\underset{C}{|}}}{CH}{}^{\ominus} \longleftrightarrow \sim\sim\sim CH_2-\underset{\underset{\underset{\ddot{N}:^{\ominus}}{\parallel}}{\underset{C}{|}}}{CH} \end{array}\right]$$

Problème 16.3   On peut polymériser le méthacrylate de méthyle $CH_2=C(CH_3)COOCH_3$ avec le *n*-butyl-lithium à $-78°C$. A l'aide des équations 16.15 et 16.16, écrire un mécanisme de la réaction et montrer que le carbanion intermédiaire est stabilisé par résonance.

16.4 Polymères stéréoréguliers par catalyse de Ziegler-Natta

Quand on polymérise un composé vinylique monosubstitué, les carbones substitués de la chaîne portant quatre groupes ou atomes différents deviennent des centres chiraux:

$$CH_2{=}CH \longrightarrow -CH_2-\overset{*}{C}H-CH_2-\overset{*}{C}H-CH_2-\overset{*}{C}H- \qquad \textbf{(16.17)}$$
$$\vert \qquad\qquad\quad \vert \qquad\quad \vert \qquad\quad \vert$$
$$X \qquad\qquad\quad X \qquad\quad X \qquad\quad X$$

On distingue alors trois catégories de polymères:

– les polymères **atactiques**, dont les *centres stériques* ont des configurations fixées par le hasard,
– les polymères **isotactiques**, dont tous les centres stériques ont la même configuration,
– les polymères **syndiotactiques**, dont les centres stériques ont des configurations alternées.

Contrairement au polymère atactique, le polymère isotactique ou syndiotactique est dit **stéréorégulier**. Ces trois types de polymères, même dérivés d'un même monomère, auront des propriétés physiques différentes.

Exemple de problème 16.3   Ecrire un fragment de chaîne de polypropylène isotactique.

Solution   **Le polypropylène est le polymère de l'équation 16.17 dont $X = {-}CH_3$. Dans sa formule spatiale, tous les méthyles occupent des positions identiques:**

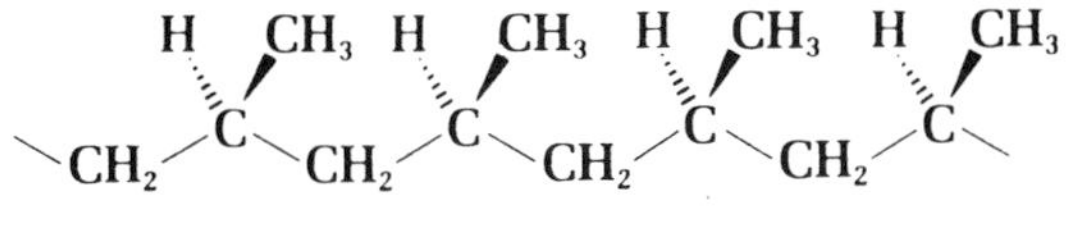

$$\begin{array}{ccccccccc} & H \; CH_3 & & H \; CH_3 & & H \; CH_3 & & H \; CH_3 & \\ & \diagdown \diagup \; C & & \diagdown \diagup \; C & & \diagdown \diagup \; C & & \diagdown \diagup \; C & \\ \diagdown CH_2 \diagup & & \diagdown CH_2 \diagup & & \diagdown CH_2 \diagup & & \diagdown CH_2 \diagup & \diagdown \end{array}$$

Problème 16.4   Ecrire un fragment de chaîne de:
a. polypropylène syndiotactique   b. polypropylène atactique

La stéréorégularité est responsable de certaines propriétés intéressantes des polymères. La polymérisation radicalaire conduisant ordinairement à des polymères atactiques, la découverte dans les années 1950, par l'Allemand K. Ziegler et l'Italien G. Natta (prix Nobel 1963), de catalyseurs organométalliques mixtes conduisant à des polymères stéréoréguliers, était donc un événement marquant en chimie. C'est notamment le cas du catalyseur mixte triéthylaluminium (ou un autre trialkylaluminium) + tétrachlorure de titane, avec lequel il est possible, par exemple, de convertir le propylène en un polymère isotactique à plus de 98 %.

Le mécanisme de la catalyse de Ziegler-Natta est très complexe. Une étape-clé de la croissance en chaîne met en jeu une liaison alkyle–titane et la coordination du monomère à un site vacant du métal. Le monomère coordiné s'insère alors dans la liaison carbone-titane et le processus continue.

$$\overset{\underset{|}{R}}{\sim\sim\text{CHCH}_2}\!-\!\text{Ti}\!\!\big\langle \quad \xrightarrow{\;\overset{\underset{|}{R}}{\text{CH}=\text{CH}_2}\;} \quad \overset{\underset{|}{R}}{\sim\sim\text{CHCH}_2}\!-\!\text{Ti}\!\!\big\langle \quad \longrightarrow \quad \overset{\underset{|}{R}\quad\underset{|}{R}}{\sim\sim\text{CHCH}_2\text{CHCH}_2}\!-\!\text{Ti}\!\!\big\langle \qquad (16.18)$$

A cause des ligands attachés au titane (on appelle ligands les bases de Lewis liées à l'atome métal central d'un complexe métallique), coordination et insertion ont lieu de manière stéréorégulière.

Alors que les méthodes radicalaires ne permettent pas d'obtenir un polymère de masse moléculaire élevée à partir du propylène, cela est facile avec les catalyseurs de Ziegler-Natta, qui donnent un polymère isotactique de structure cristalline. C'est de cette matière que sont constitués les bacs des batteries d'automobiles; elle est utilisée aussi dans le conditionnement (sacs les plus divers), dans l'ameublement (par exemple chaises de plastique encastrables les unes dans les autres); on en fait des fils pour cordages (des cordages qui flottent, d'où leur intérêt dans l'équipement portuaire), du gazon synthétique, des thibaudes, etc.

Le polyéthylène obtenu avec les catalyseurs de Ziegler-Natta est linéaire, contrairement à celui que donnent les processus radicalaires, qui est très ramifié. Il a une structure plus cristalline, une densité plus forte, une résistance à la tension et une dureté plus grandes que le polymère ramifié. On l'utilise dans la fabrication des récipients légers pour détergents et eau de Javel, des articles de ménage les plus divers, des jouets, des tuyaux de plastique, etc.

On utilise aussi les catalyseurs de Ziegler-Natta pour polymériser le butadiène et l'isoprène, notamment en 1,4 avec contrôle de la stéréochimie de la double liaison restante (équation 3.46).

16.5   Polymères formés par polycondensation (ou par croissance par étapes)

Contrairement à ceux qui sont formés par croissance en chaîne, et qui s'allongent d'une unité à la fois, les polymères formés par croissance par étapes sont obtenus généralement au moyen d'une réaction entre deux monomères, l'un et l'autre au moins difonctionnels. En voici un exemple spécifique.

Considérons la formation d'un polyester à partir d'un diol et d'un diacide. La première étape donne un ester qui comporte un groupe alcool à une extrémité et un groupe acide à l'autre.

$$\underset{\text{diol}}{\text{HO}\sim\sim\text{OH}} + \underset{\text{diacide}}{\text{HO}_2\text{C}\sim\sim\text{CO}_2\text{H}} \quad \xrightarrow{-\text{H}_2\text{O}} \quad \underset{\text{alcool-ester-acide}}{\text{HO}\sim\sim\text{O}-\overset{\overset{\text{O}}{\|}}{\text{C}}\sim\sim\text{CO}_2\text{H}} \qquad (16.19)$$

L'étape suivante peut voir la réaction de l'alcool-ester-acide avec un autre diol, un autre diacide ou avec lui-même.

$$HO \sim\sim O-\overset{\overset{\displaystyle O}{\|}}{C}\sim\sim CO_2H$$

alcool-ester-acide

$$\xrightarrow[- H_2O]{HO \sim OH} \quad HO\sim\sim O-\overset{\overset{\displaystyle O}{\|}}{C}\sim\sim\overset{\overset{\displaystyle O}{\|}}{C}-O\sim\sim OH$$

diester-diol

$$\xrightarrow[- H_2O]{HO_2C \sim CO_2H} \quad HO_2C\sim\sim\overset{\overset{\displaystyle O}{\|}}{C}-O\sim\sim O-\overset{\overset{\displaystyle O}{\|}}{C}\sim\sim CO_2H$$

diester-diacide

(16.20)

$$\xrightarrow[- H_2O]{HO \sim O-\overset{\overset{\displaystyle O}{\|}}{C}\sim CO_2H} \quad HO\sim\sim O-\overset{\overset{\displaystyle O}{\|}}{C}\sim\sim\overset{\overset{\displaystyle O}{\|}}{C}-O\sim\sim O-\overset{\overset{\displaystyle O}{\|}}{C}\sim\sim CO_2H$$

alcool-triester-acide

Ces trois possibilités ont des conséquences différentes. Les deux premiers produits comportent chacun trois unités monomères, mais le troisième en comporte quatre. Puisque la réactivité de l'–OH ou du –CO_2H de tous ces réactants est presque la même, il n'y a pas de préférence parmi ces groupes et la vitesse des diverses réactions dépend surtout des concentrations des réactants.

Problème 16.5   **Combien d'unités monomères constituerait le produit suivant si le diester-diol et le diester-diacide de l'équation 16.20 devaient réagir? Ecrire la structure du produit.**

Partant exactement d'un équivalent de diol et de diacide, on devrait pouvoir former, en principe, une molécule d'un unique polyester géant. Mais pratiquement il n'en est rien. En fait, pour obtenir un polymère de cent unités monomères ou plus en moyenne, il faut que la réaction soit complète à 99 % au moins. Pour effectuer ce type de polymérisation, il faut donc partir de composés très purs, en contrôler avec précision les proportions, conduire la réaction jusqu'à son terme, le plus souvent en distillant ou en éliminant, au fur et à mesure de sa formation, la petite molécule qui est formée dans cette réaction.

Problème 16.6   **Quel produit serait surtout formé dans le traitement d'un diacide par un diol en gros excès? dans le traitement d'un diol par un diacide en gros excès?**

Les polyesters et les polyamides (nylons) sont deux exemples de polymères à croissance par étapes dont on a déjà examiné (paragraphes 11.4 et 12.15) la synthèse et les propriétés. Les résines époxy en sont un autre (p. 253). Voici maintenant quelques autres exemples.

16.6 Polyuréthanes et autres polymères de croissance par étapes

Les applications des polyuréthanes sont nombreuses, notamment à l'état de mousse dans l'ameublement, dans les matelas, sièges de voitures, boîtes isothermes, etc. Ils interviennent aussi dans les peintures et vernis, donnant notamment des revêtements de surfaces très durs.

Le mot *uréthane* est synonyme de *carbamate*, les polyuréthanes étant obtenus à partir d'isocyanates et de diols (revoir la réaction des isocyanates simples avec les alcools conduisant aux carbamates, p. 370). Le constituant principal du coeur artificiel Jarvik–7 est un polyuréthane.

Le 2,4-toluènediisocyanate (TDI) et l'éthylèneglycol (ou autres diols) réagissent en donnant un polyuréthane:

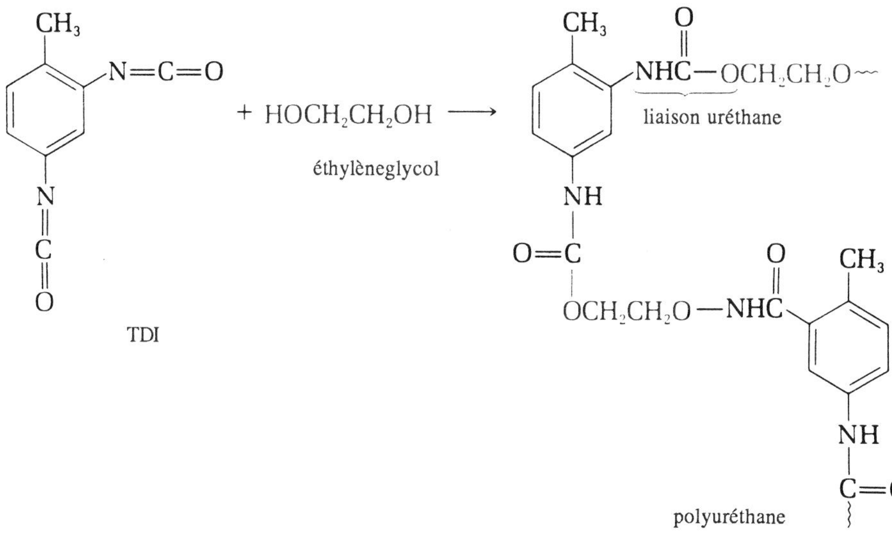

(16.21)

Cette réaction est un peu différente des polymérisations par croissance par étapes en ce qu'aucune petite molécule n'est éliminée. Mais, comme ces polymérisations, elle met en jeu deux monomères difonctionnels différents.

Pour obtenir une mousse, on effectue la polymérisation en présence d'un peu d'eau. Celle-ci réagit avec des groupes isocyanates du composé de départ ou du polymère qui se forme, en donnant un **acide carbamique** qui perd CO_2 spontanément, d'où l'apparition de bulles au cours de la formation du polymère.

$$\sim\!\!\sim\!\!\sim\!\!N\!\!=\!\!C\!\!=\!\!O + HOH \rightarrow \sim\!\!\sim\!\!\sim\!\!NH\overset{\overset{O}{\|}}{C}OH \rightarrow \sim\!\!\sim\!\!\sim\!\!NH_2 + CO_2\uparrow$$

$$\text{isocyanate} \qquad \text{eau} \qquad \text{acide carbamique} \qquad \text{amine}$$

(16.22)

L'amine résultante peut aussi réagir avec les groupes isocyanates en formant de l'urée, qui peut lier entre elles les chaînes du polymère.

$$\sim\!\!\sim\!\!\sim\!\!N\!\!=\!\!C\!\!=\!\!O + H_2N\!\!\sim\!\!\sim\!\!\sim \rightarrow \sim\!\!\sim\!\!\sim\!\!NH\overset{\overset{O}{\|}}{C}NH\!\!\sim\!\!\sim\!\!\sim$$

$$\text{isocyanate} \qquad \text{amine} \qquad \text{liaison urée}$$

(16.23)

On détermine la quantité de CO_2 formé, qui décide de la densité de la mousse, par la quantité d'eau utilisée dans la polymérisation.

Certains polymères par croissance par étapes sont obtenus à partir du formaldéhyde. La bakélite, le plus ancien des polymères synthétiques industriels, fut inventée par Leo Baekeland en 1907. C'est un polymère thermodurcissable préparé à partir de phénol et de formaldéhyde.

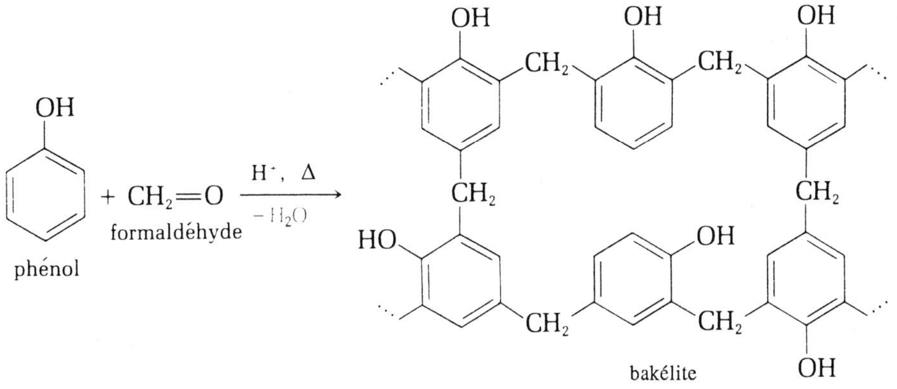

phénol + $CH_2 = O$ (formaldéhyde) $\xrightarrow[-H_2O]{H^+, \Delta}$ bakélite   (16.24)

Il comporte beaucoup de ponts CH_2 en *ortho* et en *para* de l'hydroxyle.

Exemple de problème 16.4   **Ecrire un mécanisme de la réaction de formation de la bakélite.**

Solution   **La première étape met en jeu une substitution électrophile. Il y a ainsi formation de groupes actifs méthylols éminemment polymérisables.**

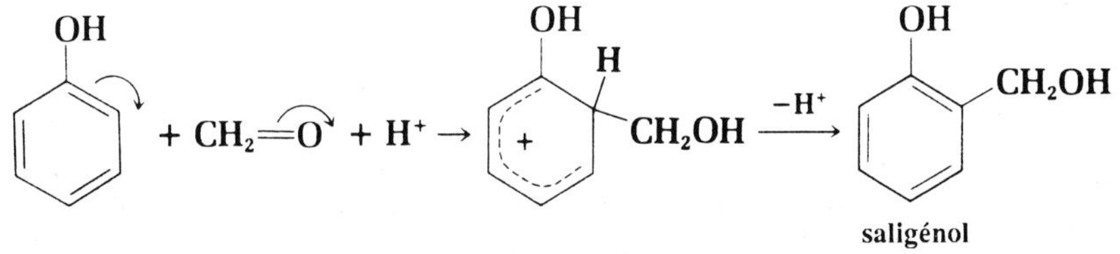

phénol + $CH_2 = O$ + H^+ → ... CH_2OH $\xrightarrow{-H^+}$ saligénol

L'étape suivante est une protonation de l'alcool avec formation, par perte d'eau, d'un cation benzyle, suivie d'une autre substitution électrophile.

CH_2OH $\xrightarrow{H^+}$ $CH_2 - \overset{+}{O} - H$ (avec H) $\xrightarrow{-H_2O}$ CH_2^+

... $\xrightarrow{-H^+}$ ... CH_2 ...

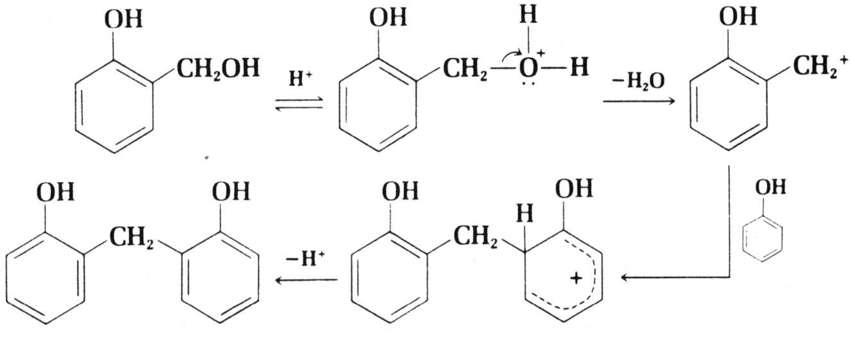

La répétition en *ortho* et en *para* donne le polymère.

Problème 16.7   **Expliquer comment la réaction du phénol et du formaldéhyde permet l'obtention de molécules di- ou polyfonctionnelles dans la polymérisation par croissance par étapes.**

La réaction de l'urée et du formaldéhyde donne aussi d'importants polymères:

$$
\underset{\text{urée}}{H_2N-\overset{\displaystyle O}{\overset{\|}{C}}-NH_2} + \underset{\text{formaldéhyde}}{CH_2{=}O} \xrightarrow{\text{base}} -HN-\overset{\displaystyle O}{\overset{\|}{C}}-N-CH_2-NH-\overset{\displaystyle O}{\overset{\|}{C}}-NH-CH_2-
$$

$$
\underset{\text{polymère urée-formaldéhyde}}{-CH_2-N-\overset{\displaystyle O}{\underset{\displaystyle O}{\overset{\|}{C}}}-NH-CH_2-NH-\overset{\displaystyle O}{\overset{\|}{C}}-NH-}
$$

(16.25)

Ces polymères servent surtout à la fabrication de matériels moulés (installations électriques, ustensiles de cuisine), de plaques telles que le "formica", d'adhésifs pour la fabrication du contre-plaqué, de mousses, etc.

On n'a fait qu'aborder dans ce paragraphe le domaine des polymères synthétiques, domaine vaste s'il en est et en constant développement. Les prochaines décennies verront sûrement beaucoup d'autres polymères synthétiques prendre place sur le marché.

B. PRODUITS PHARMACEUTIQUES

16.7 Propriétés des médicaments

La médecine humaine et animale a beaucoup profité de la recherche pharmaceutique et de la découverte de nouveaux médicaments permettant de guérir la maladie et de soulager la douleur. L'essentiel du progrès est dû aux laboratoires de recherche de l'industrie pharmaceutique où sont imaginés et testés ces nouveaux médicaments. Il s'agit d'une recherche chère, car moins d'un composé sur 10.000 synthétisés ou isolés, soumis au triage pharmacologique et testés, sera retenu.

On dispose de plusieurs sources de médicaments. Beaucoup d'entre eux sont synthétiques. D'autres ont des structures trop complexes ne permettant pas de synthèse pratique et sont obtenus différemment, par exemple par fermentation, par extraction à partir d'une source animale ou végétale ou à partir de cultures microbiologiques.

En dehors de son efficacité contre la maladie, les symptômes et la douleur, un médicament doit avoir d'autres propriétés. De préférence, il ne doit pas être toxique ni avoir des effets secondaires. A tout le moins, la frontière entre les doses thérapeutiques et les doses toxiques doit être nette. Si un produit pharmaceutique a des effets secondaires tels que réaction allergique ou diarrhée, son intérêt est considérablement diminué. Un médicament doit pouvoir être aisément administré (de préférence par voie orale); il doit être absorbé par le corps et efficace rapidement et à doses raisonnables, sans interférer avec les fonctions normales de l'organisme; il doit être stable pour pouvoir être conservé pendant de longues périodes dans les conditions climatiques les plus dures; enfin, il doit être bon marché. Bien sûr, peu de médicaments remplissent toutes ces conditions et, comme beaucoup de choses dans la vie, la plupart impliquent des compromis.

On peut classer les produits pharmaceutiques en fonction de leur structure ou de leur activité biologique. Souvent des composés de structures différentes montrent une même activité. L'inverse aussi est vrai, des composés très proches l'un de l'autre du point de vue structural (des énantiomères, par exemple) pouvant avoir des activités pharmacologiques très différentes. Par commodité, on organisera ici notre discussion selon l'activité biologique plutôt que selon la structure*.

Les médicaments peuvent présenter de 50 à 100 types différents d'activité biologique et l'on ne traitera ici que de quelques-unes, celles qui impliquent l'utilisation des produits pharmaceutiques les plus courants.

16.8 Antibiotiques

Les bactéries sont responsables de nombreuses maladies comme la pneumonie et la tuberculose, et avant la découverte des antibiotiques, ces maladies étaient parmi les plus meurtrières. La découverte des sulfamides d'abord et plus tard des β-lactames (pénicilline) et des tétracyclines et autres a considérablement modifié la pratique médicale des cinquante dernières années et elle a conduit pratiquement à la disparition de certaines maladies.

16.8a Sulfamides En 1935, en colorant des bactéries avec divers colorants organiques, en vue de les classer, on a découvert que l'azoïque **prontosil** était un agent antibactérien efficace. On trouva peu après que, par réduction dans la cellule, ce colorant était coupé en deux fragments dont l'un – le **sulfanilamide** – était en réalité la substance active contre les bactéries.

prontosil

(16.26)

sulfanilamide

On sait maintenant que le sulfanilamide agit en prenant la place, au niveau d'un certain enzyme, d'acide *p*-aminobenzoïque, un composé "isostère", c'est-à-dire un composé analogue du point de vue structural. La formation d'acide folique, composé nécessaire au métabolisme de la bactérie est ainsi bloquée. Etant donné ce mode d'action, différent de celui des antibiotiques (voir plus loin), suivi par les sulfamides, ces derniers sont parfois classés à part.

* Concernant la préparation des médicaments, on consultera le traité de A. Lespagnol, *Chimie des Médicaments*, 3 vol., Technique et Documentation, Librairie Lavoisier, Paris, 1974, et D. Lednicer et L.A. Mitscher, *The Organic Chemistry of Drug Synthesis*, John Wiley, New York, 3 vol., 1977, 1980 et 1984.

Un problème posé par le sulfanilamide est sa solubilité. Il peut, en effet, cristalliser dans les reins ou l'urine et causer ainsi des désagréments et même blesser les tissus. On fit alors rapidement la synthèse de 5.000 analogues du sulfanilamide en vue de pallier ses insuffisances. Parmi ces composés, le plus utilisé est vraisemblablement la **sulfadiazine**, qui permet de traiter méningite, dysenterie et infections urinaires.

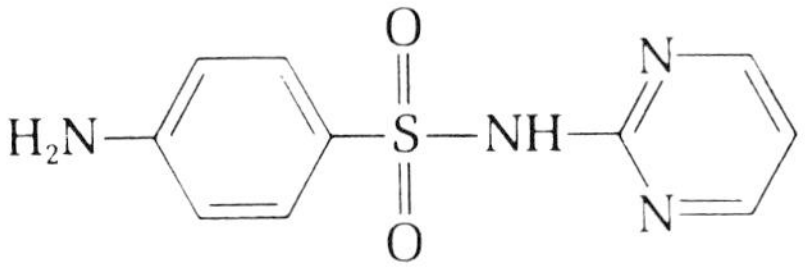

sulfadiazine

Une voie d'accès rapide aux sulfamides est la suivante:

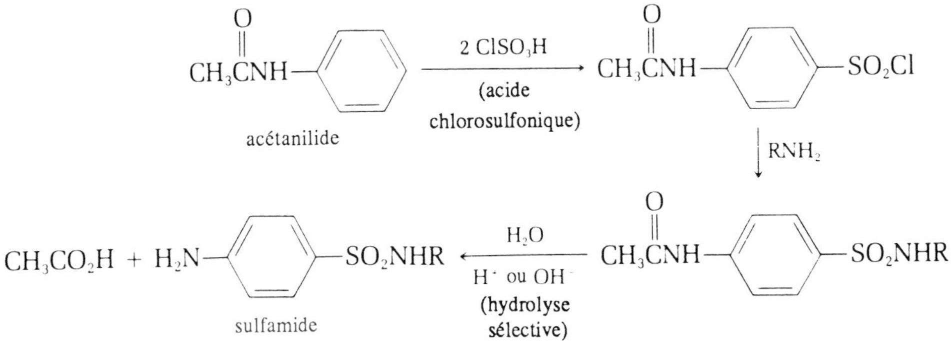

(16.27)

C'est par hasard que furent découverts les sulfamides. Leur exploitation et leur développement furent menés rapidement et systématiquement. Beaucoup de composés apparentés furent synthétisés et leur activité biologique examinée. Certains révélèrent des propriétés entièrement nouvelles. C'est le cas notamment d'un agent antidiabétique qui a l'avantage, contrairement à l'insuline, de pouvoir être pris par voie orale. La découverte des sulfamides due au hasard, suivie d'un développement intense conduisant à une autre découverte inattendue, est typique de la recherche pharmaceutique.

16.8b β-lactames (pénicillines et céphalosporines) Incontestablement, l'histoire de la pénicilline est l'un des triomphes de la médecine moderne et de l'industrie pharmaceutique. Elle commence en 1929 avec la découverte par Sir Alexander Fleming de la production, par une moisissure *Penicillium notatum,* d'une substance létale à la bactérie *Staphylococcus aureus*. A la suite d'une collaboration intense avec Chain et Florey, qui commença dix ans plus tard, également en Angleterre, et fut poursuivie pendant et après la Deuxième Guerre mondiale, on isola et détermina la structure de la substance (ou du groupe de substances) responsable de l'activité antibiotique. (Fleming, Chain et Florey devaient recevoir le prix Nobel.) La structure était unique et inattendue et le composé difficile à examiner expérimentalement à cause de son exceptionnelle réactivité. Il s'agit d'un **β-lactame**, ou amide cyclique (cycle tétraatomique). La fermentation de la moisissure en présence d'acide phénylacétique donna le premier antibiotique de ce type, la benzylpénicilline (ou pénicilline G) active contre un grand nombre de bactéries et encore utilisée maintenant.

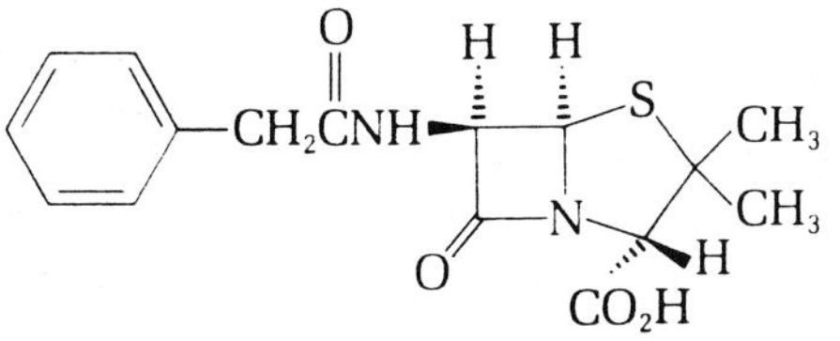

benzylpénicilline 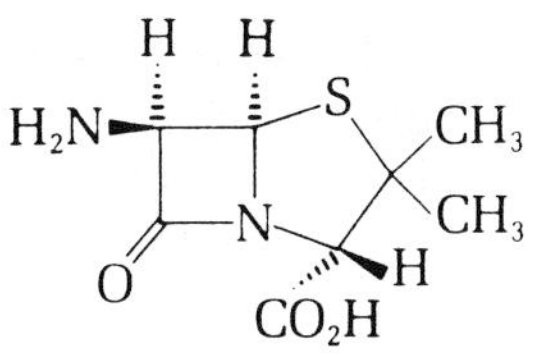   acide 6-aminopénicillanique

La pénicilline exerce son effet en intervenant sur la croissance de la paroi cellulaire de la bactérie. Cet effet est très différent de celui des sulfamides.

Un problème posé par les pénicillines, c'est la fragilité du cycle β-lactame essentiel à leur activité. Il peut être détruit par l'acide de l'estomac, par le milieu alcalin des intestins et aussi par des enzymes nommées *pénicillinases,* secrétés par diverses bactéries pour leur propre défense. Une percée importante fut acquise par l'amélioration des processus de fermentation qui donnèrent l'**acide 6-aminopénicillanique (6-APA)**, le squelette de base des pénicillines. Ce dernier permit aux chimistes pharmaciens de préparer de nombreux dérivés acylés (amides) du 6–APA autres que la benzylpénicilline. Parmi ces dérivés encore utilisés, pouvant être pris par voie orale, plus stables et moins sujets à l'accoutumance, citons la pénicilline V, l'ampicilline et l'amoxicilline.

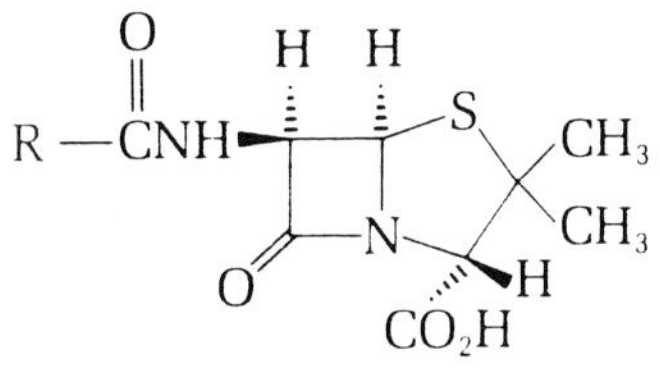

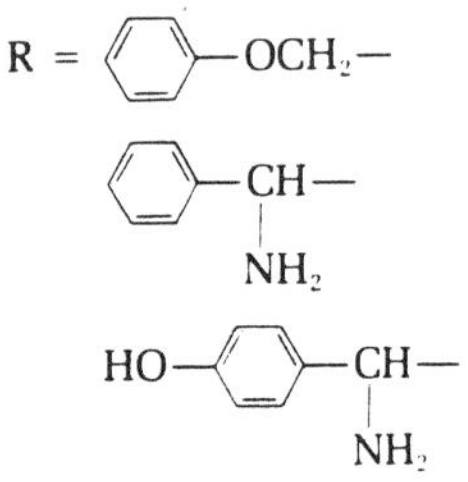

R = ⬡—OCH₂—   pénicilline V

⬡—CH—   ampicilline
   |
   NH₂

HO—⬡—CH—   amoxicilline
        |
        NH₂

La découverte de la pénicilline a conduit à une recherche plus vaste d'autres antibiotiques par fermentation d'autres moisissures, boues, liquides de vidanges, etc. Une autre famille d'antibiotiques, proches des pénicillines parce que comportant aussi un cycle β-lactame, est également intéressante. Ce sont d'abord les **céphalosporines**, isolées pour la première fois en Sardaigne près d'un effluent d'égoût. Le plus connu est la céphalexine. Le cycle sulfuré des céphalosporines est hexaatomique et non pas pentaatomique. L'activité antimicrobienne de certaines d'entre elles est plus vaste et moins sensible à la destruction enzymatique que celle des pénicillines.

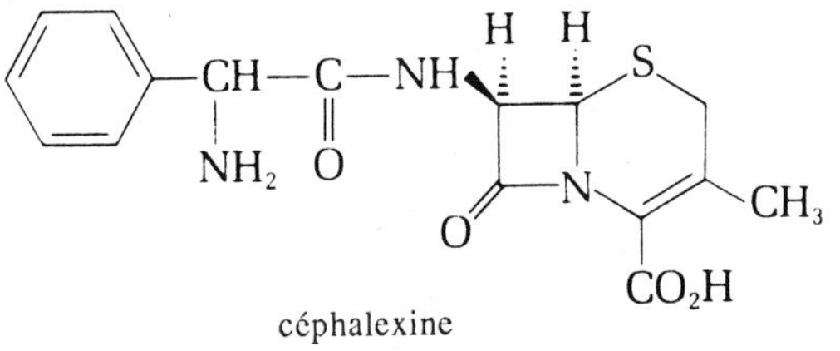

céphalexine

16.8c Tétracyclines et autres antibiotiques Les tétracyclines, comme les β-lactames, sont surtout obtenues par fermentation. Elles ont un large spectre d'activité contre les bactéries et sont très utilisées.

Les tétracyclines ont quatre cycles en C_6 accolés linéairement et porteurs de nombreuses fonctions. Le cycle aromatique de certaines d'entre elles a un chlore en *para* de l'hydroxyle et d'autres variations mineures d'ordre structural.

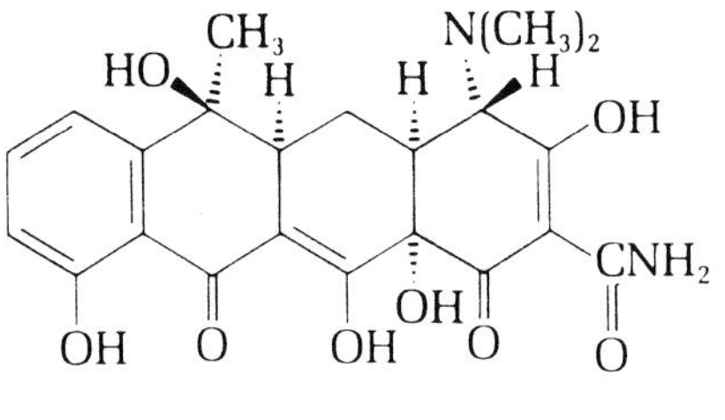

tétracycline

Parmi les autres antibiotiques importants, citons l'**érythromycine**, un macrolide, c'est-à-dire une lactone à grand cycle (comparer avec la magnamycine, p.331), la **streptomycine** (un amino-sucre) et un composé plus simple, le **chloramphénicol**. De ces trois antibiotiques, seul le dernier est synthétisé, les deux autres étant obtenus par fermentation. La particularité du chloramphénicol c'est d'être un produit comportant un groupe nitro lié à un cycle aromatique et un reste acide dichloroacétique. Il est utilisé contre la fièvre typhoïde.

La complexité et la variété des structures des antibiotiques sont étonnantes. Elles donnent une idée de la complexité des rapports entre certains détails de structure et leurs effets pharmacologiques.

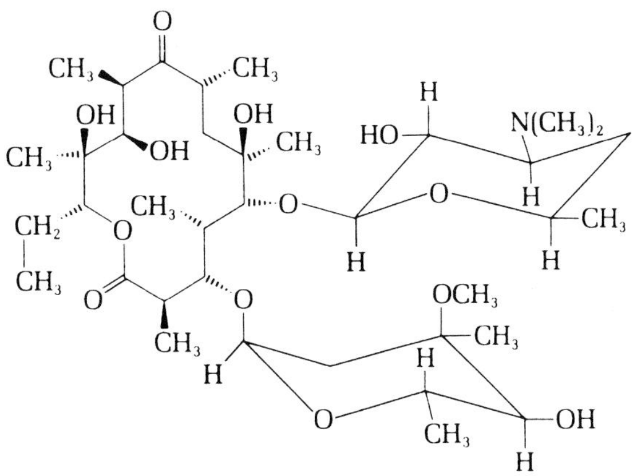

érythromycine

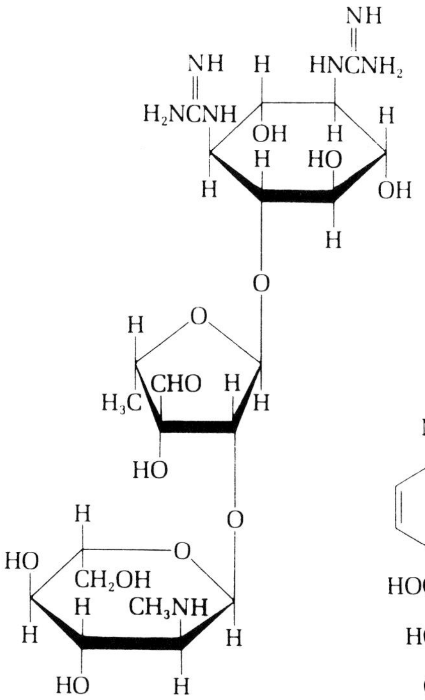

streptomycine

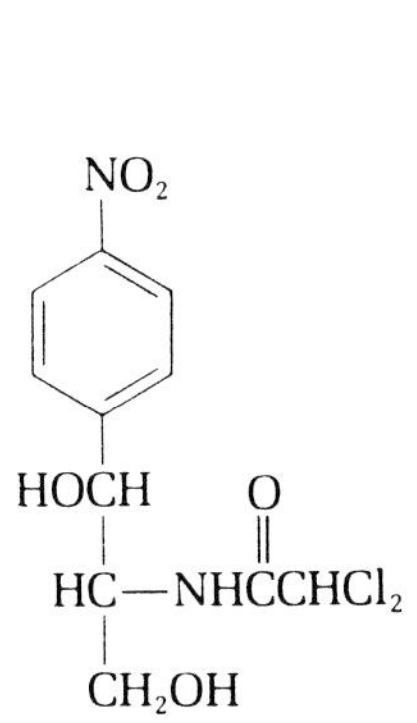

chloramphénicol

16.9 Médicaments agissant au niveau du système nerveux central

Le monde occidental utilise un grand nombre de médicaments qui influent sur le système nerveux central: tranquillisants, hypnotiques ou inducteurs de sommeil, stimulants, antidépresseurs, analgésiques et psycho- tropes. Indubitablement, le net accroissement de l'utilisation de ces produits au cours de ces trente dernières années est en rapport avec les tensions de la vie moderne, où compétitions et réalisations tiennent une grande place.

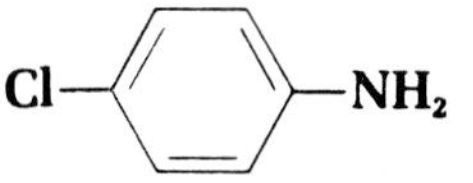

$$Cl-\langle \text{C}_6\text{H}_4 \rangle-NH_2$$

p-chloroaniline

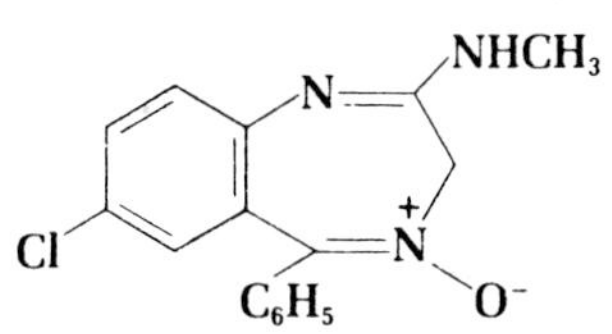

(16.28)

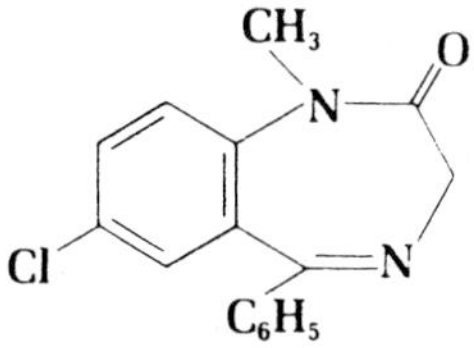

librium

valium

On a déjà mentionné certains de ces produits pharmaceutiques. Le **valium** et le **librium** (voir leur structure page 389) sont des tranquillisants; ils atténuent l'anxiété et la tension nerveuse sans provoquer le sommeil. On fait la synthèse du librium et du valium en plusieurs étapes à partir de la *p*-chloroaniline, le mécanisme des première et dernière étapes étant assez complexe.

Deux autres tranquillisants très prisés et biologiquement plus actifs sont la thioridazine (Melleril) et l'amitriptyline (Elavil). Ces composés, antidépresseurs et tranquillisants, sont utilisés pour les psychopathes pour les rendre plus sensibles à la thérapie. Tous deux sont obtenus par synthèse.

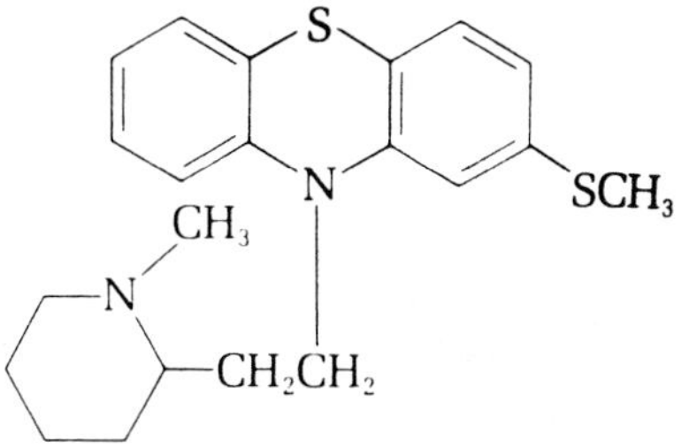

thioridazine
(Melleril)

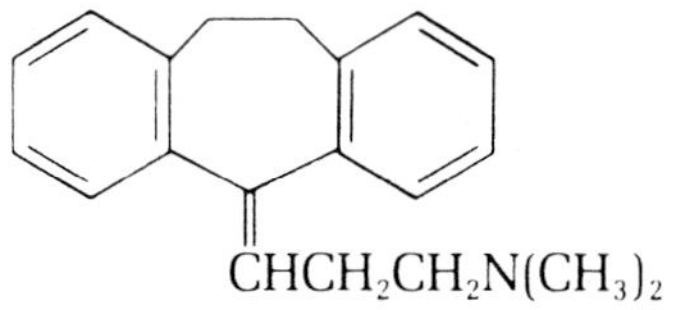

amitriptyline
(Elavil)

Les **barbituriques** sont peut-être les médicaments de ce type les plus anciens; ils sont utilisés depuis longtemps comme sédatifs et somnifères. On a déjà examiné leur structure et leur synthèse (paragraphe 12.19, équation 12.41). Le problème essentiel posé par les barbituriques et la raison de leur insuffisance, c'est leur accoutumance facile, d'où le peu de différence entre dose thérapeutique et dose fatale.

Parmi les stimulants, citons la **caféine** (pour sa structure, voir problème 15.33), stimulant doux qui est à l'origine du coup de fouet que donne une tasse de café ou de thé. Les stimulants plus forts sont des composés apparentés à l'**adrénaline** et à la **noradrénaline**, qui sont des produits naturels du corps soumis à une certaine tension ou à une certaine peur. Les plus connus sont les **amphétamines** (benzédrine et méthédrine).

R = CH$_3$	adrénaline	R = CH$_3$	méthédrine
	(épinéphrine)		
R = H	noradrénaline	R = H	amphétamine
	(norépinéphrine)		(benzédrine)

Ces médicaments sont administrés en pilules de régime car la perte d'appétit accompagne souvent leur usage prolongé. Ils ont aussi des effets secondaires dangereux: excitabilité, hallucinations et absences, l'utilisation répétée de tels produits pouvant être fatale.

16.10 Médicaments cardiovasculaires

Les affections du cœur et le cancer sont les plus meurtrières des maladies. Le premier symptôme d'un mauvais fonctionnement du cœur est l'hypertension, c'est-à-dire une tension élevée du circuit sanguin. C'est pourquoi la plupart des produits utilisés pour le traitement des maladies cardiovasculaires sont, soit des agents antihypertenseurs, soit des diurétiques, qui accroissent le débit urinaire, diminuant ainsi le gonflement des tissus dû à la rétention des liquides, donc la pression sanguine.

Parmi les agents antihypertenseurs courants, citons la méthyldopa et la réserpine (voir page 384). On synthétise la méthyldopa de la manière ci-après. La première étape est analogue à la formation d'une cyanhydrine (paragraphe 9.10), où le groupe –OH est remplacé par un groupe –NH$_2$. On procède aussi à un dédoublement, car seul le L-amino-acide est biologiquement actif. L'énantiomère D est, lui, hydrolysé, redonnant la cétone de départ, qui peut être recyclée

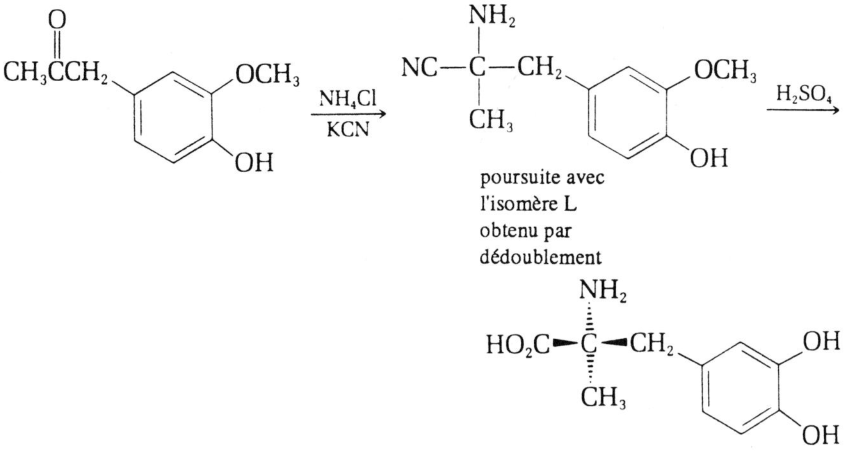

(16.29)

poursuite avec
l'isomère L
obtenu par
dédoublement

L-méthyldopa

Problème 16.8 **La dernière étape de l'équation 16.29 met en jeu deux types de réactions qu'on a déjà examinées (chapitres 8 et 10). Quelles sont-elles?**

Problème 16.9 **Pourquoi utilise-t-on la petite majuscule L pour décrire la configuration du centre chiral de la L-méthyldopa? (Suggestion: comparer avec la représentation de Fischer des L-amino- acides.)**

Les diurétiques les plus courants sont l'**hydrochlorothiazide**, le **triamtérène** et le **furosémide**. La structure de deux d'entre eux rappelle celle du sulfanilamide.

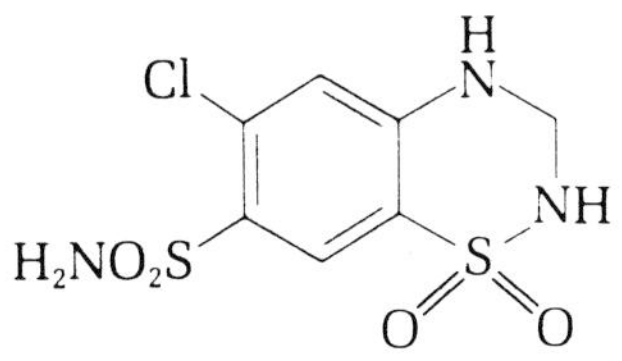

hydrochlorothiazide 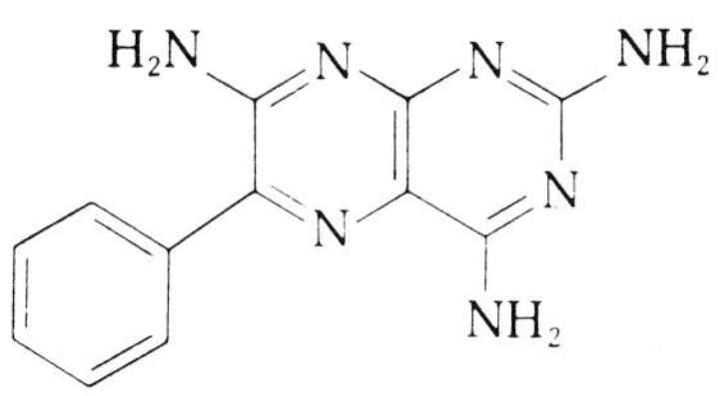   triamtérène 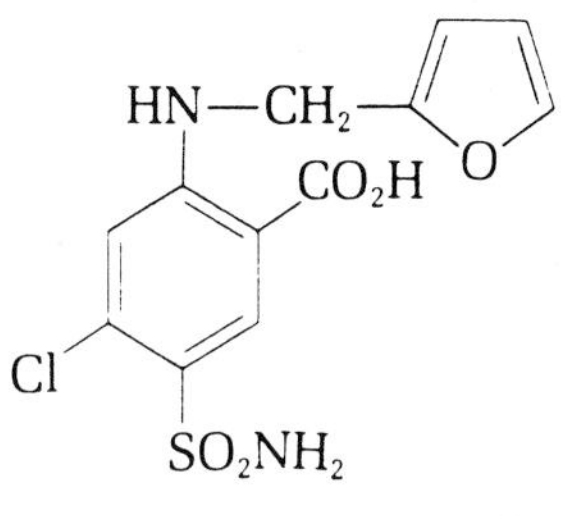   furosémide

Problème 16.10 **Trouver les parties sulfanilamide de l'hydrochlorothiazide et du furosémide.**

Le furosémide est aisément synthétisé en trois étapes en partant de l'acide 2,4-dichlorobenzoïque.

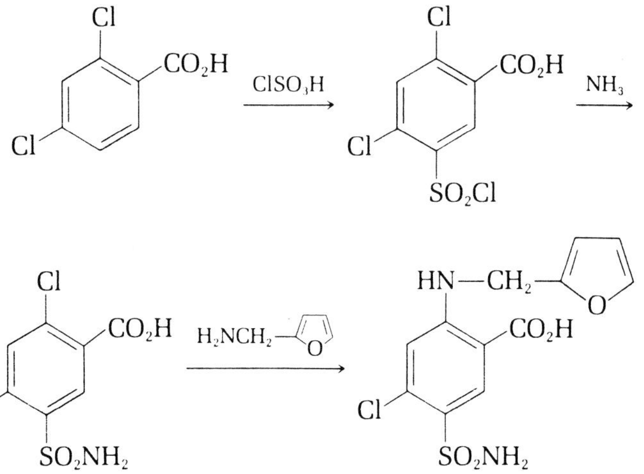

(16.30)

Problème 16.11 **Donner une préparation simple de l'acide 2,4-dichlorobenzoïque à partir du toluène.**

Parmi les produits pharmaceutiques importants utilisés dans le traitement des maladies du cœur, il faut citer la **nitroglycérine** (p. 231), la **digoxine** et le **propranolol**.

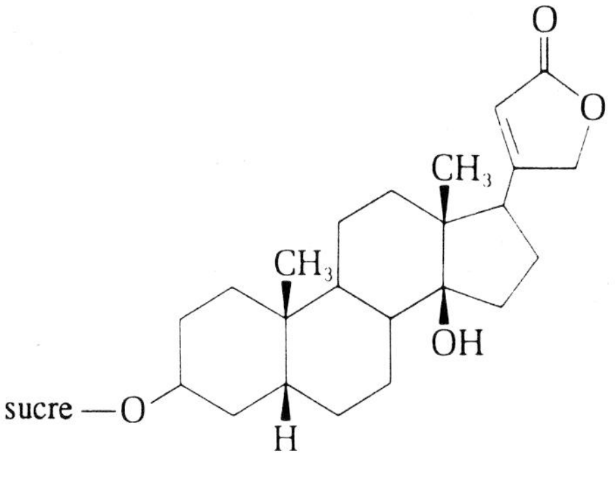

digoxine

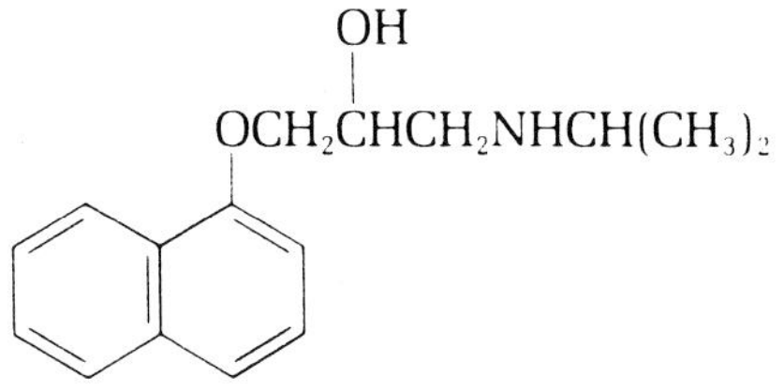

propranolol
(Indéral)

La nitroglycérine fait disparaître les douleurs violentes de la région du cœur (angine de poitrine) provoquées par le rétrécissement du flux sanguin. C'est un vasodilatateur (il dilate les vaisseaux sanguins). La digoxine est un stéroïde qui augmente la force des contractions du cœur et, en même temps, en diminue la vitesse des battements. Le propranolol est un agent antiarythmique qui assure la régulation des battements du coeur. On le prépare aisément à partir de l'α-naphtol en deux étapes par des réactions que l'on a déjà examinées (chapitres 6 et 8).

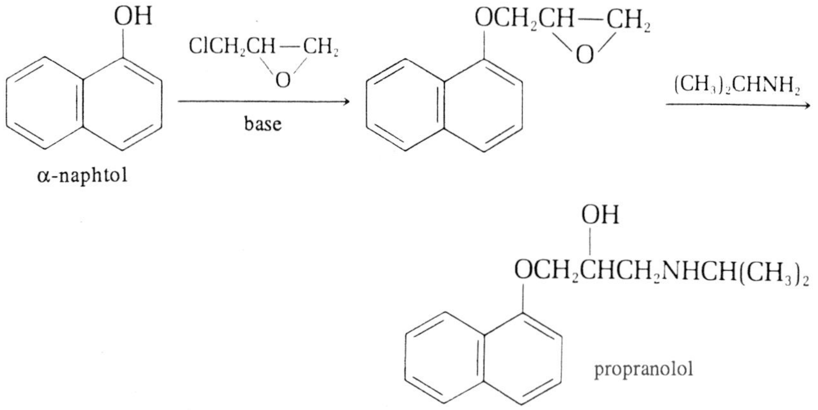

$$(16.31)$$

propranolol

16.11 Produits pharmaceutiques divers

Dans ce livre, on a déjà eu l'occasion de mentionner quelques catégories importantes de produits pharmaceutiques. Rappelons d'abord les **stéroïdes** (paragraphe 11.17), utilisés comme hormones sexuelles, contraceptifs oraux, agents anti-inflammatoires, diurétiques, etc. L'**aspirine** (paragraphe 11.7), connue depuis le début du siècle, est toujours l'un des plus doux et des plus actifs analgésiques. Les calmants plus actifs, comme la morphine et dérivés (chapitre 12, p. 388) et les anesthésiques (chapitre 8, p.247), font aussi partie des armes les plus efficaces du médecin.

Mais on n'a pas encore eu l'occasion de discuter d'autres types de produits pharmaceutiques importants: les **antihistaminiques**, les **agents antiviraux** et les **médicaments antinéoplastiques (anticancéreux)**.

Les réactions allergiques (rhinite, larmes, etc.) causées par le rhume des foins, les sinusites et autres affections sont vraisemblablement le résultat de la formation, dans le corps, d'**histamine**, le produit de décarboxylation d'un amino-acide, l'histidine. Tout cela peut disparaître, grâce aux antihistamines. L'une des plus anciennes est la diphenhydramine (Bénadryl), aisément synthétisée en deux étapes mettant en jeu des réactions déjà examinées (chapitres 2 et 6). Par ailleurs, le sel d'une chlorothéophylline de la diphenhydramine est le sel appelé la **dramamine**, qui agit contre les vomissements et le "mal des transports".

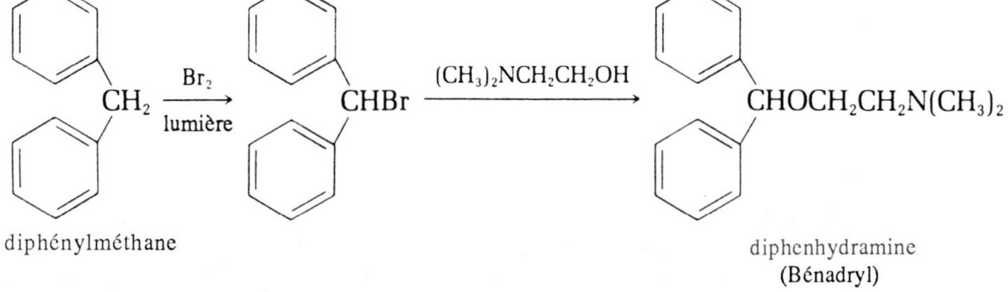

$$(16.32)$$

diphénylméthane

diphenhydramine
(Bénadryl)

Problème 16.12 La théophylline est une purine très proche de la caféine (problème 15.33) (elle ne porte pas de méthyle sur un azote du cycle pentaatomique). L'atome de chlore de la dramamine est lié au carbone de ce cycle. De cette description, déduire et écrire la formule de ce sel (8-chlorothéophyllinate de diphenhydrammonium).

Si, grâce aux antibiotiques, de grands progrès ont été obtenus dans la lutte contre les bactéries, il n'en est pas de même contre les infections virales, y compris le rhume banal. Mais, par la vaccination, on peut actuellement triompher de certaines maladies virales, telles que la variole, la rougeole, la fièvre jaune et la poliomyélite.

On connaît quelques agents chimiques empêchant le développement de virus spécifiques. C'est le cas d'une amine primaire particulière, l'**amantadine**, qui, prise à temps, peut prévenir la grippe asiatique A2. Un autre, le nucléotide **idoxuridine**, est utilisé dans le traitement de l'herpès. Quoi qu'il en soit, la découverte de nouveaux agents antiviraux est éminemment souhaitable.

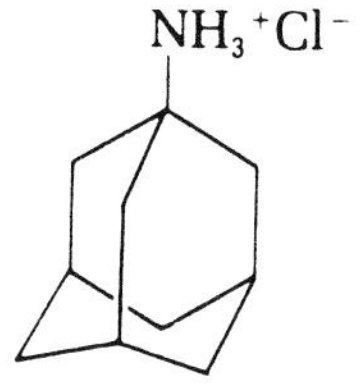

chlorhydrate
d'amantadine

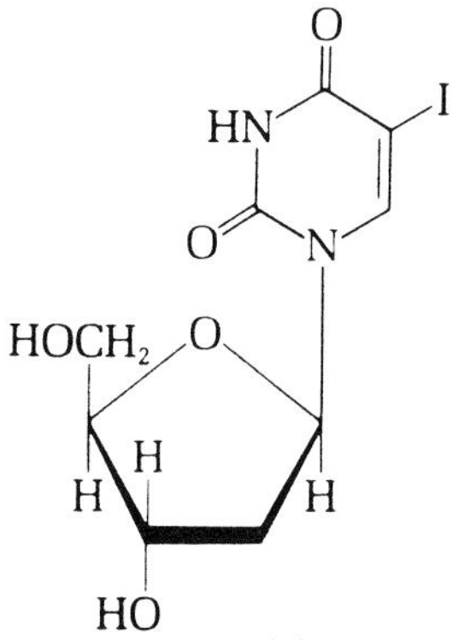

idoxuridine

A présent, le plus grand défi lancé aux chercheurs est la découverte de produits anticancéreux. On en connaît quelques-uns, presque tous prévenant ou freinant les métastases après opération chirurgicale, apportant une rémission temporaire et soulageant la douleur. Mais les produits pharmaceutiques qui guérissent ou préviennent le cancer sont, pour la plupart, du domaine du futur.

Parmi les produits anticancéreux, citons un composé inorganique simple, le *cis*-**platine**, actif contre certains cancers dont celui des testicules, le **5-fluoro-uracile** ou son 2-désoxyriboside, certains dérivés de la tétracycline comme la **doxorubicine** (adriamycine). La particularité de ces composés est surtout de s'immiscer dans la synthèse de l'ADN.

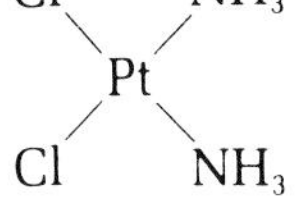

cis-platine

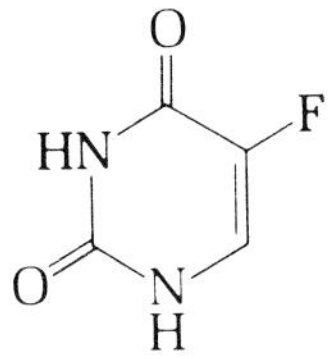

5-fluoro-uracile

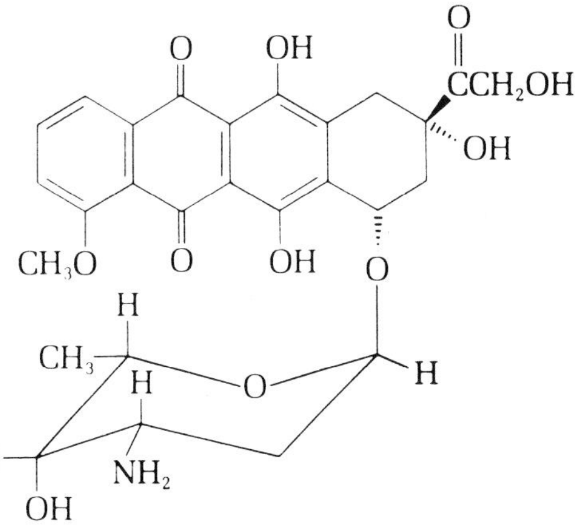

doxorubicine

Notre connaissance du cancer progresse et elle devrait s'approfondir dans l'avenir. Evidemment, avec ces progrès, apparaîtront de nouveaux problèmes. De plus en plus, nous en rencontrerons, liés à l'âge, à la vieillesse avancée notamment, etc. L'étendue des problèmes s'élargit au fur et à mesure que s'accroît la durée de la vie humaine.

C. STRUCTURE ET SPECTROSCOPIE

16.12 Introduction

Dans les premiers temps de la chimie organique, c'était souvent un formidable travail de déterminer la structure d'un nouveau composé. Il n'en est plus de même maintenant où l'on dispose de nombreuses méthodes physiques pour cela: mesure des moments dipolaires, spectroscopie Raman, diamagnétisme et paramagnétisme, résonance paramagnétique électronique, dispersion optique rotatoire, etc.

Mais, depuis les années 1940, le chimiste dispose notamment de quatre types de spectroscopie qui simplifient grandement ce problème. Des appareils automatiques ont en effet été mis au point, qui permettent de déterminer (et d'enregistrer) les diverses propriétés spectrales d'une molécule, souvent même sans plus d'effort que celui de pousser un bouton. Et les spectres ainsi obtenus, correctement interprétés, donnent une foule de renseignements d'ordre structural.

Ces méthodes ont beaucoup d'avantages. Le plus souvent, un très petit échantillon de la substance examinée suffit et il est récupérable après, si nécessaire. Ces mesures sont rapides; il faut ordinairement un minimum de quelques minutes. Et fréquemment, les spectres apportent plus d'informations détaillées sur la structure que les méthodes classiques de laboratoire.

Après une brève revue théorique, on examinera ces quatre principales techniques spectroscopiques, les plus courantes, utilisées pour la détermination des structures. On verra donc les spectres IR, UV, de RMN et de masse.

16.13 Théorie

L'équation $E = h\nu$ donne la relation entre l'énergie E d'une lumière (ou de toute autre radiation) et sa **fréquence** ν. Cette équation dit qu'il y a une relation directe entre la fréquence de la lumière et son énergie: l'énergie est d'autant plus forte que la fréquence est élevée. La constante de proportionalité h entre l'énergie et la fréquence est appelée **constante de Planck**. La fréquence de la lumière et sa longueur d'onde étant inversement proportionnelles, on peut écrire l'équation ci-dessus $E = h c /\lambda$ où λ est la **longueur d'onde** et c la vitesse de la lumière. Sous cette forme, l'équation nous dit que l'énergie de la lumière est d'autant plus forte que sa longueur d'onde est courte.

Les molécules peuvent avoir plusieurs niveaux d'énergie. Les liaisons d'une molécule donnée, par exemple, peuvent s'allonger ou se courber, ou bien une partie de la molécule peut tourner par rapport à une autre (comme dans les conformations de l'éthane). Tous ces mouvements moléculaires sont quantifiés; autrement dit, certaines liaisons ne peuvent s'allonger ou se courber que sous l'action de radiations d'une certaine fréquence ou, puisque fréquence et énergie sont proportionnelles, qu'à certains niveaux d'énergie.

Le principe de la plupart des méthodes de spectroscopie est très simple. On expose une molécule se trouvant à un certain niveau d'énergie, E_1 par exemple, à une radiation dont on fait varier progressivement la fréquence. Aussi longtemps que la molécule n'absorbe pas la radiation, la quantité de lumière détectée sera égale à la quantité de lumière émise par la source. A une fréquence correspondant à une certaine transition d'énergie de la molécule, par exemple à un passage de E_1 à E_2, la radiation sera absorbée par la molécule et ne sera plus détectée. Le schéma de la figure 16.3 illustre ce principe.

Figure 16.3

La radiation traverse l'échantillon et reste intacte sauf quand sa fréquence correspond à la différence entre deux états énergétiques de la molécule.

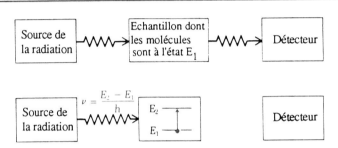

		Région du spectre			
Type de spectroscopie	Source de la radiation	Fréquence (hertz)	Longueur d'onde (mètre)	Energie (kcal/mol)	Type de transition
infra-rouge	lumière infra-rouge	$0,2–1,2 \times 10^{14}$	$15,0–2,5 \times 10^{-6}$	2–12	vibration des molécules
visible ultraviolet	lumière visible ou ultraviolette	$0,375–1,5 \times 10^{15}$	$8–2 \times 10^{-7}$	37–150	transitions électroniques
résonance magnétique nucléaire	ondes radio	60×10^6 (dépend de l'intensité du champ magnétique de l'aimant)	5	6×10^{-6}	spin des noyaux

Table 16.1   Les différents types de spectroscopies et leurs régions du spectre électromagnétique

Evidemment, certaines transitions nécessitent plus d'énergie que d'autres et l'utilisation de radiations de fréquence appropriée. Dans le présent chapitre, on examinera trois types de spectroscopie qui mettent en jeu ces transitions. La table 16.1 rassemble les régions du spectre électromagnétique où elles apparaissent.

Exemple de problème 16.5   **Vérifier que la lumière de longueur d'onde 15 x 10^{-6} mètres correspond à une lumière de fréquence 0,2 x 10^{14} hertz. (voir table 16.1).**

Solution   **La relation entre la fréquence et la longueur d'onde est $\nu = c / \lambda$, où c est la vitesse de la lumière (3 x 10^8 mètres par seconde). Il s'ensuit que:**

$$\nu = \frac{3 \times 10^8 \text{ m/s}}{15 \times 10^{-6} \text{ m}} = 0,2 \times 10^{14} \text{ cycles par seconde (ou hertz)}$$

16.14   Spectroscopie infrarouge

On a vu dans la table 16.1 que le domaine de l'infrarouge va de 2,5 à 15,0 x 10^{-6} mètres. Une unité commode de longueur d'onde dans cette région du spectre est le **micron,** symbolisé par μ. Un micron égale 10^{-6} mètre et le domaine de l'infrarouge est 2,5–15,0 μ. Cependant, par commodité, on préfère utiliser une unité de fréquence, le **nombre d'ondes** (symbolisé par ν) qui est le nombre d'ondes par centimètre, autrement dit l'inverse de la longueur d'onde exprimée en centimètres.

$$\nu = \frac{1}{\lambda \text{ (cm)}}$$

Exemple de Problème 16.6   **A quelle fréquence (en nombres d'ondes) correspond la radiation infrarouge de longueur d'onde 2,5 μ?**

Solution λ = **2,5 μ = 2,5 x 10^{-6} m = 2,5 x 10^{-4} cm**

$$\nu = \frac{1}{2,5 \times 10^{-4} \text{ cm}} = 4.000 \text{ cm}^{-1} \text{ (on lit } cm^{-1} \text{ "centimètres moins un")}$$

Problème 16.13   **Exprimer en nombres d'ondes l'autre limite du domaine infrarouge.**

Le domaine infrarouge est celui des transitions dont les énergies varient de 2 à 12 kcal/mole. Ces énergies sont suffisantes pour exciter des liaisons covalentes et les faire passer d'un état vibrationnel à un autre, d'où le nom de spectres de vibrations qu'on donne aussi aux spectres infrarouges. Il y a deux types de vibrations: les vibrations d'élongation des liaisons (ou vibrations de valence) et les vibrations de déformation des liaisons; elles sont illustrées ci-après dans la cas du groupe méthylène.

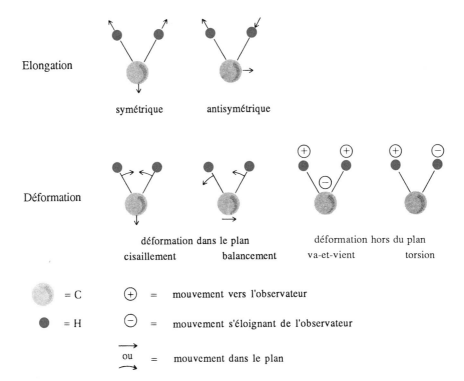

Elongation

symétrique   antisymétrique

Déformation

déformation dans le plan   déformation hors du plan

cisaillement   balancement   va-et-vient   torsion

= C $\oplus$ =   mouvement vers l'observateur

= H $\ominus$ =   mouvement s'éloignant de l'observateur

$\xrightarrow{\quad}$ ou $\xrightarrow{\quad}$ =   mouvement dans le plan

Comme on le verra, des vibrations d'élongation et de déformation différentes impliquent des énergies différentes et correspondent donc à des fréquences infrarouges différentes. De plus, des liaisons entre types d'atomes différents vibreront à des fréquences différentes. Il s'ensuit que les spectres infrarouges sont particulièrement utiles pour déterminer les types de liaisons présents dans les molécules.

Exemple de problème 16.7   Quelle est la relation entre les énergies nécessaires pour provoquer deux vibrations d'élongation de liaison différentes, l'une à 3.000 cm^{-1} et l'autre à 1.500 cm^{-1}?

Solution   L'énergie et la fréquence étant directement proportionnelles ($E = h\nu$), la vibration d'élongation qui a lieu à 3.000 cm^{-1} requiert deux fois plus d'énergie que celle qui a lieu à 1.500 cm^{-1}.

Problème 16.14   La fréquence de la vibration d'élongation de la liaison $\diagdown$C—H est de 2.850–3.000 cm^{-1}, tandis que celle de la liaison $\equiv$C—H est de 3.200-3.350 cm^{-1}. Laquelle de ces deux liaisons carbone-hydrogène est-elle la plus dure à allonger, c'est-à-dire celle qui nécessite le plus d'énergie?

On obtient facilement en quelques minutes le spectre infrarouge (IR) d'un composé. On place un petit échantillon de ce composé dans un appareil possédant une source de lumière infrarouge. Le spectrophotomètre mesure automatiquement, dans un domaine de fréquences donné, l'énergie lumineuse arrivant sur l'échantillon et enregistre sur un graphique le pourcentage de cette énergie qui est transmis. Toute radiation absorbée par la molécule apparaît comme une bande dans le spectre. La figure 16.4 montre un spectre IR typique où la fréquence est exprimée en nombre d'ondes.

Les vibrations d'élongation de certaines liaisons se trouvent ordinairement dans une région particulière du spectre. Par exemple, presque toutes les bandes d'élongation des doubles liaisons carbone-oxygène (C=O) sont situées dans la région 1.650-1.780 cm^{-1}, que le composé soit un aldéhyde, une cétone, un acide, un ester, etc. Quand le groupe C=O est présent dans une molécule, son spectre IR montre une forte bande dans cette région (sa position exacte dépend de la structure particulière de la molécule). La table 16.2 donne les vibrations d'élongation des liaisons les plus courantes.

La fréquence de la vibration d'élongation d'une liaison donnée dépend de plusieurs facteurs. Elle dépend d'abord de la masse des atomes liés. Une liaison entre un atome lourd et un atome léger vibre toujours à une fréquence plus élevée qu'une autre de même type entre deux atomes lourds de masses comparables (v_{C-H} = 3.000 cm^{-1} environ, et v_{C-C} = 1.200 cm^{-1} environ). L'énergie d'une liaison et sa multiplicité affectent aussi sa fréquence de vibration. Les doubles liaisons entre atomes, par exemple, vibrent à une fréquence plus élevée que les liaisons simples entre les mêmes atomes.

Problème 16.15   Par leurs spectres IR, comment distingue-t-on rapidement l'un de l'autre deux isomères tels que l'alcool benzylique et le méthylphényléther?

Figure 16.4

Spectre infrarouge de la cyclopentanone.

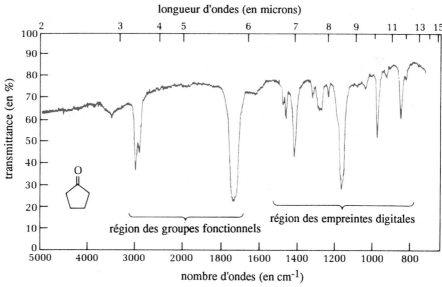

Table 16.2	Types de liaisons	Groupes	Nature des composés	Domaines des fréquences
Vibrations d'élongation des liaisons les plus courantes en spectroscopie infra-rouge.	liaisons simples avec l'hydrogène	C — H	alcanes	2850–3000
		= C — H	alcènes et composés aromatiques	3030–3140
		O — H	alcools et phénols	3500–3700 (libre) 3200–3500 (liaison hydrogène)
			acides carboxyliques	2500–3000
		N — H	amines	3200–3600
		S — H	thiols	2550–2600
	doubles liaisons	C = C	alcènes	1600–1680
		C = N	imines, oximes, etc.	1500–1650
		C = O	aldéhydes, cétones, esters, acides, etc.	1650–1780
	triples liaisons	C ≡ C	alcynes	2100–2260
		C ≡ N	nitriles	2200–2400

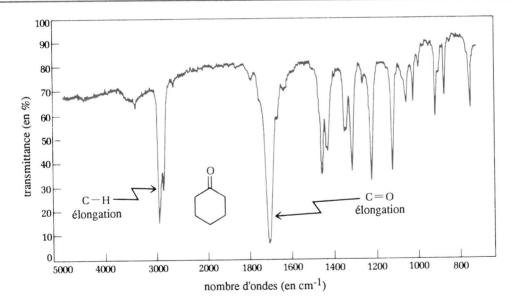

Figure 16.5 Spectre infra-rouge d'une cétone courante : la cyclohexanone. La bande vers 3 000 cm^{-1} est due à la vibration d'élongation C – H. On attribue la bande vers 1 700 cm^{-1} à la vibration de la double liaison C = O.

Revenant à la figure 16.4, on voit clairement la bande de la vibration d'élongation C—H vers 3.000 cm^{-1} et la bande intense près de 1.700 cm^{-1} de la liaison C=O. Mais à quoi attribuer l'ensemble des bandes, complexe, entre

700 et 1.500 cm^{-1}? On appelle cette région des basses fréquences du spectre le **domaine des "empreintes digitales".** Ses bandes résultent de vibrations de déformation et d'élongation combinées et sont uniques pour tout composé particulier. Ainsi, on peut penser que beaucoup d'autres cétones auront des spectres IR analogues à celui de la cyclohexanone dans le **domaine des groupes fonctionnels**, entre 1.600 et 4.000 cm^{-1} et notamment les bandes d'élongation C—H et C=O. Mais ils seront différents dans le domaine des empreintes digitales. La comparaison des spectres IR de la cyclohexanone (figure 16.5) et de la cyclopentanone (figure 16.4) le montre bien: ils sont presqu'identiques dans le domaine des groupes fonctionnels, mais très différents et aisément reconnaissables dans le domaine des empreintes digitales.

Bref, avec les spectres IR on peut notamment, par l'examen du domaine des groupes fonctionnels, dire quels types de liaisons sont présents dans une molécule et, par l'examen du domaine des empreintes digitales, dire si deux substances sont identiques ou différentes.

16.15 Spectroscopie visible et spectroscopie ultraviolette

La région visible (à l'œil humain) du spectre correspond à la lumière de longueurs d'onde 400–800 x 10^{-9} m. La région ultraviolette est celle des longueurs d'onde un peu plus courtes, 200–400 x 10^{-9} m (Ces longueurs d'onde sont nettement plus petites que celles de l'infrarouge.) On exprime d'habitude ces longueurs d'onde en **nanomètres** (1 nm = 10^{-9} m). On les exprimait autrefois en millimicrons (mμ), qui sont identiques aux nanomètres, ou en **angströms** (10 Å = 1 nm) (voir table 16.3).

Table 16.3 Unités d'expression des spectres visibles et ultraviolets	Visible (vis) Ultraviolet (uv)	400–800 nm (ou mμ) 200–400 nm (ou mμ)	4000–8000 Å 2000–4000 Å

Les énergies mises en jeu dans l'ultraviolet (UV) et le visible sont respectivement de 75-150 et de 37-75 kcal/mole. Elles sont beaucoup plus grandes que celles impliquées dans l'infrarouge (2-12 kcal/mole).

Problème 16.16   A quelle longueur d'onde UV, 200 nm ou 400 nm, correspondent 75 kcal/mole? 150 kcal/mole?

Les transitions du domaine visible et du domaine UV sont des **transitions électroniques** et les spectres correspondants sont parfois appelés **spectres électroniques.** Ces transitions correspondent au saut d'un électron d'une orbitale moléculaire occupée à une orbitale moléculaire vacante de plus haute énergie. La lumière visible et la lumière ultraviolette possèdent suffisamment d'énergie pour effectuer ces transitions. [Remarque: cette énergie est même capable de rompre des liaisons; on a vu, par exemple au chapitre 2, que la lumière ultraviolette catalyse l'halogénation des alcanes par la rupture homolytique de liaisons Cl—Cl ou Br—Br (équation 2.16).]

La figure 16.6 donne un spectre d'absorption UV typique. Contrairement au spectre IR, le spectre UV est fait de bandes larges, très peu nombreuses et c'est le maximum d'absorption de ces bandes qu'on considère. Le spectre UV de la cétone non saturée, conjuguée, qui fait l'objet de la figure 16.6, a un maximum intense à $\lambda = 232$ nm et un autre beaucoup plus faible à $\lambda = 330$ nm.

On peut exprimer quantitativement l'intensité d'une bande d'absorption, cette intensité dépendant de la structure moléculaire et du nombre de molécules absorbantes qui vont se trouver sur le faisceau lumineux. La **densité optique D** (ou absorbance), qui est le logarithme du rapport des intensités de la lumière avant (I_o) et après (I) traversée de l'échantillon, est donnée par l'équation suivante:

$$D = \log_{10} \frac{I_o}{I} = \varepsilon\, l\, c \quad \text{(loi de Beer)}$$

où ε est le **coefficient d'extinction moléculaire,** c est la concentration de la solution en moles par litre et l l'épaisseur en centimètres de la solution traversée par le faisceau lumineux. La valeur de ε pour tous les maxima du spectre UV d'un composé est une constante caractéristique de la molécule considérée. Par exemple, les valeurs de ε pour les deux maxima du spectre de la cétone non saturée et conjuguée de la figure 16.6, sont:

$$\lambda_{max} = 232 \text{ nm } (\varepsilon = 12.500) \quad \text{et} \quad \lambda_{max} = 330 \text{ nm } (\varepsilon = 78)$$

Exemple de problème 16.8   **Quel est l'effet, sur la densité optique D et sur le coefficient d'extinction moléculaire ε, du doublement de la concentration c d'un échantillon d'un composé absorbant?**

Solution   **D sera doublée puisqu'elle est proportionnelle à c. Quant à ε, il est fonction de la structure de la molécule et il est une constante indépendante de la concentration.**

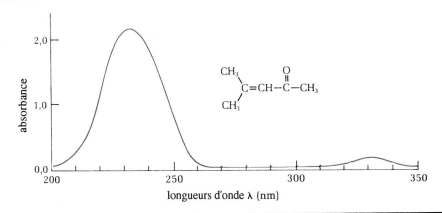

Figure 16.6

Spectre ultraviolet de la 4-méthyl-3-pentène-2-one.

Problème 16.17   Une solution donnée de $(CH_3)_2C{=}CH{-}CO{-}CH_3$ (figure 16.6) placée dans une cellule UV de **1 cm** donne un maximum à $\lambda = 232$ nm avec une densité optique **D = 2**. Calculer la concentration de la solution, sachant que $\varepsilon = 12.600$.

Les spectres UV (et les spectres en lumière visible) sont surtout utilisés pour détecter les conjugaisons. La plupart des molécules qui n'ont pas de doubles liaisons ou qui n'en ont qu'une n'absorbent pas la lumière dans la région 200-800 nm. Ce n'est pas le cas des systèmes conjugués, et plus grande est la conjugaison, plus grande est la longueur d'onde du maximum d'absorption. Exemples:

$$CH_2{=}CH{-}CH{=}CH_2 \qquad CH_2{=}CH{-}CH{=}CH{-}CH{=}CH_2$$

$$\lambda_{max} = 220 \text{ nm} \qquad\qquad\qquad \lambda_{max} = 257 \text{ nm}$$
$$(\varepsilon = 20.000) \qquad\qquad\qquad\qquad (\varepsilon = 35.000)$$

$$CH_2{=}CH{-}CH{=}CH{-}CH{=}CH{-}CH{=}CH_2$$

$$\lambda_{max} = 287 \text{ nm}$$
$$(\varepsilon = 52.000)$$

$$\lambda_{max} = 255 \text{ nm} \qquad \lambda_{max} = 314 \text{ nm} \qquad \lambda_{max} = 380 \text{ nm} \qquad \lambda_{max} = 480 \text{ nm (jaune)}$$
$$(\varepsilon = 215) \qquad\qquad (\varepsilon = 289) \qquad\qquad (\varepsilon = 9.000) \qquad\qquad (\varepsilon = 12.500)$$

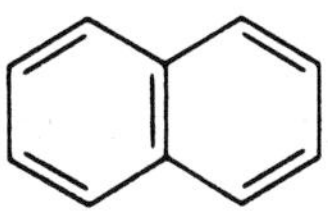

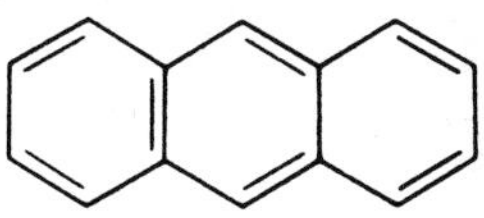

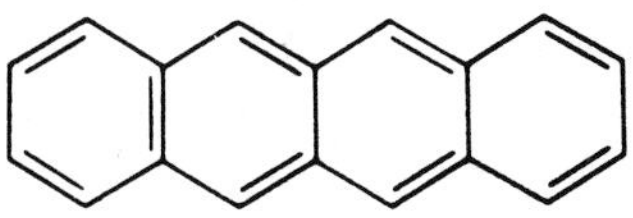

Problème 16.18   Lequel des composés suivants doit absorber la lumière de plus grande longueur d'onde?

$$C_6H_5{-}C_6H_5 \qquad \text{ou} \qquad C_6H_5{-}CH_2{-}C_6H_5$$

16.16   Spectroscopie de résonance magnétique nucléaire (RMN)

La spectroscopie qui a eu le plus grand impact sur la détermination des structures organiques est, de loin, la **spectroscopie de RMN**. C'est à la fin des années 1950 que des spectroscopes de RMN firent leur entrée dans le commerce et, depuis cette date, ils sont devenus les instruments indispensables du chimiste organicien. On jettera d'abord un bref regard sur la théorie et on verra ensuite quelles informations pratiques on peut tirer d'un spectre de RMN.

16.16a Théorie   Certains noyaux atomiques se comportent comme s'ils tournaient sur eux-mêmes. Ces noyaux étant chargés et une particule chargée en rotation créant un champ magnétique, ils se comportent comme de tout petits aimants; on dit qu'ils ont un spin. Le seul qu'on examinera en détail est ^1H (le noyau d'hydrogène ordinaire). Les noyaux ^{12}C et ^{16}O sont aussi présents dans la plupart des molécules organiques, mais ils n'ont pas de spin et ils n'apparaissent pas dans les spectres de RMN. Mais certains de leurs isotopes, ^{13}C et ^{17}O par exemple, ont un spin, tout comme d'autres noyaux présents dans beaucoup de molécules (^{15}N, ^{31}P, ^{19}F). Tous peuvent donner leur spectre de RMN propre, ceux-ci pouvant avoir leur utilité en tant que tels. Parmi eux le ^{13}C notamment intéresse le chimiste organicien et l'on s'arrêtera un peu sur ce spectre.

Quand des noyaux possédant un spin sont placés entre les pôles d'un aimant très puissant, ils peuvent prendre deux orientations par rapport au champ magnétique, soit l'alignement *sur* lui, soit l'alignement *contre* lui, ceux qui sont alignés sur le champ ayant une énergie un peu plus basse que ceux qui sont alignés contre lui (figure 16.7). En les soumettant simultanément à une radiation électromagnétique convenable, du domaine des fréquences radio (table 16.1), il est possible d'exciter ces noyaux et de les faire passer d'un niveau d'énergie (ou d'un état de spin) inférieur à un niveau supérieur.

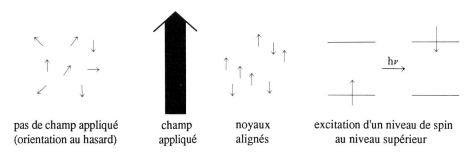

pas de champ appliqué   champ   noyaux   excitation d'un niveau de spin
(orientation au hasard)   appliqué   alignés   au niveau supérieur

Figure 16.7   Orientation des noyaux dans un champ magnétique externe et leur excitation d'un niveau énergétique de spin au niveau supérieur.

La différence énergétique séparant ces deux niveaux dépend de l'intensité du champ magnétique appliqué; plus fort est ce champ, plus grande est la différence entre les niveaux. Les spectres de RMN figurant dans ce livre ont été pris avec un spectrographe comportant un aimant dont le champ est de 14.092 gauss (par comparaison, l'intensité du champ magnétique terrestre n'est que de 0,5 gauss). Avec un tel champ, la différence énergétique entre les niveaux correspond à une radiation de fréquence 60×10^6 Hz (ou 60 MHz, mégahertz). Cette fréquence correspond à une longueur d'onde de la région des ondes hertziennes d'environ 5 mètres. Avec un tel instrument, la différence entre les états de spin n'est que de 0,000006 kcal/mole. Mais avec la technologie moderne, il est possible de détecter des variations aussi faibles. Bien sûr, en doublant l'intensité du champ magnétique appliqué, on doit doubler cette différence et obtenir un appareil de plus haute résolution. C'est pour cela qu'on s'efforce de réaliser des spectrographes de RMN comportant des aimants de plus en plus puissants.

16.16b   Mesure des spectres de RMN   On obtient généralement de la manière suivante les spectres de RMN du proton. On dissout un échantillon du composé en question dans un solvant inerte ne comportant pas d'atomes d'hydrogène, donc de protons, tel que CCl_4, ou dans un solvant dont les hydrogènes ont été remplacés par du deutérium, tel que $CDCl_3$ (deutérochloroforme) et CD_3COCD_3 (hexadeutéroacétone). On ajoute aussi à la solution un composé de référence (on donnera quelques détails à ce sujet dans le paragraphe suivant). La solution, contenue dans un tube de verre à paroi mince, est ensuite placée au centre d'une bobine à fréquence radio, dans l'entrefer d'un puissant aimant. Les noyaux s'alignent alors sur ou contre le champ. En jouant sur la fréquence radio de la bobine, on accroît régulièrement l'énergie apportée aux noyaux. Quand cette énergie correspond exactement à la différence entre les énergies des états de spin inférieur et supérieur, elle est absorbée par les noyaux. On dit alors que ceux-ci sont en résonance avec la fréquence de la radiation appliquée, d'où le terme de **résonance magnétique nucléaire**. Un graphique donnant l'énergie absorbée par l'échantillon en fonction de la fréquence radio de la bobine constitue un spectre de RMN.

     Pratiquement, il est plus commode d'utiliser une fréquence radio constante et de faire varier légèrement l'intensité du champ magnétique appliqué. On mesure alors exactement l'intensité du champ qui correspond à la fréquence radio appliquée. Les spectres donnés dans le livre ont été obtenus de cette manière avec une fréquence radio de 60 MHz. Dans ces spectres, le **champ magnétique appliqué** s'accroît quand on va de gauche à droite.

16.16c   Déplacements chimiques et aires des pics   De ce qui précède, on pourrait croire que tous les protons d'une molécule devraient résonner simultanément pour la même fréquence. S'il en était ainsi, cela nous donnerait très peu d'informations car beaucoup de composés comportant des protons auraient les mêmes spectres. Heureusement, il n'en est rien. La fréquence de la radiation qu'absorbe un proton dépend de son environnement immédiat dans la molécule. En effet, tout proton d'une molécule donnée est plus ou moins protégé du champ magnétique appliqué (on dit qu'il est plus ou moins "blindé") par le mouvement des électrons des atomes et des liaisons (électrons non liants, électrons π et électrons σ) qui l'entourent. L'importance du "blindage" dépend de la densité de ces divers électrons. Pour une fréquence radio donnée, plus un proton est blindé, plus élevé sera le champ magnétique appliqué pour le faire entrer en résonance.

     Examinons maintenant quelques spectres. La figure 16.8 donne le spectre de résonance magnétique protonique du *para*-xylène. Ce spectre est très simple, constitué seulement de deux pics. Leur position est mesurée en unités δ(delta) à partir d'un composé de référence, qui est le **tétraméthylsilane (TMS)** $(CH_3)_4Si$. Il y a trois raisons essentielles au choix de ce composé de référence: (1) Ses douze protons sont chimiquement équivalents et ne donnent qu'un seul signal aigu qui sert comme point de référence. (2) Ce pic apparaît à un champ plus élevé que la plupart des protons des composés organiques et il est très facile à identifier. (3) Le TMS est inerte et ne réagit pas avec les composés organiques; son point d'ébullition est bas et on peut donc l'enlever aisément après les mesures.

     La plupart des composés organiques, donnant des pics à plus bas champ que le TMS, ont des δ positifs. Le δ de 1,00 d'un pic signifie que ce dernier apparaît à champ plus bas d'une partie par million (1 ppm). Si l'on dresse le spectre à 60 MHz (60×10^6 Hz), 1 ppm est à champ plus bas que le TMS de 60 Hz (un millionième de 60 MHz). (Et si le spectre est dressé à 100 MHz, un δ de 1 ppm est à champ plus bas de 100 Hz par rapport au TMS, et ainsi de suite.) Le **déplacement chimique** d'un proton donné est sa valeur δ par rapport au TMS. On l'appelle déplacement chimique parce qu'il dépend de l'environnement chimique du proton.

Dans le spectre du *para*-xylène, on constate un pic à δ 2,20 et un autre à δ 6,95. Il est raisonnable de penser qu'ils sont causés par deux types de protons différents de la molécule, ceux des méthyles et ceux du cycle aromatique. Mais à quels protons peut-on précisément attribuer l'un ou l'autre pic?

Une façon de le savoir est d'intégrer l'aire de chaque pic. Car, cette **aire** est directement proportionnelle au nombre de protons responsables du pic. Ainsi, on constate que les aires relatives des pics à δ 2.20 et à δ 6,95 du spectre du *para*-xylène sont dans le rapport 3:2 (ou 6:4). Cela permet d'attribuer le premier aux six protons des méthyles et le deuxième aux quatre protons du cycle aromatique.

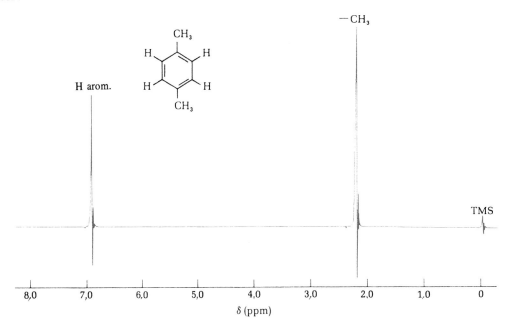

Figure 16.8   Spectre de RMN du *para*-xylène.

Exemple de problème 16.9   Combien de pics devraient avoir les spectres de RMN des composés suivants?   Si l'on attend plus d'un pic, quelles seraient leurs aires relatives?

a. $CH_3 - \overset{\overset{\displaystyle CH_3}{|}}{\underset{\underset{\displaystyle CH_3}{|}}{C}} - CH_3$ b. (structure avec deux groupes CO_2CH_3 en para sur cycle benzénique)   c. $BrCH_2 - \overset{\overset{\displaystyle CH_3}{|}}{\underset{\underset{\displaystyle CH_3}{|}}{C}} - CH_2Br$

Solution   a. **Les douze protons sont équivalents et donnent un seul pic.**
            b. **Les quatre protons "aromatiques" sont équivalents, de même que les six protons des méthyles. Ils donnent deux pics dont les aires sont dans le rapport 4:6 (ou 2:3).**
            c. **Il y a deux types de protons, ceux des méthyles et ceux des méthylènes. Ils donnent deux pics dont les aires sont dans le rapport 6:4 (ou 3:2).**

Problème 16.19   **Lesquels des composés suivants donnent un spectre de RMN ne comportant qu'un seul pic?**

            a. CH_3OCH_3 b. $CH_3CH_2OCH_2CH_3$ c. $(CH_2)_5$

Problème 16.20   **Chacun des composés suivants a plus d'un pic dans son spectre de RMN. Quelles sont leurs aires relatives?**

            a. CH_3OH b. CH_3COOCH_3 c. $CH_3CH_2COCH_2CH_3$

        Un mode plus général d'attribution des pics aux protons des molécules est d'en comparer les déplacements chimiques à ceux de protons semblables d'un composé de référence. Par exemple, le benzène lui-même a six protons équivalents et son spectre de RMN ne comprend qu'un seul pic, à δ 7,24. D'autres composés aromatiques ne donnent aussi qu'un seul pic dans cette région. On peut penser que les protons des cycles aromatiques auront des déplacements chimiques vers δ 7.
        En dressant les spectres de RMN d'un grand nombre de composés de structure connue, relativement simple, on a déterminé les déplacements chimiques de protons situés dans les environnements chimiques les plus variés. La table 16.4 donne les déplacements chimiques de plusieurs types de protons.

Exemple de problème 16.10   **Au moyen de la table 16.4, décrire le spectre de RMN attendu de:**

            a. CH_3COOCH_3 b. $CHCl_2C(CH_3)_2CH_2Cl$

Solution   a. **Le spectre comprendra deux pics de même aire vers δ 2,3 (pour les protons de CH_3CO-) et δ 3,6 (pour les protons de $-OCH_3$).**

            b. **Le spectre comprendra trois pics d'aires relatives 6:2:1 à δ 0,9 (les deux méthyles), δ 3,5 (les protons de $-CH_2Cl$) et à δ 5,8 (le proton de $-CHCl_2$).**

Problème 16.21   **Décrire le spectre de RMN attendu de:**

            a. CH_3COOH b. $(CH_3)_2C=CH_2$

Problème 16.22   **Un ester est supposé être $(CH_3)_3COOCH_3$ ou $CH_3COOC(CH_3)_3$. Son spectre de RMN comprend deux pics à δ 0,9 et δ 3,6 (d'aires relatives 3:1). Quel est cet ester? Quel serait le spectre de l'autre ester?**

Table 16.4	Type de proton	δ (ppm)	Type de proton	δ (ppm)
Déplacements chimiques de plusieurs types de protons (référence TMS).	$C-CH_3$	0,85 – 0,95	$-CH_2-F$	4,3 – 4,4
	$C-CH_2-C$	1,20 – 1,35	$-CH_2-Br$	3,2 –3,3
	$C-\overset{\underset{\vert}{C}}{C}H-C$	1,40 – 1,65	$CH_2=C$	4,6 – 5,0
	$CH_3-C=C$	1,6 – 1,9	$-CH=C$	5,2 – 5,7
	CH_3-Ar	2,2 – 2,5	$Ar-H$	6,6 – 8,0
	$CH_3-C=O$	2,1 – 2,6	$-C\equiv C-H$	2,4 – 2,7
	$CH_3-N\diagup$	2,1 – 3,0	$-\overset{\overset{O}{\Vert}}{C}-H$	9,5 – 9,7
	CH_3-O-	3,5 – 3,8	$-\overset{\overset{O}{\Vert}}{C}-OH$	10 – 13
	$-CH_2-Cl$	3,4 – 3,5	$R-OH$	0,5 – 5,5
	$-CHCl_2$	5,8 – 5,9	$Ar-OH$	4 – 8

Beaucoup de composés donnent des spectres plus complexes que ceux de simples pics (appelés **singulets**) pour chaque type de proton. Examinons donc quelques-uns de ces spectres plus complexes pour tenter d'en tirer quelque nouvelle information d'ordre structural.

16.16d Couplage spin-spin La figure 16.9 donne le spectre de RMN de l'éther diéthylique $CH_3CH_2OCH_2CH_3$. La table 16.4 nous indique que deux signaux d'aires relatives 6:4 sont attendus vers δ 0,9 pour les six protons équivalents des CH_3 et vers δ 3,5 pour les quatre protons équivalents des CH_2 adjacents à un atome d'oxygène. La figure 16.9 montre bien des absorptions dans ces régions avec, pour les pics, les aires totales attendues. Mais il ne s'agit plus de singulets! Le signal des méthyles est divisé en trois pics, un **triplet**, dont les aires relatives sont 1:2:1, tandis que le signal des méthylènes est divisé en quatre pics, un **quartet**, d'aires relatives 1:3:3:1. Ces **couplages spin-spin**, comme on les appelle, nous en disent beaucoup quant à la structure moléculaire. En voici l'explication.

On sait que, dans la molécule, chaque proton se comporte comme un petit aimant. Quand on dresse un spectre de RMN, chaque proton "sent", non seulement le très puissant champ magnétique appliqué, mais aussi le très faible champ dû aux protons voisins. Quand on enregistre un signal, les protons des carbones voisins peuvent être, soit dans l'état énergétique de spin le plus bas, soit dans l'état de spin le plus élevé, et ce avec une égale probabilité (on a vu en effet, que la différence énergétique entre ces deux états est extrêmement faible). Le champ magnétique auquel sont soumis les protons dont on enregistre les pics est donc légèrement perturbé par les très faibles champs dus aux protons du voisinage.

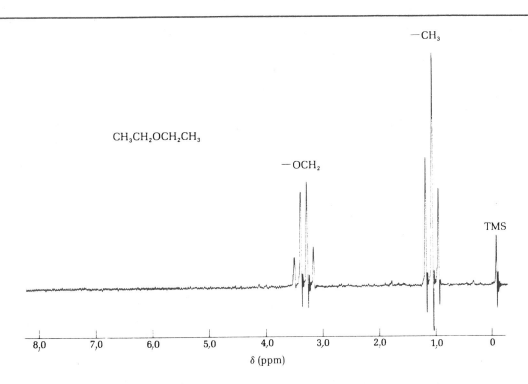

Figure 16.9 Spectre de RMN de l'éther diéthylique montrant le couplage spin-spin.

On peut alors prévoir quelle doit être la division des pics dus à un proton en appliquant la règle dite **règle $n + 1$**: Si un proton ou un ensemble de protons équivalents a n protons voisins dont le déplacement chimique est nettement différent, son signal en RMN sera divisé en $n + 1$ pics. Dans le diéthyléther, par exemple, chaque proton de CH_3 a *deux* protons voisins (ceux du CH_2) et le signal du CH_3 est divisé en $2 + 1 = 3$ pics. De même chaque proton de CH_2 a *trois* protons voisins (ceux du CH_3) et le signal du CH_2 est divisé en $3 + 1 = 4$ pics. Examinons maintenant l'origine de cette règle et pourquoi les aires des différents pics des signaux sont celles indiquées plus haut.

Si, au moment où l'on enregistre son signal, un proton H_a a *un* proton voisin non équivalent H_b, ce dernier peut être dans l'un ou l'autre des états de spin. Les possibilités étant pratiquement égales, le signal de H_a sera divisé en deux pics égaux, c'est-à-dire qu'il sera un **doublet**.

Si un proton H_a a *deux* protons voisins équivalents H_b, quand on enregistre son signal, il y a trois possibilités pour les deux protons H_b: tous deux peuvent être dans l'état énergétique bas ou tous deux dans l'état énergétique élevé, ou un dans chaque état et, dans ce dernier cas, de deux manières:

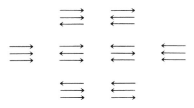

tous deux alignés   l'un sur et l'autre   tous deux alignés
sur le champ   contre le champ   contre le champ

Le signal de H_a sera donc un **triplet** d'aires relatives 1:2:1.

Exemple de problème 16.11   Pourquoi le signal d'un proton H_a, qui a *trois* protons voisins équivalents, est-il un quartet d'aires relatives 1:3:3:1?

Solution   Les possibilités des états de spin des trois protons H_b sont:

d'où le signal de H_a: quatre pics d'aires relatives 1:3:3:1.

Problème 16.23   Quel sera le spectre de RMN de CH_3CHCl_2? Donner approximativement les déplacements chimiques et le type de signal des divers protons.

On dit que des protons dont les signaux sont dédoublés l'un par l'autre sont **couplés**. On appelle **constante de couplage** (J) le nombre de hertz qui séparent les pics. La table 16.5 en donne quelques-unes.

Notons que le couplage spin-spin diminue vite quand la distance entre les deux protons augmente. Alors qu'il est appréciable pour deux protons liés à deux carbones adjacents (J = 6-8 Hz), il est à peine perceptible (J = 0-1 Hz) pour des protons plus éloignés. La table 16.5 montre que de tels couplages peuvent être utilisés pour distinguer entre isomères *cis-trans* ou entre les positions de substituants sur un cycle benzénique.

Deux protons chimiquement équivalents ne se dédoublent pas l'un l'autre. Par exemple, le spectre de RMN de $BrCH_2CH_2Br$ ne comporte qu'un singulet. Bien que liés à deux carbones adjacents, les protons ne se dédoublent pas, parce qu'ils ont les mêmes déplacements chimiques. C'est aussi le cas des protons équivalents attachés à un même atome de carbone.

Problème 16.24   Décrire les spectres de RMN de:
          a. $BrCH_2CH_2Cl$ b. $ClCH_2CH_2Cl$

Table 16.5	Groupe	J (Hz)	Groupe	J (Hz)
Quelques constantes de couplage	$-\overset{\mid}{\underset{H}{C}}-\overset{\mid}{\underset{H}{C}}-$	6–8	(cycle aromatique avec H)	*ortho*: 6–10 *méta*: 1–3 *para*: 0–1
	$-\overset{\mid}{\underset{H}{C}}-\overset{\mid}{C}-\overset{\mid}{\underset{H}{C}}-$	0–1	$\overset{H}{\underset{H}{}}C=C\overset{R_1}{\underset{R_2}{}}$	0–3
	$\overset{H}{\underset{R_1}{}}C=C\overset{R_2}{\underset{H}{}}$	12–18	$\overset{H}{\underset{R_1}{}}C=C\overset{H}{\underset{R_2}{}}$	6–12

Figure 16.10

Spectre de résonance magnétique protonique du phénol. On notera la complexité du signal des protons "aromatiques" à δ 6,6-7,4.

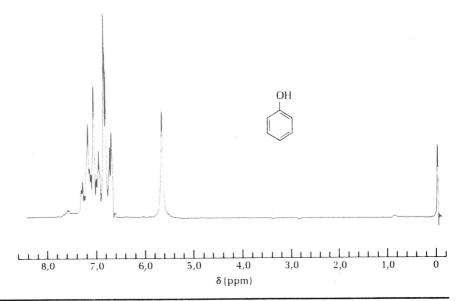

Les spectres de RMN sont parfois très complexes. C'est le cas lorsque des protons liés à des atomes adjacents ont des déplacements chimiques peu différents (mais néanmoins différents). Exemple: le spectre du phénol (figure 16.10). On distingue aisément les protons "aromatiques" (δ 6.6-7,4) et celui de l'hydroxyle (δ 5,85); mais on ne peut analyser avec la simple "règle $n + 1$" le multiplet complexe dû aux protons "aromatiques". Il faut pour cela faire appel à l'ordinateur.

Bref, la spectroscopie de RMN du proton pourra donner les types de renseignements suivants:

1. Le nombre de signaux et leurs déplacements chimiques permettront d'identifier les types de protons chimiquement différents de la molécule.
2. L'aire des pics dira combien il y a de protons de chaque type dans la molécule.
3. L'examen du signal de chaque proton et notamment des couplages spin-spin renseignera sur le nombre et les types de protons les plus proches de lui.

16.16e Spectroscopie de RMN du ^{13}C Tandis que la spectroscopie de RMN du proton nous renseigne sur la disposition des protons d'une molécule, la spectroscopie de RMN du ^{13}C va nous donner des informations sur son squelette carboné. Le ^{12}C n'a pas de spin nucléaire, mais son isotope, le carbone-13, en a un. Par contre, ce ^{13}C ne constitue que 1,1 % du carbone naturel et la différence énergétique entre ses états de spin haut et bas est très faible. Les spectromètres de RMN du ^{13}C doivent donc être extrêmement sensibles, beaucoup plus que les spectromètres standard du proton. Ils sont maintenant sur le marché et sont devenus récemment d'un usage routinier.

Les spectres du ^{13}C diffèrent quelque peu de ceux du proton, ses déplacements chimiques apparaissant notamment dans une zone plus étendue. On utilise le même composé de référence, le TMS, dont les carbones des méthyles sont équivalents, et qui donne un signal aigu. On exprime aussi les déplacements chimiques des ^{13}C en unités δ, mais de 0 à 200 ppm, vers les champs faibles par rapport au TMS, (alors que, pour la plupart des protons, l'échelle va de 0 à 10 ppm). A cause de cette étendue des déplacements chimiques du ^{13}C, ses spectres sont plus simples que ceux du proton.

Par suite notamment de la faible abondance naturelle du ^{13}C, l' aire d'un pic ne donne pas une mesure précise du nombre de carbones responsables de ce pic et la mesure de cette aire ne présente pas grand intérêt.

Une autre conséquence de la faible abondance naturelle du ^{13}C, c'est que la chance de trouver deux ^{13}C adjacents dans la même molécule est très petite et le plus souvent, les couplages spin-spin entre eux n'apparaissent pas, ce qui simplifie les spectres. Par contre, des couplages spin-spin ^{13}C—^1H peuvent apparaître; mais on peut dresser ces spectres en les enregistrant ou, au contraire, sans les enregistrer. Ainsi, la figure 16.11 donne le spectre du ^{13}C du 2-butanol enregistré avec et sans les couplages ^{13}C—^1H. Le second montre quatre singulets aigus, dus chacun à un atome de carbone. Le carbone porteur de l'hydroxyle apparaît à plus bas champ (δ 69,3) et les carbones des méthyles sont bien séparés (δ 10,8 et 22,9). Par contre, le premier spectre avec les couplages ^{13}C—^1H voit la "règle $n + 1$" s'appliquer. Les signaux des méthyles sont alors deux quartets (trois H, donc $n + 1 = 4$), le carbone du CH_2 est un triplet et celui du CH un doublet.

Exemple de Problème 16.12 Décrire le spectre du ^{13}C de CH_3CH_2OH.

Solution Le spectre sans les couplages ^{13}C—^1H consiste en deux pics: δ 18,2 et 57,8. Mais, dans le spectre avec les couplages, le signal à δ 18,2 est un quartet et l'autre à 57,8 est un triplet.

Problème 16.25 Décrire l'essentiel du spectre du ^{13}C de $CH_3CH_2CH_2OH$.

Figure 16.11
Spectres de RMN du ^{13}C du 2-butanol sans les couplages ^{13}C—H (en bas) et avec ces couplages (en haut). Les valeurs de δ sont indiquées dans le spectre du bas.

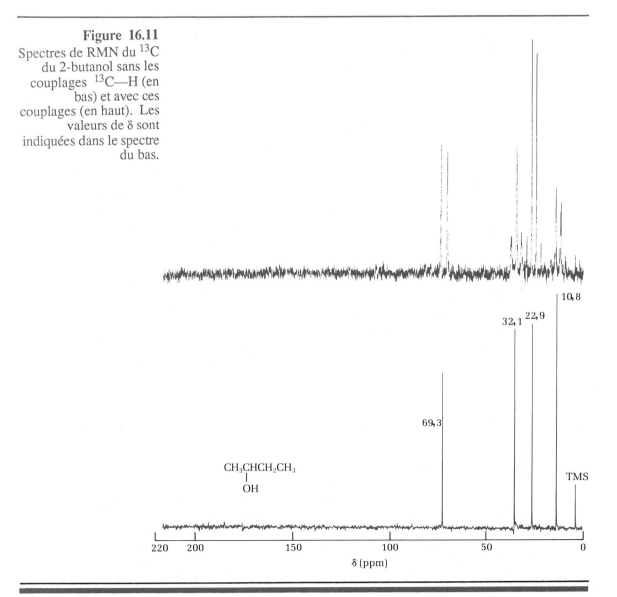

En combinant les spectroscopies de RMN de ^1H et de ^{13}C, on dispose d'un puissant moyen de détermination des structures organiques.

16.17 Spectroscopie de masse

Contrairement aux autres types de spectres étudiés dans le présent chapitre, les spectres de masse ne sont pas dus à l'excitation d'une molécule d'un état énergétique à un autre. Néanmoins on les obtient facilement et on les utilise systématiquement pour la détermination des structures.

Le spectrographe de masse est un appareil qui convertit les molécules en ions, classe ces ions selon les rapports de leur masse à leur charge (m/e) et précise les quantités relatives de chaque ion présent. On introduit un petit échantillon de la substance dont on veut faire le spectre de masse dans une enceinte à haut vide, où elle est vaporisée et soumise à un bombardement par un faisceau d'électrons de haute énergie. Un électron est ainsi arraché à la molécule M qui devient un **ion moléculaire** $M^{+\cdot}$ (parfois appelé **ion parent**).

$$M + e^- \rightarrow M^{+\cdot} + 2 e^- \tag{16.33}$$

Ainsi, le méthanol donne un ion moléculaire $m/e = 32$ de la manière suivante:

$$e^- + CH_3\ddot{O}H \rightarrow [CH_3\dot{O}H]^+ + 2 e^- \tag{16.34}$$
ion moléculaire

Le faisceau de ces ions est alors envoyé entre les pôles d'un puissant aimant qui le fait dévier. L'importance de la déviation dépend de la masse de l'ion et, puisque la masse de M^+ est essentiellement celle de la molécule M (la masse de l'électron éjecté étant infime comparée à celle du reste de la molécule), le spectrographe de masse permet d'abord de déterminer les masses moléculaires. De plus, les appareils à haute résolution peuvent mesurer la masse d'un ion parent avec beaucoup de précision (jusqu'à quatre décimales) et permettent ainsi de déduire les formules moléculaires. Par exemple, si la masse moléculaire du monoxyde de carbone, de l'azote et de l'éthylène est approximativement de 28, les masses moléculaires précises sont légèrement différentes et peuvent être distinguées avec un appareil à haute résolution.

CO	N_2	$CH_2=CH_2$
$^{12}C = 12,0000$	$^{14}N = 14,0031$	$2 \times {}^{12}C = 24,0000$
$^{16}O = \underline{15,9949}$	$^{14}N = \underline{14,0031}$	$4 \times {}^1H = \underline{4,0312}$
$M^+ = 27,9949$	$M^+ = 28,0062$	$M^+ = 28,0312$

Si les électrons de bombardement ont suffisamment d'énergie, ils produiront non seulement des ions moléculaires, mais aussi des **ions fragments,** nés de la rupture de ces derniers. En effet, ces ions moléculaires sont brisés en fragments plus petits, dont certains sont ionisés et sont déviés par le spectrographe selon leurs rapports m/e. Ainsi, on constate dans le spectre de masse du méthanol un pic important M^+-1 à $m/e = 31$. Ce pic vient de la perte d'un atome d'hydrogène par l'ion moléculaire.

$$\underset{m/e=32}{H-\overset{\overset{\displaystyle H}{|}}{\underset{\underset{\displaystyle H}{|}}{C}}-\ddot{O}-H} \longrightarrow \underset{m/e=31}{H-\overset{\overset{\displaystyle +}{}}{\underset{\underset{\displaystyle H}{|}}{C}}=\overset{+}{\ddot{O}}-H} + H\cdot \tag{16.35}$$

Dans l'ion fragment, on reconnaîtra le formaldéhyde protoné, un carbocation stabilisé (comparer avec l'équation 9.4).

C'est pourquoi un spectre de masse est constitué d'une série de signaux d'intensités (ou d'**abondance relative**) variées aux différents rapports m/e. Pratiquement, la plupart des ions sont simplement chargés ($e = 1$) si bien qu'on peut aisément obtenir leurs masses. La figure 16.12 montre un spectre de masse tel que le donne l'ordinateur du spectrographe de masse. C'est celui d'une cétone, la 4-octanone. Remarquons le pic à $m/e = 128$. C'est le pic dont la masse est la plus élevée, et il correspond à la masse moléculaire de la cétone. On constate aussi d'autres pics importants dus à des ions fragments, notamment à $m/e = 43$, le plus intense, qu'on appelle le **pic de base**. Les pic à $m/e = 85$ et à $m/e = 71$ correspondent respectivement à $C_4H_9CO^+$ et $C_3H_7CO^+$.et suggèrent une fragmentation facile de l'ion moléculaire par rupture d'une liaison C—C adjacente au groupe carbonyle. D'une manière générale, la fragmentation de ces ions dépend de leur structure et son interprétation peut apporter des informations importantes sur la structure moléculaire.

Exemple de problème 16.13   Le pic le plus intense (*le pic de base*) du spectre donné dans la figure 16.12 est à $m/e = 43$. Suggérer une explication de son origine.

Solution   **Ce pic correspond au rapport m/e du carbocation $C_3H_7^+$; il suggère que l'ion fragment $C_3H_7CO^+$ perd du monoxyde de carbone pour donner $C_3H_7^+$. Cette interprétation s'appuie sur la présence dans le spectre d'un autre pic intense à $m/e = 57$ formé vraisemblablement selon un processus analogue à partir de l'ion fragment $C_4H_9CO^+$. On peut résumer cela de la manière suivante:**

$$C_8H_{16}O^+ \quad \overset{-C_3H_7{}^{\cdot}}{\longrightarrow} \quad \underset{(85)}{C_4H_9CO^+} \quad \overset{-CO}{\longrightarrow} \quad \underset{(57)}{C_4H_9{}^+}$$

$$M^+\,(128) \quad \overset{-C_4H_9{}^{\cdot}}{\longrightarrow} \quad \underset{(71)}{C_3H_7CO^+} \quad \overset{-CO}{\longrightarrow} \quad \underset{(43)}{C_3H_7{}^+}$$

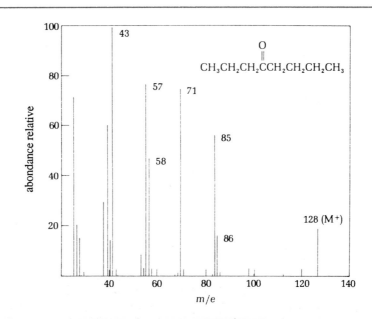

Figure 16.12
Spectre de masse de la
4-octanone.

Dans les laboratoires de recherche, on utilise maintenant de manière routinière les quatre types de spectrométrie décrits dans le présent chapitre. Avec les spectromètres modernes, chaque type de spectre, y compris la préparation de l'échantillon, ne nécessite souvent que quelques minutes, en tout cas pas plus d'une heure. L'interprétation du spectre peut être plus longue, mais actuellement les chercheurs expérimentés sont capables de déduire rapidement de leurs seuls spectres la structure de molécules même complexes.

Résumé du chapitre

A. Polymères

Les polymères sont des macromolécules constituées à partir de molécules plus petites appelées monomères. On appelle polymérisation le processus qui leur donne naissance. Les homopolymères sont obtenus à partir d'un seul monomère, tandis que les copolymères le sont à partir de deux ou plus de deux monomères. Selon la façon dont les unités du monomère s'assemblent, les polymères peuvent être linéaires, ramifiés ou liés par pontage moléculaire. Ces détails de structure ont leur influence sur leurs propriétés.

Les polymères d'addition, c'est-à-dire ceux qui sont formés par polymérisation en chaîne, se développent (on dit qu'il y a propagation de chaîne) par additions successives à la chaîne en formation d'une unité du monomère à la fois. La réaction nécessite une initiation (un amorçage) donnant naissance à un type d'intermédiaire réactif, qui peut être un radical libre, un cation ou un anion. Cet intermédiaire se fixe à une molécule du monomère en donnant un nouvel intermédiaire qui réagit à son tour, le processus se poursuivant jusqu'à ce que survienne une autre réaction qui met fin à la polymérisation (on dit qu'il y a terminaison de chaîne). Le polystyrène est un polymère formé typiquement dans une polymérisation radicalaire d'addition.

La polymérisation d'un composé vinylique substitué peut engendrer des centres chiraux. Dans cette optique, on classe les polymères en atactiques, isotactiques et syndiotactiques selon que, tout au long de la chaîne, la configuration des centres chiraux est ou bien fixée par le hasard, ou bien la même pour tous, ou bien alternée. Avec les catalyseurs de Ziegler-Natta tels que le mélange de trialkylaluminium et de tétrachlorure de titane, on peut obtenir des polymères stéréoréguliers, tandis qu'avec les catalyseurs de réactions radicalaires on obtient ordinairement des polymères stéréoirréguliers.

Les polymères de condensation, c'est-à-dire ceux qui sont formés par croissance par étapes sont le plus souvent les produits d'une réaction entre deux monomères, tous deux au moins difonctionnels. C'est le cas des polyesters et des polyamides. Leur formation met en jeu des étapes diverses plutôt que la fixation d'une unité du monomère à la fois.

B. Produits pharmaceutiques

On peut classer les médicaments en fonction de leur activité biologique. Souvent des substances de structures très différentes peuvent être efficaces contre la même maladie.

Les antibiotiques ont la propriété de détruire des bactéries ou de stopper leur croissance. Les plus utilisés sont les sulfamides (par exemple le sulfanilamide). En général plus efficaces, on cite aussi les pénicillines et les céphalosporines, toutes des β-lactames (amides cycliques de cycle tétraatomique). D'autres antibiotiques importants sont les tétracyclines, l'érythromycine, la streptomycine et le chloramphénicol.

Parmi les médicaments affectant le système nerveux central, on cite, parmi d'autres, les tranquillisants (Valium, Librium), les hypnotiques et les inducteurs de sommeil (barbituriques) et les stimulants (caféine, amphétamines).

Les médicaments dits "cardiovasculaires" sont utilisés dans le traitement de diverses maladies du cœur. Ce sont les antihypertenseurs (L-méthyldopa), les diurétiques (hydrochlorothiazide, triamstérène, furosémide), les vaso-dilatateurs (nitroglycérine) et les antiarythmiques (digoxine et propranolol).

Parmi les autres produits pharmaceutiques importants, il faut noter les stéroïdes (hormones sexuelles, contraceptifs, antiinflammatoires, diurétiques, etc.), les analgésiques comme l'aspirine, des antihistaminiques, comme la diphenhydramine, utilisés dans le traitement des allergies, des agents antiviraux comme l'amantidine et l'idoxuridine, et des agents anticancéreux comme le *cis*-platine, le fluorouracile, la doxorubicine.

C. Spectroscopies

Les spectres infrarouges (IR) indiquent d'abord les types de liaisons présentes dans les molécules; c'est notamment le domaine des groupes fonctionnels (1.500-5.000 cm^{-1}) qui est ici révélateur. Ils permettent également de dire si deux substances sont identiques ou différentes, par la simple comparaison des domaines des "empreintes digitales" (700-1.500 cm^{-1}) de la molécule.

L'intérêt des spectres ultraviolets (UV) réside surtout dans la détection des systèmes conjugués.

La spectroscopie de résonance magnétique nucléaire (RMN) est la méthode la plus puissante de détermination des structures. Elle met à profit l'excitation de noyaux atomiques des molécules, d'un état énergétique de spin inférieur à un état de spin supérieur, lorsqu'elles se trouvent entre les pôles d'un aimant très puissant. En chimie organique, les noyaux atomiques les plus importants sont ^{1}H et ^{13}C.

Les protons situés dans des environnements chimiques différents ont des déplacements chimiques différents; ceux-ci sont mesurés en unités δ par rapport à un pic de référence, celui du tétraméthylsilane (TMS, $(CH_3)_4Si$). L'aire d'un pic (ou signal) est proportionnelle au nombre de protons qui lui donnent naissance. Le signal de tout proton peut apparaître plus ou moins divisé (couplage spin-spin) selon le nombre de protons de son proche voisinage. Un spectre de RMN donne au moins trois types d'information d'ordre structural: (1) le nombre de signaux et leurs déplacements chimiques permettent d'identifier les types de protons chimiquement différents de la molécule; (2) l'aire des pics indique le nombre de protons de chaque type présents dans la molécule; (3) la division de chacun des pics dus à un (ou des) proton(s) (les couplages spin-spin) renseigne sur le nombre de protons de son (ou leur) voisinage.

La RMN du ^{13}C indique le nombre d'atomes de carbone de "types" différents présents dans la molécule et les couplages ^{1}H—^{13}C permettent d'identifier certains carbones.

On utilise les spectres de masse pour déterminer les masses moléculaires et la composition moléculaire des composés organiques (à partir de l'ion moléculaire ou ion parent) et pour obtenir des informations d'ordre structural (à partir de la fragmentation de l'ion moléculaire en ions fragments).

PROBLEMES SUPPLEMENTAIRES

A. Polymères

16.26 Définir les termes suivants:

a. homopolymère
b. copolymère
c. degré de polymérisation
d. polymère ponté
e. thermoplastique
f. thermodurcissable
g. isotactique
h. atactique
i. uréthane
j. transfert de chaîne

16.27 Quel est le degré de polymérisation d'un copolymère 1:1 de 1,3-butadiène et de styrène de masse moléculaire moyenne de 79.000?

16.28 Ecrire toutes les étapes de la polymérisation radicalaire par croissance en chaîne du chlorure de vinyle.

16.29 Ecrire la structure d'un segment de chaîne d'alcool polyvinylique. On ne peut préparer ce polymère en polymérisant son monomère. Pourquoi? On l'obtient d'habitude à partir d'acétate de polyvinyle. Comment?

16.30 On peut polymériser le propylène en utilisant un initiateur de radicaux libres, mais ainsi obtenu, le polymère a une masse moléculaire peu élevée parce que le transfert de chaîne à partir du méthyle du propylène gêne l'allongement des chaînes. Expliquer pourquoi ce transfert de chaîne a lieu si facilement.

16.31 La réaction entre radicaux est un processus de terminaison de chaîne de la polymérisation radicalaire par croissance en chaîne, mais une telle terminaison de chaîne est impossible dans la polymérisation ionique par croissance en chaîne. Pourquoi? Quelle pourrait être la terminaison de chaîne de cette dernière polymérisation?

16.32 Dans le problème 16.3 (p. 498), la polymérisation du méthacrylate de méthyle catalysée par le butyllithium est conduite à $-78°C$. Quelle autre réaction aurait lieu si l'on opérait à la température ordinaire?

16.33 Ecrire un segment de chaîne de polystyrène isotactique.

16.34 Par une polymérisation anionique par croissance en chaîne, on peut convertir l'oxyde de propylène en un polyéther. Donner la structure de ce polymère et dire comment il se forme.

16.35 Expliquer la différence de structure du polyéthylène obtenu par une polymérisation radicalaire et par une polymérisation de Ziegler-Natta.

16.36 Ecrire l'unité monomère du polymère résultant des polymérisations par croissance en chaîne suivantes:

a. $Cl-\overset{O}{\overset{\|}{C}}(CH_2)_6\overset{O}{\overset{\|}{C}}-Cl + H_2N(CH_2)_6NH_2 \longrightarrow$

b. 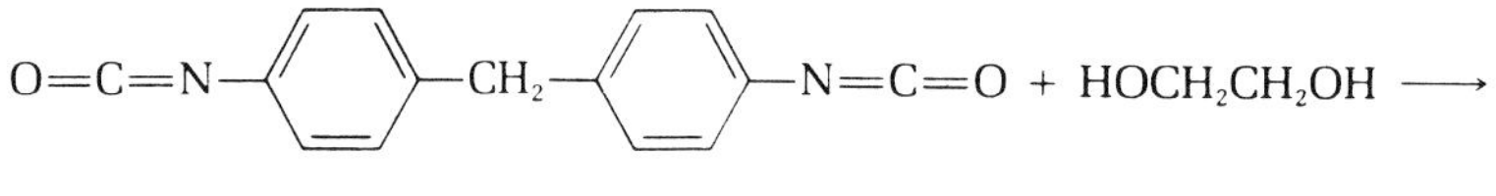 $O=C=N-\langle\bigcirc\rangle-CH_2-\langle\bigcirc\rangle-N=C=O + HOCH_2CH_2OH \longrightarrow$

c. $CH_3O\overset{O}{\overset{\|}{C}}(CH_2)_4\overset{O}{\overset{\|}{C}}OCH_3 + HOCH_2CH_2OH \xrightarrow{H^+}$

16.37 Le **Lexan** est un polycarbonate dur dont on fait des articles moulés. On l'obtient à partir du carbonate diphénylique et du bis-phénol A. Quelle est la structure de l'unité monomère?

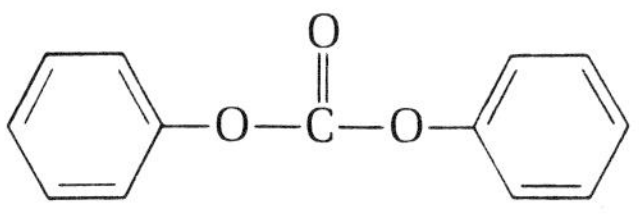

carbonate diphénylique

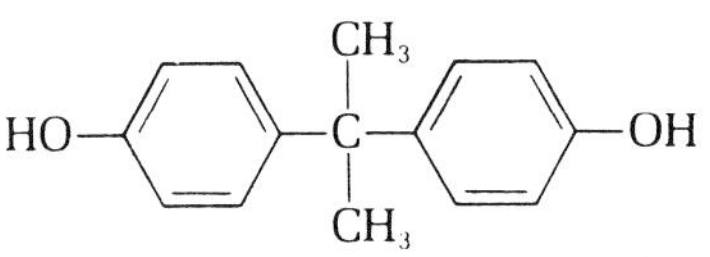

bis-phénol A

16.38 Le formaldéhyde se polymérise en solution aqueuse en donnant le paraformaldéhyde $HO-(CH_2O)_n-H$. Bien que les masses moléculaires obtenues soient élevées, le polymère se "dépolymérise" facilement. Cependant, traité par de l'anhydride acétique, il donne un matériau important (un polymère appelé **Delrin**) qui ne se dépolymérise plus. De quelles réactions s'agit-il?

16.39 A l'aide de l'équation 16.24, écrire la formule du polymère attendu de la réaction du formaldéhyde avec le *p*-crésol (*p*-méthylphénol). Sera-t-il ponté? Expliquer.

B. Produits pharmaceutiques

16.40 Le prontosil (équation 16.26), qui conduisit à la découverte des sulfamides, est un colorant azoïque obtenu par une réaction de couplage diazoïque (paragraphe 12.14) partant d'acide *p*-aminobenzènesulfonique. Ecrire les équations correspondantes.

16.41 La première étape de la synthèse d'un sulfamide (équation 16.27) met en jeu une substitution aromatique électrophile. En écrire le mécanisme.

16.42 La deuxième étape de la synthèse d'un sulfamide (équation 16.27) met en jeu la réaction d'un chlorure de sulfonyle avec une amine ou de l'ammoniac. La réaction est analogue à l'acylation des amines (paragraphe 12.10). Ecrire le mécanisme de cette étape.

16.43 Quel est le mécanisme de la dernière étape de la synthèse d'un sulfamide (équation 16.27)?

16.44 Quels sont les centres chiraux de la benzylpénicilline (p. 507)? Préciser la configuration R/S de chacun d'eux.

16.45 L'hydrolyse douce de la streptomycine (p. 508) donne deux sucres et un dérivé cyclohexanique. Quelle est leur structure?

16.46 Combien y-a-t-il de stéréoisomères possibles de l'antibiotique qu'est le chloramphénicol (p.508) ? En donner les structures.

16.47 On peut synthétiser l'amitriptyline (p.509), un tranquillisant, de la manière suivante:

En déduire la structure de **A** et de **B**.

16.48 La première étape de la synthèse du furosémide (équation 16.30) met en jeu une substitution aromatique électrophile. Interpréter la position prise par le groupe chlorosulfonyle.

16.49 Considérant la synthèse du propranolol (équation 16.31), dire quel est le type de réaction mise en jeu dans la première étape et interpréter le sens de l'ouverture du cycle époxydique de la deuxième étape.

16.50 Considérant la synthèse de la diphenhydramine (équation 16.32), donner le mécanisme de la première étape. On pense que celui de la deuxième étape est une substitution S_N1. En écrire les étapes et expliquer pourquoi le carbocation intermédiaire est si facilement formé.

C. Spectroscopies

16.51 Exprimer en mètres les longueurs d'onde des radiations mises en jeu en spectrométrie IR, en spectrométrie en lumière visible, en spectrométrie UV. Exprimer en nombres d'ondes (par cm) les fréquences correspondantes. Laquelle de ces spectroscopies correspond aux transitions de plus basse énergie? de plus haute énergie?

16.52 La fréquence de la vibration d'élongation C—H est voisine de 3.000 cm^{-1}. La bande C—D correspondante doit-elle être une bande d'absorption à plus haute ou à plus basse fréquence ou rester la même?

16.53 Le spectre IR d'un composé C_3H_6O ne présente pas de bande vers 3.500 et 1.720 cm-1. Quelles structures peut-on éliminer? Suggérer une structure possible et dire comment on peut s'assurer de son exactitude.

16.54 Le spectre IR d'une solution très diluée d'éthanol dans du tétrachlorure de carbone montre une bande étroite à 3.580 cm^{-1}. En concentrant la solution, une nouvelle bande assez large apparaît à 3.250-3.350 cm^{-1} alors que la bande étroite peut même disparaître. Expliquer (suggestion: revoir le paragraphe 7.5).

16.55 Pour chacune des paires de composés suivants, donner au moins une bande importante du spectre IR de l'un qui doit permettre de le différencier de l'autre.

a.
$$\overset{O}{\overset{\|}{CH_3CH_2CCH_2CH_3}} \quad et \quad CH_3CH_2OCH_2CH_3$$

b. CH$_3$ et   CH$_3$

c. $CH_3CH_2OCH_2CH_3$ et $CH_3CH_2CH_2CH_2OH$

d.
$$\overset{O}{\overset{\|}{CH_3CH_2CH}} \quad et \quad \overset{O}{\overset{\|}{CH_3CH_2C}}\text{—OH}$$

16.56 Le spectre IR d'un composé $C_5H_{10}O$ donne une bande intense à 1.725 cm^{-1}. Son spectre de RMN donne un quartet $\delta\,2,7$ et un triplet $\delta\,0,9$ d'aires relatives 2:3. Quelle est sa structure?

16.57 Quelles similitudes et quelles différences doit-on trouver dans les spectres IR des deux composés suivants: $CH_3COCH_2CH_2CH_2OH$ et $CH_3CH_2COCH_2CH_2OH$?

16.58 Lesquels des composés suivants ne devraient pas absorber la lumière UV entre 200 et 400 nm?

a. CH_3CH_2OH b.   c.

d.   e. $CH_3CH_2OCH_2CH_3$ f. $CH_2{=}CHCH_2CH_2CH{=}CH_2$

16.59 Le composé $CH_3COCH_2COCH_3$ est en équilibre avec son tautomère. Ses solutions montrent une forte absorption UV λ_{max} 272 nm. Quelle est la structure de ce tautomère? Le spectre IR pourrait-il la confirmer?

16.60 Les aldéhydes non saturés $CH_3(CH{=}CH)_nCH{=}O$ ont des spectres UV dont les maxima d'absorption UV (λ_{max} 220, 270, 312 et 343 nm quand n change de 1 à 4) dépendent de la valeur de n. Expliquer.

16.61 On suppose qu'un échantillon de cyclohexane, préparé par hydrogénation catalytique du benzène, est souillé de ce dernier. Sachant qu' à la longueur d'onde $\lambda = 255$ nm le coefficient d'extinction moléculaire du benzène est $\varepsilon = 215$, alors que celui du cyclohexane est nul, et qu'un spectre UV du cyclohexane contaminé, obtenu dans une cellule de 1,0 cm, montre une densité optique $D = 0,43$ à 255 nm, calculer la concentration du benzène dans le cyclohexane.

16.62 Donner la structure d'un composé de chacune des formules moléculaires suivantes dont le spectre de RMN du proton ne montre qu'un seul pic.

a. C_6H_{12} **b.** $C_3H_6Cl_2$ **c.** C_4H_6

d. $C_{12}H_{18}$ **e.** C_2H_6O **f.** C_5H_{12}

16.63 Le spectre de RMN du proton d'un composé C_4H_9Br ne comprend qu'un seul pic aigu. Quelle est sa structure? Le spectre d'un isomère de ce composé comprend un doublet à δ 3,2, un multiplet à δ 1,9 et un doublet à δ 0,9 d'aires relatives 2:1:6. Quelle est sa structure?

16.64 Comment distinguer les constituants des paires d'isomères suivants par spectroscopie de RMN du proton?

a. CH_3CCl_3 et $CH_2ClCHCl_2$

b. $CH_3CH_2CH_2OH$ et $(CH_3)_2CHOH$

c. $CH_3CH_2COOCH_3$ et $CH_3COOCH_2CH_3$

d. $C_6H_5-CH_2-CH=O$ et $C_6H_5-CO-CH_3$

16.65 Combien y a-il de types de protons chimiquement différents dans les composés suivants:

a. $(CH_3)_2CHCH_2CH_3$ **b.** $(CH_3)_2NCH_2CH_3$

c.

d. CH_3CH_2OH

16.66 Le spectre de RMN du proton du cyclohexane ne comprend qu'un seul pic à la température ordinaire. Mais à très basse température, il comprend deux ensembles de pics d'aires égales. Expliquer.

16.67 Le spectre de RMN du *p*-toluate de méthyle comprend un singulet à δ 2,35, un singulet à δ 3,82 et deux doublets à δ 7,15 et δ 7,87, d'aires relatives 3:3:2:2. Quelle est sa structure et quels sont les protons responsables de ces différents pics? (Utiliser la table 16.4).

16.68 A l'aide de la table 16.4, prévoir le spectre approximatif de RMN du proton, avec les couplages attendus, de chacun des composés suivants:

a. CH_3CHO **b.** $(CH_3)_2CHOCH(CH_3)_2$

c. $Cl_2C=CH(CH_3)$ **d.**

16.69 Le spectre IR d'un composé $C_5H_{10}O_3$ a une forte bande à 1745 cm^{-1}. Son spectre de RMN du proton présente un quartet à δ 4.15 et un triplet à δ 1,20 d'aires relatives 2:3. Quelle est sa structure?

16.70 Le spectre de RMN du proton d'un composé $C_3H_3Cl_5$ consiste en un triplet à δ 4,5 et un doublet à δ 6,0 (J = 7 Hz) d'aires relatives 1:2. Quelle est sa structure?

16.71 Esquisser le spectre de résonance magnétique protonique du répulsif d'insectes "Off" (N, N-diéthyl-m-toluamide).

16.72 On dispose d'un dérivé méthylé (sur le cycle) du benzoate de méthyle, dont on ignore la géométrie *ortho*, *méta* ou *para*. Mais son spectre de RMN du ^{13}C montre sept pics. Quel est cet isomère? Comment serait le spectre de RMN du proton?

16.73 Le spectre de masse d'un hydrocarbure montre un pic moléculaire à m/e = 102. Son spectre de RMN du proton montre des pics à δ 2,7 et δ 7,4, d'aires relatives 1:5. Quelle en est la structure correcte?

16.74 Ecrire une formule de l'ion moléculaire de l'éthanol.

16.75 Le spectre de masse du 1-pentanol montre un ion fragment intense à m/e = 31. Expliquer la formation de ce pic.

16.76 Le spectre de masse d'un alcool $C_5H_{12}O$ montre le pic d'un ion fragment à m/e =59, alors que le spectre d'un alcool isomère ne comprend pas ce pic mais un autre à m/e =45. Suggérer des structures possibles de ces isomères. Comment les confirmer par spectroscopie de RMN du proton? par spectroscopie de RMN du ^{13}C?

Index

A

B

E

Dépôt légal
Septembre 1991
Imprimerie Jean Lamour, 54320 Maxéville
Imprimé en France